OURAGAN
SUR LE " CAINE "

HERMAN WOUK

OURAGAN
SUR LE "CAINE"

THE CAINE MUTINY

Traduit de l'américain
par Jean Rosenthal

UNE ÉDITION SPÉCIALE DE LAFFONT CANADA LTÉE,
EN ACCORD AVEC CALMANN-LÉVY

NOTE

Il s'agit ici d'une œuvre romanesque qui a pour cadre la seconde guerre mondiale. Les erreurs de faits abondent. Les dates, les lieux, les circonstances exactes d'opérations militaires qui se sont réellement déroulées, les noms et les missions des navires, tout cela a été déformé soit pour les nécessités du récit, soit pour éviter de révéler des renseignements encore confidentiels. Tous les personnages du récit et tous les événements situés à bord du *Caine* sont imaginaires. Toute ressemblance avec des personnages ou des événements réels est une pure coïncidence. Il n'existe ni n'a jamais existé dans la Marine de guerre américaine d'unité portant le nom de *Caine*. Les archives de la Marine ne montrent depuis trente ans aucun exemple de conseil de guerre jugeant du relèvement du commandant par son second en mer aux termes des articles 184, 185 et 186 du Décret sur le Service à Bord. Le personnage du commandant ainsi relevé a été construit à partir de descriptions cliniques de cas de psychonévroses, et à des fins romanesques; ce n'est pas le portrait d'un véritable officier de marine ayant existé. L'auteur tient à faire cette déclaration, sachant que les lecteurs n'ont que trop tendance actuellement à voir des clefs dans tous les romans. L'auteur a servi trois années durant dans la Marine à bord de destroyers dragueurs de mines sous les ordres de deux commandants différents, qui tous deux ont été décorés pour faits de guerre. A propos du style : le ton généralement obscène et blasphématoire du langage à bord n'a guère été rendu ici. Ce jargon est assez monotone et ne présente guère d'intérêt, les jurons ne marquant qu'une sorte de ponctuation du langage parlé, et il risque en outre d'incommoder certains lecteurs. Les quelques traces qu'on en trouvera dans ces pages ne représentent que ce qu'il était indispensable de ne pas supprimer.

*Ce livre est pour ma femme
avec tout mon amour.*

Extrait du Décret sur le *Service à Bord :*

Circonstances extraordinaires.

Article 184. — Des circonstances tout à fait extraordinaires peuvent se produire, qui rendent nécessaire le remplacement du commandant du navire par un de ses subordonnés, soit après qu'il ait été procédé à son arrestation, soit après qu'il ait été placé sur les cadres; mais une telle mesure ne devra jamais être prise sans l'assentiment du Secrétariat de la Marine ou de toute autre autorité supérieure qualifiée, sauf dans les cas où il est absolument impossible de se référer à une telle autorité supérieure, en raison des délais qu'impliquerait ce recours, ou pour toute autre raison évidente. Il importera en se référant à ladite autorité supérieure d'exposer les détails des faits et les raisons motivant la demande en insistant particulièrement sur le degré d'urgence.

Conditions nécessaires.

Article 185. — Pour que la conduite d'un officier subalterne agissant de sa propre initiative et relevant de sa fonction un commandant d'unité soit justifiée, il importe que la situation soit parfaitement claire et dénuée de toute équivoque et que la seule conclusion qu'on en puisse tirer soit qu'il apparaisse gravement préjudiciable à l'intérêt public que le dit commandant d'unité conserve son commandement. Cet officier subalterne devra être son successeur immédiat dans la voie hiérarchique; il devra se trouver dans l'impossibilité de se référer à l'avis d'une autorité supérieure pour l'une des raisons exposées dans l'Article 184; il devra être certain que les actions apparemment préjudiciables de son commandant ne sont pas motivées par des instructions ignorées de ses subordonnés; il devra avoir dûment réfléchi à la question et s'être livré à toutes les enquêtes que permettent les circonstances; il devra enfin être fermement convaincu que la décision de relever son supérieur ne doit être prise qu'au cas où un officier raisonnable, prudent et expérimenté la jugerait indispensable à la lumière des faits ainsi établis.

Responsabilité.

Article 186. — L'initiative hardie prise à bon escient est une qualité primordiale de l'officier et il importe de ne pas en décourager l'emploi dans des cas de cette nature. Comme, néanmoins, l'action de relever un supérieur de son commandement implique les plus graves conséquences, la décision de commettre ou de recommander cette mesure devra s'appuyer sur des faits établis par des preuves concrètes, et sur l'avis d'autres personnes propres à formuler une opinion valable, et notamment de caractère technique. Un officier relevant son commandant de ses fonctions ou demandant qu'une telle décision soit prise doit, ainsi que tous ceux qui l'ont conseillé dans cette voie, supporter la légitime responsabilité de cette attitude et être prêt à s'en justifier.

Ce ne fut évidemment pas une mutinerie comme on en voyait au temps jadis, avec sabres d'abordage, capitaine aux fers et matelots qui, de désespoir, se faisaient pirates. Après tout, cela s'est passé en 1944, dans la Marine de guerre américaine. Mais la commission d'enquête conclut que les accusés devaient être jugés pour mutinerie, et dans la Marine l'affaire fut connue sous le nom de « mutinerie du Caine ».

Le récit commence avec Willie Keith, car c'est son personnage qui sert de pivot à l'histoire, de même que la porte massive d'une chambre forte tourne sur un rouage minuscule.

PREMIÈRE PARTIE

WILLIE KEITH

CHAPITRE PREMIER

DE L'AUTRE COTÉ DU MIROIR

Il était de taille moyenne, assez beau garçon encore qu'un peu boulot, avec des cheveux roux bouclés et un visage naïf et gai dont la personnalité résidait bien plus dans la bouche et les yeux moqueurs que dans un menton volontaire ou un nez aristocratique. Il était sorti de Princeton en 1941 avec de bonnes notes dans toutes les matières, sauf en mathématiques et en sciences. Il s'était spécialisé dans la littérature comparée, mais sa carrière universitaire avait surtout consisté à jouer du piano et à composer des chansonnettes entraînantes pour les soirées ou les revues de collège.

Il donna à sa mère un baiser d'adieu sur le trottoir, presque au coin de Broadway et de la 116e rue, à New-York, par un matin froid et ensoleillé de décembre 1942. La Cadillac de la famille était garée à côté d'eux, le moteur tournant encore, mais dans un silence de bonne compagnie. Alentour se dressaient les vétustes bâtiments gris et rouge de l'Université de Columbia.

— Tu ne crois pas, dit Mrs. Keith, en souriant courageusement, que nous pourrions nous arrêter d'abord dans ce drug-store et prendre un sandwich?

Malgré les protestations de Willie, elle avait tenu à l'accompagner en voiture depuis leur maison de Manhasset jusqu'à l'école des cadets. Willie voulait prendre le train. C'était ainsi qu'il concevait un véritable départ pour la guerre; il n'avait pas envie d'être escorté par sa mère jusqu'à la porte de l'école navale. Mais, comme toujours, Mrs. Keith l'avait emporté. C'était une forte femme, énergique et avisée, aussi grande que son fils et dont les arcades sourcilières et la mâchoire en imposaient. Ce matin-là, pour convenir à l'austérité des circonstances, elle portait un manteau marron bordé de fourrure au lieu de son vison. Sous son feutre marron d'allure masculine, ses cheveux avaient le reflet roux qui s'était affirmé chez son unique enfant. C'était à peu près la seule ressemblance que l'on pût trouver entre la mère et le fils.

— La Marine me nourrira, maman. Ne t'inquiète pas.

Il l'embrassa encore une fois, jetant autour de lui des coups d'œil nerveux : il espérait qu'aucun de ses futurs compagnons n'était témoin de ces tendres épanchements. Mrs. Keith lui pressa affectueusement l'épaule.

— Je suis sûre que tu t'en tireras à merveille, Willie. Comme tu l'as toujours fait.

— Mais oui, maman, mais oui. Willie passa rapidement devant l'Ecole de Journalisme et descendit les quelques marches qui menaient à l'entrée du pavillon Furnald, ex-dortoir des étudiants en droit. Un quartier-maître grisonnant et replet avec quatre chevrons sur sa vareuse bleue se tenait sur le seuil. Il avait à la main des feuilles ronéotypées que la brise agitait. Willie se demanda s'il devait saluer et décida rapidement que ce geste n'était pas de mise quand on portait un manteau raglan marron et un petit chapeau rond. Il ne pensait plus du tout à sa mère.

— V 7 [1]? La voix du quartier-maître évoquait le bruit d'une pelletée de cailloux tombant sur du fer-blanc.

— Éh oui. Willie eut un sourire gêné. Le quartier-maître lui rendit son sourire et le jaugea rapidement d'un regard plutôt affectueux. Il tendit à Willie quatre feuilles attachées par une agrafe.

— Vous serez le premier de la nouvelle fournée. Bonne chance!

— Merci, monsieur. Pendant trois semaines, Willie allait commettre l'erreur d'appeler les quartiers-maîtres « monsieur ».

Le quartier-maître ouvrit la porte d'un geste d'invite. Willie Seward Keith, abandonnant le soleil de la rue, franchit le seuil. Il le fit sans plus de mal et sans plus de bruit qu'Alice lorsqu'elle passa de l'autre côté du miroir; et comme Alice, Willie Keith se trouva dans un monde nouveau et fort étrange.

A peine Mrs. Keith avait-elle vu Willie s'engouffrer dans le bâtiment qu'il lui vint à l'esprit qu'elle avait oublié quelque chose de fort important. Elle courut jusqu'à l'entrée du pavillon Furnald. Le quartier-maître l'arrêta au moment où elle posait la main sur le bouton de la porte. « Je suis désolé, madame. On n'entre pas.

— C'est mon fils qui vient de passer.

— Désolé, madame.

---

1. V 7 : un des douze contingents des volontaires de réserve de la Marine américaine classés de V 1 à V 12.

« — Je veux simplement le voir une seconde. Il faut que je lui parle. Il a oublié quelque chose.

— Ils sont en train de passer la visite là-dedans, madame. C'est plein d'hommes qui se promènent sans rien sur eux. »

Mrs. Keith n'avait pas l'habitude qu'on discute avec elle. Son ton se fit plus cassant. « Ne dites pas de bêtises. Il est là, juste derrière la porte. Je n'ai qu'à frapper et l'appeler. »

Elle distinguait nettement son fils, de dos, parmi un groupe de jeunes gens formant cercle autour d'un officier qui leur parlait. Le quartier-maître jeta sur la porte vitrée un regard buté. « Il a l'air occupé. »

Mrs. Keith le toisa comme elle faisait des portiers impertinents. Elle frappa au carreau de la porte avec le diamant de sa bague et appela : « Willie! Willie! » Mais son fils n'entendit pas cet appel de l'autre monde.

— Madame, fit le quartier-maître avec dans sa voix rauque un accent qui n'était pas dépourvu de bienveillance, il est dans la Marine maintenant.

Mrs. Keith rougit. « Je suis navrée. »

— Allons, allons. Vous le reverrez bientôt... samedi peut-être. »

La mère ouvrit son sac et commença à fouiller. « Vous comprenez, ...voilà, il a oublié de prendre de l'argent de poche. Il n'a pas un sou. Pourriez-vous avoir l'obligeance de lui remettre ceci?

— Mais, madame, il n'aura pas besoin d'argent. » Le quartier-maître fit maladroitement mine de feuilleter ses liasses de papier. « Il ne va pas tarder à toucher sa solde.

— Mais en attendant... supposez qu'il en ait besoin? Je le lui ai promis. Prenez cet argent, s'il vous plaît... Et, si vous voulez me faire plaisir, acceptez quelque chose pour votre peine. »

Le quartier-maître se raidit. « Il n'en est pas question. » Il secoua la tête comme un chien qui chasse les mouches et prit les billets. Il eut un nouveau sursaut. « Mais, madame... c'est cent dollars que vous me donnez là! »

Il la dévisagea. Mrs. Keith se sentit envahie d'un étrange sentiment : la honte d'être plus à l'aise que la plupart des gens. « Ce n'est pas tous les jours qu'il part pour la guerre, vous comprenez, fit-elle, sur la défensive.

— Je le lui remettrai, madame.

— Je vous remercie, dit Mrs. Keith, et elle ajouta, très vite : Excusez-moi.

— Il n'y a pas de mal. »

La mère mit, d'un sourire poli, un terme à l'entretien et s'en revint à sa Cadillac. Le quartier-maître la suivit du regard, puis jeta un coup d'œil aux deux billets de cinquante dollars qui crissaient dans sa main. « Y a pas à dire, marmonna-t-il, ça a drôlement changé dans la Marine. » Sur quoi il fourra les billets dans sa poche.

Cependant, Willie Keith, à la fine pointe de la nouvelle Marine, marchait à la guerre, laquelle, pour le moment, prenait l'aspect d'un étincelant déploiement de seringues et d'aiguilles.. Willie n'en voulait pas particulièrement à Hitler, ni même aux Japonais, bien qu'il blamât leur conduite. Sur le théâtre d'opérations où il combattait, l'ennemi n'était pas devant lui, mais derrière. Le pavillon Furnald était un sanctuaire où l'armée américaine ne pénétrait pas.

On le vaccina rapidement contre diverses maladies tropicales. Les microbes ainsi libérés se répandirent dans son courant sanguin. Son bras commença à lui faire mal. On lui ordonna de se déshabiller complètement et un robuste matelot emporta ses vêtements en tas.

— Hé, quand est-ce que je les récupérerai?

— Ça, personne le sait. On a tout l'air d'être parti pour une longue guerre, grommela le marin en écrasant le chapeau vert sous son bras. Willie suivit d'un regard anxieux son ancienne identité, qu'on allait mettre dans la naphtaline.

On le parqua en compagnie de quarante autres bipèdes au corps rose, dans une vaste salle d'examen. Des assistants pharmaciens aux yeux inquisiteurs examinèrent ses poumons, son foie, son cœur, ses yeux, ses oreilles, tous les organes dont il s'était servi depuis sa naissance; ils le tâtaient et le tripotaient comme des ménagères méfiantes qui vont acheter une dinde au marché.

— Tenez-vous bien droit. Le dernier assistant de la file l'examinait d'un regard critique. Willie se raidit. Du coin de l'œil, il avait constaté que l'autre semblait fort peu satisfait et cela le rendit nerveux.

— Penchez-vous et allez toucher vos orteils.

Willie essaya, mais des années de suralimentation lui barraient la route. Il s'en fallait de vingt bons centimètres... Il voulut appliquer la vieille méthode...

— *Sans* plier les genoux, je vous prie.

Willie se redressa, prit une grande aspiration et s'efforça de se casser en deux. Quelque chose céda du côté de sa colonne vertébrale avec un vilain craquement. Mais ce n'était pas encore ça...

— Attendez-moi. Le pharmacien s'éloigna et revint avec un lieutenant qui avait une moustache noire, des yeux gonflés et un stéthoscope. « Regardez-moi ça, docteur. »

« Ça », c'était Willie, qui se tenait aussi droit qu'il pouvait

— Est-ce qu'il peut toucher ses pieds?

— Pensez-vous, docteur. Il dépasse à peine les genoux.

— Eh, c'est qu'il a une jolie bedaine. »

Willie rentra le ventre, trop tard.

— Ce n'est pas la bedaine qui m'inquiète, dit l'assistant. Ce gaillard a le dos creux.

Les candidats alignés tout nus derrière Willie s'agitaient et parlaient entre eux.

— C'est une lordose, pas de doute.

— Alors, est-ce qu'on le réforme?

— Je ne sais pas si c'est si sérieux que ça.

— En tout cas, je ne prends pas sous mon bonnet de le déclarer « bon ». Vous pouvez le faire, si vous voulez, docteur.

Le docteur feuilleta le dossier de Willie. « Et le pouls?

— Je ne m'en suis pas encore occupé. A quoi bon s'il a une lordose? »

Le docteur prit le poignet de Willie. Derrière les poches rougeâtres, ses yeux eurent un regard surpris. « Vingt dieux, mon garçon... vous êtes malade? »

Willie sentait son sang galoper sous les doigts du docteur. Diverses bactéries tropicales et, surtout, l'ombre de l'armée américaine contribuaient à accélérer son pouls.

— Non, inquiet seulement.

— Je comprends ça. Comment diable vous a-t-on accepté au bureau de recrutement? Vous connaissiez le toubib?

— Docteur, je suis peut-être un peu boulot, mais je peux faire six heures de tennis d'affilée. Je fais de l'alpinisme aussi.

— On ne fait pas d'alpinisme dans la Marine, dit l'assistant. Vous êtes bon pour l'armée, mon ami.

— Taisez-vous, Warner, dit le docteur, remarquant dans le dossier que Willie était passé par Princeton. Laissez des blancs pour le pouls et pour le dos et envoyez-le au capitaine Grimm à l'Arsenal pour une contre-visite.

— Bien, docteur. Le médecin s'en alla. D'un air las, l'assistant prit un crayon rouge, griffonna sur une feuille de bloc : « Lordose. Pouls » et épingla ce verdict flamboyant au dossier de Willie. « Bon. Présentez-vous au chef de la commission demain tout de suite après l'inspection, monsieur Keith. Tous mes vœux.

— A vous de même », dit Willie. Ils échangèrent un regard chargé d'une haine étonnamment violente après d'aussi brefs rapports, et Willie s'éloigna.

La marine entreprit alors de le vêtir d'une vareuse et de pantalons bleus, de souliers noirs, de chaussettes noires et d'une coquette casquette de marin portant le galon bleu des midships. Puis elle lui chargea les bras de livres de tous formats, de toutes les couleurs et parvenus à tous les degrés d'usure. Alors que Willie avait déjà bien du mal à regarder où il allait par-dessus la pile de prose qu'il portait, un marin posté près de la porte coiffa le tout d'une liasse de feuilles ronéotypées qui lui montèrent aussitôt jusqu'aux sourcils. Willie tendit le cou sur le côté et marchant comme un crabe, se coula vers l'ascenseur, le « PALAN » comme le proclamait une pancarte fraîchement peinte posée au-dessus des boutons d'appel.

Quand l'ascenseur arriva au dernier étage, il ne restait plus dans la cabine avec Willie qu'un marin décharné au visage chevalin. Willie enfila le couloir, scrutant les noms inscrits sur chaque porte. Il lut enfin :

CHAMBRE 1013 — KEEFER —.KEITH — KEGGS.

Il entra et laissa tomber les livres sur l'un des lits de camp. Juste derrière lui, il entendit se répéter les vibrations de ressorts métalliques.

— Je m'appelle Keggs, dit l'homme à la tête chevaline en lui tendant la main. Willie répondit à son geste et se trouva les phalanges prises dans une grosse patte moite.

— Et moi, Keith.

— Eh bien, dit Keggs d'un ton lugubre, je crois qu'on va habiter ensemble.

— Eh oui, dit Willie.

— J'espère, dit Keggs, que ce Keefer va être un type sympa. Il dévisagea longuement Willie, puis son long visage s'éclaira d'un sourire. Il prit dans la pile de livres répandus sur son lit le *Manuel d'Artillerie navale*. « Autant s'y mettre tout de suite. » Il s'assit sur l'unique chaise, posa les pieds sur l'unique bureau et ouvrit le manuel avec un soupir mélancolique.

— Comment sais-tu qu'il faut étudier? demanda Willie qu'un si grand zèle surprenait.

— Mon vieux, ça n'a pas d'importance. De toute façon ce sera encore trop pour moi. Autant commencer n'importe où.

Une pile de livres franchit le seuil, portée par une paire de jambes puissantes. « Place, messieurs, me voici », dit une voix étouffée. Les livres s'écroulèrent et rebondirent sur le sommier resté vacant, découvrant un grand et gros marin, au visage cerise, avec de petits yeux plissés et une large bouche molle. « Eh bien, les enfants, on dirait qu'on a du pain sur la planche, pas vrai? dit-il, avec l'accent chantant du Sud. J'm'appelle Keefer.

— Moi, Keith.

— Keggs. »

L'homme du Sud poussa par terre un certain nombre de livres et s'allongea sur les ressorts. « Y avait une soirée d'adieu hier soir, grommela-t-il avec un petit rire content, l'adieu aux soirées d'adieu. On s'ménage pas assez, les enfants! 'scusez-moi. » Et il se tourna vers le mur.

— Tu ne vas quand même pas dormir! dit Keggs. Si tu te fais piquer?

— Mon garçon, dit Keefer d'une voix somnolente, j'suis un vieux soldat, moi, pas un bleu. J'ai fait quatre ans à l'académie Gaylord. T'en fais pas pour le vieux Keefer. Pincez-moi si je ronfle. Willie voulait demander au vieux soldat si une lordose était un handicap sérieux dans la carrière de guerrier. Mais, tandis qu'il cherchait une manière habile d'amener ce sujet sur le tapis, le souffle de Keefer devenait plus lourd et plus régulier. Une minute plus tard, il dormait comme une bûche.

— Il va se faire virer, c'est sûr, gémit Keggs, en tournant les pages du *Manuel d'Artillerie navale*. Moi aussi, d'ailleurs. Ce bouquin-là, c'est du chinois pour moi. Qu'est-ce que c'est qu'une came? Et que peuvent-ils vouloir dire par vis à pas interrompu?

— C'est à moi que tu demandes ça? Mais lui, comment se ferait-il virer?

— Tu ne sais pas comment ça marche? On a trois semaines de classes. Au bout de trois semaines, les deux premiers tiers des élèves deviennent midships. Les autres sont virés. On les envoie droit à l'armée.

Les fugitifs échangèrent un regard d'intelligence. Willie se passa la main sur le dos pour voir à quel point il était cambré. Il se livra ensuite à des efforts frénétiques pour toucher ses orteils. A chaque flexion, il approchait davantage. Il était en nage. Il crut un instant avoir effleuré de ses doigts ses lacets de souliers et il poussa un gloussement de triomphe. Plongeant avec l'énergie du désespoir, il amena le bout de sa main jusqu'à ses orteils. Il se redressa, la colonne vertébrale vibrante, la pièce tournant autour de lui, pour trouver Keefer qui, ne dormant plus, s'était tourné vers lui et le fixait, ses petits yeux terrorisés. Keggs s'était tapi dans un coin de la pièce. Willie essaya d'un petit rire désinvolte, mais au même instant, il trébucha et dut s'agripper au bureau pour ne pas s'effondrer, ce qui gâcha l'effet de nonchaloir. « Rien de tel qu'un peu d'exercice pour se mettre en train », dit-il avec une assurance pâteuse.

— Je pense bien, fit Keefer. Surtout à trois heures de l'après-midi. Je n'y manque jamais moi-même.

Trois matelas ficelés en rouleau surgirent par la porte, comme crachés par une catapulte, l'un après l'autre. « Matelas! » clama une voix qui s'éloignait dans le couloir. Des couvertures, des oreillers et des draps suivirent, lancés par une autre voix sans corps criant : « Couvertures, oreillers, et draps!

— Heureusement qu'ils nous ont dit ce que c'était », grogna Keefer, en se dépêtrant d'un drap qui s'était enroulé autour de lui. En un clin d'œil son lit était fait, impeccable et plat comme si on l'avait passé au rouleau compresseur. Willie rassembla ses souvenirs de camping et son lit prit bientôt un aspect présentable. Keggs se débattit dix minutes avec ses draps et ses couvertures, tandis que les deux autres rangeaient leur paquetage et leurs livres, puis, quêtant un encouragement, il demanda à Keefer : « Et maintenant, ça va?

— Mon garçon, dit Keefer, en secouant la tête, tu es un innocent. » Il s'approcha du lit et fit quelques passes quasi magiques. Comme dans un dessin animé, le lit se figea dans une raideur toute militaire.

— Tu es un chef, dit Keggs.

— Je t'ai entendu tout à l'heure; t'as peur que je me fasse virer, dit-il aimablement. T'inquiète pas. Le jour où on lèvera l'ancre, je serai là.

Le reste de la journée se passa en sonneries de clairon, en rassemblements, en « rompez », en nouveaux rassemblements, en proclamations, en marches, en conférences et en tests d'aptitude. Chaque fois que l'administration se souvenait d'un détail que l'on avait omis de faire figurer dans les feuilles ronéotypées, le clairon retentissait et cinq cents marins jaillissaient du pavillon Furnald. Un grand enseigne blond, au visage poupin, du nom de Acres, aboyait les nouvelles instructions du haut des marches, en louchant farouchement et en jouant du menton. Puis il donnait l'ordre de rompre les rangs et les hommes disparaissaient à nouveau dans le bâtiment. L'inconvénient de ces perpétuelles diastoles et systoles pour les hommes du dernier étage (« dixième pont ») c'était qu'ils ne pouvaient tous prendre place dans l'ascenseur. Il leur fallait dégringoler les neuf étages (« coupées ») et après coup attendre une place dans l'ascenseur ou remonter à pied. Quand on les emmena au pas cadencé jusqu'au réfectoire, Willie était recru de fatigue. Mais le dîner lui redonna des forces.

De retour dans leur carrée, avec le loisir de bavarder, les trois compagnons échangèrent quelques précisions sur leur identité respective. Le sombre Edwin Keggs était professeur d'algèbre au collège d'Akron, dans l'Ohio. Roland Keefer était le fils d'un politicien de la Virginie de l'Ouest. Il avait travaillé au service du personnel de l'administration, mais, comme il l'expliquait gaiement, il se contentait d'apprendre à se débrouiller en politique quand la guerre éclata. Quand Willie annonça qu'il était pianiste de boîte de nuit, cela jeta un froid et la conversation languit un peu. Il ajouta alors qu'il était diplômé de Princeton et un silence glacé enveloppa la pièce.

Quand le clairon sonna l'extinction des feux et que Willie se coula dans son lit, il lui apparut que de toute la journée il n'avait pas une seule fois pensé à May Wynn et pas davantage à ses parents. Il lui semblait que des semaines s'étaient écoulées depuis le moment où il avait embrassé sa mère, ce matin même au coin de la 116e Rue. Matériellement, il n'était pas loin de Manhasset, pas plus loin que quand il était dans ses boîtes de Broadway. Mais en fait, il n'aurait pu s'éloigner davantage s'il était parti pour le Pôle. Ses regards errèrent dans la petite chambre, il vit les murs jaunes lambrissés de bois noir, les étagères chargées de livres menaçants les deux étrangers en maillot de corps qui entraient dans leur lit, dans une intimité que Willie n'avait jamais connue, fût-ce dans sa propre famille. Il éprouvait un sentiment indéfinissable : il se sentait lancé dans l'aventure, comme s'il avait planté sa tente au milieu du désert; mais si dans une certaine mesure, il s'en réjouissait, il regrettait aussi vivement sa liberté perdue.

CHAPITRE II

MAY WYNN

AYANT un des numéros de mobilisation les plus élevés de tout le pays, Willie avait passé paisiblement la première année de la guerre sans songer à chercher refuge dans la Marine.

Il avait été question qu'il fasse encore une année à Princeton pour y passer sa thèse de lettres, première étape d'une carrière professorale. Mais en septembre, après un été de tennis et de multiples idylles dans la propriété de ses grands-parents à Rhode-Island, Willie avait trouvé une place dans le bar d'un petit hôtel de New-York, où il jouait du piano et chantait ses propres chansons. Le premier dollar qu'on gagne a une influence décisive sur le choix d'une carrière. Willie opta pour l'art. Il n'était guère payé. Il touchait, à vrai dire, le salaire minimum admis par le syndicat des musiciens. Mais Willie s'en moquait bien, puisque les billets de cinquante dollars continuaient à affluer de la bourse de sa mère. Ainsi que le faisait remarquer le propriétaire, un Grec fripé au teint jaunâtre, Willie acquérait de l'expérience professionnelle.

Ses chansons étaient du genre dit gentillet, plutôt que spirituel ou mélodieux. Sa maîtresse création, qui ne convenait qu'aux vastes auditoires, s'intitulait *Si vous en saviez autant qu'un gnou* [1]; c'était une comparaison entre les techniques amoureuses des animaux et des hommes. Ses autres œuvres s'appuyaient lourdement sur des rimes telles que « salaud » et « saoulot », « grimace » et « grognasse », mais au lieu de dire le mot d'argot imposé par la

---

1. *If you knew what the gnu knew* (prononcé : if iou niou what the niou niou).

rime, Willie avec un clin d'œil au public le remplaçait par un autre vocable qui ne rimait pas. Ce procédé provoquait d'ordinaire des piaillements ravis, parmi les spectateurs qui forment la clientèle de ce genre de bars. Les cheveux coupés « à la Princeton [1] » de Willie, ses costumes du bon faiseur et la douceur enfantine de son visage contribuaient à étoffer son mince talent. Il se produisait le plus souvent en pantalon de gabardine fauve, veste de tweed havane et vert, grosses chaussures anglaises, chaussettes assorties à la veste et chemise blanche ornée d'une cravate nouée à la dernière mode. Du point de vue strictement visuel, le Grec avait fait une bonne affaire en engageant Willie.

Au bout de deux mois, le propriétaire d'une petite boîte miteuse de la 52e Rue, le Club Tahiti, le vit à l'œuvre et le souffla au Grec en lui offrant dix dollars de plus par semaine. Le marché fut conclu un après-midi dans la cave humide du Club Tahiti au milieu des palmiers de papier mâché, des cocotiers poussiéreux et des tables et des chaises entassées. C'était le 7 décembre 1941.

En sortant de là, Willie se retrouva frémissant d'orgueil dans une rue ensoleillée. Il avait dépassé le salaire minimum syndical. Il avait l'impression d'avoir rattrapé Cole Porter et il n'était pas loin de plaindre un peu Noël Coward. La rue, avec ses enseignes de boîtes de nuit criardes et délavées, ses gigantesques photographies d'inconnus comme lui, lui semblait belle. Il s'arrêta devant un kiosque à journaux, l'œil attiré par une manchette particulièrement énorme : LES JAPONAIS BOMBARDENT PEARL HARBOR. Il ne savait pas où était Pearl Harbor; il se dit que ce devait être quelque part dans le Pacifique. Il comprit que cela signifiait l'entrée en guerre des États-Unis, mais cet événement lui parut infiniment moins important que son engagement au Club Tahiti. Un numéro de fiche de mobilisation très élevé faisait beaucoup en ce temps-là, pour aider les hommes à garder leur sang-froid.

L'annonce faite le soir même à sa famille de cette nouvelle promotion dans le monde du spectacle porta le coup de grâce aux faibles espoirs de Mrs. Keith de voir Willie revenir à la littérature comparée. Il fut bien entendu question que Willie s'engageât. Dans le voyage en train jusqu'à Manhasset, il avait été gagné par la fièvre guerrière des abonnés de banlieue et sa conscience paresseuse s'en était quelque peu émue. A la fin du repas, Willie mit la question sur le tapis. « Ce que je devrais vraiment faire, dit-il, tandis que Mrs. Keith déversait dans son assiette une seconde ration de bavaroise au chocolat, ce serait plaquer et le piano et la littérature comparée pour m'engager dans la Marine. Je suis sûr que je pourrais devenir officier. »

Mrs. Keith lança un coup d'œil à son mari. Le doux petit docteur dont le visage rond ressemblait beaucoup à celui de Willie, gardait le cigare aux lèvres, ce qui lui permettait de rester silencieux.

1. Sorte de brosse.

— Ne sois pas ridicule, Willie. Mrs. Keith venait d'abandonner d'un coup le distingué fantôme du professeur Willie Seward Keith, docteur-ès lettres. « Juste au moment où tu sembles si bien engagé dans ta carrière. Il est évident que je me suis trompée sur ton compte. Pour obtenir un avancement aussi rapide, tu dois être très doué. Je tiens à ce que tu tires le meilleur parti de ton talent. Je suis persuadée, maintenant, que tu vas devenir un second Noël Coward.

— Il faut bien que quelqu'un fasse cette guerre, maman.

— Ne sois pas plus royaliste que le roi, mon garçon. Quand on aura besoin de toi, on te le fera savoir.

— Qu'en penses-tu, papa? » dit Willie.

Le petit docteur passa la main dans ce qui lui restait de mèches noires. Le cigare abandonna ses lèvres. « Ma foi, Willie, dit-il, d'une voix calme et affectueuse, je crois que ta mère serait navrée de te voir partir. »

C'est ainsi que Willie Keith chanta et joua du piano pour les clients du Club Tahiti de décembre 1941 à avril 1942, tandis que les Japonais conquéraient les Philippines, que le *Prince of Wales* et le *Repulse* coulaient, que Singapour tombait, et que chaque jour des milliers d'hommes, de femmes et d'enfants disparaissaient dans les fours crématoires nazis.

Au printemps, deux grands événements survinrent dans l'existence de Willie : il tomba amoureux et il reçut une convocation de son centre mobilisateur.

Il avait déjà connu les classiques amours de l'étudiant qui a de l'argent de poche. Il avait flirté avec des filles de son milieu et avait poussé les choses plus loin avec des filles de condition plus modeste. Trois ou quatre fois il s'était considéré comme plongé en pleine passion. Mais l'irruption dans sa vie de May Wynn fut une toute autre histoire.

Par un jour de crachin et de dégel, il arriva au Tahiti pour accompagner des chanteuses qui venaient passer une audition. A toute heure et par tous les temps, le Club Tahiti était plutôt morne, mais l'après-midi, c'était encore pire. La lumière grise entrait alors par la porte de la rue, révélant des marbrures sur le velours rouge couperosé des draperies de l'entrée, des taches noires de chewing-gum sur le tapis bleu et des écailles sur la peinture orangée qui recouvrait la porte et son chambranle. Et les filles nues des mers du Sud qui ornaient les murs semblaient encore plus mouchetées d'éclaboussures d'apéritifs, et plus couvertes de fumée de tabac et de couches de simple poussière. Willie aimait cet endroit tel qu'il était. Avec son apparence délabrée, ses relents de tabac refroidi, d'alcool et de désodorisant bon marché, c'était le lieu de sa puissance et de sa réussite.

Deux filles étaient assises près du piano, au fond de la pièce sans chaleur. Le propriétaire, un homme blême et gras, aux maxillaires hérissés de barbe et au visage marqué de sillons acariâtres, était accoudé au piano, mâchonnant un cigare à demi consumé et feuilletant un arrangement musical.

— Bon, voilà Princeton. Allons-y, les enfants.

Willie déposa près du piano ses caoutchoucs dégoulinants et s'installa sur son tabouret sans enlever son manteau; ce faisant, il inspectait les filles avec le regard de maquignon d'un garçon de vingt-deux ans. La blonde se leva et lui tendit sa partition. « Ça ne vous fait rien de transposer à vue, mon joli? C'est en sol, mais j'aimerais autant le prendre en mi bémol », dit-elle. Willie, en entendant l'accent nasillard si prisé à Broadway comprit aussitôt qu'il n'y avait rien derrière ce joli minois de plus que ce que l'on rencontrait à des centaines d'exemplaires autour de la 52ᵉ Rue.

— Un mi bémol, un. Il jeta un coup d'œil à la seconde chanteuse, une fille de petite taille, difficile à décrire et dont un grand chapeau noir dissimulait les cheveux. Journée creuse aujourd'hui, pensa-t-il.

— Espérons, dit la blonde, que le rhume que je tiens ne me gâche pas complètement la voix. Vous y allez? Elle se lança dans *Night and Day* avec une détermination qui était à peu près sa seule qualité. Mr. Dennis, le propriétaire, la remercia et lui dit qu'il lui téléphonerait. La seconde fille ôta son chapeau et s'avança. Elle déposa devant Willie une partition d'une épaisseur insolite.

— Vous voudrez peut-être parcourir tout l'arrangement, il n'est pas commode. Puis, s'adressant au propriétaire. « Ça vous est égal que je garde mon manteau?

— Comme vous voudrez, mignonne. Mais il faudra me laisser jeter un coup d'œil à votre silhouette avant de partir.

— Autant le faire tout de suite. » La fille ouvrit son imperméable marron flottant et fit un tour sur elle-même.

— Parfait, dit Mr. Dennis. Et vous savez chanter aussi?

Willie, qui examinait la partition, se retourna pour profiter du spectacle, mais le manteau était déjà refermé. La fille le regarda avec un petit sourire espiègle. Elle avait enfoncé les mains dans ses poches. « Votre opinion compte-t-elle aussi, Mr. Keith? » dit-elle en faisant mine d'ouvrir à nouveau son manteau.

Willie sourit. « Pas banal, dit-il en désignant la partition.

— Ça m'a coûté cent dollars, dit la fille. Bon, vous y êtes? »

Il ne s'agissait de rien moins que l'air de Chérubin du *Mariage de Figaro*, avec paroles originales. Au beau milieu, on passait brusquement à une parodie rythmée et à un anglais douteux. Puis revenaient la musique de Mozart et les paroles de Da Ponte. « Vous n'avez rien d'autre? » dit Willie, remarquant que la chanteuse avait des yeux d'un brun étonnamment lumineux et de splendides cheveux à reflets roux coiffés en hauteur. Il regrettait de ne pas avoir vu sa silhouette, et pourtant d'ordinaire il n'éprouvait aucune attirance pour les femmes petites et n'aimait pas les cheveux roux; étant étudiant, il s'était brillamment expliqué ce fait grâce aux théories freudiennes en invoquant un mécanisme répressif de son complexe d'Œdipe.

— Qu'est-ce qu'il y a? Vous saurez bien jouer ça.

— Je ne crois pas, souffla Willie en aparté, qu'il aimera ça. C'est trop distingué.

— Allons, on l'essaie juste une fois en l'honneur du bon vieux Princeton?

Willie se mit à jouer. La musique de Mozart était une des rares choses au monde qui l'émût profondément. Il connaissait l'aria par cœur. Il fit sortir les premières notes du clavier ébréché et jaunissant, criblé de brûlures de cigarettes, et la fille s'appuya au piano, un bras sur le couvercle si bien que sa main pendait mollement juste au niveau des yeux de Willie. C'était une petite main, dont la paume était plus carrée qu'il ne convenait pour une femme, avec des doigts courts, minces et robustes. Les jointures un peu calleuses révélaient qu'elle faisait la vaisselle.

La fille avait l'air de chanter pour faire plaisir à quelques amis plutôt que pour décrocher un emploi dont elle avait le plus pressant besoin. L'oreille de Willie, formée par des années de séances d'opéra, perçut aussitôt que ce n'était pas une grande voix, ni même une voix de chanteuse professionnelle. C'était à peu près ce que l'on pouvait attendre d'une fille qui aimait la musique et qui avait une voix agréable, et cela avait ce charme particulier, cette allègre fraîcheur d'une chanson lancée au hasard et non « interprétée ».

Les accents de la mélodie illuminèrent la cave. La blonde, qui se dirigeait vers la porte, tourna les talons et s'arrêta pour écouter. Willie leva les yeux vers la fille et lui fit un sourire approbateur tout en continuant à jouer. Elle sourit aussi et fit mine de s'accompagner à la guitare comme les cow-boys. C'était un geste plein de grâce et d'humour léger. Elle chantait les paroles italiennes avec un bon accent et semblait en comprendre le sens.

— Attention au break, lui murmura-t-elle soudain à la faveur d'un repos. Elle tourna prestement la page en désignant les mesures. Willie entama la partie jazz de l'arrangement. La chanteuse s'éloigna du piano, tendit les mains dans l'attitude classique de toutes les chanteuses de cabaret et débita le refrain, en agitant les hanches et en plissant le nez; elle avait pris pour la circonstance un accent du Sud, sa figure s'était fendue d'un sourire, et elle ponctuait chaque note haute d'un grand mouvement de tête et d'une torsion des poignets. Tout son charme sombra dans cette composition.

Le passage de jazz s'achevait. En même temps que reprenait la musique de Mozart, la fille retrouva son aisance naturelle. Rien n'était plus aimable, pensa Willie, que la négligence avec laquelle elle s'accoudait au piano, les mains enfoncées dans les poches de son manteau, tandis qu'elle chantait les dernières phrases du morceau. Il joua avec regret la fin de l'accompagnement.

— Dites-moi, mon petit, demanda le propriétaire, vous n'avez pas quelque chose de classique avec vous?

— J'ai *Sweet Sue* et *Talk of the Town*..., j'ai apporté ces deux-là, mais j'en connais d'autres...

— Bon. Attendez une minute, voulez-vous? Willie, venez un peu par ici.

Le bureau du propriétaire était une cabine peinte en vert au fond de la cave. Les murs étaient tapissés de photographies d'acteurs et de chanteuses. Pour tout éclairage, une unique ampoule pendait du plafond. Mr. Dennis ne gaspillait pas d'argent à faire décorer des endroits que les clients ne voyaient jamais.

— Qu'est-ce que vous en pensez? demanda-t-il, en approchant une allumette de son mégot de cigare.

— La blonde n'a pas de quoi embraser les foules.

— Non, je ne crois pas. Qu'est-ce que vous dites de la rousse?

— L'autre... comment s'appelle-t-elle?

— May Wynn, dit le propriétaire, en louchant vers Willie, peut-être à cause de la fumée de son cigare.

Il arrive qu'un nom, quand on l'entend prononcer, éveille des échos dans votre cœur, comme si on l'avait crié dans une immense salle vide. Le plus souvent, cette impression s'avère illusoire. En tout cas, Willie éprouva un choc à l'énoncé de ces syllabes : « May Wynn. » Il ne dit rien.

— Pourquoi? Qu'est-ce que vous en avez pensé?

— Comment est-elle balancée? rétorqua Willie.

Le propriétaire s'étouffa sur son cigare et écrasa les maigres cendres qui en restaient dans un cendrier. « Qu'est-ce que ça a à voir? Je vous demande ce que vous pensez de sa façon de chanter?

— Eh bien, j'aime beaucoup Mozart, commença Willie, d'un ton hésitant, mais...

— Elle ne vaut pas cher, dit Mr. Dennis d'un ton songeur.

— Comment cela, pas cher? Willie était choqué.

— Je parle du cachet, Princeton. A moins de voir ma porte gardée par des piquets de grève, je ne pourrais pas trouver moins cher. Il se pourrait bien que son Mozart soit une charmante nouveauté : ça a de la distinction, de la classe, du charme. Il se pourrait aussi que ça me vide la salle comme un chargement de boules puantes... Écoutons un peu ce qu'elle donne dans un air plus courant.

Le *Sweet Sue* de May était meilleur que sa précédente interprétation de jazz... peut-être parce que cette fois le morceau ne s'intercalait pas entre deux passages de Mozart. Elle jouait moins des mains, des dents, des hanches, et son accent du Sud était moins prononcé.

— Qui est votre agent, mon petit... Bill Mansfield? demanda Mr. Dennis.

— Marty Rubin, dit May Wynn, un peu haletante.

— Vous pouvez commencer lundi?

— Si je peux? fit-elle.

— Bon. Montrez-lui les lieux, Princeton, dit Mr. Dennis en disparaissant dans son bureau. Willie Keith et May Wynn se retrouvèrent seuls au milieu des fausses frondaisons des palmiers et des cocotiers.

— Félicitations, dit Willie, en lui tendant la main. La fille la serra d'une étreinte tiède et ferme.

— Merci. Je n'en reviens pas encore! J'ai massacré le Mozart... Willie enfila ses caoutchoucs. « Où aimeriez-vous manger?

— Manger! Je rentre dîner chez moi, je vous remercie. Vous ne me faites pas visiter?

— Qu'est-ce qu'il y a à voir? Votre loge est celle qui a le rideau vert, en face des toilettes « dames ». C'est un trou, il n'y a pas de fenêtre ni de lavabo. Le spectacle passe à dix heures, minuit et deux heures. Il faut que vous soyez là vers huit heures et demie. Voilà, c'est tout. » Il se leva. « Vous aimez les pizzas?

— Pourquoi tenez-vous à m'emmener dîner? Rien ne vous y force.

— Parce que, dit Willie, pour le moment, il n'est pas d'autre projet qui me tienne davantage à cœur. »

May Wynn ouvrit de grands yeux où l'étonnement se mêlait à une méfiance de gibier. Willie la prit par un coude. « Allons-nous-en, voulez-vous?

— Il faut que je donne un coup de fil », dit la fille, se laissant entraîner vers la porte.

Le *Luigi* était un charmant petit restaurant où les tables étaient disposées dans des rangées de niches. La douce chaleur et le parfum d'épices qui vous y accueillaient faisaient un agréable contraste avec la bruine glacée de la rue. Sans enlever son imperméable trempé, May Wynn s'assit dans une niche près de la cuisine d'où venait un bruit de friture. Willie la dévisagea.

— Par pitié, enlevez ce manteau.

— Non. J'ai froid.

— Allons donc. C'est le restaurant le plus chaud, le plus étouffant de New-York.

May Wynn se leva, presque à contrecœur, comme si on la forçait à se déshabiller. « Je commence à croire que vous êtes complètement idiot... Oh, ajouta-t-elle, en rougissant, cessez de me regarder comme ça... »

Willie semblait pétrifié... et il y avait de quoi. May Wynn avait un corps splendide. Elle portait une robe de soie pourpre, avec une étroite ceinture grise. Elle s'assit, toute confuse, en s'efforçant de ne pas éclater de rire au nez de Willie.

— Vous avez donc un corps, dit celui-ci en s'asseyant lentement. Je me demandais si vous n'aviez pas des cuisses d'éléphant ou peut-être pas de buste.

— Non, mais j'ai une triste expérience, dit May Wynn. C'est

pourquoi je n'aime pas trouver une place ou me faire des amis sur ma silhouette. On attend alors de moi des choses que je ne peux pas fournir.

— May Wynn, dit Willie songeur. J'aime bien ce nom.

— Tant mieux. J'ai mis longtemps à le trouver.

— Ce n'est pas votre véritable nom?

Elle haussa les épaules. « Bien sûr que non. Il est trop bien.

— Comment vous appelez-vous?

— Permettez-moi de vous dire que voilà une drôle de conversation. Qui êtes-vous pour me faire subir tout cet interrogatoire?

— Excusez-moi...

— Ça m'est égal de vous le dire, bien que généralement je n'aille pas le crier sur les toits. Je m'appelle Marie Minotti.

— Oh! Willie regarda un garçon qui portait un plateau chargé de spaghetti. Alors vous êtes chez vous ici.

— Tout à fait. »

La réaction de Willie en découvrant que May Wynn avait un nom italien fut complexe et déterminante : il se sentit à la fois soulagé, ravi et désappointé. Ainsi, il n'y avait à peu près plus de mystère. Une chanteuse de cabaret qui pouvait chanter une aria de Mozart en comprenant ce qu'elle disait était un phénomène, car dans le monde de Willie, bien connaître l'opéra était une marque de bonne éducation... à moins qu'on ne fût Italien. Cela ne devenait plus alors qu'un trait fort commun parmi les membres d'un groupe social inférieur, et cela perdait tout son cachet. Une Marie Minotti n'était pas pour faire peur à Willie, ce n'était plus maintenant qu'une chanteuse de cabaret, pour jolie qu'elle fût. Il se trompait en croyant s'embarquer d'un seul coup dans une affaire durable. Il savait pertinemment qu'il n'épouserait jamais une Italienne. Les Italiens étaient pour la plupart des gens pauvres, débraillés, vulgaires et catholiques. Mais ce n'était pas une raison pour ne pas s'amuser. Au contraire, il pouvait maintenant profiter en toute tranquillité d'une charmante compagnie, puisque cela ne le mènerait pas loin.

May Wynn l'observait. « A quoi pensez-vous?

— Je pense à mille choses gentilles à votre sujet.

— Et Willie Seward Keith, c'est bien sûr votre véritable nom?

— Oh, oui.

— Et vous êtes d'une excellente et vieille famille?

— Des meilleures et des plus vieilles : ma mère est une Seward des Sewards du *Mayflower*. Mon père est une espèce de bâtard puisque les Keith ne sont arrivés qu'en 1795.

— Mon Dieu. Ils ont manqué la Révolution.

— D'une longueur. De vulgaires immigrants. Mon grand-père a quelque peu compensé ça en dirigeant le service de chirurgie du Chase Hospital, qui est censé être la clinique la plus huppée de l'Est.

— Eh bien, Princeton, dit-elle avec un rire léger, nous ne

sommes certainement pas faits pour nous entendre. Mes parents,
eux, sont arrivés en 1920. Mon père a un magasin de fruits dans
le Bronx. Ma mère n'a jamais pu s'habituer à parler anglais. »

Les pizzas arrivèrent sur deux grands plats d'étain : des galettes
plates et fumantes recouvertes de fromage et de sauce tomate,
et celle de Willie accompagnée dans un coin de filets d'anchois.
May Wynn en saisit une tranche qu'elle replia d'une main experte
et mordit dedans. « Ma mère les réussit mieux que ça. Soit dit
en passant, mes pizzas à moi sont probablement les meilleures
du monde.

— Voulez-vous m'épouser?

— Non, votre maman ne serait pas contente.

— Parfait, dit Willie, nous nous comprenons. Laissez-moi vous
dire alors que je suis en train de tomber amoureux de vous. »

Elle se rembrunit aussitôt. « Pas de coups bas, mon vieux.

— C'était sans penser à mal.

— Quel âge avez-vous? dit May.

— Vingt-deux ans. Pourquoi?

— Vous ne les paraissez pas.

— C'est ma tête de bébé. On ne me laissera probablement pas
entrer dans une salle de vote avant soixante-dix ans.

— Non, c'est... c'est l'ensemble. J'aime assez ça.

— Et vous, quel âge avez-vous?

— Je n'ai pas encore le droit de voter.

— Êtes-vous fiancée, May, avez-vous un flirt ou... autre chose?

— Quoi? s'écria May, avalant de travers.

— Alors?

— Parlons plutôt de livres. Vous êtes passé par Princeton. »

Ils parlèrent donc livres, entre deux bouchées de pizza arrosées
de vin. Willie commença par les romans en vogue, que May connaissait assez bien, puis remonta jusqu'à ses auteurs favoris du
XVIIIe et du XIXe siècle; la jeune fille se montra moins prolixe
sur ce chapitre.

— Ah, Dickens, fit Willie avec ferveur, emporté par une vague
de littérature comparée, si j'avais un peu de force de caractère,
je passerais ma vie à faire des recherches et des commentaires sur
Dickens. Quand l'anglais sera devenu une langue aussi morte
que le latin, il restera toujours lui et Shakespeare. Vous connaissez ses œuvres?

— J'ai lu *Un Conte de Noël*, c'est tout.

— Je vois.

— Mon pauvre vieux, je ne suis pas allée plus loin que le lycée.
Quand j'en suis sortie, ça n'allait pas fort au magasin de fruits.
J'ai dû me débrouiller, m'habiller et nourrir la famille de temps
en temps. J'ai travaillé dans des prisunics, dans des milk-bars.
Une ou deux fois, je me suis attaquée à Dickens. C'est un peu
lourd, quand on a passé toute une journée debout

— Un jour, vous raffolerez de Dickens.

— Je l'espère. Je crois que pour apprécier Dickens, il faut avoir dix mille dollars à son compte en banque.

— Je n'y ai pas un rotin.

— Mais votre maman si. C'est la même chose.

Willie se carra voluptueusement dans son fauteuil et alluma une cigarette. Il se sentait en pleine forme pour disserter. « Il est tout à fait exact que l'amour des beaux-arts exige des loisirs, mais cela n'ôte rien à la valeur absolue de l'art. Les Grecs...

— On s'en va? Je voudrais travailler mon numéro, puisque aussi bien j'ai un engagement. »

Il pleuvait à verse. Les enseignes lumineuses bleues, vertes, rouges, jetaient sur la chaussée noire et mouillée des taches de couleur. May tendit sa main gantée: « Au revoir. Merci pour la pizza.

— Comment, au revoir? Je vais vous ramener chez vous en taxi.

— Mon garçon, un taxi jusqu'à Honeywell Avenue dans le Bronx, ça vous coûterait cinq dollars.

— Je les ai.

— Non, merci. Le métro est très bien pour les gens comme moi.

— Bon, alors prenons un taxi jusqu'au métro.

— Des taxis, des taxis! Pourquoi le bon Dieu vous a-t-il donné des pieds? Accompagnez-moi à pied jusqu'à la 15e Rue. »

Willie évoqua rapidement quelques rhapsodies de George Meredith sur les joies de marcher sous la pluie et emboîta le pas à la chanteuse. Elle lui prit le bras. Ils marchaient en silence, la pluie leur battait le visage et ruisselait sur leurs manteaux. De la main posée sur son bras montait vers tout son être une douce chaleur. « Ça a vraiment quelque chose de délicieux de marcher sous la pluie », remarqua-t-il.

May lui lança un coup d'œil en coulisse. « Vous ne diriez pas ça si vous y étiez forcé, Princeton.

— Oh, écoutez, dit Willie, cessez de jouer à la pauvre petite fille martyre. C'est votre premier engagement?

— Le premier à New-York. Je ne chante que depuis quatre mois. J'ai travaillé dans des tas de boîtes du New-Jersey.

— Qu'est-ce que ça donne du Mozart, dans une boîte là-bas? »

May frissonna. « Je n'ai jamais essayé. Pour eux *Stardust* est un grand classique, quelque chose comme une messe de Bach.

— Qui est-ce qui a écrit ces paroles anglaises? Vous?

— Mon agent, Marty Rubin.

— Elles sont effroyables.

— Écrivez-m'en de meilleures.

— Certainement, cria Willie tandis qu'ils traversaient Broadway dans le fracas de klaxons d'un encombrement. Ce soir même.

— Je plaisantais. Je ne pourrai pas vous payer.

— Vous m'avez déjà payé. Jamais de ma vie je n'ai aimé Mozart comme cet après-midi. »

May dégagea sa main posée sur le bras de Willie. « C'est inutile de dire des choses comme ça. J'ai horreur des beaux discours. On m'en a rassasiée.

— De temps en temps, répondit Willie, disons, une fois par semaine, il m'arrive d'être sincère. »

May le regarda. « Je vous demande pardon. »

Ils s'arrêtèrent à l'entrée du métro. Un marchand de journaux loqueteux clamait sans se lasser des victoires imaginaires, abritant sa marchandise sous du papier goudronné. Des passants les bousculaient. « Merci pour le dîner, dit May Wynn. A lundi.

— Pas avant? Je ne pourrai peut-être pas tenir jusque-là. Quel est votre numéro de téléphone?

— Je n'ai pas le téléphone. » Willie tiqua. May Wynn était vraiment d'un milieu très ordinaire. « Il y a une confiserie en bas, continua-t-elle, où on peut me joindre en cas d'urgence, mais c'est tout.

— Supposez qu'il y ait justement une urgence? Donnez-moi le numéro du magasin.

— Une autre fois. » Elle sourit, et la coquetterie, un instant, vint masquer sa méfiance. « De toute façon, je ne peux pas vous voir avant lundi. Il faut que je bûche mon numéro. Au revoir.

— J'ai bien peur de vous avoir ennuyée en parlant tout le temps bouquins, dit Willie, essayant de ranimer la conversation qui se mourait.

— Pas du tout, je me suis bien amusée. » Elle se tut et lui tendit la main. « Cela a été une après-midi très instructive. »

Avant même d'être parvenue au bas des marches, elle s'était perdue dans la foule. Willie s'éloigna avec la ridicule impression d'être régénéré. Le dais du Roxy, la silhouette noire de Radio City piquetée de lumières jaunes, les enseignes de restaurants, les taxis qui passaient dans un grondement de moteurs, tout cela formait un spectacle merveilleux. Il se dit que New-York était une ville superbe et mystérieuse comme Bagdad.

A trois heures du matin, la mère de Willie ouvrait les yeux dans sa chambre obscure, ce qui mit brusquement fin à un rêve qui lui avait semblé étrangement réel : elle rêvait qu'elle était à l'Opéra. Elle écouta un moment les échos de la musique qui résonnait encore à ses oreilles, puis s'assit dans son lit car elle venait de se rendre compte qu'elle n'était pas en proie à une illusion : la chanson d'amour de Chérubin retentissait dans le couloir, venant de la chambre de Willie. Elle se leva et passa un kimono de soie bleue. « Willie, mon chéri... des disques à cette heure? »

Il était assis en manches de chemise auprès de son phonographe portable, un carnet et un crayon à la main. Il la regarda d'un air coupable et arrêta la machine. « Désolé, maman. Je ne savais pas que ça portait si loin.

— Que fais-tu?

— Je crois bien que je vole quelques mesures à Mozart pour un nouveau morceau.

— Fripon! » Elle dévisagea son fils et conclut que son air étrangement exalté était un signe de frénésie créatrice. « Généralement tu t'endors comme une masse dès que tu rentres. »

Willie se leva en bâillant et déposa le carnet retourné sur le fauteuil. « C'est une idée qui m'est passée par la tête. Mais je suis fatigué. Ça attendra bien jusqu'à demain matin.

— Tu ne veux pas un verre de lait? Martina a fait un merveilleux gâteau au chocolat.

— J'en ai goûté un morceau en passant dans la cuisine. Désolé de t'avoir réveillée, maman. Bonne nuit.

— C'est un bien joli morceau à voler, dit-elle, en se laissant embrasser sur la joue.

— Le plus joli qui soit », dit Willie, en refermant la porte derrière elle.

L'engagement de May Wynn au Club Tahiti dura trois semaines. Sa création sur la musique de Mozart reçut un excellent accueil. Son interprétation s'améliorait un peu chaque soir, elle devenait plus simple, plus intelligente et se débarrassait de gestes inutiles. Son agent et professeur, Marty Rubin, venait plusieurs soirs par semaine l'entendre. Après le numéro de May, il passait une bonne heure à lui parler, à sa table ou dans sa loge. C'était un petit homme râblé de trente-cinq ans peut-être, au visage de lune épanouie, aux cheveux pâles et qui portait des lunettes sans monture à verres très épais. Il avait toujours des vestes un peu trop carrées et des pantalons trop amples qu'il devait acheter à Broadway, mais qu'il avait le bon goût de choisir dans des marrons ou dans des gris paisibles. Willie lui parlait de temps en temps. Il était certain que Rubin était Juif, mais ne l'en estimait pas moins pour cela. Willie aimait bien les Juifs en tant que groupe, pour leur chaleur, leur sens de l'humour et leur vivacité d'esprit. Et ce, bien qu'il habitât une maison construite dans un lotissement où les Juifs n'avaient pas le droit de bâtir.

A part ces entretiens avec Rubin, May, entre ses apparitions sur scène, était accaparée par Willie. Ils s'installaient d'ordinaire dans sa loge, à bavarder et à fumer : Willie discourait et May mi-attentive, mi-ironique, jouait son rôle d'ignorante. Au bout de quelques soirées, Willie la persuada de le voir aussi dans la journée. Il l'emmena au Musée d'Art moderne, mais ce fut un fiasco. Elle contempla avec horreur les chefs-d'œuvre de Dali, de Chagall et de Tchelitchew et éclata de rire. Les résultats furent meilleurs au Musée métropolitain. Elle s'attacha aussitôt à Renoir et au Greco. Elle obligea Willie à l'y emmener de nouveau. Il montrait excellent guide. « Seigneur, s'écria-t-elle un jour qu'il esquissait pour elle la carrière de Whistler, vous avez vraiment appris tout ça en quatre ans d'université?

— Pas tout à fait. Ma mère m'emmène dans les musées depuis que j'ai six ans. C'est une habituée.

— Oh! » May était un peu déçue.

Willie ne tarda guère à obtenir le numéro de téléphone de la confiserie du Bronx, et ils continuèrent à se voir quand le contrat de May au Tahiti fut arrivé à expiration. On était en avril. Leurs relations parvinrent au stade des longues promenades dans les jardins publics aux fleurs à peine écloses et à l'herbe neuve, des dîners dans des restaurants chers, des baisers échangés dans les taxis et des menus présents d'amoureux comme les petits chats en ivoire, les ours en peluche et des monceaux de fleurs. Willie fit en outre quelques mauvais sonnets que May emportait chez elle pour les relire encore et encore en les mouillant de ses larmes. Personne ne lui avait jamais écrit de vers.

Vers la fin d'avril, Willie reçut une carte de son centre mobilisateur l'invitant à venir passer une visite médicale. Ce tocsin lui ayant brusquement rappelé l'existence de la guerre, Willie se précipita sans attendre au plus proche bureau de recrutement de la Marine. On l'inscrivit pour les cours de décembre de l'École de Midships de Réserve. Il échappait ainsi aux griffes de l'Armée et cela lui donnait le temps de voir venir.

Mrs. Keith, toutefois, prit cet engagement au tragique. Elle enrageait contre les maladroits de Washington qui avaient laissé cette guerre traîner ainsi en longueur. Elle était encore persuadée que la paix serait signée avant que Willie ait endossé l'uniforme, mais elle frémissait parfois à la pensée qu'il pourrait quand même partir. Ayant mené de discrètes enquêtes auprès d'amis influents, elle constata que l'idée de trouver à Willie un poste bien tranquille aux États-Unis rencontrait une grande froideur. Elle décida donc de faire de son mieux pour embellir les derniers mois de liberté de son fils. May Wynn de son côté y réussissait assez bien, mais Mrs. Keith évidemment n'en savait rien. Elle ignorait l'existence de la jeune fille. Elle obligea Willie à abandonner son métier et l'embarqua, avec le docile docteur, dans un voyage au Mexique. Willie qui en eut vite par-dessus la tête des sombreros, du soleil éclatant et des serpents à plumes sculptés sur des pyramides en ruines, dépensa tout son argent en conversations téléphoniques clandestines avec la confiserie. May lui reprochait invariablement son extravagance, mais le ton radieux qu'elle prenait pour le faire suffisait à consoler Willie. Quand ils rentrèrent en juillet, Mrs. Keith, dont l'énergie ne se démentait pas, entraîna son fils passer un « dernier bel été » à Rhode-Island. Il réussit sous des prétextes futiles à faire une douzaine de courts voyages à New-York; et il vécut tout l'été dans l'attente de ces escapades. A l'automne, Marty Rubin procura à May un contrat pour une tournée de boîtes de nuit à Chicago et à Saint-Louis. Elle revint en novembre, à temps pour passer avec Willie trois semaines de bonheur. Ce dernier déploya des trésors d'invention, de quoi composer tout un volume de nouvelles, pour justifier ses absences aux yeux de sa mère.

May et lui ne parlaient jamais mariage. Il se demandait parfois

pourquoi elle n'y faisait jamais d'allusion, mais il était ravi qu'elle
ne manifestât pas d'objection à borner leurs relations au domaine
des baisers fous. Dans l'esprit de Willie, cette aimable situation
devait se prolonger assez pour qu'il pût en profiter tout au long de
ses quatre mois d'école navale puis il prendrait la mer et cela
mettrait commodément et sans douleur fin à leur idylle. Il était
très fier d'avoir réussi à mener leur aventure de façon à en tirer le
maximum de satisfaction et le minimum d'embarras. C'était à ses
yeux l'indice qu'il était devenu parfaitement maître de ses sens.
Il se félicitait de n'avoir pas cherché à coucher avec May. La
bonne méthode, avait-il décidé, était de profiter de l'agréable
compagnie de la jeune fille, sans se laisser entraîner dans une histoire. C'était une tactique assez sage; mais il ne pouvait s'en attri-
buer tout le mérite car elle était basée sur la certitude qu'il avait,
au fond de lui-même que s'il essayait d'avoir May, il n'y arriverait probablement pas.

CHAPITRE III

MIDSHIP KEITH

LE second jour que Willie passa dans la Marine faillit bien être le dernier dans cette arme et même en ce monde.

Dans le métro qui l'emmenait ce matin-là à l'Arsenal de Brooklyn, Willie se sentait remarquablement militaire dans son imperméable bleu d'apprenti marin. Le fait qu'il allait faire examiner son pouls et sa lordose ne l'empêchait pas de se réjouir des regards que lui lançaient les dactylos et les collégiennes. Willie recevait l'hommage dû aux hommes que d'autres occupations retenaient du côté des îles Salomon. En temps de paix, il ne s'était jamais laissé aller à envier leur costume aux marins, mais soudain ces pantalons à pont lui semblaient aussi élégants et d'aussi bon goût que les vestes rayées si à la mode à Princeton.

Willie s'arrêta devant la grille de l'Arsenal et, exposant son poignet à la bise mordante, entreprit de prendre son pouls. Quatre-vingt-six, pas moins. Il était furieux à la pensée que son auréole neuve de marin allait peut-être lui être enlevée par la faute d'une simple défaillance mathématique de son corps. Il attendit quelques minutes, en s'efforçant de se détendre, et recommença. Quatre-vingt-quatorze. La sentinelle qui montait la garde devant l'arsenal l'observait avec intérêt. Willie examina la rue et se dirigea vers un petit drug-store qui faisait le coin. « J'ai passé une douzaine de visites médicales au collège, se dit-il, et une au centre de recrutement, il y a quelques mois. Mon pouls était toujours de soixante-douze. Aujourd'hui je suis énervé. Je voudrais bien savoir quel est le pouls d'un amiral quand il aperçoit la flotte ennemie : soixante-douze peut-être? Il faut que je prenne quelque chose qui me calme les nerfs et qui me donne un pouls normal. »

En même temps que ce raisonnement, il avala une double dose de bromure; le premier était destiné à sa conscience, la seconde à son pouls. Les deux remèdes firent merveille. Il s'arrêta un instant devant le bureau du capitaine Grimm pour une dernière vérification : son pouls battait paisiblement sous ses doigts à soixante-quinze, et tout joyeux et parfaitement détendu, il poussa la porte.

Tout d'abord, il ne vit qu'une manche bleue avec quatre galons d'or. La manche s'agitait dans la direction d'une grosse infirmière de la Marine assise à un bureau. Le Capitaine Grimm, cheveux grisonnants et visage marqué de fatigue, brandissait une liasse de papiers en se plaignant amèrement de négligence dans le contrôle du stock de morphine. Il se tourna vers Willie. « Qu'y a-t-il, mon garçon? »

Willie lui tendit l'enveloppe. Le capitaine Grimm jeta un coup d'œil aux documents. « Encore eux! Miss Norris, dans combien de temps suis-je censé commencer à opérer?

— Dans vingt minutes, docteur.

— Très bien, Keith, passez dans la salle à côté. Je suis à vous dans deux minutes.

— Bien, docteur. » Willie franchit la porte peinte de blanc et la referma derrière lui. Il régnait dans la petite pièce une chaleur d'étuve, mais il n'osa pas toucher aux fenêtres. Il fit le tour de la pièce, déchiffrant au passage les étiquettes des flacons, il apercevait par la fenêtre l'amas grisâtre des quais de Brooklyn; il bâillait. Il attendit deux minutes, cinq, puis dix. Les effets conjugués de la chaleur et du bromure se faisaient de plus en plus sensibles. Il s'allongea sur la table d'examen, se disant que cela lui ferait du bien de se reposer un peu.

Quand il s'éveilla, sa montre disait cinq heures et demie. Il avait dormi huit heures durant, oublié par la Marine. Il se passa la figure au robinet du lavabo, se repeigna et sortit de la pièce avec un visage de martyr. La grosse infirmière demeura bouche bée en l'apercevant.

— Bonté divine! Vous êtes toujours là?

— Personne ne m'a dit de m'en aller.

— Mais, mon Dieu! Elle bondit de son fauteuil tournant. « Vous êtes là depuis... Pourquoi n'avez-vous rien dit? Attendez! » Elle passa dans un autre bureau et en revint au bout d'un moment avec le capitaine qui dit : « Bon sang, mon garçon, je suis désolé. J'ai eu des opérations, des réunions... Passez dans mon bureau. »

Ils entrèrent dans une pièce tapissée de livres; le capitaine dit à Willie de se mettre torse nu et lui examina le dos. « Touchez vos pieds. »

Willie s'exécuta... non sans un long gémissement. Le capitaine eut un petit sourire et lui prit le poignet. Willie sentit que son pouls recommençait à battre la chamade. « Docteur, s'écria-t-il, je suis très bien.

— Nous avons des normes », dit le capitaine. Il prit son stylo, le fit planer au-dessus du dossier de Willie. « Vous savez, ajouta-t-il, jusqu'à maintenant, dans cette guerre-ci, les pertes sont plus importantes dans la Marine que dans l'Armée de terre.

— Je veux être marin », dit Willie, et ce ne fut que quand les mots furent sortis de sa bouche qu'il se rendit compte qu'il était sincère.

Le docteur le regarda, une lueur de bonne volonté dans les yeux. D'une main ferme, il nota sur le dossier : *Légère lordose bien compensée. Pouls normal — J. Grimm, Médecin-Chef du Centre de Brooklyn.* Il mit en boule la feuille portant les annotations au crayon rouge, la jeta et rendit les autres papiers à Willie. « Ne souffrez pas en silence dans votre compagnie, mon garçon. Faites-vous entendre chaque fois qu'on vous traite bizarrement.

— Bien, capitaine. »

Le capitaine se replongea parmi les papiers étalés sur son bureau et Willie sortit. Sans doute, se dit-il, sa carrière navale avait-elle été sauvée parce qu'un docteur avait eu honte d'avoir fait attendre huit heures un malade, mais il se réjouissait quand même du résultat. De retour au pavillon Furnald, il alla rapporter son dossier médical à l'assistant en pharmacie au crayon rouge. Warner se hâta de déposer un bol rempli d'un antiseptique écarlate pour voir ce qu'avait dit Grimm. Son visage s'allongea, mais il réussit à afficher un sourire sardonique. « Hmm, vous y êtes arrivé. Parfait.

— Rendez-vous à Tokio, docteur », dit Willie.

Dans sa chambre il trouva Keggs et Keefer affairés autour de fusils. Il y en avait un aussi, un peu délabré et muni d'un récépissé de dépôt sur le lit de Willie. « On se sert de fusils dans la Marine? demanda-t-il doucement.

— Un peu », dit Keefer. Les diverses pièces de la gâchette et de son mécanisme étaient étalées à côté de lui sur le bureau. Keggs se dépensait en efforts apparemment vains pour tirer et pousser tour à tour la fermeture de la culasse. « Il faut qu'on apprenne à le démonter et à le remonter en deux minutes d'ici demain matin, gémit-il. Je vais me faire virer, c'est sûr.

— Te fais pas de mousse, dit Keefer. Attends que j'aie remonté cet instrument et je vais te montrer. Satané ressort! »

L'homme du Sud initia patiemment ses compagnons aux mystères du fusil Springfeld. Keggs saisit rapidement le truc. Ses longs doigts osseux eurent tôt fait de réussir l'opération capitale qui consistait à faire entrer en force le gros ressort dans le verrou de culasse lors du remontage. Il considéra son arme d'un air radieux et recommença plusieurs fois. Willie se débattit vainement quelques instants avec le verrou et abandonna, haletant. « Ils auraient dû me virer pour ma lordose. Ç'aurait été moins déshonorant. Demain, je ne serai plus dans cette Marine... Allons, mais entre donc, saloperie... » Il n'avait jamais de sa vie touché un fusil. Ses possibilités meurtrières ne l'impressionnaient pas. C'était simplement une corvée assommante : comme une page épineuse de Beethoven, ou un compte rendu de lecture sur *Clarissa Harlowe* qu'il aurait trop tardé à faire.

— Appuie le bout de ce verrou contre ton ventre, tu comprends? dit Keefer. Et maintenant force sur le ressort avec tes deux mains.

Willie obéit. Le ressort céda lentement. Son extrémité vint enfin s'enfoncer dans la rainure. « Ça y est! Merci, Roland... » A cet instant le ressort, encore mal fixé, lui échappa des mains et bondit hors de la culasse. Il prit son essor à travers la pièce. La fenêtre était fort opportunément ouverte. Le ressort s'enfonça dans la nuit.

Ses compagnons le contemplaient d'un air horrifié. « C'est un sale coup, hein? articula Willie.

— Qu'il arrive quoi que ce soit à ton fusil, mon vieux... et ça y est, dit Keefer en s'approchant de la fenêtre.

— Je vais descendre, dit Willie.

— Quoi, pendant l'heure d'étude? Douze mauvaises notes! fit Keggs.

— Viens ici, vieux. » Keefer désignait quelque chose dans l'ombre. Le ressort était dans la gouttière, au bord d'une avancée du toit fort en pente. Le dixième étage était construit un peu en retrait.

— Je ne peux pas aller le prendre là, dit Willie.

— Tu ferais pourtant mieux, mon vieux.

Keggs regarda par la fenêtre. « Tu ne pourrais pas y arriver. Tu dégringolerais.

— C'est bien mon avis », dit Willie. Il n'avait rien d'un casse-cou. Il avait fait ses courses en montagne en compagnie de gaillards solides et ç'avait été prétexte à grands cris d'effroi. Il avait horreur des endroits élevés et peu sûrs.

— Écoute, mon vieux, tu veux rester dans la Marine? Fais-moi le plaisir de descendre là-dedans. Ou veux-tu que j'y aille à ta place?

Willie escalada le rebord de la fenêtre, se cramponnant au chambranle. Le vent gémissait dans le noir. En bas, tout en bas, scintillaient les lumières de Broadway. La corniche semblait fuir sous ses jambes tremblantes. Il tendit vainement une main vers le ressort et dit, haletant : « Il s'en faut d'une cinquantaine de centimètres...

— Si seulement on avait une corde, dit Keefer. Attends. Un de nous va descendre avec toi, en s'accrochant à la fenêtre, tu comprends. Et toi, tu te tiendras à lui. Voilà.

— Finissons-en, dit Keggs très inquiet. S'il se fait prendre, on est tous virés. » Il sauta par-dessus la fenêtre et, se postant à côté de Willie, il lui saisit la main. « Vas-y maintenant. » Willie lâcha la fenêtre et s'avança prudemment en se cramponnant à la robuste poigne de Keggs. Il s'arrêta, en équilibre instable, au bord du toit, le vent fouettant ses vêtements. Le ressort était à portée de sa main. Il le prit et le fourra dans sa poche.

L'enseigne Acres aurait pu choisir un autre moment pour faire sa ronde au dixième étage, mais ce fut à cet instant qu'il survint. Il passa devant la chambre, y jeta un coup d'œil et s'arrêta court en hurlant : « Garde à vous sur le pont! Qu'est-ce qui se passe ici? »

Keggs poussa un hennissement de terreur et lâcha la main de Willie. Willie plongea et s'accrocha à ses genoux. Les deux midships oscillèrent sur la corniche, frôlant la mort. Mais l'instinct de conservation de Keggs était un peu plus fort que sa terreur des enseignes. Il recula et dégringola tête la première dans la chambre, entraînant Willie qui bascula par-dessus lui. L'enseigne Acres observait la scène d'un œil mauvais. Il allait parler. Willie se releva et montra le ressort en bredouillant : « Je... il était sur le toit...

— Qu'est-ce qu'il foutait là? tonna Acres.

— Il a sauté par la fenêtre », dit Willie.

Le visage d'Acres s'empourpra, comme si on l'avait injurié. Il a *sauté?* Dites-moi un peu...

— Pendant que je remontais mon fusil. Il s'est décroché », ajouta précipitamment Willie, tout penaud.

Acres examina les trois garçons. Keggs frissonnait de peur, Willie était affolé et Keefer se figeait dans un impeccable garde à vous : tous trois avaient l'air sincère. Deux mois plus tôt, lui-même était encore midship. « Vous mériteriez chacun quinze mauvaises notes, grommela-t-il, pour faire la transition. Je vous ai à l'œil... Allez, au travail. » Il fit une sortie majestueuse.

— Vous ne croyez pas, dit Willie dans le lourd silence qui suivit, qu'il y a une puissance supérieure qui ne veut pas de moi dans la Marine? On dirait que je vous porte la poisse à tous.

— Allons donc, mon vieux, vaut mieux que ça commence mal et que ça aille mieux après, dit Keefer.

Ils travaillèrent d'arrache-pied car le jour de la Grande Colle approchait. Les talents étaient harmonieusement répartis dans la chambre 1013. Keggs était très fort sur les dessins de navigation et de génie maritime. Ses relevés et ses croquis de chaudière étaient des œuvres d'art et il faisait volontiers profiter ses compagnons de son habileté. Il avait par contre du mal à assimiler les faits et les théories; aussi mettait-il chaque jour son réveil deux heures avant la diane pour avoir plus de temps pour travailler. Son visage s'allongeait de jour en jour et ses yeux mélancoliques brillaient comme de faibles bougies dans des orbites de plus en plus creuses, mais il ne rata jamais une sous-colle.

Keefer, lui, échouait souvent. Mais il calculait soigneusement ses moyennes et réussit dans toutes les matières à demeurer au-dessus du niveau minimum. Son point fort, c'était l'instruction militaire. Willie se demandait toujours si c'était un don naturel ou le fruit d'une longue étude, mais Keefer avec son allure débraillée était le marin le mieux briqué de l'école. Qu'il s'agît de sa personne, de son lit ou de ses livres, il avait la propreté d'un chat. Dans les revues, son uniforme impeccable, ses chaussures étincelantes et son port irréprochable ne tardèrent pas à attirer l'attention du commandant. Il fut nommé chef de peloton.

Willie Keith devint l'oracle du dixième étage en matière d'artillerie navale. A la vérité, il n'y connaissait rien, mais en temps de guerre, les réputations se créent avec une étrange rapidité. Il se trouva que le programme de la première semaine comprenait un terrible examen d'artillerie navale, dont le but était, disait-on, d'éliminer les cancres. Chacun bûchait dans la fièvre, naturellement. Willie y mettait autant d'ardeur que les autres, mais une page du manuel, rédigée dans le pire jargon de la Marine, le déconcertait; on y décrivait ·une chose appelée *Palier antifriction*. Keefer et Keggs avaient renoncé. Willie lut cette page dix-sept fois de suite, puis deux fois encore à haute voix, et il allait renoncer à son tour, quand il s'aperçut que des phrases entières s'étaient gravées dans sa mémoire. Après une demi-heure de travail supplémentaire, il savait la page entière par cœur, mot pour mot. La chance voulut qu'à l'examen la principale question fût *Décrivez le palier antifriction.* Willie dégorgea sans effort les mots qui n'avaient pas plus de signification pour lui qu'un chant hindou. Quand on proclama les résultats, il était premier de toute l'école. « L'élève aspirant Keith, cria l'enseigne Acres, louchant dans le soleil au rassemblement de midi, est officiellement félicité pour sa brillante copie d'artillerie. Il a été le seul de toute l'école à donner une description intelligente du *Palier antifriction.* »

Ayant dès lors une réputation à soutenir et devant répondre aux douzaines de questions qu'on lui posait à chaque heure d'étude, Willie dut se forcer à posséder une parfaite maîtrise, fût-elle verbale, des canons de marine dans tous leurs détails.

Peu avant le jour de la Grande Colle, Willie reçut une excellente leçon de pédagogie navale. Un soir, en feuilletant son manuel *Doctrine des Submersibles, 1935,* à la couverture verdâtre et éraflée, il tomba sur la déclaration suivante : « En raison de leur faible rayon d'action, les sous-marins conviennent principalement à la défense côtière. » Les nazis, à cette époque, torpillaient chaque semaine plusieurs navires américains au large du Cap Hatteras, à quelque six mille kilomètres des côtes allemandes. Willie, mis en joie, montra cette phrase à ses compagnons. Le naufrage de quelques douzaines de nos bateaux ne pesait guère auprès du plaisir de prendre la Marine en flagrant délit de ridicule. Le lendemain, en classe de tactique, l'instructeur, un certain Brain, enseigne, l'interrogea.

— Keith.

— Lieutenant.

— Quel est le principal emploi du sous-marin, et pourquoi? L'instructeur tenait à la main un exemplaire de la *Doctrine des*

Submersibles, 1935, ouvert à la bonne page. L'enseigne Brain était un croquemitaine précoce de vingt-cinq ans, au visage précocement ridé et au crâne précocement chauve. Étant en général chargé des classes à pied, il ignorait tout du sujet traité. Mais il avait en son temps appris à lire.

Willie hésita.

— Eh bien, Keith?

— Vous parlez de leur emploi maintenant ou en 1935, lieutenant?

— Je vous ai posé la question maintenant, et pas en 1935.

— Les Allemands coulent pas mal de navires au large du cap Hatteras, risqua Willie.

— Je le sais. Mais il s'agit d'un cours de tactique et non d'actualités. Avez-vous appris votre leçon?

— Oui, lieutenant.

— Alors, répondez à ma question.

Willie évalua rapidement la situation. C'était sa dernière chance de réciter en tactique avant la Grande Colle. « En raison de leur faible rayon d'action, déclara-t-il, les sous-marins conviennent principalement à la défense côtière.

— Exact, dit l'enseigne Brain, en lui marquant la note optima. Pourquoi traînez-vous avant de répondre? »

Willie s'asservit donc à un travail de pure mémoire. Le jour du jugement vint; et aucun des trois occupants de la chambre 1013 ne fut viré. Mais Kalten, de la chambre 1012 et Koster de la chambre 1014 furent remis aux griffes de leur bureau de recrutement respectif. Kalten, fils d'un grand avocat de Washington, avait nargué le règlement et n'avait rien fait. Willie plaignait davantage Koster, un bon garçon toujours épuisé qui avait été élevé par des tantes célibataires. Ce soir-là, quand Willie entra dans la chambre 1014, la vue du lit vide lui fit quelque chose. Il apprit des années plus tard que Koster avait été tué dans la première vague d'assaut lors du débarquement de Salerne.

Ils étaient maintenant des midships, bien établis dans la Marine, avec leur uniforme bleu, leurs casquettes blanches d'officier et, ce qui était le plus important, quartier libre tous les samedis de midi à minuit. On était vendredi. Cela faisait trois semaines qu'ils étaient enfermés, sans lien avec le monde extérieur. Willie, tout joyeux, téléphona à May Wynn et lui donna rendez-vous devant l'école à midi une le lendemain. Elle l'attendait dans un taxi; et elle était si belle, les bras impatiemment tendus vers lui que Willie imagina un instant en la serrant contre lui le mariage et toutes ses conséquences. Il l'embrassait encore quand, à regret, il décida de s'abstenir, pour toutes les vieilles raisons. Ils allèrent chez Luigi et Willie était si excité par la beauté de son amie et la première gorgée de vin qu'il buvait depuis trois semaines qu'il en mangea coup sur coup deux pizzas. Aux dernières bouchées de la seconde, il se calma, un peu haletant et jeta un rapide regard à sa montre.

— May, dit-il à contrecœur, il faut que je te quitte maintenant.

— Pourquoi? Tu n'es pas libre jusqu'à minuit?

— Il faut que je passe voir ma famille.

— Bien sûr, dit May. Mais ses yeux devenaient tristes.

— Oh, pas longtemps... une demi-heure, peut-être une heure. Va au cinéma en matinée. Je peux te retrouver à... — il regarda sa montre — ...cinq heures et demie.

May acquiesça.

— Regarde, dit-il, lui mettant sous le nez une liasse de billets, cent vingt dollars. On fera la tournée des grands-ducs.

— C'est ta solde?

— Les vingt dollars, oui.

— Où as-tu pris les cent autres?

Willie articula un peu difficilement : « Ma mère. »

— Je ne crois pas qu'elle serait d'accord pour que tu le dépenses avec moi. May le regarda dans les yeux. « Sait-elle même que j'existe, Willie? »

Willie secoua la tête.

— Tu es très fort. Ce visage innocent dissimule des trésors de ruse. Elle lui tapota affectueusement la joue à travers la table.

— Où nous retrouvons-nous? dit Willie qui, en se levant, sentit soudain le poids des galettes, du fromage, de la tomate et du vin.

— N'importe où.

— Au Stork Club? dit-il. Elle lui fit un sourire mélancolique. Ils se séparèrent à la porte du restaurant. Willie fit en ronflant le voyage en train jusqu'à Manhasset. Son instinct d'abonné banlieusard l'éveilla juste avant sa station.

CHAPITRE IV

LE MIDSHIP KEITH A DES ENNUIS

LES Keith habitaient à Manhasset une maison de douze pièces, de style colonial hollandais, avec de lourdes colonnes blanches, un toit à hautes arcades et à bardeaux de bois noir, et une multitude de grandes fenêtres. Elle était bâtie sur un tertre au milieu de deux arpents de pelouses plantées de grands hêtres, de vieux érables et de chênes, et bordée de parterres fleuris et d'une grande haie. Mrs. Keith l'avait reçue de sa famille en cadeau. Le revenu des actions qu'elle avait dans une banque de Rhode-Island passait à l'entretenir. Willie ne trouvait rien d'extraordinaire à un pareil cadre.

Il remonta l'allée d'érables jusqu'à la grande porte et entra pour subir le triomphe qu'on lui avait préparé. Sa mère le serra dans ses bras. Des parents et des voisins, et une abondance de cocktails attendaient le héros. On avait déployé sur la table de la salle à manger la plus fine porcelaine et la plus belle argenterie et celles-ci reflétaient les flammes du feu allumé dans la cheminée de marbre. « Voilà, Martina, cria Mrs. Keith, vous pouvez mettre les steaks!... Nous avons préparé un festin en ton honneur, Willie. Tout ce que tu aimes : des huîtres, une soupe à l'oignon, des steaks — un beau châteaubriant pour toi, mon chéri — avec des pommes soufflées et une bavaroise au chocolat. Tu es affamé, je suis sûre?

— J'engloutirais un bœuf entier, maman », dit Willie. L'héroïsme peut se manifester aussi dans les gestes de la vie quotidienne. Willie s'assit à table et se mit à manger.

— Je pensais que tu aurais plus faim que cela, dit sa mère en le regardant picorer son steak sans enthousiasme.

— Je le savoure trop pour n'en faire qu'une bouchée, répondit Willie. Il vint à bout du steak. Mais quand on déposa devant lui la bavaroise au chocolat, onctueuse et tremblante, la nature se rebella. Willie pâlit, se détourna et alluma précipitamment une cigarette. « Maman, je n'en peux plus.

— Allons, tu n'as pas besoin de te gêner, chéri. Nous savons tous comment mangent les marins. Finis donc. »

Le père de Willie l'observait depuis un moment sans rien dire. « Tu as peut-être pris un petit quelque chose avant de venir, Willie.

— Oh, juste un petit casse-croûte, papa, pour la route. »

Mrs. Keith lui permit enfin de se traîner jusqu'au salon où pétillait un autre feu de bois. Le midship, tout alourdi, tint là sa cour, décrivant les secrets de la Marine et analysant la conduite des opérations sur les divers fronts. C'était une tâche assez ardue, car il n'avait pas lu un journal depuis trois semaines; mais il improvisa, et son public but ses paroles.

Quand les convives se levèrent de table, Willie remarqua pour la première fois que son père boitait et qu'il s'aidait d'une canne. Au bout d'un moment, le docteur Keith interrompit la conférence de presse. «Entracte», dit-il, pour laisser le père échanger quelques mots en particulier avec son marin de fils. Il prit Willie par le bras et le conduisit dans la bibliothèque, une pièce aux panneaux d'acajou où voisinaient des éditions reliées d'auteurs classiques et les best-sellers des vingt dernières années avec leurs couvertures bigarrées. Les fenêtres donnaient sur le jardin derrière la maison : des plaques de neige recouvraient encore par endroits les parterres sans fleurs. « Willie comment est-ce, vraiment... la Marine? dit le docteur Keith en refermant la porte et en s'appuyant sur sa canne.

— Épatant, papa. Ça ira très bien. Mais qu'est-ce que tu as à la jambe?

— Pas grand-chose. Un orteil infecté.

— C'est embêtant. Ça te gêne beaucoup?

— Un peu. »

Willie jeta à son père un coup d'œil surpris. C'était la première fois qu'il l'entendait se plaindre. « Eh bien... qu'est-ce que je peux dire à un toubib? Tu te soignes?

— Oh oui. Il n'y a rien à faire. Il faut le temps, simplement. » Le père et le fils se regardèrent un moment dans les yeux. « Je ne devrais pas t'accaparer ainsi, dit le docteur, en boitillant jusqu'à la fenêtre. Mais nous n'avons guère vraiment parlé, tous les deux. Je crois bien que j'ai laissé entièrement à ta mère le soin de ton éducation. Et voilà maintenant que tu pars pour la guerre. »

Willie ne savait que répondre. Il lui semblait que son père voulait lui dire quelque chose, mais qu'il se demandait par où commencer.

— Lors de la dernière guerre, je n'ai pas quitté les États-Unis. Tu auras peut-être de la chance aussi, Willie.

— Je prendrai les choses comme elles viendront, dit Willie. La Marine se donne bien du mal pour me former. Il faudra peut-être que j'aille au front si j'en vaux la peine pour eux.

Le docteur Keith lissa sa petite moustache noire. Ses yeux scrutaient le visage de Willie. « Tu changes un peu en ce moment. A quoi est-ce dû? A la Marine?

— Je crois bien que je suis toujours le même.

— As-tu l'occasion de jouer du piano?

— J'ai oublié à quoi ça ressemblait.

— Willie, lui dit son père, as-tu fait la connaissance d'une fille?

Willie était trop stupéfait pour mentir. « Oui. »

— Une fille bien?

— Merveilleuse, dans son genre.

— Comptes-tu l'épouser?

— Non.

— Pourquoi donc?

— Oh... nous n'en sommes pas là.

— Qu'en sais-tu? Amène-la-nous donc. »

Une image traversa l'esprit de Willie : le petit magasin de fruits du Bronx où il était allé un jour et que tenaient le père et la mère de May. La mère était une grosse femme au visage poilu, vêtue d'une vieille robe noire sans forme. Le père était un petit homme rabougri drapé dans un tablier sale; des vides se creusaient entre ses dents brunes. Les quelques phrases de mauvais anglais qu'ils lui avaient adressées semblaient pleines de cordialité. Une autre image grotesque se présenta à son esprit : Mrs. Minotti et sa mère se serrant la main. Il secoua la tête.

— Il y a bien eu autrefois une infirmière que je n'ai pas épousée, dit son père d'un ton songeur. Mais je ne regrette rien. Ta mère et moi, nous avons eu une vie très agréable... Allons, ils vont tous se demander ce qui nous arrive, reprit-il, sans pourtant faire le geste de bouger.

— Papa, tu veux me parler de quelque chose?

Le docteur hésita. « Rien qui ne puisse attendre.

— Pourquoi ne viens-tu pas me voir à l'école? C'est assez intéressant.

— Je n'ai guère de temps de libre.

— Oui, je sais.

— Je passerai peut-être tout de même. » Le docteur Keith posa la main sur l'épaule de son fils. « Ça ne te fera pas forcément de mal, Willie, la Marine.

— Pas si j'en sors en un seul morceau. Ça pourrait même me faire du bien.

— Peut-être... Et maintenant, allons rejoindre les autres. »

Willie jeta un coup d'œil à sa montre en revenant dans le salon. Quatre heures moins cinq. Il présenta de rapides excuses aux invités, passant outre aux protestations de sa mère. Elle le suivit

4

jusqu'à la porte. « Quand te reverrai-je, mon chéri? dit-elle, tandis qu'il bouclait la ceinture de son imperméable bleu.

— Samedi prochain, maman, si je ne m'attire pas d'histoires.

— Oh, non. Je viendrai te voir avant. »

Il était six heures vingt quand il entra en trombe au Stork Club. Tout en se débarrassant hâtivement de son imperméable au vestiaire, il aperçut May. Les phrases d'excuses qu'il avait préparées s'envolèrent. Marty Rubin, son agent, était assis avec elle. « Qu'est-ce que ce youpin fiche ici? » pensa-t-il. Il les salua assez fraîchement tous deux.

— Félicitations pour vos galons. May m'a dit, fit l'agent. Je vous envie votre uniforme.

Le regard de Willie se porta sur sa tenue bleue à boutons de cuivre puis sur le costume gris de Rubin, coupé avec trop d'ampleur pour le goût de Princeton et de Manhasset. Le petit agent chauve et replet semblait une vivante caricature du Civil. « Je vous envie le vôtre », répliqua-t-il ironiquement; il prit une chaise en face de May, laissant Rubin entre eux. « Qu'est-ce que vous buvez? »

Rubin fit un signe au garçon. « Du whisky, dit-il. Et vous, qu'est-ce que vous prenez?

— Un double whisky, dit Willie.

— Eh bien! dit May, en lançant à Willie un regard réprobateur.

— Une boisson d'homme pour un officier de marine », fit Rubin. Il leva son verre à moitié vide. « Je termine le mien et je file. Nous parlions affaires, May et moi, en vous attendant.

— Ne partez pas comme ça, dit Willie. Dînez donc avec nous. Je suis désolé d'être arrivé si tard, May.

— Marty est un très agréable compagnon. Je ne me suis pas ennuyée, répondit la jeune fille.

— Merci, dit l'agent. Mais je sais quand un bouche-trou doit faire sa sortie. » Il vida son verre et se leva. « Amusez-vous bien, les enfants. Ah! au fait, votre dîner est payé.

— Ne soyez pas ridicule, dit Willie.

— Mais si, ça me fait plaisir. J'ai vu Frank, dit-il en désignant le maître d'hôtel. Ne laisse pas le marin payer, May. Ce serait le coup de fusil. Au revoir. »

Willie se sentit obligé de se lever pour serrer la main de Rubin. « Je vous remercie, dit-il. Mais vraiment, il ne fallait pas.

— Ma modeste contribution à l'effort de guerre, dit Rubin, qui s'éloigna en se dandinant lourdement.

— C'est gentil de la part de Marty, dit May. Je ne savais pas qu'il avait tout réglé d'avance.

— Très gentil. Un peu commun aussi, dit Willie, en s'asseyant et en avalant une grande gorgée de whisky. Je n'aime pas qu'on m'impose des faveurs.

— La barbe, dit May. Marty Rubin est le meilleur ami que j'aie, toi compris...

— Je pense bien. Vous êtes inséparables.

— Je l'emmène avec moi partout pour me rappeler qu'il y a encore au monde des types convenables qui ne considèrent pas toutes les filles comme bonnes à tripoter et à sauter dessus...

— Excuse-moi d'être assez bestial pour te trouver séduisante. Ton ami préfère peut-être les grandes filles. »

May avait suffisamment conscience de sa petite taille pour porter toujours des talons extrêmement hauts. Le coup lui coupa le souffle un instant, mais elle se reprit. « Comment as-tu osé lui parler sur ce ton?

— J'ai été très aimable. Je l'ai invité à dîner.

— Tu avais l'air de demander à un chien de se coucher au pied de ton fauteuil.

— J'avais envie d'être seul avec toi parce que je t'aime et que je ne t'ai pas vue pendant trois semaines.

— Trois semaines et un après-midi.

— D'accord.

— Plus une heure.

— Je me suis déjà excusé de mon retard.

— J'aurais mieux fait évidemment de rester piquée là toute seule pendant une heure en ayant l'air d'attendre qu'on m'invite.

— May, je suis heureux d'être avec toi. Je suis désolé d'avoir dû te quitter. Nous voilà à nouveau tous les deux. Ne pensons plus au reste. Il lui prit la main, mais elle se dégagea.

— Tu n'aimes peut-être pas les Juifs. Ni les Italiens. Ils ont beaucoup de points communs.

— Tu cherches vraiment la discussion.

— Oui!

— A propos de quoi? Pas de Marty Rubin.

— Non. A propos de nous. » La jeune fille avait les poings crispés sur la table.

Willie se sentait le cœur serré : elle était si belle dans sa robe grise avec ses sombres cheveux roux qui tombaient sur ses épaules. « Tu ne voudrais pas manger d'abord?

— Je n'ai pas envie de manger.

— Dieu soit loué. Je serais incapable d'avaler une olive. Allons au Tahiti. Un verre, et puis on se dispute.

— Pourquoi le Tahiti? Si tu crois que j'ai envie d'y aller en pèlerinage sentimental, tu te trompes...

— J'ai donné rendez-vous là-bas à des camarades que je dois voir quelques minutes...

— Très bien. Ça m'est égal. »

Mais quand ils arrivèrent au Tahiti, la demoiselle du vestiaire et Mr. Dennis et les musiciens vinrent les entourer pour admirer l'uniforme de Willie et plaisanter les deux tourtereaux. Cela coupa le fil de la querelle. Ils s'attablèrent d'un air maussade devant leurs consommations, dans une salle tout emplie d'une foule bruyante, composée presque uniquement d'officiers et de leurs petites amies. Juste avant le début du spectacle de dix heures, Roland Keefer arriva de son pas dansant au milieu du vacarme et de la fumée. Il avait les cheveux en bataille, son col était froissé et ses yeux injectés de sang. Il traînait derrière lui une grosse blonde de quelque trente-cinq ans en robe de satin rose, dont le maquillage permettait mal de distinguer les traits.

— Hé, Willie! Salut, mon pote! Le ressort tient bien ce soir?

Il examinait May d'un air béat. Willie se leva et fit les présentations. Keefer salua May, retrouvant pour un instant une politesse d'homme à jeun. Puis, retombant dans l'hilarité : « Hé, tu sais où est ce vieux cheval de Keggs? fit-il. Il est allé au concert, c'est comme je te le dis. On lui a donné une place au club des officiers. Il voulait que je vienne avec lui. « Des clous! » que je lui ai dit. » Il pinça le bras de la blonde. « On fait notre petit concert tous les deux, hein, ma jolie?

— Ne soyez pas grossier, dit la blonde. Pourquoi ne me présentez-vous pas à vos amis?

— Je vous présente Tootsie Weaver, les enfants. Tootsie, ce type sort de Princeton.

— Enchantée, dit Tootsie, de son air le plus études secondaires.

— A bientôt, les enfants, dit Keefer, entraînant Tootsie au moment où celle-ci semblait en veine de mondanités, on a encore beaucoup à boire.

— N'oublie pas, cria Willie, cinq mauvaises notes par minute de retard après minuit.

— Mon fils, clama Keefer, c'est à l'horloge parlante que tu dis ça. Salut.

— Keefer a de drôles de goûts, dit Willie en se rasseyant.

— Il en dit peut-être autant de toi, répliqua May. Commande-moi un autre verre. »

Le spectacle se poursuivait avec son cortège habituel de chanteuses et de fantaisistes déguisés présentés par un animateur comique. « Nous avons ce soir parmi nous, glapit soudain le meneur de jeu après le dernier numéro, deux grands artistes qui ont fait les délices du public du Tahiti pendant plusieurs semaines en mars dernier. May Wynn, la charmante chanteuse qui vient de terminer son tour de chant au Krypton et Willie Keith, actuellement sous les drapeaux. » Il les désigna en applaudissant. Le rayon rose du projecteur piqua vers le couple. May et Willie se levèrent à contrecœur et le public applaudit. En apercevant May, les militaires redoublèrent d'applaudissements. « Peut-être pourrons-nous décider ce charmant couple à refaire pour nous leur numéro. Est-ce qu'ils ne sont pas gentils tous les deux, hein?

— Non, non, dit Willie, et May secoua la tête, mais les applaudissements continuaient de plus belle.

— Mozart! cria la fille du vestiaire, et les spectateurs, sans savoir ce que cela voulait dire reprirent en chœur : « Mozart! Mozart! » Il n'y avait pas moyen de se récuser. Ils s'approchèrent du piano.

May chanta délicieusement avec une douce tristesse dans la voix. Il y avait dans son interprétation quelque chose qui fit taire les clients, une note d'adieu et de regret de l'amour envolé qui, à travers les fumées de l'alcool et des cigarettes, vint toucher tous les hommes qui étaient sur le point de partir pour aller se battre; et même ceux qui s'étaient habilement arrangés pour rester à l'arrière furent émus et éprouvèrent une vague honte. Tootsie Weaver, nichée à un coin du bar, porta à ses yeux un mouchoir lourdement parfumé.

May accrocha sur les dernières mesures. A la fin, un tonnerre d'applaudissements la salua. Elle regagna précipitamment sa place, sans même saluer. Les trois musiciens de l'orchestre enchaînèrent et les couples envahirent la piste. « C'est la première fois que je cafouille comme ça, marmonna-t-elle à Willie.

— C'était épatant, May.

— Je suis prête à me disputer maintenant, dit-elle, en vidant son verre. Je ne veux plus te revoir.

— Je ne te crois pas.

— Ne me téléphone plus à la confiserie. Je ne descendrai pas te répondre.

— Mais pourquoi? Pourquoi?

— Laisse-moi te dire ça autrement... veux-tu m'épouser? »

Willie se mordit les lèvres et baissa les yeux vers son verre. Le trompettiste déversait dans le microphone des accents assourdissants, et des danseurs bousculaient leur table. « Comprends-moi bien, dit May. Je ne m'attends pas à ce que tu dises oui. Tout est de ma faute. Tu as joué franc jeu en m'étalant ton pedigree le premier soir où nous sommes allés manger des pizzas. Jusqu'à ces derniers temps, j'étais très contente comme ça. Mais je ne sais pas, à un moment, j'ai fait une erreur terrible. J'ai oublié que j'étais Tootsie Weaver...

— Écoute, May...

— Oh, bien sûr, en plus mince, en plus jeune et en un peu plus présentable... mais emmènerais-tu l'une de nous pour la présenter à ta mère?

— May, nous sommes tous les deux des gosses... dans trois mois, je serai en mer...

— Je sais. Tu es adorable, Willie. J'espère que tu trouveras un jour une fille épatante. Seulement je ne veux pas passer encore trois mois à jouer les Tootsie. Pas un soir de plus. Pas une minute de plus, même. » Ses yeux s'emplirent de larmes et elle se leva. « Qu'il ne soit pas dit que je t'ai fait attraper une seule mauvaise note. Allons-nous-en. »

Ils sortirent, montèrent dans un taxi, et se prodiguèrent aussitôt les baisers les plus passionnés qu'ils eussent jamais échangés. Ce n'était plus du plaisir, c'était un supplice auquel ni l'un ni l'autre ne pouvaient s'arracher. Le taxi s'arrêta sous le lampadaire devant l'entrée du pavillon Furnald. La montre de Willie marquait onze heures vingt-cinq. « Roulez toujours, lança-t-il au chauffeur.

— Où va-t-on maintenant?

— Je m'en fiche. Montez et descendez Riverside Drive. Il suffit qu'on soit revenu ici à minuit.

— Bien, monsieur. »

Le chauffeur démarra et ferma la vitre qui le séparait de ses passagers. Le taxi prit l'avenue. Ce furent à nouveau des baisers entrecoupés de mots vains. May tenait la tête de Willie contre sa poitrine et lui caressait les cheveux. « Quelquefois, je me dis que tu m'aimes, fit-elle.

— Je me demande pourquoi Dieu fait des mollasses comme Willie Keith...

— Tu sais ce que dit Marty Rubin?

— Je me fous de Marty Rubin.

— Tu ne le sais pas, Willie, mais il t'aime bien. »

Willie se redressa sur la banquette. « C'est à cause de lui que tout a commencé.

— Je lui ai demandé ce que je devais faire à propos de toi.

— Il t'a dit de m'envoyer promener.

— Pas du tout. Il m'a dit qu'il croyait que tu m'aimais vraiment.

— Eh bien, vive Marty.

— Il se demandait si je ne ferais par un parti plus convenable pour toi en m'inscrivant à l'université. »

Willie était confondu. Geindre et protester de son éternel amour était une chose. Mais voilà qui était sérieux.

— J'en serais capable, dit May avec ardeur. Je pourrais encore entrer au cours de février à Hunter. J'avais de bonnes notes au lycée, bien que tu me considères comme une ignorante. J'ai même une bourse pour l'université, si elle est encore valable. Marty dit qu'il peut me trouver suffisamment d'engagements à New-York et dans les environs immédiats pour que je puisse m'en tirer. Et d'ailleurs, je ne travaille que le soir.

Willie voulait gagner du temps. Sa belle proie revenait à portée, mais avec des propositions de nature à le dégriser. May fixait sur lui des yeux brillants d'espoir. Toute sa rancœur avait fondu.

— Tu pourrais supporter de reprendre tes études?

— Je suis assez dure au mal, dit-elle.

Willie se rendit compte qu'elle était sincère. Ce n'était plus l'agréable compagne de quelques soirées, mais une rivale de Mrs. Keith prête à lui arracher son fils de haute lutte. Le changement s'était opéré en quelques minutes; il était ahuri. « Je vais te dire franchement, May. Je ne crois pas que cela changerait d'un iota l'attitude de ma mère.

— Et la tienne? »

Willie la regarda dans les yeux, puis flancha et tourna la tête.

— Ne t'inquiète pas, chéri, dit-elle, avec une brusque séche-resse. J'avais annoncé la réponse à Marty. Je lui avais dit que je ne t'en voudrais pas. Je ne t'en veux pas. Dis au chauffeur de te ramener à la Marine. Il est tard. »

Mais quand le taxi fut à nouveau arrêté devant le pavillon Furnald, et que le moment fut venu pour Willie de sortir et de quitter May pour toujours, il en fut incapable. A minuit moins trois, il se lança dans une harangue désespérée pour rattraper le terrain perdu. Sur le trottoir, des midships gagnaient la porte d'en-trée au pas de course, d'autres arrivaient sans se presser ou d'un pas chancelant. Quelques-uns embrassaient des filles dans les recoins du bâtiment. La teneur du plaidoyer de Willie, c'était que May et lui devraient profiter de l'heure présente, cueillir dès aujour-d'hui les roses de la vie et savourer l'instant qui passe et jamais ne revient et que la jeunesse ne durait pas toujours et ainsi de suite. Il lui fallut trois bonnes minutes pour délivrer son message. Les couples qui restaient dans la rue mirent un terme à leurs doux entretiens. Le flot des derniers midships disparut. Mais Willie, dont les mauvaises notes commençaient à s'accumuler, ne pouvait en toute courtoisie qu'attendre la réponse de May. Il espérait qu'elle serait favorable et brève.

— Willie, mon chéri, commença May, écoute pour la dernière fois, parce que c'est fini entre nous. Je suis une pauvre fille du Bronx avec des tas d'ennuis. Je ne veux pas y ajouter encore un amour sans espoir. J'ai un père et une mère nantis d'un magasin de fruits qui ne rapporte pas, un frère dans l'armée et un autre qui est un vrai chenapan qu'on ne voit jamais sauf quand il a besoin d'argent pour se tirer du pétrin. Tout ce que je demande, c'est une possibilité de gagner ma vie et d'avoir la paix. J'ai été assez bête pour tomber amoureuse de toi et je ne sais pas ce qui m'a pris, parce que tu es encore plus bête que moi. Sur le plan sen-timental, tu as quinze ans, et quand tes cheveux se redressent en brosse, ce qui arrive souvent, tu as l'air d'un lapin. Je crois que tu m'as eue à la littérature comparée. Désormais, j'éviterai tout homme qui sera allé plus loin que son bachot et... pour l'amour du ciel, s'interrompit-elle, furieuse, pourquoi regardes-tu sans arrêt ta montre?

— Je suis en train de récolter des mauvaises notes, dit Willie.

— Eh bien, va-t'en, va-t'en de ma vie. Je ne te reverrai jamais! lança la jeune fille, hors d'elle. C'est le ciel qui a dû t'envoyer à moi pour me punir de ne pas aller à la messe. Va-t'en!

— May, je t'aime, dit Willie, en ouvrant la porte.

— Disparais », cria May. Elle le poussa et claqua la porte der-rière lui.

Willie se précipita dans le pavillon Furnald. Au-dessus de l'en-trée l'attendait une gigantesque horloge qui grimaçait minuit

quatre. Et sous l'horloge, redoutable dans sa joie mauvaise, se
tenait l'enseigne Brain.

— Tiens, midship Keith, je crois.

— Oui, lieutenant, haleta Willie, au garde à vous et tremblant.

— Le contre-appel a révélé que vous étiez en absence illégale...
le seul de tout le Pavillon, midship Keith. J'espérais que c'était
une erreur. Tous ses sourires indiquaient qu'il avait sans doute
espéré plus fort encore que ce n'en était pas une. Ses rides s'en
redressaient de plaisir.

— Excusez-moi, lieutenant. Des circonstances...

— Des circonstances, midship Keith? Des circonstances? La
seule circonstance qui m'importe pour l'instant, midship Keith,
c'est que vous avez à l'heure actuelle vingt mauvaises notes, le
chiffre le plus élevé de toute l'École! Que pensez-vous de cette
circonstance, midship Keith?

— J'en suis désolé, lieutenant.

— Vous en êtes désolé. Merci de me faire savoir que vous en
êtes désolé, midship Keith. J'avais la stupidité de m'imaginer
que vous en étiez ravi, midship Keith. Mais sans doute avez-vous
l'habitude de rencontrer chez vos supérieurs une pareille stupidité.
Sans doute croyez-vous que nous sommes tous stupides. Sans doute
croyez-vous que tous les règlements de cette école sont stupides.
Ou bien vous croyez cela, ou alors vous vous jugez trop bien pour
être tenu d'obéir à des règles faites pour le vulgaire. C'est bien cela,
midship Keith?

Pour l'aider à choisir l'une de ces deux intéressantes alter-
natives, il approcha son visage boucané à cinq centimètres du
nez de Willie. Les midships postés sur la « plage arrière »
n'en perdaient pas une bouchée et se demandaient comment
Willie allait se tirer de cette impasse. Willie fixa les poils épars
sur le crâne de l'enseigne Brain et eut le bon sens de se tenir coi.

— Cinquante mauvaises notes et c'est l'expulsion, midship
Keith, ronronna le chien de quartier.

— Je sais, lieutenant.

— Vous voilà sur la bonne voie, midship Keith.

— Je m'en tiendrai là, lieutenant.

L'enseigne Brain se recula à distance normale. « Les guerres se
font au chronomètre, midship Keith. On lance les attaques à
l'heure fixée. Pas avec quatre minutes de retard. Un retard de
quatre minutes peut causer la mort de dix mille hommes. On
peut couler une flotte entière en quatre minutes, midship Keith. »
L'enseigne Brain suivait la méthode classique, dissimulant sous
des dehors de haute morale son plaisir de chat qui joue avec la
souris. « Rompez, midship Keith.

— Merci, lieutenant. »

Willie salua et, désespéré, gravit à pied les neuf étages. L'ascenseur ne fonctionnait plus après minuit.

CHAPITRE V

LES CONSIGNES DU MIDSHIP KEITH

L E lendemain, dimanche, le soleil brillait dans un ciel sans
nuages, et les midships en rendaient grâce au Seigneur. Une
revue devait avoir lieu, pour le plaisir du commandant de la Troisième Région navale; on allait déployer toutes les forces militaires
de Columbia. Les cadets des pavillons Johnson et John Jay, les
deux autres sections de l'École allaient se joindre à ceux de Furnald ce qui porterait les effectifs à deux mille cinq cents aspirants
de marine. Après le café matinal, les midships endossèrent leur
uniforme bleu et s'alignèrent devant le bâtiment, avec leurs fusils,
leurs leggings et leurs cartouchières. Chacun subit une inspection
aussi minutieuse que s'il allait déjeuner avec l'amiral au lieu de
passer devant lui au milieu d'une mer de têtes. Les mauvaises notes
pleuvaient pour une tache sur un col, pour des chaussures qui ne
reflétaient pas l'image de l'officier qui passait l'inspection, pour un
cheveu trop long de deux millimètres. Une chiquenaude décochée
par l'enseigne Brain sur le cou d'un midship était le signe précur-
seur de cinq mauvaises notes qu'enregistrait soigneusement dans
son carnet le sous-officier qui était sur ses talons. Willie eut droit à
une chiquenaude. Il trônait solitaire du haut de ses vingt-cinq mauvaises notes. Son plus proche concurrent en avait sept.

Un orchestre de soixante midships faisait retentir des marches
claironnantes qui témoignaient de plus de souffle que de sens de
l'harmonie, les couleurs flottaient fièrement aux mâts, et les baïonnettes au canon étincelaient au soleil du matin, tandis que les
rangs de midships s'avançaient vers la cour sud. Derrière les fils
de fer qui entouraient la cour se pressaient des centaines de specta-

teurs : parents, fiancées, passants, étudiants de l'Université et petits garçons moqueurs. L'orchestre, son répertoire épuisé, allait entonner pour la seconde fois *Levons l'ancre* quand enfin toutes les cohortes des pavillons Johnson, John Jay et Furnald atteignirent leurs places respectives. C'était un spectacle impressionnant que ces longues rangées de casquettes blanches cerclées d'or, ces fusils hérissés, ces épaules bien carrées sous la serge bleue et ces jeunes visages graves. Pris un à un, ce n'étaient que des garçons affolés, soucieux surtout de ne pas se faire remarquer, mais de leur agrégat se dégageait la subtile promesse d'une puissance insoupçonnée quoique encore malhabile. Une sonnerie de clairon déchira l'air. Deux mille cinq cents mains se portèrent paume ouverte aux casquettes. L'amiral s'avança sur le terrain, cigarette aux lèvres, suivi par quelques officiers qui déambulaient de ce pas nonchalant qui symbolise les privilèges du rang, échelonnés à des distances strictement proportionnelles au nombre de galons que chaque promeneur portait sur sa manche. L'enseigne Brain fermait le cortège, fumant lui aussi. Il éteignit sa cigarette à l'instant précis où l'amiral éteignait la sienne.

L'amiral, un petit homme court et trapu aux cheveux gris, adressa aux midships quelques brèves paroles de courtoisie. Puis le spectacle commença. Marchant au son de la musique, d'un pas fier et assuré, conquis, après une semaine de répétition, les pelotons défilèrent, pivotant, marquant le pas. Les spectateurs applaudissaient, poussaient des vivats. Les petits garçons marchaient en désordre le long de la clôture, singeant les midships et poussant des clameurs. Et le commandant de la Troisième Région navale suivait le défilé en arborant un sourire qui gagna les visages d'ordinaire sombres des chefs de l'École. Les caméras d'actualités montées sur des camions au bord du terrain enregistraient la scène pour la postérité.

Willie marchait dans une sorte de transe, hanté à la fois par l'idée de May et celle de ses mauvaises notes. Il se moquait bien de l'amiral, mais il tenait fort à ne pas faire de faute. Nul dos n'était plus droit, nul fusil incliné suivant un angle plus correct dans toute la parade que ceux de Willie Keith. La musique martiale et le majestueux défilé l'enthousiasmaient et il était fier de participer à cette belle manifestation. Il se fit le serment de devenir le plus impeccable, le plus admiré, le plus militaire des midships du pavillon Furnald.

La musique se tut. Le défilé se poursuivit au son des tambours, signe annonciateur des dernières manœuvres de la parade. Puis la musique entonna une fois de plus *Levons l'ancre*. La section de Willie pivota vers la clôture, pour préparer le quart de tour qui l'emmènerait hors du terrain. Willie suivit le mouvement de pivot, ses yeux dans l'alignement, gardant impeccablement sa position. Puis son regard se posa devant lui et il se trouva face à face avec May Wynn. Elle était debout derrière la clôture, à cinq mètres de lui, dans son manteau noir doublé de fourrure. Elle agita la main en souriant.

— Je retire tout de que j'ai dit. Tu as gagné! cria-t-elle.

— Quart de tour à *gauche*... marche! hurla Roland Keefer.

Au même instant un peloton du pavillon Johnson passa à côté d'eux et le chef de peloton cria : « Quart de tout à *droite*... marche! »

Willie, les yeux toujours fixés sur May, l'esprit obnubilé, obéit au commandement qui ne lui était pas destiné; faisant un brusque quart de tour à droite, il s'éloigna de son peloton. En un moment, il se trouva coupé de sa section par un groupe du pavillon Johnson. Après s'être avancé d'un pas martial sur une pelouse déserte, il s'arrêta, se rendant compte qu'il était seul. Une batterie de caméras d'actualités qui semblaient toutes braquées sur lui photographiaient chacun de ses mouvements.

Il jeta autour de lui des regards affolés et, quand le dernier rang du pavillon Johnson fut passé devant lui, il aperçut son peloton qui s'éloignait, à l'autre bout du terrain. Chaque grognement des tubas, chaque roulement de tambour accentuaient la solitude de Willie. Rejoindre sa place, c'était courir un cent mètres en solitaire, sous les yeux mêmes de l'amiral. Rester planté seul au milieu du terrain était impossible. Des spectateurs commençaient déjà à lui lancer des plaisanteries. Willie plongea désespérément dans un rang de midships du pavillon John Jay qui passaient en file indienne, se dirigeant vers la sortie du terrain qui faisait face au pavillon Furnald.

— Qu'est-ce que tu fous là? File, siffla l'homme qui était derrière lui. Willie avait eu la malchance de tomber au milieu des plus grands des élèves du pavillon John Jay. Il formait dans l'alignement des têtes une brèche peu militaire. Mais il était trop tard maintenant pour rien faire d'autre que prier. Il continua donc à défiler.

— Sors de ce rang, espèce de macaque, ou je te défonce les jarrets!

La file des midships parvint à la sortie du terrain et se relâcha. Willie se retourna et dit rapidement à son voisin furieux : « Écoute, vieux, je suis fichu. J'ai été coupé de mon peloton. Tu veux que je me fasse virer? »

L'autre se tut. La file pivota pour entrer dans le pavillon John Jay. Les midships aussitôt se dispersèrent en riant et en criant, et bondirent dans les escaliers. Willie resta dans le hall, contemplant, pour se donner une contenance, les trophées d'athlétisme de Columbia dans leurs vitrines. Il attendit un quart d'heure, errant ici et là, évitant avec soin les midships, et l'officier de quart. L'agitation de la revue se calma. Le silence régna à nouveau dans le hall. Rassemblant son courage, il s'avança d'un pas décidé vers l'unique porte où trônait un garde. Toutes les autres issues étaient fermées au verrou.

— Halte-là! Qui vive?

Willie s'arrêta sur la sommation de l'officier de quart, un midship solidement bâti qui portait un brassard jaune. A quelques mètres de là, un enseigne assis à un bureau corrigeait des copies.

— Midship Willie Seward Keith, pavillon Furnald, en mission.

— Quelle mission?

— Pointage d'un reçu de fusil égaré.

Le midship prit une feuille ronéotypée qu'une pince fixait à une plaque de bois. « Vous n'êtes pas pointé, Keith.

— Je suis arrivé pendant le remue-ménage de la fin de la revue. Excusez-moi.

— Montrez votre ordre de mission. »

C'était le piège. Willie maudit l'esprit méticuleux de la Marine. Il prit son portefeuille dans sa poche et exhiba une photo de May Wynn toute souriante sur un cheval de manège. « Soyez chic, contentez-vous de ça, souffla-t-il. Il ne tient qu'à vous que je sois viré. »

L'officier de quart ouvrit des yeux ahuris. Il regarda curieusement l'enseigne, puis se redressa et salua. « Passez, Keith.

— Bien, lieutenant. » Willie salua et sortit dans le soleil; il avait profité de cette brèche que l'apprentissage militaire n'a jamais réussi à combler tout à fait : la sympathie qui lie entre eux les opprimés.

Il avait pour regagner le pavillon Furnald trois solutions : passer par le terrain qui était trop exposé; se faufiler par les rues, qui étaient hors des limites du cantonnement; ou suivre le sentier qui longeait le terrain en passant devant la bibliothèque. Ce fut ce chemin que choisit Willie; il ne tarda guère à y rencontrer une corvée de midships du pavillon Furnald occupés à replier les chaises de jardin qu'on avait installées pour la suite de l'amiral sur le perron de la bibliothèque. Il envisagea un instant de se mêler à eux, mais ils étaient en kaki et lui lançaient des regards inquiets. Il les dépassa rapidement. La voie était libre vers le pavillon Furnald...

— Midship Keith, je crois?

A ces mots, Willie se retourna tout empli d'une horreur incré-dule. L'enseigne Brain, dissimulé par une des colonnes de granit de la bibliothèque, était assis sur une chaise de jardin et fumait. Il laissa tomber sa cigarette, l'écrasa du bout du pied d'un geste coquet et se leva. « Avez-vous une explication à fournir, midship Keith, pour vous trouver errant hors de votre chambre, en uniforme, durant une heure d'étude? »

Willie sentit toute sa fermeté d'âme l'abandonner. « Aucune, lieutenant.

— Aucune, lieutenant. Une excellente réponse, midship Keith, qui compense en netteté ce qui lui manque d'officiellement satisfaisant. » L'enseigne Brain eut le sourire d'un homme affamé devant une cuisse de poulet. « Midship Auerbach, prenez la direction de la corvée.

— Bien, lieutenant.

— Venez avec moi, midship Keith.

— Bien, lieutenant. »

Sous l'escorte de l'enseigne Brain, Willie regagna sans encombre le pavillon Furnal. On le conduisit au bureau de l'officier de garde, l'enseigne Acres. Les midships assemblés sur la « plage arrière » le contemplaient avec consternation. Toute l'école savait qu'il avait accumulé les mauvaises notes. Cette nouvelle catastrophe les horrifiait. Willie était leur cauchemar vivant.

— Bon sang, s'écria l'enseigne Acres en se levant, Keith encore.

— Lui-même, dit l'enseigne Brain. Midship Keith, ce parangon des vertus militaires. Dehors en uniforme, absent sans autorisation et pendant une heure d'étude. Sans explication.

— Son compte est bon, dit Acres.

— Sans nul doute. J'en suis navré pour lui, mais il fallait bien que je le ramasse.

— Bien sûr. Acres regardait Willie avec curiosité, et avec pitié aussi. « Vous n'aimez donc pas la Marine, Keith?

— Si, lieutenant. Mais j'ai eu une série de malchances. »

Acres souleva sa casquette pour se gratter le crâne et posa sur Brain un regard hésitant. « On devrait peut-être se contenter de lui faire monter ses neuf étages à coups de botte dans le train?

— C'est vous qui êtes de garde, dit Brain, d'un ton pincé. Une vingtaine de midships sont déjà au courant. Et je suis à peu près sûr que le commandant a tout vu de sa fenêtre. »

Acres hocha la tête et remit sa casquette, tandis que Brain s'éloignait. « Eh bien, voilà, Keith. Venez. »

Ils s'arrêtèrent devant la porte du commandant de l'école. Acres dit à voix basse : « Mais bon Dieu, Keith, de vous à moi, qu'est-ce qui s'est passé? »

Devant le ton amical de Acres, les uniformes semblèrent un instant disparaître. Willie eut soudain le sentiment que tout cela n'était qu'un rêve, qu'il était passé dans le pays de l'Autre Côté du Miroir, mais qu'il était jeune et bien portant, que le soleil brillait et que hors du pavillon Furnald, à quelques mètres de là, en plein Broadway, ses malheurs feraient figure de plaisanterie. Seulement voilà, il se trouvait justement dans le pavillon Furnald et non pas dehors. Prisonnier de lois d'opéra-comique, il en avait violé quelques-unes dans le courant de l'action et il marchait vers une damnation d'opéra-comique. Mais cet absurde ballet empiétait fort sur le monde réel. Tout cela allait avoir pour effet que son corps, au lieu de voguer vêtu de bleu sur les eaux du Pacifique, allait traverser l'Atlantique, vêtu de kaki. Et c'était là une perspective qui lui déplaisait énormément.

— Qu'est-ce que ça changera? dit-il. Enfin, j'ai été très heureux de vous connaître, Acres.

L'enseigne Acres ne releva pas cette familiarité. Il la comprenait. « Merton a bon cœur. Dites-lui la vérité. Vous avez encore une chance », dit-il en frappant.

Le capitaine de frégate Merton, un petit homme à la tête ronde, aux cheveux bruns taillés en brosse au-dessus d'un visage rouge, était assis à son bureau, face à la porte. Il était en partie dissimulé par un percolateur en pleine ébullition. « Oui, Acres? »

— Commandant... le midship Keith, encore.

Le commandant Merton dévisagea sévèrement Willie par-dessus l'instrument. « Qu'est-ce que c'est cette fois? »

Acres récita l'acte d'accusation. Merton hocha la tête, le congédia, ferma la porte à clef, et pressa une touche de son interphone. « Qu'on ne me dérange pas jusqu'à nouvel avis.

— Bien, commandant », crépita le petit haut-parleur.

Le commandant remplit une tasse. « Café, Keith?

— Non, merci, commandant. Willie avait les genoux flageolants.

— Je crois que vous feriez mieux d'en prendre. Crème ou sucre?

— Ni l'un ni l'autre, commandant.

— Asseyez-vous.

— Merci, commandant. » Willie était plus terrorisé par tant de courtoisie qu'il ne l'aurait été par un déploiement de rage. Cette tasse de café vous avait un petit air dernier repas du condamné.

Le commandant Merton sirota son café sans mot dire pendant d'interminables minutes. C'était un officier de réserve, dans le civil directeur commercial d'assurances avec un faible pour le cabotage et les exercices hebdomadaires de cadre de réserve. Sa femme s'était souvent plainte du temps qu'il perdait dans la Marine, mais la guerre lui avait donné raison. Il était aussitôt passé dans le service actif et sa famille était fière maintenant de ses trois galons.

— Keith, dit-il enfin, vous me mettez dans une position délicate car j'ai envie de m'excuser auprès de vous des règlements de la Marine. Le total de mauvaises notes que vous valent ces trois nouveaux délits, joint aux vingt-cinq que vous avez déjà vous chasse automatiquement de l'école.

— Je sais, commandant.

— Ces mauvaises notes signifient quelque chose. Leur taux a été soigneusement calculé. Tout homme qui est incapable de demeurer dans les limites prévues devrait être éloigné de la Marine.

— Je sais, commandant.

— A moins, dit le commandant en buvant une autre gorgée de café, à moins qu'il ne soit victime de circonstances extraordinaires, exceptionnelles. Keith, que vous est-il arrivé?

Il n'y avait plus rien à perdre. Willie raconta tous ses démêlés avec May Wynn, sans omettre l'apparition de celle-ci derrière la clôture. Le commandant écoutait sans sourire. Quand Willie eut terminé, il médita un moment, doigts joints.

— Vous plaidez en fait une aberration momentanée due à une femme.

— Oui, commandant. Mais c'est moi le coupable, et non elle.

— N'êtes-vous pas le garçon, dit le commandant Morton, qui a fait cette brillante copie sur les paliers antifriction?
— Euh... oui, commandant.
— C'était une question très dure destinée à sélectionner les tout meilleurs. La Marine, Keith, ne peut pas se permettre de perdre un homme aussi doué. Vous nous avez joué un bien vilain tour.
Willie qui avait repris quelque espoir, sombra à nouveau dans le découragement.
— A supposer, dit le commandant Merton, que je vous octroie un total de quarante-huit mauvaises notes et que je vous consigne à l'école jusqu'à l'examen de sortie. Pourriez-vous vous en tirer?
— J'aimerais essayer, commandant!
— La moindre faute vous ferait expulser : des chaussures mal cirées, des cheveux mal coupés, un lit mal fait. Vous vivriez sous une perpétuelle épée de Damoclès. La moindre malchance vous coulerait... fût-ce la veille même de l'examen. J'ai viré des garçons qui avaient déjà leur uniforme d'enseigne sur le dos. Pendant trois mois, vous ne pourriez passer une seule soirée avec cette personne, Miss Wynn. Êtes-vous sûr de vouloir vous soumettre à une pareille épreuve?
— Oui, commandant.
— Pourquoi?
Willie réfléchit un moment. Pourquoi, au fait? Être versé dans l'infanterie pouvait sembler doux comparé à ce qu'on lui proposait.
— Je n'ai encore jamais échoué dans ce que j'ai entrepris, commandant, dit-il. Il est vrai que je n'ai jamais visé très haut. Si je suis un bon à rien, autant que je m'en aperçoive maintenant.
— Très bien, debout.
Willie se figea au garde à vous. Ce mouvement le ramena dans la Marine.
— Vingt-trois mauvaises notes et consigné jusqu'à l'examen, lança le commandant Merton, d'un ton âpre et sec.
— Merci, commandant!
— Rompez!
Willie sortit du bureau plein de belles résolutions. Il se sentait le débiteur du commandant Merton. Quand il regagna le dixième étage, ses compagnons respectèrent son silence. Il se jeta sur ses livres avec une ardeur haineuse.
Ce soir-là, il écrivit une longue lettre à May. Il lui promit qu'à la fin de son emprisonnement, son premier geste serait de chercher à la voir si elle le voulait bien encore. Il ne souffla mot de mariage. Le lendemain matin, il se leva en même temps que Keggs, deux heures avant le réveil et potassa frénétiquement l'artillerie, la tactique, la balistique, la navigation et les transmissions.
Il y avait chaque jour le moment de la visite, entre cinq heures et cinq heures demie : les midships étaient alors autorisés à voir leurs parents ou leurs petites amies dans le hall ou devant le bâtiment. Willie comptait consacrer ce temps à travailler, mais il

dut descendre acheter des cigarettes au distributeur automatique. Il fut surpris de voir son père assis dans un coin sur une banquette de cuir, la canne entre les jambes, la tête appuyée d'un air las sur un bras, les yeux clos.

— Bonjour, papa!

Le docteur Keith ouvrit les yeux et accueillit joyeusement Willie, chassant de son visage toute trace de fatigue.

— Où est maman?

— Elle avait une réunion au comité d'administration du musée. Quelques malades ne sont pas contents que j'aie annulé leurs rendez-vous, Willie, mais me voilà.

— Merci d'être venu, papa. Comment va ton pied?

— Toujours pareil... Ainsi donc, voici le croiseur _Furnald_...

— Allons faire un tour. Je vais te faire visiter.

— Non. Restons assis et bavardons. Raconte-moi.

Willie expliqua l'usage des pavillons pendus au plafond, fit appel à tout son bagage de vocabulaire nautique pour décrire les énormes appareaux d'ancrage disposés dans un coin et faire comprendre à son père le fonctionnement du canon de cinq pouces qui décorait le milieu du hall. Le docteur Keith hocha la tête en souriant. « Tu apprends vite.

— Oh, ce ne sont que des mots, papa. Sur un navire, je serai perdu.

— Pas tant que tu crois. Comment ça marche-t-il? »

Willie hésita. Il était heureux de pouvoir annoncer la mauvaise nouvelle à son père plutôt qu'à sa mère. Il ne savait pas comment celle-ci encaisserait le coup. Il préférait raconter ses ennuis à un homme. Il fit un bref exposé de la situation, abrégeant le rôle de May. Le docteur Keith alluma un cigare et examina Willie comme si le visage de son fils lui en disait plus que les mots.

— Sale histoire.

— Ce n'est pas brilant.

— Crois-tu que tu y arriveras?

— Si j'ai ce qu'il faut en moi, oui. Dans le temps je croyais que je n'étais pas bête. Maintenant je ne suis pas si sûr de moi. Je suis plus curieux qu'inquiet.

— Tu tiens tellement à être officier de marine?

— Je crois que oui. Je ne me vois pas comme un nouveau John Paul Jones, mais je serais furieux d'être viré pour une histoire aussi stupide.

— Ta mère t'a-t-elle parlé de l'oncle Lloyd?

— Non, pourquoi?

— Son associé est colonel aux Services de l'Information. Lloyd est à peu près certain de pouvoir te tirer de la Marine et de te faire avoir un grade dans l'Armée. Ta mère se creuse la tête pour trouver un moyen de te faire muter.

— Je ne savais pas.

— Cela s'est présenté cette semaine. Tu connais ta mère. Elle voudrait tout arranger et t'offrir ton grade sur un plateau.

Willie jeta un coup d'œil par la fenêtre. Des midships flânaient au soleil devant le bâtiment. « Pourrais-je avoir un brevet d'officier dans l'Armée même si je me faisais virer d'ici?

— Je crois que cela n'y changerait pas grand-chose. Cela pourrait même tout simplifier.

— Veux-tu me rendre un service, papa?

— Naturellement.

— Dis à maman aussi gentiment que tu pourras de dire non à oncle Lloyd.

— Attends un peu.

— Non, j'y tiens, papa.

— On peut toujours garder cela en réserve pour toi, tu sais.

— Non, merci.

— Je doute fort qu'avec le poste qu'il pourrait te procurer, tu quittes les Etats-Unis.

— Je regrette fichtrement de ne pas l'avoir su plus tôt.

— Et si tu te fais virer la semaine prochaine? Une tache sur ton col suffira, Willie.

— Si je me fais virer, dit Willie, je m'engage comme marin. » Jamais il n'avait envisagé cette décision. Les mots étaient venus tout seuls à ses lèvres.

Le gong retentit. Le docteur Keith vit autour de lui les autres visiteurs se diriger vers la porte. Il se leva péniblement, en s'appuyant sur sa canne. Willie qui l'observait se sentit traversé d'une pointe d'angoisse.

— Tu n'es pas en forme, papa?

— Je ne vais pas encore mourir, fit le docteur en riant. Il prit le bras de Willie, sans s'y appuyer, le tenant simplement jusqu'à la porte. « Eh bien, adieu au prisonnier de Furnald. J'annoncerai la chose à ta mère aussi doucement que je pourrai.

— Elle peut toujours venir me voir ici. J'espère que tu viendras aussi.

— Je ne puis m'empêcher de te dire, remarqua le docteur Keith en s'arrêtant sur le seuil, que ta vocation de marin me surprend.

— Ce n'est pas une vocation. Si tu tiens à le savoir, ce que j'ai étudié me fait l'effet d'un fatras sans intérêt. Les règlements, le jargon technique me semblent comiques. L'idée que des hommes consacrent leur vie à jouer cette comédie me terrifie. Autrefois je pensais que c'était mieux que l'Armée, mais je suis bien certain maintenant que c'est tout aussi ridicule. Mais ça m'est égal. J'ai choisi la Marine. Je ferai cette stupide guerre dans la Marine.

— As-tu besoin d'argent? »

Willie eut un faible sourire. « Les cigarettes ne coûtent pas cher ici. Pas de taxes. »

Le docteur lui tendit la main. « Au revoir, Willie. » Il retint la main de son fils dans la sienne un peu plus longtemps qu'il n'était nécessaire. « La majorité de ce que tu dis de la Marine doit être exacte, mais j'aimerais quand même être un de tes compagnons. »

Son fils parut surpris. « Ce serait chic de t'avoir ici. Mais tu es plus utile à Manhasset.

— C'est bien ce que je suis obligé de me dire. Au revoir. »

Willie regarda s'éloigner la silhouette boitillante et pensa vaguement qu'il aurait dû bavarder plus souvent avec son père avant la guerre.

Dans les semaines qui suivirent, May vint souvent le voir. Elle était repentante et joyeuse. Pleine de tact, elle s'arrangeait pour connaître les jours où la mère de Willie avait des chances de venir et ces jours-là, elle-même ne paraissait pas. A deux reprises, Willie la vit arriver à la porte du Pavillon, l'apercevoir en conversation avec sa mère et s'éclipser après un discret petit signe de la main. En février, ses visites se firent plus rares; elle était inscrite au collège Hunter et avait plusieurs cours assez tard dans l'après-midi. Mais elle s'en échappait parfois pour aller le voir. Willie était un peu gêné qu'elle eût repris ses études, mais elle écarta ses reproches en riant.

— Ne t'inquiète pas, chéri, tout cela est fini. Ce n'est pas pour toi que je le fais, mais pour moi. Tu as eu une bonne influence sur moi. J'ai décidé que mieux valait ne pas rester une serine toute ma vie.

Willie tenait sa résolution de raffermir sa position instable par des bonnes notes, et il parvint peu à peu à se classer parmi les meilleurs élèves de l'école. Au début, dans le feu de sa détermination, il s'était fixé pour but la première place, mais il ne tarda guère à s'apercevoir qu'il ne pourrait pas l'atteindre. Un midship au masque de mandarin, du nom de Tobit, doué d'un front de philosophe, d'une élocution claire et mesurée et d'un esprit semblable à une éponge, tenait la tête avec une belle avance. Trois autres supercerveaux se disputaient à sa suite. Willie ne pouvait rivaliser avec leur extraordinaire mémoire photographique; il le comprit vite et cessa de se désespérer devant des notes qui n'atteignaient pas à la perfection. Il se cantonna à son rang qu'il trouva oscillant entre dix-huitième et vingt-troisième de Furnald.

Sa gageure était devenue célèbre. Les midships et même les enseignes parlaient volontiers à leurs petites amies du pauvre diable écrasé sous le poids de quarante-huit mauvaises notes. Cette célébrité lui était d'ailleurs utile. Pas un enseigne, pas même le pointilleux Brain ne voulait être celui qui ferait choir sur sa tête le couperet. Un jour, Acres entra dans la chambre durant une heure d'étude et trouva Willie effondré de sommeil sur le bureau, délit qui valait huit mauvaises notes. Willie trembla tout le jour, mais il n'y eut jamais de rapport.

Mrs. Keith était scandalisée de la situation de Willie et lui manifestait une sympathie tumultueuse. Elle consacra le temps de plusieurs visites à presser Willie d'accepter la proposition d'oncle Lloyd, mais elle finit par renoncer en voyant que Willie était manifestement en train de gagner son combat et qu'il y trouvait une profonde satisfaction.

Dans les dernières semaines, Willie faiblit, par simple fatigue d'une part et aussi parce qu'il avait le sentiment que le danger s'éloignait. Quand on afficha le dernier classement quatre jours avant la remise des diplômes, il était tombé à la trente et unième place.

Le même jour, un document sensationnel fit son apparition sur le tableau de service : une liste des catégories de postes ouverts aux diplômés de Furnald. Quand les midships regagnèrent leurs chambres après les cours du matin, ils trouvèrent sur leur lit des formulaires ronéotypés. Chaque midship était prié de désigner par ordre de préférence les trois affectations qu'il désirait le plus obtenir et de dire les raisons du premier choix.

Personne ne savait quelle influence réelle ces feuilles auraient sur les affectations. Selon certaines rumeurs, tout le monde obtiendrait l'affectation demandée en premier à condition d'avoir bien exprimé les raisons de son choix; selon d'autres, il ne s'agissait là que de paperasserie supplémentaire sans intérêt; à en croire certains, par contre, il ne s'agissait de rien moins que de dépister ceux qui voulaient éviter les postes dangereux pour être sûr de les leur donner. Certains conseillaient de demander l'affectation la plus dangereuse; d'autres en étaient pour exposer franchement les desiderata. Des hommes comme Willie, dont on connaissait les dons littéraires, se voyaient sans cesse demander le service de rédiger des motifs convaincants. Un journaliste entreprenant, du nom de Mac Cutcheon, du huitième étage, connut une vague de prospérité en se faisant payer cinq dollars par motif.

Keefer choisit aussitôt l'État-Major du Pacifique, en disant : « C'est ça qu'il me faut. Se prélasser à Hawaï au milieu des infirmières, en allant peut-être une fois de temps en temps porter une dépêche à l'amiral. Voilà comment je comprends la guerre. » Il laissa audacieusement en blanc les deux autres choix. Keggs se tortura une heure durant à réfléchir sur sa feuille et la remplit enfin d'une main tremblante. Il demanda d'abord les Mouilleurs de Mines, un épouvantail que personne d'autre de toute l'école n'osa mentionner dans ses demandes. Il choisit ensuite les Sous-marins, théâtre du Pacifique... et enfin, en toutes petites lettres, il mentionna sa véritable préférence : Défense côtière, Secteur de l'Atlantique.

L'unique but de Willie, en remplissant son formulaire, était de demeurer près de May. Il demanda donc d'abord l'État-Major de l'Atlantique, calculant que cela devait le mettre quelque part sur la côte est, peut-être même à New-York. Il demanda ensuite les Grosses Unités, secteur de l'Atlantique (les Grosses Unités passaient beaucoup de temps au port). Et, en troisième, il mit les Sous-marins, secteur du Pacifique, pour montrer qu'il était quand même un risque-tout au fond du cœur. On admira beaucoup au dixième étage cette dernière trouvaille, qui fut très imitée. Willie estimait pour sa part que sa liste témoignait d'une profonde compréhension de la mentalité de la Marine. Il avait un moment été tenté de demander l'École des Transmissions, qui comprenait un stage de cinq mois à Annapolis. Keefer avait un frère, Tom, qui avait suivi ces cours et qui avait passé de joyeux moments avec les filles de Baltimore. Mais il parut à Willie que demander cinq mois de plus à terre serait un peu voyant. Tom Keefer avait été envoyé à Annapolis après avoir demandé un porte-avions. Cela décida Willie à ne pas demander à suivre le stage.

La remise des diplômes était pour le lendemain et, pendant une heure d'étude, les midships du dixième étage paressaient sur leurs livres en faisant mine encore de travailler, bien que les totaux fussent terminés et que plus rien ne comptât plus. Un mot jaillit dans les couloirs comme une étincelle: «Les affectations! » Les midships se massèrent au seuil de leurs chambres. Le second maître du « pont » passait dans le couloir avec tout un paquet d'enveloppes. Arrivé au 1013, il jeta deux enveloppes à Keefer. « Bonne chance, les gars.

— Hé, fit Keefer, on est trois ici. »

Le messager examina son paquet. « Je regrette, l'affectation de Keith ne doit pas encore être arrivée. On attend encore un autre courrier. »

Keefer ouvrit son enveloppe, éclata de rire et se mit à danser. « Ça y est! Ça y est! État-Major du Pacifique, crénom! » Willie lui assena dans le dos de grandes claques de félicitations. Keefer se calma d'un coup et se dégagea. « Hé, Ed... qu'est-ce qui ne va pas? »

Le visage chevalin de Keggs était tourné vers le mur et il tremblait comme s'il était dans un tramway ferraillant. Son enveloppe était sur le bureau.

— Qu'est-ce que t'as tiré, Eddy? dit Willie, avec inquiétude.

— Sais pas. Je... je n'ose pas l'ouvrir. Il contemplait l'enveloppe comme s'il s'agissait d'une mine pas encore désamorcée.

—Tu veux que je l'ouvre? proposa Keefer.

— S'il te plaît.

Le Méridional ouvrit toute grande l'enveloppe et lut l'affectation. « Ça alors, murmura-t-il. Keggs s'écroula sur son lit, en gémissant.

— Mais bon sang, dit Willie, qu'est-ce que c'est?

— Présentez-vous à San-Francisco pour rejoindre D. M. S. 21-U. S. S. *Moulton.* »

Keggs se dressa sur son séant. « Un navire? Un navire? Pas le mouillage de mines... un navire?

— Un navire, dit Keefer. Mais qu'est-ce qu'un D. M. S.?

— Qu'est-ce que ça peut fiche? Un *navire!* » Keggs retomba sur son lit, lançant les bras et les jambes en l'air et se mit à hennir, riant et pleurant à la fois.

Keefer prit un manuel, *Répertoire des Unités de la Marine de Guerre, 1942*. « D. M. S., D. M. S., je jurerais que ça n'existe même pas... non, attendez. Voilà... D. M. S., page 63. »

Les autres firent cercle autour de lui tandis qu'il feuilletait les pages et s'arrêtait devant l'image d'un étrange navire, tout en longueur, avec trois cheminées. Il lut à haute voix : « D. M. S : Destroyer Minesweeper. Destroyer de la première guerre mondiale transformé pour le dragage des mines à grande vitesse.

— Oh, mon Dieu! souffla Keggs. Des mines. Des mines. » Il se laissa tomber sur une chaise et se recroquevilla.

— Dis donc, vieux, c'est quand même mieux que le mouillage des mines. Le dragage, c'est trois fois rien.

Willie n'arrivait pas à faire écho à Keefer. Ils avaient tous trois souvent parlé du dragage de mines et convenu que c'était la pire horreur que la Marine eût à offrir. Il plaignait Keggs. Dans tout l'étage, ce n'étaient qu'exclamations diverses. La plupart des hommes avaient obtenu l'affectation qu'ils avaient demandée en premier. Ceux qui avaient été sincères se réjouissaient; les autres se lamentaient ou frissonnaient. Willie fut navré d'apprendre que tous ceux qui avaient demandé l'école des transmissions, même en troisième choix, y avaient été affectés. Il avait raté une chance. Mais État-Major de l'Atlantique, ce n'était pas mal non plus.

Le second maître apparut. « Tiens, Keith, voilà tes papiers. Ils viennent d'arriver. »

Willie ouvrit l'enveloppe en y glissant un doigt et en arracha la liasse de papiers. Son regard se précipita vers le troisième paragraphe. Il lui sembla que les mots s'élevaient vers lui au milieu d'une fanfare de trompes : *Se présenter au Centre Recrutement San-Francisco pour rejoindre*

D. M. S. 22-U. S. S. CAINE

DEUXIÈME PARTIE

LE CAINE

CHAPITRE VI

LA LETTRE DU DOCTEUR KEITH

Quand l'enseigne Keith arriva derrière le groom dans sa chambre de l'hôtel Mark Hopkins à San-Francisco, il fut aussitôt frappé par le panorama de la ville au coucher du soleil. Les collines scintillaient de mille lumières sous un ciel chargé de nuages, rose à l'ouest, tournant au mauve et au violet à l'est. L'Étoile du Berger brillait d'un vif éclat au-dessus du pont de la Porte d'Or. Vers l'est, les lampadaires allumés le long des arches grises du pont d'Oakland, formaient un chapelet de gouttes d'ambre. Le groom alluma l'électricité, ouvrit les placards et laissa Willie seul avec ses bagages et le coucher de soleil. Le nouvel enseigne demeura un moment près de la fenêtre, caressant son galon d'or et s'étonnant de trouver tant de splendeur et de beauté si loin de New-York.

— Autant défaire mes bagages, dit-il à l'Étoile du Berger, et il ouvrit sa valise en peau de porc. La plupart de ses affaires se trouvaient dans une caisse en bois à la consigne de l'hôtel. Dans sa valise il n'avait que quelques vêtements de rechange. Sur une pile de chemises blanches reposaient deux souvenirs de ses dernières heures à New-York : un disque de phono et une lettre.

Willie fit rouler le disque entre ses doigts, et regretta de ne pas avoir emporté son phonographe portable. Quel merveilleux décor ç'aurait été pour la douce voix de May et l'aria de Mozart! Elle l'avait enregistré pour lui dans une boutique de Broadway un soir où le champagne les avait un peu étourdis tous les deux. Willie sourit en songeant aux délicieuses soirées d'avril qu'il avait connues avec May durant ses dix jours de permission. Il allait décrocher le téléphone, puis n'en fit rien, se rappelant soudain qu'il était près de minuit dans le Bronx et que toutes les confiseries étaient noires et fermées. Il se répéta que d'ailleurs il abandonnait May puisqu'il ne pouvait l'épouser et que c'était une trop chic fille pour qu'on la mène en bateau indéfiniment. Il avait fait le projet de rendre leurs dernières heures ensemble extatiques, puis de s'en aller et de ne jamais écrire ni répondre aux lettres, de façon que leurs relations meurent paisiblement d'inanition. May n'était pas au courant de ce projet. Il en avait réalisé la première partie, il lui fallait maintenant ne pas oublier la seconde.

Il reposa le disque et prit la mystérieuse lettre de son père. Inutile de la tenir devant la lumière, l'enveloppe était épaisse et totalement opaque. Il la secoua, la flaira, se demanda pour la centième fois ce qu'elle pouvait bien contenir.

— Quand crois-tu que tu rejoindras le *Caine?* avait demandé son père, la veille du départ de Willie.

— Je ne sais pas, papa... dans trois ou quatre semaines.

— Pas plus?

— Peut-être six semaines au maximum. On nous fait rejoindre très vite, à ce qu'on m'a dit.

Là-dessus, son père avait boitillé jusqu'à son bureau et tiré d'un portefeuille de cuir l'enveloppe cachetée. « Quand tu auras rejoint le *Caine*... le jour où tu monteras à bord, pas avant ni après, ouvre ceci et lis.

— Qu'est-ce qu'il y a dedans?

— Mon petit, si je voulais que tu le saches maintenant, je ne me serais pas donné la crampe de l'écrivain à gribouiller tout cela.

— Ce n'est pas de l'argent? Je n'en aurai pas besoin.

— Non, ce n'est pas de l'argent.

— Des ordres sous pli cacheté, alors?

— Quelque chose comme ça. Tu feras ce que je te demande?

— Bien sûr, papa.

— Bon... Mets-la de côté et n'y pense plus. Pas la peine d'en parler à ta mère. »

A cinq mille kilomètres de son père et de l'endroit où il avait fait cette promesse, Willie fut tenté de jeter un regard au contenu de l'enveloppe; juste un coup d'œil à la première page, rien de plus. Il tira sur la patte. Elle était sèche et céda sans se déchirer. La lettre était ouverte.

Mais le dernier brin d'honneur tint bon quand même. Willie passa la langue sur la colle desséchée, recacheta l'enveloppe et l'enfouit tout au fond de sa valise. Il se connaissait assez bien pour essayer de diminuer autant que possible la tentation.

« Il faudrait tout de même, pensa-t-il, écrire une lettre à May... rien qu'une. » Elle devait s'y attendre. Une fois embarqué, son silence serait compréhensible; maintenant il serait cruel et Willie ne voulait pas se montrer cruel avec May. Il s'installa au bureau et rédigea une longue lettre débordante de tendresse. Il allait falloir à May un don de seconde vue pour y lire un congé. Il écrivait le dernier paragraphe quand le téléphone sonna.

— Willie? Sacré vieux, comment vas-tu? C'était Keefer. J'ai reçu ton câble, mon vieux. J'ai téléphoné toute la journée. Où étais-tu?

— L'avion a été retenu à Chicago, Rollo...

— Eh bien, rapplique, mon vieux, pas de temps à perdre. On est justement en train d'organiser une petite soirée...

— Où es-tu... à Fairmont?

— Au Club des Jeunes Officiers... Powell Street. Grouille-toi. Il y a une grande blonde sans partenaire qui vaut le déplacement...

— Où est Keggs?

— Il est déjà parti, Willie, parti en mer. Tout le monde passe au moins trois jours à Frisco avant de trouver un navire en partance qui puisse le prendre, sauf ce vieux canasson...

— Comment ça se fait?

— Eh bien, le pauvre vieux se trouvait au service des transports, il venait de débarquer du train, tu comprends et faisait viser son ordre de mission. Voilà le téléphone qui sonne : c'était le capitaine d'un de ces cercueils flottants qui va à Pearl qui annonçait qu'il avait de la place pour trois officiers de plus. Et on lui expédie Keggs. Il n'a même pas eu le temps de changer de chaussettes à Frisco. Il est parti mardi. Il a tout manqué. Quelle ville, mon vieux! De l'alcool et des filles, à ne plus savoir quoi en faire. Saute sur ton vélo...

— J'arrive, Rollo.

Il se sentait un peu hypocrite en terminant sa lettre à May. Mais il s'assura qu'il avait le droit de s'amuser autant qu'il le pourrait avant de s'embarquer.

Willie se considérait comme un héros injustement traité; il ressentait encore l'insulte d'avoir été affecté au *Caine*. Lui qui avait triomphé du handicap de quarante-huit mauvaises notes et s'était élevé dans les cinq premiers pour cent de l'école, on l'avait envoyé draguer des mines sur un vieux rafiot démodé qui datait de la première guerre mondiale. C'était humiliant... et ce l'était à double titre, puisque Keggs, son plus proche voisin par ordre alphabétique, mais près de deux cents places plus bas au classement, avait écopé d'une affectation analogue. La Marine avait manifestement disposé des deux hommes, sans tenir compte de leurs mérites respectifs, simplement l'un après l'autre, comme des porcs qu'on envoie à l'abattoir. Telle était du moins l'opinion de Willie.

Il fut entraîné dans une ronde de beuveries et de soirées d'adieux qui dura trois semaines. Il roula avec Keefer de clubs en bars et de bars en appartements de filles. Il ne tarda guère à devenir populaire en raison de son talent de pianiste. Les officiers et les filles raffolaient de *If you Knew What the Gnu Knew* qu'il devait chanter plusieurs fois chaque soir. Il remit en pratique un truc

qu'il avait inventé durant ses années de collège et qui consistait
à faire des bouts-rimés chantés en utilisant les noms des gens,
ainsi :

> *Hirohito tremble au seul nom de Keefer,*
> *Pour se calmer, faut qu'i' grille une reefer* [1]...

Willie était capable de passer sans mal d'un nom à un autre,
improvisant des couplets sur un refrain de jazz. Cela faisait l'admiration de ses auditeurs, surtout des femmes, qui trouvaient que
ses talents frisaient la sorcellerie. Keefer et lui parcouraient les
collines abruptes de Frisco dans le rugissement d'une vieille Ford
de louage, faisaient d'abondants soupers aux restaurants chinois,
se nourrissant de goyaves et de crabes et dormaient très peu.
On les invitait dans les plus belles maisons et les clubs les plus
fermés. C'était une belle guerre.

Keefer se lia d'amitié avec un officier du service de transport.
Les deux compagnons eurent donc droit à un navire-hôpital pour
leur voyage vers l'ouest. « Infirmières et fraises à la crème... voilà
ce qui nous attend, Willie, mon garçon », déclara Keefer en annonçant fièrement la nouvelle. Ils embarquèrent d'un pas mal assuré
à bord du *Mercy* un matin à l'aube, après une tonitruante soirée
d'adieu, et continuèrent à mener la belle vie pendant toute la
durée du trajet jusqu'à Hawaï. Chaque soir, les infirmières faisaient cercle autour de Willie au piano dans le salon. Les ren-
contres entre individus de sexe différent étaient strictement régle-
mentées à bord du *Mercy*, mais Keefer apprit vite à s'orienter
sur le bateau et s'arrangea pour poursuivre sa quête du plaisir à
toute heure. Willie et lui ne virent pas grand-chose de l'océan
Pacifique.

Ils débarquèrent à Honolulu bras dessus bras dessous avec deux
infirmières libres penseuses, les lieutenants Jones et Carter; échangèrent de rapides baisers sous le grand ananas qui fait l'enseigne
lumineuse de chez Dole, et convinrent de dîner ensemble. Les deux
enseignes empilèrent leurs bagages dans le taxi d'un Hawaïen au
nez camard tout souriant et vêtu d'une chemise couleur arc-en-
ciel.

— A la Base navale de Pearl, s'il vous plaît.

— Bien, messieurs.

Keefer descendit au cantonnement des officiers célibataires, un
bâtiment de bois blanc. Willie alla voir l'officier du Personnel
dans l'immeuble en ciment du Service maritime de Hawaï et s'entendit dire que le *Caine* était à l'arsenal en réparation dans la
cale C-4. Il jeta ses bagages dans un autre taxi et fila au bassin
de radoub. La cale C-4 ne contenait qu'une eau grasse vide de
tout navire. Il erra dans le chantier au milieu des équipes de répa-

---

1. Cigarette de marihuana.

rations, interrogeant les ouvriers, les marins, les officiers. Personne n'avait entendu parler du *Caine*. Partout, à quai ou en cale sèche, on apercevait des navires de guerre, des croiseurs, des porte-avions, des destroyers : des douzaines de monstres gris grouillants d'ouvriers et de marins. Mais pas de *Caine*. Willie s'en revint donc voir l'officier du personnel.

— Ne me dites pas, dit le gros lieutenant, qu'ils ont encore tout mélangé sur le plan de mouillage ... Il fouilla parmi une pile de dépêches entassées dans une boîte sur son bureau. « Oh, excusez-moi. Tiens, il est parti. Il a levé l'ancre ce matin.

— Pour quelle destination?

— Je regrette. Confidentiel.

— Alors, qu'est-ce que je fais maintenant?

— Je ne sais pas. Vous auriez dû le prendre.

— Mon bateau est arrivé il y a une heure.

— Je n'y suis pour rien.

— Écoutez, dit Willie, tout ce que je veux savoir, c'est comment trouver un moyen de transport d'ici pour rejoindre le *Caine*.

— Pour ça, il faut voir le service Transports. Moi, je suis le Personnel. Il faut vous adresser au service Transports. » Le lieutenant se leva, glissa une pièce dans un distributeur de coca-cola, en tira une bouteille glacée et but goulûment. Willie attendit qu'il se fût rassis.

— Qui s'occupe du service Transports et où est-ce?

— Seigneur, je n'en sais rien.

Willie sortit du bureau. Ébloui par le soleil, il aperçut un panneau sur la porte voisine : *Transports*. « Il n'est pas curieux », marmonna Willie en entrant dans la pièce. Une femme desséchée qui frisait la quarantaine était assise devant une table.

— Je regrette, dit-elle en voyant entrer Willie, plus de scooters.

— Tout ce que je veux, dit Willie, c'est rejoindre le *Caine*.

— Le *Caine?* Où va-t-il?

— Je ne sais pas.

— Alors, comment diable comptez-vous le rejoindre? Elle prit dans un tiroir une bouteille de coca-cola qu'elle ouvrit contre le rebord du bureau et but.

— Personne ne veut me dire quel est son port de destination. Il a levé l'ancre ce matin.

— Oh, il n'est pas à l'Arsenal?

— Non, non. Il est en mer.

— Eh bien, alors, comment voulez-vous le rejoindre en scooter?

— Je ne veux pas de scooter, s'écria Willie. Est-ce que vous m'avez entendu demander un scooter?

— Mais alors qu'est-ce que vous faites chez moi? glapit la femme. C'est le pool des scooters ici.

— Il y a « Transports » écrit sur la porte.

— Eh bien, un scooter est un moyen de transport, non?...

— Bon, bon, fit Willie, je suis nouveau ici et je n'y connais rien. Pouvez-vous me dire comment je peux rejoindre mon navire?

La femme médita longuement, faisant cliqueter la bouteille contre ses dents. « Eh bien, je crois qu'il faut que vous voyiez les Transports maritimes. Ici, c'est le service Transports de l'Arsenal.

— Je vous remercie. Où est le service Transports maritimes?

— Comment voulez-vous que je le sache? Demandez au bureau du Personnel, la porte à côté? »

Willie renonça pour la journée. Si la Marine n'était pas pressée de lui faire rejoindre le *Caine*, après tout, il n'était pas pressé non plus. Il revint au cantonnement des officiers célibataires, épuisé de trimbaler d'un taxi à l'autre une caisse et deux sacs.

— Juste à temps, mon garçon. Keefer était frais et impeccable en chemise et pantalon kaki fraîchement repassés. Willie avait toujours sa lourde tenue bleue. « Grand événement. L'amiral donne une soirée pour les infirmières. Jonesy et Carter ont la permission de nous amener.

— Quel amiral?

— Est-ce que je sais? Ils grouillent ici comme des puces sur le dos d'un chien. Tu as trouvé ton bateau?

— Il a levé l'ancre ce matin. Personne ne veut me dire pour où.

— Parfait, parfait. Ça va probablement te faire un joli retard. Va te doucher. »

La soirée que l'amiral donnait dans sa belle maison de la Base, commença dans le calme. La plupart des invités approchaient un amiral pour la première fois de leur vie et ils se surveillaient. L'amiral, un homme grand et chauve avec d'extraordinaires creux noirs sous les yeux, accueillait chacun avec une joviale majesté dans son living-room au sol couvert de nattes et regorgeant de fleurs. Quand on eut vidé quelques bouteilles, l'atmosphère se réchauffa un peu. Sur les instances de Keefer, Willie s'assit timidement au piano et se mit à jouer. Dès les premières notes, le visage de l'amiral s'éclaira et il approcha un siège du piano. Il marquait la mesure en agitant son verre. « Ce garçon a du talent, dit-il à un capitaine installé à côté de lui. Sapristi, ces nouvelles recrues nous apportent un peu d'animation!

— Certainement, amiral. »

Keefer avait entendu ce dialogue. « Hé, Willie, joue-nous le *Gnu Knew*. »

Willie secoua la tête, mais l'amiral dit : « Comment? Qu'est-ce que c'est? Jouez-nous-le, allons. »

La chanson fit sensation. L'amiral reposa son verre pour applaudir, sur quoi tout le monde en fit autant. Il gloussait d'aise. « Quel est votre nom, enseigne? Sapristi, vous êtes une trouvaille.

— Keith, amiral.

— Keith. Beau nom. Pas un Keith de l'Indiana?

— Non, amiral. De Long-Island.

— Beau nom tout de même. Bon, eh bien encore un peu de

musique. Voyons. Connaissez-vous *Who Hit Annie in the Fanny with a Flounder?*

— Non, amiral.

— Tiens, je croyais que tout le monde connaissait ça.

— Si vous voulez bien le chanter, amiral, dit Keefer avec empressement, Willie retrouvera l'air en deux secondes.

— Ma foi oui, dit l'amiral en jetant un coup d'œil au capitaine assis à côté de lui, si Matson m'accompagne.

— Certainement, amiral. »

Willie retrouva sans mal le refrain de *Who Hit Annie in the Fanny with a Flounder* et la maison retentit des échos de la chanson reprise en chœur par toute l'assistance. Les infirmières riaient, roucoulaient et gazouillaient. « C'est la plus belle soirée que nous ayons eue, cria l'amiral. Que quelqu'un me donne une cigarette. Où êtes-vous cantonné, mon garçon? Je veux que vous reveniez, souvent.

— Je suis en train d'essayer de rejoindre le *Caine*, amiral.

— Le *Caine?* Le *Caine?* Seigneur, il est toujours en service? »

Le capitaine Matson se pencha et dit : « Converti en dragueur de mines, amiral.

— Oh, je vois. Et où est-il?

— Levé l'ancre ce matin, amiral. » Il baissa la voix. « Opération « Cendrier ».

— Hmm. » L'amiral examina attentivement Willie. « Matson, pouvez-vous vous occuper de ce garçon?

— Je crois que oui, amiral.

— Eh bien, musique, Keith! »

Quand on se sépara à minuit, le capitaine glissa sa carte dans la main de Willie. « Venez me voir demain matin à neuf heures, Keith.

— Bien, capitaine. »

Le lendemain matin, Willie se présenta au bureau du capitaine dans l'immeuble du CincPac[1]. Le capitaine se leva et lui donna une cordiale poignée de main.

— Beaucoup aimé votre musique, Keith. Jamais vu l'amiral s'amuser comme ça. Et je vous jure qu'il en a besoin... ça lui fait du bien.

— Merci, capitaine.

— Voyons, dit le capitaine, si vous voulez, je peux vous avoir une place sur un avion à destination de l'Australie. Vous rattraperez peut-être le *Caine* là-bas, peut-être pas. Il escorte des convois. Ces navires d'escorte sont envoyés de-ci de-là par tous les commandants de port qui arrivent à mettre la main dessus...

— A vos ordres, capitaine...

— *Ou bien*, dit le capitaine, nous pouvons vous affecter temporairement ici au pool des officiers en attendant le retour du *Caine* à Pearl. Ça peut durer quelques semaines, comme ça peut durer

1. Abréviation pour : *Commander in chief of the Pacific Fleet.*

quelques mois. Toute la question est de savoir si vous êtes pressé de vous battre ou... Évidemment, on n'a jamais trop d'hommes là-bas. De toute façon, l'amiral ne voudrait pas vous empêcher de partir, conclut le capitaine Matson en souriant.

Willie jeta un coup d'œil par la grande baie vitrée qui s'ouvrait sur la mer et sur les collines. Dans le lointain un arc-en-ciel flottait au-dessus d'un versant montagneux couvert de palmiers. Sur la pelouse des fleurs d'hibiscus cramoisies s'agitaient sous la brise tiède et un arroseur automatique faisait tourbillonner une spirale de gouttelettes sur l'herbe bien tondue.

— Le pool des officiers me séduit assez, capitaine.

— Parfait. L'amiral sera enchanté. Mon ordonnance est à votre disposition quand vous voudrez.

Willie fut donc officiellement muté au pool des officiers et vint s'installer avec Keefer au cantonnement des célibataires. Celui-ci qu'on avait déjà affecté aux Transmissions de la Troisième Flotte exultait en voyant Willie défaire ses bagages.

— Eh bien, tu commences à comprendre ce que c'est que la vie militaire.

— Je ne sais pas. On avait peut-être besoin de moi sur le *Caine*.

— Allons donc. Tu auras encore toute la guerre que tu veux, mon vieux. Tu restes juste quelques semaines pour faire plaisir au vieux Keefer et à l'amiral, voilà tout. Il se leva et rajusta son nœud de cravate noire. « On m'attend au boulot. A ce soir. »

En déballant ses affaires, Willie tomba sur la lettre de son père. Il la prit d'une main hésitante. Des mois s'écouleraient peut-être avant qu'il ait rejoint son unité. Le docteur Keith lui avait dit d'ouvrir la lettre le jour où il se présenterait à son lieu d'affectation. Il avait une affectation, temporaire, certes, mais qui pouvait durer longtemps. Il alluma une cigarette, déchira l'enveloppe et s'assit pour lire la lettre. Dès les premiers mots, il sursauta. Il continua sa lecture, assis au bord de sa chaise, la lettre tremblant dans sa main, la cigarette brûlant entre ses doigts, tandis que les cendres tombaient par terre sans qu'il y prît garde.

> *Cher Willie,*
>
> *Quand tu liras cette lettre, je pense que je serai mort. Je suis désolé de t'assener le coup de façon aussi brutale, mais je ne crois pas qu'on puisse annoncer agréablement ce genre de nouvelle. Ma douleur au pied est due à une maladie assez maligne, la tumeur mélanique. Le pronostic est cent pour cent défavorable. Voici longtemps que je suis au courant de mon état et je pensais mourir cet été. Mais mon histoire au pied est allée un peu plus vite que je ne prévoyais. Sans doute devrais-je déjà être à l'hôpital, mais, comme tu pars dans deux jours, je m'en voudrais de tout te gâcher et, puisque de toute façon il n'y a pas d'espoir, j'ai décidé de temporiser. Je vais tâcher de traîner jusqu'à ton départ de San-Francisco. Ta mère ne sait rien encore. Je ne pense pas en avoir pour plus de trois ou quatre semaines maintenant.*

Je suis un peu jeune pour m'en aller, s'il faut en croire les tables de mortalité des assurances, et je dois dire que je ne me sens pas prêt, mais c'est sans doute parce que j'ai accompli si peu de choses. Je regarde ma vie, Willie, et il n'y a pas grand-chose à voir. Ta mère a été une femme parfaite et je n'ai à cet égard aucun regret. Mais il me semble que j'ai mené une vie en tous points de seconde zone... non seulement par comparaison avec celle de mon père, mais par rapport à mes capacités personnelles. J'étais très attiré par la recherche. Quand je suis tombé amoureux de ta mère, j'ai estimé que je ne pourrais pas l'épouser si je ne m'installais pas comme médecin de médecine générale dans une communauté riche. Mon intention était de faire de l'argent en dix ou quinze ans de pratique et puis de retourner à la recherche. Je crois vraiment que j'aurais pu faire quelque chose dans le domaine du cancer. J'avais une théorie... une intuition plutôt, rien qu'on puisse coucher sur le papier. Cela exigeait trois ans de recherche systématique. Personne encore n'a cherché dans cette voie. J'ai continué à me tenir au courant des travaux. Mon nom aurait pu être aussi grand que celui de mon père. Mais ce n'est pas le moment d'exposer mes idées. Ce qui est le plus malheureux, c'est que j'ai l'impression aujourd'hui que ta mère m'aurait soutenu et aurait pu vivre modestement si j'avais vraiment insisté.

Mais j'ai eu une vie vraiment agréable, je peux le dire. J'ai toujours aimé lire et jouer au golf et je n'en ai pas été privé. Les jours ont passé trop vite.

Je regrette de n'avoir pu rencontrer cette jeune fille dont tu m'as parlé. Il me semble qu'elle, ou la Marine ou les deux à la fois, ont une excellente influence sur toi. Et, crois-moi, Willie, c'est de loin la pensée la plus agréable qui m'accompagne à l'hôpital. J'ai un peu négligé mes relations avec toi, par pur laisser-aller probablement; et puis ta mère avait l'air de tellement tenir à s'occuper de toi. C'est dommage que nous n'ayons pas eu d'autres enfants. Pas de chance. Ta mère a fait trois fausses-couches, ce que tu ne sais peut-être pas.

Je vais te dire une chose qui va t'étonner. Il me semble que j'ai de toi meilleure opinion que ta mère. Elle te considère comme un incurable bébé qu'il faudra dorloter toute sa vie. Mais j'en viens à croire que bien qu'ayant été très gâté, tu es assez costaud au fond. Car, après tout, tu en as toujours fait à peu près à ta tête avec ta mère, tout en lui donnant l'impression que c'était elle qui te menait. Je suis sûr que ce n'était pas un calcul de ta part, mais tu ne l'as pas moins fait.

Tu n'as jamais rencontré dans ta vie de problèmes sérieux avant ton engagement dans la Marine. Je t'ai suivi de très près dans cette histoire des quarante-huit mauvaises notes. Sous son aspect comique par certains côtés, c'était quand même un exploit. Tu as relevé le défi d'une façon fort encourageante.

Peut-être parce que je sais que je ne te reverrai plus jamais, Willie, voilà que je deviens sentimental. Je trouve que tu ressembles beaucoup à notre pays : tu es jeune, naïf, gâté un peu par l'abondance et par la chance, mais tu as cette dureté intérieure qui est de bonne souche.

Car notre pays, après tout, ce sont les pionniers qui l'ont fait, ces immigrants polonais, italiens et juifs — tout autant que ceux qui étaient arrivés avant eux — tous gens assez débrouillards pour aller se faire une vie meilleure dans un monde neuf. Tu vas rencontrer un grand nombre de jeunes gens inconnus dans la Marine, dont la plupart te sembleront peut-être d'un niveau inférieur, mais je suis bien sûr — encore que je ne vive pas assez vieux pour le voir — qu'ils vont faire la plus grande Marine que le monde ait jamais vue. Et je crois que tu feras un bon officier de Marine, d'ici quelque temps. D'ici un bon bout de temps, peut-être.

Ce n'est pas une critique, Willie, Dieu sait que je suis assez mou moi-même. Peut-être que je me trompe. Peut-être ne feras-tu jamais un bon officier de Marine. Peut-être allons-nous perdre cette guerre. Mais je ne le crois pas. Je crois que nous allons la gagner et que tu en reviendras plus chargé d'honneurs que tu ne l'aurais cru possible.

Je sais que tu es déçu d'avoir été affecté à un navire comme le Caine. Maintenant que tu l'as vu, sans doute es-tu dégoûté. Eh bien, souviens-toi que tu n'en as fait que trop longtemps à ta tête et que ton manque de maturité vient de là. Il te manque de te heurter à quelques murs de pierre pour te roder un peu. Quelque chose me dit qu'il n'en manquera pas à bord du Caine. Je ne t'envie pas l'expérience en elle-même, mais l'assurance que tu en retireras. Si, dans mes jeunes années, j'avais bénéficié d'une expérience analogue, je ne mourrais peut-être pas dans la peau d'un raté.

Ce sont des paroles dures, mais je ne veux pas les enlever. Elles ne me font pas trop mal et, en outre, ce n'est plus ma main qui peut les barrer désormais. Je suis un homme fini maintenant, mais c'est à toi qu'il revient de prononcer le dernier mot sur ma vie. Si tu réussis, je puis encore revendiquer un certain succès dans l'autre monde, si tant est qu'il y en ait un.

Quant à ton choix d'une carrière dans le piano et non la littérature comparée... peut-être tes vues auront-elles changé après la guerre. Ne te fatigue pas à songer au lointain avenir. Applique-toi à bien faire dans le présent. Quel que soit le poste qu'on te confie à bord du Caine, souviens-toi qu'il mérite tous tes efforts. C'est ta façon de faire la guerre.

C'est étonnant comme j'ai peu de choses à te dire en guise d'adieu. Je devrais remplir encore une douzaine de pages, et pourtant j'ai le sentiment que tu es parfaitement capable de faire ton chemin tout seul et dans d'autres domaines, tout ce que je pourrais dire ne rimerait pas à grand-chose, car il te manquerait l'expérience personnelle pour donner de la substance aux mots que je pourrais t'adresser. N'oublie jamais, si tu peux, ceci : il n'y a rien, rien au monde de plus précieux que le temps. Il te semble sans doute que tu en as une réserve quasi illimitée, mais pas du tout. Les heures perdues détruisent ta vie tout aussi sûrement au commencement qu'à la fin... seulement à la fin, on s'en aperçoit mieux. Profite de ton temps quand tu l'as, Willie, pour faire quelque chose de toi.

Sur le chapitre de la religion, je crains bien que nous ne l'ayons pas donné grand-chose, car nous-mêmes n'étions pas bien riches dans ce domaine. Mais je crois qu'après tout je vais t'envoyer une Bible avant d'entrer à l'hôpital. Il y a pas mal de passages un peu secs dans la Bible sur les guerres et les rituels juifs qui pourront te rebuter, mais ne va pas faire l'erreur de sauter l'Ancien Testament. C'est, à mon avis, le cœur même de toute religion, et plein d'une sagesse quotidienne qu'il faut être capable de reconnaître. Cela prend du temps. En attendant familiarise-toi avec les mots. Tu ne le regretteras jamais. Moi-même je suis venu à la Bible, comme à tout le reste, trop tard.

Question argent. Je laisse tout ce que je possède à ta mère. Oncle Lloyd est l'exécuteur testamentaire. Il y a une police d'assurances de dix mille dollars dont tu es bénéficiaire. Si tu veux te marier, ou reprendre tes études, cela devrait suffire à te permettre d'exécuter tes plans. L'argent est une chose très agréable, Willie, et je crois que tu peux avec de l'argent obtenir n'importe quoi, sauf le travail que tu as vraiment envie de faire. Si tu vends ton temps pour une vie confortable et que tu abandonnes le travail pour lequel tu es fait, je crois que tu perds au change. Car tu en gardes un mécontentement intérieur qui te gâche ton confort.

Allons, Willie, il est trois heures du matin à ma vieille pendulette de cuir. Une lune pâle brille derrière les fenêtres de la bibliothèque et j'ai les doigts gourds à force d'écrire. Mon orteil me fait un mal de chien. Je vais aller au lit avec un bon somnifère. Merci, mon Dieu, pour les barbituriques.

Prends soin de ta mère si elle vit jusqu'à un âge avancé, et sois gentil avec elle si tu reviens de la guerre assez fort pour te séparer d'elle. Elle a bien des défauts, mais elle est bonne et elle t'a aimé et moi aussi très sincèrement.

Willie se mit à sangloter. Il lut le dernier paragraphe à travers un brouillard de larmes.

Pense à moi et à ce que j'ai été, Willie, lorsque dans ta vie tu te trouveras à un carrefour. Pour moi, pour ton père qui a pris la mauvaise route, suis le bon chemin et emporte avec toi ma bénédiction.

Je te tends la main. Voici bien des années que nous ne nous sommes embrassés. J'aimais bien t'embrasser quand tu étais bébé. Tu étais un enfant très mignon et très affectueux avec de grands yeux splendides. Mon Dieu! Il y a bien longtemps.

Adieu, mon fils. Sois un homme.

PAPA.

L'enseigne se leva en s'essuyant les yeux et descendit précipitamment vers la cabine téléphonique. Il introduisit une pièce dans la fente. « Je voudrais les États-Unis...

— Désolé. Pour les appels privés, seulement du Bâtiment central, avec la permission du censeur. Délai d'attente huit jours », dit le téléphoniste avec un accent hawaïen.

Willie sortit en courant de la Base et alla de bureau en bureau, jusqu'à ce qu'il eût trouvé celui du télégraphe. *Envoie nouvelles papa*, câbla-t-il, en payant la surtaxte d'urgence et en donnant le télégraphe comme adresse. Le lendemain matin à huit heures, Willie attendait dehors l'ouverture du bureau. Il resta assis sur les marches jusqu'à onze heures et demie, heure où on lui apporta la réponse. *Papa mort depuis trois jours. Dernières paroles pour te dire son amour. Prière écrire. Maman.*

Willie alla tout droit au bureau du capitaine Matson qui l'accueillit cordialement.

— Alors, Keith, on vous a mis au travail?

— Capitaine, à la réflexion, j'aimerais partir à la recherche du *Caine*, si c'est possible.

Le visage du capitaine s'allongea. « Ah? Qu'est-ce qu'il y a? On vous a accablé de dépêches à coder?

— Non, capitaine.

— J'ai déjà annoncé à l'amiral que vous étiez installé ici. Il était extrêmement content.

— Capitaine, si je puis me permettre, je n'ai pas l'impression de faire la guerre... à jouer du piano pour l'amiral. »

Le capitaine prit un air sévère. « Ce n'est pas le travail qui manque ici. Vous vous apercevrez qu'une affectation à terre est aussi honorable qu'une autre.

— Je n'en doute pas, capitaine...

— Vous avez été affecté au pool sur votre demande.

— Oui, capitaine, je sais, mais...

— Votre affectation a déjà été enregistrée et transmise au Bureau. Je ne vois aucune raison d'intervenir. Votre demande est refusée. » L'officier prit un papier posé devant lui et chaussa ses lunettes.

— A vos ordres, capitaine, dit Willie, et il sortit.

Et c'est ainsi que Willie resta à Pearl Harbor, déchiffrant des messages qui parlaient de grands faits d'armes du côté de Rendova et de Munda, de la victorieuse bataille de nuit de Vella Lavella, et de grands préparatifs d'invasions. Il tomba un jour sur le nom du *Caine* dans des dépêches qui le signalaient en pleine bataille. A l'autre bout du monde, les Alliés pilonnaient la Sicile et l'Italie, et Mussolini était renversé. Pendant ce temps, Willie jouait du piano pour l'amiral.

CHAPITRE VII

LE *CAINE*

Mais le chagrin de la mort de son père s'atténua peu à peu et Willie se mit à aimer Pearl Harbor. Son travail au service du chiffre comprenait huit heures de labeur fastidieux dans une cave cimentée, dont l'inconfort apaisait sa conscience. Il évita pendant deux semaines les femmes et l'alcool, mais quand l'amiral donna une autre soirée, Willie s'enivra et il retomba dans la vieille routine. Les plaisirs faciles ne manquaient pas à Honolulu. Le climat était doux, le soleil éclatant, la lune belle et l'air parfumé de fleurs toujours écloses. A l'exception du couvre-feu, du black-out et de quelques fils de fer barbelés le long des plages, la guerre n'y était pas bien gênante. Willie participa souvent à des pique-niques organisés par les infirmières. Il y acquit un hâle distingué et un peu d'embonpoint.

Il continuait d'écrire des lettres débordantes d'affection à May. Il avait renoncé au projet de la laisser tomber. Willie avait décidé que May était encore assez jeune pour perdre une année ou deux. Peut-être l'épouserait-il, peut-être non. Mais leurs relations constituaient une « expérience » trop précieuse pour qu'il y mît un terme. Les lettres de May étaient tout ce qu'il pouvait désirer : longues, tendres, gaies et pleines généralement de bonnes nouvelles. Elle aimait beaucoup l'Université, bien que, disait-elle, elle se fît l'effet d'une grand-mère au milieu des jeunes. Elle avait de bonnes notes et le style de ses lettres s'améliorait chaque mois.

Par une lourde après-midi de juillet, les deux compagnons étaient allongés sur leur lit et lisaient le courrier qui venait d'arriver. Des moustiques bourdonnaient derrière les volets, quoiqu'il n'y eût guère de quoi les attirer dans la chambre en dehors de l'odeur du bois sec. Keefer, en caleçon blanc, son abdomen poilu débordant de la ceinture, était vautré sur le côté. « Bon sang de bonsoir! s'écria-t-il en se soulevant sur un coude. Comment s'appelle ton navire déjà... le *Caine*, n'est-ce pas?

— Oui, fit Willie, plongé dans une lettre de May.

— Eh bien, écoute, mon vieux, je crois que mon frère Tom est à bord! »

Willie lui lança un coup d'œil surpris.

— Je *crois* que c'est le *Caine*, dit Keefer. Je ne peux jamais déchiffrer la satanée écriture du paternel. Tiens, qu'est-ce que tu lis ici?

Willie examina le mot que Keefer lui désignait du pouce. « C'est bien *Caine*.

— Pas d'erreur. Ils l'ont envoyé là en sortant de l'École de Transmissions. Qu'est-ce que tu dis de ça?

— Parfait. C'est une fichue chance. Ce sera comme si j'avais un parent à bord. Est-ce qu'il se plaît sur le bateau?

— Fichtre non. Il a écrit au paternel que c'était le plus sale rafiot de la Marine... Mais ça ne veut rien dire, ajouta-t-il vivement, en voyant Willie tiquer. Faut pas prendre trop au sérieux ce que dit Tom. C'est un drôle de type. Le *Caine* est sans doute un navire au poil du moment que lui ne l'aime pas.

— Quel genre de type est-ce, Rollo?

— Eh bien, tu essaies de t'imaginer un gars complètement différent de moi... et c'est Tom. Tu comprends, il n'est que mon demi-frère. Je ne l'ai pas beaucoup vu. Sa mère était la première femme de mon père... une catholique. Ils se sont mariés au temple protestant, mais ça n'a pas duré longtemps et elle est repartie à Boston d'où elle venait, avec Tom. »

Keefer déposa la lettre, alluma une cigarette et s'allongea, les bras croisés sous la tête.

— Tom est dans le genre intellectuel, il écrit des nouvelles, des pièces... il y a des choses de lui qui ont paru dans des magazines. On lui paie ça un bon prix. Je l'ai connu un peu au collège William and Mary. Il était en dernière année quand je suis entré. Mais il était tout le temps fourré avec le groupe littéraire, tu sais, ces types qui lisent des vers à la lueur des bougies avec quelques fillettes sous la main pour le moment où les bougies s'éteignent... tu vois le genre. Je crois qu'il me prend pour un idiot, il ne s'est jamais beaucoup préoccupé de moi. Ça n'est pas un mauvais type. Il est très futé. Vous vous entendrez probablement bien tous les deux, toi avec ton Dickens et tout ça.

Le 1ᵉʳ septembre, à quatre heures du matin, Willie et Keefer entrèrent d'un pas mal assuré au cantonnement, lourds de la viande de porc et du whisky qu'ils avaient ingurgités à la soirée des infirmières. Ils s'écroulèrent sur leur lit, riant encore et chantant de gaillardes parodies de chansons hawaïennes. Ils sombrèrent bientôt dans un sommeil lourd et béat.

Quand Willie reprit conscience, on le secouait et une voix inconnue lui soufflait bruyamment à l'oreille : « Keith? Keith? C'est vous, Keith? »

Il ouvrit les yeux. Le jour venait de se lever. A la pâle lueur de l'aube, il distingua un enseigne trapu et basané en tenue kaki fripée penché sur lui.

— Oui, c'est moi Keith.

— Alors, venez. Je suis Paynter, du *Caine*.

— Du *Caine?* Willie se dressa sur son séant. « Il est là? »

— Oui. On lève l'ancre à huit heures pour remorquer des cibles. Prenez vos affaires.

Willie saisit son pantalon d'une main lourde de sommeil. « Écoutez, Paynter, je ne demande pas mieux que de me présenter à bord, mais j'appartiens encore au pool des officiers ici.

— Non, c'est fini. Tout est arrangé. On a passé un message au télégraphe optique pour vous détacher. Ça fait un moment qu'on vous attend, Keith. »

Il avait dit cela aimablement, mais Willie se crut obligé de se défendre. « J'ai fait ce que j'ai pu. Je vous ai manqué de quelques heures en mai quand vous êtes partis. Ils m'ont collé ici au pool des officiers...

— Moi, vous savez, je comprendrais que vous ne vous soyez jamais présenté, dit Paynter. Ça ne m'amuse pas d'être le type qui vient vous chercher. Est-ce que je peux vous aider à faire votre paquetage? »

Tout ce dialogue s'échangeait à voix basse. Keefer ronflait sans pudeur. Tout en vidant les tiroirs de sa commode dans son coffre, Willie demanda : « Avez-vous à bord un officier du nom de Keefer? Tom Keefer?

— C'est mon chef de service, dit Paynter.

— Voilà son frère. » Willie désigna le dormeur. Paynter examina Keefer sans enthousiasme. Willie, qui était un peu plus réveillé, remarqua que l'officier du *Caine* tombait de fatigue.

— Quel est son genre de folie à *lui?* demanda Paynter.

— Comment? Votre chef de service est fou?

— Je n'ai pas dit ça. Donnez-moi plutôt un coup de main, Keith. Le navire nous attend.

— Est-ce que nous quittons Pearl pour de bon?

— Pourquoi?

— Parce qu'alors je réveillerais Roland pour lui dire au revoir.

— Non. Nous ne partons pas pour de bon. Du moins s'il faut en croire les ordres.

— Bien. Willie boucla son paquetage et termina de s'habiller en silence. Il cala sa cantine sur son épaule et sortit en se cognant au chambranle de la porte. Paynter suivait, portant les deux sacs : « Mais, dit-il, ne soyez pas surpris si nous mettons le cap à l'ouest et si nous ne revoyons pas la civilisation avant un an. C'est déjà arrivé. »

Devant le cantonnement, dans la brume froide du petit matin, un camion gris de la Marine était arrêté. « Pas très élégant, dit Paynter, mais c'est tout ce que j'ai pu trouver à cinq heures du matin. Grimpez là-dedans. »

Ils descendirent à grand bruit la route qui menait au quai. Les bagages de Willie sautaient et bondissaient derrière, comme s'ils essayaient de s'échapper. « Où est le *Caine?* » dit Willie, se demandant ce qui motivait le lourd silence de l'enseigne Paynter.

— Au mouillage près d'une bouée dans la rade.

— Vous êtes officier de carrière?

— Non.

— Il y en a à bord?

— Trois.

— Vous êtes un V 7?

— Oui.

— Officier de pont?

— Non, mécanicien.

— Quelle est votre spécialité sur le *Caine?*

— Transmissions.

Willie sursauta. « C'est une curieuse affectation pour un officier mécanicien, non?

— Pas sur le *Caine.*

— On dirait que vous n'aimez pas le *Caine.*

— Je n'ai pas dit ça.

— Comment est le navire?

— Vous verrez par vous-même.

— Beaucoup vu le feu?

— Oui et non.

— Ça fait longtemps que vous êtes à bord?

— Ça dépend.

— De quoi?

— De ce que vous appelez longtemps.

— J'appelle longtemps un an.

— Il y a des fois où j'appelle longtemps une semaine. »

Le camion s'arrêta en haut de l'escalier qui descendait au quai d'embarquement. Paynter klaxonna. Trois matelots allongés au fond d'un canot gris à demi couvert d'une toile graisseuse amarré le long du quai se levèrent d'un air las et gravirent les marches. Leurs treillis bleus étaient en loques et leurs pans de chemise dépassaient de leur pantalon. Ils chargèrent les bagages de Willie dans le canot, tandis que Paynter garait le camion dans un parc à quelques mètres de la route. Les deux officiers descendirent dans le canot et s'assirent sous la tente sur des sièges recouverts d'un cuir noir craquelé.

— Ça va, Gras-double, on part, dit Paynter au barreur, un gros matelot vêtu de haillons d'une incroyable saleté et coiffé d'un béret d'un blanc éblouissant incliné presque jusque sur son nez.

Une cloche tinta tout contre l'oreille de Willie qui fit un bond.
Il changea de place. Le mécanicien mit le moteur en marche,
après quelques essais infructueux qu'il commenta, comme par
habitude, d'un chapelet de jurons. C'était un garçon de peut-être
dix-neuf ans, petit et décharné, au visage couvert d'acné et noirci
moitié par la barbe et moitié par de la graisse. De longs cheveux
noirs et raides tombaient sur ses petits yeux qui louchaient. Il
était nu-tête. Les matelots l'appelaient « Horrible ». Dès que le
canot eut quitté le quai, il enleva sa chemise, dévoilant une toison
simiesque.

Willie examina le canot. La peinture grise s'écaillait sur le bois
et l'on voyait des taches irrégulières là où l'on avait fait un raccord
de peinture neuve sans gratter la vieille. Deux des hublots du toit
avaient du carton en guise de vitre.

— Mr. Paynter, cria le mécanicien par-dessus le fracas du moteur, est-ce qu'on peut aller à terre voir un film?

— Non.

— Bon Dieu, ça fait une éternité qu'on n'a pas été au cinéma,
gémit Horrible.

— Pas d'arrêt.

Sur quoi Horrible se mit à jurer et à blasphémer pendant deux
minutes. Willie, stupéfait de sa liberté de langage en présence
d'un officier s'attendait à voir Paynter le rappeler à l'ordre. Mais
Paynter ne semblait pas plus ému par ce torrent d'ordures que
par le clapotis de l'eau. Il était assis immobile, les doigts croisés
sur le ventre, les yeux fermés, mâchonnant un élastique qui lui
pendait sur les lèvres.

— Dites donc, Paynter, cria Willie, quelles fonctions croyez-
vous que je vais avoir à bord?

Paynter ouvrit les yeux. « Les miennes », dit-il avec un petit
sourire heureux, puis il referma les yeux.

Le petit canot contourna une pointe de Ford-Island et s'engagea
dans le chenal de l'ouest. « Hé, m'sieur Paynter, appela Gras-
double, perché sur le banc de l'arrière, contre la barre, le bateau
est parti.

— Vous êtes fou, Gras-double, dit Paynter. Regardez encore.
Il est à R-6, devant le *Bois Belleau*.

— Je vous dis, monsieur, que les bouées sont vides. Bon sang,
regardez donc vous-même. »

Il tira sur la corde qui actionnait la cloche. Le canot ralentit
et se balança sur la houle. Paynter grimpa sur le plat-bord. « Ça
alors. Il est parti. Qu'est-ce qu'ils ont foutu?

— Il a peut-être coulé, dit le matelot accroupi à l'avant, un
jeune garçon de petite taille, au visage de bébé et qui portait
un tatouage obscène sur la poitrine.

— On n'aura pas cette chance, dit Gras-double.

— Ça se pourrait, dit Horrible. Le chef Budge leur a fait gratter les fonds de cale dans la seconde chambre des machines. Je lui ai pourtant dit que la seule chose qui empêchait l'eau d'entrer, c'était la rouille.

— Qu'est-ce qu'on fait maintenant, monsieur Paynter?

— Heu... voyons. Ils n'auraient pas appareillé sans le canot, dit lentement Paynter. Ils ont dû changer de mouillage. Regardez un peu. »

Horrible arrêta le moteur. Le bateau dériva doucement devant une bouée rouge qui dansait dans le chenal. De l'eau montaient des effluves de mazout et de légumes pourris. « Le voilà, dit Gras-double en faisant retentir la cloche.

— Où? fit Paynter.

— Dans le bassin de radoub. Juste à bâbord du *Saint-Louis*... » Il donna un violent coup de barre. Le canot vira de bord.

— Ah oui, acquiesça Paynter. On va peut-être finir par rester un peu à quai quand même. Il redescendit sous l'auvent.

Willie, les yeux écarquillés dans la direction où regardait Gras-double, ne voyait rien qui ressemblât au *Caine*. Le bassin de radoub était bourré de navires de toute apparence mais Willie n'apercevait pas la silhouette du dragueur de mines qu'il avait appris à reconnaître d'après sa photographie. « Dites-moi, cria-t-il à Gras-double, pouvez-vous me montrer le bateau d'ici?

— Bien sûr. Tenez, là. » Le pilote d'un mouvement de tête désigna un point de l'horizon.

— Vous le voyez? dit Willie à Horrible.

— Je pense bien. Dans le tas de rafiots du C-4.

Willie se demanda si sa vue n'avait pas baissé.

— Vous ne pouvez voir que le mât de charge d'ici. Vous verrez toujours le bateau assez tôt.

Willie était vexé de ne pas être capable de reconnaître son navire d'après le mât de charge. Pour se punir, il se leva et se fit asperger le visage d'embruns pendant le reste du trajet.

Le canot vint accoster au pied d'une échelle qui pendait mollement au flanc d'un destroyer tout neuf, premier des quatre navires mouillés dans le bassin de radoub. «Allons-y, dit Paynter, le *Caine* est en abord de celui-là. Les hommes prendront votre paquetage. »

Willie grimpa l'échelle branlante, salua l'élégant officier de quart du destroyer et traversa le pont. Une planche goudronnée posée dans le vide à un bon mètre au-dessus de l'eau menait au *Caine*. Au premier coup d'œil le navire ne fit à Willie aucune impression. Il était trop préoccupé par la planche. Il hésita un peu. Paynter escalada le plat-bord en disant : « Par ici. » Au moment où il traversait, le *Caine* eut un mouvement de roulis, et la planche tangua violemment. Paynter sauta sur le pont du *Caine*.

Willie se dit que si Paynter était tombé de la planche, il aurait été broyé entre les deux navires. L'esprit hanté par cette image, il posa le pied sur la planche et s'avança du pas dégagé d'un acro-

bate de cirque. Au beau milieu, alors qu'il était juste au-dessus
de l'eau, il sentit la planche se soulever. Il fit un bond désespéré
et arriva sur le *Caine* dans les bras de l'officier de quart qui chancela sous le choc.

— Ho! Ne soyez pas si pressé, dit l'officier de quart. Vous ne
savez pas dans quoi vous vous précipitez.

— Rabbitt, voici l'enseigne Keith qui s'est fait si longtemps
désirer, dit Paynter.

— C'est bien ce que je pensais. Le lieutenant Rabbitt serra la
main de Willie. Il était de taille moyenne, avec un visage tout en
longueur et un air de bonne humeur campagnarde. « Bienvenue
à bord, Keith. Dites donc, Paynter, l'autre, l'enseigne Harding
s'est présenté aussi, voilà une demi-heure.

— Les nouvelles recrues affluent », dit Paynter.

Willie, maintenant qu'il n'était plus aveuglé par la planche,
examina la plage arrière du *Caine*. C'était un endroit bruyant,
crasseux, plein de mauvaises odeurs et d'inconnus aux allures de
pirates. Une demi-douzaine de matelots raclaient le pont rouillé
avec des grattoirs métalliques. D'autres passaient, le juron aux
lèvres, courbés sous des chargements de choux. Un homme, le
visage protégé par un masque de soudeur, brûlait une cloison à
la flamme acide et crépitante d'un chalumeau. On ne voyait partout que des taches de peinture grise fraîche, et d'autres de vieille
peinture grise, de minium et de rouille. Un enchevêtrement de
tuyaux rouges, noirs, verts, jaunes et marron ondulait sur le
pont, au demeurant jonché de pelures d'oranges, de fragments de
magazines et de vieux chiffons. La plupart des marins étaient à
demi nus et portaient une barbe et des chevelures extraordinaires.
Des jurons, des blasphèmes et des obscénités diverses remplis-
saient l'air comme une brume.

— Dieu sait où vous allez vous installer, dit Rabbitt. Il n'y a
plus de couchettes dans le carré.

— Le second trouvera bien quelque chose, dit Paynter.

— Entendu, Keith, vous voilà maintenant sur le rôle du
bord », dit Rabbitt. Paynt, vous voulez le conduire au second?

— Bien sûr. Suivez-moi, Keith.

Paynter fit descendre une échelle à Willie et lui fit traverser
un couloir sombre et sans air. « C'est le demi-pont. » Il ouvrit
une porte. « Voici le carré. »

Ils traversèrent une grande pièce rectangulaire aussi large que
le navire et où régnait un indescriptible désordre; une longue
table l'occupait presque entièrement, couverte d'une nappe tachée,
d'argenterie, de boîtes de céréales et de cruches de lait. Des livres
et des magazines étaient étalés sur les chaises longues et le canapé
de cuir noir. Willie remarqua avec horreur que diverses publications confidentielles traînaient parmi les albums de comics, les
magazines pornographiques et les *Esquires* froissés. Du milieu du
carré partait une coursive qui desservait plusieurs cabines. Paynter

entra dans la première à droite. « Voilà Keith, lieutenant, dit-il. Keith, voici le commandant en second, le lieutenant Gorton. »

Un jeune homme très gras, vêtu seulement d'un minuscule caleçon, s'assit sur sa couchette en bâillant et en se grattant les côtes. Les cloisons vertes de la cabine étaient ornées de dessins en couleurs représentant des filles en tenue fort légère. « Bonjour, Keith. Où diantre étiez-vous? » dit le lieutenant Gorton d'une voix aiguë, en basculant hors de la couchette ses cuisses de mastodonte. Il serra la main de Willie.

— Où l'installe-t-on? demanda Paynter.

— Seigneur, je n'en sais rien. Je meurs de faim. Est-ce qu'ils rapportent des œufs frais de terre? Ces œufs qu'on a touchés en Nouvelle-Zélande, ça vous dissoudrait les intestins maintenant.

— Oh, voilà le commandant, il a peut-être une idée, dit Paynter en regardant dans la coursive. Commandant, l'enseigne Keith vient de se présenter à bord.

— Vous voulez dire que vous avez réussi à mettre la main dessus? Joli travail, dit une voix ironique et autoritaire, et le commandant du *Caine* apparut sur le pas de la porte. Willie en resta ahuri. Le commandant était entièrement nu. D'une main il tenait un pain de savon Lifebuoy, et de l'autre une cigarette allumée. Il avait un visage chiffonné ni jeune ni vieux, le poil blond et une chair blanche et molle. « Soyez le bienvenu à bord, Keith!

— Merci, commandant. » Willie éprouvait le besoin de saluer, de s'incliner, de manifester d'une façon quelconque son respect en face de l'autorité suprême. Mais il se souvint d'un règlement spécifiant qu'on ne devait pas saluer un supérieur quand il était découvert. Et il n'avait jamais vu de supérieur plus découvert que son commandant.

Le commandant de Vries sourit devant l'air déconcerté de Willie, tout en se grattant le derrière avec son savon. « J'espère que vous vous y connaissez en transmissions, Keith.

— Oui, commandant. C'était ce que je faisais au CincPac en... en attendant le *Caine*, commandant.

— Bon. Paynter, vous redevenez officier mécanicien en second à partir de maintenant.

— Merci, commandant. » Le lugubre visage de Paynter s'éclaira d'un rayon de bonheur. Il soupira comme un cheval qu'on vient de desseller. « Vous n'avez pas une idée, mon capitaine, de l'endroit où on pourrait fourrer le nouvel officier des Transmissions?

— Est-ce que Maryk a installé une couchette dans la casemate?

— Oui, commandant, c'est là qu'on a collé l'autre nouveau, Harding.

— Eh bien, dites à Maryk d'y mettre une autre couchette.

— C'est déjà bien petit pour une seule personne, commandant, dit le second.

— La guerre est une chose terrible. Il faut que j'aille prendre

une douche sinon je vais cailler. » Le commandant de Vriess tira
une bouffée de sa cigarette, l'écrasa dans un cendrier fait d'un
obus de trois pouces et sortit. Le gros lieutenant haussa les épaules
et enfila un pantalon vaste comme une tente.

— Eh bien, voilà, dit-il. Conduisez-le à la casemate, Paynt.

— Lieutenant, dit Willie, je suis prêt à me mettre au travail
immédiatement.

Gorton bâilla et contempla Willie d'un œil amusé. « Ne vous
bousculez donc pas. Flânez donc un jour ou deux à bord. Pour
vous habituer. Ça va être votre domicile pour un long, long moment.

— J'en suis enchanté, lieutenant, dit Willie. Je m'attends bien
à naviguer un peu maintenant. » Il s'était fait à l'idée de passer
de six mois à un an en mer. Ce serait son année de retraite, l'épreuve
dont parlait son père dans sa lettre, et il était prêt à l'affronter.

— Ravi de vous voir dans ces heureuses dispositions, dit le
second. Qui sait, vous battrez peut-être mon record. J'ai passé
pour ma part soixante-sept mois sur ce rafiot.

Willie fit la division par douze et se sentit défaillir.

— Il y a quelque chose dans les dragueurs de mines, continua
Gorton d'un ton guilleret, qui incite le Personnel à ne pas faire de
changements d'équipages. Peut-être qu'ils ont perdu le dossier à
Washington. On a deux quartiers-maîtres à bord, qui ont plus de
cent mois de présence à bord. Le commandant de Vriess en a
soixante et onze. Vous voyez donc que pour ce qui est de naviguer, vous serez servi... Voilà... enchanté de vous avoir avec nous.
A tout à l'heure.

Willie suivit Paynter sur le pont principal jusqu'à la casemate,
une boîte métallique d'environ un mètre quatre-vingts de long,
sur un mètre de large et deux mètres dix de haut. La seule ouverture était la porte. A un peu plus d'un mètre du sol une étagère
bordait une des parois; des bandes de mitrailleuses vides et des
caisses de munitions traînaient dans les coins. L'enseigne Harding dormait sur une couchette qu'on avait récemment soudée à
la paroi; les traces de cette soudure ajoutaient encore au charme
de l'ensemble. La sueur ruisselait sur le visage de Harding et sa
chemise était marquée de taches sombres. Il régnait dans la
pièce une température de plus de 40°.

— O douceur du foyer, dit Willie.

— Ce Harding, il devait avoir du *Caine* dans le sang, dit Paynter.
Il s'est tout de suite mis dans le bain... Enfin il y aura des
mutations un de ces jours. Vous finirez bien par vous retrouver
dans le carré. Il allait partir.

— Où puis-je trouver Mr. Keefer? demanda Willie.

— Dans ses toiles, dit Paynter.

— Je veux dire dans le courant de la journée.

— Moi aussi, dit Paynter, sur quoi il s'en fut.

Willie erra sur le *Caine* pendant deux heures, fourrant son nez

dans les coursives, les écoutilles. Les matelots l'ignoraient, comme
s'il avait été invisible, sauf quand dans une coursive, il se trouvait
nez à nez avec l'un d'eux. Le matelot alors s'aplatissait automatiquement contre la cloison comme pour laisser passer un gros
animal. Le petite tournée d'inspection de Willie le confirma dans
son impression première. Le *Caine* était un vieux rafiot parvenu
aux derniers moments de la déchéance et monté par un équipage
d'apaches.

Il finit par se retrouver dans le carré. Au-dessus de sa tête,
les grattoirs continuaient leur vacarme. La longue table était
maintenant couverte d'un tapis vert et on avait rangé sur les
étagères les livres et les magazines. Il n'y avait personne dans la
pièce à l'exception d'un grand Noir décharné en pantalon et maillot de corps blancs trempés de sueur, qui épongeait inlassablement
le plancher avec une serpillière.

— Je suis l'enseigne Keith, le nouvel officier, dit Willie. Pourrais-je avoir une tasse de café?

— Oui, lieut'nant. Le cambusier abandonna sa serpillière et
se dirigea sans hâte vers un percolateur installé dans un coin
sur un bahut métallique.

— Comment vous appelez-vous? demanda Willie.

— Whittaker, lieut'nant, cambusier en second. Crème et suc',
lieut'nant?

— S'il vous plaît. Willie regarda autour de lui. Une plaque de
cuivre ternie lui révéla que le navire avait été baptisé en mémoire
d'un certain Arthur Wingate Caine, commandant de destroyer
dans la première guerre mondiale, qui était mort des suites des
blessures reçues au cours d'une canonnade avec un sous-marin
allemand. Sur une étagère au-dessus de la plaque parmi un tas
d'ouvrages navals se trouvait un volume à feuilles mobiles relié
en cuir et intitulé *Service intérieur du* Caine, *D. M. S. 22.* Willie
le prit. Le cambusier posa le café devant lui.

— Depuis combien de temps êtes-vous sur le *Caine*, Whittaker?

— Quat' mois, lieut'nant.

— Et ça vous plaît?

Le Noir recula, les yeux exorbités comme si Willie venait de
brandir un couteau. « Le meilleur navi'e de la Ma'ine, lieut'nant. »
Puis il saisit son balai et sortit en courant.

Le café était tiède et boueux, mais Willie le but. Il avait grand
besoin d'un remontant. Une heure de sommeil ne lui avait guère
permis de se remettre de la soirée chez les infirmières. Il lut d'un
œil vague les caractéristiques du *Caine*. Il avait été construit en
1918 à Rhode-Island (« Il est plus vieux que moi », marmonna-
t-il). Il avait 95 mètres de long sur 9 m. 30 de large et pouvait
filer 30 nœuds. Quand on l'avait converti en dragueur de mines,
on avait supprimé une de ses cheminées et une chaudière pour
installer des soutes à mazout supplémentaires, ce qui avait augmenté son rayon d'action.

Au-dessus de sa tête le vacarme s'intensifia; une nouvelle corvée se mettait à gratter la peinture. Dans le carré l'atmosphère devenait plus lourde et brûlante à mesure que le soleil montait. *Le dragueur de mines,* lut Willie, *a pour mission avant tout de nettoyer les eaux ennemies pour préparer le passage des forces de bombardement ou d'invasion.* Il reposa le livre sur la table, et s'effondra dessus en soupirant.

— Bonjour, dit une voix, vous êtes Keith ou Harding? L'homme, vêtu en tout et pour tout d'un slip, s'avança d'un pas endormi jusqu'au percolateur. Willie se dit que les usages vestimentaires à bord du *Caine* étaient d'une simplicité qui dépassait celle des Indiens iroquois.

— Keith, répondit-il.

— Parfait. Vous travaillez avec moi.

— Vous êtes Mr. Keefer?

— Oui.

L'officier des Transmissions s'adossa à la commode et avala son café. Il ne ressemblait guère à son frère, avec son long visage maigre. Tom Keefer avait plus d'un mètre quatre-vingts, il avait l'ossature fine et un corps efflanqué. Des yeux bleus très enfoncés dans leurs orbites et dont les paupières dégageaient beaucoup le blanc lui donnaient un regard intense et farouche. Il avait la même bouche large que Roland, mais loin d'être charnues, ses lèvres étaient minces et pâles.

Willie dit : « Je connais votre frère Roland. Nous étions dans la même chambre à l'école navale. Il est à Pearl maintenant au cantonnement des célibataires.

— Tiens? Il faudra le faire venir ici. Keefer reposa calmement sa tasse. « Venez dans ma cabine me parler un peu de vous. »

Keefer habitait un petit réduit dont l'entrée était en partie occupée par tout un enchevêtrement de tuyaux. Deux couchettes étaient installées contre le renflement de la coque; il y avait aussi un bureau sur lequel s'entassaient quatre-vingts bons centimètres de livres, de brochures, de pleines corbeilles de documents et tout un amas de publications numérotées couronné par un paquet de linge frais repassé. Sur la couchette supérieure était allongé un corps nu.

Tandis que l'officier des Transmissions se rasait et s'habillait Willie décrivit son stage au pavillon Furnald avec Roland. Ses regards erraient dans la pièce. Sur des étagères soudées à la paroi au-dessus du bureau et le long de la couchette de Keefer, il repéra tout un assortiment de volumes de poésie, de romans et d'ouvrages de philosophie. Cela formait une collection impressionnante; on aurait dit la liste des Cent Meilleurs Livres, avec une prédilection marquée pour la littérature moderne représentée par des œuvres de Joyce, T. S. Eliot, Proust, Kafka, Dos Passos et Freud, ainsi que par quelques livres sur la psychanalyse et quelques ouvrages portant la marque d'une maison d'édition catholique. « Vous avez une jolie bibliothèque, dit Willie.

— Cette vie est un lent suicide, si on ne lit pas.

— Roland m'a dit que vous étiez écrivain.

— J'essayais de l'être avant la guerre, dit Keefer en essuyant sur son visage les dernières traces de mousse avec une serviette en loques.

— Vous écrivez un peu en ce moment?

— Un peu. Voyons, en ce qui concerne votre service... on va vous faire tenir le registre des publications officielles et, bien entendu, il y aura le service du chiffre... »

Whittaker, le cambusier, passa la tête par le rideau vert plein de poussière. « Asoup », dit-il et disparut. Ces syllabes mystérieuses eurent le don de ranimer la forme allongée dans la couchette supérieure, qui se souleva, se frictionna vaguement, sauta sur le pont et se mit à s'habiller.

— Asoup? fit Willie.

— A la soupe, en patois de cuistot : le déjeuner, dit Keefer. Le nom de ce légume doté d'un visage est Carmody. Carmody, je vous présente le mystérieux Mr. Keith.

— Enchanté, dit Willie.

— Hhoon, dit l'autre en cherchant ses chaussures au fond d'un placard obscur.

— Venez, dit Keefer, rompre le pain avec les officiers du *Caine*, vous ne pouvez y échapper. Et le pain, lui, n'est pas trop épouvantable.

CHAPITRE VIII

LE COMMANDANT DE VRIESS

WILLIE pensait faire la sieste après le déjeuner. Son corps tout entier réclamait le sommeil. Mais son vœu n'allait pas être exaucé. Après le café, le « légume doté d'un visage », l'enseigne Carmody, les harponna tous les deux, Harding et lui.
— Le commandant de Vriess m'a dit de vous faire visiter le navire. Venez.

Trois heures durant, il les traîna du haut en bas des écoutilles, des coursives et des manches de ventilation. Ils passèrent de l'étuve de la salle des machines à l'humidité glacée des cales. Ils pataugèrent dans l'eau, glissèrent dans l'huile et s'écorchèrent aux déchirures de métal. Willie voyait tout à travers une brume rouge de fatigue. Il ne garda de cette visite que le souvenir confus d'innombrables trous noirs encombrés d'objets hétéroclites, de machines ou de lits, chaque trou ayant sa propre odeur qui se superposait à celles de l'huile, de la peinture, du moisi et du métal chaud qui flottaient partout. La minutie de Carmody leur parut plus explicable quand il annonça qu'il était sorti d'Annapolis, promotion de 43, et qu'il était le seul officier de carrière à bord à l'exception du capitaine et du second. Il avait les épaules étriquées, les joues creuses, de petits yeux de renard et une moustache minuscule. Il s'exprimait avec un rare laconisme. « Voici la première salle de chauffe, disait-il. Pas de question? » Harding semblait aussi épuisé que Willie. Aucun d'eux ne se souciait de prolonger la visite en posant une seule question. Ils suivaient Carmody d'un pas chancelant, en échangeant des regards éperdus.

Enfin, alors que Willie pensait vraiment qu'il allait s'évanouir et qu'il attendait même l'événement avec une certaine impatience, Carmody déclara : « Eh bien, je crois que c'est tout. » Il les conduisit jusqu'au coffre. « Encore une chose. Grimpez en haut de ce mât. »

C'était un poteau de bois surmonté d'un radar, et il avait l'air d'avoir au moins cent cinquante mètres de haut. « Pourquoi, grands dieux? gémit Willie. Un mât est toujours un mât. Je le vois, ça me suffit.

— Vous êtes censés visiter le navire de fond en comble, dit Carmody, des cales à la hune de vigie. Eh bien, voilà la hune. » Il désignait un minuscule grillage métallique tout en haut du mât.

— Est-ce qu'on ne peut pas faire ça demain? Mes vieux os demandent grâce, dit Harding avec un pauvre sourire. Il avait un visage jeune et sympathique, mais sur son crâne, seule une étroite avancée de cheveux blonds restait, s'écartant de la couronne. Il était mince et avait des yeux bleus très pâles.

— Je dois rendre compte de ma mission avant le dîner. Si vous ne montez pas au mât, je ne pourrai pas dire que je m'en suis acquitté.

— J'ai trois enfants, dit Harding, en haussant les épaules; il posa le pied sur le premier des crampons métalliques qui hérissaient le mât jusqu'au faîte. « J'espère que je les reverrai. »

Lentement, péniblement, il commença son ascension. Willie suivit, étreignant de toute sa force un crampon après l'autre. Il gardait les yeux fixés sur le fond du pantalon de Harding, afin de ne pas être tenté de regarder le spectacle vertigineux qu'il aurait pu voir ailleurs. Le vent faisait claquer sa chemise trempée de sueur. Au bout de deux minutes, ils étaient dans la hune. Harding se hissait sur la plate-forme, quand Willie entendit le vilain bruit d'un crâne heurtant du métal.

— Aïe! Bon sang, Keith, attention à ce radar, gémit Harding.

Willie se glissa à plat ventre dans la hune. Sur la grille branlante, il y avait à peine place pour les deux hommes. Ils s'assirent les pieds ballants dans le vide bleu.

— Parfait! fit d'en bas la voix ténue de Carmody. Au revoir. Je vais rendre compte.

Il disparut dans une coursive. Willie jeta un coup d'œil au pont tout en bas, mais ses regards revinrent très vite au panorama. La vue était belle. Le port étincelait au-dessous d'eux, étalé comme une carte. Mais Willie ne prenait aucun plaisir à ce spectacle. L'altitude lui donnait le vertige. Il avait l'impression qu'il serait incapable de redescendre.

— J'ai le regret de vous dire, fit Harding d'une petite voix, et la main à son front, que je vais être dans l'obligation de vomir.

— Oh, Seigneur, non, dit Willie.

— Je suis désolé. Le vide me fait mal au cœur. Je vais m'efforcer de ne pas vous tacher. Oh, bon Dieu, et tous ces types là en bas! C'est épouvantable.

— Vous ne pouvez pas vous retenir? supplia Willie.

— Impossible, dit Harding, dont le visage était maintenant d'un vert malsain. Mais j'ai une idée. Je vais utiliser ma casquette en guise de cuvette. Il enleva sa casquette en ajoutant : « C'est vraiment dommage. Je n'ai que celle-là...

— Tenez, fit vivement Willie, j'en ai deux autres. » Il tendit sa casquette neuve à Harding.

— C'est bien aimable à vous, hoqueta Harding.

— Mais je vous en prie, dit Willie. Faites donc.

Harding rendit bien proprement dans la casquette. Willie se sentit saisi d'une terrible envie d'en faire autant, mais il se domina. L'autre reprenait quelque couleur. « Ouf, merci, Keith. Et maintenant qu'allons-nous en faire?

— Question pertinente, dit Willie, en contemplant le triste objet qu'il tenait entre ses mains. Une casquette pleine de... de ça... c'est assez encombrant.

— Lancez-la par-dessus bord. »

Willie secoua la tête. « Elle pourrait se retourner en tombant. Le vent pourrait se prendre dedans.

— C'est embêtant, dit Harding, vous ne pouvez tout de même pas la remettre. »

Willie déboucla la jugulaire et attacha soigneusement la casquette, comme un seau pendu par l'anse, à un coin de la hune. « Laissons-la pendre ici, dit Willie, ce sera votre salut au Caine.

— Je ne pourrai jamais redescendre tout ça, dit Harding d'une voix faible. Passez devant. Je vais rester à pourrir ici. Je ne manquerai à personne, excepté à ma famille.

— Allons donc. Vous avez vraiment trois gosses?

— Bien sûr. Ma femme en attend un quatrième.

— Qu'est-ce que vous fichez dans la Marine alors?

— Je suis un de ces imbéciles qui se sont imaginés qu'il fallait faire cette guerre.

— Ça va mieux?

— Un peu, merci.

— Venez, dit Willie. Je vais passer le premier. Vous ne tomberez pas. Si nous restons perchés ici encore longtemps nous allons être si malades que nous dégringolerons tous les deux. »

La descente fut interminable et atroce. Les mains moites de Willie glissaient sur les crampons et une fois son pied dérapa. Mais ils regagnèrent tous deux le pont. Harding chancelait, le visage ruisselant de sueur. « Je vais m'allonger et embrasser le pont, murmura-t-il.

— C'est plein de matelots, chuchota Willie. Venez, rentrons dans notre casemate. »

Il y avait deux couchettes maintenant dans la petite tombe. Harding s'écroula sur la couchette inférieure et Willie s'affala sur celle du haut. Ils demeurèrent un moment silencieux, reprenant lentement leurs esprits. « Ma foi, fit enfin Harding d'une voix

lasse, j'ai entendu parler d'amitiés scellées dans le sang, mais
jamais dans le vomi. Vous savez, Keith, je vous suis très reconnaissant. Vous avez été très bien avec votre casquette.

— C'est une vraie chance, dit Willie, que vous n'ayez pas eu
à me rendre le même service. Mais l'occasion se présentera sûrement
au cours de cette croisière de rêve.

— A votre service, dit Harding, d'une voix qui s'éteignait. A
votre service, Keith. Et merci encore. » Il roula sur le côté et s'endormit.

Willie avait l'impression d'avoir à peine sommeillé quand une
main vint le secouer sur sa couchette. « Asoup, lieut'nant », dit
la voix de Whittaker, et ses pas s'éloignèrent sur le pont.

— Harding, grogna Willie, vous voulez dîner?

— Hein? Dîner déjà? Non. Ce que je veux, c'est dormir.

— On ferait mieux d'y aller. Sinon, ça va faire mauvais effet.

Trois officiers étaient assis autour de la table du carré, y compris
le commandant. Les autres étaient à terre, en permission. Willie et
Harding s'installèrent à l'extrémité de la longue table et commencèrent à manger en silence. Les autres les ignoraient et échangeaient
entre eux des plaisanteries incompréhensibles sur des incidents
qui s'étaient passés à Guadalcanal, en Nouvelle-Zélande et en Australie. Le lieutenant Maryk fut le premier à jeter un coup d'œil
de leur côté. Il était plutôt corpulent, avec une figure ronde, un
air bagarreur et les cheveux tondus comme un prisonnier; il
paraissait environ vingt-cinq ans. « Vous avez les yeux bien rouges,
vous deux, dit-il.

— Nous avons fait un petit somme dans la casemate.

— Rien de tel pour bien commencer, dit le commandant,
s'adressant à la côte de porc dont il venait de couper une vaste
portion.

— Il fait plutôt chaud chez vous, hein? » remarqua Adams,
l'officier canonnier. Le lieutenant Adams portait une tenue kaki
impeccablement repassée. Il avait le long visage aristocratique
et l'air de négligente supériorité que Willie avait souvent rencon-
trés à Princeton. C'était là-bas un signe de fortune et de bonne
famille.

— Assez, oui, fit Harding d'un ton misérable.

Maryk se tourna vers le commandant. « Commandant, cette
casemate est juste au-dessus de la salle des machines. Ces garçons
vont cuire là-dedans...

— Ce ne sont pas les enseignes qui manquent, dit le commandant.

— Je veux dire, commandant, que je pourrais faire installer
deux couchettes très facilement dans la cabine d'Adams ou de
Gorton, ou même ici au-dessus du canapé...

— Pas question, dit Adams.

— Est-ce que ça ne constituerait pas une modification de la
coque, Stève? dit le commandant, en mâchant son porc. Il faudrait
demander la permission du Génie maritime.

— Je peux vérifier, commandant, mais je ne crois pas.

— Eh bien alors, il faudra y songer. Mais, de toute façon, les ouvriers ne sont pas en avance. » Le commandant de Vriess jeta un coup d'œil aux deux enseignes. « Croyez-vous, messieurs, que vous puissiez survivre encore une semaine ou deux dans la casemate? »

Willie était fatigué et le sarcasme l'agaça. « Personne ne se plaint », dit-il.

De Vriess haussa les sourcils et sourit. « Voilà qui est bien parlé, Mr. Keith. » Il se tourna vers Adams. « Ces messieurs ont-ils commencé le cours de perfectionnement?

— Pas encore, commandant... Carmody les a eus tout l'après-midi...

— Eh bien, monsieur Adams, on perd du temps. Qu'ils commencent après dîner.

— Bien, commandant. »

Les cours de perfectionnements d'officiers comprenaient une liasse épaisse de feuilles ronéotypées qui brunissaient sur les bords. Ils étaient datés de 1935. Adams alla les chercher dans sa cabine pendant que les enseignes buvaient leur café et leur en tendit à chacun un jeu. « Il y a douze devoirs, dit-il. Faites le premier pour demain matin neuf heures et laissez-le sur mon bureau. Pour les autres, vous en ferez un par jour au port, et un tous les trois jours en mer. »

Willie regarda le sujet du premier devoir : *Faites deux croquis du Caine, bâbord et tribord, mettant en évidence chaque compartiment et en précisant l'affectation.*

— Où trouverons-nous ces renseignements, lieutenant?

— Est-ce que Carmody ne vous a pas fait visiter le navire?

— Si, lieutenant.

— Eh bien, vous n'avez qu'à coucher par écrit ce qu'il vous a dit, sous forme de diagramme.

— Je vous remercie, lieutenant, dit Willie.

Adams laissa les deux enseignes. Harding murmura d'un ton las : « Et alors? On s'y met?

— Vous vous rappelez un mot de ce qu'a dit Carmody?

— Une seule chose : Grimpez en haut de ce mât.

— En tout cas, il faut le remettre demain matin à la première heure, dit Willie. Autant commencer tout de suite. »

Ils firent un croquis en collaboration, bâillant et gardant à grand-peine les yeux ouverts, et discutant fréquemment des détails. Au bout d'une heure, ils étaient parvenus à peu près à ce résultat :

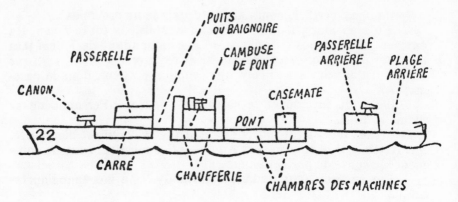

Willie prit un peu de recul et examina le dessin d'un œil critique. « Je crois que ça va...

— Vous êtes fou, Keith? Il y a une quarantaine de compartiments dont il faut donner le nom...

— Je ne me souviens d'aucun de leurs foutus compartiments...

— Moi, pas davantage. Je crois qu'il faudrait tout simplement refaire le tour de ce bateau...

— Quoi, y passer encore trois heures? Mon vieux, j'aurai une crise cardiaque. Mes forces m'abandonnent rapidement. Regardez, déjà mes mains tremblent...

— De toute façon, Keith, les proportions sont fausses. On dirait un remorqueur raté...

— Ce n'est pas autre chose.

— Attendez, j'ai une idée. Il doit y avoir des bleus du navire quelque part. Pourquoi ne pas simplement mettre la main dessus et... Ça n'est peut-être pas très *fair play*, mais...

— N'en dites pas plus! Harding, vous êtes un génie! Voilà! C'est exactement ce que nous allons faire. A la première heure. Et maintenant dodo.

— Je vous suis. »

Devant la casemate, à la lueur d'un éblouissant projecteur jaune, quelques requis civils de l'Arsenal, armés de chalumeaux, de scies et de marteaux étaient occupés à installer un nouveau support pour radeau de sauvetage. « Comment voulez-vous qu'on dorme avec ce raffut? dit Harding.

— Je pourrais dormir même si c'était à moi et non pas au pont qu'on faisait tout ça, dit Willie. Allons. Il entra dans le réduit et recula, toussant comme un tuberculeux au dernier degré de la consomption. « Seigneur!

— Qu'est-ce qui se passe?

— Venez un peu respirer ça... doucement. »

La casemate était emplie de fumée d'échappement. Une saute de vent rabattait directement la fumée de la cheminée numéro trois sur la soute où, faute d'autre issue, elle restait à fermenter.

Harding vint reniﬂer sur le seuil et dit : « Keith, c'est un suicide de dormir là-dedans...

— Ça m'est égal, dit Willie d'un ton farouche en enlevant sa chemise, tout compte fait, j'aime autant crever tout de suite. »

Il se glissa sur sa couchette en se pinçant le nez, et Harding le suivit. Deux heures durant, il s'agita et se retourna dans une étrange torpeur, pleine de cauchemars, réveillé toutes les quelques minutes par le vacarme que faisaient les ouvriers. Harding avait sombré dans une stupeur de mort. A minuit, les ouvriers cessèrent le travail, mais le calme et l'obscurité soudain revenus n'apportèrent aucun soulagement; Willie n'en devint que plus conscient de la chaleur et des miasmes horribles des gaz d'échappement. En caleçon, il sortit sur le pont d'un pas chancelant, dégringola jusqu'au carré et s'effondra sur le canapé, le corps couvert de suie.

Et une fois de plus — et ce devait être le souvenir le plus vivace qu'il garderait du *Caine* — on le secoua pour le tirer de son sommeil. Le lieutenant Adams était debout devant lui, en tenue de quart, cartouchière et revolver à la ceinture, une tasse de café à la main. Willie se dressa sur son séant. Par le hublot, il apercevait la nuit noire.

— Venez, Keith. Nous sommes de quart de quatre à huit.

Willie revint à la casemate, s'habilla et se traîna jusqu'à la plage arrière. Adams lui donna une cartouchière, lui montra le livre de bord relié en cuir et l'exemplaire délabré du *Guide de l'Officier de Quart*, posés sur un bureau branlant près de la passerelle, et le présenta au quartier-maître et au timonier coureur, tous deux ensommeillés dans leurs treillis. La pendule de pont sous l'abat-jour de l'ampoule jaunâtre marquait quatre heures cinq. Tous les autres navires au mouillage étaient noirs et silencieux. « Le quart de quatre à huit n'est pas bien compliqué », dit Adams.

— Tant mieux, ﬁt Willie, en bâillant.

— Je crois bien, dit l'officier de tir, que je vais aller m'allonger en bas jusqu'au réveil. Vous croyez que vous pourrez vous en tirer tout seul?

— Oh oui.

— Bien. Il n'y a rien à faire, à vrai dire, sinon bien vous assurer qu'aucun de vos hommes de quart ne s'assied ni ne dort debout. Il y a des gardes à la barre et au gaillard d'avant. Compris?

— J'ai compris », dit Willie, en saluant. Adams lui rendit son salut et s'en fut.

Le timonier, un petit matelot de première classe du nom de Mackenzie, s'assit aussitôt sur un cageot de choux avec un soupir de contentement. Willie fut ahuri de tant d'audace. « Levez-vous, Mackenzie, dit-il d'une voix mal assurée.

— Oh, pourquoi? Je suis là si vous avez besoin que je porte un message. » Et Mackenzie ajouta avec un sourire engageant, et tout en se carrant confortablement : « Faut pas faire attention au lieutenant Adams. C'est le seul officier qui nous oblige à rester debout. Le commandant de Vriess s'en fiche pas mal. »

Willie flaira un mensonge. Il jeta un coup d'œil à l'officier marinier de quart, Engstrand, un grand gaillard aux larges épaules qui, accoudé au bastingage, observait la scène avec un sourire qui découvrait ses dents.

— Si vous n'êtes pas debout dans deux secondes, dit Willie, je vous signale.

Mackenzie se leva aussitôt en grommelant : « Encore un de ces types qui pètent le feu. »

Willie était trop embarrassé pour le réprimander à nouveau. « Je vais inspecter les sentinelles, dit-il.

— Bien, lieutenant », dit Engstrand.

Une douce brise soufflait sur le gaillard d'avant et la nuit étincelait d'étoiles; Willie trouva l'homme de quart pelotonné contre la guindeau de l'ancre, son fusil entre les genoux et dormant tout son soûl. Ce spectacle le choqua profondément. Il avait appris à Furnald que dormir quand on était de quart en temps de guerre vous menait au peloton d'exécution. « Hé, vous, cria-t-il, réveillez-vous. » L'homme ne bronchait pas. Willie le harcela du bout du pied, puis se mit à le secouer violemment. L'homme bâilla et se leva, passant son fusil en bandoulière. « Savez-vous, aboya Willie, ce que ça vaut de dormir quand on est de quart?

— Qui est-ce qui dormait? fit le matelot, sincèrement outragé. J'envoyais des messages en morse mentalement. »

Willie aurait bien voulu signaler ce filou, mais il lui déplaisait d'être responsable de son passage en conseil de guerre. « Enfin, je ne sais pas ce que vous faisiez, mais ne le faites plus, et restez sur vos pieds.

— J'étais sur mes pieds, répliqua la sentinelle. Je m'étais simplement un peu accroupi pour ne pas avoir froid. »

Willie s'en alla écœuré pour inspecter l'homme de quart à l'arrière. En traversant la plage arrière, il vit Mackenzie mollement étendu sur une pile de gilets de sauvetage. « Crénom, hurla-t-il, Mackenzie, levez-vous! Engstrand, vous ne pouvez donc pas empêcher cet homme de s'asseoir?

— Je suis malade, lieutenant, gémit Mackenzie en s'asseyant. J'ai eu une permission mouvementée.

— Il est en triste état, monsieur, dit Engstrand avec un petit sourire.

— Eh bien, trouvez quelqu'un d'autre pour faire le quart à sa place, alors.

— Mais, lieutenant, tout l'équipage est en piteux état, répondit Engstrand.

— *Mackenzie, levez-vous!* » tonna Willie. Mackenzie se mit debout en poussant d'horribles gémissements.

— Bon, restez comme ça. Willie s'éloigna. Sur la plage arrière, l'homme de quart était endormi sur le pont, couché en chien de fusil. « Seigneur, quel bateau », murmura Willie en donnant au matelot un vigoureux coup de pied dans les côtes. L'homme sauta sur ses pieds, saisit son fusil et se mit au garde à vous. Puis il fixa sur Willie un regard incrédule.

— Doux Jésus, murmura-t-il, j'étais sûr que c'était Mr. Maryk.

— Je suis Mr. Keith, dit Willie. Et vous, comment vous appelez-vous?

— Fuller.

— Eh bien, Fuller, si jamais je vous trouve encore couché quand vous êtes de quart, vous passez en conseil de guerre, vous entendez?

— Bien sûr, fit courtoisement Fuller. Dites donc, vous êtes d'Annapolis, comme Mr. Carmody?

— Non. Willie regagna la plage arrière. Mackenzie dormait à nouveau sur les gilets de sauvetage et Engstrand était assis sur une écoutille, un cigare aux lèvres. Il se leva précipitamment en voyant Willie.

— Excusez-moi, monsieur. Je tirais juste une bouffée.

— Dieu! s'écria Willie. Il était épuisé, fou de rage et il avait mal au ventre. « Et dire que vous êtes maître principal. Un ban pour le beau navire *Caine*. Écoutez, Engstrand, que vous soyez assis, couché ou mort, ça m'est égal, mais arrangez-vous pour que ce type reste à la verticale pendant le reste du quart ou je vous jure que je fais un rapport.

— Levez-vous, Mackenzie », fit Engstrand d'un ton sec et cassant. Le matelot sauta de sa pile de gilets de sauvetage, et alla s'accouder à la lisse, le regard morne. Willie descendit sur le pont et ouvrit d'une main tremblante le *Guide de l'Officier de Quart*, guettant les gestes de Mackenzie. Mais le matelot demeura dix minutes à la même place, sans paraître éprouver de difficulté à garder la position debout. Enfin, il parla.

— Ça ne vous fait rien, Mr. Keith, dit-il, sans rancœur, si je fume? Willie acquiesça. Le marin lui tendit alors un paquet de Luckies. « Vous en voulez une?

— Merci. »

Mackenzie alluma la cigarette de Willie et puis, pour sceller les liens de bonne camaraderie ainsi instaurés, il commença à entretenir le nouvel enseigne de ses exploits amoureux en Nouvelle-Zélande. Willie avait entendu pas mal d'histoires assez salées dans les dortoirs de collège, mais la clarté de langage de Mackenzie était pour lui une nouveauté. D'abord amusé, Willie ne tarda guère à être écœuré et à s'ennuyer ferme, mais il semblait impossible de mettre un terme au flot d'obscénités que débiterait avec monotonie le matelot. Le ciel pâlit, une bande rougeâtre apparut à l'horizon. Willie éprouva un profond soulagement quand le lieutenant Adams sortit de l'écoutille du carré en se frottant les yeux. « Comment ça va, Keith? Pas de pépin?

— Non, lieutenant.

— Allons faire une tournée d'inspection. »

Il fit le tour du navire avec Willie, heurtant du pied les cordages qui attachaient le *Caine* aux destroyers voisins. « Le cordage numéro trois a besoin d'être graissé. Il s'use avec le frottement. Dites-le à Engstrand.

— Oui, lieutenant... Mr. Adams, je dois vous dire la vérité, j'ai eu un mal fou à empêcher les hommes de quart et le timonier de dormir.

Adams grimaça un sourire, puis son visage s'allongea et devint sévère. « C'est grave, ça. »

Il n'avait pas l'air de le penser.

Adams se mordit les lèvres, et s'arrêta pour allumer une cigarette, s'appuyant contre la main courante. « Je vais vous dire, Keith. Vous aurez du mal à ce point de vue. Ce navire a toujours été en première ligne depuis mars 42. Il a participé à de nombreuses opérations. Tous les membres de l'équipage appartiennent à la flotte du Pacifique. Ils estiment probablement que cela ne rime pas à grand-chose de monter la garde à Pearl Harbor. Le malheur c'est que le pacha est du même avis. Comme ce sont les ordres du commandant de port, on met quand même des hommes de quart. Alors, il faut vous y faire.

— A quelles opérations avez-vous participé, lieutenant?

— Oh, un peu toutes. Le raid des îles Marshall, la campagne de la mer de Corée... La première bataille de Savo, la seconde bataille de Savo, Rendova, Munda...

— Quelle était votre mission... dragage de mines?

— Vous a-t-on jamais parlé d'un dragueur de mines qui draguait les mines? La plupart du temps nous transportions de l'essence d'avion pour l'aéronavale de Henderson Field. Nous avons rapporté des torpilles de Nouvelle-Zélande. C'était une vraie partie de plaisir, ça : se faire bombarder avec des torpilles amorcées attachées dans tous les coins du pont. Nous avons escorté des convois à travers le Pacifique. Ravitaillement, transport de troupe, écran, courrier, tous les sales boulots qu'on peut imaginer, c'était pour le *Caine*. Alors, si le bateau est un peu délabré, vous comprenez pourquoi.

— Un peu délabré est un euphémisme », dit Willie.

Adams se redressa, lui lança un regard acéré, jeta sa cigarette par-dessus bord et s'éloigna. Du haut-parleur monta le ramage du sifflet suivi des mots : « Réveil pour tout le monde. Réveil. » Adams lança par-dessus son épaule : « Surveillez le réveil du poste arrière, Keith. Assurez-vous qu'ils sortent bien de leurs hamacs.

— Bien, lieutenant. »

Willie décida qu'il ferait mieux de tenir sa langue. Adams et les autres officiers étaient depuis si longtemps sur le *Caine* qu'ils ne devaient même plus avoir conscience que c'était un infâme rafiot. Peut-être même étaient-ils fiers de leur navire. Willie se jura qu'il ne ferait pas comme eux. Il garderait le sens de la mesure et n'aurait de cesse qu'il n'eût trouvé un moyen ou un autre de quitter le *Caine*. Il se fixa pour limite six mois. Après tout, il avait un amiral dans sa manche.

Une étroite écoutille ronde donnant sur une échelle raide menait au poste d'équipage du gaillard d'arrière. Willie passa la tête par l'ouverture et regarda. Il faisait noir comme dans une cave et il régnait la même odeur que dans une salle de gymnastique surchauffée et mal entretenue. Willie se coula par l'écoutille et cria d'une voix qu'il voulait résolue : « Eh bien! On ne se réveille pas là-dedans? »

Une lumière s'alluma dans un coin, éclairant des rangées de couchettes obscures. «A vos ordres, lieutenant, fit une voix esseulée. Je suis le capitaine d'armes. Je vais les faire lever. On n'a pas entendu le réveil. Allons, les gars... debout là-dedans. Voilà un officier. »

Quelques matelots nus roulèrent hors de leur couchette, mais les réactions manquaient de vigueur. Le capitaine d'armes alluma une grosse ampoule au milieu de la pièce et passa le long des couchettes, secouant ici, suppliant là, distribuant les bourrades. Les matelots étaient entassés comme des corps dans un mausolée. Willie était gêné de venir déranger ces misérables. Le pont était aussi sale qu'une basse-cour, parsemé qu'il était de mégots, de vieux papiers, de vêtements et de miettes de nourriture. L'atmosphère fétide l'écœurait.

— Dépêchez-vous, dit-il. Et il remonta précipitamment.

— Comment ça va en bas? dit Adams qu'il retrouva sur la dunette. Le soleil brillait et les sifflets des maîtres d'équipage et les appels des haut-parleurs faisaient retentir l'air du bassin. Des matelots pieds nus arrosaient le pont.

— Ils se lèvent, dit Willie.

— Parfait, dit Adams en hochant la tête d'un air ironique. Vous pouvez disposer maintenant. Descendez donc prendre le café et quelques œufs.

— Oui, lieutenant. Willie dégrafa sa cartouchière et se sentit les hanches agréablement allégées.

Dans le carré, les officiers prenaient déjà leur petit déjeuner. Willie s'effondra sur une chaise et mangea ce qu'on avait déposé devant lui, sans se soucier de ce que c'était. Il voulait seulement remplir son estomac tiraillé par la faim pour regagner la casemate et y rester toute la journée, gaz d'échappement ou pas gaz d'échappement.

— Vous savez, Keith, dit l'officier des Transmissions en se beurrant un toast, j'ai vu Roland hier soir. Il m'a dit qu'il passerait nous voir dans la journée.

— Bravo, fit Willie.

— A propos, nous avons tout un tas de messages en retard, reprit Keefer. Si vous faisiez pendant une heure ou deux de déchiffrage quand vous aurez fini de déjeuner?

— Avec plaisir, dit Willie, au bord du désespoir.

Le commandant de Vriess leva les yeux par-dessous ses épais sourcils blonds. « Qu'est-ce qui ne va pas, Keith? Le bât vous blesse?

— Non, commandant! s'écria Willie. Je suis ravi d'avoir quelque chose à faire.

— Bien. L'ambition sied aux enseignes. »

Une heure plus tard, tandis que Willie peinait sur une machine à déchiffrer posée sur la table du carré, les lettres soudain se brouillèrent. Le carré fut agité de soubresauts et se mit à tourner doucement. Willie s'écroula, la tête sur les mains. Le fait que le lieutenant Maryk fût assis à ses côtés à lire le courrier officiel le laissa indifférent. Il était épuisé.

Il entendit une porte s'ouvrir puis la voix du capitaine : « Tiens, tiens. C'est l'heure de la sieste pour l'enseigne Keith. »

Il n'osa pas lever la tête.

— Commandant, entendit-il dire à Maryk, cette casemate n'est pas un endroit pour dormir. Ce gosse est claqué.

— C'est un peu étouffant quand on est au mouillage, mais cela ira très bien quand nous aurons levé l'ancre. Bon sang, Maryk, ce garçon a passé quatre mois comme affecté temporaire à Pearl. J'aimerais bien savoir d'ailleurs comment il s'y est pris. Il a dû faire une provision de sommeil suffisante pour s'en passer pendant un mois.

Le commandant avait un ton moqueur et cruel, qui emplit Willie de rage. Quel droit avait de Vriess d'être aussi cinglant? De Vriess était l'homme qui tolérait toute la crasse et toute la négligence qui régnaient sur le *Caine* et pour lesquelles il méritait de passer en cour martiale. Il semblait économiser ses forces pour mieux harceler les enseignes. Toute la lassitude accumulée de Willie, tout son ressentiment et son dégoût se cristallisèrent à cet instant en haine envers le commandant de Vriess. Le navire était à l'image de l'officier qui le commandait. Willie était tombé entre les mains d'un souillon tyrannique et stupide. Il grinça des dents et, à peine de Vriess fut-il sorti, qu'il se redressa et qu'il se remit au déchiffrage avec une énergie neuve qu'il puisait dans la rancœur.

Il y avait un énorme tas de messages chiffrés. Il dut travailler jusqu'à l'heure du déjeuner et encore une heure après. Enfin, il en vint à bout. Il déposa les messages déchiffrés parmi le fatras du bureau de Keefer et regagna son réduit pour tomber endormi instantanément sur sa couchette.

Ce fut Adams qui le secoua pour le réveiller. « Keith, vous avez des visiteurs au carré...

— Hein... des visiteurs?

— Le frère de Keefer et deux des plus jolies infirmières que j'aie jamais vues. Heureux coquin... »

Willie se dressa sur son séant, soudain frais et dispos. « Je vous remercie, lieutenant. Lieutenant, quelle est la marche à suivre pour descendre à terre?

— Vous vous présentez à moi.

— Bien, lieutenant. J'aimerais avoir l'autorisation de descendre à terre, fit Willie en cherchant ses vêtements.

— Bien sûr. Donnez-moi seulement votre devoir. »

Willie dut fouiller sa mémoire. A travers la brume des récents événements lui revint le vague souvenir du cours de perfectionnement. « Je n'ai pas eu le temps de le faire, lieutenant.

— Désolé, Keith. Il vaut mieux que vous vous arrangiez avec le pacha, alors. La consigne est que les devoirs doivent être à jour avant toute permission de descendre à terre. »

Willie s'habilla et descendit au carré. Il trouva là le commandant, en élégante tenue kaki festonnée de médailles de diverses campagnes, en train de bavarder avec les infirmières et le frère de Keefer. Il était furieux d'avoir à demander la permission comme un collégien devant les filles, mais il n'y avait rien à faire.

— Je vous demande pardon, commandant.

— Oui, Keith?

— Je sollicite la permission de descendre à terre.

— Naturellement. Loin de moi l'idée de vous priver d'une aussi charmante compagnie, dit le commandant avec une galanterie éléphantine. Les infirmières eurent de petits rires confus. Miss Jones dit : « Bonjour, Keith.

— Je vous remercie, commandant.

— Je suppose que vous vous êtes présenté à Adams?

— Eh bien, justement, commandant. C'est pourquoi je me présente à vous. » Le commandant le considéra d'un air interrogateur. « Voilà, dans mon cours de perfectionnement, il y a un devoir que je n'ai pas terminé. On ne me l'a donné qu'hier et je n'ai pas eu une seconde depuis et...

— Pas une seconde? Il me semble que je vous ai vu au repos une ou deux fois. Que faisiez-vous à l'instant?

— Je... j'avoue avoir dormi trois heures depuis quarante-huit heures, commandant...

— Eh bien, pourquoi ne vous installez-vous pas à faire ce devoir maintenant? Ce ne sera pas long. Ces jeunes personnes attendront. Je ferai de mon mieux pour les distraire. »

« Le sadique », se dit Willie. Et tout haut: « Certainement, commandant, mais...

— Je vais vous donner un tuyau », fit de Vriess d'un petit ton exaspérant. « Les croquis dont vous avez besoin se trouvent dans le manuel de service intérieur du navire. Vous n'avez qu'à les recopier. C'est ce que nous faisions, de mon temps. » Et il reprit son bavardage avec les jeunes filles qui semblaient fascinées par ce commandant.

Willie trouva le manuel et les croquis. Il calcula qu'il lui faudrait trois quarts d'heure pour les recopier et pour mettre les indications.

— Je vous demande pardon, commandant.

— Oui? fit de Vriess, très aimable.

— Puisqu'il s'agit comme vous le dites d'un travail purement

mécanique, est-ce que je ne pourrais pas vous donner ma parole
de le remettre avant huit heures demain matin? Je pourrai le
faire ce soir.

— Dieu sait dans quel état vous serez ce soir, Keith. Mieux
vaut le faire maintenant.

Les infirmières se mirent à rire et Miss Jones dit : « Pauvre
petit Keith. »

— Installez-vous dans ma chambre, Keith, dit Tom Keefer.
Vous trouverez une règle et du papier calque dans le premier
tiroir de droite. »

Rougissant et bouillant de rage, Willie sortit précipitamment.
« C'est la guerre », fit le commandant et Willie entendit rire les
deux filles. En vingt minutes, Willie avait fait les croquis, grin-
çant des dents chaque fois qu'il entendait monter du carré des
rires de femmes. Les papiers à la main, il grimpa sur le pont par
un conduit de ventilation afin d'éviter le commandant et les
infirmières et partit en quête d'Adams. Mais ce dernier n'était
plus à bord. Bon gré mal gré, Willie dut descendre, et les joues
pourpres, remettre ses croquis au commandant. De Vriess les
examina soigneusement : les filles semblaient beaucoup s'amuser.
« Très joli, dit-il, après un long et humiliant silence. Un peu bâclé,
mais, étant donné les circonstances, très joli. »

Bref gloussement de l'infirmière Carter.

— Puis-je partir maintenant, commandant?

— Pourquoi pas? fit de·Vriess d'un ton magnanime. Il se leva:
« Puis-je vous déposer quelque part? J'ai un break.

— Non, je vous remercie, commandant, grommela Willie.

— Non? dit le commandant apparemment surpris. Dommage.
Au revoir, Miss Carter... Miss Jones. Très heureux de vous avoir
reçues à bord. » Il s'éloigna, remettant sa casquette d'un air satisfait.

La soirée qui suivit fut en tous points manquée. Willie dissimula sa rage sous un morne silence. Les deux filles n'avaient pas
grand-chose à dire. A Honolulu, ils passèrent prendre une troisième
infirmière destinée à Tom Keefer, une belle blonde d'une extra-
vagante stupidité. Elle manifesta aussitôt une sympathie marquée
pour Roland. Tom se lança dans de longues et pâteuses citations
du *Paradis perdu* et des poèmes de T. S. Eliot et de Gerard Manley
Hopkins, tandis que Roland et la blonde flirtaient sans vergogne.
Cela se passait durant le dîner au restaurant chinois. Willie but
plus qu'il ne l'avait jamais fait de toute sa vie. Ils allèrent ensuite
au cinéma du CincPac voir un film de Danny Kaye, que Willie vit
comme à travers une vitre ruisselante de pluie. Il s'endormit au
beau milieu du film; bien qu'il marchât docilement là où on le
conduisait, il ne se réveilla vraiment que pour se retrouver dans
un taxi avec Tom Keefer.

— Où sommes-nous? Quelle heure est-il? Où sont les autres?
marmonna-t-il. Il avait dans la bouche un goût écœurant de rhum
et de cuisine chinoise.

— On rentre à la maison, Willie. On rentre au *Caine*. La fête est finie.

— Le *Caine*. Le *Caine* et de Vriess...

— Je le crains.

— Mr. Keefer, est-ce que je me trompe, ou bien est-ce que de Vriess est un parfait butor doublé d'un imbécile?

— Bien qu'un peu généreuse, votre estimation est correcte.

— Comment un tel homme a-t-il pu obtenir le commandement d'un navire?

— Il ne commande pas un navire. Il commande le *Caine*.

— Mais c'est lui qui a fait du *Caine* ce qu'il est.

— Très probablement.

— Dites donc, où est Roland?

— Marié à la blonde, ou du moins je l'espère. Il se doit de la remettre dans le droit chemin après ce qu'ils faisaient tous les deux au cinéma.

— Il a marché dans vos plates-bandes, non?

— Roland n'est pas responsable, dit Keefer, des méfaits que lui fait accomplir sa thyroïde. C'est un exemple classique de ce que Kant appelle *arbitrium brutum*. Vous vous souvenez du passage, bien entendu.

— Évidemment, dit Willie en retombant dans le sommeil.

Keefer le hissa à bord du *Caine* et le laissa tomber dans sa casemate. Willie n'avait qu'à demi conscience de ce qui se passait. Une heure plus tard, on le secoua pour le tirer de son sommeil. Il ouvrit les yeux et trouva devant lui le visage de Paynter. « 'squ'y a maintenant? » articula-t-il.

— Un message à déchiffrer, Keith.

— Quelle heure est-il?

— Trois heures et quart.

— Seigneur, ça ne peut pas attendre demain matin?

— Non. Le *Caine* fait relais. Chaque fois qu'on reçoit un message à relayer, il faut le réexpédier aussitôt. Ordre du capitaine de Vriess.

— De Vriess, grommela Willie. De Vriess. Pourquoi la Marine ne le renvoie-t-elle pas à l'école mûrir un peu?

— Venez, Keith.

— Mon vieux, trouvez quelqu'un d'autre. Je suis trop fatigué pour y voir clair.

— L'officier de Transmissions en second est toujours chargé du service de nuit, dit Paynter, j'étais payé pour le savoir. Allons, Keith, venez, il faut que je retourne sur la passerelle. »

Willie se glissa hors de sa couchette et descendit jusqu'au carré en se cramponnant aux cloisons et aux rambardes. Maintenant à grand-peine sa tête en proie au vertige, il se mit à déchiffrer. Le message était adressé au porte-avions *Brandywine Creek* et concernait une mission. Parvenu au milieu, Willie sursauta et poussa un cri de joie. Il se versa une tasse de café bourbeux, la vida d'un trait et se hâta de terminer le déchiffrage. Brandissant la copie du message, il monta en courant sur la passerelle, se jeta au cou de Paynter et l'embrassa. « Qu'est-ce qui vous prend? fit celui-ci en le repoussant avec horreur.

— Regardez, mon ami, regardez. J'apporte le réconfort et la joie. »

Paynter approcha la feuille de papier de la lumière. En la dissimulant aux coups d'œil en coin de l'homme de quart, il lut : *Le lieutenant de vaisseau Philip J. Queeg est détaché. Se présentera à l'Ecole de Technique anti-sous-marine de San-Francisco. A la fin du stage ira relever l'officier commandant le D. M. S. 22 Caine.*

Paynter ne semblait que modérément ravi.

— Eh bien, lui souffla Willie, vous ne m'embrassez pas?

— J'attends d'avoir vu ce Queeg, dit Paynter.

— Quand on est tout en bas, on ne peut pas descendre davantage, dit Willie. Vous pouvez imaginer quelqu'un de pire que de Vriess?

— Tout est possible. Bon, je vais porter ça au pacha...

— Non, non, laissez-moi cette joie.

Willie descendit en courant l'échelle qui menait au carré et frappa à la porte du commandant.

— Entrez...

— Bonne nouvelle, commandant, cria Willie en ouvrant la porte. Le commandant alluma sa lampe de chevet et lut le message en clignotant, appuyé sur un coude, le visage strié des marques rouges qu'avaient laissées les plis de son oreiller.

— Bien, bien, dit-il, avec un sourire mi-figue, mi-raisin. Vous appelez ça une bonne nouvelle, Keith?

— Pour vous, commandant, il me semble, au bout de six ans. On va peut-être vous donner le commandement d'un nouveau destroyer. Ou peut-être une affectation à terre.

— Vous en êtes pour les affectations à terre, hein, Keith? C'est un point de vue piquant. Vous avez vite compris la musique.

— Ma foi, il me semble que vous le méritez bien, commandant, c'est tout.

— Eh bien, j'espère que le Personnel pense comme vous. Merci, Keith. Bonne nuit.

Willie sortit avec la vague impression que ses sarcasmes s'étaient émoussés sur la peau du capitaine. Mais peu lui importait. Il supporterait sans effort les semaines à venir sur le *Caine*. La délivrance approchait sous les espèces du lieutenant de vaisseau Philip F. Queeg.

CHAPITRE IX

PREMIER JOUR EN MER

APRÈS quatre jours de réparations, le *Caine* reçut l'ordre de prendre la mer pour aller faire des exercices de déminage dans les eaux d'Oahu. « Tiens, tiens, dit le commandant de Vriess, quand Willie lui apporta le message déchiffré, du dragage de mines. Il est possible que notre ami Queeg vienne me relever juste à temps.

— Est-ce que cela veut dire que nous allons faire du dragage de mines dans... dans un proche avenir, commandant?

— Peut-être.

— Le *Caine* a déjà fait du déminage, commandant?

— Bien sûr, des mines d'exercice, par centaines. Mais jamais en opération, Dieu merci. » De Vriess se glissa hors de sa couchette et attrapa son pantalon. « J'aimerai beaucoup le déminage, Keith, le jour où on aura résolu un problème bien simple.

— Comment cela, commandant?

— Savoir qui drague avant les dragueurs de mines... Bon, dites à Steve Maryk de venir ici, voulez-vous? Et dites à Whittaker que je prendrais bien du café.

— Oui, commandant.

— Pas la bouillie qui mijote depuis ce matin. Du frais.

— Oui, commandant. »

Roland Keefer vint dîner à bord, et apporta à Willie tout un paquet de courrier. Comme toujours, Willie ouvrit en premier la lettre de May. Elle était retournée au collège pour la session d'automne. C'était un sacrifice, car pendant l'été Marty Rubin lui avait trouvé un engagement à la radio pour une émission de midi qu'elle aurait pu garder. Le cachet était de cent dollars par semaine.

Mais ça m'est égal, mon chéri. Plus je lis et j'étudie, plus je deviens ambitieuse. L'an dernier, j'étais sûre de ne rien vouloir d'autre dans la vie qu'un beau contrat de grande chanteuse. Je méprisais les filles que je rencontrais à Hunter, parce qu'elles étaient incapables de gagner un sou. Mais je commence à me demander s'il est raisonnable de sacrifier mes jours et mes nuits pour un salaire. J'aime chanter, je crois que j'aimerai toujours cela. Tant qu'il me faudra gagner de l'argent, je serai heureuse de pouvoir le faire dans de bonnes conditions, au moyen d'un travail qui me plaît plutôt qu'en étant dactylo dans un bureau sans air. Mais je sais que je ne deviendrai jamais une chanteuse de premier plan : je n'ai pas la voix, je n'ai pas la classe, je n'ai pas l'allure (non, absolument pas, chéri). Ce que je voudrais maintenant, je crois, c'est mettre le grappin sur un bon papa gâteau qui m'aidera à avoir un ou deux bébés et qui à part cela me laissera lire en paix.

Un point pour toi, mon amour. Dickens est formidable. J'ai veillé toute une nuit à lire Dombey and Son *— pour un compte rendu de lecture que je ne dois rendre que la semaine prochaine, figure-toi — et maintenant j'ai de grands cernes noirs sous les yeux. Je suis contente que tu ne puisses pas me voir.*

Quel mensonge que cette dernière phrase. Vas-tu jamais rentrer? Quand cette guerre va-t-elle finir? Après la capitulation de l'Italie, je pensais te voir d'un jour à l'autre. Mais cela semble vouloir traîner encore bien en longueur Les nouvelles d'Europe sont généralement bonnes, mais je dois avouer que je m'intéresse davantage au front du Pacifique. Et peut-être ne suis-je pas patriote, mais je suis bien contente que tu n'aies pas encore rejoint le Caine.

Je t'aime.

MAY.

— Eh bien, dit Roland comme ils prenaient place pour dîner, je vais vous dire au revoir à tous pour un bout de temps. Tout l'état-major s'embarque sur le *Yorktown* demain. Je crois que l'amiral veut toucher un peu de solde à la mer.

Le visage de Tom Keefer s'assombrit. Il reposa bruyamment son couteau et sa fourchette. « Par exemple, les veinards! Un nouveau porte-avions.

— Ça vous fait quelque chose, hein, Tom? fit de Vriess en souriant.

— Qu'est-ce qu'il y a, Tom? dit Maryk. On n'aime pas le dragage de mines? » Tous les officiers éclatèrent de rire en entendant la plaisanterie classique dont Keefer était la victime.

— Crénom, je voudrais quand même voir un peu de guerre tant que faire de perdre mes jours...

— Vous êtes arrivé à bord trop tard, dit Adams. Nous avons vu le feu plus d'une fois avant...

— Ce que vous avez fait, dit Keefer, c'est du travail de garçon de courses. Ce qui m'intéresse, c'est l'essence et non les accidents.

Le cœur même de cette guerre du Pacifique, c'est le duel des machines volantes. Tout le reste n'est que routine de garçons laitiers et de commis aux écritures. Tout le hasard et toute la décision sont du côté des porte-avions.

— J'ai des camarades à bord du *Saratoga*, dit le commandant. Leur vie est assez monotone aussi, vous savez, Tom.

— La guerre comprend quatre-vingt-dix-neuf pour cent de routine, une routine dont peuvent se tirer des singes bien dressés, dit Keefer. Mais le un pour cent de hasard et d'action créatrice à quoi tient actuellement l'histoire du monde, vous le trouverez sur les porte-avions. C'est à ça que je voudrais participer. Mais c'est mon frère chéri qui ne demande qu'à se grâler à Hawaï jusqu'à la fin de la guerre...

— Tom, comme tu me connais bien, lança Roland.

— ...qui va se faire trimbaler sur un plateau d'argent à bord d'un porte-avions, et moi je suis toujours sur le *Caine*.

— Encore un peu de foie, Tom, dit Maryk. Le lieutenant, qui avait l'air d'un boxeur professionnel ou d'un adjudant de quartier avec sa tête massive, son nez court et large et ses cheveux coupés en brosse, arborait un sourire plein d'affection et d'innocence qui transformait toute sa physionomie.

— Pourquoi ne faites-vous pas une nouvelle demande de mutation, Tom? dit le commandant. Je l'approuverai encore une fois.

— J'ai renoncé. Ce navire est un hors-caste, avec un équipage de hors-castes et il porte le nom du plus grand hors-caste de l'humanité. Ma destinée, c'est le *Caine*. C'est mon purgatoire où j'expie mes péchés.

— Des péchés intéressants, Tom? Racontez-nous un peu ça, dit Gorton, l'œil polisson derrière le gros morceau de foie piqué sur sa fourchette.

— Des péchés qui feraient rougir jusqu'aux filles nues de votre collection de photos pornos, Burt », dit Keefer, déchaînant les rires.

Le commandant regarda Keefer avec admiration. « Voilà ce que c'est que d'être un lettré. Je n'avais jamais pensé à *Caine* en tant que nom symbolique...

— C'est le *e* final qui vous a dérouté, commandant. Dieu aime toujours à voiler un peu ses symboles, étant, notamment, le parfait artiste.

— Eh bien, je ne regrette pas d'être resté à bord pour dîner, dit Maryk. Ça faisait un moment que vous ne l'aviez pas ouverte, Tom. Vous n'étiez pas en forme?

— Il en avait simplement assez de jeter des perles aux cochons, dit le commandant. Vous nous servirez la glace, Whittaker. »

Willie avait remarqué un curieux mélange de respect et d'ironie dans l'attitude du commandant envers Tom Keefer. Il commençait à se rendre compte que le carré était le lieu où se manifestait l'estime qu'à des degrés divers se portaient mutuellement les officiers, le nœud de tout cela se trouvant évidemment dans la personne et l'attitude du pacha. Il lui semblait que de Vriess devait avoir le plus grand mal à faire face à un subordonné tellement plus cultivé et plus doué qu'il ne l'était lui-même. Et pourtant, il existait entre de Vriess et Keefer une certaine affinité qui permettait au commandant de témoigner d'une aimable condescendance là où celle-ci ne se justifiait aucunement.

Harding rompit le silence dans lequel il se cantonnait pour faire remarquer : « Un de mes amis a été affecté à un destroyer baptisé *Abel*. Je me demande ce que vous diriez si vous étiez sur ce navire, Mr. Keefer?

— Je dirais sans doute que je sacrifie là mes premiers fruits, comme Dieu sait que je le fais ici, et j'espérerais que ce sacrifice est agréable au ciel, répliqua Keefer.

— Quels premiers fruits, Tom? demanda Gorton.

— Mes jeunes années, mes premières ardeurs, l'âge où Sheridan a composé *The Rivals*, Dickens, *Pickwick* et Meredith, *Richard Feverel*. Et moi, qu'est-ce que je produis? Un tas de messages déchiffrés et un répertoire des circulaires officielles. Ma fraîcheur s'étiole dans la poussière. Si au moins j'étais sur un porte-avions...

— Voilà, dit fièrement Willie, un vers que vous avez volé à Francis Thompson.

— Seigneur, explosa le commandant, ce navire devient un véritable salon littéraire. Je suis content d'en partir.

— Il me semble, Mr. Keefer, dit Harding, que vous pouvez trouver un sens symbolique au nom de n'importe quel navire. *Caine, Abel.*

— Le monde est une mine inépuisable de symboles, dit Keefer. C'est de la théologie de certificats d'études.

— Je crois que Harding veut dire que vous êtes une mine inépuisable de jeux de mots, dit Willie.

— Hurra pour l'enseigne, cria Gorton, en demandant d'un doigt boudiné une troisième portion d'ice-cream.

— Toute conversation intelligente consiste à jouer sur les mots, dit Keefer. Le reste n'est que définitions et instructions.

— Ce que je veux dire, insista Harding, c'est que l'on peut filer indéfiniment des symboles et que tous se valent...

— Pas tout à fait, dit Keefer, parce que la valeur d'un symbole se mesure à ses liens plus ou moins forts avec la réalité. Ce que j'ai dit à propos de l'*Abel* n'était qu'un sophisme sans fondement pour vous répondre. Mais vous voyez bien que je suis sur le *Caine*.

— Nous sommes donc tous ici en expiation de nos péchés, dit Willie.

— Mais quels péchés? Ce Keith, on lui donnerait le bon dieu sans confession, dit Maryk. Regardez-moi ce visage d'ange.

— Qui sait? Il a peut-être volé un jour le porte-monnaie de sa mère, dit Keefer. Le péché dépend du caractère.

— Je me demande ce que j'ai bien pu faire, dit Gorton.

— Il .est difficile de dire ce que pourrait être le péché chez un dégénéré, dit Keefer. Vous adorez sans doute Satan dans le secret de votre cabine.

— Messieurs, dit le commandant en se levant, je vais aller voir ce film d'Hopalong Cassidy qu'ils donnent sur le *Johnson*. Tom me donne une indigestion mentale. »

A l'aube, le *Caine* quitta Pearl Harbor sous des rafales de pluie.

Il faisait encore à peine clair quand Maryk beugla dans un cornet acoustique au cuivre rongé de vert de gris : « Tout est paré, commandant! » Willie qui se trouvait sur le pont en tant qu'officier de quart subalterne était abasourdi par le défilé d'ordres et de comptes rendus de missions exécutées qui venaient de se succéder. Il était planté sous la pluie tiède, en tenue kaki, ses jumelles sous le bras, se refusant l'abri du poste de pilotage dans la vague intention de bien montrer qu'il était un vrai loup de mer.

Le commandant de Vriess arriva par la coupée. Il arpenta lentement la passerelle, se penchant par-dessus la lisse pour examiner les lignes, estimant la vitesse du vent, fouillant le chenal du regard, lançant des ordres brefs d'un ton aimable, mais sans réplique. Il avait, dut reconnaître Willie, une attitude très impressionnante, parce qu'elle était naturelle, et peut-être même inconsciente. On sentait que ce n'était pas seulement une question de dos bien droit, d'épaules carrées ni de ventre rentré. On lisait l'expérience dans ses yeux, l'autorité dans ses manières, l'esprit de décision dans les lignes sèches de sa bouche.

« Et alors, se dit Willie, si un commandant de destroyer n'est pas fichu de diriger son navire autrement qu'à quai, à quoi est-il bon? » Il avait déjà adopté la mentalité des officiers du *Caine* qui consistait à ignorer délibérément la peu glorieuse vérité et à considérer le navire comme un destroyer dans toute l'acception du terme.

Il fut tiré de ses méditations par un hurlement déchirant du sifflet à vapeur du bord. La poupe du destroyer qui précédait le *Caine* se déplaça mollement de côté, tirée par un petit remorqueur, laissant libre un étroit triangle d'eau criblée de pluie.

— Larguez partout, dit le commandant.

Un matelot du nom de Grubnecker, qui portait un casque de téléphone, signala au bout d'un moment : « Largué partout, commandant.

— Bâbord en arrière un tiers », dit le commandant.

Le préposé au transmetteur d'ordres, un gros gaillard qu'on appelait Bidon, répéta l'ordre et le transmit. La chambre des machines répondit. Le navire commença à vibrer et se mit à reculer lentement. Willie eut un instant l'intuition que c'était une minute historique, la première fois qu'il prenait la mer à bord du *Caine*. Mais il repoussa énergiquement cette pensée. Le

navire n'allait pas prendre dans sa vie une place importante :
il était bien décidé à y veiller.

— Dégagez le fronteau, Mr. Keith, fit de Vriess sèchement en
se penchant par-dessus la lisse de la passerelle.

— Je vous demande pardon, commandant, dit Willie en se
reculant. Il épongea la pluie qui lui ruisselait sur le visage.

— Les deux bords stop, ordonna de Vriess. En passant devant
Willie, il remarqua : Vous n'avez donc rien d'autre à faire que de
rester sous la pluie? Entrez dans la timonerie.

— A vos ordres, commandant. Il était ravi de s'abriter. Un
vent âpre envoyait des paquets de pluie en travers du chenal.
Les gouttes tambourinaient contre les vitres de la timonerie.

— La vigie arrière signale une balise de chenal à la traîne à
cent mètres, appela Grubnecker.

— Je la vois, dit le commandant.

Maryk, en imperméable ruisselant, scruta le chenal dans ses
jumelles. « Sous-marin descendant le chenal, commandant. Vitesse
dix nœuds. Distance mille mètres.

— Très bien.

— La vigie arrière signale un cuirassé et deux torpilleurs qui
remontent le chenal à la porte du bassin, dit le préposé au téléphone.

— On se croirait au coin de Broadway et de la 42ᵉ rue aujour-
d'hui », fit de Vriess.

Willie examina les eaux agitées du chenal en se disant que le
Caine était déjà dans une situation difficile. Le vent le rabattait
rapidement sur la balise de signalisation. Il n'y avait guère la
place pour manœuvrer entre la balise qui dansait sur la houle et
les navires à quai. Le cuirassé et le sous-marin n'allaient pas
tarder à bloquer le passage, chacun dans un sens.

De Vriess, imperturbable, donna toute une série d'ordres à la
chambre des machines et à l'homme de barre, ordres dont le motif
échappait à Willie. Mais cela eut pour effet d'imprimer au navire
une trajectoire qui le fit reculer puis tourner, la proue vers la
sortie du chenal, à bonne distance de la bouée et dans l'alignement
du sous-marin qui sortait. A bâbord, le cuirassé et ses deux navires
d'escorte passaient sans difficulté. Willie remarqua qu'aucun des
marins ne faisait de commentaires ni ne semblait impressionné;
il en conclut donc que ce qui lui avait paru fort embrouillé devait
être tout naturel pour un marin expérimenté.

Maryk entra dans la timonerie et s'essuya avec une serviette
accrochée au siège du commandant. « Saleté de temps! » Il aperçut
Willie planté là et l'air singulièrement inutile. « Qu'est-ce que vous
fichez là? Vous devriez être de guet à tribord...

— Le commandant m'a dit de me mettre à l'abri.

— Vous deviez sans doute être dans ses jambes. Venez. Vous
ne fondrez pas.

— Avec plaisir, lieutenant. » Willie le suivit sous la pluie,
agacé de toujours être dans son tort, quoi qu'il fît.

— Ça vous a appris quelque chose, cette marche arrière? demanda Maryk en inspectant le chenal.

— Ça m'a eu l'air assez classique », dit Willie.

Maryk essuya ses jumelles et regarda Willie, avec un sourire intrigué qui découvrit toutes ses dents. « Vous avez déjà mis les pieds sur une passerelle, Keith?

— Non, lieutenant. »

Maryk hocha la tête et continua à fouiller le chenal avec ses jumelles.

— Pourquoi, dit Willie, en essuyant la pluie qui lui coulait dans les yeux, il y avait quelque chose d'extraordinaire dans cette manœuvre?

— Fichtre non, bien sûr que non, dit Maryk. Le premier enseigne venu aurait pu manœuvrer le navire comme l'a fait le pacha. Je pensais que vous vous étiez peut-être laissé impressionner comme ça, sans raison. Il sourit encore et passa sur l'autre bord.

L'averse se calma et le soleil sortit des nuages au moment où le *Caine* franchit la sortie du chenal. Quand Willie eut terminé son quart, il alla sur le gaillard pour admirer le panorama de Diamond Head et les vertes collines de Oahu. Le navire fendait l'eau bleue et tranquille à vingt nœuds. Willie fut agréablement surpris de voir le train rapide que menait le vieux dragueur de mines. Il restait des traces de grandeur dans cette carcasse rouillée. Le roulis était sensible sur le pont, une écume étincelante jaillissait à la proue et Willie était tout fier de n'avoir pas le plus léger signe de mal de mer. Pour la première fois, depuis son arrivée sur le *Caine*, il se sentait relativement heureux.

Mais il commit l'erreur de descendre prendre une tasse de café. Keefer lui mit le grappin dessus et l'installa à corriger des documents. C'était la plus ennuyeuse de toutes les corvées des transmissions. Willie avait en horreur tout l'attirail d'encre rouge, de ciseaux, et de colle malodorante qu'il fallait mettre en branle pour des corrections insignifiantes : « Page 9, paragraphe 0862, ligne 3; au lieu de *Tous les exercices de tirs prescrits*, lire *Tous les exercices de tir prescrits par le document U. S. N. F. 7 A.* » Il imaginait des milliers d'enseignes de par le monde s'usant les yeux et courbant le dos sur ces vétilles sans intérêt.

Le mouvement du navire qui faisait monter et descendre la table verte sur laquelle il travaillait commença à l'incommoder. Il constata avec ennui que certaines des corrections que Keefer avait entassées sur son bureau dataient de très longtemps. Lui-même en avait reporté un certain nombre sur les livres du CincPac. voilà des mois. A un moment, il jeta son stylo par terre avec une exclamation de dégoût. Il venait de passer une heure à reporter méticuleusement tout un jeu de corrections déjà périmées : il commençait à trouver dans la pile de nouveaux feuillets qui remplaçaient les anciens. « Bon sang, dit-il à Carmody, qui déchiffrait des messages à côté de lui, est-ce que Keefer ne reporte jamais les errata? Il en a laissé s'accumuler ici depuis la dernière guerre.

— Le lieutenant Keefer est trop pris par son roman, fit Carmody d'un ton amer en lissant sa minuscule moustache.

— Quel roman?

— Il écrit une sorte de roman. La moitié du temps le soir, quand j'essaie de dormir, il marche de long en large en se parlant tout seul. Alors dans la journée il roupille. Il est capable de déchiffrer les messages dix fois plus vite que n'importe quel autre officier à bord. Il a passé six mois à terre à étudier le système. Il pourrait déchiffrer tout ce qui arrive ici en y passant deux heures par jour. Mais on est toujours en retard et vous, Rabbitt et moi, nous faisons quatre-vingt-dix pour cent du déchiffrage. Je trouve que c'est un salaud.

— Vous l'avez lu, son roman?

— Fichtre non, je n'ai déjà pas le temps de lire ceux écrits par de bons auteurs, je ne vais pas en perdre à lire cette camelote. » Carmody tripotait nerveusement son anneau bleu et or d'Annapolis. Il se leva et se versa une tasse de café. « Un jus?

— Merci... Mais dites donc, remarqua Willie en prenant la tasse, ce genre de travail doit être horriblement assommant pour un homme avec son talent.

— Quel talent? fit Carmody en se laissant tomber sur une chaise.

— C'est un écrivain, Carmody. Vous ne le saviez pas? Il a publié des nouvelles dans des magazines. La Guilde du Théâtre a pris une option sur une de ses pièces...

— Et alors? Il est sur le *Caine* pour l'instant, tout comme vous ou moi.

— S'il revient du *Caine* avec un grand roman, dit Willie, cela vaudra plus pour l'Amérique qu'un tas de messages déchiffrés. »

Keefer sur ces entrefaites entra dans le carré en maillot de corps et s'approcha du percolateur. « Comment ça marche, les enfants?

— Très bien, lieutenant, dit Carmody avec une soudaine servilité, en repoussant sa tasse de café pour prendre un message chiffré.

— Sinon que nous estimons que vous devriez bien faire un peu de déchiffrage pour changer », dit Willie. La supériorité hiérarchique de Keefer ne lui faisait pas peur. Il savait que le lieutenant se moquait de toutes ces histoires de grades. Son respect pour Keefer, déjà grand, s'était encore accru depuis qu'il savait que celui-ci écrivait un roman.

Keefer sourit et vint à leur table. « Qu'est-ce qu'il y a, classe 43, dit-il, en se vautrant sur une chaise, on veut se plaindre à l'aumônier? »

Carmody ne leva pas le nez. « Le service du chiffre fait partie du travail d'un enseigne sur une unité de faible tonnage, dit-il. Je ne me plains pas. Tout officier d'escadre doit apprendre l'essentiel de ce qui concerne les transmissions et...

— Allons, dit Keefer en vidant sa tasse de café, passez-moi cette grille. Ça me réveillera. Allez donc étudier le *Protocole de Navigation maritime*. » Il prit l'appareil des mains de Carmody.

— Mais non, lieutenant, je peux le faire. Je suis heureux de...

— Filez.

— A vos ordres, lieutenant. Carmody se leva, gratifia Keith d'un petit sourire sec et s'en fut.

— Voilà un homme heureux qui s'en va, dit Keefer. Il se mit à manipuler la grille. Carmody avait dit vrai. Il opérait avec une vitesse incroyable.

— Il paraît que vous travaillez à un roman.

Keefer acquiesça.

— Vous en avez fait beaucoup?

— Environ quarante mille mots sur quatre cent mille.

— Bigre, ça va être un morceau.

— Plus gros qu'*Ulysse*. Moins que *Guerre et Paix*.

— C'est un roman de guerre?

Keefer eut un sourire ironique. « L'action se passe sur un porte-avions.

— Vous avez un titre?

— Oh, un titre provisoire.

— Qu'est-ce que c'est?

— Un titre qui ne veut pas dire grand-chose en soi.

— J'aimerais quand même bien le connaître. »

Keefer hésita puis dit lentement : « *Multitudes, Multitudes.*

— C'est un beau titre.

— Vous reconnaissez?

— C'est pris dans la Bible, je suppose.

— Livre de Jöel. « Multitudes, multitudes, accourez dans la vallée du carnage. »

— Eh bien, je souscris pour le millionième exemplaire dédicacé. »

Keefer arbora le large sourire d'un auteur flatté. « J'en suis encore loin, vous savez.

— Vous y arriverez. Est-ce que je pourrai en lire des passages?

— Peut-être. Quand j'aurai un peu corrigé le manuscrit. » Keefer pendant tout ce temps n'avait pas cessé de déchiffrer. Il termina son troisième message et entama le quatrième.

— Vous faites ça à une allure, fit Willie, admiratif.

— C'est peut-être pour cela que je les laisse s'entasser. C'est comme quand on raconte à un enfant les *Aventures de Robin des Bois* pour la millième fois. Au début, c'est enfantin et assommant et avec la répétition, cela devient enrageant.

— Il y a beaucoup de répétitions dans la Marine.

— Ça m'est égal quand il n'y a que cinquante pour cent de mouvements inutiles. Dans le service des Transmissions il y en a quatre-vingt-dix-huit pour cent. Nous trimbalons cent douze documents enregistrés, dont six environ nous servent à quelque chose. Mais il faut tenir les autres à jour et chaque mois un jeu de corrections vient s'ajouter au précédent. Prenez le service du chiffre. Environ quatre messages par mois intéressent en fait le *Caine*. L'affectation du commandant Queeg, par exemple. La dépêche ordonnant l'exercice de déminage. Tout le reste de ce fatras, nous le passons au crible parce que le capitaine, qui est curieux comme tout, veut mettre son nez dans tout ce qui concerne la flotte. Pour une unique raison. Pour pouvoir au Club des Officiers dire négligemment à un de ses camarades de promotion : « Tiens, j'espère que vous êtes content de cette mission de protection du groupe sud dans la prochaine offensive. » Comme ça, il a l'air d'être l'ami des amiraux. Je l'ai pris sur le fait une douzaine de fois.

Tout en parlant, il continuait à déchiffrer à vive allure. Willie était fasciné par cette facilité. Keefer en avait déjà fait plus que Willie n'était capable d'en abattre en une heure; et Willie était le plus rapide des enseignes.

— Je suis émerveillé de la vitesse avec laquelle vous expédiez le déchiffrage.

— Willie, vous n'avez donc pas encore compris ce que c'était que la Marine? C'est un jeu d'enfants. Le travail a été fragmenté par quelques puissants cerveaux du sommet, qui ont supposé que de quasi-crétins auraient à s'acquitter de chacun de ces fragments. Cette hypothèse est assez juste en temps de paix. Une poignée de garçons brillants entrent dans la Marine avec l'intention bien arrêtée de devenir amiraux, et ils réussissent invariablement, parce qu'il n'y a pas de concurrence. Pour le reste, la Marine est une carrière de troisième ordre pour des individus de troisième ordre, et qui offre une maigre sécurité en échange de vingt ou trente ans de bagne policé. Quel Américain possédant quelques dons et un peu d'amour-propre — exception faite des esprits supérieurs qui sont de la graine d'amiral — voudrait choisir une pareille existence? Et puis, vient une guerre, et les civils normalement doués se précipitent dans la Marine. Est-il étonnant alors qu'ils ne mettent que quelques semaines à acquérir les connaissances que les quasi-crétins passent de pénibles années à ânonner? Prenez le déchiffrage. Les bûcheurs de la Marine déchiffrent peut-être cinq ou six messages en une heure. Le premier officier de Transmissions de réserve peut arriver à en déchiffrer vingt en une heure. Il est bien naturel après cela que les pauvres péons nous en veulent...

— Hérésie, hérésie, dit Willie, surpris et un peu embarrassé.

— Absolument pas. C'est un fait, voilà tout. Qu'il s'agisse de la partie chiffre, mécanique ou artillerie navale, vous vous apercevrez qu'elles sont toutes prédigérées et préparées au point qu'il faudrait passer au crible les asiles de fous pour trouver des gens capables de bousiller le boulot. Souvenez-vous bien de ce point. Cela doit expliquer et justifier à vos yeux tous les *Protocoles de Navigation maritime*, tous les rapports qu'on vous demande de faire, toute l'importance qu'on attache à la mémoire et à l'obéissance et à la standardisation généralisée. La Marine est un maître-

plan conçu par des génies pour être exécuté par des imbéciles.
Si vous n'êtes pas un imbécile, mais que vous vous trouviez quand
même dans la Marine, vous ne pouvez vous en tirer qu'en faisant
mine d'en être un. Tous les raccourcis, les gains de temps et les
modifications qui tombent sous le sens et que vous suggère votre
intelligence naturelle sont des erreurs. Apprenez à réprimer vos
tendances à l'amélioration. Demandez-vous sans cesse : « Comment ferais-je ceci si j'étais un imbécile? » Faites tourner votre
cervelle au ralenti. Comme ça, vous ne vous tromperez jamais...
Là, voilà le tas de l'ami Carmody liquidé, ajouta-t-il, en repoussant la pile de messages. Vous voulez que je termine les vôtres?

— Non, merci, lieutenant... Vous parlez de la Marine avec une
grande amertume...

— Mais non, Willie, mais non, fit Keefer d'un ton convaincu.
J'approuve pleinement cette conception. Nous avons besoin d'une
marine et il n'y a pas d'autre moyen d'en avoir une qui marche
dans une société libre. Il faut simplement un peu de temps pour
avoir une vue juste des choses et je vous fais profiter des fruits de
mon expérience. Vous n'êtes pas bête, vous avez de la culture.
Vous auriez compris tout ce que je vous ai dit en quelques mois.
Vous vous souvenez de l'esclave de Socrate qui avait passé le
pons asinorum en traçant des figures sur le sable? Un fait naturel
finit toujours par se dégager de lui-même. Ça vous serait venu
tout seul assez vite.

— C'est donc cela votre pont aux ânes de la vie à bord? La
Marine est un maître-plan conçu par des génies pour être exécuté
par des imbéciles.

— Excellente démonstration de docilité de mémoire, Willie,
acquiesça Keefer en souriant. Vous ferez un parfait officier de marine.

Quelques heures plus tard, Willie était à nouveau sur la passerelle avec Maryk pour le quart de midi à quatre heures. Le commandant de Vriess somnolait dans son étroit fauteuil dans la
timonerie. Les reliefs de son déjeuner demeuraient dans un plateau de fer-blanc glissé sous son fauteuil : un pain entamé, des
morceaux de viande et un pot de café vide. Il faisait beau et
chaud et la mer moutonnait un peu. Le *Caine* roulait et gémissait, fendant les vagues à quinze nœuds. Un téléphone se mit
à sonner. Willie répondit.

— La chambre des machines avant demande la permission de
décrasser les cheminées, nasilla une voix dans le téléphone. Willie
transmit la requête à Maryk.

— Accordé, dit celui-ci après avoir jeté un coup d'œil au pavillon
qui flottait au mât. On entendit un grondement dans les cheminées et une fumée d'un noir d'encre sortit en un lourd panache
qui monta verticalement sous le vent. « Beau temps pour décrasser,
dit Maryk. On est sous le vent. Ça éloigne la suie. On est quelquefois obligé de changer de cap pour se mettre sous le vent. Dans
ces cas-là, il faut demander l'autorisation au pacha. »

Sous l'effet d'un violent coup de roulis, une pile de radeaux de caoutchouc de la timonerie s'effondra. Willie se raccrocha à la poignée d'une fenêtre tandis que le quartier-maître rattrapait les radeaux. « Ca fait un joli roulis quand on est sous le vent, observa-t-il.

— Ces rafiots, dit Maryk, ça roule même en cale sèche. Trop de ballant à l'avant et trop chargé à l'arrière. Tout ce fatras d'appareils de dragage. Sous le vent, ça roule tant que ça peut. » Il s'éloigna vers bâbord et Willie lui emboîta le pas, heureux d'avoir l'occasion de sentir de l'air frais sur son visage. Le roulis l'incommodait un peu quand il était enfermé dans la timonerie. Il se dit qu'il passerait le plus clair de ses heures de quart sur la passerelle. Cela lui donnerait d'ailleurs un bon hâle.

Le lieutenant scrutait continuellement la mer, balayant parfois l'horizon de ses jumelles. Willie l'imita, mais la mer était vide et il ne tarda pas à s'ennuyer.

— Mr. Maryk, dit-il, que pensez-vous de Mr. Keefer?

Le lieutenant lui lança un regard surpris. « Un type drôlement astucieux.

— Pensez-vous qu'il soit un bon officier? » Willie savait qu'il piétinait les règles de l'étiquette, mais la curiosité était trop forte. Le lieutenant reprit ses jumelles.

— Il est comme nous tous, dit-il, il peut passer.

— Il n'a pas l'air d'avoir une très haute opinion de la Marine.

Maryk émit un grognement. « Tom n'a pas haute opinion de grand-chose. Lancez-le donc un jour sur la Californie.

— Vous êtes de là-bas? »

Maryk fit signe que oui. « Tom dit que c'est la dernière région primitive qui reste à étudier pour les anthropologues. Il dit que nous ne sommes là-bas qu'un tas de sauvages blancs qui jouent au tennis.

— Qu'est-ce que vous faisiez avant la guerre, lieutenant? »

Maryk jeta un coup d'œil gêné vers le commandant qui somnolait toujours. « Pêcheur. »

— A titre professionnel?

— Vous savez, Keith, nous ne sommes pas censés bavarder pendant le quart. Si vous avez des questions à poser concernant le navire ou le service, c'est autre chose, bien entendu.

— Excusez-moi.

— Le pacha est assez coulant. Mais vous feriez quand même bien de penser que vous êtes de quart.

— Certainement, lieutenant. Mais il ne se passait pas grand-chose, alors...

— Quand il arrive quelque chose, ça se passe généralement assez vite.

— Bien, lieutenant. »

Au bout d'un moment, Maryk dit : « Les voilà. »

— Où ça, lieutenant?

— A bâbord. »

Willie braqua ses jumelles dans la direction indiquée. Derrière les crêtes irisées des vagues il n'y avait rien... il crut toutefois apercevoir deux, non trois infimes pointes noires semblables à des poils sur un menton mal rasé.

Maryk réveilla le commandant. « Trois coques en vue, commandant, à trois milles environ du rendez-vous.

— Bon, grommela le commandant. Filez à vingt nœuds et rejoignez-les. »

Les trois pointes minuscules devinrent des mâts, puis les coques apparurent et l'on distingua bientôt nettement les navires. La silhouette en était familière : trois cheminées avec un vide disgracieux entre la seconde et la troisième; de piteux canons de trois pouces; un pont ras en pente; deux treuils qui dépassaient bizarrement à la poupe. C'étaient les.tristes frères du *Caine*, des dragueurs de mines. Le commandant s'étira et s'approcha de la lisse. « Eh bien, qui sont-ils? »

Engstrand, le timonier, saisit une longue vue et déchiffra les matricules. « Le *Frobisher*... dit-il. Le *Jones*... le *Moulton*.

— Le *Moulton!* s'écria le commandant. Regardez bien. Il est dans le Pacifique Sud.

— D. M. S. 21, mon capitaine, dit Engstrand.

— Ça, par exemple. Nous revoilà avec ce vieux Duke Sammis. Envoyez-leur « Salut à Iron Duke[1] de la part de de Vriess ». »

Le timonier se mit à manœuvrer le volet d'un gros projecteur monté près du casier à pavillons. Willie prit la longue-vue et la braqua sur le *Moulton*. Les trois navires se rapprochaient sans cesse. Il lui sembla apercevoir la longue et triste figure de Keggs à la rambarde du pont. « Je connais quelqu'un sur le *Moulton!* dit-il.

— Tant mieux, fit de Vriess. On sera plus en famille... Gardez le contact, Steve, et prenez la file à mille mètres à la traîne du *Moulton*.

— Bien, commandant. »

Willie était un des champions du télégraphe optique au pavillon Furnald. Il était fier de son habileté à envoyer des messages en morse à la cadence de huit mots à la minute. Il lui parut donc tout naturel de saisir la manette du volet qu'Engstrand venait de lâcher et de commencer à envoyer un message au *Moulton*. Il voulait dire bonjour à Keggs et il pensait d'autre part que ses prouesses en morse pourraient donner au commandant meilleure opinion de lui. Les télégraphistes — Engstrand et ses deux assistants — le contemplaient, atterrés. « Ne vous inquiétez pas, mes amis, dit-il. Je sais m'en servir. » C'était bien de marins, pensa-t-il, de se glorifier de leurs petits talents, et d'en vouloir à un officier qui pouvait faire mieux qu'eux. » Le *Moulton* répondit aussitôt.

1. *Iron Duke :* le duc de fer.

Willie commença à épeler : « S-A-L-U-T K-E-G-G-S Q-U-E F...
— Mr. Keith, dit à son oreille la voix du commandant, que
faites-vous ? »
Willie s'arrêta, la main sur la manette du volet. « Je dis bonjour
à un ami, répondit-il sans s'émouvoir.
— Je vois. Voulez-vous lâcher ce projecteur, je vous prie.
— Oui, commandant. » Il retira sa main d'un geste sec. Le
commandant prit une profonde inspiration, souffla lentement
puis dit d'un ton patient : « J'aimerais que vous compreniez bien
une chose, monsieur Keith. Les appareils de transmission d'un
navire n'ont rien de commun avec un téléphone public. Une
seule personne à bord a qualité pour envoyer des messages et
c'est moi, aussi...
— Il ne s'agissait absolument pas d'un message officiel. Je voulais juste dire bonjour...
— Que diable, Keith, attendez que j'aie fini de parler! Chaque
fois que pour une raison ou pour une autre ce navire rompt le
silence radio ou optique, c'est une communication officielle dont
je suis le seul responsable! C'est clair maintenant?
— Je suis désolé, commandant. Je ne savais pas mais... »
De Vriess se tourna vers le timonier. « Nom de Dieu, Engstrand, gronda-t-il, est-ce que vous dormez à votre poste? C'est
vous qui êtes chargé du télégraphe optique.
— Je sais, commandant, fit Engstrand en baissant la tête.
— Le fait qu'un officier se trouve ignorer le protocole des transmissions ne vous excuse pas. Quand bien même *le second* mettrait
la main sur ce projecteur, vous êtes censé l'envoyer à coups de
botte dans le train de l'autre côté du pont. Que cela se renouvelle
et je vous supprime dix jours de permission. Rompez! »
Il disparut dans la timonerie. Engstrand jeta à Willie un coup
d'œil de reproche et s'éloigna. Willie gardait les yeux fixés sur la
mer; il avait les joues en feu. « Le butor, le sale égoïste de butor,
se dit-il. Tout lui est bon pour faire étalage de son autorité. Et
devant le timonier pour m'humilier davantage. Le sadique, le
salaud, le crétin. »

CHAPITRE X

LE MESSAGE PERDU

A quatre heures, les dragueurs de mine se déployèrent en une ligne oblique, à mille mètres environ de distance les uns des autres et commencèrent à lancer leur dispositif de dragage. Willie alla observer la manœuvre à l'arrière.

Il n'y comprit rien. L'équipement se composait d'un horrible enchevêtrement de câbles graisseux, de maillons, de flotteurs, de fils et de chaînes. Une demi-douzaine d'hommes d'équipage, torse nu, s'affairaient sous l'œil de Maryk, poussant des cris rauques et des avertissements truffés d'horribles obscénités, tout en se débattant avec la drague étalée sur la plage arrière. A chaque mouvement du roulis, les vagues venaient se briser autour de leurs chevilles et la mer giclait au milieu des câbles. Pour Willie, c'était une scène de confusion et de panique. Il en conclut que les hommes du *Caine* ne connaissaient pas leur métier et qu'ils se conformaient au vieux dicton :

> *Dans le doute ou le danger*
> *Tourner en rond et crier.*

Après vingt minutes de ces vociférations désordonnées, le maître d'équipage qui dirigeait cette danse de guerre, un gaillard essoufflé aux gestes et à la voix surexcités et qui répondait au nom de Bellison, cria : « Paré à tribord, Mr. Maryk! »

Willie perché au-dessus de l'eau sur un immense treuil, doutait fort que rien fût le moins du monde « paré » dans ce tas de ferrailles.

— Keith, hurla Maryk, décampez de ce treuil!

Willie sauta dans une vague qui déferlait, trempant son pantalon jusqu'à mi-jarret, pataugea jusqu'à l'échelle de la passerelle arrière et grimpa là-haut pour voir ce qui allait se passer. Les matelots accrochèrent un paravane ovoïde à un treuil. Sur un mot de Maryk, ils envoyèrent cet équipement par-dessus bord. Il s'ensuivit toute une série de bruits de ferraille, d'éclaboussements, de hurlements, de sifflement de vapeur, de cliquetis de treuils tandis que le rythme des allées et venues sur le pont s'accélérait et que redoublait le débit d'injures. Puis brusquement ce fut le silence. Le paravane flottait doucement à tribord, suivant un arc de cercle impeccable; il coula lentement et un flotteur rouge en signala l'emplacement. Tout était parfaitement ordonné comme un schéma dans le manuel de dragage de mines.

L'agitation forcenée reprit autour du dispositif de bâbord. Willie commençait à se demander si cet impeccable premier lancement était affaire d'habileté ou de chance. Quand le tumulte et les propos blasphématoires furent une fois de plus à leur comble, il se sentit porté à mettre la réussite précédente sur le compte de la chance. Mais un nouveau concert éclata, d'éclaboussements, de cris, de jurons, puis le silence... et le second paravane flotta aussi magnifiquement que le premier. « Mince alors, dit-il tout haut.

— Qu'y a-t-il? »

Willie sursauta en entendant cette voix. Le commandant de Vriess accoudé à côté de lui à la rambarde surveillait l'opération.

— Eh bien, commandant, ça m'a paru rondement mené.

— C'est le lancement le plus lamentable que j'aie jamais vu, dit de Vriess. Hé, Steve, pourquoi, bon Dieu, vous a-t-il fallu quarante-cinq minutes?

Maryk leva vers lui un visage souriant. « Salut, commandant. Ma foi, il ne m'a pas semblé que les hommes s'en soient trop mal tirés après quatre mois d'interruption. Regardez, commandant, aucun des autres navires n'a encore commencé à lancer les siens.

— Qui est-ce qui parle de ces rafiots? A Nouméa, on avait bouclé en trente-huit minutes.

— Commandant, c'était après quatre jours d'entraînement...

— Eh bien, je veux que ce soit fait en trente demain.

— Bien, commandant. »

Sales, en nage, les matelots dépenaillés faisaient cercle, les mains à la ceinture, et l'air singulièrement content des critiques du commandant.

— Commandant, c'est de ma faute, dit le quartier-maître. Il se lança dans des explications dont Willie retint à peu près ceci : « Le brin de drague tribord s'est engagé dans le pendeur bâbord pendant que nous essayions d'embarquer la drague coupante pour ne pas tout emmêler. Il a fallu ouvrir la manille de jonction et passer les deux brins sur les bossoirs de drague au lieu de tout larguer à la fois.

— Voyons, fit de Vriess, vous n'auriez pas pu laisser s'écarter vos cochonnets et prendre un tour en attendant sur la remorque? De cette façon votre brin de drague aurait été clair et vous n'auriez pas eu à vous préoccuper du pendeur. C'est ce que j'aurais fait à votre place.

— Oui, commandant, dit Bellison. Ça pourrait peut-être coller. J'essaierai demain. »

Willie sentit son cœur se serrer. Il était bien certain qu'il aurait beau passer cent ans à bord du *Caine*, il ne comprendrait jamais un mot de plus de ce charabia que maintenant. « Commandant, dit-il, existe-t-il un temps standard pour le lancement du paravane?

— Les manuels le fixent à une heure, fit de Vriess. Sur ce navire, il est de trente minutes. Mais je n'ai jamais été fichu d'y parvenir avec ces empotés. Peut-être votre ami Queeg aura-t-il plus de chance.

— C'est un curieux emploi du mot « standard », commandant, avança Willie.

— C'est ça, le jargon de la Marine, fit de Vriess avec un regard moqueur. Bon, dites donc vous autres, cria-t-il aux hommes d'équipage encore assemblés sur le pont, tout bien considéré, ce n'était pas trop mal.

— Merci, commandant, dirent les matelots en échangeant des sourires satisfaits.

Les autres dragueurs finirent par lancer leurs paravanes aussi et une après-midi de manœuvres d'entraînement commença. Willie était ahuri devant tous ces virages, changements de cap et de formation. Il fit tout ce qu'il put pour suivre les événements. Il alla même sur le pont demander des explications à Carmody. Celui-ci lui répondit à grand renfort de termes techniques de Routes Baker, de Routes George et de Routes Zèbre. Willie comprit enfin à force de regarder que les navires agissaient comme s'ils se trouvaient dans un champ de mines et que surgissaient divers incidents et catastrophes. « Lugubre occupation », se dit-il. Le soleil était bas et les nuages s'éclairaient de reflets pourpres quand vint l'ordre : « Cessez l'exercice. Remontez les paravanes. » Willie regrimpa aussitôt sur la passerelle, poussé en partie par le désir d'apprendre ce qu'il pourrait du repêchage des paravanes et en partie aussi par celui d'entendre encore les jurons des matelots. C'était extraordinaire, ce vent de grossièreté qui, aux moments de coups de feu, balayait le *Caine*.

Il ne fut pas déçu. L'équipe affectée au repêchage se mit au travail dans la fièvre, livrant une véritable course contre la montre. Les hommes ne quittaient pas des yeux les deux boules noires pendues aux bouts de vergue des autres navires; chaque boule descendue signifiait la remontée d'un paravane. En un quart d'heure, le *Caine* eut amené la boule de bâbord; et le paravane de tribord était déjà à la surface quand le *Moulton* fit descendre sa première boule. Le lieutenant Maryk travaillait avec les matelots, torse nu, ruisselant de sueur. « Allons, cria-t-il, vingt-huit minutes! C'est le meilleur temps qu'on ait jamais fait! Remontons cette saloperie! » Mais au dernier moment une catastrophe se produisit. Le matelot Fuller qui halait le petit flotteur rouge hors de l'eau le laissa glisser et tomber à la mer. Le petit flotteur se balançait dans le sillage du navire.

Les autres marins entourèrent Fuller et répandirent sur lui un si magnifique torrent d'injures que Willie fut tenté d'applaudir. Maryk lança un ordre bref. Le *Caine* stoppa et fit lentement machine arrière. Maryk se dépouilla en un instant de ses vêtements et se passa un cordage autour de la taille. « Pas la peine de prendre le canot. Je vais chercher cette saleté. Dites au commandant de stopper les machines », ordonna-t-il au quartier-maître, puis il plongea par-dessus bord.

Le soleil était couché. Le flotteur était un point rouge sur les vagues aux reflets pourpres, à deux cents mètres à bâbord. Les matelots alignés à la lisse regardaient la tête du lieutenant approcher lentement du flotteur et Willie les entendit parler de requins. « J'ai vu un marteau il y a pas cinq minutes, dit Bellison. C'est toujours pas moi qui me serais mis à l'eau pour faire gagner cinq minutes au pacha et me faire bouffer les fesses... »

Willie sentit qu'on lui tapait sur l'épaule. Il se retourna avec impatience. « Oui, qu'est-ce qu'il y a? »

Un radio était derrière lui, une dépêche à la main. « Ça vient d'arriver, lieutenant. Comme nous faisons les retransmissions, Mr. Keefer a dit que vous le déchiffriiez... »

Willie prit le message et y jeta un coup d'œil. « Bon, bon. Je le fais dans deux minutes. » Il fourra la feuille dans sa poche et regarda la mer. On distinguait à peine maintenant la tête de Maryk sur l'eau noire. Il avait atteint le flotteur. Il s'agita un peu autour, soulevant des gerbes d'écume blanche, puis fit un saut hors de l'eau en levant les bras. Le vent apporta son appel assourdi : « Ça va, tirez! » Les matelots commencèrent à haler frénétiquement le cordage. Le flotteur fendait l'eau avec Maryk qui s'y accrochait.

Willie, frémissant d'excitation, descendit précipitamment l'échelle pour regagner la plage arrière. Arrivé sur le pont glissant, il perdit l'équilibre et tomba. A cet instant une vague déferlant sur le pont le trempa de la tête aux pieds. Il se releva, crachotant de l'eau de mer et se cramponna à la main courante. Le flot se retira en ruisselant sur le pont. « Amenez la boule de tribord! » cria Bellison. Une douzaine de bras se tendirent vers Maryk dont la tête apparaissait près du garde-hélices. Il grimpa à bord.

— Bon sang, lieutenant, vous n'aviez pas besoin de faire ça, dit Bellison.

— Quel temps? demanda Maryk, haletant.

— Quarante et une minutes, lieutenant, fit un téléphoniste au moment où on a remonté le flotteur.

— On les a tous battus, lieutenant, dit un des matelots en désignant les autres navires, dont les bouts de vergues portaient encore des boules noires.

— Tant mieux, fit Maryk en souriant. On n'aurait pas eu fini d'en entendre si un de ces rafiots nous avait battus. Son regard tomba sur Willie qui offrait un triste spectacle. Qu'est-ce qui vous est arrivé, Keith? Vous avez plongé aussi? Les matelots gloussèrent en apercevant Willie.

— Je vous ai observé avec trop d'attention, dit Willie. C'était du beau travail.

Maryk s'ébroua. « Pensez-vous, je cherchais une excuse pour piquer une tête dans la flotte.

— Vous n'aviez pas peur des requins?

— Les requins vous laissent tranquilles si vous bougez. Bon Dieu, fit le lieutenant, j'aimerais mieux me trouver nez à nez avec un requin qu'avec le vieux le jour où Duke Sammis nous battrait pour le repêchage... Venez, Keith, nous avons tous les deux besoin de nous changer. »

Willie jeta son uniforme trempé par terre dans un coin de son réduit. Il avait complètement oublié la dépêche dans sa poche. Elle resta où elle était, se réduisant en bouillie dans son pantalon tout froissé, tandis que le navire poursuivait pour deux jours encore ses exercices.

Le temps était beau et les distractions se succédaient à mesure qu'on essayait de nouveaux dispositifs de dragages de mines, acoustiques ou électriques; Willie en vint à savourer la croisière en spectateur amusé. Au cours de ses heures de quart sur le pont, il améliora un peu ses relations avec le commandant de Vriess en déployant tous ses efforts pour lui plaire. Suivant à la lettre le conseil de Tom Keefer « Comment ferais-je si j'étais un imbécile? », il joua les enseignes scrupuleux. Il restait debout tout au long des quatre heures, scrutant la mer derrière ses jumelles. Il ne parlait jamais que pour répondre à une question ou pour signaler un objet qu'il venait d'apercevoir dans ses jumelles. Même s'il estimait absurde d'en faire état — quand il s'agissait d'un morceau de bois, d'une boîte de conserves ou d'ordures abandonnées par un bateau — il annonçait gravement toutes ses découvertes et le commandant le remerciait à chaque fois d'un ton satisfait. Plus il soignait sa composition de benêt méticuleux, plus de Vriess semblait l'apprécier.

Le troisième jour, la formation s'approcha des hauts-fonds, le long d'une plage et se mit à draguer des mines d'exercice. Il fallut que Willie vît les grosses boules métalliques jaunes avec leurs antennes qui pointaient danser sur la crête des vagues pour comprendre enfin que l'extraordinaire fatras de câbles et de paravanes servait à autre chose qu'à établir des records de rapidité. Ce spectacle l'intéressa fort. A un moment, le *Caine* frôla une mine dont le *Moulton* avait coupé le câble. Willie se représenta ce qui aurait pu se passer si la mine avait été autre chose que factice, et commença à se demander s'il faisait bien d'attendre six mois avant d'appeler l'amiral à son secours.

Le dernier exercice fut terminé deux heures avant le coucher du soleil. Les navires avaient encore une chance de regagner Pearl Harbor avant la fermeture des filets anti-sous-marins en filant vingt nœuds. Malheureusement, le *Moulton* à bord duquel se trouvait le chef d'escadre perdit un paravane au moment de le remonter à bord; il fallut une heure pour le repêcher, et pendant ce temps les autres navires attendaient et les équipages rongeaient leur frein. Quand le *Moulton* eut enfin récupéré son paravane, le soleil se couchait. Les quatre dragueurs durent croiser toute la nuit devant l'entrée du chenal.

Quand ils entrèrent au port le lendemain matin, le *Caine* et le *Moulton* se trouvèrent au mouillage près de la même bouée. Dès qu'on eut posé une planche entre les deux navires, Willie obtint de Gorton la permission de traverser pour aller rendre visite à Keggs.

En posant le pied sur le pont du *Moulton*, il fut frappé de la différence qui existait entre les deux navires. Leur structure pourtant était identique. On avait même de la peine à concevoir qu'ils pussent être si dissemblables. Ici, pas de rouille, pas de tache de fonds de peinture verte. Les ponts et les rambardes étaient d'un gris uniforme impeccable. Le cordage des échelles était d'un blanc immaculé. Les coulissants de cuir de la main courante, bien cousus, étaient d'une belle couleur fauve, alors que ceux du *Caine* étaient dépenaillés et couverts par plaques de peinture grise écaillée. Les matelots portaient des treillis propres, leur chemise était bien enfoncée dans leur pantalon, alors qu'un pan de chemise flottant au vent aurait pu servir d'emblème au *Caine*. Willie constata qu'un dragueur n'avait pas besoin d'être comme son navire; le *Caine* avait l'allure de ce qu'il était : un hors-caste.

— Keggs? Bien sûr, il est dans le carré, dit l'officier de quart, aussi impeccable qu'un aide de camp d'amiral.

Willie trouva Keggs installé devant la grande table couverte d'un drap vert, une tasse de café dans une main, une machine à déchiffrer dans l'autre. « Bonjour, mon vieux Keggy! Souffle une seconde, que diable...

— Willie! » La tasse tinta dans la soucoupe. Keggs se leva d'un bond et étreignit dans ses deux mains la main tendue de Willie. Celui-ci eut l'impression que les mains de Keggs tremblaient. Il fut frappé de l'aspect de son ami. Il avait toujours été maigre, mais il avait encore perdu du poids. Les os saillaient sur son visage et la peau blême semblait tendue contre ses mâchoires. Quelques fils gris apparaissaient dans ses cheveux, que Willie n'avait jamais remarqués. Un cerne bleuâtre entourait ses yeux.

— Eh bien, Ed, on t'a collé aux Transmissions aussi, je vois?

— Je remplace l'officier des Transmissions depuis la semaine dernière, Willie. J'étais son assistant depuis cinq mois...

— Déjà chef de service, alors? Belle carrière.

— Ne plaisante pas, fit Keggs, l'air hagard.

Willie accepta une tasse de café et s'assit. Ils bavardèrent un moment, puis il demanda : « Tu es de service ce soir? »

Keggs parut faire effort pour réfléchir. « Non... pas ce soir...

— Parfait. Roland n'est peut-être pas encore parti. Nous allons descendre à terre et tâcher de mettre la main sur lui...

— Je suis désolé, Willie. J'aimerais bien, mais je ne peux pas.

— Pourquoi pas? »

Keggs regarda par-dessus son épaule. Ils étaient seuls dans le carré impeccablement rangé. Il baissa la voix. « Le paravane.

— Celui que vous avez perdu? Et alors? Vous l'avez retrouvé.

— Tout l'équipage est consigné pour une semaine.

— *Tout l'équipage?* Les officiers aussi? »

Keggs acquiesça. « Tout le monde.

— Mais pourquoi, grand Dieu? Qui est responsable?

— Tout le monde est responsable de tout ce qui se passe à bord, Willie... C'est comme ça... » Keggs se raidit soudain, se leva précipitamment et saisit la machine à déchiffrer posé sur la table. « Oh, mon Dieu »! dit-il. Willie ne voyait ni n'entendait rien qui justifiât l'attitude de Keggs, sinon le bruit étouffé d'une porte qui claquait au-dessus de leurs têtes.

— Excuse-moi, Willie... Keggs fourra hâtivement la grille dans un coffre-fort qu'il referma, et saisit une liasse de messages déchiffrés pendue à un crochet sur une cloison. Il fixait la porte du carré, la gorge serrée. Willie se leva à son tour et ses regards se posèrent également sur la porte, tandis que malgré lui il se sentait pris d'une étrange appréhension.

La porte s'ouvrit et un homme mince et droit comme un *i*, aux cheveux blonds rares et aux sourcils froncés, avec une bouche en forme de cicatrice, entra dans la pièce.

— Commandant Sammis, je vous... je vous présente un ami à moi, commandant, du *Caine*, commandant, l'enseigne Keith.

— Keith, dit Sammis d'une voix sans timbre. Je m'appelle Sammis. Il tendit la main à Willie.

Celui-ci toucha la main froide qui se retira aussitôt. Le commandant Sammis s'assit sur la chaise précédemment occupée par Keggs.

— Du café, commandant? bredouilla celui-ci.

— Volontiers, Keggs, je vous remercie.

— Les dépêches de ce matin sont prêtes, commandant, si vous voulez les voir.

Le commandant acquiesça. Keggs se précipita pour lui verser une tasse de café, puis alla reprendre la liasse de dépêches qu'il soumit une par une à l'examen d'Iron Duke, s'inclinant chaque fois légèrement et murmurant un commentaire. Sammis lut chacun des messages puis les rendit sans un mot à Keggs. C'était une scène entre maître et esclave comme Willie n'en avait jamais vu que dans les films historiques.

— Je ne vois pas le message 367, remarqua Sammis.

— J'étais en train de le déchiffrer, commandant, quand mon ami est arrivé. C'est aux trois quarts fait. J'en ai pour deux minutes, commandant... je peux le terminer tout de suite, si vous le désirez...

— Y a-t-il une indication de priorité?

— C'est un message différé, commandant.

Sammis jeta un regard froid à Willie, témoignant pour la première fois depuis leur poignée de mains qu'il avait conscience de sa présence. « Vous pouvez attendre que votre visiteur soit parti, dit-il.

— Je vous remercie beaucoup, commandant. »

Sammis Iron Duke termina à petites gorgées sa tasse de café, sans regarder à droite ni à gauche. Keggs resta debout à ses côtés, gardant un silence respectueux, sa liasse de messages à la main. Willie, abasourdi, était adossé à la cloison. Le capitaine s'essuya la bouche avec un mouchoir, alluma une cigarette avec un briquet en plaqué or, se leva et sortit.

— Banzai, murmura Willie, quand la porte se fut refermée.

— Chut! fit Keggs en se laissant tomber sur une chaise avec un regard implorant. Au bout de quelques instants, il ajouta d'une voix sinistre : « Il entend à travers les cloisons. »

Willie passa un bras compatissant autour des épaules de Keggs. « Mais mon vieux, pourquoi te laisses-tu malmener comme ça? »

Keggs leva vers lui un regard douloureusement surpris. « Mais, avec ton commandant, ce n'est pas la même chose?

— Fichtre non. Enfin, c'est une sale brute à sa façon, mais... ce type-là est ridicule...

— Doucement, Willie, supplia Keggs, en jetant un nouveau coup d'œil par-dessus son épaule. Tu sais, je m'imaginais que tous les commandants étaient à peu près pareils...

— Tu es fou, mon vieux. Tu n'as donc jamais été sur un autre navire? »

Keggs secoua la tête. « J'ai rattrapé le *Moulton* à Guadalcanal et nous avons été en opérations tout le temps depuis. Je ne suis même pas encore descendu à terre à Pearl Harbor.

— Il n'est pas encore né le commandant qui pourrait me faire des tours de salaud pareils, marmonna Willie entre ses dents.

— C'est un bon marin, Willie. Seulement, il faut le comprendre...

— Bien sûr, il faut comprendre Hitler aussi, fit Willie.

— Je viendrai te voir à bord de ton bateau, dès que je pourrai, Willie. Peut-être en fin de journée. » Keggs reprit la machine à déchiffrer dans le coffre, dissimulant mal son anxiété de se remettre au travail. Willie le quitta.

Sur le pont rouillé et délabré du *Caine*, auprès du bureau de l'officier de quart, se dressait une silhouette peu familière : un caporal de fusiliers marins, en uniforme impeccable, droit comme un soldat de plomb, ses boutons étincelant au soleil. « Voici l'enseigne Keith », dit l'officier de quart — Carmody — au caporal. L'homme s'approcha de Willie et salua. « Avec les compliments du contre-amiral Reynolds, lieutenant », dit-il, en tendant à Willie une enveloppe cachetée. Willie l'ouvrit et lut une note tapée à la machine :

L'enseigne Willie Keith est cordialement invité à une réception donnée en l'honneur du contre-amiral Clough chez le contre-amiral Reynolds ce soir à 20 heures. Le service Transports de l'Etat-Major enverra une vedette à 19 h. 15.

Par ordre,
Capitaine H. MATSON.

— Merci, dit Willie. Le fusilier marin salua encore une fois et accomplit avec une raideur de poupée mécanique tous les gestes nécessaires pour quitter le pont; après quoi, il descendit l'échelle de coupée pour regagner une longue vedette d'état-major avec un auvent à franges blanches, qui s'éloigna aussitôt dans un ronronnement de moteur.
— Eh bien, dit le petit Carmody en tirant sur sa moustache et en regardant Willie avec respect, vous avez des relations!
— Gardez ça pour vous, fit Willie d'un ton de conspirateur, je suis Franklin D. Roosevelt Junior, mais je voyage incognito. Sur quoi, il se dirigea nonchalamment vers le gaillard, émoustillé par le regard ahuri de Carmody comme par une coupe de champagne.
Willie alla jusqu'à l'étrave où une douce brise agitait la bannière étoilée. Il s'assit sur le pont, le dos appuyé contre le mât de pavillon et se mit en devoir d'analyser les récents événements. Ce qu'il avait observé à bord du *Moulton* embrouillait toutes ses idées sur le *Caine*. Il avait d'abord considéré de Vriess comme un tyran; mais comparé à Iron Duke Sammis, son propre commandant était d'une nonchalante bienveillance. Par contre, le *Moulton* était un navire modèle, auprès duquel le *Caine* faisait figure de jonque chinoise. Et cependant, le navire pimpant avait failli perdre un pare-mines, et le rafiot rouillé avait laissé loin derrière lui tous les autres dans les exercices de déminage. Que fallait-il penser de tout cela? La perte d'un pare-mines était-elle un incident sans importance? L'habileté de l'équipage du *Caine* était-elle également accidentelle et ne tenait-elle qu'à la présence à bord du pêcheur Maryk? Dans le monde hybride des dragueurs de mines, toutes les règles semblaient abolies. Les paroles de Tom Keefer lui revinrent en mémoire : « La Marine est un maître-plan conçu par des génies pour être exécuté par des imbéciles », et « Demandez-vous : Comment ferais-je cela si j'étais un imbécile? » Il respectait l'intelligence de Keefer; il avait entendu Maryk attester de sa valeur. « Ses maximes devaient donc, décida Willie, le guider

en attendant qu'il puisse mettre de l'ordre dans ses idées et faire... »

— *L'Enseigne Keith, au rapport dans la cabine du commandant tout de suite*. L'appel lancé par le haut-parleur le fit bondir sur ses pieds. Tout en courant vers le carré, il passa rapidement en revue les motifs plausibles de cette convocation et se dit que Carmody avait peut-être parlé au pacha de la vedette de l'amiral. Il frappa gaiement à la porte du commandant.

— Entrez, Keith.

De Vriess était assis à son bureau en pantalon et maillot de corps, et regardait une longue liste de messages, dont l'un était entouré d'un gros cercle au crayon rouge. A côté de lui se tenaient Tom Keefer et l'opérateur de radio qui avait apporté à Willie le message que celui-ci avait oublié trois jours plus tôt dans la poche de son pantalon. Le radio tortillait sa casquette d'un air gêné jetant vers l'enseigne des regards affolés. Keefer avait hoché la tête en voyant entrer Willie.

Le tableau était assez éloquent. Willie sentit le besoin de disparaître ou de mourir sur place.

— Willie, dit le commandant d'un ton qui n'avait rien de désagréable, voilà trois jours, le navire a reçu une dépêche contenant des instructions destinées au *Caine*. J'ai pris connaissance de cet intéressant événement pour la première fois il y a cinq minutes en pointant l'adresse de tous les messages que nous avons reçus en mer. Je le fais toujours quand nous sommes rentrés au port. Ces manies stupides ont parfois leur utilité. Le service radio a pour consigne de remettre immédiatement des dépêches contenant des instructions destinées au bord à l'officier du chiffre. Smith ici présent prétend vous avoir remis le message dont je parle il y a trois jours. Est-ce qu'il ment?

— Lieutenant, bredouilla le radio, je vous l'ai remis sur la plage arrière au moment où on remontait les paravanes. Vous vous rappelez?

— En effet, Smith, dit Willie. Je suis désolé, commandant. C'est de ma faute.

— C'est ce que je vois. Avez-vous déchiffré le message?

— Non, commandant. Je suis navré, mais il...

— Très bien. Smith, filez au poste radio et apportez au lieutenant Keefer les doubles du Fox.

— A vos ordres, commandant. Le matelot sortit en courant.

Les « doubles du Fox » étaient les feuillets sur lesquels les opérateurs de radio recopiaient tous les messages envoyés aux unités en mer. On les conservait plusieurs mois avant de les détruire. Les messages destinés au navire étaient recopiés sur des formulaires à part. C'était une de ces feuilles qui était restée en bouillie dans la poche du pantalon de Willie.

— La première chose à faire, Tom, dit le commandant d'une voix calme, est de déchiffrer ce message le plus vite que vous pourrez.

— Je vais le faire, commandant. Mais je crois sincèrement qu'il n'y a pas de quoi s'inquiéter. Le message ne porte aucune indication d'urgence. C'est peut-être une simple circulaire du Génie maritime, ou...

— Eh bien, voyons toujours, n'est-ce pas?

— Oui, commandant. En sortant, Keefer souffla à Willie : « Bon Dieu, Willie! »

Le commandant de Vriess se mit à arpenter l'étroite cabine, sans prêter aucune attention à Willie. A part le fait qu'il tirait sur sa cigarette plus vite que d'habitude, il ne manifestait aucun signe de nervosité. Au bout de quelques instants, le cliquetis de la machine à déchiffrer se fit entendre dans le carré. Le commandant sortit, laissant la porte ouverte et vint regarder par-dessus l'épaule de Keefer tandis que celui-ci déchiffrait à toute vitesse le message. Quand il eut terminé, de Vriess prit le texte des mains de Keefer et le parcourut rapidement.

— Merci, Tom. Il revint dans sa cabine et referma la porte. « Dommage que vous ne l'ayez pas déchiffré quand il est arrivé, monsieur Keith. Cela vous aurait sans doute intéressé. Lisez donc. »

Il tendit la feuille à Willie. *Lieutenant de vaisseau H. de Vriess détaché à compter du jour où il sera relevé. Devra se présenter au Personnel pour nouvelle affectation. Transport aérien en seconde priorité autorisé. Stage d'entraînement du lieutenant de vaisseau Philip F. Queeg annulé; il a ordre rejoindre immédiatement le* Caine *pour prendre commandement.*

Willie rendit le message au commandant. « Je suis désolé, commandant. C'est de ma part une incroyable stupidité et une terrible négligence, dit-il, articulant péniblement. Je ne sais que dire, commandant, sinon...

— Qu'est-il advenu du texte du message que Smith vous a remis?

— Il est resté dans la poche de mon vieux pantalon kaki, Smith m'a remis le message au moment où Mr. Maryk nageait vers le flotteur. Je l'ai fourré dans ma poche et... je crois que j'ai été tellement intéressé par le sauvetage du flotteur que je n'y ai plus du tout pensé... » Son explication lui paraissait si lamentable qu'il en rougit.

De Vriess se prit un instant la tête dans la main. « Vous rendez-vous compte, Keith, à quel point il peut être grave d'égarer un message contenant des instructions?

— Oui, commandant.

— Je n'en suis pas si sûr. » Le commandant passa la main dans ses cheveux blonds. « Songez que ce navire aurait pu ne pas accomplir une mission, avec tout ce que cela implique. Je pense que vous vous rendez compte que dans ce cas, j'aurais supporté seul tout le poids de la responsabilité devant le conseil de guerre.

— Je sais, commandant.

— Eh bien, quel effet cela vous fait-il?

— Je suis déterminé à ce que cela ne se reproduise pas.

— Je me demande. » Le commandant prit sur son bureau une pile de longs formulaires jaunes. « Par une coïncidence peut-être malheureuse, je suis justement en train de remplir votre rapport d'aptitude en même temps que celui des autres officiers. Je dois les soumettre au Personnel avant d'être détaché. »

Un frisson d'inquiétude traversa Willie.

— Comment croyez-vous que cet incident doive affecter votre rapport d'aptitude?

— Ce n'est pas à moi de le dire, commandant. Tout le monde peut commettre une faute.

— Il y a faute et faute. La marge d'erreur est faible dans la Marine, Willie. Trop de vies humaines et de matériel coûteux sont en jeu à chaque instant. Vous êtes dans la Marine maintenant.

— Je m'en rends compte, commandant.

— Franchement, je ne le crois pas. Ce qui vient de se passer m'incite à vous décerner un mauvais rapport d'aptitude. C'est une chose qu'on ne fait pas de bon cœur. Ces feuilles demeurent à jamais au Bureau du Personnel. Tout ce qui est écrit là-dessus devient partie intégrante de votre nom. Il m'est désagréable de briser la carrière navale d'un homme, même quand il considère celle-ci avec légèreté.

— Je ne la considère pas avec légèreté, commandant. J'ai commis une erreur regrettable et j'en suis profondément navré. Je l'ai fait sentir aussi clairement que j'ai pu.

— Peut-être le moment est-il venu de remplir votre rapport, dit le commandant. Il tira une des feuilles de la liasse, prit un crayon et se mit à écrire.

— Puis-je ajouter un mot, commandant? intervint Willie rapidement.

— Certainement. Le commandant leva les yeux et posa son crayon.

— Vous allez rédiger ce rapport avec le souvenir de cet incident encore vivace dans votre mémoire. Je sais bien que c'est une faute assez grave. Mais je me demande si dans vingt-quatre heures votre opinion ne serait pas un peu plus juste...

De Vriess eut ce sourire sarcastique qui lui était familier. « Bon argument. Mais de toute façon, je reverrai les feuilles demain avant de les donner au courrier. Peut-être me sentirai-je alors d'humeur plus charitable, auquel cas je ferai les modifications nécessaires.

— Je ne demande aucune charité, commandant.

— Très bien. » De Vriess écrivit plusieurs lignes de sa petite écriture qu'on était étonné de voir si nette. Il tendit le rapport à Willie. Sous la rubrique *Remarques générales*, il avait écrit :

L'enseigne Keith semble être un jeune homme brillant et très capable. Il n'est à bord que depuis moins de deux semaines. Il a l'étoffe d'un officier compétent. Mais il lui faudra d'abord triompher d'une certaine légèreté allant parfois jusqu'à la négligence vis-à-vis de ses devoirs.

Au-dessus on lisait en formules tout imprimées : *Je considère cet officier comme : Remarquable — Excellent — Supérieur à la moyenne — Moyen — Médiocre.* De Vriess avait gommé une coche faite à côté d'*Excellent* et l'avait reportée en face de *Supérieur à la moyenne.*

Dans la Marine, c'était une boule noire. Le rapport d'aptitude était un instrument si redoutable que peu de commandants avaient le courage de se montrer froidement objectifs. Il en résultait que, sur ces formulaires, l'officier moyen était qualifié d'« excellent ». Mentionner un officier comme « supérieur à la moyenne », c'était informer le Personnel que c'était une nullité. Willie le savait parfaitement. Il avait tapé à la machine des douzaines de ces rapports quand il était au CincPac. Il sentit la colère monter en lui. C'était une condamnation agrémentée d'un mince éloge, c'était à la fois habile et pervers, et irréparable. Il rendit la feuille au commandant en s'efforçant de ne rien trahir de ses émotions. « C'est tout, mon commandant?

— Considérez-vous ce résumé comme injuste?

— Je préférerais m'abstenir de tout commentaire, commandant. Le rapport d'aptitude est de votre ressort...

— Je me dois vis-à-vis du Personnel de donner une opinion aussi sincère que je puis. Ce rapport ne constitue aucunement un blâme, vous savez. Vous pouvez en faire table rase avec un bon rapport.

— Merci beaucoup, commandant. » Willie tremblait de rage contenue. Il n'avait qu'une envie, c'était de quitter aussitôt la cabine. Il avait l'impression que de Vriess ne le retenait que pour savourer son triomphe. « Puis-je me retirer, commandant? »

De Vriess le regarda; à son expression d'ordinaire moqueuse se mêlait un sourire un peu triste. « Il est de mon devoir de vous informer que si vous estimez ce rapport injuste, vous avez le droit d'y joindre une lettre le contestant.

— Je n'ai rien à y ajouter, commandant.

— Très bien, Willie. N'égarez plus de messages.

— A vos ordres, commandant. » Willie tourna les talons et avait déjà la main sur la poignée de la porte.

— Un instant, je vous prie.

— Oui, commandant?

Le commandant laissa tomber le rapport sur son bureau et se balança sur son fauteuil. « Je crois qu'il importe d'envisager une mesure disciplinaire. »

Willie eut un regard plein d'amertume qui alla du commandant au formulaire jaune.

— Le rapport, du moins pour un esprit aussi borné que le

mien, n'entre pas dans cette catégorie, observa de Vriess. L'usage du rapport d'aptitude à titre punitif annule la valeur du système et il est d'ailleurs strictement interdit par une circulaire du Secrétariat à la Marine.

— Ravi de l'apprendre, commandant. Willie tenait cette réplique pour un trait d'une audacieuse ironie; mais son effet sur le commandant parut nul.

— Je vous boucle pour trois jours, Willie, le temps que vous avez gardé ce message. Cela vous mettra peut-être du plomb dans la cervelle.

— Je suis confus de mon ignorance, commandant. Que dois-je entendre exactement par là?

— Consigné dans votre chambre sauf pour les repas et les besoins naturels... A la réflexion, ajouta le commandant, ce serait un châtiment cruel et inutile que de vous consigner dans votre casemate. Disons que vous êtes consigné dans les limites du navire pour trois jours.

— A vos ordres, commandant.

— Voilà, je crois que c'est tout.

Willie allait faire demi-tour quand une pensée le traversa. Il tira de sa poche l'invitation de l'amiral et la tendit sans un mot à de Vriess. Le commandant se mordit les lèvres. « Eh .bien, eh bien. L'amiral Reynolds. Jolies relations. Comment connaissez-vous l'amiral?

— Il se trouve que je lui ai été présenté au cours d'une soirée.

— Pourquoi a-t-il justement besoin de vous pour cette sauterie?

— Vraiment, je ne sais pas, commandant. » Mais comme cette réplique semblait trop laconique, il ajouta : « Je joue un peu du piano. Et l'amiral semble y prendre plaisir.

— Tiens? Je ne savais pas cela. Je joue moi-même un peu de saxo chez moi. Vous devez être rudement bon pianiste pour être réquisitionné comme ça par l'amiral. J'aimerais vous entendre un de ces jours.

— Trop heureux de vous faire plaisir, commandant, quand vous voudrez. »

De Vriess examinait l'invitation en souriant. « Et c'est ce soir? Loin de moi l'idée de gâcher la soirée de l'amiral. Disons que vous serez consigné à partir de demain matin huit heures. Ça vous va?

— Comme vous voulez, commandant. Je ne demande aucun traitement de faveur.

— Eh bien, tenons-nous-en à ça. Amusez-vous bien ce soir. Ne noyez pas vos chagrins dans trop d'alcool.

— Bien, commandant. C'est tout?

— C'est tout, Willie. » Il lui rendit l'invitation et le jeune enseigne tourna les talons, sortit et referma sans douceur la porte derrière lui.

Willie grimpa quatre à quatre l'échelle et regagna son réduit. Il n'y avait plus d'hésitation à avoir. Sa position sur le *Caine* était désespérée. Le nouveau commandant allait lire le rapport d'aptitude et le classer une fois pour toutes comme un imbécile sur lequel on ne pouvait pas compter — pas un imbécile au sens où l'entendait Keefer, mais au sens où on l'entendait dans la Marine. Il n'y avait qu'une chose à faire : quitter ce bateau de malheur et repartir du bon pied. Il avait payé de ce rapport le prix de sa faute. « Je peux, et je veux, le faire oublier, je le jure, devant Dieu, se dit-il. Mais pas sur le *Caine*. Oh non! » Il était sûr que l'amiral le ferait muter. Plusieurs fois le grand homme lui avait donné l'accolade après un chœur de *Who Hit Annie in the Fanny with a Flounder* et avait déclaré qu'il ferait pratiquement n'importe quoi pour faire affecter Willie définitivement à son état-major. « Vous n'avez qu'un mot à dire, Willie! » C'était dit en plaisantant, bien sûr, mais Willie savait qu'il y avait quand même dans ces paroles un fond de vérité.

Il tira d'un tiroir crasseux le cours de perfectionnement et calcula le nombre de devoirs qu'il avait en retard. Il passa la fin de la matinée et tout l'après-midi à s'acquitter de ces pensums. Après le dîner, il se présenta dans la cabine du lieutenant Adams rasé de frais, impeccable dans sa tenue kaki nettoyée en ville. « Je sollicite la permission de descendre à terre, lieutenant. »

Adams lui lança un coup d'œil compatissant. Son regard se posa sur les quatre devoirs que Willie tenait à la main et il sourit. « Accordé. Mes affections à l'amiral. » Il prit les devoirs et les jeta dans sa corbeille à papiers.

En montant sur le pont, Willie rencontra Paynter qui descendait, les mains pleines de lettres froissées et tachées. « Rien pour moi? dit-il.

— J'ai mis vos lettres dans votre crèche. C'est du vieux courrier qui nous a couru après dans tout le Pacifique Sud depuis deux mois. Il vient juste de nous rattraper. »

Willie revint sur ses pas. Les matelots se pressaient autour de l'homme qui criait les noms et distribuait lettres et paquets. Quatre sacs de courrier en toile fanée s'entassaient à ses pieds.

Harding était allongé sur sa couchette dans l'obscurité de leur réduit. « Rien pour moi, dit-il d'une voix ensommeillée. Je n'étais pas encore sur la liste du *Caine* à ce moment. Mais vous par contre, vous y étiez.

— Oui, mes parents croyaient que je rejoignais directement le *Caine*... » Il alluma l'ampoule jaunâtre. Il y avait plusieurs vieilles lettres toutes chiffonnées de May et de sa mère, ainsi que quelques autres, et qu'un paquet qui avait la forme d'un livre. Il eut un choc en reconnaissant sur le paquet l'écriture de son père. Il l'ouvrit précipitamment et trouva une Bible reliée en toile noire dont dépassait une note manuscrite.

Voici la Bible que je t'avais promise, Willie. J'ai eu la chance d'en trouver une à la librairie de l'hôpital, sinon, il aurait fallu que je la fasse chercher. Je crois que les Bibles se vendent bien dans les hôpitaux. Si mon écriture te semble un peu tremblée, c'est parce que je l'écris de mon lit. Tout, je le crains, se passe comme prévu. On m'opère demain. Le chirurgien est le vieux docteur Nostrand qui devrait bien savoir que ce n'est pas la peine de me raconter des histoires. Mais je lui suis quand même reconnaissant de son optimisme.

Veux-tu, mon fils, jeter un coup d'œil à l'Ecclésiaste 9, 10? Ce sera mon dernier mot à ton intention. Je n'ajoute rien sinon adieu et que Dieu te bénisse.

Ton père.

Willie d'une main tremblante chercha le passage indiqué.

Fais promptement tout ce que ta main pourra faire; car il n'y aura plus ni œuvre, ni raison, ni sagesse, ni science, dans le tombeau vers lequel tu cours.

Les mots étaient soulignés à l'encre d'un trait vacillant. Dans la marge, le docteur Keith avait écrit : « Il parle de ton poste à bord du *Caine*, Willie. Bonne chance. »

Willie éteignit la lumière, se jeta sur sa couchette et enfouit sa tête dans l'oreiller encrassé de suie. Il demeura là immobile un long moment, sans se soucier de chiffonner son uniforme impeccablement repassé.

Quelqu'un s'approcha et lui toucha le bras. « Enseigne Keith? » Il leva les yeux. L'ordonnance de l'amiral se tenait sur le seuil. « Je vous demande pardon, lieutenant. La vedette vous attend au bas de la coupée.

— Merci », dit Willie. Il se souleva sur un coude, s'abritant les yeux d'une main. « Écoutez, voulez-vous dire à l'amiral que je suis absolument désolé, mais que je ne peux pas venir ce soir? Il paraît que je suis de quart.

— Bien, lieutenant », dit l'homme d'un ton surpris, et il partit. Willie s'enfouit à nouveau la tête dans son oreiller.

Le lendemain matin, le lieutenant de vaisseau Philip Francis Queeg se présenta à bord du *Caine*.

TROISIÈME PARTIE

LE COMMANDANT QUEEG

CHAPITRE XI

LE COMMANDANT QUEEG
VIENT RELEVER LE COMMANDANT DE VRIESS

WILLIE, que sa punition faisait dépérir d'ennui, manqua la minute capitale où le commandant Queeg posa le pied à bord du *Caine*.

Il purgeait ses trois jours de consigne en grand style. Le commandant de Vriess l'avait laissé libre de circuler dans les limites du bord, mais il avait décidé de ne pas bouger de son réduit sauf pour satisfaire ses besoins naturels. Quand Queeg arriva, Willie accroupi sur sa couchette achevait les derniers reliefs d'un petit déjeuner froid, sauçant avec un morceau de pain rassis les ultimes traces d'œufs au plat. Il était fier de sa pénitence. Le repas, transporté par l'indolent Whittaker tout au long des coursives, des échelles et du pont avait perdu toute chaleur et acquis en revanche un épais assaisonnement de suie. Willie avait l'impression qu'il s'endurcissait rapidement sous les coups de l'adversité; il se sentait mûri et viril. Il avait du mérite à puiser dans un plat d'œufs froids et noircis des leçons de spiritualité, mais la jeune âme de Willie ne manquait pas de ressort. Whittaker avait également apporté au reclus du café prélevé dans la cuisine de l'équipage, toute proche du réduit et qui arrivait ainsi fort et bouillant. Et Willie confondait un peu le coup de fouet du café matinal avec les symptômes de la maturité.

Personne n'attendait le nouveau commandant. Le canot était parti comme tous les matins chercher le courrier et un nouveau film. Le maître d'équipage dépenaillé et ses deux aides aussi crasseux que lui furent donc atterrés quand Queeg les aborda et leur demanda courtoisement de charger dans le canot sa cantine et ses valises. Ils n'avaient aucun moyen de prévenir l'officier de quart de la qualité de leur passager, aussi le nouveau commandant put-il pour sa première visite voir le navire dans son état de délabrement habituel.

L'officier de quart sur le pont était l'enseigne Harding, qui s'était vu confier le quart de quatre à huit par le lieutenant Adams car celui-ci était bien persuadé qu'il ne se passerait rien d'extraordinaire à ces heures matinales. Il était vêtu d'une tenue kaki fripée et humide de sueur et, comme il avait la mauvaise fortune de n'avoir pas de hanches, sa cartouchière au cuir éraflé pendait lamentablement, arrêtée de façon fort précaire par son derrière. Il avait repoussé sa casquette en arrière pour laisser la brise rafraîchir son front pâle et dégarni. Il était appuyé au bureau de la passerelle et croquait gaiement une pomme quand deux manches bleues cerclées de deux galons d'or et demi s'élevèrent le long de l'échelle, suivies par le visage et le corps tout entier du lieutenant de vaisseau Queeg. Harding ne s'émut pas pour autant. Il venait souvent à bord des officiers de ce rang; c'étaient d'ordinaire des spécialistes mécaniciens chargés de la réparation de quelque organe vital de la machinerie croulante du *Caine*. Il reposa sa pomme, cracha un pépin et s'avança vers l'échelle. Le commandant Queeg salua les couleurs, puis dit à Harding. « Je demande l'autorisation de monter à bord, dit-il poliment.

— Autorisation accordée. » Harding esquissa un bref salut, dans le style *Caine*.

Le nouveau commandant eut un léger sourire et dit : « Je m'appelle Queeg », en tendant la main.

Harding sursauta, s'étrangla, rattrapa sa cartouchière, salua encore une fois et voulut serrer la main de Queeg, mais celui-ci avait retiré sa main pour rendre le salut, si bien que Harding étreignit le vide. Quand il eut enfin réussi à donner sa poignée de main, Harding balbutia : « Excusez-moi, commandant... je ne vous avais pas reconnu...

— Vous n'aviez aucune raison de me reconnaître. Vous ne m'avez encore jamais vu.

— Non, bien sûr, commandant... le commandant de Vriess ne vous attendait pas, commandant... voudriez-vous que je vous conduise à la cabine du commandant? Je ne suis pas sûr que le commandant soit déjà levé... »

Il bondit sur un quartier-maître qui fixait Queeg comme s'il essayait de lire ses pensées. « Allez dire au commandant que le nouveau commandant est là...

— Oui, lieutenant. » Le quartier-maître Wintson, un homme corpulent et ambitieux, salua Harding, puis se tourna vers le commandant et lui décocha un salut de cour d'exercice. « Bienvenue à bord, commandant. » Puis il se précipita dans la coursive de bâbord.

Harding promena un regard désespéré sur la plage arrière et

en tira la certitude qu'il ne fallait pas compter modifier l'impression première que le nouveau commandant devait avoir eue du *Caine*. Quand bien même, se dit Harding, je chasserais les deux matelots à demi nus accroupis devant une bassine et occupés à éplucher des pommes de terre; si même je mettais un terme au vacarme de la corvée de grattage des tôles; si j'ordonnais au timonier coureur de ramasser le journal illustré dont les pages battent sur le bureau; si je faisais taire les jurons des deux hommes d'équipage qui sont censés réparer un des radeaux de sauvetage, mais qui sont en train de se bagarrer pour une tablette de chocolat à moitié fondue qu'ils ont trouvée dans le radeau; à quoi cela avancerait-il? Il resterait encore les paniers de choux malodorants, le tas de linge sale des officiers, les casques avec les noms peints en rouge qui sèchent au soleil, le tas crasseux des ceintures de sauvetage qui a servi de lit à un matelot de quart, et la grande flaque de mazout qu'un cuisinier a renversé sur le pont. Le *Caine* venait d'être surpris en déshabillé peu ragoûtant, et voilà tout. La terre n'allait pas s'arrêter de tourner pour ça.

— Avez-vous fait bon voyage, commandant?

— Moyennement bon, je vous remercie. J'ai pris l'avion depuis San-Francisco. Nous avons été un peu secoués. Queeg avait une voix et des manières agréables. Il ne semblait nullement ému de l'état de délabrement du *Caine;* on aurait dit qu'il ne l'avait pas remarqué.

— Je m'appelle Harding, commandant, dit enfin l'officier de quart. Enseigne Harding.

— Vous êtes à bord depuis longtemps, Harding?

— Juste trois semaines, commandant.

— Je vois. Le nouveau commandant se retourna pour observer l'équipage du canot qui se débattait avec ses bagages. « Quel est le nom du quartier-maître? »

Harding ne le connaissait que sous le sobriquet de Gras-double. « Un instant, commandant. » Il se précipita vers son bureau, lut rapidement la liste des hommes de quart et revint, extrêmement gêné. « Dulgatch, commandant.

— Un nouveau?

— Non, commandant. Je... c'est-à-dire, on l'appelle généralement Gras-double.

— Je vois. »

Queeg se pencha par-dessus la lisse. « Dulgatch, allez-y doucement avec la valise en peau de porc.

— A vos ordres, commandant, grogna le quartier-maître.

— Je crois, dit le nouveau commandant à Harding, que vous pourriez aussi bien faire déposer mon équipement ici en attendant que j'aie parlé avec le commandant de Vriess.

— A vos ordres, commandant.

— Tâchez de ne pas poser mes affaires sur la tache d'huile, dit Queeg avec un sourire.

— Oui, commandant », dit Harding, d'une voix faible.

Winston revint. Il avait réussi, durant sa course, à donner un coup à ses chaussures et à chiper à un camarade un bonnet immaculé. Il l'avait bien posé sur sa tête, avec juste la petite inclinaison vers le front qui convenait. Il salua élégamment l'officier de quart. « Le commandant de Vriess arrive, lieutenant.

— Très bien. » Harding, tout surpris, rendit le salut, avec l'impression d'être un peu hypocrite.

De Vriess émergea de la coursive, salua le nouveau commandant et échangea avec lui une cordiale poignée de main. Ils formaient tous les deux un tableau représentatif : le passé et l'avenir, de Vriess sans cravate et à son aise dans sa tenue kaki délavée, Queeg, impeccable en col dur avec des décorations toutes neuves. « Vous avez pris votre petit déjeuner? demanda de Vriess.

— Oui, je vous remercie.

— Voulez-vous que nous passions dans ma cabine?

— Parfait.

— Permettez-moi de vous montrer le chemin... ou bien connaissez-vous ces deux cents tonnes?

— Je préfère vous suivre. Je suis plus habitué au type *Bristol.* »

Ils échangèrent un sourire et de Vriess entraîna son successeur. Dès qu'ils se furent un peu éloignés, Winston dit à Harding : « Il a l'air d'un bon zigue.

— Pour l'amour du ciel, dit Harding en resserrant sa ceinture de deux crans, voyons ce qu'on peut faire pour nettoyer ce pont. »

Les deux commandants s'installèrent dans la cabine de de Vriess, et se firent apporter du café. Queeg était confortablement renversé dans le fauteuil de cuir bas. De Vriess était dans le fauteuil tournant derrière son bureau.

— Tout ça a été rondement mené, dit de Vriess.

— Je pense bien; ça ne m'amusait pas d'être tiré de l'Ecole anti-sous-marins, dit Queeg. J'avais fait venir ma femme et mes enfants à San-Diego et nous nous étions installés là pour six bonnes semaines. C'était la première fois que j'avais une affectation à terre depuis quatre ans.

— Je suis navré pour votre femme.

— Oh, elle est assez philosophe.

— Il faut bien. De Vriess but une gorgée de café puis dit : « Vous êtes de la classe 34?

— 36 », dit Queeg.

De Vriess le savait. Il connaissait également le rang de Queeg dans sa promotion, comment il était noté et divers autres faits le concernant. Mais l'étiquette exigeait qu'il simulât l'ignorance. Il était également courtois de commettre l'erreur de placer Queeg dans une classe plus ancienne; on impliquait par là qu'il obtenait un commandement pour lequel il était relativement jeune. « On nous fait grimper vite maintenant, hein?

— Je crois qu'on a besoin de vous ailleurs assez vite aussi. Une nouvelle unité, je suppose?

— Je ne sais pas. J'espère qu'ils me donneront un dépôt de matériel au milieu de l'Utah. Un endroit où il n'y ait pas d'eau.

— N'y comptez pas trop.

— Oh non », fit de Vriess avec un soupir de faux désespoir. Les deux hommes tournaient autour du pot : ce qui importait, c'était que de Vriess quittait un navire démodé dont Queeg venait prendre le commandement. « Vous avez fait beaucoup de déminage? fit de Vriess.

— Guère. Il me semble qu'on aurait pu m'envoyer à l'Ecole de Déminage. Mais je suppose que quelqu'un devait avoir le feu aux fesses au Personnel.

— Bah, vous en savez toujours autant que moi quand je suis arrivé. Et ça n'était pas lourd... Un peu de café?

— Non merci. »

De Vriess prit la tasse de Queeg et la posa sur le bureau. Queeg fouilla dans sa poche et de Vriess, s'attendant à le voir sortir un paquet de cigarettes, prit ses allumettes. Mais Queeg tira de sa poche deux billes d'acier brillant qu'il se mit à rouler machinalement entre ses doigts. « J'imagine, dit-il d'un ton détaché, que le travail consiste surtout à traîner un dispositif ou un autre.

— C'est à peu près tout, oui », fit de Vriess d'un ton plus détaché encore. Ce n'était pas au hasard qu'il avait posé sa question sur le déminage. Il s'était demandé si Queeg n'était pas destiné à devenir chef de la division. Mais c'était maintenant une hypothèse à écarter. Il désigna un gros livre à la couverture bleue déchirée sur l'étagère au-dessus de son bureau. « Vous trouverez tout ça dans le *Manuel de Déminage*, BuShips 270. Vous pourriez y jeter un coup d'œil un de ces jours.

— Je l'ai lu. Ça m'a l'air assez simple.

— Oh, oui. Pure routine. Les hommes de la plage d'arrière connaissent leur affaire. Et votre lieutenant, Maryk, est un crack. Vous n'aurez aucune difficulté. Nous venons justement de faire la semaine dernière des exercices très satisfaisants. Dommage que vous ne vous soyez pas trouvé à bord.

— Maryk, dit Queeg. Il est de carrière?

— Non. Il n'y a que deux officiers de carrière, ici à part vous. Au train dont on prend tous ces types pour les envoyer dans des écoles de radar et Dieu sait quoi encore, vers janvier, vous vous retrouverez sans doute avec un carré composé uniquement d'officiers de réserve.

— Cela fait un officier de carrière pour combien... douze?

— Dix... théoriquement. On arrive à onze. Nous étions descendus jusqu'à un pour sept et puis nous avons remonté. Maintenant ça fera onze en comptant vous. »

Queeg cessa de faire rouler les billes et les entrechoqua dans sa paume. « Bon équipage? »

— Pas mauvais. Les uns bons, les autres, comme ci comme ça.

— Vous avez fait leurs rapports d'aptitude?

— Oui.

— Je pourrais jeter un coup d'œil? »

De Vriess hésita. Il aurait préféré parler simplement des officiers en passant légèrement sur leurs défauts et en mettant en valeur leurs qualités. Il chercha quel refus diplomatique il pourrait opposer à la demande de Queeg, mais n'en trouva pas. Il ouvrit le tiroir de son bureau. « Si vous y tenez », dit-il, en passant le paquet de rapports à son successeur.

Queeg parcourut sans rien dire les trois premiers, roulant sans cesse les billes entre ses doigts. « Très joli. Celui de Maryk surtout. Pour un réserviste.

— Il y en a un sur cent comme lui. Il était pêcheur. Il en sait plus long sur la navigation que bien des maîtres d'équipage.

— Parfait. » Queeg continuait sa lecture. Il feuilletait rapidement les rapports, sans s'attarder aux notes savamment dosées, se contentant de jeter un coup d'œil à l'appréciation générale du commandant. De Vriess avait de plus en plus le sentiment de se rendre complice d'une indiscrétion. Il fut soulagé quand Queeg lui rendit les rapports en disant : « Ça m'a l'air d'un bon carré dans l'ensemble.

— Je crois que vous vous en apercevrez.

— Et ce Keith... que s'est-il passé?

— Rien. Il fera un bon officier. Il avait besoin d'un coup de pied quelque part et je le lui ai donné. Je ne sais pas encore si je ne vais pas modifier mon appréciation avant d'envoyer son rapport. Il est plein de bonne volonté et pas bête.

— Pourquoi avait-il besoin d'un coup de pied quelque part?

— Oh, il a égaré un message. Rien d'important d'ailleurs, mais pour le principe — c'est un tout jeune officier encore — j'ai pensé qu'il fallait le mettre au pas. »

Queeg se mordit les lèvres d'un air songeur, puis fit remarquer avec un sourire bon enfant : « Je pense que tous les messages ont quand même leur importance, vous ne croyez pas?

— Bien sûr, vous avez tout à fait raison.

— Votre officier de transmissions, ce Keefer, s'est-il aperçu de l'erreur?...

— Keefer fait très bien son service. Evidemment, aucune organisation n'est à l'abri d'une erreur. Un drôle de type, d'ailleurs, Keefer. Un garçon brillant. Ecrivain. Il a à peu près tout lu. Il travaille à un roman à ses moments perdus...

— Vous avez pris des mesures disciplinaires à l'égard de Keith?

— Consigné trois jours.

— Et pour Keefer?

— Il faut que je me montre aussi clair que possible sur un point, fit de Vriess d'un ton doux, mais ferme. Je considère ces deux hommes comme d'excellentes recrues en tant que cadres.

Keith, une fois aguerri, peut devenir un officier remarquable. Quant à Keefer, il est assez intelligent pour s'acquitter à merveille de n'importe quelle tâche, mais il est moins jeune et ses intérêts sont un peu dispersés. Mais pour peu que vous fassiez appel à son sens du devoir, il marchera très bien. Il fait un excellent officier de quart.

— C'est bon à savoir. Combien avons-nous d'hommes de quart? »

Le raclement lointain des grattoirs se trouva bientôt renforcé par un épouvantable vacarme provoqué par la venue au-dessus de leurs têtes d'une autre corvée chargée de piquer le pont. Queeg tiqua. De Vriess se leva d'un bond, pressa un bouton et rugit dans l'embouchure du tuyau acoustique placé à la tête de son lit : « Engstrand! Dites aux types qui sont sur le pont de cesser de me casser la tête! » Les deux hommes se regardèrent en souriant pendant quelques secondes, puis le bruit cessa brusquement.

— Ils en mettent un coup, observa Queeg.

— Chaque fois que nous sommes au port, l'équipage gratte. C'est le seul moyen d'aller plus vite que la rouille.

— Pourquoi donc? En grattant jusqu'au métal frais et en passant une bonne double couche de peinture, on devrait être tranquille pour un bon moment.

— Il n'y a plus de métal frais, dit de Vriess. Ces ponts ont reçu trop d'eau de mer. Ils sont piqués. La rouille part d'un petit creux et s'étend sous la peinture neuve comme une maladie de peau. Ça n'est pas une mauvaise chose d'ailleurs. Le grattage est un excellent exercice. Ça nous permet d'occuper les loisirs de l'équipage.

— Comment est-ce que le *Caine* manœuvre?

— Comme n'importe quel destroyer. Machines à plein régime. Il ne vire pas sur place comme ces nouveaux destroyers d'escorte. Mais on l'a bien en main quand même.

— Il chasse avec vent de côté?

— Oh, il faut faire attention évidemment.

— Vous avez de bonnes équipes pour le mouillage des dragues?

— Epatantes. Maryk les a admirablement formées.

— J'aime bien que le mouillage des paravanes se fasse vite.

— Moi aussi. Vous avez déjà dirigé les manœuvres d'un destroyer?

— Eh bien, dit Queeg, je dois avoir à mon actif quelques millions d'heures en qualité d'officier de quart.

— Et pour l'amener à quai et tout ça?

— Oh, je l'ai vu faire assez souvent. Et donné les ordres aussi.

De Vriess lança à son successeur un regard pénétrant. « Vous étiez second sur ce destroyer de type *Bristol?*

— Juste pour un mois à peine. J'étais passé par presque tous les autres services — quand j'étais sur le *Falk* : artillerie, la coque, la chaufferie, les transmissions... j'allais être nommé second quand on m'a collé sur un porte-avions...

— Le pacha vous a déjà laissé les commandes?

— Ma foi, ça ne s'est guère présenté. De temps en temps. »

De Vriess offrit une cigarette à Queeg et en alluma une lui-même. « Si vous voulez, dit-il négligemment, en éteignant son allumette, nous pouvons faire une ou deux sorties avant que vous preniez le navire en mains. Je serai auprès de vous pour faire quelques exercices de mise à quai, des virages etc...

— Merci, ce ne sera pas nécessaire. »

De Vriess tira quelques bouffées sans rien dire. « Enfin, dit-il, je suis à votre disposition. Comment voulez-vous que nous nous y prenions?

— Eh bien, il faudra que je pointe les documents de bord et que je fasse un compte rendu de mutation, dit Queeg. Je pense que nous pourrions faire ça assez vite, aujourd'hui par exemple. Et puis, j'aimerais bien visiter le navire...

— Nous pouvons le faire ce matin.

— Je pense que tous les rapports sont à jour. Voyons... le livre de bord, le journal de campagne, les rapports de coque, états de combustible, les rôles d'équipage, etc.?

— En tout cas, tout sera à jour quand vous serez prêt à prendre le commandement.

— Et l'inventaire formule B?

De Vriess fit une grimace.

— Celui-là, je suis obligé de vous dire qu'il est bourré d'erreurs. Je n'oserais pas vous faire croire le contraire.

— Qu'est-ce qui s'est passé?

— Il s'est passé ceci que ce navire a fait plus de cent mille milles depuis le début de la guerre, fit de Vriess, et que nous avons vu tellement de combats de nuit et de tempêtes et je ne sais quoi encore que la moitié de notre matériel de l'inventaire B est parti Dieu sait où. Quand vous perdez une poulie par-dessus bord alors que vous êtes en train de remorquer un imbécile qui est allé se flanquer sur un récif, et que des avions vous tirent dessus, vous ne vous amusez pas à porter ça sur l'inventaire. On devrait, bien sûr, mais on ne le fait pas.

— Eh bien, refaire un inventaire et envoyer un état de pertes suffirait à tout arranger.

— Bien sûr. Un inventaire B demande deux semaines. Si vous voulez attendre, je ne demande pas mieux que de vous en faire établir un...

— Certes non, je peux le faire aussi bien que vous, dit Queeg. Je pensais pouvoir vous relever demain... à condition de pointer les rapports et les documents de bord aujourd'hui.

C'était une agréable surprise pour de Vriess. Lui-même avait relevé son propre commandant qui commandait le *Caine* en quarante-huit heures; mais en sa qualité de second, il connaissait aussi bien le navire que le commandant. Queeg, lui, mettait les pieds sur un navire d'un type nouveau pour lui et dont il ne connaissait à peu près rien. Il aurait été en droit de demander à passer quelques jours en mer, pour observer le fonctionnement des différents organes du navire. De Vriess s'était dit que la transmission des pouvoirs prendrait bien une semaine. Mais il aurait été contraire à toute étiquette navale de faire le moindre commentaire. Il se leva. « Fort bien, dit-il. Il m'est très agréable de penser que je vais voir ma femme dans trois jours. Que diriez-vous d'un petit tour du propriétaire?

— D'accord. » Queeg remit ses billes d'acier dans sa poche.

— Si j'avais su que vous veniez, dit de Vriess, j'aurais fait une tournée d'inspection et j'aurais tout fait briquer. Les hommes sont capables de travailler, bien que vous puissiez en douter en voyant le navire aujourd'hui.

— Il fait frais pour Hawaï à cette saison, dit Queeg.

Willie Keith était allongé sur sa couchette cet après-midi-là, essayant sans succès de lire la *Critique de la Raison pure* de Kant qu'il avait empruntée à Keefer. Il était dévoré de curiosité; il avait du mal à résister à l'envie de quitter la prison qu'il s'était assignée pour voir l'homme venu le libérer de la tyrannie de de Vriess. Il relut pour la quatrième fois la même page, tout en s'efforçant de reconstruire Queeg d'après la description qu'en avait faite Harding, comme les anthropologues reconstituent un homme des cavernes à partir d'un fragment de mâchoire.

— M'sieur Keith?

Willie aperçut la triste figure de Whittaker à dix centimètres de la couchette. « Qu'est-ce qu'il y a, Whittaker?

— Le com'dant, il vous d'mande dans l'carré.

Willie sauta sur ses pieds et mit sa tenue kaki la plus propre, se piquant un doigt, dans sa hâte de changer d'épingle de cravate. Il pénétra donc dans le carré en suçant son pouce, ce qui était peut-être un signe regrettable d'immaturité. Les deux commandants prenaient le café devant la table tendue de drap vert. « Voici l'enseigne Keith, fit de Vriess avec un respect ironique de l'étiquette, lieutenant de vaisseau Queeg. »

Le nouveau commandant se leva et accueillit Willie d'une poignée de main vigoureuse et d'un sourire cordial. Le regard anxieux de Willie enregistra aussitôt : un homme un peu plus petit que lui; un uniforme bleu impeccable, avec deux rubans de campagne et une étoile; un visage ovale, assez replet avec de petits yeux plutôt rapprochés; quelques mèches rousses striant un crâne dégarni (moins nettement cependant sur les côtés). « Bonjour, Monsieur Keith », dit Queeg, d'un ton aimable.

Il plut aussitôt à Willie. « Très heureux de vous connaître.

— Willie, fit de Vriess, pouvez-vous dresser un inventaire des documents de bord et faire un compte rendu de passation de pouvoirs? Le commandant Queeg voudrait cela pour cet après-midi.

— Certainement, commandant.

— Il ne manque rien, non?

— Non, commandant », fit Willie en insistant avec une légère nuance de mépris sur le *commandant*. Maintenant que le nouveau pacha était arrivé, de Vriess était pratiquement vidé de son autorité.

— Bon. Le commandant se tourna vers son successeur. Il est à votre disposition. Si je puis vous être utile en quoi que ce soit, dites-le-moi.

Sur ce, il passa dans sa cabine et referma la porte. Willie se tourna vers son nouveau commandant, incapable de réprimer un sourire malicieux. « C'est chic de vous avoir à bord, commandant.

— Je vous remercie, Willie, dit Queeg, un peu surpris, mais avec un bon sourire. Commençons, voulez-vous? »

Le lendemain matin, à onze heures, et en présence de l'équipage formé en carré sur le gaillard, la cérémonie de la transmission de pouvoirs fut rapidement expédiée. Les officiers avaient fait tout leur possible pour donner à l'équipage une apparence respectable à cette occasion; mais malgré les chaussures brillantes, les treillis neufs, et les visages rasés de frais, on avait plutôt l'impression de voir un groupe de clochards épouillés de frais par l'Armée du Salut, que des matelots.

La cérémonie terminée, les deux commandants descendirent ensemble. Dans la cabine s'entassaient les bagages des deux officiers. De Vriess se dirigea vers le bureau. Il ouvrit le petit coffre, y prit plusieurs clefs portant des étiquettes et des enveloppes scellées qu'il remit à Queeg. « Vous trouverez dans les enveloppes les diverses combinaisons dont vous pouvez avoir besoin pour le coffre... Voilà, je crois que c'est tout. » Il jeta autour de lui un coup d'œil circulaire. « Je vous ai laissé un tas de romans policiers. Je ne sais pas si vous les aimez, mais c'est tout ce que je peux lire. Ça arrive toujours à me distraire. Et je ne me souviens jamais de ce qui se passe d'une page à l'autre.

— Merci. Je crois que j'aurai de quoi lire pour un moment avec les communications officielles.

— Ça oui. Bon... eh bien, je m'en vais. » De Vriess releva la tête et regarda son successeur droit dans les yeux. Queeg soutint un moment le regard de l'autre, puis lui tendit la main.

— Bonne chance sur votre nouvelle unité.

— Si je l'ai. Vous avez là un bon bateau, Queeg, et un bon équipage.

— J'espère que je me montrerai capable de l'employer.

De Vriess sourit et dit d'un ton hésitant : « Je me demande si vous ne pensez pas que c'est un vieux rafiot croulant.

— Oh, fit Queeg, mais je comprends très bien. Vous êtes restés terriblement longtemps dans la zone des opérations...

— Ce n'est pas ça. Il y a certaines choses que vous pouvez faire avec un navire et pas avec d'autres, dit de Vriess. De vous à moi, ces rafiots devraient être flanqués à la casse et débités en lames de rasoir. Ils tanguent et roulent beaucoup trop, le groupe moteur

est mort, toutes les machines sont d'un type périmé et les hommes
sont entassés comme du bétail. Ce sont les dernières chaufferies
qui existent encore dans la Marine où les hommes travaillent dans
de telles conditions de pression. S'il se produit un pépin, l'explosion peut les tuer tous. Les hommes savent ce qui les attend. Ce
qui est curieux, c'est que la plupart d'entre eux aiment ça. Il y en
a très peu qui demandent à être mutés. Mais il faut qu'ils fassent
leur travail comme ils l'entendent. C'est la voyoucratie de la Marine
si vous voulez. Mais si vous leur en donnez l'occasion, ils font du
bon boulot. Ils m'ont épaulé dans quelques coups durs...

— Eh bien, merci du tuyau, dit Queeg. Le canot est paré?

— Je crois. » De Vriess écrasa son cigare et ouvrit la porte.
« Whittaker! Si vous me donniez un coup de main pour porter mon
barda? »

Willie était dans la coursive en train de boucler son ceinturon,
quand les deux cambusiers arrivèrent avec les bagages, suivis de
de Vriess.

— Où est le canot, Willie?

— Oh. Je ne pensais pas que vous partiriez avant quatre heures,
commandant. Je viens de l'envoyer jusqu'au *Frobisher* pour échanger des films. Il reviendra dans dix minutes. Excusez-moi, commandant.

— Il n'y a pas de mal. Posez les sacs là, vous.

— Oui, commandant, dirent les cambusiers. Au revoir, commandant.

— Tâchez de ne pas apporter de café froid au nouveau commandant quand vous lui en monterez sur la passerelle.

— Non, commandant, firent les noirs en chœur avec un large
sourire.

De Vriess posa le pied sur une main courante et contempla le
port. Il était tout à coup très imposant, en tenue bleue. Les matelots qui grattaient la peinture sur le pont jetaient de rapides coups
d'œil dans sa direction et échangeaient des remarques à voix
basse. Willie, très embarrassé, se sentit obligé de faire la conversation. « Quelle impression cela fait-il, commandant?

— Quelle impression cela fait-il de quoi? fit de Vriess, sans
le regarder.

— Eh bien, de quitter le navire après...combien... plus de cinq
ans, c'est ça? »

De Vriess tourna la tête et examina froidement Willie. « Jamais
été aussi content, grommela-t-il.

— J'espère que vous aurez un bon navire, commandant.

— Il serait temps. » De Vriess s'éloigna vers l'arrière, en regardant ses chaussures. Un groupe de quartiers-maîtres et de seconds-
maîtres apparut dans la coursive de tribord, près de la cuisine.
Ils attendirent que leur ex-commandant revienne vers eux. Le
plus vieux de la bande, un nommé Budge, une grosse outre avec
un visage comme un jambon, et dont la panse débordait par-des-

sus sa ceinture bouclée trop bas, s'avança vers lui : « Je vous demande pardon, commandant.

— Qu'est-ce qu'il y a encore? »

Budge se découvrit, révélant un crâne chauve, tripota un instant sa casquette graisseuse et finit par la remettre. « Heu, rien, commandant. Sinon que quelques-uns des hommes ont chacun mis un petit quelque chose pour vous donner ça. » Il tira de sa poche une longue boîte plate et l'ouvrit, découvrant une montre-bracelet argentée. De Vriess examina la montre, puis son regard revint aux marins qui se tortillaient dans leur coin.

— De qui est l'idée?

— Ma foi, tout le monde, commandant.

— Eh bien tout le monde est idiot. Je ne peux pas l'accepter. C'est contraire aux règlements de la Marine.

Budge lança aux autres un coup d'œil désespéré. « Je leur ai dit, commandant. Mais on pensait... »

Un grand ajusteur tout décoiffé et qui s'appelait De Lauche, dit : « Vous ne vous occupez pas toujours des règlements, commandant...

— C'est bien le tort que j'ai, dit de Vriess. Ça fait trop longtemps que je suis sur ce dragueur du diable. »

Budge scruta le visage hostile du commandant, tripota maladroitement l'écrin et le posa sur la grille crasseuse d'une manche d'aération. « On pensait bien faire, commandant... »

Le tintement d'une cloche et le toussotement asthmatique d'un moteur annoncèrent le retour du canot. « Tâchez de vous tenir convenablement avec le nouveau commandant, fit de Vriess. C'est vous les quartiers-maîtres et les seconds-maîtres qui faites marcher le bateau, vous le savez très bien. Tenez les hommes en main et arrangez-vous pour que tout tourne rond... » Il se tourna vers Willie. « Je quitte le navire, monsieur.

— A vos ordres, commandant. » Ils échangèrent un salut.

De Vriess posa la main sur l'échelle de dunette. Son regard tomba sur la montre qui brillait au soleil. « Tiens, dit-il. Il y a un idiot qui a laissé une montre traîner là. » Il la prit et se la fixa au poignet. « Je vais la barboter en mémoire de ce vieux rafiot. Elle n'est pas mal, d'ailleurs, dit-il en l'examinant d'un œil critique. Quelle heure est-il, monsieur Keith?

— Quatre heures, commandant.

— Trois heures et demie, grommela de Vriess en réglant les aiguilles. Je la garderai toujours retardant d'une demi-heure, dit-il aux matelots, pour me rappeler l'équipage à la manque du *Caine*. Allons, quelqu'un pour me descendre mon barda. »

Il descendit l'échelle de coupée et disparut. Puis sa tête et ses bras réapparurent. « Merci », dit-il, saluant les matelots et il sauta dans le canot. On descendit les bagages; le canot démarra. Willie le regarda partir, s'attendant à voir de Vriess jeter un ultime regard mélancolique à son navire. Mais il n'en fit rien. La dernière vision que Willie eut de son ancien commandant fut celle d'un homme à demi allongé sur les coussins du canot, lisant un roman policier dans une édition à bon marché.

— Garde à vous sur le pont! cria le second-maître de la coursive.

Willie se retourna, rectifiant la position. Le commandant Queeg, en chemise et pantalons kaki, débouchait par la coursive de bâbord. Maintenant qu'il n'était plus en bleu, il était très différent. Il avait des épaules tombantes et étonnamment étroites, la poitrine creuse et un peu de ventre. Des rides barraient son front qui était strié de trois plis verticaux; il clignait des yeux comme s'il cherchait à voir loin. Willie salua. Queeg, examinant le pont, ne répondit pas. « Le canot est parti?

— Oui, commandant.

— Willie, vous n'êtes plus consigné. Appelons ça une amnistie.

— Merci, commandant », dit Willie, avec chaleur.

Queeg s'arrêta devant le bureau de la passerelle, regardant ici et là, toujours roulant les billes d'acier entre ses doigts. Les matelots avaient repris leur travail, sans mot dire, tête baissée. Queeg jeta un coup d'œil au livre de bord. « On n'a pas reporté le départ du commandant de Vriess.

— J'allais le faire, commandant, fit Engstrand.

— Très bien. Notez l'heure exacte du départ.

— A vos ordres, commandant. »

Queeg regarda Engstrand faire l'inscription sur le livre de bord. Sur le dos de sa chemise de treillis bleue on lisait, écrit au crayon rouge : *Engstrand le Tueur. Bas les pattes.* « Monsieur Keith, dit le commandant.

— Oui, commandant.

— Passez la consigne à la relève que tant que nous sommes à Pearl, le quart doit être pris en petite tenue blanche. »

C'était la tenue de quart sur le *Moulton* et à bord de la plupart des destroyers que Willie avait eu l'occasion de voir. Cet ordre lui plut. Le *Caine* allait sans tarder rentrer dans le rang. « A vos ordres, commandant », dit-il d'un ton allègre.

Queeg reprit son examen du navire, sans cesser de jouer avec ses billes, les épaules voûtées, tournant la tête d'un côté et d'autre. « Bon, dit-il. Passez la consigne. Réunion des officiers dans le carré à seize heures trente.

— A vos ordres, commandant. Devrai-je prendre un second-maître pour me remplacer? Je serai encore de quart à cette heure-là...

— Est-ce que les seconds-maîtres ont déjà remplacé les officiers de quart en rade?

— Heu, oui, commandant...

— Pas la peine de vous faire remplacer. Vous êtes dispensé de la réunion. » Le nouveau commandant du *Caine* s'éloigna vers la coursive de tribord. « Prenez-moi deux prisonniers et de la térébenthine, lança-t-il à Willie par-dessus son épaule, et faites-leur nettoyer cette saleté. » Il désigna du doigt la tache de mazout qui souillait toujours le pont.

— Mais nous n'avons pas de prisonniers, commandant.

— Ah?... Eh bien, alors, des hommes d'équipage. Faites-moi nettoyer ça. Et le commandant Queeg s'en fut.

CHAPITRE XII

L'ORDRE NOUVEAU

A quatre heures et demie, les officiers du *Caine* étaient tous
réunis autour de la table du carré, à l'exception de Keith.
Keefer et Maryk buvaient du café. Les autres fumaient ou tambourinaient sur le drap vert de la table. Personne ne parlait. Il
régnait dans la pièce un ordre inhabituel à une pareille heure.
Les magazines et les romans bon marché étaient rangés et les
machines à déchiffrer n'étaient pas comme d'habitude éparpillées
sur la table.

— Voici, remarqua Keefer à mi-voix en remuant son café,
ce qu'on appelle en littérature une pause significative.

— Cessez pour cinq minutes de faire le mariole, Tom, murmura
Adams.

— Je fais simplement observer, dit Keefer, que notre nouveau
commandant a le sens du drame. Ce en quoi il a toute mon approbation.

— Bouclez-la, souffla Maryk; la poignée de la porte du commandant tournait. Gorton apparut et regarda autour de lui : « Tous
présents, commandant », cria-t-il. Queeg entra dans le carré. Dans
un bruit de chaises raclant le sol, les officiers se levèrent. Ils
n'avaient pas accompli ce geste de courtoisie depuis un an; certains
d'entre eux n'avaient même jamais eu l'occasion de le faire; mais,
instinctivement, tous se levèrent.

— Asseyez-vous, messieurs, asseyez-vous, dit Queeg, d'un petit
ton badin. Il prit place, posa devant lui un paquet de cigarettes
neuf et un paquet d'allumettes et regarda en souriant les officiers se rasseoir. Il ouvrit lentement le paquet, alluma une cigarette

et tira les deux billes de sa poche. Tout en les frottant entre ses doigts, il commença à parler. De temps en temps, il jetait un coup d'œil aux officiers mais il gardait le plus souvent les yeux sur sa cigarette ou sur ses billes d'acier.

— Eh bien, messieurs, j'ai pensé qu'il fallait que nous fassions connaissance. Nous allons nous côtoyer sur ce navire pendant long-temps. Vous vous posez sans doute des questions sur mon compte et j'avoue que je suis assez curieux à votre propos, bien que j'aie déjà pu me former une assez bonne première impression. Je crois que le *Caine* est un excellent navire doté de très bons officiers. J'espère que nous ferons bon voyage et aussi, comme disait le commandant de Vriess, bonne chasse. J'entends coopérer avec vous au maximum et j'en attends autant de vous. Il existe une loyauté envers le chef à bord et une loyauté du chef envers l'équi-page. Je désire et j'entends compter sur votre loyauté envers moi. Vous pourrez dans ce cas compter sur la mienne à votre égard. Sinon... eh bien, j'essaierai de trouver ce qui ne va pas et je tâcherai de le faire aller. Il rit pour signifier que c'était un mot, et les officiers assis à côté de lui sourirent.

— Vous savez qu'il existe quatre façons de faire une chose à bord d'un navire : la bonne méthode, la mauvaise méthode, la méthode de la Marine et la mienne. Je tiens à ce que sur ce navire on emploie ma méthode. Ne vous occupez pas des autres méthodes. Faites les choses suivant ma méthode à moi et nous nous enten-drons très bien... Bon. Pas de questions?

Il regarda autour de lui. Il n'y eut pas de questions. Il acquiesça d'un sourire satisfait. « Sachez que je suis un homme livresque, comme vous le diront tous les gens qui me connaissent. Je crois que les instructions écrites sont là pour quelque chose et que tout ce qu'on trouve dans les manuels a son utilité. Quand vous hésitez, souvenez-vous qu'à bord de ce navire, on se conforme aux manuels. Suivez les instructions écrites et vous n'aurez pas d'histoires avec moi. Mais si vous vous en écartez, tâchez d'avoir une bonne demi-douzaine d'arguments valables à me présenter... et encore vous ne vous en tirerez pas avec moi. Et d'ailleurs sur ce navire, je sortirai vainqueur de toutes les discussions. C'est un des avantages du commandement. » Il rit encore et recueillit les mêmes sourires polis. Keefer déchiquetait lentement sa cigarette tout en écou-tant.

— Je veux que vous n'oubliiez pas une chose, continua Queeg. A mon bord, un rendement maximum est la règle. Un rendement moyen est un rendement médiocre. Et un rendement médiocre, je n'en veux pas. Je sais qu'on n'a pas bâti Rome en un jour et que ce navire a passé pas mal de temps sous un autre commande-ment que le mien et, comme je vous le disais, je vous considère comme un remarquable carré d'officiers. Si je veux apporter une modification dans un service ou dans un autre, vous ne tarderez pas à le savoir. En attendant, continuez à faire votre service

comme vous l'avez toujours fait en n'oubliant pas, comme je vous
l'ai dit, que chez moi le rendement maximum est la règle.

Keefer émiettait toujours sa cigarette dans sa tasse.

— Voilà, maintenant que j'ai étalé mon jeu, dit Queeg, je veux
laisser à qui voudra l'occasion d'en faire autant... Personne? Bien.
A partir de maintenant donc je veux des quarts impeccables. Et
je veux un navire impeccable. Et n'oubliez pas ce que je vous
ai dit sur la loyauté réciproque ni sur le rendement maximum. Je
vous ai dit, je vous tiens pour une excellente équipe d'officiers,
et je considère que c'est un privilège que de vous commander et...
et continuons comme ça. Voilà tout ce que j'ai à vous dire. Et je
vous remercie et... — il rit encore, un petit rire bon enfant, destiné
à ôter toute trace d'autorité excessive à ce qu'il avait dit — à
terre maintenant tous ceux qui vont à terre.

Il se leva et ramassa ses cigarettes. Les officiers se levèrent.
« Restez assis, dit-il, restez assis. Merci à tous. » Et il entra dans
sa cabine.

Les officiers se regardèrent. Après un moment de silence, Gorton
s'enquit : « Personne n'a rien à demander?

— Quand le canot va-t-il à terre? dit Keefer.

— A six heures, dit Gorton. Je suis heureux que vous me l'ayez
demandé, parce qu'à cette heure-là vous serez sur la passerelle.

— Mon œil, dit Keefer sans s'émouvoir. Je serai dans le canot.
J'ai rendez-vous avec une licenciée de l'OWI. Elle connaît des
mots de plusieurs syllabes. Après le *Caine*, cela promet d'être une
soirée très intellectuelle.

— Eh bien pour nous cantonner aux mots d'une syllabe, rien
à faire, dit Gorton. Nouvelles consignes pour le quart. Au mouillage, quatre officiers à bord en permanence. Moi ou le commandant
et les trois — je répète : les trois — officiers de la section de service. C'est bien votre section, n'est-ce pas qui est de service? »

Keefer regarda autour de lui et dit : « Ça va. Qui veut remplacer
le bon vieux Tom?

— Moi, Tom, fit Maryk.

— Merci, Steve. A charge de revanche...

— Désolé, les enfants, fit Gorton. Pas de remplacements. »

Keefer se mit à se mordre les lèvres d'un air maussade, Barrow
se leva en se frottant les ongles sur le revers de sa veste. « Je peux
emporter un dictionnaire, Tommy, dit-il, et potasser les mots de
plusieurs syllabes. Est-ce qu'elle sait dire : « Enchantée »? Il
déclencha une cascade de rires dans le carré.

— Mais enfin, Burt, plaida Keefer. Ça ne rime absolument à
rien. Il n'y a rien à faire d'autre que de reporter sur le journal
de bord des entrées de légumes. Crénom, à Tulagi, on n'était jamais
quatre à bord et le Tokio Express venait chaque nuit nous canarder.

— Tom, je n'ai jamais rien entendu de plus convaincant, dit
Gorton. Vos arguments m'arrachent des pleurs. Voulez-vous aller
expliquer tout ça au commandant?

Carmody bâilla et s'appuya la tête sur les mains. Il dit d'une voix lourde de sommeil : « Je crois bien que le grand roman américain va s'accroître ce soir d'un nouveau chapitre. »

Keefer se leva en jurant rapidement. Il tira son Marc-Aurèle du fatras entassé sur son bureau et se jeta sur sa couchette. Dix minutes durant, il lut les apaisantes maximes de l'empereur stoïcien. Puis Gorton passa la tête dans l'entrebâillement de la porte.

— Le pacha veut vous voir. Harnachez-vous et en route pour le manège.

— Avec plaisir, grogna Keefer en se levant de son lit.

Le commandant Queeg, planté devant son lavabo, se rasait. « Bonjour, Tom, dit-il. Je suis à vous dans une minute. » Il n'invita pas Keefer à s'asseoir. De Vriess ne s'embarrassait pas non plus de ces formalités avec ses chefs de service : ils avaient l'habitude de se laisser tomber dans le fauteuil sans se faire prier. Mais Keefer ne se sentait pas sûr avec Queeg. Il s'appuya au lit du commandant et alluma une cigarette pour bien montrer qu'il n'était pas trop impressionné. Queeg, en fredonnant, raclait son visage couvert de mousse. Il avait pour tout vêtement son caleçon et Keefer examinait avec un secret amusement la silhouette sans prestance : la poitrine plate, blanche et sans poil, le petit ventre rond qui faisait saillie et les jambes maigres et pâles.

— On n'y voit rien, fit Queeg en louchant vers son reflet dans le miroir. Je m'étonne que de Vriess ne se soit pas coupé la gorge.

— On peut vous mettre une ampoule plus forte, commandant.

— Oh, je ne crois pas que ce soit nécessaire... Dites-moi, Tom, que pensez-vous de votre assistant, Keith?

— Willie? C'est un brave gosse.

— Je veux dire comme officier?

— Ma foi, il a beaucoup à apprendre, comme tous les enseignes. Mais il fera un bon officier.

— Je ne m'intéresse pas à ce qu'il fera. Pour le présent, je reconnais avec vous que c'est un gentil garçon... mais totalement dépourvu de maturité. Notamment pour quelqu'un chargé de la garde des documents de bord.

— Commandant, dit précipitamment Keefer, je suis certain que Keith peut assurer ce service très convenablement...

— Quel entraînement a-t-il suivi?

— Comment cela, quel entraînement?

— J'ai cru comprendre que vous aviez passé cinq mois à l'Ecole des Transmissions.

— Oui, commandant. Mais ce n'est pas nécessaire pour...

— A-t-il étudié le manuel concernant les documents de bord?

— Je suppose qu'au peloton de midships on leur donne une formation...

— On ne peut rien supposer dans la Marine, Tom, dit Queeg d'un ton sec en lançant à Keefer un regard vite détourné. Pourrait-il passer cet après-midi même un examen sur les sujets traités dans le manuel?

— Vous voulez dire sans préparation?

— Et vous, le pourriez-vous?

— Certainement, répliqua Keefer, vexé.

Tout en rinçant son rasoir, Queeg dit d'un ton aimable : « J'en suis persuadé. C'est pourquoi je crois que vous devriez reprendre vous-même ce service.

— Mais, commandant...

— Ce garçon ignore manifestement tout du classement, Tom. Les documents confidentiels sont entassés pêle-mêle dans ce coffre-fort, comme dans une poubelle! Et il y a des documents qui traînent dans le poste radio, sur la dunette... et jamais un récépissé de remise, non plus. C'est comme ça que vous concevez un classement, Tom? »

C'était en fait exactement l'idée que s'en faisait Keefer. Willie avait hérité d'un épouvantable fatras, mais le romancier l'avait rassuré, lui déclarant avec un petit rire : « Ce n'est pas un croiseur ici, Willie. Ne pensez plus à toute cette paperasserie de dépôt et de récépissé. Sur le *Caine*, on est entre copains. » Et l'enseigne avait innocemment ajouté foi à ses propos.

— Oui, bien sûr, commandant, fit Keefer, tout ça pourrait être un peu plus organisé... je vais le talonner...

— Pas question. Vous allez le *relever*.

— Je vous demande pardon, commandant, mais il n'existe pas un navire dans cette escadre où un lieutenant s'occupe des documents de bord... c'est un des devoirs de l'enseigne... ça l'a toujours été...

— Eh bien, mais je n'avais pas l'intention que cela dure toujours, dit Queeg. Combien croyez-vous qu'il vous faudrait de temps pour former Keith à s'occuper parfaitement des documents de bord?

— Quelques jours, une semaine tout au plus, et Willie saura le manuel par cœur.

— Parfait. Alors, entendu comme ça.

— A vos ordres, commandant. Je vous remercie.

— Ne vous méprenez pas, dit Queeg. En attendant, je veux que vous assuriez sa relève. A dater de ce soir.

— Vous voulez dire que je devrai faire un inventaire et un rapport de transfert? Et recommencer dans l'autre sens d'ici trois jours?

— Ce ne sont pas les formulaires de transfert qui manquent ni le temps de les remplir.

— Commandant, un chef de service qui est en même temps officier de quart responsable n'a pas énormément de temps. Si vous attendez de moi un rendement satisfaisant dans mon service...

— J'attends de vous un rendement satisfaisant sur tous les

points. Peut-être cette tâche empiétera-t-elle quelque peu sur vos travaux de romancier. Mais bien entendu aucun de nous n'est ici pour écrire des romans. Dans le lourd silence qui suivit, Queeg ouvrit les tiroirs de son bureau. Ils sortirent des rainures et tombèrent par terre; d'un coup de pied il les envoya dans un coin. « Allons, dit-il d'un ton enjoué, en prenant une serviette, j'espère que l'eau est bien chaude à la douche.

— Commandant, dit Keefer d'une voix étranglée, voyez-vous une objection à ce que je travaille à un roman?

— Pas la moindre, Tom, dit Queeg, tirant d'un placard un peignoir d'un bleu fané. C'est une excellente chose pour un officier que d'avoir en dehors de ses devoirs un intérêt d'ordre intellectuel : c'est un stimulant qui contribue à tenir l'esprit en alerte.

— Bon, dit Keefer.

— A condition, bien entendu, dit Queeg, que tout ce qui concerne votre service soit absolument à jour. Je veux dire tous les rapports faits à temps, toutes les corrections reportées, toute la correspondance à jour, et en général tout si parfaitement au point qu'il ne vous reste rien à faire durant vos heures de loisir. Mais, jusque-là, j'estime que la Marine doit avoir le pas sur toute autre de vos activités.

— Je ne crois pas qu'il existe dans la Marine beaucoup d'officiers qui puissent se vanter d'avoir un service à ce point sans reproche...

— Il n'y en a peut-être pas un sur cent. L'officier moyen aujourd'hui peut s'estimer heureux si, ayant fait tout son travail, il peut avoir encore six heures de sommeil par nuit. Je crois que c'est pour cela que nous n'avons pas beaucoup de romanciers dans la Marine, dit Queeg avec un petit rire. Mais le commandant de Vriess m'a parlé de vous comme un homme exceptionnellement doué et j'ai toute raison de penser qu'il avait entièrement raison. »

Keefer avait la main sur le bouton de la porte. « Attendez un peu, dit le commandant en déballant un pain de savon. J'aimerais bavarder encore un peu avec vous.

— Je croyais que vous alliez prendre une douche, commandant.

— Eh bien, ça ne nous empêchera pas de bavarder. Venez donc.

— Dites-moi, Tom, quel genre de veille-radio avons-nous en ce moment? » cria-t-il par-dessus le tambourinement de l'eau sur les tôles de la cabine de douche.

Une conférence pendant une douche, voilà qui était nouveau pour Keefer. Il fit semblant de ne pas avoir entendu Queeg. Au bout d'un moment, celui-ci se retourna, l'air maussade, tout en se savonnant l'aine. « Eh bien?

— Je ne vous entends pas très bien avec cette eau, commandant.

— Je vous ai demandé quel était notre *veille-radio?* »

Deux heures auparavant le chef radiotélégraphiste de Keefer lui avait signalé que Queeg sortait du poste radio et qu'il venait de le cuisiner longuement à propos de la veille. Le nouveau commandant avait appris avec un vif déplaisir qu'on se contentait sur le *Caine* de recopier les messages transmis par la station du port. Keefer répondit donc prudemment : « Eh bien, commandant, nous suivons la procédure habituelle de Pearl Harbor. Nous copions tout ce qui vient du circuit local.

— Quoi! » Le commandant Queeg semblait ahuri. « Et les Fox? On ne s'en occupe pas alors? » Il leva une jambe et se mit en devoir de la savonner.

— Nous les avons par l'intermédiaire du *Betelgeuse* qui tient la veille-radio pour tous les destroyers du port. C'est la procédure classique, cria Keefer.

— Vous n'avez pas besoin de hurler. Je vous entends. La procédure classique pour qui? Pour les destroyers au même mouillage que le *Betelgeuse?* Nous sommes à une heure de baleinière. Supposez qu'il arrive un message urgent pour nous?

— Dans ce cas-là le *Betelgeuse* est censé le retransmettre aussitôt sur le circuit local.

— Est censé. Et s'ils ne le font pas?

— Écoutez, commandant, et si le *Betelgeuse* sautait? Et si *nous* nous sautions? Il faut quand même supposer certaines conditions normales...

— On ne peut pas supposer quoi que ce soit dans la Marine, dit Queeg. Otez-vous cette idée de la tête. A partir d'aujourd'hui je ne veux plus qu'on suppose quoi que ce soit sur ce navire. Il se rinça et ferma l'eau. « Voulez-vous me passer cette serviette? » Keefer obéit.

— Écoutez-moi bien, Tom, dit le commandant d'un ton plus aimable en se frictionnant avec la serviette, dans la Marine, un commandant de navire n'a qu'à faire une faute... une seule faute. On n'attend que ça. Je n'ai pas l'intention de faire cette faute ni de laisser personne à bord de ce navire la faire pour moi. Je peux empêcher mon équipe radio de roupiller, quand bien même je serais obligé de la consigner six mois pour y arriver et de les ramener au rang de matelot de seconde classe. Mais je ne peux rien contre l'imbécile qui s'endort sur le *Betelgeuse* ses écouteurs aux oreilles. Je ne laisserai donc pas le *Betelgeuse* tenir la veille-radio à ma place. Nous le ferons nous-même, vingt-quatre heures sur vingt-quatre et à dater de maintenant. C'est clair?

— C'est entendu, commandant.

Queeg le regarda amicalement. « Si nous allions tous les deux jusqu'au club vider quelques verres?

— Je regrette, commandant. Les nouvelles consignes de quart m'interdisent de quitter le bord.

— Oh, dommage, dit le commandant, comme si Keefer et lui étaient tous deux victimes d'un règlement stupide. Enfin, ce sera pour une autre fois. Dites donc, j'aimerais bien lire votre roman un de ces jours. C'est un peu cochon, oui? fit-il avec un petit rire gras.

— C'est tout, commandant?

— C'est tout, Tom », dit Queeg, en s'éloignant dans la coursive.
Keefer revint dans sa cabine. Il s'allongea sur sa couchette et
ouvrit son Marc-Aurèle. Il alluma une cigarette et se mit à en
tirer de longues bouffées. Il fut bientôt entouré d'un nuage de
fumée ondulante.

A onze heures ce soir-là, Willie Keith vint sur la dunette chercher
Keefer. L'officier marinier de quart sur la passerelle, superbe et
maussade dans sa tenue blanche, lui apprit que l'officier de quart
était allé inspecter les postes d'avant. Willie déboucha sur le gaillard d'avant où soufflait une douce brise et trouva Keefer assis
sur une couverture pliée en quatre, le dos appuyé à l'ancre, les
pieds ballant dans le vide, sa cartouchière posée à côté de lui sur
le pont. Il fumait et contemplait la nuit semée d'étoiles. « Salut,
dit Willie.

— Salut.

— Du travail?

— Guère. Je compose un sonnet.

— Excusez-moi de vous déranger.

— Pas du tout. Il est exécrable de toute façon. Qu'est-ce que je
peux faire pour vous?

— Je viens de potasser pendant trois heures le manuel des documents de bord. Je crois que j'en sais la première partie par cœur.

— Beau travail.

— Vous permettez que j'aille dire bonjour à mon camarade
sur le *Moulton?*

— Allez-y.

— J'ai cherché Mr. Gorton pour lui demander. Mais il dormait.

— Bah, vous n'avez pas besoin de la permission du second
pour aller sur un navire au même mouillage. Filez.

— Merci. Bonne chance pour votre sonnet. »

Dans le carré immaculé du *Moulton*, plusieurs officiers étaient
installés, plus ou moins vautrés, lisant des magazines ou buvant
du café, mais Keggs n'était pas là. Willie s'engagea dans la coursive et écarta le rideau vert qui masquait l'entrée de sa cabine.
Son ami effondré sur son bureau, ronflait, son long visage appuyé
sur une pile de bleus. Sa lampe éclairait ses paupières closes. Ses
mains pendaient au bord de la table. Willie hésita un moment,
puis lui posa la main sur l'épaule. Keggs sursauta violemment.
Un instant il contempla Willie d'un air horrifié, puis reprenant
lentement conscience, il eut un bon sourire et dit : « Bonjour,
Willie.

— Tu potasses des bleus maintenant? dit Willie.

— Je suis un cours de mécanique.

— De *mécanique?* Mais tu es officier de pont.

— Le pacha fait suivre un cours d'officiers de pont à tous les
officiers mécaniciens et il fait étudier la mécanique à tous les

officiers de pont. Ça fera de nous des officiers complets, dit-il.

— Fière idée, dit Willie, à condition évidemment de n'avoir pas un service à diriger, des quarts à passer et une guerre à faire... Je pensais qu'on pourrait faire une partie d'échecs.

— Oh, avec plaisir, Willie, dit Keggs; prudemment, il alla jeter un coup d'œil dans la coursive. Il semble que le champ est libre. Je suis ton homme. Viens. » Ils entrèrent dans le carré. Keggs prit un échiquier et une boîte de pièces rouges et noires en matière plastique, en demandant à un lieutenant un peu bedonnant : « Quand est-ce qu'il revient?

— Pas avant minuit, je pense, marmonna le lieutenant, qui était presque couché dans un fauteuil et parcourait avec ennui un numéro tout déchiqueté de *Life*.

— Au poil, Willie. Tu as bien fait de venir. Tiens, on va se taper deux cokes.

— D'accord. »

Keggs disparut un instant dans l'office et en revint avec deux bouteilles glacées. « Personne n'en veut? » demanda-t-il à la ronde. La plupart des officiers ne répondirent pas. Deux d'entre eux tournèrent vers lui un regard vague et secouèrent la tête. « Si je bois un coca de plus, dit l'homme allongé dans le fauteuil, j'ai une attaque.

— Vous êtes toujours consignés? demanda Willie.

— Jusqu'à dimanche, dit Keggs.

— Et à ce moment-là, dit l'allongé, on recevra sans doute un message nous ordonnant d'aller draguer des mines Dieu sait où. »

Keggs but une longue gorgée tandis que Willie disposait ses pièces. « Ah, ça fait du bien, dit-il. Ça ne gêne personne si j'ouvre la radio? » Personne ne répondit. Les accents d'un orchestre de jazz retentirent dans la pièce. « Du hot. Pas de musique hawaïenne pour une fois. Prépare tes pièces, Willie. Je vais t'écraser. Bee-die, de-bee-bop, bee-die-de-bee-bop... »

Il dansait tout en chantant une sorte de gigue, les coudes écartés, les bras ballants. Le lieutenant couché dans le fauteuil le regardait avec un mélange de dégoût et de pitié. « C'est extraordinaire, dit-il, l'effet que peut avoir une petite sieste sur ce pauvre type. »

Keggs se laissa tomber sur la chaise en face de Willie et déplaça le roi rouge. « Dis donc, Willie, n'oublie pas une chose. Quand tu entends deux coups de sonnette, ça y est. Fini de jouer. C'est la passerelle qui signale qu'il vient de remonter à bord. Tu disparais comme nous tous. Prends la coursive de bâbord et tu l'éviteras probablement...

— Et si je tombe sur lui?

— Prenez l'air dégagé, dit le lieutenant du fauteuil. Embrassez-lui le derrière et éloignez-vous en sifflotant *Levons l'ancre*.

— Comment est votre nouveau pacha? dit Keggs.

— C'est un être humain, pour changer. »

Deux des officiers s'étirèrent en bâillant et regagnèrent leur cabine. « C'est épatant, dit Keggs, en terminant son coke. On devrait faire ça plus souvent, Willie. »

La porte du carré s'ouvrit et Iron Duke Sammis entra, suivi de Queeg. Keggs était tout à son jeu. Il déplaça un fou et leva les yeux en souriant. Il aperçut alors les autres officiers qui sautaient sur leurs pieds le visage soudain figé. Il poussa un hennissement étranglé et se leva d'un bond, renversant l'échiquier du même coup. Les pièces s'éparpillèrent sur le bureau.

— Messieurs, dit Iron Duke Sammis, voici le commandant Queeg, le nouveau commandant du *Caine*. Bonsoir, Monsieur Keith.

— Bonsoir, commandant. Bonsoir, commandant, dit Willie.

— Tiens, je suis content de voir que j'ai avec moi un joueur d'échecs, dit Queeg. J'ai toujours eu envie de m'y mettre.

— C'est une excellente détente, dit Iron Duke. Dommage que cela prenne tellement de temps. Je n'ai pas fait une partie depuis le commencement de la guerre. Mais puisque mon officier de Transmissions semble avoir assez de loisirs, peut-être vais-je m'y remettre...

— Commandant, tous les messages de la soirée sont sur votre bureau, déchiffrés, fit Keggs d'une voix tremblante, et j'ai fait deux devoirs de mécanique...

— Pourriez-vous interrompre votre partie assez longtemps pour nous faire au commandant Queeg et moi-même un peu de café frais?

— Oui, commandant. Certainement, commandant.

Les deux commandants entrèrent dans la cabine de Sammis. Keggs se précipita dans l'office et en ressortit avec à la main un percolateur plein d'eau fraîche.

— Comme ça, dit Willie, tu es cambusier aussi? Où est ton tablier?

— Mais non, Willie, je suis chargé de la popote du carré. J'ai plus vite fait de préparer le café moi-même que d'aller secouer un cambusier, voilà tout. Il se mit en devoir de ramasser les pièces d'échec.

— La partie est finie, je présume.

— Oh, je pense bien.

— Eh bien, je vais rester un moment pour prendre de ce café... si toutefois on me permet de boire le même breuvage que les dieux.

Keggs jeta par-dessus son épaule un coup d'œil vers la cabine du commandant. « Bien sûr, reste un peu. Mais, je t'en prie, Willie, ne dis pas de choses comme ça... il entend. »

Quand Willie l'eut quitté sur le gaillard pour monter à bord du *Moulton*, Keefer contempla quelques instants le ciel puis prit un bloc, un crayon et une torche dans sa poche et se mit à gribouiller des vers. Quelques minutes plus tard, la silhouette de Maryk apparut. Saluant Keefer d'un air morose, le lieutenant ouvrit un panneau en avant du moteur de l'ancre, passa la main et alluma une ampoule qui éclairait le réduit : un carré de lumière jaune monta du panneau. « Qu'est-ce que vous allez fiche là-dedans à pareille heure?

— Inventaire formule B.

— Vous êtes encore là-dessus? Asseyez-vous donc une seconde, pauvre bête de somme. »

Maryk gratta ses cheveux coupés en brosse, bâilla et accepta une cigarette. La lumière qui montait de l'écoutille creusait davantage encore ses traits tirés et accentuait les poches qu'il avait sous les yeux. « Eh bien, dit-il, ça va être juste, mais je crois que j'aurai fini vendredi à neuf heures. Qu'est-ce que vous faites... vous travaillez à votre bouquin?

— Oh, j'écris un peu.

— Vous feriez peut-être mieux de planquer ça pour l'instant Tom... tout au moins pendant que vous êtes de quart... tant que le nouveau pacha ne s'est pas un peu calmé.

— Qu'est-ce que c'est qu'un quart de huit heures à minuit à Pearl, Steve? Il suffirait d'un maître et d'un messager, voilà tout.

— Je sais bien. Mais ce gars-là vient tout droit d'un porte-avions.

— Qu'est-ce que vous pensez de lui? »

Maryk tira sur sa cigarette et une expression soucieuse se peignit sur son visage. Il était d'une laideur qui n'était pas désagréable : une grande bouche, un petit nez, des yeux bruns saillants et ronds, la mâchoire lourde. Son corps massif lui donnait un air de puissance et de détermination, que corrigeait peut-être un peu l'expression d'incertitude bienveillante qu'on lisait maintenant sur ses traits. « Je me demande.

— Vous le trouvez mieux ou pire que de Vriess? »

Après un silence, Maryk dit : « Le commandant de Vriess n'était pas un mauvais officier.

— Bon sang, Steve. Il traitait ce navire comme un chaland de délivres. Regardez le *Moulton* à côté...

— Il savait fichtrement bien manœuvrer en tout cas.

— Bien sûr. Mais ça n'est pas suffisant pour un commandant. Je crois que Queeg est exactement ce qu'il faut pour le *Caine*. Je ne serais pas surpris si quelqu'un du ServPac avait alerté le Personnel pour qu'on nous envoie un type à cheval sur le règlement qui vienne mettre un peu d'ordre ici.

— Bah, je ne sais pas si on peut changer du jour au lendemain la nature d'un bateau. Ça fait plus longtemps que vous que je suis à bord, Tom. Tout ce qu'il *faut* faire finit toujours par être fait, peut-être pas selon les règles, mais enfin, c'est fait. Le bateau marche, il va où on veut qu'il aille, les servants du canon tirent très convenablement, les machines tiennent — Dieu sait comment, à grands renforts de ficelle et de chewing-gum principalement — mais le *Caine* a passé moins de temps au radoub que tous les autres destroyers que je connais, depuis le début de la guerre. Qu'est-ce

que Queeg va faire d'autre que d'essayer de suivre les instructions
des manuels au lieu de laisser les choses se faire à la mode du
Caine? Est-ce que c'est un progrès? De Vriess, lui, ne s'intéressait
qu'aux résultats.

— Les instructions des manuels sont bonnes, Steve, il faut bien
le dire. Ça ne me plaît pas plus qu'à vous, mais c'est comme ça.
Le gaspillage de temps et de mouvement, la pure chance dont
dépendent tant de choses qu'on fait sur le *Caine,* tout ça est renversant.

— Je sais. » Maryk prit un air encore plus perplexe. Ils fumèrent
un moment en silence. « Bien sûr que les bouquins ont raison, dit
enfin le lieutenant, pour un navire normal. Seulement, d'après
les manuels, le *Caine* devrait être à la ferraille. Il faut peut-être
que ce navire soit commandé par un type un peu cinglé parce qu'il
faut déjà être cinglé pour garder ce bateau en service...

— Ecoutez, Steve, nous avons exactement la même opinion
là-dessus, seulement je crois que je vois un peu plus loin que vous.
Nous sommes des civils, de libres citoyens et cela nous agace d'être
traités comme des esclaves par tous ces Queegs qui, sans leurs
manuels, seraient les types les plus colossalement ignorants du
monde. N'oubliez pas une chose. Pour le moment il n'y a que
l'application stricte de la théorie qui compte, parce que c'est la
guerre. Tenez. Supposez que tout d'un coup le salut de l'Amérique
dépende d'une histoire de chaussures bien cirées. Peu importe
comment ni pourquoi. Supposez que ce soit comme ça. Qu'est-ce
qui se passerait? Nous deviendrions tous des cireurs de souliers
et les décrotteurs professionnels deviendraient les maîtres du pays.
Et alors, comment croyez-vous qu'ils se montreraient à notre
égard? Humbles? Fichtre, non. Ils se diraient que leur jour est
enfin venu... que pour la première fois de leur vie, le monde témoigne
du respect qui convient aux cireurs de chaussures. Et je vous prie
de croire qu'ils nous en feraient baver, et qu'ils nous harcèleraient
et nous asticoteraient et qu'ils chercheraient la petite bête pour
arriver à nous faire cirer les chaussures comme ils l'entendent.
Et ils auraient raison. C'est ça notre situation, Steve. Nous sommes
entre les mains de cireurs de souliers. C'est agaçant de les voir
agir comme si nous étions des idiots et comme si eux étaient les
détenteurs de toute sagesse — c'est vexant de recevoir des ordres
où de se faire rembarrer par eux — mais leur temps est venu.
Bientôt toutes les chaussures seront cirées, la guerre sera finie,
ils redeviendront des cireurs de métro et nous, nous évoquerons
en rigolant ce ridicule interlude. Seulement, une fois que vous
avez compris ça, vous pouvez vous montrer philosophe et prendre
les choses comme elles viennent... »

L'officier marinier de quart sur la passerelle déboucha sur le
gaillard. « Monsieur Keefer, le commandant est rentré et Mr. Gorton veut vous voir dans sa cabine. Illico.

— Gorton? Je le croyais endormi.

— Il vient de me téléphoner du carré, monsieur. »

Keefer se leva, accrocha son ceinturon en bâillant. « Ça doit barder.

— Le pacha n'a pas dû vous trouver sur la passerelle », dit Maryk. « Bonne chance, Tom. Souvenez-vous de votre philosophie.

, — Il y a des jours où j'en ai assez », dit Keefer. Maryk sauta par l'écoutille ouverte.

Dans le carré, Keefer trouva le second en caleçon et en maillot de corps installé dans un fauteuil, une tasse de café à la main, l'air ensommeillé et de mauvaise humeur. « Bon Dieu, Tom, dit Gorton, c'est votre journée décidément. Pourquoi foutre n'étiez-vous pas sur la passerelle quand le pacha est rentré?

— Ça vous va de dire ça, gros bouffi, dit Keefer. Vous qui m'avez foutu de quart ce soir et qui passiez toutes vos heures de quart en rade à roupiller, jusqu'au jour où vous êtes passé second... »

Gorton reposa violemment la tasse et la soucoupe sur le bras du fauteuil, éclaboussant du café jusque sur le bureau. « Monsieur Keefer, nous ne parlons que du quart de ce soir, dit-il, et veuillez surveiller votre ton quand vous vous adressez à moi.

— Allons, allons, Burt. Ne vous emballez pas. Je ne pensais pas à mal. Le pacha vous a cassé les pieds?

— Et comment! Qu'est-ce que vous faites de votre tête quand vous ne travaillez pas à votre sacré roman? La première nuit avec un nouveau pacha à bord, vous ne pouvez pas faire un peu attention?

— Je suis désolé. J'y pensais bien, mais je me suis mis à bavarder avec Steve et je n'ai plus pensé à l'heure...

— S'il n'y avait encore que ça. Mais qu'est-ce que Keith est allé fiche sur le *Moulton?* »

Keefer eut une grimace de dégoût. « Oh, Burt. Vous exagérez. Depuis quand la section de service n'a-t-elle plus le droit d'aller faire un tour sur le navire voisin?

— Depuis toujours. Relisez donc les consignes. Pourquoi n'est-il pas venu me demander l'autorisation?

— Il vous a cherché. Vous dormiez.

— Eh bien, il aurait dû me réveiller.

— Burt, si quelqu'un vous avait réveillé pour vous demander ça pas plus tard qu'hier, il aurait attrapé un recueil d'anecdotes par le travers de la figure.

— Enfin, ce soir, c'est autre chose. Nous appliquons à nouveau les consignes et il ne s'agit pas de rigoler...

— Ça va, ça va. Il fallait le savoir...

— En attendant, dit Gorton en baissant le nez vers sa tasse vide, vous êtes aux arrêts pour vingt-quatre heures.

— Quoi, tonna Keefer. Qui est-ce qui a dit ça?

— C'est moi, nom de Dieu, aboya le second. Ça vous suffit?

— Que non. Si vous croyez que vous pouvez m'appliquer comme

ça des règlements dont on ne tient pas compte depuis deux ans
et me punir comme un collégien...

— Bouclez-la! fit Gorton.

— J'ai un rendez-vous demain soir. Le rendez-vous auquel je
n'ai pas pu aller ce soir, et je n'ai pas l'intention de le manquer
encore une fois. Si ça ne vous plaît pas, allez dire au pacha que
je vous ai répondu et demandez qu'on me fasse passer en conseil
de guerre...

— Bougre d'idiot, croyez-vous que c'est moi qui vous mets aux
arrêts? Tâchez de comprendre avec votre tête de mule de réserviste : *le torchon brûle.* C'est sur moi que tout ça va retomber, je
vais me faire détester de tout le monde. Tant pis. Je suis le second
et j'exécute les ordres, vous entendez?

Un radiotélégraphiste passa la tête par la porte. « Je vous
demande pardon, Monsieur Keefer, savez-vous où je peux trouver Mr. Keith? Il n'a pas l'air d'être là...

— Qu'est-ce qu'il y a?

— Urgent, des ordres pour le *Caine.* »

Keefer prit le message : « Ça va, Snuffy. » Le radio se retira.
« Ça vient d'où? demanda Gorton.

— ServPac. »

Le visage du second s'éclaira soudain. « ServPac? Urgent? C'est
peut-être une mission d'escorte de convoi vers les Etats-Unis.
Déchiffrez ça, bon sang. »

Keefer se mit à déchiffrer; il avait décodé une quinzaine de
mots quand il s'arrêta, marmonna un juron et reprit son travail
sans enthousiasme cette fois.

— Eh bien, qu'est-ce que c'est? dit le second.

— Une escorte de convoi, comme vous le disiez, dit Keefer
nonchalamment. Mais vous avez fait une petite erreur de cent
quatre-vingts degrés dans la direction.

— Oh non, gémit Gorton. Non.

— Mais si, Keefer. Le *Caine* va à Pago Pago.

CHAPITRE XIII

LE MEILLEUR REMORQUEUR DE CIBLES
DE LA FLOTTE

L E lendemain, Willie arriva sur le pont peu après le lever du
soleil pour prendre son quart d'officier subalterne. C'était
un matin radieux, clair et parfumé. Le port était d'un bleu limpide
et les collines d'Oahu d'un doux jaune vert et piquées çà et là
de l'ombre d'un des petits nuages dodus qui venaient des montagnes
du nord et s'évaporaient au soleil sans crever en pluie. Willie
venait de prendre ses œufs et son café. Il était tout vibrant de
l'excitation d'être sur un navire qui va lever l'ancre, peu importe
pour quelle destination. Pago Pago était bien loin de la zone de
combat; c'était une région presque aussi sûre que Hawaï, mais
c'était quand même au sud-ouest et on était en plein domaine de
Somerset Maughan. L'aventure semblait enfin s'annoncer. « Peut-
être allaient-ils rencontrer des sous-marins, se dit-il, et pourrait-il
se racheter de ses mois passés à jouer du piano à Pearl Harbor. »
Le capitaine Queeg arriva sur le pont, alerte et tout souriant;
il eut un mot aimable pour chacun des matelots et des officiers.
Willie reconnut l'étroit manuel bleu qu'il portait sous le bras :
c'était *Sur le Pont d'un Destroyer*. « Bonjour, commandant. Toutes
les amarres sont dédoublées, lui annonça-t-il, après un salut
impeccable.
— Ah, bonjour. Merci, merci, Willie. » Queeg se pencha par-
dessus le bastingage et jeta un coup d'œil sur les amarres. Le *Caine*
était attaché au *Moulton* lequel était amarré à des bouées à l'avant
et à l'arrière. Les deux navires se trouvaient tout au fond du West
Loch, dans une sorte de petite crique. Devant eux, à l'arrière et à
bâbord, c'étaient des bas-fonds de vase. Le *Caine* ne disposait,

pour faire sa manœuvre de sortie, que d'un étroit chenal dévasé.

— C'est serré, hein? dit Queeg d'un ton jovial à Maryk et Gorton qui attendaient de voir comment le nouveau commandant se tirerait de sa première manœuvre. Ils acquiescèrent avec respect. Queeg ordonna : « Larguez partout! »

Les amarres vinrent s'abattre comme des serpents sur le pont. « Largué partout, commandant, annonça le téléphoniste.

— Bon. » Queeg regarda autour de lui, se passa la langue sur les lèvres, lança son livre sur une chaise et, enfin, lança : « Eh bien, allons-y. Les deux bords en arrière un tiers! »

Le bateau tout entier vibra et les événements dès lors se précipitèrent au point que Willie fut incapable de comprendre ce qui clocha et pourquoi. Tandis que le *Caine* reculait, la patte acérée de son ancre remontée vint cogner contre le gaillard de l'autre navire, recourbant sur son passage plusieurs épontilles et en arrachant complètement une ou deux. Avant de s'arrêter, elle creusa, avec un effroyable bruit de métal, un énorme trou dans le pont du *Moulton*. Pendant ce temps, l'un des canons du *Caine* balayait le flanc du *Moulton*, emportant deux caisses de munitions et une antenne qui d'abord se courba et se fendit, puis tomba à l'eau. Le commandant Queeg lâcha toute une série d'ordres destinés à la barre et aux machines; les cheminées se mirent à vomir des torrents de fumée noire laquelle s'abattit sur le pont; à la suite de quoi, pendant quelques minutes, les hommes se déplacèrent et hurlèrent dans un brouillard épais. Puis, tout cessa. Le *Caine* était échoué dans la vase par l'arrière à l'autre bout du Loch, avec une gîte d'une dizaine de degrés.

Dans le silence atterré qui suivit, le commandant Queeg parut être celui que l'affaire avait le moins touché. « C'est la malchance du débutant, n'est-ce pas? remarqua-t-il, souriant toujours. Monsieur Gorton, allez donc voir à l'arrière s'il y a eu des dégâts. » Puis il envoya au commandant Sammis un message au télégraphe optique pour s'excuser de l'incident. Le second revint au bout de quelques instants, avançant avec précaution sur le pont incliné, et annonça qu'il n'y avait pas de dommages visibles à la coque et que les hélices étaient entièrement enfoncées dans la vase.

— Bah, un petit bain de vase ne peut pas faire de mal à une hélice, dit Queeg. Au contraire, ça les fera peut-être briller. Il avait les yeux fixés vers le port.

— Je crois qu'il ne nous reste plus qu'à signaler au ServPac, que nous avons échoué, commandant, dit Gorton. Dois-je...

— Attendez, attendez... dit Queeg. Vous voyez ce remorqueur là-bas près de la pointe? Envoyez-lui un message.

Le remorqueur se montra fort obligeant et vint jusqu'à West Loch. On eut tôt fait d'amarrer un câble de remorque et le *Caine* fut sans effort tiré du banc de vase. Queeg cria ses remerciements au commandant du remorqueur à travers un porte-voix; celui-ci, un maître d'équipage bourru, sourit cordialement et s'en fut.

« Voilà une bonne chose de faite, dit Queeg à son second d'un ton
affable. Et vous voilà dispensé de votre rapport d'échouage, Burt.
Inutile d'ameuter le ServPac pour une vétille, vous ne trouvez pas?
Les deux bords en avant un tiers. »

Là-dessus il mena tranquillement le bateau à l'autre bout du
port, au quai d'approvisionnement où il devait passer la journée
à charger du mazout, du ravitaillement et des munitions. Il se
tenait à tribord, les coudes contre la cloison, la main droite sans
cesse occupée à rouler ses deux billes d'acier. Arrivés près du quai,
tous ceux qui se trouvaient sur le pont eurent très peur. Le *Caine*
fonçait vers le quai presque à angle droit, filant quinze nœuds.
Derrière le commandant, Gorton, Maryk et Willie échangeaient
des regards anxieux. La collision avec l'arrière du bateau-citerne
derrière lequel ils devaient se ranger leur semblait inévitable. Mais,
pratiquement à la dernière seconde, Queeg fit faire marche arrière,
le *Caine* ralentit, trembla de tous ses membres puis alla se ranger
aussi parfaitement qu'un taxi à New-York. « Bon, dit Queeg tandis que les amarres étaient lancées à quai. Fixez les amarres. Étei-
gnez toutes les veilleuses et commencez à souter. »

Willie entendit Maryk murmurer au second : « Mes aïeux! Quel
sauvage!

— Oui, mais il se débrouille, répliqua Gorton. Vous avez vu
comment il a escamoté le rapport d'échouage? De Vriess n'aurait
jamais osé...

— Mais pourquoi ne s'est-il pas dégagé de l'arrière avant de
quitter le *Moulton?* L'ancre a fait du dégât...

— Bon sang, Steve, c'est sa première sortie... laissez-lui une
chance... »

Cet après-midi-là, Willie interrompit son travail de déchiffrage
pour écrire une lettre à May, la dernière avant le départ. Il commença par lui dire de façon aussi convaincante que possible à
quel point elle lui manquait et par la féliciter de la persévérance
qu'elle mettait à poursuivre ses études. Il se sentit poussé à lui dire
quelque chose de Queeg quoique jusqu'à ce jour il se fût montré
à dessein très vague en ce qui concernait sa vie à bord.

*Notre nouveau commandant est un homme assez curieux, comme
beaucoup d'officiers d'active; mais, à mon avis, il est l'homme qu'il
faut pour ce bateau. C'est un homme qui vise à la perfection et un
véritable tyran; il a l'esprit « Marine » cent pour cent. Il faut reconnaître que, par ailleurs, il est très aimable. Il semble être un marin
très audacieux, et plein d'allant, quoiqu'un peu inexpérimenté. Dans
l'ensemble, je crois que le* Caine *va maintenant connaître des jours
meilleurs et que mon moral y gagnera. Jusqu'à maintenant, j'étais
plutôt cafardeux...*

Un opérateur de radio frappa à sa porte ouverte. « Excusez-moi,
monsieur Keith. Un message du ComServPac. Il vient d'arriver
par la ligne du port.

— Très bien, donnez-le. » Willie alla jusqu'à la machine et

déchiffra le message : *Veuillez envoyer rapport écrit concernant échouage* Caine *ce matin West Loch. Veuillez expliquer également pourquoi n'avez pas signalé échouage immédiatement.*

A contrecœur, car il lui déplaisait fort d'apporter à Queeg un message aussi désagréable, Willie alla jusqu'à la cabine du commandant. Queeg était installé devant son bureau, en caleçon, occupé à lire du courrier officiel. Lorsqu'il eut parcouru le message que lui apportait Willie, il se dressa d'un geste brusque, faisant claquer sa chaise tournante. Il resta un long moment les yeux fixés sur la feuille et Willie chercha frénétiquement dans sa tête une excuse qui lui permettrait de filer.

Mais Queeg se tourna vers lui et remarqua : « Ils sont d'un tatillon au ComServPac, hein...

— Je me demande comment ils ont su, commandant...

— Parbleu, ce n'est pas sorcier. C'est ce mal dégrossi du remorqueur qui s'est empressé d'aller tout leur raconter. Il n'avait rien fait d'utile depuis un mois, je suis bien sûr. J'aurais dû y penser... » Queeg prit ses billes sur son bureau et se mit à les rouler vivement entre ses doigts, tout en continuant à regarder le message. « Bon, bon, ils veulent un rapport d'échouage. Eh bien, nous allons leur en donner un. Mettez-vous sur votre trente et un, Willie, et tenez-vous prêt à aller le remettre de la main à la main. Puisque aussi bien, ils ont l'air d'avoir le feu au derrière.

— Très bien, commandant. »

Une heure plus tard, alors qu'il se trouvait dans le bus qui devait le mener au ComServPac, Willie n'y tint plus. L'enveloppe n'était fermée que par une attache métallique flexible. Il regarda autour de lui : aucun des passagers ne l'observait. Il tira le rapport de l'enveloppe et lut :

Échouage du U. S. S. Caine *(D. M. S. 22)*
à West Loch, 25 septembre 1943 (Rapport sur).

1. Le bâtiment ci-dessus mentionné s'est légèrement échoué sur un banc de vase, dans la zone ci-dessus mentionnée, à la date ci-dessus mentionnée, à 9 h. 32. Il a été remis à flot à 10 h. 05 par le *Y. T.-137.* Il n'y a eu ni blessés ni dommages.

2. L'échouage s'est produit parce que la chambre des machines n'a pas obtempéré avec la rapidité souhaitable aux ordres transmis de la passerelle.

3. Le *Caine* a récemment changé de commandement. Il semble qu'un entraînement intensif soit nécessaire avant qu'on puisse attendre de l'équipage un rendement satisfaisant. Cet entraînement a déjà commencé.

4. L'intention du commandant était de faire parvenir le rapport d'échouage demain matin par messager. Ce rapport n'a pas été fait immédiatement parce que les secours étaient sur les lieux, que le dommage était nul et que l'incident semblait pouvoir être

réglé sans que fût dérangée l'autorité supérieure. Le commandant s'excuse d'avoir porté sur l'affaire un jugement erroné.

5. Il semble que l'entraînement intensif actuellement imposé à l'équipage puisse permettre d'espérer que de pareils incidents ne se reproduiront pas.

PHILIP FRANCIS QUEEG.

Ce soir-là, les officiers du *Caine* fêtèrent leur prochain départ au Club de l'Arsenal. Le commandant Queeg resta avec eux pendant une heure environ, puis les quitta pour.rejoindre des officiers supérieurs réunis sur la terrasse. Il se montra plein d'une exubérante bonne humeur, but plus que tous les autres mais sans manifester de signes d'ivresse et raconta de multiples et interminables anecdotes sur le débarquement d'Afrique du Nord. Tout le monde était très gai. Willie était plus persuadé que jamais que le Bureau du Personnel leur avait envoyé, pour remplacer ce souillon mal luné de de Vriess, un pacha de grande classe. Lorsque, vers trois heures du matin, il se laissa tomber sur sa couchette, il se disait que son séjour sur le dragueur de mines serait non seulement bref mais encore pas trop désagréable.

Il fut tiré de son sommeil à l'aube par Rabbitt. « Désolé de vous empêcher de cuver votre cuite, Keith, dit l'officier de quart, mais on vient de recevoir quelque chose du ComServPac.

— C'est bon, Rab. » Willie se tira à grand-peine de sa casemate et descendit au carré. Tandis qu'il faisait cliqueter sa machine à déchiffrer, Gorton, complètement nu, sortit de sa cabine en bâillant et vint voir ce qu'il faisait par-dessus son épaule. Un à un, les mots s'alignèrent : *Départ* Caine *Pago Pago annulé.* Moulton *assurera le convoi.* Caine *reste à Pearl pour remorquage de cibles. Se procurer matériel nécessaire au dépôt.*

— Qu'est-ce que ça veut dire? dit Gorton. Qu'est-ce qui leur a pris de changer d'avis comme ça, à la dernière minute?

— Ce n'est pas à nous de discuter, lieutenant...

— J'espère que cette saleté d'échouage ne nous a pas... Enfin, Gorton gratouillait son imposant estomac. Bon, eh bien mettez votre cuirasse et allez porter ça au pacha.

— Vous croyez que je peux le réveiller, lieutenant? Le réveil n'est qu'à...

— Foutre oui. Tout de suite.

Willie disparut dans la cabine du commandant tandis que le second arpentait le carré en se mâchonnant les lèvres. L'enseigne revint au bout de quelques instants, tout souriant. « Le patron n'a pas eu l'air bouleversé du tout, lieutenant.

— Ah non? Qu'est-ce qu'il a dit?

— Il a dit : « C'est bien, c'est très bien. Ce n'est pas moi qu'ils fâcheront en me laissant à Pearl Harbor. Plus on est de fous, plus on rit. »

Gorton haussa les épaules. « C'est probablement moi qui suis cinglé. Si lui cela lui est égal, je ne vois pas pourquoi je me ferais du souci. »

Par le haut-parleur leur parvint le réveil sifflé par le maître d'équipage. « Je vais me coucher, dit Gorton. Appelez-moi s'il se passe quelque chose.

— Très bien, lieutenant. » Willie quitta le carré.

Le second pénétra dans sa cabine, se vautra sur sa couchette comme un gros ours rose et s'endormit. La sonnette du commandant le réveilla en sursaut une heure plus tard. Il jeta un peignoir sur ses épaules et s'en fut dans la cabine de Queeg. Il trouva celui-ci assis jambes croisées et en caleçon sur son lit. Il avait le front plissé. « Burt, dit-il, jetez un coup d'œil sur la dépêche qui est sur mon bureau.

— Je l'ai vue, commandant, pendant que Keith la déchiffrait...

— Ah oui? Eh bien voilà une chose à quoi nous pouvons mettre fin dès maintenant. Personne, je dis bien *personne*, ne doit avoir accès aux dépêches d'instructions sinon l'officier des Transmissions et moi-même tant que je n'aurai pas décidé de les publier. C'est clair?

— Oui, commandant. Je m'excuse, commandant...

— C'est bon, c'est bon, sachez-le, voilà tout, grommela Queeg. Puisque vous l'avez vue, qu'est-ce que vous en pensez?

— Eh bien, commandant, il me semble que nous allons remorquer des cibles au lieu d'aller à Pago Pago...

— Me prenez-vous pour un imbécile? Je sais lire. Ce que je veux savoir, c'est ce que cela veut dire? Pourquoi ont-ils changé les ordres?

— Je me le suis demandé aussi, commandant, dit Gorton. Mais Keith me disait que vous sembliez satisfait...

— Ma foi, je préfère encore rester à Pearl que d'aller vadrouiller Dieu sait où vers l'ouest... si c'est là tout ce que cela veut dire. C'est justement ce que je commence à me demander. Je veux que vous vous habilliez et que vous alliez voir vous-même au ComServPac de quoi il retourne.

— Auprès de qui dois-je me renseigner, commandant... auprès du Bureau des Opérations?

— Peu m'importe. Demandez-le à l'amiral si vous voulez, cela m'est égal. Mais ne revenez pas sans les tuyaux, compris?

— Oui, commandant. »

Les bureaux du Commandant de l'Escadre du Pacifique se trouvaient dans l'Arsenal, dans une maison de bois blanche en forme d'U bâtie au sommet d'une hauteur et derrière des dépôts. Le lieutenant Gorton y fit son apparition vers huit heures et demie, vêtu de son plus bel uniforme kaki tout repassé de frais avec, à son col, des insignes neufs et brillants. Il se dirigea vers le Bureau des Opérations où il se présenta, non sans appréhension, au commandant Grace. Celui-ci était un vieil officier d'allure sévère au visage très coloré et aux sourcils blancs bien fournis.

— Que puis-je faire pour vous, lieutenant? lui demanda Grace d'un ton sec. Il était occupé à boire du café dans une tasse en carton. Il paraissait avoir travaillé à son bureau depuis l'aube.

— Commandant, ma visite a trait à votre dépêche 260040 au *Caine.*

Le commandant prit une liasse de dépêches sur papier pelure vert et la feuilleta. « Eh bien?

— Eh bien voilà... Pourriez-vous nous dire, commandant, pourquoi nos ordres ont été changés? »

Le commandant Grace jeta à Gorton un regard aigu. « Vous êtes le commandant du *Caine?*

— Non, commandant. Je suis le second.

— *Quoi!* » L'officier lança la liasse de dépêches sur la table d'un geste furieux. « Qu'est-ce qui a permis à votre commandant de vous envoyer ici discuter les ordres? Vous allez rentrer chez vous et dire à votre patron... comment s'appelle-t-il?

— Queeg, commandant... Lieutenant de vaisseau Queeg...

— Vous direz à Queeg que s'il a des questions à poser il vienne ici en personne, et qu'il ne m'envoie plus ses subordonnés. Compris?

— Oui, commandant.

— Vous pouvez disposer. » Le commandant Grace prit une lettre et fit mine de s'absorber dans sa lecture. Gorton qui n'avait pas oublié l'ordre de Queeg de ne pas revenir sans les « tuyaux » prit son courage à deux mains et fit une nouvelle tentative.

— Commandant... excusez-moi... est-ce que le changement a un rapport quelconque avec notre échouage d'hier à West Loch?

Le commandant Grace parut aussi surpris d'entendre la voix de l'homme qu'il venait de congédier que si un âne, brusquement, s'était mis à braire dans son bureau. Il leva la tête et fixa les yeux sur Gorton pendant trente très longues secondes. Puis son regard alla à la bague d'Annapolis de Gorton et, là encore, resta un moment. Puis il revint au visage de Gorton, hocha la tête d'un air incrédule et retourna à sa lettre. Gorton s'éclipsa sans bruit.

Sur la coupée du *Caine,* Carmody, l'officier de quart, salua le second et lui annonça : « Le commandant veut vous voir dans sa cabine dès votre retour, lieutenant. »

Gorton descendit et frappa à la porte du commandant. Pas de réponse. Il frappa plus fort puis, doucement, tourna le bouton et jeta un coup d'œil dans la chambre noire. « Commandant, commandant?

— Oh, entrez Burt. » Queeg alluma la lumière et s'assit, se grattant les joues. Il tendit la main vers l'étagère au-dessus du lit et y prit deux billes d'acier. « Eh bien? Quelles nouvelles?

— Je ne sais pas, commandant. Le commandant des Opérations n'a rien voulu me dire.

— Quoi! »

Gorton, en sueur, raconta son entrevue avec le commandant Grace. Queeg fixait ses billes d'un air maussade.

— Et vous vous en êtes tenu là?

— Je ne voyais pas ce que je pouvais faire de plus, commandant. J'ai été pour ainsi dire jeté dehors...

— Vous n'avez pas pensé à fureter un peu autour des enseignes de l'état-major?

— Non, commandant.

Queeg lui lança un coup d'œil furieux, puis son regard revint aux billes. « Pourquoi pas?

— Je... » Gorton était déconcerté. « Mon Dieu, je...

— Je ne suis pas enchanté, dit le commandant après un silence. Lorsque j'envoie un officier en ville glaner des tuyaux, je m'attends à ce qu'il revienne avec ces tuyaux, à ce qu'il emploie toute son intelligence à se les procurer... Vous pouvez disposer. »

Il se laissa retomber sur son oreiller. Gorton demanda timidement : « Est-ce que vous y allez, commandant? Je vais m'occuper d'une voiture...

— Peut-être irai-je et peut-être n'irai-je pas, dit Queeg. Il ne me plaît guère d'aller me faire sermonner comme un midship à cause de la bêtise des mécaniciens du *Caine*... » On frappa à la porte. « Entrez! »

Le timonier de troisième classe Urban entra, portant d'une main un bloc à dépêches et de l'autre sa casquette usée. Il avait un treillis délavé et graisseux dont sortaient les pans de sa chemise. C'était un garçon de petite taille, boulot, avec un visage rond, rouge et perpétuellement étonné. « Un message optique du Com-ServPac, com'dant. »

Le commandant Queeg prit le bloc et lut : *Départ* Caine *29 septembre 06 heures. Prendre cible et ordre mission au dépôt.*

— Bon, dit le commandant. Il signa la dépêche et rendit le bloc au marin.

— Merci, com'dant. Urban sortit.

— Deuxième chose, dit Queeg, roulant ses billes dans sa paume, que j'aimerais voir cesser dès maintenant, monsieur Gorton.

— Quoi donc, commandant?

— Vous le savez très bien. Depuis quand le règlement permet-il aux hommes d'équipage de porter leurs chemises en dehors de leurs pantalons? Ce sont des marins, et non des chauffeurs de bus indigènes.

— Oui, commandant, dit Gorton d'un ton résigné.

— Oui, commandant! l'imita Queeg, furieux. C'est très sérieux, Burt. Vous ferez l'annonce suivante au rapport de demain : « A compter de ce jour, toutes les chemises doivent être rentrées dans les pantalons. Ceux qui ne se conformeront pas à cette règle seront soumis à des sanctions disciplinaires graves. »

— Oui, commandant, dit Gorton. Il y a des années qu'ils se promènent ainsi sur ce bateau. Je ne sais pas si on pourra les changer du jour au lendemain...

— C'est un *ordre*, dit Queeg, et un marin n'a pas à changer

du jour au lendemain pour pouvoir obéir. Vous commencerez
par me signaler quelques lascars au rapport; si cela s'avère nécessaire, nous tiendrons des conseils de discipline et même nous en
ferons passer en conseil de guerre pour refus d'obéissance... mais
je ne veux plus voir de chemises flotter au vent sur mon bateau!
Compris?
— Oui, commandant.
— Et je veux tous les officiers dans le carré à treize heures.
— Oui, commandant. » Le second sortit, fermant doucement
la porte. Le commandant Queeg se recoucha et contempla le plafond vert au-dessus de sa tête. Les petites billes d'acier clique-
taient dans sa paume.

Les officiers du *Caine*, leurs visages à la fois perplexes et moroses,
étaient réunis autour de la table verte. Ils se parlaient à voix basse.
« Deux réunions d'officiers en une semaine, chuchota Keefer à
Maryk. De Vriess n'en a pas fait autant de tout le temps qu'il a
été ici.
— Ne vous énervez pas, Tom, fit Maryk.
— Je me pose des questions, voilà tout, fit Keefer, sans élever
la voix.
— Le commandant, messieurs », dit Gorton, sortant de la cabine
de Queeg.
Tous les officiers se levèrent. Keefer rentra la poitrine et mit
ses mains dans ses poches. Le commandant arriva d'un pas décidé,
tête basse, roulant comme toujours ses billes dans sa main. « Bien,
messieurs, bien », dit-il. Il s'assit et ses officiers l'imitèrent. Il
sortit de sa poche un paquet de cigarettes neuf, en retira une et
l'alluma puis posa soigneusement cigarettes et allumettes sur la
table.
— Messieurs, dit-il enfin regardant à travers ses sourcils le
milieu de la table, j'ai le regret de vous dire que je suis mécontent.
L'espace d'un instant, il passa en revue les visages des officiers
pour enregistrer leurs réactions, puis son regard se posa à nouveau
dans le vide. « Je suis mécontent, messieurs, parce que je veux que
sur mon bateau le rendement soit toujours excellent et que...
eh bien, il ne l'est pas toujours. Non, hélas. Vous savez tous à
quoi je fais allusion, aussi ne vais-je pas entrer dans les détails
afin de ne pas gêner les chefs de service. Peut-être certains d'entre
vous sont-ils persuadés de faire toujours dans leur domaine de
l'excellent travail. Eh bien, en ce cas, ce n'est pas à ceux-là que je
m'adresse. Mais ceux qui se sentent visés... qu'ils se mettent au
pas, et le plus vite sera le mieux.
« Maintenant, vous savez que nous devions aller à Pago Pago.
Eh bien, nous n'y allons plus. Nous allons rester à Pearl Harbor
et remorquer des cibles. C'est un travail agréable, tranquille et
sans histoires. La question est de savoir pourquoi le ComServPac
s'est montré si gentil avec nous.

« Vous en savez, là-dessus, autant que moi. Un officier de marine ne doit pas se poser de questions au sujet des ordres qu'on lui donne. Il doit les exécuter. Et c'est exactement ce que j'ai l'intention de faire, ne vous y trompez pas! » Il regarda un à un les visages impassibles. « Bon, quelqu'un a une question à poser? Non? En ce cas, je suppose que vous savez tous où je veux en venir, n'est-ce pas? Bon. Laissez-moi vous dire qu'à mon sens il n'y a que deux explications possibles à ce changement de mission. Ou bien le ComServPac a estimé que l'équipage était si excellent qu'il méritait une faveur... *ou bien* on a jugé qu'il était si mauvais qu'il n'était pas question de lui confier une mission dans la zone des opérations. Quelqu'un voit-il une autre explication?

« Bon. Je ne vous dirai pas laquelle des explications me paraît la bonne. Mais si l'équipage n'est pas excellent maintenant, je lui conseille fortement de le devenir, et ce dans les délais les plus brefs. Il se trouve que j'ai eu à signaler récemment aux autorités un incident où la chambre des machines avait joué un rôle peu brillant, et il est tout à fait possible que cela ait suffi à faire modifier nos ordres. Mais, comme je vous l'ai déjà dit, un officier de marine doit exécuter les ordres et non se poser des questions à leur sujet, et c'est ce que nous allons faire ici! »

Keefer fut saisi d'une quinte de toux et se plia en deux sur la table. Le commandant lui lança un regard mécontent.

— Excusez-moi, commandant, articula-t-il, c'est un peu de fumée qui a mal passé.

— Bon, dit Queeg. Maintenant, messieurs, je veux que vous ne perdiez pas de vue que tout ce qui vaut la peine d'être fait, doit l'être bien... bien mieux, sur ce bateau nous faisons immédiatement ce qui est difficile, un peu plus tard l'impossible, et... Enfin, nous allons devenir le meilleur remorqueur de cibles qu'on ait jamais vu dans la Marine et... Comme je l'ai dit, nous devons exécuter les ordres et non nous poser des questions, aussi ne pensons plus à ce qui a pu se passer. En ce qui concerne l'échouage, je crois que je ne suis pas responsable de l'état dans lequel j'ai trouvé l'équipage, et je suis certain qu'en haut lieu on verra les choses comme moi et... voilà tout. Mais je suis tout ce qu'il y a de responsable de tout ce qui se passera ici à partir de maintenant. Je n'ai pas l'intention de faire la moindre faute et... je ne tolérerai pas que quiconque fasse une faute pour moi, je vous le jure bien. Et... je suppose que vous m'avez compris sans que j'aie à faire un dessin, et... ah oui, je savais qu'il y avait encore autre chose. » Il regarda autour de lui et dit : « Qui est chargé de la morale parmi vous? »

Tous se regardèrent, hébétés. Gorton s'éclaircit la gorge. « Hmm.. commandant, autant que je me souvienne c'était un enseigne, un certain Ferguson qui avait ça comme service secondaire. Il a été détaché et je crois que personne ne l'a remplacé... »

Queeg hocha lentement la tête, faisant cliqueter ses billes un

moment. « Bon, dit-il. Monsieur Keith, vous serez désormais chargé
de morale en plus de votre service habituel.

— Oui, commandant.

— Votre premier travail sera de veiller à ce que chacun ici
entre sa chemise dans son pantalon. »

Willie parut sidéré.

— Je ne veux plus voir de chemise au vent tant que je comman-
derai ce bateau, et peu m'importe comment vous vous y prendrez.
Vous pourrez vous montrer aussi dur que vous voudrez, je vous
soutiendrai autant qu'il sera en mon pouvoir. Si nous voulons
qu'un jour ces hommes se conduisent en marins, nous devons commencer par leur donner l'apparence de marins. Malheur à l'officier
qui sera de quart lorsque je surprendrai un homme chemise au
vent... et malheur au chargé de morale. Je ne plaisante pas.

— Eh bien, messieurs, ce sera tout et, comme je vous l'ai dit,
il faut que l'excellent ici soit quotidien et... quelqu'un a-t-il
quelque chose à dire? Non? Vous, Gorton? Vous, Maryk? Vous,
Adams?... Il faisait le tour de la table, désignant de l'index chacun
des officiers. Chacun, tour à tour, fit non de la tête. « Très bien, en
ce cas je suppose que vous avez tous parfaitement saisi ce que j'ai
dit aujourd'hui et que vous m'approuvez en tous points, c'est
bien cela? Et... eh bien, c'est tout ce que j'ai à dire.. et souvenez-
vous que nous sommes maintenant à bord du meilleur remorqueur
de cibles de la Marine et... au travail. »

Tous les officiers se levèrent pour la cérémonie de la sortie du
commandant. « Bon, bon, merci », dit-il et il disparut rapidement
dans sa cabine.

Durant les deux semaines suivantes, le « meilleur remorqueur
de cibles de la Marine » fit un certain nombre d'exercices sans
incidents.

Après ses déboires avec le ServPac, Queeg manœuvra le navire
de façon sensiblement différente. Il avait perdu toute audace
et tâtonnait péniblement qu'il s'agisse de sortir ou d'entrer dans
le port. Sa prudence exagérée énervait l'équipage, habitué à l'aisance et à la précision de de Vriess. Mais, en tout cas, il n'y eut ni
échouage ni accostage brutal.

Willie Keith fit apposer dans le dortoir une longue note inti-
tulée : *Morale : tenue du marin qui se respecte.* En cinq paragraphes
d'une prose ronflante, il demandait aux hommes d'entrer leur
chemise dans leur pantalon. A sa très grande surprise, on lui obéit :
les pans de chemises se cachèrent. Il relut sa note une dizaine de
fois, à la fois fier et troublé, et finit par se dire qu'il avait le don
de toucher l'âme de ses lecteurs. C'était là une vue bien optimiste.
Les hommes, qui étaient rusés comme des renards, savaient fort
bien d'où venaient les ordres. Ils se tenaient tranquilles avec le
nouveau pacha. Le *Caine*, en effet, était entré dans une période
heureuse : Pearl Harbor, c'était le rêve de tous les équipages de

destroyers du Pacifique. Cela voulait dire des fruits frais dans le garde-manger, du lait et de la crème, des steaks, la bombe dans les bars et dans les bordels de Honolulu. Personne ne tenait à se faire consigner à bord pour un pan de chemise.

Les ennuis commencèrent un matin où il y avait du brouillard. Le commandant Queeg monta sur le pont à l'aube et ne vit rien qu'un voile bleu que perçaient à peine les lampes jaunâtres du quai. L'air était mou et sentait le moisi. « Quelle saleté, grommela le commandant. Préparez tout pour le départ. Nous lèverons l'ancre quand ce brouillard sera levé. Le soleil va le sécher. »

Mais le voile bleu devint gris, puis blanc et bruineux et le chenal retentit des hurlements mêlés et sinistres des trompes de brume et l'horloge marqua 8 h. 15. Du pont, c'était à peine si l'on distinguait les grues à quai; au-delà, tout était blanc. Le commandant Queeg arpentait le pont depuis une heure, en marmonnant. Il lança : « Tenez-vous prêts à partir. »

Signalant sa manœuvre par sirène, les moteurs au ralenti, le *Caine* recula dans le chenal. Le quai était englouti par le brouillard. Le bateau aveugle se mouvait dans un vide vaporeux et autour de lui, brusquement, les autres sirènes parurent retentir plus fort. Queeg courait d'un flanc à l'autre, essayant de voir quelque chose. Il avait la mâchoire pendante et ses lèvres tremblaient. « Ne vous fourrez pas dans mes pattes, nom de Dieu », cria-t-il à Willie sur la passerelle et l'enseigne fit un bond en arrière.

Tout à coup, un hurlement déchira l'air, celui d'une sirène qui paraissait être sur le *Caine* même. Willie se mordit la langue, terrifié. Queeg passa devant lui en courant : il criait: « Les deux bords stop! Qui est-ce qui le voit? Où est-il? Personne ne voit *rien*, alors? » Il repassa devant Willie, courant toujours, fit quatre fois le tour de la passerelle, s'arrêtant chaque fois une seconde dans la timonerie pour tirer sur la corde de la sirène. A nouveau le hurlement retentit et une monstrueuse silhouette, celle d'un bateau-citerne, se découpa sur le fond du brouillard, glissa devant la poupe du *Caine* et disparut.

— Youf! fit Queeg, stoppant dans sa trajectoire auprès de Willie. Il passa une tête dans la chambre des cartes. « Eh bien, navigateur, qu'est-ce que vous attendez pour me donner le cap? »

Gorton, penché sur la carte, leva des yeux étonnés. D'où ils étaient, le cap était 220 degrés jusqu'à la base de cibles. Queeg le savait aussi bien que lui. « Oui, oui, commandant, je...

— Oui, oui, quoi? *Le cap?* » cria le commandant, tapant du poing contre la cloison de fer.

Gorton le regardait fixement. « Commandant, je ne pensais pas que vous voudriez le cap avant que nous ayons fait demi-tour?

— Demi-tour? » s'exclama Queeg. Il lança à Gorton un regard pénétrant puis se précipita au kiosque de barre et donna l'ordre de faire demi-tour. Un instant plus tard, le dragueur se mit à trembler et tous les boulons à s'entrechoquer. Les chiffres verts du compas gyroscopique, tournant dans le sens inverse des aiguilles d'une montre, croissaient régulièrement : 95 degrés, 100, 105, 120, 150. Queeg resta un moment les yeux fixés sur le compas, puis il dit à l'homme de barre : « Annoncez le changement de cap tous les 20 degrés », et sortit en courant de la cabine. Maryk, les deux mains crispées au bastingage, scrutait le brouillard. On distinguait l'eau maintenant à quelques centaines de mètres autour du bateau et, au-dessus de leur tête, la blancheur devenait éblouissante.

— Je crois que ça se lève, commandant, dit le lieutenant.

— Il serait temps, grommela Queeg, un peu à bout de souffle.

— Cap au 180, annonça l'homme de barre, un canonnier de seconde classe qui se nommait Stilwell. Il était grand, très brun, et avait un visage très expressif quoique encore un peu enfantin. Il se tenait devant la barre, jambes écartées, et ne quittait pas le compas des yeux.

— Peut-être pouvons-nous encore espérer sortir d'ici aujourd'hui, dit Queeg. Il appela la cabine du navigateur : « Tom, le cap pour la sortie est bien dans le 220 ?

— Oui, commandant.

— Cap au 200 », annonça l'homme de barre.

On commençait à entendre moins de sirènes et à voir de plus grandes étendues d'eau noire. « Je parie que c'est déjà clair à l'entrée du chenal », observa Maryk.

L'homme de barre cria : « Je garde le cap au 220, commandant. »

— *Quoi?* hurla Queeg. Il ne fit qu'un bond jusqu'au kiosque de barre. « Qui vous a donné l'ordre de garder le cap?

— Commandant, je pensais que...

— Vous pensiez! *Vous pensiez!* Vous n'êtes pas payé pour penser, nom de Dieu! Vous n'avez qu'à faire ce qu'on vous dit et *surtout* ne pas penser! »

Les jambes du garçon tremblèrent. Il devint blanc et on aurait dit que les yeux allaient lui sortir de la tête. « Oui, commandant, fit-il d'un ton haletant. Dois-je revenir à gauche?

— Ne faites *rien!* glapit Queeg. Où en êtes-vous?

— 2... 225, commandant, et je continue à droite.

— Je croyais que vous étiez resté au 220...

— Pas depuis que vous m'avez dit...

— Au nom du ciel, allez-vous cesser de me répéter ce que j'ai dit? Vous allez me faire le plaisir de revenir à *gauche* et de rester au 220! *Est-ce bien clair?*

— Oui, commandant. A gauche, et au 220.

— Monsieur Maryk! » cria le commandant. L'autre arriva en courant. « Quels sont le nom et le rang de cet homme?

— Stilwell, commandant. Il est canonnier de seconde classe.

— S'il ne fait pas attention, il se retrouvera *matelot* de seconde classe. Je veux qu'il soit remplacé et je veux voir désormais à

cette barre un homme capable quand nous sommes dans le chenal,
et non une espèce de crétin...

— Mais c'est notre meilleur homme de barre, commandant...

— *Je veux qu'il soit remplacé, m'entendez-vous...* »

Willie Keith apparut à la porte du kiosque. « On dirait un cuirassé, commandant, à trois cents mètres droit devant nous! »

Queeg le regarda atterré. Une énorme masse noire fonçait sur
le *Caine*. Le commandant ouvrit et referma la bouche trois fois
sans émettre un son, puis hoqueta : « Machine arrière toute...
euh... attendez, non... Stoppez les machines. »

L'ordre avait à peine été annulé que le vaisseau de guerre passa
à bâbord du *Caine*, sa sirène mugissant avec colère car il n'y avait
guère plus de dix pieds d'eau entre les deux coques. On eût dit
qu'une falaise d'acier les frôlait.

— Balise rouge de chenal à un quart par tribord à l'avant,
annonça une vigie de la passerelle volante.

— Pas étonnant, dit Maryk. Nous sommes du mauvais côté
du chenal, commandant.

— Nous ne sommes du mauvais côté de rien du tout, répliqua
le commandant sèchement. Occupez-vous de votre travail et
trouvez-moi un autre homme de barre et moi je m'occuperai du
mien et dirigerai ce bateau!

Le *Caine* émergea brusquement à travers un rideau gris dans
un soleil étincelant et une mer verte. La voie était libre jusqu'au
dépôt de cibles qui se trouvait à cinq cents mètres de là environ.
Derrière eux, sur le chenal, le brouillard était encore épais comme
du coton.

— Bon, dit Queeg.

Il enfonça dans sa poche une main tremblante et en sortit ses
deux billes d'acier.

L'atmosphère sur le pont demeura tendue bien après que la
côte fut hors de vue et que le *Caine* se fut mis à voguer calmement
sur les eaux bleues. C'était la première fois que le nouveau pacha
s'était emporté contre un marin; et c'était la première fois, autant
qu'on s'en souvînt sur le bateau, qu'un homme de barre avait été
aussi sommairement remplacé. L'équipage ne comprenait même
pas très bien en quoi Stilwell avait mal agi.

Willie relevé de son quart au moment où le bateau quittait le
chenal, retourna à sa casemate et raconta ce qui s'était passé à
Harding. « Je suis peut-être fou, j'espère même que je le suis,
conclut-il, mais il m'a semblé que le commandant avait complètement perdu la tête à cause du brouillard, qu'il s'est affolé et
qu'il a passé ses nerfs sur le premier type venu.

— Je ne sais pas, dit Harding, qui fumait, étendu sur la couchette intérieure. Un homme de barre n'est pas supposé fixer le
cap sans en avoir reçu l'ordre.

— Mais il savait que le pacha voulait la route à 220. Il l'a entendu le dire au navigateur. Est-ce qu'un marin n'a pas le droit d'avoir de cervelle?

— Willie, il faut du temps pour s'habituer aux façons de faire d'un nouveau commandant, voilà tout. »

La question était de savoir, lorsque ce fut le tour de Stilwell cet après-midi-là de relever l'homme de barre, s'il avait été banni de la passerelle pour toujours ou simplement renvoyé de son poste pour cette seule fois. Stilwell demanda ce qu'il devait faire au maître principal; celui-ci le demanda au lieutenant Adams; Adams le demanda à Gorton et Gorton décida, à contrecœur, d'aller le demander à Queeg.

Le *Caine* poursuivait paisiblement une route toute droite, remorquant sa cible dans son sillage, à un mille derrière; à l'horizon, à bâbord une division de destroyers se déployait pour le dernier exercice de tir de l'après-midi. Gorton s'approcha du commandant et lui demanda ce que devait faire Stilwell. Queeg eut un rire léger et déclara : « Mais qu'il reprenne son poste, naturellement. Je n'ai rien contre ce garçon qui me paraît avoir l'étoffe d'un bon marin. Tout le monde peut faire une erreur. Dites-lui seulement de ne pas tripoter la barre quand il n'en aura pas reçu l'ordre. »

Stilwell arriva sur le pont à quatre heures moins le quart vêtu d'un treillis neuf et d'un bonnet blanc amidonné. Il venait de se raser et ses chaussures étaient cirées de frais. Il fit au commandant un salut impeccable. « Ah, bonjour, bonjour Stilwell », fit Queeg, aimablement. Le canonnier prit la barre et se concentra sur le compas avec une attention presque douloureuse, s'efforçant de ne pas faire dévier le bateau de sa course fût-ce d'un demi-degré.

Au poste phonie de la timonerie, le commandant du groupe des destroyers annonça : « Gwendolyn, Gwendolyn, ici Tarzan. Prêt à commencer exercice final. Stop.

— Envoyez Bernard [1] », cria le commandant.

Le timonier hissa le drapeau rouge à la grande vergue. Des éclairs jaunes apparurent tout le long du destroyer de tête. L'eau jaillissait tout autour de la cible tandis que les canons de cinq pouces tiraient par-dessus quatre milles d'eau. Les salves se succédèrent et le second des destroyers commença à tirer à son tour.

Willie Keith se prélassait à l'arrière, torse nu, profitant du spectacle et se faisant brunir. Il pensait vaguement à May Wynn, à des promenades à travers Broadway au milieu de la neige et de la pluie, à de longs baisers passionnés au fond de taxis...

— *Enseigne Keith sur la passerelle tout de suite!*

Lorsque par hasard les annonces ainsi faites sur le haut-parleur parvenaient, comme c'était le cas de ce cri strident, à refléter une quelconque émotion, l'effet était terrifiant. Willie se mit debout d'un bond, enfila sa chemise et grimpa aussi vite qu'il put jusqu'au

---

1. Bernard : pour pavillon Bernard (Bernard = B).

pont principal. Une vision horrible l'y attendait. Urban, le petit timonier à face de lune, se tenait figé au garde à vous, le visage tiré par la peur. Les pans de sa chemise dépassaient de son pantalon. Il était flanqué d'un côté du commandant, visage morose tourné vers la mer et billes à la main, et de l'autre de l'officier de quart, en l'occurrence Keefer, tripotant nerveusement ses jumelles.

— Ah, voilà notre chargé de morale, s'exclama Queeg dès qu'il vit arriver Willie. « Monsieur Keith, pouvez-vous m'expliquer la tenue de cet homme?

— Commandant, je... je ne savais pas, Willie se tourna vers le timonier. Vous n'avez pas lu ma note? dit-il d'un ton aussi sec qu'il put.

— S... si, lieut'nant. Mais j'avais oublié, lieut'nant. Excusez-moi, lieut'nant...

— Mais bon sang, cria Willie, vous pourriez au moins rentrer votre chemise maintenant, non?

— Le commandant ne veut pas, lieut'nant, gémit Urban.

Willie regarda Queeg. « Mais non, je ne veux pas, confirma celui-ci d'un ton furieux. Je tiens à ce que vous voyiez d'abord les résultats de votre travail, enseigne Keith, et...

— Gwendolyn, Gwendolyn ici Tarzan », appela la voix dans la timonerie. Queeg s'y précipita et saisit le récepteur.

— Ici Gwendolyn. Allez-y.

— Gwendolyn, exercices terminés. Résultats satisfaisants. Pouvez rejoindre base. Stop.

— Parfait, merci, stop, répondit Queeg. Il se tourna vers l'homme de barre. « Barre à droite, toute.

— Barre à droite toute, commandant », dit Stilwell avec un regard qui montra tout le blanc de ses yeux. Il tourna la barre de toutes ses forces.

Le commandant revint à bâbord. « Bon. Avant tout, Keith, pouvez-vous oui ou non m'expliquer ceci?

— J'étais sur la plage arrière, commandant, et...

— Je ne vous ai pas demandé un alibi! je vous ai fait constater que vous étiez incapable de remplir votre mission qui est de faire respecter à l'équipage mes ordres en ce qui concerne l'uniforme! »

Suivant la direction qui lui était imprimée, le *Caine* fit un large tour vers la droite. La cible et sa remorque passèrent, pendant le virage, de l'arrière à bâbord.

— Bon, dit Queeg, vous me soumettrez un rapport écrit, monsieur Keith, pour vous justifier.

— Oui, commandant.

— Et vous, monsieur Keefer, dit le commandant, se tournant vers l'officier de quart qui avait les yeux fixés sur la cible. Pouvez-vous m'expliquer pourquoi le premier homme à violer mes ordres concernant l'uniforme fait partie de votre service?

— Commandant, il y a des limites à ce qu'un chef de service peut faire pendant qu'il est de quart sur le pont.

— En tout cas, fit Queeg d'un ton nettement plus aigu, il n'y a pas de limite aux devoirs de l'officier de quart! Il est responsable de tout vous m'entendez, de tout ce qui arrive à bord pendant son service, absolument tout!

Le bateau décrivait un arc de cercle suivant un rayon plus court que la distance qui le séparait de la cible. L'homme de barre regardait la cible bouche bée. Le diamètre du virage qu'effectuait le *Caine* était de mille mètres et le câble de remorque était deux fois plus long; Stilwell ne pouvait donc manquer de voir que s'il ne changeait pas de direction le bateau allait couper sa propre remorque. En temps ordinaire, il aurait attiré sur ce qui se passait l'attention du commandant, mais aujourd'hui il se serait mordu la langue plutôt que de parler. Il continuait à tenir la barre à droite toute.

— Bon, monsieur Keefer, disait Queeg, vous me soumettrez un rapport écrit m'expliquant: *a)* pourquoi la chemise de cet homme pendait au vent alors qu'il est dans votre service, *b)* pourquoi la chemise de cet homme pendait au vent alors que vous étiez de quart sur le pont. Compris? (La cible allait bientôt passer devant l'étrave du bateau.)

— Oui, commandant.

Les quartiers-maîtres Budge et Bellison étaient installés sur une manche à ventilation du gaillard d'avant et fumaient tranquillement dans la brise salée. Soudain, Bellison enfonça un coude pointu dans les côtes rembourrées de son compagnon. « Budge, est-ce que j'ai des visions? Est-ce que oui ou non on est en train de foncer sur notre câble de remorque? »

Budge jeta un coup d'œil vers la cible, puis regarda la passerelle d'un air affolé et enfin projeta sa lourde carcasse jusqu'au garde-corps et scruta l'eau. « Mais oui, bon Dieu! Qu'est-ce qui lui prend au pacha?

— Tu veux que je crie? demanda Bellison.

— Trop tard. On peut plus s'arrêter...

— Jésus Marie, les hélices... si jamais le câble allait s'emberlificoter dans les hélices...

Les deux hommes retinrent leur souffle et se cramponnèrent à la main courante; d'un regard anxieux, ils observaient la cible, loin vers l'avant le *Caine* passait majestueusement sur son propre câble de remorque. Il y eut une légère trépidation, rien de plus, et le vieux navire continua sa route. Apparemment, il n'arrivait rien à la cible.

Les deux quartiers-maîtres se regardèrent. Bellison laissa échapper un flot d'horribles sacrilèges qui, traduits en langage clair, voulaient dire : « Ceci est vraiment extraordinaire. » Ils restèrent un long moment à regarder le sillage incurvé du navire, complètement hébétés. « Budge, murmura enfin Bellison d'une voix rauque, je suis le dernier des crétins. Le bateau a fait un tour complet sur lui-même *et il recommence!* »

Budge, dont le pesant estomac reposait sur la main courante, acquiesça, aussi stupéfait que son camarade. Sur la mer, le sillage formait maintenant un cercle entier d'une eau verte et bouillonnante, à un mille à la ronde. Et le *Caine* recommençait une trajectoire identique, suivant toujours la direction imprimée à la barre. « Pourquoi qu'on tourne en rond, bon Dieu? dit Bellison.

— Peut-être que le vieux a perdu la boule...

— Ou peut-être que le gouvernail est cassé. Ou le câble coupé. Allons voir ce que c'est... Ils quittèrent en toute hâte le gaillard d'avant.

Pendant ce temps, sur la passerelle, le commandant Queeg mettait fin au pénible incident du pan de chemise après avoir fait un long discours sur le sujet. « Bon. Timonier de troisième classe Urban, vous pouvez maintenant remettre de l'ordre dans votre tenue. » Le petit homme enfonça frénétiquement sa chemise dans son pantalon et, tout de suite, se remit au garde à vous. « Voilà, dit Queeg. Vous ne croyez pas que vous êtes mieux comme cela? Que vous avez davantage l'air d'un marin de la Marine américaine?

— Si, commandant », émit Urban.

Le *Caine* avait presque bouclé son second cercle et, de nouveau, la cible se trouvait à l'avant. Queeg quitta le marin palpitant avec un bref : « Rompez. » Il vit la cible, marqua une profonde surprise et lança à Keefer et à Keith un regard furibond. « Qu'est-ce que cette cible fiche ici? s'exclama-t-il. Où sommes-nous, que diable? Qu'est-ce qui se passe? » Il fit irruption dans la timonerie et vit le compas qui tournait à vive allure : « Qu'est-ce que vous fichez, vous? cria-t-il à Stilwell.

— Commandant, vous m'avez dit barre à droite toute. C'est ce que je fais, expliqua l'homme de barre lamentablement.

— Bon, c'est bien, je vous ai dit barre à droite, dit Queeg tournant la tête de côté et d'autre, regardant tantôt la cible tantôt les destroyers qui s'éloignaient. Pourquoi est-ce que cette cible ne vient pas derrière nous? C'est ce que je voudrais savoir... Arrêtez tout! Doucement! »

Le *Caine* s'arrêta posément. La cible dérivait à bâbord, à cinq cents mètres environ. Le téléphoniste passa une tête dans la timonerie. « Excusez-moi, commandant... dit-il d'un ton apeuré. C'est le quartier-maître Bellison, qui appelle de la plage arrière. Il dit qu'on n'a plus la cible. Le câble de remorque est cassé.

— Et comment le sait-il qu'il est cassé? aboya Queeg. Dites-lui qu'il n'a pas à se montrer si affirmatif quand il émet une hypothèse, voulez-vous? »

Grubnecker remua les lèvres comme s'il récapitulait le message puis parla dans le téléphone attaché à son cou : « Quartier-maître, le commandant vous dit de ne pas être si affirmatif quand vous mettez vos sales thèses...

— En avant toute! Zéro la barre! Nous allons bien voir si nous avons encore une cible ou non! »

Le *Caine* fit deux milles. La cible, elle, ne bougea pas du tout et devint un point sautillant sur les vagues. Un lourd silence régnait dans la timonerie. « Bon, dit le commandant. Maintenant nous savons à quoi nous en tenir. Nous n'avons plus de cible. » Il regarda Keefer et hocha les épaules en souriant. « Ma foi, Tom, si le ComServPac nous fournit des câbles qui cassent quand on tourne un peu à droite, c'est son affaire, vous ne croyez pas?... Willie, donnez-moi un formulaire de dépêche. »

Il écrivit : *Câble remorque défectueux cassé sud-ouest zone de manœuvres Charlie. Cible dérive, menace pour navigation. Rejoins ma base. Suggère remorqueur récupère ou détruise cible demain dès l'aube.*

— Envoyez-le par la ligne directe au port, dit-il.

Au moment où Willie prenait la dépêche, Maryk fit irruption dans la timonerie, sa chemise kaki noire de sueur. « Commandant, la baleinière à moteur est parée et la cible n'est pas loin. Il nous faudra une heure à peu près pour la récupérer. Si nous approchons d'une cinquantaine de mètres...

— Récupérer quoi?

— La *cible*, commandant. » Le lieutenant paraissait stupéfait de cette question.

— Montrez ma dépêche à M. Maryk, Willie, dit Queeg en souriant. Le lieutenant parcourut du regard la feuille gribouillée. Queeg reprenait : « A mon sens, monsieur Maryk, et peut-être vos vues sont-elles dans ce domaine plus larges que les miennes, ma responsabilité ne s'étend pas aux accidents dus à un matériel défectueux. Si le ServPac me donne un câble qui casse, mon devoir est de le leur signaler et de rentrer et d'attendre une nouvelle mission et non de perdre le temps de la Marine à des manœuvres sans utilité... monsieur Keefer, soyez assez aimable pour demander au navigateur le cap pour revenir à Pearl Harbor. »

Maryk suivit Keefer sur la passerelle et le prit par la manche de sa chemise. « Tom, murmura-t-il, est-ce qu'il ne sait pas que nous avons tourné en rond et coupé le câble de remorque?

— Mon vieux Steve, répliqua l'officier des Transmissions à mi-voix, ne me demandez pas ce qui se passe dans sa tête. Ce type-là ne va rien nous amener de bon, Steve, et je ne plaisante pas. »

Les deux officiers pénétrèrent dans la chambre des cartes où Gorton faisait un calcul de longitude. « Le pacha veut le cap pour Pearl, Burt », dit Keefer.

Gorton le regarda avec ébahissement: «Quoi? Et la cible? »

Maryk lui expliqua le point de vue de Queeg et ajouta : « Burt, si vous voulez qu'il n'ait pas d'ennuis, persuadez-le de la récupérer...

— Ecoutez, Steve, je ne le persuaderai de rien du tout, il... »

Le visage furieux de Queeg apparut dans l'embrasure : « Eh

bien? Vous tenez une conférence là-dedans? J'attends toujours
le cap pour Pearl.

— Commandant, excusez-moi si je m'entête, explosa Maryk,
mais je crois quand même que nous devrions récupérer cette
foutue cible. Elle vaut des milliers de dollars, commandant. Nous
y arriverons si...

— Qu'est-ce que vous en savez? Est-ce que vous l'avez déjà
fait sur ce bateau?

— Non, commandant, mais...

— Eh bien moi je n'ai pas une si haute opinion de l'habileté
de l'équipage que je le croie capable de réussir un travail aussi
spécial. Nous allons tourner en rond ici toute l'après-midi, noyer
peut-être quelques-uns de ces crétins, arriver après la fermeture
de la rade — qui sait si un ordre de mission ne m'y attend pas
déjà? Nous sommes censés rentrer avant le coucher du soleil...

— Commandant, je peux la récupérer en une heure...

— C'est ce que vous dites... Qu'en pensez-vous, monsieur Gorton?

Le second, fort ennuyé, regardait tour à tour Maryk et le commandant. « Eh bien, commandant... je crois qu'on peut faire confiance à Steve... s'il dit...

— Au diable! dit Queeg, appelez-moi Bellison. »

Le quartier-maître arriva dans la chambre des cartes quelques
minutes plus tard, traînant les pieds. « Vous m'avez demandé,
commandant? grogna-t-il.

— Bellison, si vous aviez à récupérer la cible, comment vous y
prendriez-vous? »

Bellison eut une moue qui plissa son visage de mille rides. Il
médita un moment puis exposa ses idées sur le problème : il y était
beaucoup question de halins, de boulons en U, d'émerillons d'af-
fourche, de crochets pélicans, de crocs à échappement, de croupiats
et de chaînes.

— Hm, hm, fit Queeg. Combien de temps cela prendrait-il?

— Ça dépend, commandant. La mer n'est pas mauvaise. Quarante minutes, peut-être une heure...

— Et personne ne risquerait de se tuer? »

Bellison regarda le commandant avec suspicion. « Ya pas de
quoi se tuer, commandant. »

Queeg arpenta un moment la passerelle en marmonnant, puis
envoya un second message au ComServPac : *Si vous préférez peux
essayer récupérer cible. Attends instructions.*

Le dragueur de mines tourna autour de la cible pendant une
heure. La réponse arriva du ServPac : *Décidez vous-même.* Willie
porta ce message au commandant à bâbord où il se tenait avec
Gorton et Maryk, observant la cible.

— On peut dire qu'ils sont à la hauteur, dit Queeg avec humeur,
passant la dépêche au second. Il regarda le soleil qui était à une
heure et demie environ au-dessus de l'horizon. « Et voilà la Marine.

Décidez vous-même. Eh bien, c'est exactement ce que je vais faire, je vous le jure bien. Je ne vais pas à cause d'eux risquer de manquer l'exercice de demain et peut-être faire casser le cou à un de ces crétins de l'équipage. C'est moi qui serai responsable. En route pour la maison. »

Mais il n'y eut pas d'exercice le lendemain et le *Caine* resta à quai, à ne rien faire. A onze heures du matin, Gorton était installé à la table du carré devant une boîte pleine de lettres et buvait du café. La porte s'ouvrit et un élégant marin vêtu de bleu et tenant à la main un bonnet d'un blanc de neige fit son apparition. « Excusez-moi, lieutenant, dit-il à Gorton, je cherche la cabine du commandant.

— Je suis le second. Puis-je vous aider?

— Lieutenant, j'ai une lettre expresse que je dois remettre au commandant en personne.

— Une lettre de qui?

— Du ComServPac, lieutenant.

Gorton lui désigna la cabine du commandant. Le marin y frappa. Au moment où la porte s'ouvrit, Gorton entrevit Queeg en caleçon, le visage plein de savon. Un instant plus tard, le marin ressortait, disait « Merci, lieutenant », à Gorton et s'en allait, faisant retentir de ses pas l'échelle de demi-pont. Gorton resta à sa place, attendant. Son attente dura quarante-cinq secondes à peine, puis il entendit la sonnette retentir violemment dans sa propre cabine. Vidant sa tasse d'une gorgée, il se tira de son siège et se dirigea lentement vers la cabine du commandant.

Queeg était installé à sa table, le visage toujours plein de savon; il tenait à la main une feuille de papier très fin et par terre il y avait une enveloppe déchirée. Il avait la tête enfoncée dans les épaules et sa main gauche, qui reposait sur son genou, tremblait. Il jeta un coup d'œil rapide à Gorton puis, baissant à nouveau la tête lui tendit la lettre.

Le 22 octobre à treize heures l'officier commandant le Caine *soumettra en personne répété en personne au commandant des opérations du ComServPac un rapport écrit relatant son dernier fiasco.*

Le commandant se leva et alla chercher ses billes d'acier dans un pantalon kaki suspendu à un crochet. « Voulez-vous m'expliquer, Burt, dit-il avec effort, ce que ceci veut dire à votre avis? »

Gorton haussa les épaules, fort embarrassé.

— Fiasco! Dans une lettre officielle!... J'aimerais fichtrement bien savoir pour quelle raison il appelle ça un fiasco. Pourquoi est-ce *à moi* de soumettre un rapport? Ne m'ont-ils pas dit de décider moi-même? Franchement, Burt, dites-moi, y a-t-il quelque chose que j'aurais pu faire et que je n'ai pas fait? M'avez-vous vu commettre une erreur? Gorton se taisait. « Je vous serais reconnaissant de me dire ce que vous en pensez. Je vous considère comme un ami.

— Eh bien, commandant... » Gorton hésitait. Il se disait que le ComServPac avait peut-être eu vent de la coupure du câble : de telles histoires se propageaient vite dans la Marine. Mais il avait peur de dire sa pensée car il s'agissait d'un fait que Queeg n'avait pas encore voulu reconnaître.

— Allez-y, Burt, n'ayez pas peur de me vexer.

— La seule chose, commandant..., dit le second, c'est que vous avez peut-être surestimé la difficulté de récupérer la cible. Je l'ai déjà vu faire. En 40, nous faisions des exercices de tir avec le *Moulton* et le câble de remorque s'est cassé. Ils l'ont récupéré, sans mal, en une demi-heure.

— Je vois. Queeg serra les lèvres et resta un moment silencieux, faisant tinter ses billes. « Monsieur Gorton, pouvez-vous me dire pourquoi ce renseignement vital ne m'a pas été fourni immédiatement, à un moment où il aurait sans aucun doute influé sur ma décision? »

Gorton ne put que le regarder bouche bée.

— Peut-être êtes-vous en train de vous dire que je vous fais une sale blague, monsieur Gorton. Peut-être pensez-vous que j'aurais dû savoir lire en vous au moment voulu. Peut-être n'êtes-vous pas d'avis que le second doit fournir à son supérieur tous les renseignements dont il dispose et qui peuvent aider à résoudre un problème lorsqu'on les lui demande.

— Commandant... peut-être vous souviendrez-vous que je vous ai conseillé de laisser Mr. Maryk récupérer la cible...

— M'avez-vous dit *pourquoi* vous me le conseilliez?

— Non, commandant...

— Pourquoi pas?

— Commandant, j'ai cru, lorsque vous avez dit...

— Vous avez cru, vous avez cru! Burt, vous ne pouvez *rien* croire dans la Marine. Pas la moindre chose. Et c'est parce que vous avez *cru* que je vais être obligé de soumettre un rapport au Com-ServPac. Queeg frappa du poing sur son bureau et, sans rien dire, regarda le mur d'un air mauvais pendant peut-être une minute.

— Je vous accorde volontiers, dit-il, qu'il fallait de votre part un peu d'intelligence pour comprendre ce que vous aviez à faire en l'occurrence et pour me donner tous les éléments nécessaires. Mais c'était incontestablement votre rôle. Si donc désormais vous voulez être traité comme si vous n'aviez pas l'expérience professionnelle que je respecte chez vous, eh bien, ça n'est pas difficile.

Queeg resta assis en hochant la tête. Gorton attendait, atterré, le cœur battant.

— Bon, dit enfin le commandant. Ce n'est probablement pas la première gaffe que vous ayez faite, Burt, et ce n'est peut-être pas votre dernière, mais laissez-moi vous dire que j'espère ne pas vous en voir faire d'autre tant que vous serez mon second. Personnellement, je vous aime bien, mais c'est uniquement sur le rendement professionnel que je me base pour faire mes rapports d'aptitude. Vous pouvez disposer, Burt.

CHAPITRE XIV

QUEEG SUR LA SELLETTE

WILLIE KEITH entra dans la cabine de Keefer peu après que le commandant fut parti au ComServPac. Il avait les cheveux en bataille et le visage tendu. « Excusez-moi de vous déranger, Tom, dit-il, mais qu'est-ce que vous comptez mettre pour ce satané rapport sur la chemise d'Urban? »

Keefer bâilla et sourit. « Pourquoi vous faites-vous tant de souci? Mettez n'importe quoi? Qu'est-ce que cela peut faire? Qui le lira? Regardez mon rapport à moi; il est sur le bureau, sous les savates. »

Willie trouva la feuille dactylographiée et lut :

Sujet : *Timonier de 3ᵉ classe Urban. Violation du règlement par :*

1. Le 21 octobre 1943 cet homme n'était pas en tenue réglementaire. La cause en est un relâchement dans la surveillance.

2. En qualité d'officier de quart et de chef de service de l'homme ci-dessus nommé, l'officier soussigné était responsable de la tenue de cet homme. Il s'est montré négligent dans l'accomplissement de sa mission.

3. L'officier soussigné regrette cette négligence.

4. Des mesures ont été prises pour que de pareils incidents ne se renouvellent pas.

THOMAS KEEFER.

Willie eut un hochement de tête à la fois mélancolique et admiratif. « C'est épatant, mon vieux. Combien de temps vous a-t-il fallu pour pondre ça? Moi je sue sang et eau pour rien depuis ce matin.

— Allons donc! dit l'officier des Transmissions. J'ai fait ça
à la vitesse où je tape. Ça m'a pris à peu près une minute et demie.
Le style « marin » c'est une question de technique. Il faut mettre
autant de susnommé et de soussigné que possible et se répéter
chaque fois qu'on peut... Il faut trouver un leitmotiv...

— Si je pouvais copier votre machin mot à mot. Mais je suis sûr
qu'il s'en apercevrait.

— Attendez, je vais vous l'écrire, votre rapport.

— Vous voulez bien? » Le visage de Willie s'éclaira. « Je croyais
pourtant savoir écrire, mais ce rapport sur la chemise d'Urban,
c'est au-dessus de mes moyens.

— C'est là qu'il voulait en venir justement, dit Keefer. En vous
faisant faire un rapport sur un incident stupide, il vous fait suer...
et c'est ça qu'il veut, vous faire suer. Un rapport écrit devrait,
par définition, avoir trait à quelque chose d'important. C'est pourquoi il est très difficile de faire un document officiel sur un pan de
chemise sans que ça ait l'air insolent ou idiot...

— Mais oui, acquiesça vivement Willie. Dans tous mes brouil-
lons, j'ai l'air de me fiche du pacha, ou de l'insulter...

— Avec moi évidemment notre petit tourneur en rond est tombé
sur un os, parce que j'ai le don d'écrire. En fait, j'adore faire des
lettres officielles. Je me fais l'effet d'un pianiste de concert qui
improviserait sur *Chopinata*. Ne vous laissez pas abattre, Willie.
Queeg va nous changer agréablement de de Vriess dont la technique d'intimidation se limitait à une ironie à peu près aussi subtile
qu'une charge de rhinocéros. Queeg n'a pas en lui la force d'un de
Vriess qui pouvait regarder n'importe qui droit dans les yeux.
C'est pourquoi il adopte la technique 4 X, laquelle consiste à se
réfugier dans son personnage officiel, comme un grand prêtre indi-
gène dans son idole, et à terrifier les autres à travers son masque.
C'est ce qui explique les rapports. Autant vous y habituer, car il
y en aura encore beaucoup d'autres, et...

— Excusez-moi, mais quand comptez-vous faire votre seconde
improvisation sur *Chopinata*? Il ne va pas tarder à revenir. »

Keefer sourit. « Dès maintenant. Apportez-moi la portable de
Gorton. »

Le commandant Grace, mordillant le tuyau d'une énorme pipe
noire dont sortaient une colonne de fumée bleue et, de temps à autre,
quelques étincelles, fit signe au commandant du *Caine* de prendre
place sur une chaise à côté de son bureau. Queeg venait de lui remettre une enveloppe et attendait, aussi net dans son uniforme
de gabardine que le permettait sa silhouette rebondie, les doigts
joints et crispés sur ses genoux.

Grace ouvrit l'enveloppe avec un terrifiant coupe-papier japonais et étala le rapport devant lui sur la table. Il mit de grosses
lunettes cerclées de noir et lut le document. Ceci fait, il enleva
posément ses lunettes et repoussa le rapport de sa main poilue.

Puis il tira une bouffée de sa pipe et en fit sortir un nuage volcanique. Enfin, il regarda Queeg droit dans les yeux et déclara : « Insuffisant. »

Queeg sentit trembler sa lèvre inférieure : « Puis-je vous demander pourquoi, commandant?

— Parce que ceci ne m'apprend rien que je ne savais déjà et ne m'explique rien de ce que je voulais expliqué. »

Inconsciemment, Queeg se mit à rouler des billes imaginaires entre les doigts de ses deux mains.

— Si je comprends bien, poursuivit Grace, vous répartissez les torts entre votre second, votre lieutenant, votre quartier-maître et votre prédécesseur, le commandant de Vriess.

— Commandant, je prends toute la responsabilité sur moi, se hâta de dire Queeg. Je me rends parfaitement compte que les erreurs de ses subordonnés n'excusent pas un chef mais ne font que refléter son inaptitude à commander. Pour ce qui est de mon prédécesseur, je n'ignore pas que son bateau a passé très longtemps dans la zone des opérations; je ne me plains pas, mais les faits sont là : l'entraînement et la discipline de l'équipage sont absolument insuffisants; mais j'ai pris des mesures qui vont très vite rétablir la situation, de sorte que...

— Pourquoi n'avez-vous pas récupéré la cible, commandant?

— Commandant, comme je l'explique dans mon rapport, le quartier-maître ne semblait pas savoir nettement comment s'y prendre, et mes officiers se montraient, eux aussi, vagues et hésitants, et ne me fournissaient pas d'éléments d'information précis : or, un commandant doit jusqu'à un certain point pouvoir s'appuyer sur ses subordonnés. De plus, j'ai estimé qu'il était plus important que le *Caine* rentre à sa base et se trouve prêt pour une nouvelle mission plutôt qu'il ne perde Dieu sait combien de temps en manœuvres à la fois compliquées et vaines. Si je me suis trompé, je le regrette, mais c'est ainsi que j'ai raisonné.

— Mais, bon sang, cela n'a rien de compliqué de récupérer une cible, dit Grace avec irritation. Cela se fait en une demi-heure. Les dragueurs d'ici l'ont fait une douzaine de fois. Ces engins-là coûtent cher. Dieu sait où est le vôtre maintenant. Le remorqueur que nous avons envoyé ne le trouve pas.

— Ce n'est pas moi qui commande le remorqueur, commandant, remarqua Queeg en gratifiant ses mains d'un sourire furtif.

Grace avança la tête et regarda Queeg de plus près, comme si la lumière était mauvaise. Il vida la cendre de sa pipe en la tapotant contre un lourd cendrier de verre. « Écoutez, commandant, dit-il d'un ton subitement plus aimable, je sais ce que c'est qu'un premier commandement. Vous tenez à ne pas faire de faute... et c'est tout naturel. J'ai été comme cela, moi aussi. Mais j'ai fait des fautes quand même, et je les ai payées, et je suis peu à peu devenu un officier à peu près compétent. Soyons donc sincères, commandant Queeg, au nom de votre bateau et, si je puis dire, de votre carrière future. Oubliez que ceci est un entretien officiel. Rien de ce que nous dirons à partir de maintenant ne sortira d'ici. »

Queeg avait enfoncé la tête dans les épaules et scrutait l'expression de Grace sous ses sourcils.

— De vous à moi, dit Grace, vous n'avez pas essayé de récupérer cette cible parce que vous ne saviez absolument pas ce qu'il fallait faire en l'occurrence. C'est bien cela, n'est-ce pas?

Queeg, très calme, tira une longue bouffée de sa cigarette.

— Si c'est cela, continua Grace d'un ton paternel, dites-le, bon Dieu, et oublions tous les deux cette histoire. Parce qu'alors je pourrai comprendre et oublier. C'était une faute, une faute due à votre anxiété et votre inexpérience. Mais il n'y a personne, dans la Marine, qui n'ait jamais commis de faute...

Queeg se pencha pour écraser sa cigarette, puis secoua la tête avec fermeté. « Non, commandant, je vous suis infiniment reconnaissant de ce que vous venez de dire, mais je n'aurai pas la stupidité de mentir à un supérieur. Je vous certifie que ma première version de ce qui s'est passé est la bonne et je ne crois pas avoir fait de faute depuis que j'ai pris le commandement du *Caine*, pas plus que je n'ai l'intention d'en faire. Comme je l'ai dit, le niveau des officiers et des hommes que je suis chargé de commander est si bas que je vais tout simplement devoir me montrer sept fois plus rigoureux qu'il n'est normal, et sept fois plus implacable, jusqu'à ce que tout le monde se soit mis au pas, ce qui, je vous le promets, sera bientôt le cas.

— Parfait, commandant Queeg. » Grace se leva mais lorsque Queeg fit mine de l'imiter, il lui dit : « Restez où vous êtes, restez où vous êtes. » Il se dirigea vers une étagère fixée au mur, prit une boîte métallique rouge contenant du tabac anglais de luxe et remplit sa pipe. Tout en l'allumant, il examinait le commandant du *Caine* qui roulait à nouveau des billes inexistantes entre ses doigts.

— Commandant Queeg, dit-il brusquement, quand le... (puff puff) câble défectueux... (puff puff) s'est rompu, de combien de degrés tourniez-vous?

Queeg pencha la tête de côté et lança à l'autre un regard plein de suspicion. « Je virais suivant l'angle de barre normal, commandant. Je n'ai jamais dépassé l'angle de barre normal pendant les exercices, comme vous l'indiquera mon journal de bord.

— Ce n'est pas cela que je veux dire. » Grace était revenu à sa place et agitait sa pipe fumante devant Queeg. « Vous faisiez un changement de direction de combien de degrés? Vingt degrés? Soixante degrés? Cent quatre-vingts degrés, ou quoi? »

Le commandant du *Caine* serra les bras de son fauteuil et dit : « Il faudrait que je le vérifie sur mon journal, commandant, mais je ne vois pas quel rapport a ce virage avec l'affaire, puisque...

— Est-ce que vous avez fait un tour complet, commandant Queeg, et coupé votre propre câble de remorque? »

Le visage de Queeg s'allongea. Il ouvrit et referma une ou deux fois la bouche et, enfin, déclara d'une voix contenue, furieuse, un peu tremblante même : « Commandant Grace, avec tout le respect que je vous dois, je ne peux que vous dire que votre question m'offense, que je la considère comme une insulte personnelle. »

Le regard sévère de Grace vacilla. Il dut détourner les yeux. « Je n'avais pas l'intention de vous insulter, commandant. Il est encore plus désagréable de poser certaines questions que d'y répondre... Est-ce que vous avez coupé votre câble ou non?

— Si c'était oui, commandant, je crois que je vous aurais moi-même recommandé de me faire passer en conseil de guerre. »

Grace lança à Queeg un regard pénétrant. « Je dois vous informer, commandant, que vous avez des fomentateurs de troubles à bord de votre bateau. La rumeur nous est parvenue ici ce matin. En général, je n'attache guère d'importance à ce genre de bavardages. Toutefois, l'amiral en a eu vent, et comme il se trouve qu'un certain nombre de vos actes l'ont sérieusement inquiété, il m'a chargé de vous poser la question directement. Mais je suppose que je peux accepter votre parole d'officier de marine que ce que l'on dit ne s'est pas produit...

— Puis-je savoir, commandant, demanda Queeg d'une voix faible, ce que l'amiral trouve à me reprocher?

— Mais enfin, mon bon ami, la première fois que vous sortez, vous vous échouez dans la vase... ce qui, naturellement, peut arriver à tout le monde... mais en plus, vous essayez d'escamoter votre rapport d'échouage, et quand enfin vous l'envoyez, parce qu'on vous l'a demandé, ce ne sont que des ragots de batterie. Et que dites-vous du message que vous nous avez envoyé hier? «Ciel, j'ai perdu une cible, qu'est-ce que je dois faire, ComServPac, s'il vous plaît? » L'amiral a failli en avoir une attaque. Pas parce que vous avez perdu une cible... mais parce que vous avez été incapable de prendre une décision là où un matelot de seconde classe aurait su quoi faire! Si le commandement ne consiste pas à prendre des décisions et à endosser des responsabilités, alors qu'est-ce que c'est? »

Queeg retroussa sa lèvre supérieure dans une sorte de sourire crispé. « Si vous permettez, commandant, j'ai jugé la situation et j'ai pris une décision. Puis, considérant le coût, que vous avez mentionné, de la cible, et les autres facteurs, j'ai pris une seconde décision qui était de m'en référer à une autorité supérieure. Quant au rapport d'échouage, je n'ai pas essayé de l'escamoter, commandant, mais je n'ai pas voulu déranger mes supérieurs en portant à leur attention un incident sans importance. Or, je vois que d'une part on me reproche d'avoir dérangé mes supérieurs et de l'autre de ne pas les avoir dérangés. Je me permets de faire remarquer que l'amiral devrait décider laquelle des deux attitudes il préfère. » Il y avait, dans sa voix, une note de triomphe.

Le commandant Grace passa sa main dans sa chevelure grise. « Commandant, dit-il, après un très long silence, est-ce que

vraiment vous ne voyez aucune différence entre les deux cas que
vous exposez?

— Si, bien sûr. Mais le *principe*, dans les deux cas, était le même.
La question était de consulter ou non mes supérieurs. Mais je
répète, commandant, que je suis prêt à prendre l'entière responsabilité de tout ce qui est arrivé, même si cela doit me valoir le
conseil de guerre...

— Personne ne parle de conseil de guerre », fit Grace d'un ton
exaspéré. Il se leva et, faisant comme auparavant signe à Queeg de
rester assis, se mit à arpenter la pièce qu'il remplit de la fumée de
sa pipe. Il revint au bureau et s'y percha. « Écoutez, commandant.
Je vais vous poser quelques questions. Je vous promets que vos
réponses ne sortiront pas de cette pièce, à moins que vous n'en
manifestiez le désir. J'aimerais, en retour, que ces réponses soient
absolument sincères. » Il plongea dans les yeux de Queeg un regard
amical mais pénétrant.

L'autre sourit, mais ne manifesta pas la moindre émotion. « Commandant, j'ai essayé d'être aussi sincère que possible depuis le début
de cette entrevue, je ne compte pas cesser de l'être maintenant...

— Bon. *Primo.* Croyez-vous que votre bateau, avec vos subordonnés tels qu'ils sont, est capable d'accomplir des missions de
combat?

— Mon Dieu, commandant, personne ne peut en de telles
matières prédire l'avenir. Je peux seulement vous assurer qu'avec
les ressources limitées dont je dispose je ferai de mon mieux pour
remplir toutes les missions qu'on me confiera, de combat ou autres,
et... comme je dis...

— Vous auriez préféré que le Personnel vous mette ailleurs,
n'est-ce pas? »

Queeg eut un sourire retors. « Je me permets de vous faire remarquer, commandant, que c'est là une question à laquelle personne
n'aimerait avoir à répondre, pas même l'amiral.

— C'est assez vrai. » Grace arpenta un moment la pièce en
silence. Puis il dit : « Commandant Queeg, je crois qu'il serait possible de vous transférer en Amérique... sans que cela constitue en
aucune façon un blâme sur la façon dont vous vous êtes acquitté
du commandement du *Caine*, se hâta-t-il d'ajouter. Il s'agirait plutôt de la correction d'une erreur et d'une injustice. D'ailleurs, vous
devez savoir que vous êtes plutôt âgé pour ce poste. Nous voyons,
dans l'escadre, de plus en plus de commandants qui ne sont que
lieutenants de vaisseau ou même des lieutenants de réserve. »

Queeg était devenu pâle. Il articula : « J'imagine mal l'effet sur
mon dossier, commandant... relevé de mon premier commandement au bout d'un mois!

— Je crois pouvoir vous promettre un rapport d'aptitude qui
dissipera tous les doutes dans ce domaine... »

D'un geste brusque, Queeg plongea la main dans sa poche et en
tira les billes d'acier. « Comprenez-moi, commandant. Je ne dis pas

que le commandement du *Caine* soit la meilleure affectation que puisse souhaiter un officier, ni même que ce soit celle que j'aie méritée. Mais il se trouve que c'est celle-là que j'ai obtenue. Je ne prétends pas être l'officier le plus brillant ni le plus souple de la Marine, commandant, j'en suis loin... je n'étais certes pas le premier de ma classe et je n'ai jamais eu de notes excellentes, mais je peux vous dire une chose, c'est que je suis l'un des plus têtus. Je suis venu à bout de missions pires que celle-ci. Je n'ai jamais gagné de concours de popularité, mais j'ai râlé, tempêté, hurlé et menacé jusqu'à ce qu'on ait fait les choses comme je désirais qu'elles soient faites, et la seule façon dont je veux que les choses soient faites c'est comme dans les livres. Je suis l'homme des livres. Le *Caine* est loin d'être ce que je voudrais qu'il soit, mais cela ne veut pas dire que je vais tout abandonner et me faire envoyer quelque part sur la côte. Non, merci, commandant Grace. » Il regarda un moment l'officier, puis reprit sa harangue à un public invisible qui se serait tenu devant et un peu au-dessus de lui. « Je suis commandant du *Caine*, et j'ai l'intention de re ter *commandant*, et tant que je serai commandant, le *Caine* remplira toutes ses missions ou coulera en essayant de les remplir. Je vous promets une chose, commandant, si l'entêtement, la fermeté et une vigilance permanente et inlassable du commandant y peuvent quelque chose, le *Caine* remplira toutes les missions de combat qui lui seront confiées. Et je mériterai le rapport d'aptitude qu'on me fera quand mon tour de commandement sera terminé. C'est tout ce que j'ai à dire. »

Grace se renversa en arrière et passa son bras sur le dossier de sa chaise. Il fixait Queeg avec un léger sourire. Il hocha lentement la tête à plusieurs reprises. « L'orgueil professionnel et le sens du devoir, deux choses que vous possédez sans aucun doute, peuvent mener un officier très loin. » Il se leva et tendit la main à Queeg. « Je crois que nous avons tous deux dit ce que nous avions à dire. Je vais accepter votre rapport. Quant à vos erreurs, ou, si vous préférez, ces incidents regrettables, eh bien on dit que souvent qui commence mal finit bien... Vous savez, commandant, poursuivit-il, vidant sa pipe dans le cendrier de verre, on nous ressasse beaucoup, à l'Ecole navale, qu'un officier doit être parfait, qu'il n'a pas le droit de commettre la moindre erreur, etc. J'en viens parfois à me demander s'il n'y a pas là un peu d'exagération. »

Queeg jeta au commandant Grace un regard interrogateur et celui-ci se mit à rire.

— Vous trouvez que je blasphème, n'est-ce pas? Laissez-moi dire que j'ai vu faire tant de démarches inutiles, gaspiller tant d'encre et remuer tant d'air dans le seul but de faire passer une bonne grosse bourde pour un geste de parfait officier de marine, *après*... Je crois que je suis trop vieux maintenant pour m'en amuser encore. Il haussa les épaules. « Si j'étais vous, commandant, je me préoccuperais un peu moins de faire ou non une erreur et un peu plus de faire ce qui est le plus raisonnable et plus utile en toute circonstance.

— Merci, commandant, dit Queeg. Je me suis toujours efforcé de ne prendre que des décisions raisonnables et utiles, mais, après que vous me l'ayez vous-même aimablement conseillé, je redoublerai encore mes efforts dans ce sens. »

Le commandant du *Caine* revint par bus au quai où était amarré son bateau. Il mit pied à terre au milieu d'un groupe d'ouvriers de l'Arsenal de sorte que personne, sur le bateau, ne le remarqua avant qu'il n'eût commencé à monter la passerelle. Par malheur, le sous-officier de garde sur la passerelle, Stilwell, était appuyé contre le bureau de l'officier de quart, feuilletant un journal illustré; et, bien que le messager de quart eût hurlé : « Garde à vous sur le pont! » Queeg eut le temps de voir la scène. Stilwell se retourna d'un bond et se figea au garde à vous.

Queeg lui rendit son salut sans manifester la moindre émotion. « Où est l'officier de quart?

— L'enseigne Harding est sur la plage avant, commandant, articula Stilwell. Il fait changer le coulissant de la première amarre.

— Bon. Messager, appelez-moi l'enseigne Harding sur la plage arrière. » Ils attendirent en silence, le canonnier toujours au garde à vous et ne bougeant pas d'un pouce, le commandant fumant et regardant autour de lui avec curiosité. Des matelots émergeaient des coursives en chantant ou en sifflotant mais, arrivés sur le pont, se taisaient net et se renfonçaient dans l'obscurité ou continuaient leur chemin tête basse, le regard ailleurs. Harding monta de la coursive de bâbord et échangea des saluts avec le commandant.

— Monsieur Harding, dit Queeg, saviez-vous que votre sous-officier de passerelle lisait pendant son service?

L'enseigne, désagréablement surpris, se tourna vers le coupable. « Est-ce vrai, Stilwell? »

Queeg s'emporta. « Mais naturellement que c'est vrai! Me prenez-vous pour un menteur? »

L'officier de quart, de plus en plus malheureux, secoua la tête. « Mais pas du tout...

— Monsieur Harding, saviez-vous que cet homme lisait pendant son service?

— Non, commandant.

— Comment cela se fait-il?

— Commandant, la première amarre commençait à s'effilocher, et...

— Je ne vous ai pas demandé d'alibi, monsieur Harding. Un officier de quart n'a pas d'alibi. Il est responsable de tout ce qui se passe pendant son quart, vous m'entendez, *absolument tout*, vous m'entendez? » Queeg hurlait et les hommes qui travaillaient sur le rouf de la cambuse et l'arrière-pont se retournèrent pour l'écouter. « Vous allez aller chercher votre remplaçant, monsieur Harding, et vous allez prévenir le lieutenant Adams que vous êtes rayé de la liste de quart jusqu'au moment où vous semblerez avoir acquis de vagues notions sur ce que sont les devoirs et les responsabilités de l'officier de quart! C'est compris?

— Oui, commandant, dit Harding d'une voix rauque.

— Quant à cet homme, dit Queeg, pointant son pouce sur Stilwell, vous allez le signaler au rapport, et nous verrons si le fait d'être consigné six mois à bord lui apprend à ne pas lire pendant le quart et si cette leçon suffit au reste de l'équipage ou si nous sommes obligés de la renouveler pour quelqu'un d'autre... Allez. »

Queeg quitta le pont de quart et descendit dans sa cabine. Il trouva sur son bureau deux rapports concernant les pans de chemise d'Urban. Il jeta sa casquette sur son lit, enleva sa veste, desserra sa cravate et se laissa tomber sur le fauteuil tournant; il parcourut rapidement les deux rapports, roulant les billes dans sa main. Puis il appuya sur la sonnette et décrocha le téléphone. « Dites au messager de quart de me trouver le lieutenant Keefer et de l'envoyer dans ma cabine. » Quelques instants plus tard, on frappait à la porte. Queeg, qui se tenait la tête dans ses mains, reprit le rapport de Keefer, le tourna à la seconde page et cria par-dessus son épaule : « Entrez! »

L'officier des Transmissions entra et referma la porte. Au bout d'un moment, voyant que Queeg ne se retournait pas, il demanda : « Vous m'avez fait appeler, commandant? »

Queeg grommela, et feuilleta le rapport. Keefer laissa tomber, avec un sourire condescendant, son long corps contre la couchette du commandant et, coudes appuyés, attendit. Le commandant laissa retomber le rapport sur la table, le repoussa du dos de la main. « Insuffisant! »

— Ah? dit l'officier des Transmissions. Puis-je vous demander pourquoi, commandant? »

Mais il avait laissé percer dans sa voix un peu trop d'aristocratique amusement. Queeg leva vivement les yeux. « Au garde à vous, monsieur Keefer, quand vous êtes en conférence avec votre chef! »

Keefer se redressa sans hâte, gardant au coin des lèvres un vestige irritant de sourire. « Excusez-moi, commandant.

— Reprenez ceci, dit Queeg, désignant le rapport avec dédain. Refaites-le et soumettez-le-moi avant seize heures.

— Oui, commandant. Puis-je me permettre de vous demander en quoi il ne vous convient pas?

— Cela ne m'apprend rien que je ne savais déjà et ne m'explique rien de ce que je voulais expliqué.

— Excusez-moi, commandant, mais j'avoue ne pas comprendre.

— Je vois. » Queeg prit le second rapport, celui que Keefer avait pondu pour Willie Keith et le lui mit sous les yeux. « Je crois, monsieur Keefer, que vous auriez intérêt à demander conseil à

votre assistant l'enseigne Keith. Aussi curieux que cela puisse
vous paraître, il a beaucoup à vous apprendre en matière de rapports écrits. Il m'a fait parvenir, sur le même sujet que vous, un
rapport absolument excellent.

— Merci, commandant, dit Keefer. Je suis heureux d'apprendre
que j'ai un homme de talent dans mon service. »

Queeg sourit, persuadé qu'il avait piqué Keefer au vif. Il hocha
la tête à plusieurs reprises et dit : « Eh oui, Tom. Mais tenez, prenez donc le rapport de Keith et étudiez-le. Essayez de voir pourquoi Willie a fait quelque chose de parfait et vous de vulgaires
ragots de batterie. »

Dans sa cabine, Keefer se livra à une véritable danse sauvage
durant laquelle il frotta à plusieurs reprises les deux rapports
contre ses fesses. Puis il plongea sur sa couchette, se cacha la tête
dans l'oreiller et resta secoué d'un rire inextinguible.

Dans une pièce aux murs en boiserie et au sol couvert d'un tapis
vert, devant un bureau d'acajou, Grace conférait avec l'amiral.

— Vous auriez dû me laisser voir ce rapport avant de l'accepter, grommela celui-ci. C'était un homme mince, d'aspect rébarbatif, aux yeux bleus perçants.

— Excusez-moi, amiral.

— Tant pis. Quelle impression vous a faite ce Queeg? C'est cela
qui m'intéresse.

Grace commença par tapoter doucement ses doigts sur la table.
« Il m'a fait penser à une vieille dame, dit-il enfin. Je crois qu'il
est sérieux et probablement assez dur, mais c'est un de ces types
qui n'ont jamais tort, même s'ils sont dans leur tort jusqu'au cou...
ils trouvent toujours quelque chose pour se défendre. Je ne le
crois pas très intelligent, non plus. Il n'était pas parmi les meilleurs
de sa promotion, je l'ai vérifié depuis.

— Mais, dans cette histoire de câble, que s'est-il réellement
passé? L'a-t-il coupé, oui ou non? »

Grace hocha la tête d'un air de doute. « Eh bien, je ne saurais
pas vous le dire. Quand je lui ai posé la question, il a paru se
vexer terriblement... et il m'a semblé sincère. J'ai été plus ou
moins obligé d'accepter sa parole qu'il ne l'avait pas coupé. Il
faudrait faire une enquête pour savoir vraiment à quoi s'en tenir,
amiral, et je doute...

— Évidemment, il n'est pas question d'aller faire des enquêtes
sur tous les racontars. Mais ce type ne me revient pas, Grace. Cela
fait beaucoup d'incidents douteux en peu de temps. Ne pensez-
vous pas que je devrais recommander au Personnel de le remplacer?

— Non, amiral, répondit Grace avec fermeté. Nous ne pouvons
affirmer que cet homme ait fait quoi que ce soit qui justifie une
pareille mesure. Les incidents auxquels nous pensons ne sont
peut-être dus qu'à son énervement assez compréhensible puisque
c'est son premier commandement.

— Bon, eh bien... le CincPac me demande de renvoyer deux destroyers dragueurs de mines aux États-Unis; ils veulent les réviser et les équiper de nouvelles installations de radar pour les faire participer par la suite à l'opération Pistolet, dit l'amiral. Pourquoi ne pas envoyer le *Caine?*

— Pourquoi pas? Il a passé vingt-deux mois dans la zone des opérations...

— Parfait. Faites la dépêche pour le CincPac. Et que ce Queeg aille faire ses gaffes ailleurs. »

Être renvoyé pour révision aux États-Unis était ce que tout le monde, dans la Marine, souhaitait du fond de son âme. De Vriess n'avait pas su l'obtenir pour son vieux *Caine* tout délabré au bout d'une année de combat. Mais il n'avait pas fallu plus de quatre semaines pour y parvenir à Queeg, commandant du meilleur remorqueur de cibles de la Marine.

CHAPITRE XV

JOIES DU RETOUR AU FOYER

QUAND la dépêche arriva, ce fut la Saint-Sylvestre, le 4 juillet [1] et l'anniversaire de naissance et de mariage pour tous et pour chacun à bord du *Caine*. Willie Keith sentait, lui aussi, son sang bouillir bien que, par rapport aux autres, il fût un « tout frais embarqué » dont la bouche portait encore les traces de rouge à lèvres de ses adieux dans un port américain. Il apprit tout de suite la nouvelle à May et à sa mère laissant entendre à la première (mais non à Mrs. Keith) que sa présence sur le quai à l'arrivée du *Caine* constituerait une surprise extrêmement agréable. Il fit la lettre à May dans sa casemate, réfugié comme un animal dans sa tanière pour pouvoir savourer sa joie tout seul; il s'arrêta à chaque paragraphe, plume en l'air, les yeux fixés sur le papier mais l'esprit occupé de voluptés quasi orientales.

Une ombre obscurcit sa feuille. Levant les yeux, il vit Stilwell dans la porte. Le marin portait encore le treillis immaculé et les chaussures reluisantes dans lesquels il était apparu ce matin-là, avant l'arrivée de la dépêche.

— Oui, Stilwell? dit Willie d'un ton de sympathie.

En tant qu'officier de quart, Willie avait reporté la condamnation de Stilwell sur le journal de bord : six mois consigné à bord. Il avait observé la scène qui s'était déroulée sur la plage arrière avec un certain étonnement : les coupables terrifiés solennellement alignés dans une tenue impeccable, les officiers accusa-

1. Fête nationale américaine.

teurs au garde à vous face aux coupables, et Queeg, calme et
aimable, recevant les dossiers rouges un à un des mains de Gras-
double. C'était une étrange sorte de justice. Willie savait bien
que tous les accusés avaient été signalés sur l'ordre du commandant Queeg. Ainsi, l'enseigne Harding paraissait accuser Stilwell,
mais ce n'était pas lui qui avait surpris le marin en train de lire
pendant son quart. Comme le commandant Queeg ne signalait
jamais personne lui-même, mais se tournait toujours vers le premier officier qui lui tombait sous la main, disant : « Vous me
signalerez cet homme », le triangle de la justice n'était pas déformé :
accusateur, accusé et juge. Et Queeg manifestait la plus vive
surprise et le plus grand intérêt à entendre l'accusateur décrire
le délit que lui-même avait demandé de signaler. Willie avait
observé toute l'affaire un moment et en avait conclu avec indigna-
tion que c'était là un outrage aux libertés civiques, au droit
constitutionnel, à l'*habeas corpus*, au décret de confiscation de
biens et à un tas de phrases dont il ne se rappelait que des bribes
et qui disaient qu'un Américain avait le droit d'être traité avec
justice.

— Lieutenant, dit Stilwell, vous êtes l'officier chargé de morale,
n'est-ce pas?

— En effet, dit Willie. Il laissa retomber ses jambes à terre;
mit de côté sa boîte de papier à lettres, referma son stylo et, par
la seule vertu de tous ces gestes, quitta l'enveloppe du jeune
amoureux pour réintégrer celle de l'officier de marine.

Il aimait bien Stilwell. Il y a de ces jeunes garçons, minces,
bien bâtis, au visage net, à la chevelure épaisse et au regard ouvert
qui appellent la sympathie et rendent l'atmosphère agréable
autour d'eux, presque comme le font les jolies filles, par la pure
lumière matinale qui en émane. Le jeune canonnier était un de
ceux-là.

— Je voudrais vous demander quelque chose, lieutenant, dit-il.

— Allez-y.

Stilwell se lança dans un long discours d'où il ressortait qu'il
avait en Idaho une femme et un enfant et qu'il avait des raisons
de douter de la fidélité de son épouse. « Ce que je voulais savoir,
monsieur, c'est si, du moment que je suis consigné, je n'aurai
pas le droit d'aller chez moi en permission? Je n'ai pas été chez
moi depuis deux ans.

— Mais bien sûr que si, Stilwell, je ne vois pas pourquoi vous
n'iriez pas. Tout homme qui a été en première ligne aussi longtemps que vous a le droit d'aller chez lui, à moins qu'il n'ait
commis un meurtre.

— C'est le règlement, lieutenant, ou c'est seulement ce que
vous pensez?

— C'est ce que je pense, Stilwell. Mais, à moins que je ne vous
dise le contraire — et je vous promets que je vais me renseigner
tout de suite — vous pouvez y compter.

— Mais... est-ce que je peux écrire chez moi que je viens, comme font les autres? »

Willie savait bien qu'il fallait attendre, pour répondre à Stilwell, de savoir ce qu'en pensait le commandant. Mais le garçon avait l'air si anxieux, et lui-même de son côté se sentait un peu gêné de son ignorance, de sorte qu'il dit malgré lui : « Mais bien sûr, allez-y, Stilwell. »

L'autre parut à ce point soulagé et heureux que Willie se félicita d'avoir osé se montrer affirmatif. « Merci, monsieur Keith, merci beaucoup, balbutia Stilwell, la bouche un peu tremblante et les yeux brillants. Vous ne savez pas ce que c'est pour moi. » Il remit son chapeau, se raidit et salua Willie comme s'il était un amiral. L'enseigne lui retourna son salut en souriant.

— Ça va, Stilwell, dit-il, revenez voir l'aumônier chaque fois que vous aurez un ennui. Puis il reprit sa lettre à May Wynn et, dans l'émerveillement des agréables visions qui défilaient dans son cerveau, il oublia toute cette conversation.

Le lendemain au déjeuner, et pour la première fois depuis l'arrivée du nouveau commandant, la conversation, à la table du carré, était chaleureuse et gaie. De vieilles plaisanteries se rapportant à des escapades romanesques en Australie et en Nouvelle-Zélande revirent le jour. Maryk dut s'entendre rappeler une liaison qu'il avait eue avec une serveuse un peu mûre d'un salon de thé d'Oakland. On discuta longuement le nombre de grains de beauté que ladite dame avait sur le visage. Gorton affirmait qu'il en avait compté sept, tandis que Maryk s'en tenait à deux, chacun prenant à partie tous les autres.

— Au fond, je crois que Steve a raison, dit Keefer. Il n'y avait que deux grains de beauté. Le reste, c'étaient des verrues.

Whittaker, qui, l'air aussi lugubre que d'habitude, faisait passer un plat de jambon frit, fut pris d'une brusque crise de rire et laissa tomber son plateau, ne manquant que de peu la tête du commandant. Les tranches graisseuses de jambon s'éparpillèrent sur le plancher. Queeg, d'humeur joyeuse, remarqua : « Whittaker, si vous devez absolument me jeter de la nourriture à la figure, choisissez des légumes, ce sera moins cher. » Il est de tradition d'accueillir tout trait d'esprit du commandant à la table du carré par un rire poli. Cette fois ce fut un déchaînement d'hilarité.

Maryk dit au gros second : « C'est bon, elle avait peut-être sept grains de beauté, mais elle était vraie. Je ne suis pas comme certains qui se contentent de magazines français et de cartes postales.

— Steve, j'ai une femme à qui je dois rester fidèle, dit Gorton d'un ton jovial. Elle ne peut pas demander le divorce parce que je regarde des photos. Mais si j'étais libre comme vous, et que je ne dégottais rien de mieux que votre néozélandaise grêlée, je crois que je m'en tiendrais aux cartes postales.

— Cela me fait penser à un truc vraiment génial, vos cartes postales », dit Queeg qui devait être de fort bonne humeur car il ne prenait généralement jamais part aux conversations à table. Tous se turent et écoutèrent leur commandant avec respect. « Je ne sais pas comment ces gens-là avaient eu mon adresse mais enfin ils m'ont écrit. Il fallait leur envoyer un dollar par mois et, en échange, ils vous envoyaient des photos, de grandes cartes glacées, des treize dix-huit je crois... » Il indiqua les dimensions en formant un rectangle avec ses deux pouces et index. « Or, vous savez qu'on n'a pas le droit d'envoyer par la poste des photos de femmes nues, et c'est là qu'ils avaient trouvé quelque chose de génial. Ils leur mettaient des petites culottes roses et des soutien-gorge, très gentils et tout à fait corrects... mais lavables. Quand on les recevait, il n'y avait plus qu'à passer un chiffon mouillé sur la photo et... ça y était... Il fallait y penser. » Il les regarda tous avec un petit rire grivois. La plupart des officiers réussirent à sourire. Keefer alluma une cigarette en s'abritant le visage derrière une main et Willie enfourna une tranche entière de jambon dans sa bouche.

— A propos, poursuivit le commandant, personne de vous n'a utilisé toute sa ration d'alcool au club? Sinon, dites-le. » Personne ne dit rien. « Bravo. Quelqu'un voit-il un inconvénient à me revendre ses tickets? »

La ration était de cinq litres par mois que les officiers pouvaient acheter au mess de l'Arsenal et qu'ils payaient beaucoup moins cher qu'aux États-Unis. Queeg les avait pris au dépourvu; aucun d'eux n'avait pensé au prix de l'alcool en Amérique. Dissimulant plus ou moins leur mécontentement, ils se soumirent tous, sauf Harding.

— Commandant, dit-il d'un ton plaintif, j'ai le projet de boire toute mon année de solde avec ma femme, et toute économie sera la bienvenue.

Queeg eut un rire compréhensif et l'excusa. Et, le soir même, tous les officiers du *Caine*, conduits par leur commandant, firent queue au comptoir du club et achetèrent une trentaine de bouteilles de scotch et de rye. Queeg, se confondant chaque fois en remerciements, les conduisait, à mesure qu'ils revenaient du comptoir les bras chargés de bouteilles, vers une jeep arrêtée dans l'obscurité devant l'entrée. Lorsque la jeep fut chargée à bloc, le commandant s'en fut, laissant les officiers du *Caine* ensemble, se regarder les uns les autres.

Le seconde classe Langhorne, menuisier du bord, fut appelé dans la cabine du commandant le lendemain matin à sept heures et demie. Il trouva le pacha en pantalon de gabardine tout taché et fripé, penché au-dessus de sa couchette, un mégot de cigare entre les dents, et comptant des rangées de bouteilles alignées sur la couverture. « Bonjour, Langhorne. Quel genre de caisse pouvez-vous me faire pour trente et une bouteilles? » Le menuisier, un homme du Missouri au long visage osseux et renfermé, à la mâchoire inférieure proéminente et aux cheveux noirs et raides, ouvrit des yeux ronds à la vue de toutes ces bouteilles. Queeg eut un clin d'œil et un petit rire. « Ce sont des médicaments, Langhorne, rien que des médicaments. Hors d'ici, si on vous demande quoi que ce soit, vous n'avez jamais vu ces bouteilles et vous ignorez leur existence.

— Oui, commandant, dit le menuisier. Je fais une caisse... d'un mètre sur soixante à peu près... je la bourre de copeaux...

— De copeaux? Oh mais non, c'est précieux ce qu'il y a là-dedans. Je veux des cloisons entre les bouteilles, et des copeaux entre les cloisons...

— Commandant, on n'a pas de bois fin pour les cloisons, ni contreplaqué ni rien...

— Et alors? Demandez des plaques d'étain à la forge de l'Arsenal.

— Oui, commandant, je vais vous arranger ça comme il faut. »

A la fin de l'après-midi, Langhorne arriva en vacillant dans le carré, le visage ruisselant de sueur, et ayant sur le dos une boîte faite de planches fraîchement sciées. Il pénétra en trébuchant dans la cabine de Queeg et, prenant autant de précautions que s'il s'agissait d'un piano, déposa la caisse par terre. Il s'essuya le visage avec un mouchoir rouge et dit : « Jésus Marie, ces feuilles de plomb, c'est lourd...

— De *plomb?*

— Ils avaient plus d'étain, commandant...

— Mais, bon Dieu, du *plomb*... Avec du carton fort, ç'aurait été très bien...

— J'peux arracher le plomb, et tout refaire...

— Mais non, laissez-le comme ça, grogna Queeg. Ça fera simplement faire un peu d'exercice à certains matelots d'ici quelques jours, ce qui ne leur fera pas de mal... Et d'ailleurs, quelques feuilles de plomb me seront probablement fort utiles chez moi, murmura-t-il.

— Vous dites, commandant?

— Rien, rien. Allez chercher des copeaux et emballez-moi ces bouteilles. Il désigna son trésor, maintenant rangé sous le lavabo.

— Oui commandant. »

Les exercices d'alerte commenceront à quatorze heures.

Le *Caine* poursuivait sa route, gardant sa place à la droite de l'écran semi-circulaire des navires d'escorte qui voguaient à l'avant du convoi de quatre pétroliers, deux transports et trois navires marchands. Ils étaient loin maintenant de toute terre et voguaient sur une eau bleue et calme. Les navires formaient un dessin bien net sur la mer baignée de soleil.

L'enseigne Keith, officier de quart adjoint, prenait grand plaisir à ce voyage. Aucun sous-marin n'avait été signalé à l'est d'Hawaï depuis un an, mais il n'en restait pas moins que lui Willie Keith était officier de quart subalterne sur un bâtiment chargé de flairer les submersibles japonais. Si l'officier de quart mourait ou tombait par-dessus bord, il était parfaitement concevable que lui, enseigne Keith, prît le commandement, coulât un sous-marin et en récoltât une immense gloire. C'était peu probable mais c'était possible, alors qu'il n'était pas possible qu'il arrive la même chose à sa mère, par exemple. L'officier de quart, Keefer, avait encore ajouté à son enthousiasme en le chargeant de la manœuvre zigzag : c'était lui qui devait passer les ordres à la barre. Willie essaya de lancer son premier ordre à l'instant même où la seconde aiguille du chronomètre quittait la ligne de midi. La guerre avait enfin commencé pour lui.

Le commandant Queeg arriva sur la passerelle à deux heures moins deux; il jetait autour de lui des regards furibonds et il était suivi de Gorton qui avait l'air d'un chien battu. Le second venait de se faire vertement réprimander parce qu'il ne faisait pas plus souvent d'exercices d'alerte et composait mentalement les premiers paragraphes du rapport où il expliquait pourquoi il ne l'avait pas fait. Queeg avait le matin même trouvé dans son courrier une lettre du CincPac demandant à tous les navires des rapports mensuels sur les exercices d'alerte. « Bon, dit-il à Engstrand. Hissez. Je conduis des exercices d'alerte. »

Le timonier hissa toute une drisse de pavillons de diverses couleurs. Sur un signe du commandant, Willie alla dans la timonerie et tira la poignée peinte en rouge du signal d'alarme. Et, tandis que la cloche retentissait dans l'air, il contempla son image avec complaisance dans une des vitres donnant sur la passerelle. Il vit se découper la silhouette du marin guerrier de la seconde guerre mondiale, avec son casque rebondi, son volumineux gilet de sauvetage de kapok gris auquel était fixée une torche électrique, son visage et ses mains couverts de pommade grise anti-brûlure. Tout le monde sur la passerelle était habillé de la même façon.

Ailleurs sur le bateau ce n'était pas la même chose. Les hommes d'équipage du *Caine* qui avaient passé plus d'un an dans une zone sans cesse pilonnée par les Japonais, puis plusieurs mois à se laisser vivre à Pearl Harbor, n'étaient pas disposés à se donner grand mal pour des histoires de fausse alerte dans les eaux paisibles séparant Honolulu de San-Francisco. La plupart se rendirent à leurs postes de combat en ayant oublié soit leur casque, soit leur gilet de sauvetage, quand ce n'était pas les deux. Queeg les voyait les uns après les autres et était fort en colère.

— Monsieur Keefer?

— Oui, commandant?

— Je vous prie de faire l'annonce suivante au haut-parleur : « Tout homme qui n'aura pas son casque ou son gilet de sauvetage, verra sa permission aux États-Unis écourtée d'un jour; celui qui n'aura aucun des deux verra sa permission écourtée de trois jours. Les noms des coupables devront être signalés immédiatement par téléphone à la passerelle. »

Keefer était stupéfait. Il bégaya. « Commandant, vous êtes sévère...

— *Monsieur* Keefer, dit le commandant, je ne vous ai pas demandé votre opinion sur les mesures disciplinaires que je juge indispensables à l'entraînement et à la sécurité de mon équipage. Si ces hommes se suicident en se présentant devant l'ennemi sans protection, du moins ne dira-t-on pas que c'est parce que je ne leur ai pas enseigné à se protéger. Faites l'annonce. »

Et l'on vit les hommes qui, à leur poste, entendaient l'annonce du haut-parleur, tourner leur regard vers la passerelle, le visage plein d'une rage incrédule. Puis, aussitôt, une extrême activité se manifesta parmi eux et l'on vit apparaître comme par magie des gilets de sauvetage et des casques que, d'un bout du bateau à l'autre, l'on se passait de la main à la main.

— Que cela cesse immédiatement! rugit Queeg. Je veux les noms de ces hommes, et que personne ne mette un gilet ou un casque avant que j'aie tous les noms sur la passerelle! Allez-y, monsieur Keefer, annoncez-le!

— Que dois-je dire, commandant?

— Ne soyez pas stupide, nom de Dieu! Dites qu'ils cessent de mettre ce bon Dieu d'équipement et qu'ils signalent les noms à la passerelle!

L'annonce de Keefer retentit sur le pont : « Cessez de mettre l'équipement. Signalez les noms de tous les hommes sans équipement à la passerelle. »

Des matelots jetaient sur les roufs des casques et des gilets qu'ils avaient trouvés dans les endroits les plus divers; une pluie d'équipement s'abattait de tous côtés. Queeg hurla : « Amenez-moi le capitaine d'armes! Je veux les noms de tous ceux qui sont en train de lancer des casques et des gilets de sauvetage!

— Quartier-maître Bellison, capitaine d'armes, lança Keefer dans le microphone, sur la passerelle tout de suite, s'il vous plaît!

— Mais non pas sur la passerelle, imbécile, glapit Queeg, dites-lui de passer derrière le rouf des cuisines et d'arrêter ces hommes!

— Très bien, dit Keefer, se détournant pour que le commandant ne le vît pas sourire. Quartier-maître Bellison, passez derrière le rouf des cuisines et arrêtez quiconque lance des casques et des gilets. »

Il avait à peine achevé son message que la pluie de matériel s'arrêtait net. Elle n'avait cependant pas été inutile. Il y avait maintenant, sur les roufs, du matériel pour tous et les hommes s'en revêtaient rapidement. Queeg courait d'un bout à l'autre de la passerelle, découvrant que l'équipage en gros lui désobéissait, et criait : « Cessez de vous habiller! Vous là-bas!... Venez ici, monsieur Gorton! Comment s'appelle cet homme sur la troisième batterie? Signalez-le!

— Lequel, commandant?

— Le roux, bon Dieu! Il vient de mettre un casque. Je l'ai vu!

— S'il a un casque, commandant, je ne peux pas voir la couleur de ses cheveux.

— Mais, nom d'un petit bonhomme, combien y a-t-il de rouquins sur cette batterie?

— Trois, je crois, commandant. Wingate, Parsons et Dulles... non, Dulles serait plutôt blond... d'ailleurs je crois qu'il est sur la quatre, depuis...

— Oh Seigneur! Bon, ça va, Burt, *ça va comme ça,* lança Queeg. De toute mon existence, je n'ai jamais vu un ordre plus mal exécuté. Jamais! »

Tous les hommes à bord du *Caine* portaient maintenant casque et gilet. Queeg promena autour de lui un regard noir. « C'est bon, dit-il. Je vois que ces oiseaux-là s'imaginent m'avoir possédé. »

Il entra dans la timonerie et prit le micro. « C'est votre commandant qui vous parle, dit-il et sa colère vibra dans le micro et se répandit à travers le bateau. Je constate que certains d'entre vous, particulièrement mal inspirés, s'imaginent pouvoir jouer un sale tour à leur commandant. Ils se trompent grandement. J'ai demandé les noms de tous ceux qui se sont présentés pour l'exercice d'alerte sans uniforme. Ces noms, je ne les vois pas venir. C'est bon. Comme je ne peux juger les coupables parce qu'ils sont trop lâches pour me donner leurs noms, je suis obligé de priver tout le monde à bord de trois jours de permission aux États-Unis. Ainsi, les innocents souffriront autant que les coupables et il ne vous restera qu'à chercher ces coupables vous-mêmes pour les punir d'avoir attiré ce châtiment sur tout l'équipage... Bon. Et maintenant, que l'exercice continue. »

A mi-chemin de San-Francisco, le convoi fut pris dans une tempête et Willie Keith put juger plus clairement des faiblesses d'un destroyer de la Grande Guerre. Tandis qu'il remorquait des cibles sur les eaux calmes au large d'Hawaï, le *Caine* avait été pas mal secoué et Willie s'était enorgueilli de la solidité de ses jambes et de son estomac; mais, il se rendait compte maintenant de ce que sa fierté avait de prématuré.

Le soir où on vint le réveiller, après une heure et demie d'un sommeil agité sur la couchette du carré, pour le quart de huit heures à minuit il s'aperçut qu'il avait peine à tenir sur ses jambes. Alors qu'il titubait autour de la table pour se faire du café, il tomba de tout son long. Il enfila un caban de laine bleue, car l'air qui entrait par le conduit de ventilation était froid et humide, et s'en alla en zigzaguant sur un pont qui bougeait sous ses pieds comme le plancher de la Salle des Mirages, à Luna Park. Quand il arriva en haut, se cramponnant à la poignée du panneau d'écoutille,

la première chose qu'il vit, ce fut à tribord un mur d'eau d'un noir
verdâtre, qui se dressait bien plus haut que sa tête. Il allait ouvrir
la bouche pour pousser un hurlement quand le mur s'effondra,
pour céder la place à un ciel de nuages déchiquetés derrière lesquels
brillait la lune, tandis qu'un second mur tout aussi épouvantable
s'élevait de l'autre côté du navire. Il grimpa péniblement l'échelle
de passerelle, tout en retenant sa casquette, s'attendant à la voir
emportée par une bourrasque, mais il y avait très peu de vent.
Il trouva les hommes de quart cramponnés aux poignées de la
timonerie plongée dans l'ombre, leurs corps suivant docilement
les mouvements du roulis. Même sur la passerelle, quand le navire
donnait de la bande, Willie apercevait des masses d'eau au-dessus
de sa tête.

— Bonté divine, dit-il à Carmody, qui entourait d'un bras le
dossier du fauteuil du commandant, ça fait longtemps que ça
dure?

— Longtemps que quoi dure?

— Ce roulis?

— Ce n'est pas du roulis. Les matelas pneumatiques glissaient
en travers de la passerelle et s'amoncelaient devant ses jambes.

Willie releva Carmody et au fur et à mesure que passaient les
heures de quart, il sentit sa terreur se calmer. Le *Caine* ne semblait
pas devoir sombrer. Mais il ne paraissait nullement absurde de
penser qu'il pourrait s'ouvrir en deux. A la fin de chaque roulis,
le bateau tout entier gémissait comme un malade, et Willie voyait
ployer et jouer les cloisons. L'idée ne tarda pas à s'imposer à lui
que rien d'autre ne le séparait des eaux froides et noires que les
calculs d'un ingénieur (probablement mort maintenant) qui avait,
il y a trente ans, déterminé quel effort maximum ce type de navire
devait être capable de supporter.

Ces calculs devaient être exacts, car le *Caine* ne se démantibula
pas dans la journée qui suivit et resta en une seule pièce.

Après avoir mangé le rôti de porc du déjeuner, Willie monta sur
le gaillard d'avant, avec la sensation étrange qu'il avait un estomac. Il n'avait pas le mal de mer, il en était certain. Mais il sentait
la présence de son estomac, du côté de son diaphragme, bien rempli
et occupé à s'acquitter de ses tâches habituelles. Cette brusque
conscience de ce qui se passait dans son corps provoqua chez Willie
un besoin de grand air. Il ouvrit la porte étanche du gaillard
d'avant et vit Stilwell en blouson vert et casquette de laine, pelotonné devant la première batterie, en train de refixer la housse de
toile bleue qui s'était détachée et claquait au vent.

— Bonjour, monsieur Keith.

— Bonjour, Stilwell. Willie referma soigneusement la porte et
s'appuya au garde-corps, en se cramponnant à l'épontille. C'était
un délice que de sentir sur son visage le vent et les embruns glacés.
Quand le navire roulait sur tribord, il apercevait le convoi qui
plongeait entre les vagues grises crêtées d'écume.

— Ça vous plaît, lieutenant, le roulis? cria Stilwell, par-dessus le fracas des vagues qui bouillonnaient sur la plage avant.

— Quel roulis? dit Willie en souriant bravement.

Le matelot se mit à rire. Il se laissa glisser jusqu'à la main courante et s'approcha prudemment de l'enseigne. « Lieutenant, est-ce que vous avez parlé au commandant... vous savez, pour ma permission? »

Un peu honteux, Willie dit : « Je n'en ai pas eu l'occasion, Stilwell. Mais je suis sûr que ça marchera. »

Le visage du matelot se rembrunit. « Bon, merci, lieutenant.

— Je vais lui parler cet après-midi. Venez me voir à la casemate à trois heures.

— Merci bien, monsieur Keith. » L'assistant canonnier sourit, ouvrit la porte et se glissa sur le coffre.

Willie aspira quelques profondes bouffées d'air purifiant et descendit jusqu'à la cabine du commandant.

Queeg, en sous-vêtements, était allongé sur sa couchette et manipulait un jeu de patience chinois en bois, formé de pièces enclenchées les unes dans les autres. Le commandant l'avait confisqué un jour que, passant la tête dans le poste de radar, il avait surpris l'homme de quart en train de jouer avec. Il s'escrimait depuis lors à le défaire, et bien qu'il eût dit à Gorton qu'il y avait réussi, personne n'avait jamais vu les pièces séparées. « Oui, Willie, que puis-je faire pour vous? » dit-il, sans lâcher le puzzle.

Willie commença à exposer son affaire. « ...Et j'ai pensé, commandant, que mieux valait vous le demander par acquit de conscience. Comptiez-vous garder Stilwell consigné durant la période de mise au radoub?

— Eh bien, qu'en pensez-vous?

— Ma foi, je pensais que non, commandant...

— Et pourquoi donc? Quand un homme est en prison pour un an, on ne le laisse pas sortir pour deux semaines à Noël, n'est-ce pas? Consigné à bord d'un navire veut dire consigné à bord d'un navire. »

L'atmosphère confinée de la cabine, le mouvement de roulis du navire et les pièces du jeu de patience qui se trémoussaient sous ses yeux commencèrent à incommoder Willie. « Mais... mais, commandant, est-ce que ce n'est pas un peu différent? Stilwell n'est pas un criminel... et cela lui fait deux ans ininterrompus de guerre dans le Pacifique...

— Willie, si vous vous mettez à faire du sentiment à propos de discipline navale, vous êtes fichu. Tout homme qui se trouve dans la zone des opérations, qu'il soit sur le pont d'un bateau ou dans un corps de garde, fait la guerre. Quand on est en guerre, il faut se montrer plus dur avec les hommes, pas plus doux. (Hop, le jeu de patience, hop, hop.) Ils sont soumis à un rude effort et il y a un tas de choses assommantes qu'il faut faire, et si vous relâchez seulement une fois la pression, toute votre organisation peut vous

sauter au nez. (Hop, hop.) Plus tôt vous prendrez conscience de ce
fait élémentaire, Willie, et mieux vous vous acquitterez de votre
tâche d'officier chargé de morale. »

Willie sentit son estomac manifester une fois de plus sa présence,
et palpiter sous sa ceinture. Il s'arracha à l'influence hypnotique
du jeu de patience et posa ses regards sur la caisse de bois rangée
sous le lavabo. « Commandant, dit-il d'une voix qui faiblissait,
il y a délits et délits. Stilwell est un bon marin. Avant votre arrivée
à bord, personne ne faisait d'histoires à ces hommes parce qu'ils
lisaient un magazine pendant qu'ils étaient de quart. Je sais bien
que c'était mal, mais...

— Raison de plus pour leur chercher des histoires maintenant,
Willie. Indiquez-moi une meilleure méthode pour me faire obéir
à bord de ce navire, et je la prendrai en considération. Croyez-
vous qu'on cesserait de lire pendant les quarts si je recommandais
Stilwell pour un avancement, hein? »

Le vertige qui commençait à s'emparer de Willie eut raison de son
tact et il lança : « Je me demande, commandant, si lire pendant le
quart est un délit plus grave que de transporter du whisky à bord. »

Le commandant eut un rire bon enfant. « Là, vous marquez un
point. Mais ce sont les privilèges du rang, Willie. Un amiral peut
se promener sur la passerelle en casquette de base-ball. Cela ne veut
pas dire que l'homme de barre puisse en faire autant. Non, Willie,
notre tâche consiste à veiller à ce que les hommes fassent ce qu'on
leur dit et non pas ce que nous faisons. (Hop, hop, hop.) Et, comme
je le dis toujours, le seul moyen de leur faire faire ce qu'on leur
dit, c'est de se montrer dur avec eux et de ne pas en démordre. »

Willie sentit la sueur lui perler sur tout le corps.

Le commandant continuait inlassablement : « Bien sûr, Stilwell
a eu la malchance de se faire prendre le premier si bien qu'il a
fallu que ce soit lui qui serve d'exemple, mais n'empêche que,
comme je le disais, je veux qu'on perde l'habitude de lire sur ce
navire pendant les heures de quart et (hop, hop), il est navrant
qu'il se fasse du souci pour sa femme, mais moi, il faut que je me
fasse du souci pour tout le *Caine*, et (hop) il arrive qu'un seul ait à
souffrir pour... »

Mais il ne termina pas sa phrase car, à cet instant, Willie Keith
émit un bruit bizarre et étouffé et fut pris de violents vomisse-
ments. L'enseigne réussit à détourner juste à temps son visage
qui tournait au vert. Hoquetant des excuses, il saisit une serviette
et se mit à éponger le bureau. Queeg fit preuve d'une surprenante
jovialité. « Laissez cela, Willie, dit-il. Envoyez-moi un cambusier
et montez respirer un peu d'air frais. Et abstenez-vous de manger
du porc tant que vous n'aurez pas le pied marin. »

Ainsi s'acheva le plaidoyer de Willie en faveur de Stilwell. Ce
fut à peine s'il osa affronter le regard du canonnier, mais Stilwell
accueillit la nouvelle sans sourciller. « Merci quand même d'avoir
essayé, lieutenant », dit-il sans autre commentaire.

Les jours succédaient aux jours de mer mauvaise et de ciels bas, de roulis et de tangage, de vent froid et d'une humidité pénétrante qui mordaient les os affaiblis par la tiédeur des tropiques; de l'ingrate routine des quarts dans une timonerie humide et sombre le jour et plus humide et plus sombre encore la nuit; et avec cela des matelots murés dans un silence morne, des officiers épuisés, des repas pris sans mot dire, avec le commandant au bout de la table qui ne cessait de rouler ses billes entre ses doigts, se contentant de lancer parfois une remarque maussade sur le progrès des travaux en cours. Willie perdait la notion du temps. Il se traînait d'un pas d'automate de la passerelle au déchiffrage des messages, du déchiffrage à la mise à jour des documents officiels, de la mise à jour à la passerelle, de la passerelle à la table du carré pour avaler rapidement un repas peu tentant, et de la table à la casemate pour y trouver un sommeil qu'il savait devoir être interrompu moins de deux heures plus tard. Le monde se réduisit à une coque d'acier ballottée sur une immensité grise striée d'écume où l'activité se réduisait à contempler une mer vide ou à reporter à l'encre rouge des corrections dans l'inépuisable et maudite bibliothèque composée de volumes qui se moisissaient doucement.

Un matin, Willie s'étira sur sa couchette, ouvrit les yeux et éprouva une sensation étrange et délicieuse : la couchette, au lieu de rouler et de tanguer, demeurait à l'horizontale. Il bondit hors de sa casemate sans prendre le temps de s'habiller. Le navire glissait entre les berges vertes d'un chenal de près de quinze cents mètres de large. Le ciel était bleu, l'air frais et doux. Le *Caine* avançait à l'allure paisible d'un ferry-boat. Par-dessus la rondeur verte d'une colline, il aperçut loin dans les terres les piliers du pont de la Porte d'Or. Ses yeux se remplirent de larmes et il regagna précipitamment sa casemate.

Il était sur la passerelle quand le *Caine* passa sous la travée que le soleil levant éclairait de reflets pourpres. Mais ses rêveries poétiques furent brutalement interrompues par un dialogue qui se tenait derrière lui entre le commandant et Gorton.

— Bon, en passant devant Alcatraz, nous mettrons le cap sur Oakland. Donnez-moi le relèvement, Burt.

— Commandant, le quai 91 n'est pas à Oakland...

— Je sais. Nous allons rester un moment au large d'Oakland avant d'aller nous amarrer à quai.

— Mais, commandant...

— Qu'est-ce que c'est que toutes ces discussions, Burt? Je vous demande le relèvement d'Oakland!

— Commandant, je voulais simplement vous dire qu'avec la marée il y a un méchant courant le long du quai 91, un courant de cinq nœuds ou plus. La marée est étale, maintenant, on peut venir à quai facilement. Si nous attendons une heure, ça ne sera pas commode...

— Laissez-moi m'inquiéter moi-même du moment de venir à quai. Pour l'instant, donnez-moi le relèvement d'Oakland.

— Bien, commandant.

— *Monsieur* Keith. Vous avez quelque chose à faire en dehors d'admirer le paysage?

Willie se retourna vers le commandant. Queeg, tiré à quatre épingles avec son manteau de pont bleu à galons d'or, sa casquette blanche, son carré de soie blanche, scrutait la baie dans ses jumelles. « Non, commandant...

— Bon. Cette caisse qui est dans ma cabine... prenez une corvée et faites-la charger dans le canot. Vous serez responsable du canot. »

A grand renfort de doigts écrasés, d'échardes sous les ongles, et d'un véritable feu d'artifice d'injures, la corvée réussit à installer la caisse du commandant dans le canot. Le rôle de Willie se bornait à se tenir à distance respectueuse de la redoutable caisse tandis que celle-ci oscillait dans l'air, et à risquer de temps en temps un conseil auquel nul ne prêtait attention.

Le *Caine* s'arrêta devant Oakland, et le canot se dirigea en toussotant vers une rampe de débarquement qui menait à une rue déserte. Queeg s'assit à l'arrière, les pieds sur sa caisse, roulant ses billes entre ses doigts et scrutant la rade. Willie s'émerveillait de voir l'équipage du canot. Horrible, Gras-double et Mackenzie étaient méconnaissables, lavés, peignés, rasés, pomponnés, en tenue blanche bien repassée; on aurait dit qu'ils n'étaient pas de la même race que les sauvages rébarbatifs qui avaient amené pour la première fois Willie à bord du *Caine*. Il connaissait les raisons de cette miraculeuse métamorphose : les matelots tenaient à leur permission et avaient peur de Queeg.

A un moment, le moteur cala. Les matelots s'affairaient autour depuis deux minutes quand le commandant lança d'un air furieux : « Si ce canot n'est pas reparti dans trente secondes, je connais quelqu'un qui s'en mordra les doigts. » Il s'ensuivit une dégelée de coups de poing, de coups de pince et un torrent d'horribles blasphèmes; par bonheur, à la vingt-huitième seconde, le moteur repartit et le canot accosta enfin. « Bon, dit Queeg, en sautant à terre, débarquez-moi cette caisse. Je suis en retard comme il n'est pas permis. »

Deux des hommes de la corvée sautèrent sur le quai, et le troisième matelot, aidé de Gras-double et de Horrible, hissa péniblement une des extrémités de la caisse sur le plat-bord. Les hommes qui étaient sur le quai saisirent la caisse et se mirent à tirer, tandis que ceux du canot poussaient par en dessous. La caisse bougea imperceptiblement.

— Eh bien, eh bien, qu'est-ce que vous attendez?

— Elle ne veut pas glisser, commandant, haleta Horrible, ses cheveux noirs lui pendant sur les yeux. Trop lourde.

— Eh bien, mettez-vous debout sur le plat-bord et soulevez-la. Il faut tout vous dire! Le commandant en se retournant, aperçut

Mackenzie planté sur le quai, tenant l'amarre avant à la main, et contemplant d'un air absent les efforts de ses compagnons. « Eh bien, qu'est-ce que vous fichez là, vous, à vous croiser les bras et à rêvasser? Venez donc donner un coup de main. »

Mackenzie lâcha aussitôt l'amarre et se précipita pour prêter main-forte aux hommes du quai. Ce fut une erreur de la part du commandant tout autant que du matelot. Mackenzie s'acquittait de l'importante fonction qui consistait à maintenir le canot le long du quai. Une fois l'amarre libre, le canot commença à dériver imperceptiblement, puis plus vite. Le vide grandit sous la caisse, entre le canot et le quai. « Oh, merde! gémit Horrible, en trébuchant sur le plat-bord, les doigts passés sous un des coins de la caisse. L'amarre! Que quelqu'un attrape l'amarre! » Mackenzie lâcha la caisse et se précipita vers la corde. Les hommes du quai chancelèrent. Ce ne fut pendant un instant que cris confus, jurons et grincements de bois, puis on entendit le hurlement de soprano de Queeg dominant le tumulte : « Attention à la caisse, bon Dieu! »

Horrible et la caisse dégringolèrent dans l'eau avec un énorme plouf, et Queeg fut aspergé de la tête aux pieds. Horrible remonta aussitôt à la surface, tache blanche au milieu de l'eau boueuse. La caisse coula comme une enclume dans un concert de bulles et de gargouillements. Il y eut un instant de terrible silence. Queeg, ruisselant d'eau, se pencha au bord du quai et scruta l'eau sombre. « Bon, dit-il. A vos grappins. »

Suivit une demi-heure de vains efforts de dragage. Queeg fuma la moitié d'un paquet de cigarettes, ne tirant que quelques bouffées de chacune d'elles avant de la jeter à l'eau. Horrible était accroupi sur le quai, claquant bruyamment des dents.

— Commandant, dit enfin Gras-double d'une petite voix timide.

— Oui?

— Je vous demande pardon, mais je crois qu'elle s'est enfoncée dans la vase. Même si nous la repérons, je ne crois pas qu'on pourra la remonter. La corde ne tiendra pas le coup et, d'ailleurs, je crois que les grappins ne mordraient pas sur le bois mais qu'ils arracheraient seulement des éclisses. Je suis désolé, commandant, mais voilà mon avis.

Queeg contempla l'eau qui avait englouti la caisse. « Bon. Je crois que vous avez raison. C'est fichtrement dommage. »

Le canot était à mi-chemin du *Caine*, quand il rompit le silence pour dire : « Willie, qui était responsable de cette corvée?

— Je... je crois que c'était moi, commandant.

— C'est ce qu'il me semble également. Eh bien alors, comment expliquez-vous cet échec?

— Excusez-moi, commandant, mais vous ne m'avez pas dit de commander le déchargement...

— Je ne vous dis pas non plus de vous essuyer le nez quand il en a besoin, monsieur Keith. Il y a certaines choses qu'un officier est censé comprendre de lui-même. » Le regard du commandant se perdit quelques instants dans le vide. « Je n'apprécie guère, reprit-il, la façon dont vous avez dirigé cette corvée, Willie, d'autant que vos gaffes me coûtent cent dix dollars.

— Commandant, cette caisse est tout près du bord. Je suis sûr que la police du port pourrait vous la récupérer, si vous...

— Êtes-vous complètement fou? dit le commandant. Pour qu'on me demande ce qu'elle contient, hein? Vous m'étonnez parfois, Willie... Foutue histoire! Un de mes amis d'Oakland aurait pris la caisse et me l'aurait fait parvenir chez moi... Enfin. » Après un silence, il ajouta : « Non, vous feriez mieux d'y penser, Willie, et... tâcher donc de voir un peu pourquoi votre opération a foiré, et ce que vous avez de mieux à faire maintenant.

— Voulez-vous que je vous soumette un rapport écrit, commandant?

— Réfléchissez-y, c'est tout », dit Queeg agacé.

Soixante-dix ou quatre-vingts personnes, pour la plupart des femmes, étaient massées sur le quai 91, quand le vieux dragueur de mines s'approcha. Toutes agitaient des mouchoirs et poussaient de petits cris ravis et, avec leurs manteaux de couleurs vives, elles formaient un décor de bienvenue aussi réussi qu'un déploiement de drapeaux.

— Bon, dit le commandant Queeg, posté sur la passerelle et louchant sans entrain vers le courant que la marée faisait tourbillonner devant le quai. Les deux bords, doucement. Les équipes d'amarrage, parées à tribord.

Willie alla à tribord, où, à l'abri des regards du commandant, il se mit à scruter à l'aide de ses jumelles les femmes assemblées sur le quai. Sur toute la longueur du navire, des matelots se pressaient contre le bastingage et les mains courantes, s'efforçant de distinguer des visages familiers, poussant des cris et faisant de grands gestes.

Le *Caine*, faiblement poussé par ses hélices à quelque cinq nœuds, dérivait lentement, sans réussir à avancer vers le quai à contre-courant.

— Bon, fit le commandant, en roulant prestement ses billes, je vois que l'atterrage va être une vraie partie de plaisir... Dites aux hommes de se tenir prêts à leurs canons lance-amarres. En avant, plus vite! La barre à droite, toute!

Le *Caine* se mit à brasser violemment l'eau sombre et vira vers le quai. Des mouettes grises tournoyaient et plongeaient entre le navire et le quai en poussant des ricanements rauques. Au bout de quelques secondes, le navire se trouva parallèle au quai... Mais des mètres et des mètres d'eau l'en séparaient. « Bon, nous allons nous haler jusqu'au quai! Stop! Lancez les amarres! »

Les canons lance-amarres claquèrent à l'avant et à l'arrière, et les vivats de la foule saluèrent la trajectoire de deux cordes blanches qui volaient au-dessus de l'eau. L'amarre avant atteignit le quai, mais celle d'arrière tomba à l'eau. Le *Caine* commença à s'éloigner du quai. « Bon sang, qu'est-ce que fabrique l'équipe de l'amarre arrière? tonna Queeg. Dites-leur d'en lancer une autre, et que ça ne traîne pas! »

Gorton, qui était aux côtés du commandant, dit : « Elle n'arrivera pas au quai, commandant. Nous dérivons trop vite...

— Et pourquoi, je vous prie, dérivons-nous trop vite? Parce que ces sacrés lanceurs roupillent à leur poste! Bon. Ramenez les amarres! Je vais tenter une nouvelle manœuvre. »

Le *Caine* fit machine arrière jusque dans le chenal central. Le cœur de Willie se mit à battre violemment, car il venait d'apercevoir May Wynn à l'extrémité du quai, presque cachée par les femmes qui étaient devant elle. Elle portait un ravissant chapeau gris avec une voilette, un costume de voyage gris et une fourrure blanche. Elle était exactement semblable à l'image que Willie gardait d'elle, toujours aussi belle, aussi désirable. Elle fouillait anxieusement le navire des yeux. Willie avait envie de danser et de crier, mais il se domina et se contenta d'enlever la casquette qui faisait de lui un officier de marine anonyme. Les yeux de May bientôt se posèrent sur lui et son visage s'illumina de joie. Elle brandit une main gantée de blanc. Willie lui rendit son salut d'un petit geste négligent et viril des jumelles, mais il se sentait quand même les genoux flageolants et des frissons d'aise lui parcouraient la peau.

— Très bien, essayons encore, cria la voix du commandant, et si les équipes des lance-amarres roupillent encore, ça va chauffer pour quelques lascars!

Queeg fonça vers le quai à quinze nœuds, vira brusquement à droite et fit machine arrière, essayant, semblait-il, de recommencer sa mémorable venue à quai dans le bassin de ravitaillement d'Hawaï. Mais cette fois la chance ou l'habileté ne lui permirent pas un succès aussi ébouriffant. Il fit machine arrière trop tard. Le *Caine*, qui filait encore bon train, vint s'écraser contre le quai, suivant un angle d'environ vingt degrés. On entendit un horrible fracas de tôles froissées, auquel se mêlaient les cris d'effroi des spectatrices qui se mirent à fuir à l'autre bout du quai.

— En arrière toute! Toute! hurla le commandant, tandis que le destroyer, l'étrave enfoncée dans la pierre du quai, vibrait comme une flèche fichée dans un arbre. Le *Caine* se dégagea aussitôt, dans un nouveau vacarme métallique, laissant dans le quai une monstrueuse éraflure de plusieurs mètres de profondeur sur une vingtaine de mètres de long.

— Saloperie de courant, pourquoi est-ce qu'ils ne sont pas fichus de flanquer un remorqueur quand un navire doit venir à quai?

Willie se dissimula aux regards du commandant, en s'aplatissant contre la paroi de la timonerie, comme il l'avait souvent vu faire aux hommes. Avec May, presque à portée de la main, et un commandant déchaîné, ce n'était pas le moment de se faire voir.

— Bon, essayons encore une fois, annonça Queeg, tandis que le vieux navire reculait dans le chenal, et cette fois, il serait préférable que nous y arrivions, dans l'intérêt de tout le monde, c'est tout ce que j'ai à dire!... En avant toute!

Le *Caine* frémit et repartit de l'avant.

— La barre à droite, toute! Stoppez les machines!

Willie se glissa prudemment le long de la cloison et vit que le *Caine* glissait correctement le long du quai, à cela près que l'étrave s'en approchait plus que l'arrière.

— Bon, rapprochons l'arrière maintenant! Tribord en arrière doucement.

— Tribord, commandant? fit Bidon, qui était au transmetteur d'ordres, d'un ton surpris.

— Oui, hurla Queeg, tribord, et transmettez-moi ça à la salle des machines, crénom!... Bon! Lancez-moi ces amarres!

L'enseigne Keith jeta à nouveau un long regard au visage de sa bien-aimée. Il était étourdi d'amour et d'impatience.

— Qu'est-ce que foutent les lanceurs du gaillard d'arrière? » clama Queeg, et au même moment, on entendit la détonation du canon lance-amarres. Mais les effets du courant joints à la regrettable erreur qu'avait commise Queeg en faisant faire machine arrière à la mauvaise hélice, avaient encore éloigné l'arrière du quai et l'amarre tomba à l'eau. Cependant, les hommes du gaillard d'avant, mus par l'énergie du désespoir, avaient lancé une corde sur le quai, où les matelots qui attendaient l'avaient fixée à une poupe d'amarrage. Retenu par cet unique lien, le *Caine* avait continué à dériver si bien qu'il était maintenant perpendiculaire au quai.

Le flanc de bâbord se tourna bientôt vers le quai et l'écho d'une voix familière parvint aux oreilles de l'enseigne Keith : « WILL-EE! WILL-EE chéri! » Sa mère était sur le quai, à côté de l'amarre, agitant un mouchoir!

Queeg traversa en trombe la timonerie et faillit renverser Willie en se précipitant vers le bastingage. « Monsieur Keith, ne restez pas dans mes jambes! Timonier, timonier, appelez-moi ce remorqueur! »

Avec l'assistance d'un remorqueur qui passait, l'arrière du navire fut poussé jusqu'au bord. Le *Caine* vint enfin s'amarrer à quai et des hourras moqueurs montèrent de la foule de ces dames massées sur le port, hourras auxquels, il faut bien le dire, se mêlaient aussi des huées et des cris d'animaux, tandis que des voix demandaient si le navire appartenait à la Marine chinoise. Queeg entra dans la timonerie, pâle comme un mort, le front strié de rides, les yeux brillants de colère et perdus dans le vague. « Officier de quart! »

Le lieutenant Maryk arriva derrière lui : « Officier de quart, à vos ordres, commandant.

— Bon, dit Queeg, tournant le dos à Maryk et roulant toujours bruyamment entre ses doigts ses billes d'acier. Vous allez faire l'annonce suivante : En raison de la déplorable maladresse des lanceurs d'amarre du gaillard d'arrière, tout l'équipage est privé de deux jours de permission. »

Maryk dévisagea le commandant sans rien dire, mais son expression trahissait l'incrédulité et le mépris. Quelques secondes s'écoulèrent, puis le commandant se retourna brusquement. « Eh bien? Qu'attendez-vous, monsieur Maryk? *Passez la consigne.*

— Je vous demande pardon d'intervenir, commandant, mais ça me paraît un peu dur, commandant. Après tout, les hommes n'y pouvaient pas grand-chose...

— Monsieur Maryk, permettez-moi de vous rappeler que je commande ce navire! Si vous dites encore un mot, je triple la pénalité et je l'étends aux officiers. *Veuillez passer la consigne.* »

Maryk s'humecta les lèvres. Il se dirigea vers le microphone, pressa le levier et dit : « Écoutez tous. En raison de la déplorable maladresse des lanceurs d'amarre du gaillard d'arrière, tout l'équipage est privé de deux jours de permission. » Il referma le levier dont le claquement sec retentit dans le silence du kiosque de barre.

— Merci, monsieur Maryk, et laissez-moi vous dire que je n'apprécie guère votre façon de jouer les magnanimes devant les hommes de quart. Je considère cette conduite comme indigne d'un officier, voisine de l'insubordination et je vous avertis que cet incident aura des répercussions sur votre rapport d'aptitude.

Tête basse, le commandant quitta la timonerie et descendit lourdement l'échelle de passerelle. Sur tout le navire et sur le quai, partout où l'on avait entendu l'annonce, les visages exprimaient l'étonnement et la consternation : les visages enfantins des matelots, les visages las des maîtres, les jolis visages des fiancées et des visages plus âgés comme celui de la mère de Willie Keith. Mrs. Keith n'avait pas encore la consolation de comprendre que l'enseigne Keith était un officier et que la punition ne le concernait donc pas.

Quand on eut posé la planche de débarquement, Willie fut un des premiers à descendre à terre. Il ne voyait aucun moyen d'éviter la rencontre des deux femmes. Il allait falloir affronter cette situation. Mrs. Keith était au pied de la planche de débarquement; et May, dont le visage exprimait un touchant mélange de confusion, de joie et d'appréhension, s'était placée juste à côté de la vieille dame. Celle-ci serra Willie dans ses bras à peine avait-il remis les pieds sur la terre des États-Unis — si tant est que l'on puisse parler de terre à propos d'un quai. « Chéri, chéri, chéri! s'écria-t-elle. Oh, comme c'est merveilleux de t'avoir à nouveau près de moi! »

Willie se dégagea doucement, en souriant à May : « Mère, dit-il, en prenant sa main et la main de May, je voudrais te présenter... hum... Marie Minotti. »

QUATRIÈME PARTIE

A TERRE

CHAPITRE XVI

A TERRE

WILLIE et May étaient serrés l'un contre l'autre sous un grand pin baigné de lune, devant l'hôtel Ahwanee, dans la vallée de Yosemite. Leurs joues se touchaient; leurs respirations se mêlaient pour ne former qu'un seul nuage de vapeur blanche. Une voix d'homme très grave leur parvint, renvoyée par les parois abruptes de la vallée, et qui disait : « Laissez tomber le feu! » Du sommet d'une falaise une cascade de braises ardentes se mit à dégringoler, formant une colonne mouvante et rouge de plus de quinze cents mètres de haut. Quelque part dans l'obscurité, des cow-boys musiciens entonnèrent une chanson d'amour pleine de mélancolie. Willie et May se tournèrent l'un vers l'autre et s'embrassèrent.

Un moment plus tard ils prirent, bras dessus bras dessous, le chemin de l'hôtel. Ils traversèrent le hall décoré de tentures indiennes multicolores, de peaux et de cornes, se dirigeant vers l'ascenseur laqué de rouge. Ils montèrent jusqu'au second étage et sortirent ensemble. Toute une longue nuit d'hiver s'écoula avant que Willie retourne dans sa propre chambre, engourdi de joie, et se laisse tomber dans un fauteuil pour retrouver encore en pensée sa dernière vision de May, éblouissante dans sa simple chemise de nuit blanche, ses cheveux roux retombant sur ses épaules nues, et lui souhaitant bonne nuit devant sa porte. Willie souriait encore d'aise à ce souvenir et ne se doutait pas un instant qu'à l'étage au-dessous, dans sa chambre, May était effondrée dans un fauteuil, tremblant de tous ses membres et sanglotant désespérément.

C'était la vieille histoire : le jeune homme revenant de la guerre, avide d'amour, refusant de se soucier des codes de prudence du temps de paix; et la jeune fille qui l'aimait et qui était, elle aussi, avide d'amour et prête à faire n'importe quoi pour plaire au jeune homme. Aussi, adieu les lois! Willie n'avait jamais essayé de forcer May à lui céder. Il craignait de s'engager, bien plus qu'il n'aspirait à parfaire leur intimité, d'autant que leurs relations lui avaient été très douces sans cela. Il ne s'était même pas montré ce soir-là plus pressant que les autres soirs. C'était arrivé voilà tout; et c'était arrivé d'autant plus facilement qu'ils avaient tous deux lu beaucoup de livres où les codes de morale étaient qualifiés de tabous primitifs, dépendant uniquement de l'époque et du lieu. Willie, qui nageait dans le bien-être, était désormais absolument certain que les livres étaient l'expression même de la sagesse. May, elle, n'en était pas si sûre. Quoi qu'il en fût ce qui était fait était fait.

Quelques heures plus tard, lorsque May eut appelé Willie au téléphone et qu'ils se furent tous deux avoué qu'ils étaient complètement réveillés, ils se retrouvèrent face à face à une table de petit déjeuner inondée de soleil. Par la grande baie en ogive, ils voyaient la falaise toute proche, les forêts de pins vert sombre qui se découpaient sur la neige et, dans le lointain, les sommets toujours blancs des Sierras; on ne pouvait souhaiter plus agréable contraste à la table dressée avec raffinement, au bouquet de fleurs fraîches et aux odeurs mêlées des œufs, du bacon et du café bouillant. Ils étaient tous les deux très gais. Willie se renversa sur sa chaise, poussa un soupir de contentement, et dit : « Eh bien, cela m'a coûté cent dix dollars, mais cela les valait.

— Cent dix dollars? Pour deux jours ici?

— Non, non. C'est la rançon que j'ai versée pour quitter le *Caine*. »

Il raconta à May l'histoire de la caisse de whisky perdue et, comment, lorsqu'il avait demandé à Queeg une permission de soixante-douze heures, celui-ci, après avoir quelque peu tourné autour du pot, avait fini par lui dire : « Il me semble, Willie, que nous n'avons toujours pas réglé cette histoire de caisse. » Sur quoi, l'enseigne s'était empressé de répondre : « Mais, commandant, je suis prêt à reconnaître que l'incident est uniquement dû à ma stupidité et je vais m'efforcer de ne plus en occasionner de semblables. Le moins que je puisse faire est de vous dédommager de votre perte, commandant, et j'espère que vous me permettrez de le faire. » Du coup, Queeg était devenu extrêmement aimable; après avoir remarqué avec un bon rire qu'un enseigne ne serait pas un enseigne s'il ne faisait pas de gaffes, il avait donné sa liberté à Willie.

May était stupéfaite. Elle demanda à connaître plus en détail la vie à bord du *Caine* et, lorsque Willie lui eut, entre autres, rapporté l'affaire Stilwell, elle fut complètement horrifiée. « Mais ton Queeg, c'est un... un monstre, un fou!

— Mon Dieu, si on veut.

— Et ils sont tous comme ça dans la Marine?

— Oh non. Le type qui était là avant Queeg était épatant, et sacrément bon marin, lui. » Les mots étaient sortis de sa bouche avant qu'il s'avisât de sourire de son brusque revirement à l'endroit de de Vriess.

— Mais, est-ce que tu ne peux rien *faire*?

— Quoi, par exemple, May?

— Je ne sais pas moi. Le signaler à un amiral. Écrire à Walter Winchell. *Quelque chose!*

Willie sourit et lui prit la main. Ils restèrent silencieux un moment. Puis May se tamponna les lèvres avec sa serviette, ouvrit son sac à main et se mit à se refaire les lèvres avec un petit pinceau qu'elle trempait de temps à autre dans un minuscule pot de rouge. Willie, qui voyait pour la première fois cette technique de maquillage, trouvait cela un peu voyant et professionnel, mais il se força à ne pas s'en irriter se disant qu'une chanteuse de boîte de nuit pouvait bien avoir une ou deux déformations de métier. Il se surprit à espérer que May ne sortirait pas son petit pinceau s'il leur arrivait de dîner avec sa mère. Il doit exister entre amants quelque chose qui approche de la télépathie car à cet instant May reposa son attirail, regarda Willie bien en face et dit : « C'est gentil de la part de ta mère de t'avoir laissé filer.

— Je fais à peu près ce que je veux, tu sais, chérie...

— Je sais... mais elle venait quand même de traverser tout le pays... et tu l'as plantée là...

— Je ne lui avais pas demandé de venir. Ç'a été pour moi une surprise de la voir. De toute façon, elle peut rester là, tandis que toi tu dois repartir. Elle sait bien ce que c'est.

— Je me demande », dit May avec un petit sourire triste. Willie lui serra la main et tous deux rougirent un peu.

— Que pense-t-elle de moi? demanda May, comme des milliards de pauvres filles l'avaient fait avant elle.

— Elle te trouve bien.

— Je n'en doute pas... Franchement, qu'est-ce qu'elle a dit? La première fois que vous êtes restés seuls, quand je suis repartie à mon hôtel? Quelles ont été ses paroles exactes?

Willie revit en esprit la scène gênante sur le quai, les regards en dessous, les phrases banales, les sourires forcés, l'intelligente retraite de May au bout de quelques minutes. Il crut entendre à nouveau sa mère dire : « Eh bien, eh bien. Mon Willie a des secrets pour sa vieille maman, je vois? Elle est très jolie. Elle est mannequin, figurante? »

— Ses paroles exactes, pour autant que je me souvienne, dit Willie, ont été : « Voici une très jolie petite fille. »

May eut un petit rire méprisant et dit : « Ou bien tu as mauvaise mémoire, ou bien tu es menteur. Il doit y avoir un peu des deux, je suppose... Aïe...! »

Un grand jeune homme blond en costume de ski venait de passer devant leur table tout en bavardant amoureusement avec une jeune personne en rouge et, parce qu'il regardait ailleurs, avait heurté la tête de May avec son coude. Il y eut des excuses, et le jeune couple s'éloigna, doigts entrelacés, en balançant les bras et en riant, les yeux dans les yeux. « Ces jeunes mariés tout de même, marmonna May en se frottant la tête.

— Tu veux qu'on essaie de faire un peu de ski? proposa Willie.

— Non, merci. J'aime bien mes jambes comme elles sont. » Mais son regard s'était éclairé.

— Sur les pentes qu'il y a ici, ta grand-mère ne pourrait pas se faire de mal.

— Je n'ai pas de costume, pas de skis... ni toi d'ailleurs.

— On peut en acheter, ou en louer. Viens! Il se leva d'un bond et la tira par la main.

— Comme ça, quand on me demandera ce que j'ai fait dans la vallée de Yosemite, je pourrai dire : « Du ski. » Elle se leva.

Ils ne rencontrèrent presque personne sur les pistes et, eurent, la plupart du temps, l'impression d'être tout seuls, à jouer dans un monde blanc. Par instants, Willie se surprenait à se demander si le U. S. S. *Caine* existait vraiment : la minuscule timonerie, la casemate, le carré sordide avec ses numéros déchiquetés de *Life* et d'*Esquire* et son odeur de vieux café qui a trop bouilli, la rouille, les obscénités, le petit homme querelleur qui roulait des billes d'acier entre ses doigts et parlait les yeux fixés dans le vide. Il avait la sensation de s'être éveillé d'une longue maladie troublée de cauchemars fiévreux... mais il savait que son mal l'attendait en cale sèche à San-Francisco, réel comme une pierre, et que dans deux jours il devrait fermer les yeux et retrouver ses cauchemars.

Ils firent une halte au chalet du col Badger et se chauffèrent auprès d'un grand feu de bois tout en buvant du rhum bouillant. May ôta son bonnet de ski et secoua ses cheveux qui retombèrent sur sa veste de laine verte : tous les hommes dans la salle parurent fascinés par ce spectacle et quelques femmes même ne purent se retenir de jeter un coup d'œil d'envie sur les magnifiques mèches rousses. Willie se sentait extrêmement satisfait de lui-même. « Je ne peux pas comprendre ce que tu me trouves, annonça-t-il, arrivé presque au bout de son second rhum. Une fille splendide comme toi? Qu'y a-t-il en moi qui t'ait fait traverser un pays pour me retrouver?

— Réponds d'abord à une question que moi je vais te poser. Pourquoi m'as-tu présentée à ta mère comme Marie Minotti? Tu n'as pas prononcé ce nom depuis le premier jour où nous nous sommes vus. »

Willie contempla un moment la danse des flammes dans l'âtre, cherchant dans sa tête une réponse qui fût agréable à May. Il s'était déjà lui-même demandé quelle force avait amené le véritable nom de May sur ses lèvres et avait découvert que ses motifs n'étaient guère avouables : c'était, qu'en dépit de l'immense désir qui l'attirait vers May, il avait honte d'elle. En présence de sa mère, il avait pensé à l'origine de la chanteuse, à la fruiterie dans le Bronx, à ses parents grossiers et illettrés. May était devenue alors Marie Minotti. « Je ne sais pas, dit-il. J'ai pensé qu'il valait mieux dire à ma mère ton véritable nom, commencer en quelque sorte du pied droit. Tout ça d'ailleurs était assez vague dans mon esprit.

— Je vois! Veux-tu me demander un autre rhum? le dernier. Je suis un peu étourdie. C'est l'air probablement.

— Si tu veux, dit-elle, lorsque Willie lui eut apporté son rhum, je te dirai maintenant ce qu'une splendide fille comme moi te trouve.

— Bravo. Vas-y. Il se nicha voluptueusement auprès d'elle.
— Rien.
— Je vois. Il enfouit son nez dans son verre.

— Mais oui, je t'assure. J'ai été prise au piège. Au début, je t'ai trouvé tellement lourdaud et inoffensif que cela m'amusait d'être avec toi; je me disais que je ne risquais rien de toute façon. Après ça, ils t'ont enfermé dans ce Furnald de malheur et tu as eu toutes ces mauvaises notes, et alors je me suis dit qu'il était patriotique de te remonter le moral; je crois même que tu as dû, à ce moment-là, réveiller en moi des sentiments maternels que je ne me soupçonnais même pas. Et voilà comment, de fil en aiguille, tout ça est devenu une habitude, et que nous voilà ici. J'ai été complètement stupide de venir et je rentre chez moi après-demain. Tout ce qui arrive ne me plaît guère; j'ai l'impression d'avoir glissé et de m'être cassé une jambe.

— Tu es fascinée par mon cerveau, dit Willie d'un ton nonchalant.

— Tu oublies, mon vieux, dit May, que j'ai suivi des cours depuis quelque temps, et que j'ai pas mal lu aussi. Je suis capable de parler de Dickens autant que tu voudras, et même de te surpasser. Vas-y, essaye. Que penses-tu de *Bleak House?*

— Jamais lu, dit Willie, étouffant un bâillement. C'est idiot, hein? On est bien devant ce feu, tu ne trouves pas?

— Sortons d'ici, dit May, reposant son verre d'un geste sec.
— Attends un peu, dit Willie. Tu sais ce que je crois? C'est chimique. Il y a entre toi et moi des affinités chimiques, comme entre le chlore et le sodium.

— J'ai déjà entendu ça quelque part, dit May d'un ton agacé, et ça me donne envie de vomir. Comment expliques-tu que presque tous les hommes avec qui je travaille ressentent envers moi ta fameuse affinité chimique, et que pour moi ce soient tous des porcs?

Willie eut un sourire d'une si parfaite suffisance masculine que May bondit, dominant à grand-peine une envie de lui lancer son verre à la figure. « Je grille ici, je veux m'en aller. »

La pluie de cendres rouges leur parut, ce soir-là, moins specta-

culaire, bien que la scène fût exactement semblable à celle de la
veille, à cela près que la lune était plus pleine et plus lumineuse.
Les musiciens jouèrent le même air nostalgique, et Willie de nouveau embrassa May; mais au lieu d'être, comme la veille, irrésistiblement poussé vers elle, il avait plutôt le sentiment de faire
ce qui s'imposait. May sentit la différence sur ses lèvres et les
siennes demeurèrent froides. Au lieu de monter, ils restèrent un
moment en bas à danser. Ils finirent par aller dans la chambre
de May, mais là Willie ne retrouva plus l'atmosphère de la veille.
May s'était installée dans un fauteuil dans une position qui la
rendait difficile à approcher et bavardait avec animation, parlant
du Hunter College, de Marty Rubin et des boîtes où elle avait
chanté. Willie s'ennuyait et se sentait d'instant en instant plus
exaspéré mais en même temps trouvait la beauté de May de plus
en plus provocante. Finalement il se leva, s'approcha du fauteuil
et, tandis qu'elle parlait, ébaucha un geste tendre. D'un petit
coup d'épaule, May fit glisser sa main. « Qu'est-ce qui se passe,
mon petit vieux? » dit-elle.

Willie marmonna quelques mots gentils.

— En tout cas, ne te précipite pas sur moi quand je n'en ai
pas envie, dit-elle. Je sais me défendre.

— Excuse-moi, dit Willie et il repartit en traînant vers sa
chaise.

Ils passèrent deux heures en conversation décousue. Tantôt
May parlait de sa vie chez elle, tantôt elle questionnait Willie
sur le *Caine*, le tout sur le même ton d'hôtesse accomplie. Willie
enleva sa veste et sa cravate et s'allongea sur le lit, il fumait une
cigarette après l'autre et répondait aux questions qu'on lui posait
d'un ton de plus en plus maussade. Il commença à bâiller, sur quoi
May bâilla deux fois autant et aussi fort. « Dieu, Willie, tu n'imagines pas ce que je suis fatiguée. Je vais me coucher.

— Très bien », dit Willie avec soulagement, sans bouger du
lit. May lui jeta un regard interrogateur puis passa dans la salle
de bains. Elle en ressortit au bout de quelques minutes, nouant
la ceinture d'une robe de chambre de lainage bleu. « Tu es encore
là? »

Willie se leva d'un saut et la prit dans ses bras. Elle l'embrassa
affectueusement et dit : « Bonne nuit, chéri.

— Je ne m'en vais pas, dit Willie.

— Oh, mais si. » Elle alla à la porte et l'ouvrit. Willie la referma
du plat de sa main et serra May contre lui. « Mais enfin, qu'est-ce
que...

— Écoute-moi, Willie, dit-elle, se dégageant et le regardant
avec calme, tu te fais des idées. J'ai contribué autant que je pouvais, et un peu plus, à rendre agréable la permission du militaire —
et peu importe ce que je pense de moi en ce moment même — mais
cela ne veut pas dire que tu vas emménager chez moi. Je t'aime
bien, Willie, et je ne te l'ai fait que trop sentir, mais je n'ai pas

l'intention d'acquérir de nouvelles habitudes. Et maintenant, n'essaye *surtout pas* de faire le mâle indomptable. Tu ne ferais que te rendre ridicule, et de toute façon je suis capable de te maîtriser avec une main attachée derrière le dos.

— Je n'en doute pas, dit Willie, furieux, je suis certain que tu as sur ce chapitre beaucoup d'expérience. Bonne nuit! »

Le bruit qu'il fit en claquant la porte suffisait à réveiller tout l'étage et, subitement honteux, Willie monta chez lui par l'escalier de secours au lieu de sonner l'ascenseur.

A huit heures, le téléphone de May la tira d'un sommeil agité. Elle saisit le récepteur et dit d'un ton morne : « Oui?

— C'est moi, fit la voix de Willie, lasse et assourdie. Tu viens déjeuner?

— Je descends dans un quart d'heure. »

Il était installé à une table lorsqu'elle vint vers lui, traversant un large rayon de soleil. Elle était vêtue d'une jupe grise et d'un sweater blanc et portait un rang de perles fausses autour du cou; ses cheveux retombaient en rouleau autour de son visage; elle n'avait jamais été plus jolie. Il se leva, lui avança une chaise et deux pensées se suivirent immédiatement dans son esprit : « Est-ce que je veux passer avec cette femme le reste de ma vie? » et : « Comment puis-je vivre avec quelqu'un d'autre? Où vais-je la retrouver? »

— Bonjour, dit-il. Faim?

— Pas très.

Ils commandèrent le petit déjeuner, mais n'y touchèrent pas. Ils échangèrent des réflexions sur le paysage. Ils fumèrent et burent du café. « Qu'as-tu envie de faire aujourd'hui? demanda Willie.

— Ce que tu voudras.

— Tu as dormi?

— Comme ci, comme ça.

— Je suis désolé pour hier soir », dit Willie brusquement et alors qu'il n'avait nullement eu l'intention de s'excuser.

May eut un pâle sourire et dit : « Il n'y a pas de quoi être désolé, Willie. »

Willie fut pris de vertige, comme s'il se trouvait à l'extrémité d'un pont et regardait à ses pieds la mer en furie ayant peine à réprimer une envie de s'y jeter. Sa bouche devint sèche. Il reprit son souffle et se lança. « Que dirais-tu de passer le reste de ta vie avec un monstre comme moi? » articula-t-il péniblement.

May le regarda, mi-triste, mi-amusée. « Qu'est-ce qui te prend, chéri?

— Je ne sais pas. Il me semble qu'il serait peut-être temps que nous commencions à parler de nous marier », dit Willie d'un ton buté.

May posa sa main sur celle de Willie et dit avec un calme sourire. « Tu veux faire de moi une femme honnête?

— Je ne vois pas ce que nous allons faire d'autre de nos vies, dit Willie. Si tu crois que je suis fou, dis-le.

— Je ne crois pas que tu sois fou, dit May. Seulement j'aimerais bien que tu n'aies pas l'air d'avaler courageusement une drogue amère. »

Willie éclata de rire. Il la regarda longuement. « Eh bien, qu'est-ce que tu en dis ? »

May détourna les yeux et regarda autour d'elle la pièce ensoleillée. La plupart des tables étaient vides. Dans un coin, près d'une fenêtre, les jeunes mariés étaient assis face à face, dans leurs tenues de ski flamboyantes, et la jeune femme enfournait des petits morceaux de gâteau dans la bouche de son mari. « Qu'est-ce que je dis de quoi, Willie ?

— De notre mariage.

— Je ne t'ai pas entendu me demander ma main.

— Je te demande de m'épouser, dit Willie, articulant chaque syllabe.

— J'y réfléchirai », dit-elle. Elle tira son pinceau et son rouge à lèvres de son sac, puis regarda gravement Willie. Celui-ci manifestait une surprise si peinée qu'elle éclata de rire. « Oh, écoute, chéri, dit-elle reposant son attirail sur la table et lui prenant le bras, c'est vraiment très gentil à toi. Je suis sûre que tu as fait un gros effort. Mais rien n'est normal ce matin. Je ne peux pas te prendre au mot, et t'obliger à tenir ta promesse, simplement parce que tu te sens en faute et que tu as pitié de moi. Peut-être, en effet, nous marierons-nous un jour. Je ne sais pas. Parle d'autre chose. »

Willie, complètement désarçonné, la regardait se repeindre les lèvres. Tout ce qu'ils venaient de dire était présent à son esprit et, cette conversation, quand il y réfléchissait, lui paraissait inconcevable. Il s'était souvent imaginé demandant à May de l'épouser, mais jamais la scène n'avait pris ce caractère irréel et peu concluant. L'idée ne lui était jamais venue qu'il pourrait, quelques minutes après s'être décidé à prononcer les paroles fatales, se trouver encore libre.

Quant à May, qui semblait si calme et si préoccupée de tracer parfaitement le contour de ses lèvres, elle était, elle aussi, étourdie et troublée. Sa réaction l'avait stupéfaite. Elle ne s'était pas attendue à ce que Willie lui demande de l'épouser, et moins encore à ce qu'elle-même n'accepte pas. Et pourtant, la scène était jouée et rien n'avait été résolu. « Je crois que j'aimerais monter à cheval, dit-elle, les yeux fixés sur sa glace. Une bonne bête, bien douce. Qu'en penses-tu ?

— Excellente idée, dit Willie. Dépêche-toi d'en finir avec ta peinture. »

Ils chevauchaient à travers la neige de vieilles bêtes tristes. May se cramponnait aux rênes et criait de joie chaque fois que son cheval faisait mine de vouloir faire quelques pas de galop. Willie était un cavalier expérimenté et ne trouvait pas l'aventure bien excitante, mais il prenait plaisir à respirer l'air cristallin, et à contempler le splendide paysage et surtout la beauté et la bonne humeur de sa compagne. Au déjeuner, ils étaient affamés et avalèrent d'énormes steaks. L'après-midi, ils allèrent faire une promenade en traîneau; bien emmitouflés sous les couvertures qui sentaient le cheval, ils échangèrent de tièdes caresses tandis que le vieux cocher loquace leur prodiguait des informations géologiques concernant la vallée. De retour à l'hôtel, ils commencèrent à boire bien avant le dîner et passèrent la soirée à danser et à bavarder dans une agréable atmosphère de bien-être et d'affection mutuelle. Ce soir-là, Willie quitta May devant sa porte, après un baiser bref mais bien senti, et monta chez lui tout gonflé de mâle vertu et d'une exaltation due à l'alcool.

Le voyage de retour en car à San-Francisco, le lendemain, était long. Il n'était pas déplaisant de regarder, par la vitre, les pics neigeux et couverts de forêts et les gorges des Sierras tout en se tenant la main en silence. Mais lorsque le car pénétra dans la vallée de San-Joaquin et poursuivit sa route sur la Nationale 99 entre une succession interminable de vergers et de jardins maraîchers tous bruns et nus sous le ciel d'hiver, Willie commença à sentir que le temps était venu de parler sérieusement. Il n'y avait pas que San-Francisco et le *Caine* au bout de cette longue route goudronnée. Il y avait aussi sa mère. « Chérie », dit-il.

May se tourna vers lui et le regarda tendrement.

— As-tu pensé à nous? demanda-t-il.

— Naturellement, beaucoup. Elle se redressa sur son siège et libéra sa main pour allumer une cigarette.

— Et alors... quelles sont tes conclusions?

Entre l'instant où son allumette s'enflamma et celui où elle la jeta dans le cendrier, May eut toute une suite de pensées. Elle en tira une sensation de mécontentement et d'insécurité, et l'impression qu'on l'avait mal embarquée. « Que veux-tu que je te dise, Willie?

— Que tu vas m'épouser. »

May haussa les épaules. Cette cour tiède et prosaïque ne correspondait guère à l'idée qu'elle s'était faite de l'amour et du mariage. Mais le bon sens était son point fort, et elle se dit que mieux valait prendre ce qu'on lui offrait. Elle voulait Willie. « Tu me connais, Willie... je suis difficile à avoir, dit-elle avec un sourire un peu confus et en rougissant. Quand? Où? Que comptes-tu faire? »

Willie poussa un profond soupir, lui pressa la main et dit : « C'est là ce à quoi nous devons penser maintenant. »

May se dressa et lui lança un regard où était revenue son ancienne méfiance. « Écoute, chéri, je veux que nous mettions une chose au point. Si c'est un foyer pour femmes déchues que tu veux installer je n'en suis pas. Je ne veux pas que tu m'épouses parce que tu as pitié de moi, ou parce que tu veux te conduire en gentilhomme, ou quoi que ce soit de ce genre.

— Je t'aime, May.

— Tu ferais mieux de réfléchir encore un peu à tout ça.

— Je ne veux plus y réfléchir », dit Willie, mais son ton manquait de conviction. Ses motifs ne lui apparaissaient pas très clairement, et il se demandait s'il n'était pas poussé avant tout par un sentiment de chevalerie mal comprise. Willie Keith était imbibé d'éthique banlieusarde, il n'avait guère d'expérience et il n'était pas, en outre, le jeune homme le plus intelligent du monde. La nuit qu'il avait passée avec May avait fait baisser celle-ci dans son estime tout en la rehaussant par ailleurs à ses yeux en tant qu'objet de son désir. Il ne savait pas vraiment ce qu'il devait faire et, en fait, était aussi malheureux que peut l'être un jeune garçon qui a auprès de lui et à sa portée une fille aussi belle que May.

— Vas-tu en parler à ta mère?

— Eh bien, je crois que plus tôt elle saura, mieux cela vaudra.

— J'aimerais bien entendre votre conversation.

— Je te la répéterai ce soir, quand je lui aurai parlé, dit Willie. Mot pour mot.

Après un long moment de silence, il reprit : « Il y a la question de religion. Est-ce que... est-ce que toi tu tiens beaucoup à la tienne? » Il avait beaucoup de mal à s'exprimer. Il était gêné par l'impression qu'il prenait un ton stupide et solennel pour aborder un problème qui n'avait aucune réalité.

— J'avoue que je ne suis pas une catholique très ardente, Willie, dit May. Il n'y aura pas d'histoires de ce côté-là.

— Tant mieux. Le car s'arrêta devant une auberge. Willie bondit de son siège, brusquement soulagé. « Viens prendre du café. Je meurs de soif. »

Une vieille dame installée sur l'un des sièges de devant, et qui déployait sur ses genoux le contenu d'un panier à déjeuner, se sentit tout attendrie en voyant la jolie fille rousse en manteau de poil de chameau et le jeune enseigne aux joues roses, dans sa longue veste aux boutons dorés, son foulard de soie blanche et sa casquette blanche d'officier. « Regarde, dit-elle au vieux monsieur assis à ses côtés et dont les yeux n'avaient pas quitté le panier à provisions, *voilà* un couple charmant. »

CHAPITRE XVII

DEUX BOUTEILLES DE CHAMPAGNE

MARYK fut tiré d'un sommeil troublé par une sonnerie métallique qui retentit juste au-dessus de lui, à quelques centimètres de son crâne. Il rejeta la pile de couvertures entassées sur sa couchette et sauta à terre, non sans frissonner au moment où ses pieds nus touchèrent le sol gluant. A la lumière d'une torche électrique, il enfila un costume kaki taché de graisse.

Il lui était échu le plus désagréable des services : vingt-quatre heures d'affilée de garde sur un bâtiment vide en cale sèche. Le *Caine* n'était plus qu'une carcasse de fer. Il n'y avait plus ni chauffage, ni lumière, ni machine en marche. Les chaudières et les machines principales étaient éventrées. Le combustible avait été vidangé, et les ventilateurs qui, avec leur ronronnement, représentaient le souffle du navire, s'étaient tus. Tout cela avait été remplacé par un millier de raclements, de claquements, de grincements, de coups sourds et de grattements. Une fois de plus, les ouvriers de l'Arsenal tentaient de rendre quelque jeunesse au vieux bâtiment délabré à l'aide d'une opération de chirurgie esthétique. L'air brumeux de San-Francisco s'engouffrait à travers les coursives puant le moisi, et les cabines et les dortoirs de l'équipage n'étaient qu'autant de débarras où magazines, livres et linge sale gisaient en tas.

Les officiers et l'équipage logeaient dans des baraquements, à quai. Seuls restaient à bord l'officier de service et une sentinelle. Le commandant Queeg avait filé chez lui, dans l'Arizona, quelques heures après que le navire fut arrivé à quai, laissant son commandement à Gorton. Adams, Carmody, Rabbitt et Paynter étaient partis en permission, et les hommes bouillaient d'impatience dans les baraquements, attendant qu'arrive ce cinquième jour où ils pourraient enfin s'en aller. Le moral était si bas, l'atmosphère, dans les dortoirs, si macabre, que Maryk lui-même, qui pourtant s'entendait bien d'ordinaire avec les matelots, ne se risquait plus à aller les voir.

Il monta sur le pont et vit que le temps était à nouveau gris et humide. Il se fraya péniblement un chemin au milieu des tuyaux, des canalisations, des machines démontées, des planches, des bâches et des caisses. Devant la passerelle d'embarquement, il trouva l'homme de garde, Gras-double, en costume blanc tout froissé, et qui dormait sur un tas de cordages. Il l'éveilla sans rudesse et l'envoya, tout bâillant, traverser la longue planche grise qui franchissait le golfe de la cale sèche pour aller acheter du café et des doughnuts.

A huit heures, l'enseigne Harding arriva a bord en vacillant, le visage d'un gris bleuâtre. Il se fit passer les consignes par Maryk, descendit d'un pas chancelant au carré et tomba endormi sur la couchette où se trouvait déjà un amoncellement de fourchettes et de couteaux.

Maryk alla au cantonnement des officiers célibataires et essaya de réveiller Keefer, mais le romancier ne fit que grogner : « Vous verrai au Saint-Francis à une heure, déjeuner », et se rendormit. Le lieutenant revêtit alors une tenue bleue qui sentait encore la naphtaline malgré un nettoyage et prit un bus pour aller en ville.

San-Francisco était sa ville natale et son cœur avait battu depuis l'instant où le *Caine* s'était arrêté sous le pont de la Porte d'Or. Mais, lorsqu'il se retrouva dans Market Street, il ne sut plus que faire. Il tua le temps à errer dans les rues jusqu'à une heure.

Keefer l'attendait dans le hall du Saint-Francis; il était effondré dans un fauteuil, pâle et plus efflanqué que jamais. Ils passèrent dans une pompeuse salle à manger où ils mangèrent un déjeuner luxueux et fort cher. Le romancier voulut absolument commander une bouteille de champagne pour fêter l'éloignement de Queeg et leur liberté provisoire. Il la vida presque entièrement à lui seul. Maryk, lui, trouvait que ce champagne avait goût de bière sucrée. « Qu'est-ce qui se passe, Steve? lui demanda Keefer. Vous m'avez l'air dans le trente-sixième dessous?

— Je sais.

— Pourquoi?

— Sais pas. Ça ne vous est jamais arrivé, Tom, d'avoir l'impression qu'il y a un malheur dans l'air... que vous aurez une sale tuile avant la fin de la journée?

— Si. C'est ça que vous ressentez?

— Je crois, oui. Je ne sais pas, mais depuis que je me suis levé, je trouve que tout est gris et moche. » Il regarda autour de lui. « Je me sens tout drôle ici. Steve Maryk déjeunant au Saint-Francis.

Quand j'étais gosse, j'étais persuadé que seuls les millionnaires mangeaient ici.

— Comment avez-vous trouvé Frisco au bout de... de combien d'années?

— Dix, je crois. Nous sommes partis à Pedro en 33. Moche. J'ai la sale impression d'être un fantôme.

— Je comprends maintenant. C'est de revoir votre enfance qui vous met dans cet état... c'est la conscience de la fuite du temps. C'est le souffle glacé de la mort, Steve, qui vous est passé dans le cou. »

Maryk eut un sourire narquois. « Le souffle glacé de la mort! Vous devriez mettre ça dans votre bouquin. »

La pluie se mit à frapper contre la vitre auprès de laquelle ils étaient installés. « Et voilà, dit Maryk. Notre promenade sur le pont de la Porte d'Or est à l'eau, en admettant que vous y teniez toujours.

— Pensez-vous! C'était mon romantisme imbécile. J'ai des crises comme cela quelquefois. Non, c'est à Berkeley que nous allons. J'ai mijoté quelque chose de ce côté-là.

— Quoi?

— Je connais un prof d'anglais là-bas. Je lui ai téléphoné ce matin. Il nous a invités à une matinée littéraire. Or, le club littéraire est composé de quatre-vingt-dix pour cent de filles.

— Moi, je suis prêt à n'importe quoi.

— Vous allez m'entendre parler du « Roman de la Seconde Guerre mondiale ». Je vous plains.

— Ne vous en faites pas pour moi. » Maryk alluma un cigare.

Les deux officiers ne pouvaient s'habituer à l'idée d'être loin du bateau, dans un hôtel luxueux et en tenue de ville. Ils se dévisageaient comme des étrangers. Et, comme des étrangers que le hasard a réunis, ils se mirent à parler de choses très personnelles. Ils se donnèrent force détails sur leurs familles respectives. En l'espace d'une demi-heure, Maryk en apprit plus long sur la famille et les amours de Keefer qu'il ne l'avait fait en un an de vie commune à bord du *Caine*. Lui-même entretint Keefer de ses exploits de pêche et fut très flatté des questions intéressées du romancier.

— Ce doit être une vie merveilleuse, Steve.

— Ne croyez pas ça. En fait, ça revient à gagner sa vie de la façon le plus dure qui soit. On se casse les reins et le marché n'est jamais ce qu'il devrait être : quand on prend des aloses, personne n'en veut, quand on prend du maquereau, il y en a tellement qu'on ne vous l'achète même pas pour les chats, et tout comme ça. C'est un métier pour de pauvres imbéciles d'étrangers, comme mon père. Je ne suis pas très malin, moi non plus, mais je ne suis pas étranger. Je trouverai autre chose à faire.

— La Marine, je suppose.

— Eh bien, oui. Je suis stupide mais j'aime la Marine.

— Je ne vous comprends pas, Steve. La pêche, c'est quelque

chose de tellement honnête, et de tellement utile. Pas un mouvement superflu, pas une once de carburant brûlée pour rien. Vous
vous cassez les reins, c'est entendu, mais pour avoir du *poisson*.
Vous, entre tous, rester dans la Marine! Des paperasses, encore
des paperasses, toujours des paperasses : faire des courbettes, et
des exercices imbéciles, le tout sans la moindre utilité, un gaspillage organisé. Et quand j'y pense, la Marine en temps *de paix :* le
patronage pour adultes, tous les jours de la semaine...

— Vous ne croyez pas qu'un pays ait besoin d'une marine?
— Bien sûr que si.
— Et alors? Qui la dirigera?
— Les Queegs, par exemple. En tout cas, pas des citoyens utiles.
— C'est ça, laissez la Marine aux Queegs. Et le jour où la guerre
éclate, vous trouvez un Queeg au-dessus de vous et vous vous
mordez les poings.
— Ça passe le temps de se mordre les poings.
— Il n'y a pas que des Queegs dans la Marine, loin de là.
— Non, bien sûr. Lui, c'est un sous-produit du système. Il
s'est transformé en monstre parce que sa faible petite personna-
lité est incapable de se mettre à la hauteur des exigences de la
Marine... Ce champagne n'est pas mauvais du tout, à propos,
dommage que vous n'aimiez pas ça... Mais, Steve, la véritable
Marine, c'est une affaire de famille. C'est une tradition, comme
la classe dirigeante en Angleterre. Vous n'y entrez pas. Vous ne
pourrez jamais être qu'un opportuniste de seconde zone...
— Vous estimez que pêcher est utile. Eh bien, moi j'estime que
faire marcher des bateaux de la Marine est utile aussi. A l'heure
qu'il est, on est bigrement content de les trouver...
— Mais dites donc, Steve, vous êtes patriote!
— Mon œil! Je sais manœuvrer un bateau et j'aime sacrément
mieux faire vingt ans dans la Marine et avoir une retraite, que
d'attraper des rhumatismes et me démolir le dos à tirer du poisson
de l'eau. En tout cas, c'est comme ça que je vois les choses avec
ma grosse tête.
— Eh bien, Dieu vous garde, mon vieux. Buvons à l'amiral
Maryk, commandant des Opérations dans le Pacifique en 1973.
Il remplit le verre de Maryk et força celui-ci à boire. « Et où en
sont vos pressentiments?
— Ma foi, j'en ai beaucoup moins quand je n'y pense pas.
— Les fillettes de Berkeley vont arranger tout ça. Allons-y. »

Le professeur Curran, un homme bedonnant au visage rose et
qui avait gardé une bouche d'enfant, fit entrer les deux officiers
dans un salon rempli de jeunes filles qui babillaient avec animation. De-ci de-là, on voyait quelques garçons aux allures gauches
et au teint brouillé. L'arrivée des deux guerriers en uniforme
bleu et or mit de l'électricité dans l'air. Les filles perdirent leur

indifférence naturelle pour adopter une indifférence artificielle et, de tous côtés, poudriers et rouges à lèvres sortirent des sacs.

Le professeur présenta Keefer avec tout un luxe de précisions flatteuses. Il fit savoir à ces jeunes personnes qu'elles avaient devant elles l'une des futures étoiles de la littérature américaine. Il les informa que plusieurs des nouvelles et des poèmes de Keefer avaient été publiés dans la *Revue trimestrielle de Yale* et autres périodiques tout aussi renommés. Il s'étendit sur sa pièce, *l'Herbe folle*, sur laquelle la Guilde du Théâtre avait gardé pendant un an une option. « Mais, ajouta-t-il d'un ton malicieux, ne croyez pas que Thomas Keefer ne soit encore un de ces écrivains dont les œuvres sont réservées à une élite prétentieuse : il a vendu aussi des nouvelles à *Esquire* et au *Ladies' Home Journal*, c'est dire qu'il peut à l'occasion « donner dans le sentiment ». Les jeunes filles émirent de petits rires et se regardèrent avec des airs entendus. Quant à Maryk, enfoncé dans un vieux divan vert, dans un coin de la pièce, il n'en croyait pas ses oreilles. Keefer n'avait jamais parlé à aucun d'eux de ce qu'il écrivait. Aussi Maryk se sentait-il tout excité à l'idée qu'il vivait en compagnie d'un écrivain d'avenir; il avait honte aussi, rétrospectivement, de s'être, comme les autres, moqué de Keefer à la table du carré.

— Et nous allons maintenant avoir le plaisir inattendu d'entendre parler du « Roman de la Seconde Guerre mondiale, » non pas par moi, mais par un jeune homme qui est fort capable d'écrire lui-même *le* roman de cette guerre : le lieutenant Thomas Keefer, du U. S. S. *Caine*.

Keefer répondit aux applaudissements par un charmant sourire et se lança dans son exposé. Les jeunes filles semblaient boire toutes ses paroles, mais Maryk n'en tira rien que la triste certitude que, chaque fois qu'il s'était fait coller en anglais, il l'avait bien mérité. De tous les noms qu'il entendit — Kafka, Proust, Hemingway, Stein, Huxley, Crane, Zweig, Mann, Joyce, Wolfe — il n'en reconnut qu'un, celui d'Hemingway. Il se souvenait vaguement avoir commencé à lire une édition à bon marché d'un roman d'Hemingway parce qu'il avait été attiré par la couverture, laquelle représentait une jeune femme nue assise sur un lit et conversant avec un soldat complètement habillé; mais très vite il s'était rendu compte que cette histoire était trop bien écrite pour être pornographique et il avait abandonné le livre.

Keefer parla pendant une demi-heure, laissant Maryk à la fois déconcerté et humilié. Puis, les filles se massèrent autour du conférencier l'entourant d'un cercle de quatre à cinq têtes de rayon et Maryk resta collé contre un mur à faire péniblement la conversation avec deux parmi les moins jolies de ces passionnées de littérature : ces deux jouvencelles ne s'intéressaient d'ailleurs à lui que dans la mesure où il pouvait les renseigner sur Keefer. Maryk en vint à se demander si ce n'était pas là la réalisation de ses pressentiments : une après-midi où on lui frottait douloureusement

le nez dans son ignorance et sa stupidité. Il ne pourrait probablement jamais plus reprendre des relations normales avec Keefer.

Au bout d'un moment, le romancier s'empara des deux plus
jolies filles et ils allèrent tous quatre dîner aux bougies dans un
restaurant français d'où l'on avait vue sur la baie. A huit heures,
Maryk téléphona par acquit de conscience du bateau. Il revint
de la cabine les yeux exorbités et se mordant les lèvres. « Ils
demandent qu'on retourne à bord, Tom.

— Quoi! Quand ça?

— Tout de suite.

— Qu'est-ce qui se passe?

— J'ai demandé à Bidon. Il n'a rien voulu me dire. C'est Gorton
qui nous demande. »

Les filles poussèrent des cris de déception. Elles repartirent,
toutes déçues, dans leur Buick décapotable rouge tandis que les
officiers hélaient un taxi. Keefer se prodiguait en jurons sur leur
malchance et se demandait ce qui leur valait d'être brusquement
rappelés. Le lieutenant ne disait rien, se contentant de frotter
ses paumes moites contre les manches de sa veste.

A la lumière d'un projecteur jaune qui se trouvait juste au
pied de la planche d'embarquement ils virent Gorton et Harding
postés sur le pont auprès d'un groupe de soudeurs encapuchonnés
penchés au-dessus de leurs flammes bleues. « Qu'est-ce qui se passe?
cria Keefer, grimpant derrière Maryk.

— Vous feriez bien de vous mettre au pas, monsieur Maryk,
dit Gorton avec un sourire en coin. Le second est censé informer
l'officier de quart du lieu où on peut le joindre. Je vous ai fait
demander dans tous les bars de la ville... »

Le lieutenant le regarda avec stupéfaction : « Qu'est-ce que
vous racontez?

— Vous m'avez bien entendu. Ça y est, Steve, dit Gorton.
Adams et moi avons reçu notre ordre de mutation cet après-midi.
Vous êtes le second du Caine à partir de maintenant. » Il prit la
main de Maryk, toujours abasourdi, et la serra fortement.

— Moi? bégayait Maryk. Moi?

— C'est comme ça dans toute l'escadre, Steve. Sur le Simon,
il y a un type qui était lieutenant depuis octobre et qui vient d'être
nommé second. Et leur nouveau pacha est un lieutenant de réserve.
Tout ça est en mouvement. En tout cas, nous allons avoir une nuit
chargée...

— Et moi, j'ai eu mon changement? interrompit Keefer avidement.

— Non, et vous ne l'aurez jamais, Tom. Cette fois, c'en est
fait. Carmody s'en va aussi. Vous et Steve vous allez mener ce
raflot jusqu'au cimetière. Vous serez second dans un an d'ici.

Keefer ôta sa casquette blanche et la jeta sur le pont. Elle rebon-
dit, se mit à rouler et disparut. Gorton se pencha par-dessus
bord. « Et voilà, dit-il, partie dans l'eau de cale. Il va falloir que

le nouveau lieutenant en premier se procure une autre casquette.

— Que Dieu damne le *Caine*, dit Keefer, et tous ceux qui sont à bord, y compris moi. »

Maryk jetait des regards mélancoliques tout autour de lui, comme s'il montait pour la première fois à bord du vieux navire. « Ça y est... », pensait-il, mais il aurait été incapable de préciser ce qui « y était ».

Mrs. Keith n'eut aucune peine à voir que son Willie n'était plus le garçon qui était parti dans la vallée de Yosemite trois jours plus tôt. Ils dînaient à l'hôtel Mark Hopkins dans l'appartement de Mrs. Keith qui donnait sur la baie. La vue était splendide, le dîner excellent, le champagne français d'une bonne année; mais Willie regardait dans le vague, picorait son dîner et laissait le champagne tremper dans la glace fondante, n'en versant que lorsque sa mère l'y invitait.

Mrs. Keith se rendait compte que le *Caine* avait changé Willie. Il avait le visage plus étroit; les courbes innocentes où elle se plaisait à voir un reste de graisse enfantine disparaissaient, révélant chez son fils ses propres pommettes saillantes et sa mâchoire carrée. Ses yeux et sa bouche exprimaient moins son humeur facile de jadis qu'une certaine lassitude et une résolution exaspérée. Il avait, aussi, perdu des cheveux. Tout cela, Mrs. Keith l'avait remarqué dès qu'il lui était apparu sur le quai. Mais il s'y ajoutait maintenant un changement plus profond, un malaise, une indifférence mélancolique, dont la mère croyait bien deviner l'origine. « May Wynn est une très jolie jeune femme », dit-elle, rompant un long silence. Elle versait du thé à Willie.

— C'est indéniable.

— Où en êtes-vous, tous les deux?

— Il se peut que je l'épouse, mère.

— Ah? C'est assez subit, non?

— Non. Je la connais depuis longtemps.

— Si longtemps que cela? Mrs. Keith sourit. « Je dois dire, Willie, que tu t'es montré plutôt cachottier en ce qui la concerne. »

Il fit à sa mère le récit de leurs relations et dit qu'il ne lui en avait encore jamais parlé parce qu'il n'avait pas pris l'affaire au sérieux.

— Et maintenant tout est changé?

— Tu le vois bien, mère.

— Tu l'as évidemment sous-estimée au début, Willie. Elle est exceptionnellement attirante. D'où vient-elle? Connais-tu ses parents?

Willie avoua tout. Il fit même quelques phrases sur la nécessité qu'il y avait de considérer tous les Américains comme égaux et de les juger suivant leur mérite plutôt que leur famille. Pour finir, il insista sur le fait que May se donnait bien du mal et allait jusqu'à reprendre ses études pour être plus digne de lui. Mrs. Keith l'écouta calmement, le laissa vider son cœur. Elle alluma une cigarette, quitta la table et alla se poster devant la fenêtre qui donnait sur la baie. Willie eut la curieuse sensation d'avoir déjà assisté à des scènes semblables. Il comprit que la situation actuelle lui rappelait toutes les fois où, étant enfant, il avait dû se présenter devant sa mère avec un mauvais cahier de notes.

— Lui as-tu demandé de t'épouser?

— Oui.

— A Yosemite, n'est-ce pas?

— Oui.

— C'est ce qui me semblait.

— Elle n'a pas tout à fait accepté, dit Willie, comme si ce fait ajoutait au crédit de May. Elle m'a conseillé de réfléchir encore, et de te parler.

Mrs. Keith se retourna à demi et eut à l'intention de son fils un sourire de pitié. « Je crois qu'elle acceptera, dit-elle.

— Je l'espère.

— Willie... quelles sont exactement tes relations avec cette jeune femme?

— En voilà une question, mère.

— Eh bien, je crois que tu m'as répondu, Willie.

— Comprends-moi. Ce n'est pas une grue, et je n'ai pas vécu avec elle...

— Je suis bien sûre que ce n'est pas une grue...

— C'est une fille bien et charmante, je t'assure que tu peux me croire.

— Willie, tu as fini ton dîner, n'est-ce pas? Viens t'asseoir à côté de moi, je veux te raconter une histoire. »

Elle s'approcha de lui et lui prit la main. Willie en éprouva une sensation désagréable, celle d'être encore un enfant qui a besoin d'être guidé, mais il n'eut pas le cœur de retirer sa main. « Avant que ton père m'épouse, dit Mrs. Keith, alors qu'il n'était encore qu'interne, il a vécu pendant trois ans avec une infirmière. Je ne pense pas que tu le saches. »

Willie se souvenait fort bien avoir entendu son père faire brièvement allusion à cette infirmière alors qu'ils parlaient de May, mais il ne dit rien.

— Je ne l'ai jamais rencontrée, mais j'ai vu sa photo et j'ai appris beaucoup de choses sur son compte. Elle s'appelait Katherine Quinlan, elle était brune, grande, très belle; elle avait de grands et beaux yeux, un peu des yeux de vaches à mon avis mais enfin beaux, et un corps splendide. J'ai connu son existence avant mon mariage. Ton père m'a tout raconté. Nous avons failli rompre nos fiançailles car j'étais terriblement jalouse. Elle eut un soupir à ce souvenir. « Mais finalement, ton père m'a juré que tout était fini entre eux, ce qui était exact, et je l'ai cru. Mais lui aussi, Willie, à un moment donné il a voulu épouser cette fille. C'était tout naturel. Son père l'a persuadé de ne pas le faire, simplement en lui faisant comprendre ce que cela représenterait pour lui. Ton père, Willie, aimait fréquenter les gens bien, vivre dans le luxe. Il parlait beaucoup d'une vie austère, toute consacrée aux recherches, mais ce n'était qu'un rêve dont il s'amusait. S'il avait épousé cette infirmière, il aurait eu sa vie austère et il s'en serait mordu les doigts. C'est pourquoi il a attendu pour se marier de m'avoir rencontrée... Donne-moi une cigarette, s'il te plaît. »

Elle poursuivit. « Tous les hommes ont le sentiment de devoir quelque chose à une honnête fille qui a été leur maîtresse. Tous, de plus, s'attachent à cette fille. C'est inévitable. Ce qu'il y a, c'est que la fille en question, pour peu qu'elle ne soit pas stupide, sait à quoi s'en tenir. C'est pourquoi, si elle tient vraiment à son amant et qu'elle a l'impression d'avoir ses chances, elle prendra le risque. Elle jouera le tout pour le tout. »

Willie sentit ses joues devenir brûlantes et ouvrit la bouche pour parler. Mais sa mère le devança. « Mon chéri, tout ceci est connu et inévitable. C'est arrivé des millions de fois. Cela peut arriver à n'importe qui. Sache seulement qu'un mariage ne peut pas être fondé sur un remords, ou sur une simple attirance physique mais seulement sur une éducation et sur une échelle de valeurs semblables. Admets que tu te maries poussé par un sentiment de culpabilité; ton sentiment de culpabilité passe, dans une certaine mesure, mais que reste-t-il? Parlons donc franchement. Crois-tu que tu aimes cette fille, ou te sens-tu des obligations envers elle?

— Les deux.

— Autrement dit, tu te sens des obligations. Et, bien entendu, tu essayes de te dire que tu l'aimes pour rendre votre mariage aussi séduisant que possible. Tu veux, Willie, que cette chanteuse de cabaret devienne la mère de tes enfants? Tu veux avoir pour beaux-parents ces marchands de fruits italiens — je ne doute pas que ce soient des gens fort honnêtes — tu veux qu'ils puissent venir chez toi aussi souvent qu'il leur plaira, qu'ils soient les grand-parents de tes fils et de tes filles? Tu t'imagines bien ce que ce sera?

— Est-ce que je sais s'il se présentera jamais mieux? Celle-là, je suis sûr au moins de la désirer. Elle est la seule femme que j'aie jamais désirée.

— Tu as vingt-trois ans. Ton père s'est marié à trente. D'ici six ans, tu auras rencontré mille autres femmes.

— Tu t'obstines à me dire que je veux l'épouser parce que je me sens coupable. Comment peux-tu savoir ce que je ressens? Je l'aime. Elle est belle, elle a bon caractère, elle n'est pas idiote, je suis certain qu'elle fera une excellente femme, et qu'importe que sa famille ne soit pas représentative? Je crois plutôt que si je la laisse aller, je le regretterai toute ma vie...

— Mon petit, j'ai rompu mes fiançailles deux fois avant d'épouser ton père. Chaque fois, j'ai cru que c'était pour moi la fin du monde.

— Qu'ai-je besoin que ma femme soit de bonne famille? Si jamais je reviens de cette sale guerre, qu'est-ce que je serai? Un pianiste...

— Là, tu te trompes, et tu le sais bien. Tu es en train de mûrir, Willie. Est-ce que le music-hall te tente toujours autant? Est-ce que tu ne commences pas à te rendre compte que tu as mieux à faire qu'à pianoter?

Le coup était bien envoyé. Durant ses longues heures de quart, sur le *Caine*, Willie avait pris de plus en plus nettement conscience du fait qu'il n'était au piano qu'un amateur sans talent. Ce à quoi il aspirait, après la guerre, c'était à une carrière universitaire, dans une école digne et tranquille comme Princeton : il y enseignerait la littérature, et peut-être (ce rêve-là, il osait à peine se le formuler à lui-même) écrirait-il un essai, ou même un roman ou deux. « Je ne sais pas ce que je ferai. Tout ça est si loin...

— *Moi*, je le sais. Tu vas devenir un universitaire distingué. Et quand je ne serai plus là, tu auras de l'argent, tu seras indépendant, et tu évolueras parmi les éducateurs et les philosophes — Conant, Hutchins, tous ces gens à qui tu ressembles — et à ce moment-là, franchement, Willie, crois-tu que May fera bonne figure dans ce milieu? Est-ce que tu la vois versant du thé au doyen Wicks ou bavardant avec le docteur Conant? »

Il se leva, s'approcha de la table et prit la bouteille dans le seau. Il ne restait qu'une demi-coupe de champagne. Il la but.

— Willie, mon chéri, je te dis ce que t'aurait dit ton père. Je sais bien qu'il aurait été moins direct et qu'il y aurait mis plus de doigté. Excuse-moi, mais j'ai fait de mon mieux. Si je me suis trompée, oublie cette conversation, voilà tout.

Elle alla prendre son sac sur la commode, en sortit un mouchoir et se tamponna les yeux. Immédiatement, Willie vint vers elle et lui passa un bras autour des épaules. « Je ne suis pas fâché, mère. Je sais que tu crois bien agir. C'est une situation délicate. De toute façon, l'un de nous doit en souffrir...

— Du moment que ce n'est pas toi, Willie, cela m'est égal... »

Willie la quitta et passa dans la chambre à coucher où il se mit à marcher entre les lits jumeaux et la coiffeuse; tandis que mille pensées se bousculaient dans son esprit, il nota le soin avec lequel sa mère avait disposé ses pantoufles, sa robe de chambre de soie à fleurs et le nécessaire de toilette en argent qu'il lui avait offert pour son cinquantième anniversaire.

Il avait bien du mal désormais à maintenir sa position. Il était vrai qu'il avait demandé à May de l'épouser parce qu'il se sentait coupable; vrai qu'il la soupçonnait de chercher le mariage en se donnant à lui; vrai qu'il avait honte de sa famille à elle; vrai qu'il ne l'imaginait pas à ses côtés dans une université. Il n'était pas sûr de l'aimer. Cette nuit à Yosemite avait brouillé ses sentiments, jeté un voile de doute et de mauvaises intentions sur tout ce qui l'attachait à May. Était-il un imbécile pris au piège, ou un amoureux ardent? Incontestablement, il se sentait surtout imbécile pris au piège. Son respect de lui-même l'abandonna, et il se sentit pris de dégoût. Il constata, en se regardant dans la glace, qu'il était très pâle. « Pauvre crétin », murmura-t-il à l'adresse de son image, puis il retourna dans le salon. Sa mère était là où il l'avait laissée. « Écoute, mère, ne parlons plus de cela. » Il se laissa tomber dans un fauteuil et se couvrit les yeux d'une main. « Ce ne sera pas fait du jour au lendemain. Laisse-moi le temps de réfléchir.

— Tu ne comptais pas te marier pendant ton séjour en Amérique, chéri?

— Je ne sais pas, je ne sais pas. Nous n'avions rien convenu de précis. Je t'ai déjà dit qu'elle n'avait même pas encore dit oui.

— Elle est très intelligente. Oh, Willie, attends au moins de revenir une autre fois. Ce n'est même pas bien de lier une femme alors que tu vas retourner à la guerre. Promets-moi de ne pas te marier cette fois-ci. C'est tout ce que je te demande, et crois-moi, si je le fais, c'est pour ton bien.

— Je te crois, mère. Je ne l'épouserai probablement pas maintenant. Mais je ne peux pas te dire que je vais l'abandonner, parce que je ne le ferai probablement pas non plus.

— C'est très bien ainsi, mon chéri. » Elle lui tapota l'épaule, puis entra dans sa chambre. Son fils resta enfoncé dans le fauteuil. Au bout d'un moment, elle l'appela, tout en se repoudrant.« Tu sais ce que j'ai envie de faire?

— Quoi?

— J'ai envie de boire une ou deux fines sèches et puis d'aller voir un film drôle et idiot. Est-ce que tu sais ce qu'on joue en ville?

— Désolé. Je vois May tout à l'heure.

— Tant pis, dit-elle d'un ton léger, tu as quand même le temps de prendre un verre avec moi?

— Bien sûr.

— Où est-elle descendue?

— A un petit hôtel près du Saint-Francis.

— Eh bien alors, tu pourras peut-être me déposer à un cinéma sur le chemin.

— Naturellement, mère. » Willie alla à la fenêtre et, sans regarder, appuya son front contre la vitre fraîche. Jamais il ne s'était senti plus malade et plus vide. Sa bouche était appuyée contre le cadre de la fenêtre. Sans se rendre compte de ce qu'il faisait, il mordit dans le bois, y laissant la trace de ses dents; il eut la bouche pleine de poussière et de parcelles de vernis. Il s'essuya rageusement et regarda les deux rangées de dents imprimées dans le bois.

« Il y a des gens, pensa-t-il, qui gravent des cœurs sur les arbres. »

Le lendemain, il accompagna May à l'aérodrome. Leur baiser d'adieu fut passionné. Rien n'avait été réglé. Il avait menti à May au sujet de sa conversation avec sa mère. Ils s'étaient vaguement fiancés, mais il n'y avait eu ni bague ni projets définitifs, le tout devant être reporté jusqu'après la guerre. May paraissait contente; en tout cas, elle ne chercha pas à discuter.

CHAPITRE XVIII

LA PERMISSION DE STILWELL

TOUS TRAVAUX NON ACHEVÉS
A TRENTE POUR CENT OU PLUS SUSPENDUS SUR LE « CAINE ».
PÉRIODE RÉVISION RÉDUITE A TROIS SEMAINES. « CAINE »
EN ROUTE POUR PEARL PAS PLUS TARD QUE 29 DÉCEMBRE.

WILLIE apporta le message à Maryk dans son bureau provisoire, aménagé dans un dépôt près de la cale sèche : il s'agissait, en fait, d'une table, installée au coin d'une immense salle d'expédition bourdonnante d'activité, et où le nouveau second et Bidon passaient la plus grande partie de la journée à faire des travaux administratifs sur une machine à écrire vétuste et au milieu d'un amas de dossiers, de formulaires, de livres de références et de papiers divers de toutes formes et de toutes couleurs.

— Pan dans l'os, dit Maryk.

— Qu'est-ce que ça veut dire? demanda Willie. Pas de permission pour la seconde section?

Bidon cessa de taper et, bien qu'il ne levât pas les yeux, son visage s'allongea de façon appréciable.

— J'espère bien que non. Bidon, appelez-moi le commandant au téléphone.

Le secrétaire demanda la communication tandis que les officiers attendaient, passablement nerveux. « C'est Mrs. Queeg, lieutenant, dit-il en couvrant le récepteur d'une main. Elle dit que le commandant est sorti tard hier soir et qu'il n'est pas encore levé. Elle demande si c'est urgent. »

Après avoir jeté un coup d'œil à l'horloge qui indiquait midi et quart, le second dit : « C'est urgent. »

Bidon répéta et s'empressa de transmettre l'appareil à Maryk. Au bout de deux minutes peut-être, Maryk entendit la voix rauque et irritée de Queeg. « Allo? Qu'est-ce qu'il y a encore? »

Le second lut le message au téléphone. Il y eut une pause durant laquelle il entendit le commandant souffler bruyamment. « Bon. Ce sont les ordres. Exécutez-les, dit Queeg. Prévenez le commandant de l'Arsenal, etc. Vous savez ce qu'il faut faire, je suppose... oui ou non?

— Oui, commandant.

— Je ne vois pas la nécessité que je vienne, mais si vous ne vous sentez pas capable de vous occuper de tout vous-même, j'arrive.

— Je crois que je peux m'en sortir, commandant. Je voulais vous demander que faire pour les permissions.

— Hum. Pourquoi? Je ne peux pas me passer de vous, Steve. Je suis désolé, ce n'est pas de chance...

— Je pensais surtout aux hommes, commandant. Il semble maintenant que la seconde section n'aura pas de permission du tout.

— Eh bien, je n'y suis pour rien. Ce sont des choses qui arrivent.

— Je pensais, commandant, que si on pouvait faire rentrer la première section assez vite, on pourrait au moins donner une semaine aux autres, à la majorité en tout cas.

— Mais comment ferez-vous? Ils sont dispersés à travers tout le pays.

— J'ai leurs adresses. Je peux leur télégraphier.

— Ha! Vous ne connaissez pas les marins. Ils vous diront qu'ils n'ont jamais reçu votre télégramme.

— Je leur demanderai d'accuser réception. Ceux qui ne répondront pas, je leur téléphonerai. Ceux que je ne peux pas joindre au téléphone, je leur enverrai des lettres recommandées.

— Et qui va payer tous ces télégrammes, téléphones et lettres recommandées? demanda le commandant avec humeur. On ne nous a pas affecté de fonds pour...

— Il reste de l'argent dans la caisse de secours, commandant. »

Il y eut un silence, puis le commandant dit : « Après tout, si vous voulez vous donner tout ce mal, je n'y vois pas d'objection. Je désire autant que vous que les hommes aient leur permission, mais n'oublions pas que pour l'instant il y a d'autres choses importantes à faire. Envoyez vos télégrammes et vos coups de téléphone. Pour chaque homme qui rentre, vous pouvez en envoyer un en permission.

— Merci, commandant. Et les officiers?

— Non. Les officiers n'ont pas de chance, voilà tout. Nous demanderons pour eux des prolongations de permission quand ils seront montés. Et, pour le reste, comment ça marche?

— Eh bien, ce câble va nous mettre dans de vilains draps, commandant. Mais enfin, je suppose que nous allons pouvoir mettre les bouchées doubles.

— Est-ce que les nouveaux officiers se sont déjà présentés?

— Il y en a deux, commandant. Jorgensen et Ducely.

— Bon. Commencez tout de suite à leur faire faire leurs cours de perfectionnement. Il faut qu'ils remettent un devoir par jour, ou pas de permission.

— Oui, commandant.

— Bon. N'hésitez pas à m'appeler si vous avez des doutes sur quoi que ce soit. Est-ce qu'on va avoir fini de nous installer ces nouveaux radars?

— Oui, commandant. C'est déjà fait plus qu'à moitié.

— Tant mieux. C'était le principal, de toute façon. Bon. Au revoir.

— Au revoir, commandant.

Le secrétaire s'en fut, serrant une liste des hommes de la première section et un brouillon du télégramme dicté par Maryk et destiné à les rappeler. Il se heurta en passant à Stilwell qui s'approchait du bureau, tripotant sa casquette.

— Excusez-moi de vous déranger, monsieur Maryk, dit le canonnier d'une voix tremblante. Bonjour, monsieur Keith. » Il tira un télégramme froissé de la poche de son pantalon et le tendit au second. Maryk lut, fronça les sourcils et tendit le télégramme à Willie.

MÈRE TRÈS MALADE. DOCTEUR NE RÉPOND DE RIEN.
T'ATTENDONS. PAUL.

— Paul, c'est mon jeune frère, dit le marin. Vous croyez que je pourrai avoir une permission spéciale, Monsieur Maryk?

— Votre cas est un peu compliqué, Stilwell. Willie, quel est le règlement pour les permissions spéciales?

— Je ne sais pas. Le cas ne s'est pas présenté depuis que je suis chargé de morale.

— Bidon le connaît, monsieur Maryk, dit Stilwell. De Lauche, il a eu une permission spéciale quand on était à Guadal. Son père est mort...

— Willie, appelez l'aumônier de l'Arsenal. Demandez-lui ce qu'on fait dans ces cas-là.

L'aumônier n'était pas à son bureau mais le secrétaire informa Willie qu'il était de coutume, en pareille circonstance, de se mettre en rapport avec le prêtre de la paroisse du marin ou la Croix-Rouge locale pour vérifier qu'il s'agissait bien d'une maladie grave.

— Connaissez-vous l'adresse de votre pasteur, Stilwell? demanda Maryk.

— Je ne suis d'aucune église, lieutenant.

— En ce cas, nous allons nous adresser à la Croix-Rouge. Willie, vous enverrez un télégramme...

— J'habite un tout petit patelin, lieutenant, coupa Stilwell. Je ne crois pas qu'il y ait un bureau de la Croix-Rouge...

Willie regarda attentivement le marin et dit : « La Croix-Rouge retrouvera votre famille, Stilwell, ne vous inquiétez pas.

— D'ici là, ma mère sera peut-être morte. Vous avez le télégramme de mon frère, lieutenant, qu'est-ce qu'il vous faut de plus?

— Stilwell, dit Willie, éloignez-vous de cette table quelques instants. Je voudrais parler au second.

— Bien, monsieur. » L'homme se retira à l'autre bout de la pièce et s'appuya contre un mur. Il tenait ses pouces dans les poches de son pantalon, son bonnet était rejeté en arrière sur sa tête et ses yeux exprimaient un morne désespoir.

— Stilwell s'est fait envoyer ce télégramme par son frère, dit Willie au second. Sa mère va très bien. C'est sa femme qui l'inquiète. Elle semble être le genre de femme pour qui on se fait du souci. Je suis même étonné qu'il n'ait pas sauté le mur il y a une semaine déjà.

Maryk se frotta lentement la nuque avec sa paume. « Je connais l'histoire. Qu'est-ce que je fais, à votre avis?

— Laissez-le filer, lieutenant. Il habite dans l'Idaho. En avion, il y sera en quelques heures. Donnez-lui une permission de trois jours. Le commandant n'est même pas obligé de le savoir, et s'il l'apprend, il y aura toujours le télégramme.

— Si le commandant l'apprend, le télégramme ne me servira guère, Willie.

— Stilwell est un être humain. Il n'a rien fait qui justifie qu'on l'enchaîne comme une bête.

— Je suis censé exécuter les ordres du commandant, et faire ce que lui-même ferait. Et je ne sais que trop bien ce qu'il ferait en l'occurrence. Même si sa mère était vraiment mourante, le commandant Queeg ne le laisserait peut-être pas aller...

— Mais vous n'êtes pas Queeg, lieutenant. »

Maryk se mordit les lèvres. « Ça n'est que le commencement. Laisser partir Stilwell n'est pas bien, Willie. Gorton ne l'aurait pas fait. Si je commence mal, je finirai mal. »

Willie haussa les épaules. « Excusez-moi d'avoir tant discuté, lieutenant.

— Je ne vous en veux pas, bon Dieu. Je discuterais aussi, si le second était quelqu'un d'autre. Rappelez Stilwell. »

Le marin répondit au signe de Willie en avançant d'un pas apathique vers le bureau. « Stilwell, dit le second, la main sur le téléphone, je vais appeler le commandant pour lui exposer votre cas.

— Ne perdez pas votre temps, lieutenant, dit Stilwell d'un ton où perçait la haine.

— Comptez-vous que je dirige ce bateau d'une façon contraire aux volontés du commandant? » Le marin ne répondit pas. Maryk le regarda un long moment, d'un air peiné. « Combien de temps vous faudrait-il pour aller chez vous d'ici? »

Stilwell ouvrit la bouche et bégaya : « Cinq heures au plus, lieutenant, par avion et par car...

— Soixante-douze heures, ça vous arrangerait?

— Seigneur, lieutenant, je vous baiserais les pieds...

— Assez de sornettes. Vous me donnez votre parole que vous serez rentré à la fin de ces soixante-douze heures?

— Je le jure, lieutenant, je jure que je serai là... »

Maryk se tourna vers l'enseigne. « Il y a une chemise avec des formulaires, tout en haut de l'armoire. Si vous remplissiez une permission de soixante-douze heures au lieu d'attendre Bidon? Je la signerai et il pourra filer. Le plus tôt sera le mieux. »

Willie se mit aussitôt en mouvement; au bout de trois minutes, il passa la feuille dûment remplie à Maryk. Stilwell les regardait, bouche bée. Le second signa les papiers. « Vous vous rendez compte, Stilwell, dit-il, de ce que votre retour à temps représente pour moi?

— Oui, lieutenant. J'aimerais mieux mourir que de ne pas être là.

— Filez.

— Dieu vous bénisse, lieutenant. »

Les deux officiers le regardèrent décamper. Maryk hocha tristement la tête et reprit son rapport des travaux. Willie dit : « En tout cas, un second a les moyens de faire beaucoup de bien. Ce doit être le côté agréable du métier.

— Le travail du second, dit Maryk, colorant au crayon rouge une ligne de carrés sur le rapport, consiste à faire exactement ce que le commandant voudrait qu'il fasse. C'est la seule façon de mener un bateau. Ne venez plus me faire des demandes de ce genre, Willie. Je n'ai pas l'intention de continuer à m'amollir. »

Malheureusement, à l'expiration des soixante-douze heures, Stilwell n'était pas revenu à bord du *Caine* mais le commandant Queeg était là.

Willie eut connaissance de ces deux pénibles événements par un coup de téléphone qui l'éveilla à six heures et demie du matin, dans l'appartement de sa mère à l'hôtel où il avait passé la nuit. C'était Bidon qui s'excusait de le déranger et lui expliquait que le patron était arrivé et voulait un rassemblement à huit heures.

— C'est bon, j'arrive, dit Willie d'un ton ensommeillé, et il ajouta : « Eh, est-ce que Stilwell est rentré?

— Non, lieutenant.

— Sainte Vierge! »

Lorsqu'il arriva à l'Arsenal, ce qui restait de l'équipage s'était déjà rassemblé en rangs désordonnés au bord de la cale sèche. Il alla se mettre à côté des officiers, bâillant, et regrettant de n'avoir pas eu le temps de prendre de petit déjeuner. Quelques gouttes de pluie se mirent à tomber d'un ciel chargé de nuages lorsque Maryk et le commandant montèrent l'échelle d'embarquement. Les hommes firent mine de se figer au garde à vous. Queeg, rasé de frais et vêtu d'un imperméable bleu marine neuf, paraissait tiré à quatre épingles; mais il avait les yeux injectés de sang et son visage était pâle et bouffi.

— Je ne vous retiendrai pas longtemps, dit-il, examinant d'un rapide coup d'œil l'équipage. Il avait élevé la voix de façon à dominer le bruit des grues et des perforeuses. « Notre soleil de Californie est plutôt défaillant ce matin. Je veux simplement que vous sachiez que je fais tout mon possible pour que vous ayez tous un minimum de permission malgré notre départ précipité. C'est évidemment un sale coup pour tout le monde. Mais, comme vous le savez, nous sommes en guerre et nous n'avons guère la possibilité de faire tout ce que nous voulons. Je tiens à vous répéter ici qu'il est absolument contre votre intérêt de sauter le mur. Souvenez-vous que les permissions ne sont pas un droit, mais une faveur, et que s'il plaît à la Marine de vous faire travailler 365 jours sur 365 et un jour de plus les années bissextiles, vous n'y pouvez absolument rien et personne ne vous doit d'excuses. Comme je vous l'ai dit, je ferai ce que je pourrai, mais n'allez surtout pas filer à l'anglaise, aucun de vous. La Marine vous retrouvera, même si vous êtes au fond d'une mine et elle vous renverra sur le *Caine* même s'il est dans l'océan Indien. En conséquence, j'espère que vous ferez un agréable séjour à San-Francisco et…, monsieur Maryk, renvoyez ces hommes avant que nous nous fassions tous tremper. »

Willie épiait sur le visage de Queeg un signe indiquant qu'il était surpris ou mécontent de l'absence de Stilwell; mais le commandant semblait d'excellente humeur. Les hommes retournèrent à leurs baraquements et les officiers suivirent le commandant et le second pour la conférence au cantonnement des célibataires. Willie vit Stilwell émerger d'une rue transversale et descendre en quelques bonds l'échelle d'embarquement pour aller se présenter à l'officier de quart. Il éprouva à cette vue un immense soulagement. Il voulut souffler la bonne nouvelle à Maryk, mais celui-ci était en conversation avec Queeg.

Les officiers se groupèrent autour d'un divan dans le hall du cantonnement, chacun avec une bouteille de coca-cola. Queeg énonça les nouvelles affectations. Keefer était promu officier de tir et Willie officier de transmissions.

Willie eut, pour la première fois, l'occasion de voir de près les deux nouvelles recrues du carré. L'enseigne Jorgensen était un grand garçon, plutôt lourd, aux cheveux blonds frisés; il portait des lunettes sur de petits yeux fouineurs et ses lèvres étaient figées dans un perpétuel sourire d'excuse. Il était extraordinairement cambré, et son derrière ressortait comme une tournure de jupe. L'enseigne Ducely était mince, il avait des traits de jeune fille, un teint de lis et de longues mains fines. Willie se dit que les exigences au point de vue physique avaient dû diminuer depuis l'époque où lui-même était à Furnald. La lordose de l'enseigne Jorgensen était caverneuse à côté de celle de Willie; et pourtant, il était là, avec un galon d'or tout neuf et brillant.

— A propos, dit brusquement Queeg à Maryk, est-ce que j'ai

vu notre ami Stilwell au rassemblement? Il me semble que non.

— C'est-à-dire, commandant..., commença Maryk, mais Willie s'empressa d'intervenir : « Stilwell est là, commandant.

— Vous en êtes certain? demanda le commandant sèchement. Comment savez-vous qu'il n'a pas sauté le mur? »

Willie répondit, s'adressant plus à Maryk qu'au commandant : Je l'*ai vu*, commandant, quelques secondes après le rassemblement.

— Ah, bon. » Le commandant paraissait convaincu. Il se leva et grommela : « En tout cas, je ne vois pas pourquoi il serait en retard au rassemblement. Et vous, monsieur Maryk? Vous me le signalerez au rapport. »

Willie pensa qu'il avait sauvé la situation. Il fut horrifié d'entendre Maryk dire : « Commandant, j'ai donné une permission de trois jours à Stilwell. »

Queeg, stupéfait, se laissa retomber sur le divan : « Ah, oui? Et pourquoi, voulez-vous me dire?

— Il a reçu un télégramme disant que sa mère était mourante.

— Avez-vous pensé à me téléphoner pour me demander mon autorisation?

— Oui, commandant.

— Eh bien, pourquoi ne l'avez-vous pas fait? A-t-on fait vérifier l'authenticité du télégramme par la Croix-Rouge?

— Non, commandant.

— Pourquoi pas? »

Maryk ne répondit pas; il fixait sur le commandant un regard morne et sans expression.

— Revenons aux affaires du bateau, monsieur Maryk. Où est le plan des travaux?

— Dans ma chambre, commandant.

Willie tremblait pour Maryk et pour lui-même.

Dans la chambre du second, Queeg explosa : « Bon Dieu, Steve, quelle imbécillité m'avez-vous encore faite avec ce Stilwell?

— Commandant, c'était un cas d'urgence...

— Urgence, mon œil! Vous allez écrire à la Croix-Rouge pour demander si sa mère est morte ou si elle a jamais été malade, ou quoi. C'est à cette petite crapule que je dois tous les ennuis que j'ai eus avec le ComServPac. Vous vous souvenez du câble de remorque que nous avons coupé? C'est là que tout a commencé...

(Maryk le regarda avec étonnement. C'était la première fois que Queeg admettait que le câble avait été coupé.)

— ...et c'était de la faute de Stilwell. Imaginez un homme de barre qui ne prévient pas le commandant que le navire court un danger pareil! Je sais pourquoi il n'a rien dit. Je lui avais fait comprendre le matin qu'il était insolent et qu'il n'avait pas à prendre de décisions à la barre, et il s'est dit qu'il allait m'en faire voir, qu'il n'aurait pas de mal à me mettre dans de sales draps. Je connais ce genre de types. Ces petits fauteurs de troubles vin-

dicatifs, je sais les mater. Je l'ai repéré maintenant, ce petit salo-
pard, et je l'aurai, croyez-moi. Vous allez écrire à la Croix-Rouge
pas plus tard que ce matin, vous m'entendez?

— Oui, commandant.

— Et maintenant, voyons ce plan.

Pendant le quart d'heure qui suivit, ils discutèrent du progrès
des travaux. Queeg ne prenait à la conversation qu'un intérêt
relatif; il écoutait, posait une question de-ci de-là, mais sans suite.
Il se leva et commença à enfiler son imperméable. « Steve, dit-il
d'un ton détaché et tout en attachant sa ceinture. Je constate
que vous vous montrez très évasif et mou dans cette histoire
Stilwell, et je le déplore. Je voudrais que vous me disiez franchement si vous avez oui ou non l'intention de vous mettre au pas. »
Il lui lança un regard en coulisse. Le second paraissait profondément ennuyé. « J'ai parfaitement compris que Stilwell avait votre
sympathie. C'est très bien. Mais laissez-moi vous rappeler que
vous êtes mon second. Je n'ignore pas que tout le bateau est
contre moi. Si vous êtes, vous aussi contre moi, eh bien, je saurai
aviser. Il y a quelque chose qui s'appelle rapport d'aptitude.
Alors tâchez de décider de quel côté vous voulez être.

— Commandant, je sais que j'ai eu tort de ne pas vous appeler
pour Stilwell, dit le second d'un ton hésitant, les yeux fixés sur
ses paumes moites qu'il frottait l'une contre l'autre. Je ne suis
pas contre vous. J'ai fait une grave erreur. Cela ne se reproduira
pas dans l'avenir, commandant.

— Est-ce que j'ai votre parole, Steve, ou est-ce que tout ça
est de la pommade?

— Je ne sais pas ce que c'est que la pommade, commandant.
Et pour ce qui est de mon rapport d'aptitude, vous avez parfaitement le droit de me mettre une mauvaise note en discipline à
cause de l'histoire Stilwell. Mais ce sera la première et la dernière
fois. »

Queeg tendit la main au second qui se leva et la saisit. « J'accepte vos regrets et je suis prêt à oublier cet incident, dit Queeg.
Je vous considère comme un sacrément bon officier, Steve, le
meilleur et de loin de tout le bateau, et j'estime que j'ai de la
chance de vous avoir. Les autres sont pleins de bonne volonté, et
intelligents, mais il n'y a pas parmi eux un seul marin. Quant aux
deux nouveaux, ça ne m'a pas l'air de gros lots non plus...

— Je crois que nous avons un assez bon carré, commandant...

— C'est bien ce que je dis. Pour des recrues de guerre, ils
sont tous parfaits. Mais c'est vous et moi qui avons ce bateau à
mener. Je me rends parfaitement compte que je ne suis pas
l'homme le plus facile à vivre qui soit, ni le plus brillant. J'ai probablement fait un tas de choses qui vous ont paru bizarres et je
continuerai probablement à en faire. Je ne vois qu'une façon de
mener ce bateau, Steve, et quoi qu'il arrive, c'est de cette façon
qu'il sera mené. Vous, vous êtes mon second, vous êtes donc entre

l'arbre et l'écorce. Je sais ce que c'est. J'ai été second du plus exé-crable salaud de la Marine pendant trois mois, et pendant tout ce temps j'ai fait ce que j'avais à faire; j'ai été le plus exécrable des salauds en second. C'est comme ça que ce doit être.

— Oui, commandant. »

Queeg eut un sourire amical et dit : « Je file.

— Je vais vous accompagner, commandant.

— Merci beaucoup, Steve, j'en serai ravi. »

Dans les jours qui suivirent, le *Caine* fut hâtivement remonté par les ouvriers de l'Arsenal; aucune des pièces n'avait beaucoup gagné au démontage; tout comme un enfant qui met en pièces une montre, chacun espérait non pas que tout marcherait mieux qu'avant, mais plutôt que tout recommencerait à marcher comme au bon vieux temps. Les plus graves parmi les avaries des machines avaient été rafistolées et le navire avait maintenant de nouveaux radars. A part cela, c'était toujours le minable vieux *Caine*. Personne ne savait pourquoi la période de révision avait été réduite de moitié mais, comme toujours, Keefer exprima une opinion définitive : « Quelqu'un s'est enfin rendu compte que cette vieille carcasse ne tiendrait de toute façon pas plus qu'une invasion, déclara-t-il. C'est pourquoi on lui a juste insufflé de quoi pousser son dernier soupir. »

Le 13 décembre, au coucher du soleil, le *Caine* sortait de la baie par la Porte d'Or avec un équipage diminué de vingt-cinq membres, lesquels avaient préféré le conseil de Guerre pour n'avoir pas rejoint leur unité plutôt qu'une nouvelle croisière avec Queeg. Willie Keith était sur la passerelle et regardait avec mélancolie les dernières collines disparaître à l'horizon et le bateau s'avancer sur la mer pourpre. Il savait que cette fois il ne reverrait pas May de longtemps, très longtemps. Ils allaient faire des milliers de milles, livrer probablement de nombreuses batailles avant que le bateau retrouve les eaux de San-Francisco. Devant lui, le soleil s'enfonçait derrière des bancs de nuages sombres et déchiquetés, dardant de longs rayons de lumière rouge qui montaient en s'ame-nuisant vers le ciel. Cela ressemblait désagréablement au drapeau japonais.

Mais il fit un bon dîner au carré et apprit qu'il n'était pas de quart de nuit. Et, pour mettre un comble à sa joie, il put aller se coucher dans une cabine, et non dans la casemate. Il avait hérité de la couchette de Carmody et avait maintenant Paynter pour compagnon.

Avec un sentiment de luxe et de bien-être, Willie grimpa jusqu'à l'étroite couchette supérieure et se glissa entre les draps de la Marine, frais et rudes. Quelques centimètres seulement le sépa-raient du plancher du pont principal. Il n'avait guère plus de place qu'il n'en aurait eu sous le couvercle d'un cercueil. Le tuyau principal d'incendie lui appuyait sur l'estomac. Cette cabine n'était pas aussi vaste que sa penderie à Manhasset. Mais qu'est-ce que cela faisait? De la casemate à cette couchette, il y avait un immense pas en avant dans le monde. Willie ferma les yeux, écouta avec plaisir le ronronnement des ventilateurs, et sentit dans ses os la vibration des machines principales, transmise par les ressorts de sa couchette. Le bateau était vivant à nouveau. Willie se sentait chez lui, au chaud, en sécurité. Il tomba presque aussitôt dans un sommeil délicieux.

CINQUIÈME PARTIE

LA MUTINERIE

CHAPITRE XIX

LA ZONE D'AUTORITÉ

ON lira probablement dans l'un quelconque des récents ouvrages d'histoire militaire que la seconde guerre mondiale était en fait gagnée dès le début de 1944. Ce qui est d'ailleurs exact. Les tournants décisifs, Guadalcanal, El Alamein, Midway et Stalingrad étaient franchis. L'Italie s'était rendue. Les Allemands assassins commençaient enfin à reculer. Les Japonais, avec leurs maigres forces disséminées sur un empire enflé sans mesure, commençaient à s'effondrer. La puissance industrielle des Alliés parvenait à son apogée; celle de leurs ennemis diminuait. C'était un tableau bien réconfortant.

Mais l'enseigne Keith avait, sur le déroulement de la guerre, un point de vue bien différent de celui des historiens. Debout dans la timonerie noire et glaciale du *Caine*, à minuit en cette veille de Jour de l'An, et tandis que le navire fendait la mer obscure vers l'ouest, il ne voyait guère de raisons d'espérer dans le développement de la situation internationale.

« D'abord, se disait-il, il avait été stupide de s'engager dans la Marine et non dans l'Armée. C'était la Russie qui faisait tout le sale travail en Europe. Dans cette guerre-ci, contrairement à la précédente, la place de l'homme intelligent était dans l'infanterie, à se prélasser en Angleterre pendant que les pauvres crétins qui s'étaient réfugiés dans la Marine se faisaient secouer sur des mers déchaînées et se préparaient à aller affronter la terrible barrière des îles japonaises du Pacifique. Sa destinée, maintenant, était claire : des récifs de corail, leurs foutus palmiers, des batteries côtières qui crachent des flammes, des Zeros rugissants, des mines

par centaines très certainement... et, pour finir, le fond de la
mer peut-être. Et pendant ce temps, les petits copains de l'Armée
s'en allaient visiter la cathédrale de Canterbury ou la ville natale
de Shakespeare, au bras de jolies petites Anglaises dont la bonne
volonté vis-à-vis des Américains était déjà entrée dans la légende. »

Willie était certain que la guerre contre le Japon serait la plus
importante et la plus meurtrière qu'on ait connue dans l'histoire,
et qu'elle ne se terminerait probablement qu'en 1955 ou 1960, sur
l'intervention de la Russie, et dix ans après l'effondrement de
l'Allemagne. Comment pourrait-on jamais déloger les Japonais de
leurs « porte-avions insubmersibles », de cette chaîne d'îles où
grouillaient assez d'avions pour massacrer n'importe quelle flotte
qui se risquerait dans les parages? Il n'y aurait probablement
qu'un seul Tarawa par an, et à quel prix! Et il savait que lui-même
était destiné à connaître le prochain. Et la guerre allait continuer
à ce rythme jusqu'à ce que lui-même ait gagné bien des années et
perdu tous ses cheveux.

Willie n'avait pas un respect d'historien pour les victoires de
Guadalcanal, de Stalingrad et de Midway. S'il essayait de récapi-
tuler toutes les nouvelles glanées de-ci de-là, il en concluait que de
son côté on avait quelques points d'avance, mais que les progrès
étaient lents et fastidieux. Il s'était souvent demandé, quand il
était enfant, ce que ce devait être de vivre l'époque mouvementée
de Gettysburg et de Waterloo; maintenant, il le savait, mais il ne
savait pas qu'il le savait. Cette guerre-ci lui paraissait différente
de toutes les autres : dispersée, lente et dépourvue d'action dra-
matique.

Il était sur le point de participer à des batailles qui compte-
raient parmi les plus grandes de l'histoire. Mais elles ne lui appa-
raîtraient que comme autant d'engagements désagréables, désordonnés et fatigants. Des années plus tard seulement, lorsqu'il
lirait dans des livres la description de scènes auxquelles il avait
participé, il commencerait à considérer ses batailles comme des
Batailles. Alors seulement, lorsque serait passée la chaleur de la
jeunesse, il se réchaufferait à la flamme mourante du souvenir que
lui aussi, Willie Keith, s'était battu à la Saint-Crépin.

Pendant deux jours, le *Caine* tangua sous une pluie glacée. Les
hommes mangèrent des sandwiches mouillés en se cramponnant
aux cordages et dormirent par à-coups entre les plongeons et les
roulis. Venant après les jours ensoleillés à terre, tous ces désagré-
ments paraissaient aux officiers et aux hommes plus insuppor-
tables que tout ce qu'ils avaient subi à ce jour. Chacun pensait
en lui-même qu'ils étaient tous damnés à jamais et destinés à
finir leurs jours sur cet enfer humide et flottant.

Le troisième jour, ils pénétrèrent dans la zone bleue et ensoleillée des mers du Sud. Vestes, pull-overs et cabans disparurent.
Les officiers en tenues kaki graisseuses et les hommes en treillis

commencèrent à se reconnaître les uns les autres. On détacha les meubles. On servit de nouveau des petits déjeuners chauds. La mauvaise humeur générale céda place à de joyeuses vantardises tandis qu'on évoquait des souvenirs de permissions. Dans une certaine mesure, le fait que l'équipage fût réduit à sa plus simple expression aida à la guérison. Ceux qui avaient préféré le conseil de guerre à Queeg étaient les roublards, les mécontents, les découragés perpétuels. Ceux qui étaient revenus sur le *Caine* étaient de joyeux lurons, prêts à accepter le mauvais comme le bon, et qui aimaient bien le vieux bateau bien qu'ils eussent toujours le juron à la bouche.

Willie reprit, en ce troisième jour, goût à la vie. Il avait le quart de midi à quatre heures. Keefer était là pour parer à toute erreur grave et le commandant Queeg lui-même resta dans son fauteuil pendant tout le temps, tantôt sommeillant et tantôt clignotant placidement dans le soleil. Willie ne commit pas la moindre erreur. Sa mission consistait en fait à maintenir le *Caine* en flanc-garde tandis que le convoi zigzaguait. Malgré son tremblement intérieur il gardait bonne contenance et manœuvrait le bateau avec fermeté. Lorsque le quart fut terminé, il inscrivit au crayon dans le journal de bord :

12 à 4. Même route. Rien à signaler.
Willie Seward Keith,
Enseigne, U. S. N. R.

Ce n'était pas la première fois qu'il signait le journal de bord, mais cette fois ce n'était pas la même chose. Il soigna tout particulièrement sa signature, excité comme s'il venait de l'apposer au bas d'un document historique.

Toujours en proie à une douce exaltation, il descendit au carré et se plongea joyeusement dans un tas de messages déchiffrés. Il ne bougea pas jusqu'au moment où le nouveau cambusier, Rasselas, un garçon rougeaud aux immenses yeux bruns, vint lui toucher le bras et lui demander la permission de mettre le couvert pour le dîner. Willie mit de côté ses codes, se remplit une tasse au percolateur et alla s'allonger sur le divan pour siroter en paix son café. La radio jouait en sourdine un quatuor de Haydn; les gars du poste radio ne s'en étaient pas encore aperçus et laissaient courir. Rasselas mit une nappe blanche propre et disposa l'argenterie. De la cuisine, où Whittaker, dans son nouvel uniforme kaki de chef cuisinier, faisait le grand seigneur avec ses marmitons, arrivait un arôme de rôti. Willie soupira de satisfaction et se blottit tout au fond du divan. Il regarda autour de lui le carré fraîchement repeint de vert clair, les cuirs neufs, les cuivres polis, les chaises bien cirées. « Après tout, se dit-il, il y avait de par le monde des endroits pires que le carré du *Caine*. »

Les autres officiers arrivèrent à la queue leu leu, rasés de frais,

vêtus d'uniformes propres, de bonne humeur et affamés. On ressortit toutes les vieilles plaisanteries et Willie les trouva toutes
drôles : les talents de reproducteur de Harding, le roman de Keefer,
l'insipide eau fraîche du bord (« le Poison Paynter »), la Néozélandaise de Maryk et ses sept verrues et, enfin, les succès du Don
Juan Willie Keith. Officiers et matelots avaient eu l'occasion
d'apercevoir May Wynn à San-Francisco et cette vision avait aidé
à établir une véritable légende. Venant s'ajouter au souvenir des
jolies infirmières qui étaient venues voir Willie à Pearl Harbor,
la beauté sensuelle de May avait conféré à l'enseigne la réputation
de posséder un pouvoir mystique sur les femmes.

On était fort satisfait, au carré, de ce nouveau sujet de plaisanteries. Sur ce thème, chacun pouvait dire son mot. Un grognement
même, émis au bon moment, pouvait être une preuve d'esprit.
Willie, pour sa part, était ravi. Il protestait, niait, prétendait être
vexé et faisait rebondir la conversation bien après que tous les
autres fussent prêts à l'abandonner. Il se mit à table d'excellente
humeur. Il sentait qu'il y avait des liens chaleureux entre les
autres officiers et lui, et qu'ils étaient renforcés encore par la présence des deux nouveaux venus intimidés, Jorgensen et Ducely.
Il comprenait maintenant à quel point Harding et lui avaient pu
paraître niais et importuns cinq mois plus tôt à Gorton, Adams
et Carmody aujourd'hui partis. Il porta une cuillère de soupe de
pois à ses lèvres et, au même instant, le bateau passa sur une
grosse vague et fit un grand plongeon. Il constata qu'automatiquement son bras avait fait le geste qui neutralisait le plongeon
et empêchait qu'il ne tombe même une goutte de la cuillère; il
eut un petit rire heureux et avala sa soupe.

Après dîner, voyant que le frêle Ducely s'apprêtait à quitter
le carré, il lui dit : « Faisons un tour sur le gaillard d'avant, voulez-vous? Il va quand même falloir que nous parlions transmissions.

— Oui, lieutenant », dit humblement son nouvel assistant.

Ils franchirent la porte du gaillard d'avant et se trouvèrent dans
la lumière pourpre du crépuscule. Seule une ligne dorée demeurait
à l'ouest. « Eh bien, Ducely. Willie appuya une jambe contre les
bittes de bâbord et s'étaya des deux mains à la rambarde, humant
avec volupté le vent salé. Vous vous habituez au *Caine?*

— Je fais ce que je peux. C'est un triste destin, n'est-ce pas? »

Willie jeta à l'enseigne un regard ennuyé. « Probablement. Tous
les bateaux ont leurs bons et leurs mauvais côtés...

— Oui, bien sûr. Il ne doit pas y avoir grand-chose à faire sur
ces vieilles boîtes à sardines, c'est déjà ça. D'autre part, je suppose que nous allons passer le plus clair de notre temps à nous faire
rafistoler dans les arsenaux, ce qui ne m'ennuie pas non plus. Si
seulement, ce n'était pas si étriqué et si crasseux. Ce carré, on
dirait une cage à poules!

— Bah, vous vous y ferez, Ducely. Vous n'aimez pas beaucoup
votre casemate, je suppose?

— C'est révoltant. J'ai failli y périr la première nuit. Avec cette fumée!

— C'est affreux, n'est-ce pas? dit Willie qui s'amusait beaucoup.

— Abominable.

— Au bout d'un moment, vous en souffrirez moins.

— Pas de danger. Je ne dors plus là. »

Le sourire de Willie s'évanouit. « Ah? Et où dormez-vous?

— Dans le bureau, sur le demi-pont. Personne n'y va la nuit. J'ai installé un lit pliant. On y est très bien. Il y a de l'air. »

Willie se sentait exaspéré. « Je doute que le commandant vous approuve. Il est très pointilleux sur...

— Je lui ai demandé. Il m'a dit que pourvu que je trouve six pieds libres quelque part, je pouvais y dormir. »

Willie se traita intérieurement de tous les noms. Dire qu'il avait souffert pendant cinq longs mois sans penser à cette solution simplissime. « Hmm. Vous êtes censé m'assister aux transmissions, vous le savez, et...

— Je veux bien essayer lieutenant, mais je ne connais rien aux transmissions.

— Alors *qu'est-ce que* vous connaissez?

— Pratiquement rien, lieutenant. Vous comprenez, moi... on m'a bombardé enseigne d'office. Ma mère est propriétaire de presque tout un chantier naval, à Boston, et... c'est une histoire idiote. Ils m'ont complètement embrouillé, et tout ça à cause d'une lettre de l'alphabet. Quand ils m'ont inscrit pour me faire nommer officier, ils m'ont demandé si je préférais être S ou G. Je n'en savais rien. Ils m'ont dit que S, c'était Spécialiste et G, Général. Alors je leur ai demandé ce qui était mieux et ils m'ont dit que G était bien supérieur. Évidemment, j'ai demandé à être G. Et c'est là que j'ai fait une bêtise. Quand je pense, tout était arrangé. Je devais entrer à la Propagande. C'est ce que j'ai fait, mais on m'a envoyé dans un trou en Virginie. Et un beau jour, il est arrivé une note pour dire que tous les enseignes G allaient partir en mer. Ça s'est passé si vite que ma mère n'a rien pu faire. Et me voilà.

— C'est moche.

— Oh, ça m'est égal. La Propagande, c'est encore pire que le *Caine* à mon avis. La *paperasserie!* S'il y a une chose pourquoi je ne suis pas fait, c'est pour la paperasserie.

— C'est bien dommage. Dans les transmissions, il n'y a *que* de la paperasserie, Ducely. Il faudra vous adapter...

— En tout cas, vous aurez été prévenu, lieutenant, dit Ducely avec un soupir résigné. Évidemment, je vais faire de mon mieux. Mais je ne vous serai d'aucune utilité...

— Est-ce que vous savez taper à la machine?

— Non. Et ce qu'il y a de pire, c'est que je suis étourdi. Quand je mets un papier quelque part, deux secondes après je ne sais plus où il est.

— A partir de demain, vous demanderez à Bidon de vous passer un cours de dactylographie et vous apprendrez à taper...

— J'essayerai, mais je serais étonné d'y arriver. Je ne sais rien faire de mes doigts...

— Et je pense que vous feriez aussi bien de commencer à déchiffrer tout de suite. Est-ce que vous êtes de quart demain matin?

— Non, lieutenant.

— Très bien. Vous viendrez me voir au carré après le petit déjeuner et je vous montrerai les codes...

— Je ne crois pas que je pourrai, lieutenant. Demain matin, je dois finir mon devoir pour Mr. Keefer. »

Il faisait nuit maintenant et le ciel était plein d'étoiles. Willie essaya de distinguer le visage de son assistant et se demanda si lui-même avait jamais paru aussi insolent et stupide à la fois. « Vous n'avez qu'à vous coucher un peu plus tard ce soir et finir votre devoir.

— Je veux bien si vous y tenez, lieutenant, mais je suis vanné.

— C'est bon, n'y pensez plus. Je m'en voudrais de vous priver de repos. » Il se prépara à partir. « Nous commencerons à déchiffrer dans l'après-midi. A moins, bien entendu, que vous n'ayez quelque chose de plus important à faire.

— Non, lieutenant, dit l'autre d'un ton innocent et lui emboîtant le pas, non, je ne crois pas.

— Tant mieux », dit Willie. Il poussa d'un geste rageur les battants de la porte, fit signe à son assistant de passer et referma la porte avec un claquement que l'on entendit jusque dans le dortoir de l'équipage.

Cette force attaquera et capturera l'atoll de Kwajalein et divers objectifs dans les îles Marshall en vue d'établir des bases pour de futures offensives dirigées vers l'ouest...

Willie contemplait fixement les lettres brouillées du message. Il mit de côté l'épais ordre de combat et prit un atlas de guerre sur l'étagère. Sur la carte du Pacifique central, il vit que Kwajalein était le plus grand des atolls, au cœur même des îles Marshall et entouré de postes japonais. Il émit un sifflement.

Il y avait un tas de courrier officiel de deux pieds de haut sur sa couchette. Il avait tiré cette masse d'enveloppes estampillées des cachets rouges « confidentiel » des trois sacs de toile grise qui étaient restés sur le pont. Tout cela s'était accumulé à Pearl Harbor depuis un mois. C'était à lui maintenant de l'enregistrer, de le classer et d'en être responsable; c'était la première fois qu'il prenait en charge un courrier confidentiel depuis qu'il avait hérité du poste de Keefer.

Après avoir jeté une couverture sur le tas d'enveloppes restantes, Willie alla porter l'ordre de combat au commandant. Queeg était dans la cabine du pont principal qui, jadis, avait abrité deux officiers. Elle avait été transformée à l'Arsenal sous son attentive direction et il s'y trouvait maintenant un lit, un grand bureau, un fauteuil, un canapé, un vaste coffre et un certain nombre de tuyaux acoustiques et de microphones. Le commandant cessa de se raser pour jeter un coup d'œil sur les feuilles, faisant couler dessus des gouttes de savon. « Kwajalein alors? dit-il d'un ton dégagé. Bon. Laissez tout ça ici. Vous n'en parlez à personne, bien entendu, pas même Maryk.

— Oui, commandant. »

Lorsqu'il commença à enregistrer et à classer le courrier, Willie fit quelques découvertes déplaisantes. Keefer lui avait remis quelques registres aux coins écornés et les clefs du classeur, y ajoutant sans façon plusieurs poignées d'enveloppes de courrier confidentiel qui gisaient par terre sous son armoire, entre ses chaussures et son linge sale. Il avait affirmé à Willie que tout ça n'était que « chiffons de papier sans importance ».

— Je comptais les enregistrer avec le prochain arrivage. Mais, vous le ferez, avait-il dit, étouffant un bâillement. Puis, il avait regrimpé sur sa couchette et s'était replongé dans *Finnegan's Wake*.

Willie trouva le classeur dans un désordre indescriptible. Mieux aurait valu encore fourrer toutes les lettres dans un sac en jute. Quant aux registres, ils étaient tenus suivant un système insensé, chaque lettre ayant quatre ou cinq références. Willie calcula qu'il lui faudrait cinq ou six jours bien remplis pour mettre tout à jour. Il alla au bureau du bateau et y vit Bidon enregistrer des sacs énormes de courrier non confidentiel. Le secrétaire indiquait les références sur des feuillets verts, passant en revue en moins d'une heure autant de lettres que Willie en avait dans sa cabine. « Qui vous a enseigné ce système? » demanda-t-il au marin.

Bidon tourna vers lui un regard las. « Personne. C'est comme ça dans la Marine.

— Et ces registres-là? » Willie mit ses cahiers sous les yeux de Bidon. « Vous les avez déjà vus? »

Le secrétaire fit un bond en arrière, comme s'il voyait un lépreux. « C'est votre travail ça, lieutenant, pas le mien...

— Je sais, je sais...

— Mr. Keefer, il a essayé une douzaine de fois de me faire enregistrer le courrier confidentiel. Mais c'est contre le règlement. Un simple matelot ne doit pas...

— Tout ce que je veux savoir c'est si ces registres sont réglementaires ou non. »

L'autre fronça le nez. « Réglementaires? Doux Jésus, il y aurait de quoi donner une méningite au pauvre troisième classe. C'est Mr. Funk qui l'avait inventé en 40, il l'a transmis à Mr. Anderson, qui l'a transmis à Mr. Ferguson, qui l'a transmis à Mr. Keefer.

— Pourquoi n'a-t-il pas pris le système réglementaire? C'est tellement plus simple.

— Lieutenant, fit le secrétaire d'un ton sec, ne me demandez pas pourquoi les officiers font ou ne font pas quelque chose. Je n'oserais pas vous répondre. »

Willie passa les semaines suivantes à remanier de fond en comble son service. Il adopta les systèmes réglementaires d'enregistrement et de classement. Il brûla une soixantaine de publications périmées et tria et rangea toutes les autres de façon à pouvoir les retrouver facilement en cas de besoin. Ce faisant, il pensa beaucoup à Keefer. Il s'apercevait, en effet, que le romancier avait perdu un temps fou dans l'exercice de ses fonctions. Willie se rappelait des après-midi entières passées à rechercher des lettres ou des publications, des heures pendant lesquelles Keefer prodiguait son esprit en remarques ironiques sur l'imbécillité de l'administration. Il se rappelait l'avoir vu se pencher pendant des heures sur des registres, en jurant. Willie savait que le romancier prisait par-dessus tout le temps pendant lequel il pouvait lire et écrire. Il savait aussi que Keefer avait le cerveau le mieux fait de tout le *Caine*. Comment alors n'avait-il pas su voir qu'il se nuisait à lui-même et qu'il mettait sur le compte de la Marine ses propres erreurs? Willie commença à voir Keefer sous un jour nouveau. Et le romancier y perdit un peu de son prestige.

Durant la période qui s'écoula jusqu'à l'attaque de Kwajalein, le commandant Queeg eut une véritable crise de lassitude. On le trouvait presque à toute heure de la journée étendu sur sa couchette, ou assis en caleçon devant son bureau, à jouer avec un puzzle. Il ne sortait que le soir, quand ils étaient au port, pour voir le film sur le gaillard d'avant. En mer, pendant les manœuvres, il se passait des jours entiers sans qu'on le vît sur le pont. Il donnait ses ordres par haut-parleur à l'officier de quart. Le bruit de la sonnette du commandant était devenu aussi familier sur la passerelle que celui du détecteur de sous-marins. Il cessa même de venir prendre ses repas au carré, se nourrissant presque exclusivement de glaces au sirop d'érable qu'il se faisait apporter dans sa cabine.

Les autres officiers s'imaginaient que Queeg passait son temps à étudier les instructions concernant les futures opérations, mais Willie savait à quoi s'en tenir. Jamais, lorsqu'il apportait des câbles au commandant dans sa cabine, il ne le trouvait penché sur des plans de bataille ni sur des ouvrages de stratégie. Ou bien il dormait, ou bien il mangeait une glace, ou bien il lisait un magazine ou alors il était tout simplement étendu sur le dos et fixait le plafond de ses yeux ronds. « On eût dit, pensait Willie, qu'il essayait d'oublier un terrible chagrin. » L'enseigne supposa que le pacha s'était querellé avec sa femme durant son séjour chez lui ou encore qu'il avait reçu quelque mauvaise nouvelle dans le courrier. Pas un instant l'idée ne lui vint que la mauvaise nouvelle en question pouvait être l'ordre de combat.

Willie, lui, quand il pensait à la bataille à venir, se sentait à la fois excité, un peu alarmé et en tout cas ravi d'être dans le secret. Il y avait quelque chose de rassurant dans la masse de feuillets qui composaient cet ordre de combat, dans la longue liste des bateaux destinés à y prendre part, dans l'excès même des détails donnés et qui rendaient ces feuilles mimographiées si difficiles à lire. Il avait, tout au fond de lui-même, le sentiment qu'il ne risquait pas grand-chose à aller attaquer les Japonais sous l'aile de la Marine.

Par un jour clair et chaud de janvier, une horde de navires bouchant l'horizon déferla de tous les ports d'Hawaï, se forma en un vaste cercle et partit en direction de Kwajalein.

Cette armada poursuivit paisiblement sa route sur la mer durant des jours et des nuits sans histoire. L'ennemi n'était nulle part visible; il n'y avait rien que les eaux houleuses, bleues le jour et noires la nuit, le ciel vide et, partout où l'on tournait les yeux, des bateaux de guerre, avançant en majestueuse formation sous les étoiles et le soleil. Le grillage fantomatique du radar, en fouillant minutieusement tous les recoins de l'espace autour d'eux, permettait de maintenir sans effort la formation. Cet immense assemblage, si précis et rigide et pourtant si mobile aussi et capable de se transformer entièrement en quelques instants, ce miracle du mouvement sur la mer que Nelson lui-même n'aurait osé rêver, était maintenu en place sans effort par des centaines d'officiers de quart, dont pas un sur dix n'était un marin professionnel. Des étudiants, des représentants de commerce, des instituteurs, des avocats, des employés de bureau, des écrivains, des pharmaciens, des ingénieurs, des fermiers, des pianistes, c'était à ces garçons-là que les officiers supérieurs des flottes de Nelson auraient pu rendre des points.

Willie Keith était maintenant officier de quart en titre, et n'imaginait pas qu'on pût se passer de tous les perfectionnements mécaniques qui l'aidaient dans sa tâche. Il ne considérait pas celle-ci comme facile. Il s'étonnait chaque jour et s'admirait pour la rapidité avec laquelle il avait assimilé les choses de la mer et acquis une certaine autorité militaire. Il arpentait la timonerie, bouche pincée, menton en avant, le front barré d'un pli soucieux, les épaules en avant, les mains serrées sur les jumelles dont il se servait fréquemment pour scruter l'horizon d'un air important. Toute cette comédie mise à part, c'était un officier de quart compétent. Il avait acquis rapidement ces impalpables antennes nerveuses dont le champ d'action allait de l'avant à l'arrière du bateau et qui sont l'instrument principal de l'officier qui commande la manœuvre. En cinq mois de passerelle, il avait appris à connaître ses devoirs d'officier, le jargon des rapports et des transmissions, et l'étiquette qui régissait la vie sur le bateau. Il savait quand il fallait ordonner au quartier-maître de siffler la corvée de balayage, quand devait commencer le couvre-feu, quand, de grand matin, renvoyer cuisiniers et boulangers, quand éveiller le commandant et quand le laisser dormir. Il était capable de gagner ou perdre quelques centaines de mètres grâce à de légères modifications imprimées à la barre ou aux machines, il pouvait calculer en dix secondes la route et la vitesse pour changer de position dans l'escorte, uniquement en traçant une ligne au crayon sur un diagramme de manœuvre. Un grain qui bouchait tout à minuit ne l'effrayait plus : il avait le radar qui, avec son dessin de points verts, faisait la route pour lui.

Le *Caine* était placé sur le flanc droit de la formation, à l'intérieur du rideau de protection anti-sous-marin. Deux ceintures de destroyers entouraient les transports de troupe, porte-avions, croiseurs, cuirassés et péniches de débarquement. Chaque destroyer fouillait constamment au détecteur à ultra-sons un étroit cône d'eau et les secteurs de chaque destroyer se chevauchaient. Aucun sous-marin ne pouvait approcher de la formation sans faire retentir le timbre du détecteur à bord de l'un des destroyers. Un seul rideau de destroyers aurait suffi; le double écran n'était qu'un exemple du goût qu'ont les Américains pour calculer généreusement les facteurs de sécurité. Le *Caine* était un peu en arrière par le travers du destroyer de tête, à un endroit où il était presque impossible pour un sous-marin d'attaquer car il aurait risqué d'être canonné par les navires qui suivaient. Néanmoins, le *Caine* fendait les eaux ennemies au rythme du détecteur à ultra sons.

Tandis que les futurs agresseurs avançaient lentement vers le lieu de l'attaque, la vie, à bord du vieux dragueur de mines, s'organisait suivant une routine qui se répétait tous les jours. Il s'avérait de plus en plus clairement qu'un nouveau mode de vie, plus rigide, s'instaurait sur le *Caine*, après le flottement causé par le changement de commandement.

A Pearl Harbor, un matin juste avant la sortie, le commandant Queeg avait remarqué des mégots de cigarettes qui traînaient sur le pont. Après avoir semoncé l'officier de quart, il était allé au bureau et avait dicté le document suivant :

NOTE DE SERVICE N° 6-44.

1. *Le pont principal de ce navire devra toujours être d'une propreté impeccable.*
2. *Toute désobéissance entraînera des sanctions disciplinaires graves pour tout l'équipage.*
                                            P. F. QUEEG.

L'ordre fut placardé bien en évidence. Le lendemain matin, le commandant trouva un mégot dans un dalot du gaillard d'avant et supprima toutes les permissions de l'équipage. Pendant les quelques jours suivants, le pont fut constamment balayé. Dès que le *Caine* eut pris le départ pour Kwajalein, l'ordre fut retiré du tableau de service et le pont redevint aussi sale qu'avant, sauf tout de suite après les corvées de balayage; l'un des matelots de corvée reçut simplement l'ordre de maintenir constamment propre la petite parcelle de pont qui se trouvait entre la cabine du commandant, l'échelle de la passerelle et l'écoutille menant au carré.

Cet état de choses était bien caractéristique de l'ordre nouveau. L'équipage, qui n'avait pas les yeux dans la poche, n'avait pas tardé à connaître toutes les habitudes et manies du pacha. Celui-ci se mouvait maintenant dans une curieuse petite zone d'autorité qui le suivait comme un projecteur, se limitant exactement à son champ de vision et d'audition; au-delà, le *Caine* restait le vieux *Caine*. De temps à autre, le commandant les prenait par surprise et sortait de sa zone. Il s'ensuivait tout un tumulte et la désapprobation de Queeg se concrétisait sur-le-champ en un nouveau règlement. Ce nouvel édit, quel qu'il fût, était strictement observé dans la zone d'autorité; dans le reste du bateau, on l'ignorait. Ce n'était pas une conspiration consciente. Pris un à un, les matelots eussent été surpris si on leur avait décrit ainsi la vie à bord. Ils eussent probablement crié au mensonge. Les sentiments de l'équipage vis-à-vis de Queeg variaient de l'aversion modérée — et presque générale — à une haine venimeuse, celle-ci se manifestant chez les quelques hommes qui avaient eu à encourir directement sa colère. Il avait aussi des partisans. Au-delà de la zone d'autorité, la vie était plus facile, plus crasseuse, plus déréglée que jamais : c'était en fait l'anarchie, que tempéraient seulement les lois forgées par les matelots eux-mêmes et qui régissaient leurs relations entre eux, et aussi un certain respect pour deux ou trois officiers, et surtout pour Maryk. Il y avait des matelots, ceux qui aimaient rester sales, jouer et se lever tard, qui allaient jusqu'à déclarer qu'ils n'avaient jamais eu meilleur pacha que Queeg, « tant qu'on se fout pas sous son nez ».

Personne n'ignorait, à bord, que Queeg ne pouvait pas souffrir Stilwell. Le canonnier se rongeait d'inquiétude en songeant à la lettre qu'avait envoyée Maryk à la Croix-Rouge. La réponse n'était pas encore arrivée. Les semaines passaient, Stilwell attendait toujours que la hache s'abatte sur lui, et maigrissait à vue d'œil. Chacun de ses quarts à la barre, à proximité de Queeg, était pour lui une torture. Les marins qui étaient contre Queeg manifestaient chaque fois qu'ils le pouvaient leur sympathie au canonnier et s'efforçaient de lui remonter le moral; de sorte que l'opposition finit par se grouper autour de lui. Le reste de l'équipage évitait Stilwell, par peur que la haine du commandant ne s'étende point aussi sur ses copains.

Le carré se divisait en trois partis distincts. Il y avait d'abord Queeg, de jour en jour plus glacial et plus replié sur lui-même. Ensuite Maryk, réfugié dans un lourd silence et qui maintenait le seul contact existant entre le commandant et son navire. Le second voyait bien ce que faisait l'équipage. Il se rendait compte qu'il était de son devoir de faire respecter les règlements établis par le commandant; il se rendait compte aussi que la plupart de ces règlements étaient, soit impossibles à faire respecter par un équipage surmené, logé à l'étroit et qui avait la tête dure, soit applicables mais seulement au détriment de l'état de navigabilité du navire qui n'était guère remarquable. Il fermait les yeux sur le maintien de la zone d'autorité, se donnant pour tâche de faire fonctionner le bateau convenablement en dehors de cette zone.

Le troisième parti comprenait tous les autres officiers, avec Keefer comme chef de bande. La forte aversion qu'ils en étaient tous venus à ressentir à l'égard de Queeg créait un lien entre eux et ils passaient des heures à faire de dures plaisanteries sur son compte. Les deux nouveaux, Jorgensen et Ducely, eurent vite fait de se mettre au pas et étaient devenus aussi anti Queeg que les autres. Willie Keith était considéré comme le chouchou du commandant, ce qui lui valait de nombreuses plaisanteries; et, de fait, Queeg se montrait plus amical dans ses relations avec Willie qu'avec tous les autres. Ce qui n'empêchait guère l'enseigne de lutter d'esprit avec ses camarades quand il s'agissait de brocarder le commandant. Maryk seul ne prenait pas part à ces joutes. Ou bien il gardait le silence ou bien il essayait de défendre Queeg, et, lorsque les plaisanteries se prolongeaient, il quittait le carré.

Telle était la situation sur le U. S. S. *Caine* au moment où, cinq jours après avoir quitté Pearl Harbor, il franchissait la frontière imaginaire qui, en pleine mer, délimitait les eaux japonaises.

CHAPITRE XX

LA TACHE JAUNE

La veille du jour où la flotte devait arriver devant Kwajalein, Willie avait le quart de huit heures à minuit. Il observa une tension croissante parmi les matelots qui se trouvaient sur le pont. Même en l'absence du capitaine, le silence pesait lourdement sur la timonerie. Les perpétuelles discussions sur les femmes qui se tenaient d'ordinaire dans le poste de radar, entre des silhouettes fantomatiques à peine éclairées par la lueur verdâtre des écrans fluorescents, n'avaient pas cessé; mais elles manquaient d'entrain et se limitaient presque exclusivement à des histoires de maladies vénériennes. Les timoniers de quart étaient vautrés dans un coin de la plage arrière et buvaient un café âcre tout en bavardant entre eux à mi-voix.

Personne n'avait officiellement annoncé que le navire serait au matin devant Kwajalein, mais l'équipage avait son agent de renseignements en la personne du quartier-maître qui faisait le point chaque soir avec Maryk. Et les hommes connaissaient la distance qui les séparait de l'objectif aussi bien que le commandant.

Willie ne partageait pas le pessimisme général. Il était d'humeur légère et pleine d'entrain. Dans douze heures, il serait en pleine bataille; dans vingt-quatre heures, il serait un homme qui aurait risqué sa vie pour son pays. Il se sentait invulnérable. Il allait vers un danger, il le savait, mais cela lui semblait un genre de danger divertissant, comme le saut d'une barrière à cheval. Il était fier de ne pas avoir peur et ne s'en sentait que plus joyeux.

Il était le seul, avec le commandant, à savoir que le *Caine* allait accomplir à l'aube une mission périlleuse. Une des dépêches ultra-confidentielles contenait de nouvelles instructions. Le dragueur de mines devait piloter une vague d'embarcations d'assaut depuis le transport de troupes qui les amenait jusqu'à une ligne de départ à moins de mille mètres de la plage, directement sous le feu des batteries côtières; les petites embarcations auraient eu en effet du mal à se diriger par leurs propres moyens. Willie se flattait d'être en meilleure forme que les hommes qui avaient pourtant déjà vu le feu, alors que lui ne s'était encore jamais battu; et cela, bien qu'il fût au courant d'un grand risque que l'équipage ignorait.

Son optimisme se fondait en fait sur une appréciation fort exacte (encore que tout à fait inconsciente) de sa situation, faite par ses nerfs et ses viscères. Il n'allait débarquer sur aucune plage; il ne risquait pas de se trouver nez à nez avec de petits bonshommes jaunes et trapus brandissant des baïonnettes. On ne pouvait nier, certes, qu'il y avait eu accroissement des probabilités pour qu'une calamité quelconque vînt frapper le *Caine*, sous forme d'un obus, d'une torpille ou d'une mine. Les probabilités pour qu'il survécût aux prochaines vingt-quatre heures étaient tombées de, mettons, dix mille contre un, à un chiffre légèrement inférieur mais encore fort rassurant : soixante-dix ou quatre-vingts contre un, peut-être. Ainsi raisonnait le tissu nerveux de Willie; sur quoi, il envoyait à son cerveau quelque sécrétion stimulante qui expliquait la flambée de bravoure du jeune enseigne.

Les nerfs des marins de l'équipage ne leur permettaient pas d'aussi aimables calculs, pour une bien simple raison. Les hommes avaient vu les effets des hasards du combat : des navires qui brûlaient avec une flamme rouge et jaune, qui sombraient, des hommes se traînant sur des coques couchées sur le côté, des hommes inondés de mazout, ou ruisselants de sang, des cadavres qui flottaient sur l'eau. Ils avaient tendance à moins penser aux probabilités théoriques qu'à toutes ces déplaisantes images qu'ils avaient encore à l'esprit.

— Officier de quart! C'était la voix de Queeg qui résonnait dans le tuyau acoustique, venant de la chambre des cartes. Surpris, Willie jeta un coup d'œil au cadran vaguement phosphorescent de la pendule de bord. Dix heures trente : le commandant était dans sa cabine à cette heure-là. Il se pencha vers l'embouchure du tuyau.

— Ici Keith. A vos ordres, commandant.

— Venez ici, Willie.

Armé de pied en cap, sanglé dans son gilet de sauvetage, le commandant s'était glissé sur le hamac accroché au-dessus de la table du navigateur. Ce fut la première chose que remarqua Willie quand il eut refermé derrière lui la porte de la chambre des cartes, ce qui alluma automatiquement l'unique ampoule rouge disposée sur la cloison. L'air était lourd de fumée de cigarettes. « Comment ça se passe-t-il, Willie?

— Rien à signaler, commandant. »

Le commandant roula sur le côté et scruta le visage de l'enseigne. A la lueur rouge de l'ampoule son visage apparaissait fatigué et hérissé de barbe. « Vous avez lu mes consignes de nuit?

— Oui, commandant.

— Appelez-moi si vous remarquez quoi que ce soit d'insolite, vous comprenez? N'hésitez pas à me réveiller au milieu de la nuit. Appelez-moi.

— A vos ordres, commandant. »

Mais le quart se passa avec, comme de coutume, le « ping » monotone du détecteur de sous-marins, les zigzags et le cap à maintenir. A minuit moins le quart, Harding s'approcha de Willie, dans la pénombre fraîche de la passerelle. « Prêt pour la relève, dit-il tristement, en exhalant un léger parfum de café.

— Bon. Encore quarante milles. Rien à signaler. »

Willie hésita à descendre, et se demanda s'il n'allait pas se pelotonner dans un coin du pont principal. Mais arrivé au bas de l'échelle de passerelle, il s'aperçut que la moitié de l'équipage avait eu la même idée. Tous les coins du pont étaient occupés et c'était à peine si on avait la place de marcher. Ce spectacle emplit Willie de dédain et d'audace aussi. Il descendit donc, ôta ses vêtements et se glissa entre les draps. Malgré l'heure, cela lui faisait un drôle d'effet de se trouver dans sa couchette; il avait l'impression d'être tombé malade et d'être condamné au lit. Il se félicitait encore de son courage quand il s'endormit.

Ghang, ghang, ghang, ghang, ghang...

L'alerte n'avait pas fini de sonner qu'il débouchait en trombe sur le pont en tricot de corps et en caleçon, serrant sous son bras ses chaussures, ses chaussettes et son pantalon. Il vit une mer calme, un ciel noir clouté d'étoiles et tout un chassé-croisé de navires en train de se ranger en formation. Des matelots se précipitaient le long des coursives obscures, montaient et dévalaient les échelles; pas de danger aujourd'hui qu'ils se fassent punir pour ne pas avoir leur casque, ni leur gilet de sauvetage! Pendant que Willie enfilait précipitamment son pantalon, le panneau d'écoutille du carré se referma d'un coup derrière lui et les hommes de l'équipe de secours du gaillard d'avant l'assujettirent solidement. L'enseigne glissa ses pieds nus dans ses chaussures et escalada l'échelle de passerelle. La pendule de la timonerie marquait trois heures trente. Le petit réduit était encombré de silhouettes confuses. Willie entendit le bruit de billes d'acier roulées l'une contre l'autre. Il prit à un crochet son gilet de sauvetage et son casque et s'approcha de la silhouette voûtée de Harding. « Prêt pour la relève. Qu'est-ce qui se passe?

— Rien. On est arrivé. » Harding désigna un point vers l'avant à tribord et tendit les jumelles à Willie. Celui-ci aperçut à l'horizon sur la ligne entre ciel et mer, une tache aux contours irréguliers, large peut-être comme l'ongle d'un doigt. « Roi-Namur », dit Harding.

De minuscules éclairs jaunes apparaissaient le long de la tache.
« Qu'est-ce que c'est? dit Willie.

— Les cuirassés sont partis en avant voilà deux heures. Ce
doit être eux. Ou peut-être des avions. En tout cas il y en a qui
font joliment trinquer la plage là-bas.

— Eh bien, ça y est, dit Willie, un peu agacé de constater que
son cœur battait plus fort. S'il n'y a pas de changement, je vais
vous relever.

— Non, pas de changement, »

Harding s'éloigna d'un pas traînant. Le bruit du bombardement
arrivait maintenant par vagues, porté par l'eau, mais à cette distance, c'était un vulgaire bruit de martèlement, comme si des
matelots tapaient des matelas sur le gaillard d'avant. Willie se
dit que ces rumeurs confuses et ces petits éclairs colorés représentaient une effroyable destruction s'abattant sur les Japonais, et il
essaya un moment de s'imaginer sous les traits d'un soldat aux
yeux bridés accroupi et tremblant dans une jungle en flammes, mais
il n'en éprouva guère plus d'émotion qu'à la lecture d'une nouvelle
de guerre dans un magazine. A dire vrai, Willie était déçu par
sa première vision de combat. Il avait l'impression d'assister à un
banal exercice de tir nocturne réalisé à une très petite échelle.

La nuit vira au gris bleu, les étoiles disparurent, et le jour
brillait sur la mer quand la flotte stoppa à cinq kilomètres du
rivage. Les canots d'attaque commencèrent à descendre des portemanteaux des gros transports, et à grouiller sur l'eau comme des
hannetons.

Willie Keith se trouvait maintenant en plein dans la guerre
pour de bon; c'était un combat unilatéral, parce qu'aucun coup
de feu ne partait encore de la plage, mais le jeu n'en était pas
moins mortel. Les îles verdoyantes avec leurs plages de sable blanc
étaient déjà en feu, et la fumée montait de plusieurs endroits.
De vieux cuirassés pansus, qui avaient servi de cible aux journa-
listes pendant tant d'années de paix, justifiaient avec entrain
trente années de coûteux entretien en envoyant toutes les quelques
secondes des volées de plusieurs tonnes d'obus dans les buissons
touffus de la jungle. Des croiseurs et des destroyers rangés à côté
d'eux arrosaient également l'atoll. De temps en temps le tir de
l'artillerie navale cessait et des escadrilles d'avions passaient
au-dessus des navires et piquaient l'un après l'autre vers les îles,
soulevant sous leur passage des nuages de fumée blanche et des
jets de flamme, et parfois un gigantesque champignon noir, indice
qu'un réservoir de carburant ou qu'un dépôt de munitions sautait avec un fracas qui allait ébranler le pont du *Caine*. Les transports cependant ne cessaient de dégorger des canots d'assaut qui
se déployaient sur l'eau grise et houleuse en rangs bien ordonnés.
Le soleil se levait dans un brouillard blanchâtre.

L'attaque ne gâtait en rien l'aspect de l'atoll. Les grandes
vagues de flammes oranges qui se soulevaient çà et là mettaient

autant de touches décoratives à l'aimable verdoiement des îles, de même que les nuages qui s'épanouissaient en panaches blancs ou noirs. L'odeur de la poudre flottait dans l'air et, pour Willie, cela venait parfaire l'atmosphère de fête du matin. Il aurait été incapable de dire pourquoi. C'était en fait parce que cette odeur, jointe au fracas du bombardement, lui rappelait les feux d'artifice du 4 juillet.

Keefer s'arrêta un instant auprès de lui. Des mèches de cheveux noirs s'échappaient du dôme gris de son casque. Ses yeux étincelaient dans leurs orbites profondément creusées. « Le spectacle vous plaît, Willie? Nous avons l'air d'être seuls en piste. »

Willie désigna d'un geste large l'essaim des navires qui cernaient les petites îles si fragiles dans le ciel perlé de l'aube. « Multitudes, multitudes. Que pensez-vous de la Marine en ce moment, Tom? »

Keefer eut un sourire qui lui releva le coin de la bouche. « Que voulez-vous, dit-il, il faut bien que les contribuables en aient pour leurs cent milliards de dollars. » Puis il bondit sur la passerelle volante.

Queeg apparut, voûté au point d'être presque plié en deux, sa tête pivotant sans cesse au-dessus du lourd col de son gilet de sauvetage. Il lorgnait l'horizon, les yeux presque clos et semblait sourire gaiement. « Bon, monsieur l'officier de quart. Où est ce tas de *L. V .T.*[1] que nous devons conduire jusqu'à la plage?

— Je suppose que ce doit être ce groupe-là, commandant, près de l'*APA-17* » Willie désignait un énorme transport de troupes gris à quelque quatre mille mètres en avant à tribord.

— *APA-17*, dites-vous? Vous êtes sûr que c'est de là qu'ils sont censés venir?

— C'est ce que disaient les consignes, commandant. Groupe Quatre Jacob venant de *APA-17*.

— Bon. Approchons de *APA-17*, alors. Vitesse normale. Dirigez la manœuvre.

Le commandant s'éclipsa derrière le rouffe. Willie entra d'un pas martial dans la timonerie, gonflé d'importance et se mit à lancer des ordres. Le *Caine* quitta sa position de flanc-garde et mit le cap vers le transport de troupes. Au fur et à mesure que le *Caine* s'enfonçait dans la formation, le fracas des salves tirées par les cuirassés se faisait plus violent. L'enseigne se sentait un peu grisé, comme s'il avait avalé trop vite un grand verre de whisky. Il allait d'un bord à l'autre, passant son temps à relever le cap, à demander le relèvement radar et à crier des changements de cap avec l'assurance d'un homme ivre.

Une longue ligne de canots d'assaut se détacha des groupes qui entouraient l'*APA* et se dirigea vers le vieux dragueur de mines. Willie alla chercher le commandant qu'il trouva perché sur un

---

1. *Landing Vehicle Transport :* véhicules amphibies utilisés lors des débarquements.

casier de pavillons du côté opposé au transport et à la plage, et
bavardant cigarette aux lèvres avec Engstrand. « Commandant,
le groupe Quatre Jacob semble mettre le cap sur nous.

— Bon. » Queeg jeta un vague coup d'œil sur la mer et tira une
bouffée de sa cigarette.

— Que dois-je faire, commandant? dit Willie.

— Ce que vous voudrez », dit le commandant avec un rire sec.

L'enseigne considéra son commandant avec stupeur. Queeg
reprit le récit d'une anecdote sur le débarquement d'Attu. Engstrand tourna un instant un regard ébahi vers l'officier de quart et
haussa les épaules.

Willie regagna la timonerie. Les canots d'assaut fonçaient
vers le *Caine* en soulevant des gerbes d'écume. Dans ses jumelles,
Willie aperçut un officier à l'arrière de l'embarcation de tête, un
grand mégaphone sous le bras. L'écume jaillissait sur son gilet de
sauvetage et sur son uniforme kaki et trempait le dos des *Marines* [1]
accroupis devant lui. Les lentilles des jumelles enveloppaient le
canot et ses occupants d'un arc-en-ciel qui brouillait un peu sa
vision. Willie voyait les hommes s'interpeller, mais il n'entendait
aucun son; on aurait dit un film muet. Il ne savait que faire. Il
pensait qu'il fallait arrêter le navire, mais il avait peur de prendre
une décision aussi importante.

Maryk entra dans la timonerie. « Dites donc, où est le pacha?
Nous allons passer sur ces lascars! »

L'enseigne désigna du pouce la porte de bâbord. Maryk s'avança
et jeta un coup d'œil vers le casier de pavillons. « Bon, dit-il vivement. Stoppez les machines. » Il prit un vieux porte-voix de carton
rouge accroché sous le hublot de tribord et s'avança sur la passerelle. Le *Caine* ralentit et commença à rouler. « Ohé, du canot »,
cria Maryk.

L'officier du canot d'assaut répondit d'une voix qui arrivait
faiblement, une voix jeune, tendue et avec un accent du Sud
très marqué. « Groupe Quatre Jacob. Paré pour rejoindre le point
de départ. »

Queeg passa la tête dans l'encadrement de la porte et s'écria
d'une voix irritée : « Qu'est-ce qui se passe là-dedans? Qui a dit
de stopper? Qui donne des ordres ici? »

Le second cria depuis l'autre bord : « Excusez-moi, commandant,
mais on allait dépasser les canots, alors j'ai fait stopper. C'est
Jacob Quatre. Ils sont parés.

— Bon, très bien, répondit le commandant. Allons-y alors. Quel
est le cap et quelle est la distance au point de départ?

— Dans le 175 à 4.000, commandant.

— Bon, Steve. Dirigez la manœuvre et amenez-nous là-bas. »
Et Queeg disparut. Maryk se tourna vers le canot d'assaut et
l'officier de la petite embarcation mit le porte-voix à son oreille

1. Fusiliers marins.

pour bien entendre le message. « Nous... allons... partir, hurla le second. Suivez-nous. Bonné... chance. »

L'officier du canot agita son porte-voix et s'accroupit dans l'embarcation tandis que celle-ci reprenait sa marche. Elle était maintenant à cinquante mètres à peine du flanc du *Caine*. C'était un *L. V. T.*, un des nombreux monstres amphibies produits de la seconde guerre mondiale; un petit bateau métallique affublé de chenilles. Cela pouvait se traîner sur terre ou barboter dans la mer sur de courtes distances; cela ne faisait convenablement ni l'un ni l'autre, mais cela existait parce que cela pouvait faire les deux. Willie plaignait les hommes ruisselants d'eau dans la petite embarcation qui bondissait et roulait dans la houle comme un jouet.

Maryk mit le cap sur l'atoll. Il n'y avait rien entre le *Caine* et l'île japonaise d'Enneubing (désignée par la Marine sous le nom de code de « Jacob ») que quelques milliers de mètres d'eau moutonnante. Willie apercevait maintenant les détails de la plage : une hutte, une barque abandonnée, des fûts de mazout, des palmiers brisés. Il lui semblait n'avoir jamais vu un vert aussi profond, aussi riche que le vert de l'île Jacob, ni un blanc aussi blanc que celui de son sable. Deux jolis feux oranges brillaient au-dessus des arbres; et il n'y avait trace de vie nulle part. Il regarda la file des *L. V. T* qui dansaient dans le sillage du *Caine* et remarqua un matelot du canot de tête qui agitait frénétiquement des fanions-signaux. Avec ses bras, l'enseigne signala : « Répétez. » Les pavillons épelèrent rapidement : B-O-N D-I-E-U R-A-L-E-N-T-I-S-S-E-Z. A plusieurs reprises, le matelot tomba du mât auquel il s'accrochait pour envoyer ses signaux, emporté par un plongeon de l'embarcation. Par moments, des rideaux d'embruns dissimulaient entièrement les canots.

Queeg déboucha sur la passerelle et se précipita sur Willie. « Eh bien, eh bien, qu'est-ce qu'il y a? dit-il avec impatience. Qu'est-ce qu'ils veulent? Enfin, vous comprenez son message oui ou non?

— Ils nous demandent de ralentir, commandant.

— Voyez-vous ça. Nous sommes censés être sur la ligne de départ à l'heure H. S'ils ne sont pas fichus de nous suivre, nous lancerons une bouée colorante quand nous serons arrivés et il faudra bien qu'ils se contentent de ça. » Queeg jeta un coup d'œil vers l'île et entra en courant dans la timonerie. « Bon sang, Steve, est-ce que vous avez envie de venir vous échouer sur la plage?

— Non, commandant. Nous sommes encore à quinze cents mètres de la ligne de départ.

— *Quinze cents!* Vous êtes fou! La *plage* n'est pas à quinze cents mètres...

— Commandant, la pointe de l'île de Roi est dans le quarante-cinq. Nous sommes en ce moment dans le soixante-cinq.

Urban, à l'alidade de tribord, cria : « Tangente gauche à Roi dans le soixante-quatre. »

Le commandant sortit en trombe et bouscula le petit timonier. « Vous devez être aveugle. » Il se colla l'œil à l'alidade. « C'est bien ce que je pensais. Zéro *cinquante*-quatre, il ne nous reste même pas de marge de dérive. Nous avons dépassé la ligne de départ maintenant. La barre à droite, toute! A droite toute! cria-t-il. En avant, toute! Lancez une bouée colorante! »

Les cheminées vomirent des torrents de fumée noire. Le *Caine* donna fortement de la bande à bâbord et traça un étroit demi-cercle d'écume sur la mer, tandis qu'il repartait à toute vitesse dans la direction d'où il venait. Une minute plus tard, les *L. V .T.* du groupe Quatre Jacob n'étaient plus qu'un chapelet de petits points dansant derrière le navire à la crête des vagues. Près d'eux une large tache d'un jaune étincelant s'étalait sur la mer.

En fin de journée cependant, le *Caine* s'engagea bravement dans le chenal qui séparait Jacob d'Ivan, en compagnie d'une centaine d'autres navires qui participaient à l'opération. Le drapeau américain flottait sur les deux îles. Le *Caine* se mit à l'ancre dans le lagon. Queeg fit placer des sentinelles armées sur les deux flancs du navire, avec ordre de tirer sur tous les nageurs japonais en vue, et fit quitter ses postes de combat à l'équipage. Il n'y avait rien d'autre à faire. Entouré de transports, de cargos et de destroyers, le *Caine* n'aurait pu faire feu sur la plage même s'il en avait reçu l'ordre. Les matelots abandonnèrent volontiers les postes de tir où ils étaient affalés depuis plus de quatorze heures et la plupart d'entre eux descendirent dormir. Aussi sensibles au danger que des chats, ils savaient qu'ils ne risquaient plus rien à Kwajalein. Willie, lui aussi, avait des picotements dans les yeux tant il avait sommeil, mais il monta sur la passerelle volante pour admirer le spectacle.

Comme initiation d'un jeune homme à l'art de la guerre, c'était un étrange exemple que cette bataille de Kwajalein. C'est peut-être la bataille la plus bizarre qui eût jamais été livrée. Elle avait été gagnée à des milliers de kilomètres de là, des mois avant que fût tiré le premier coup de feu. Les amiraux avaient eu raison de supposer que les « porte-avions insubmersibles » du Mikado manquaient d'un élément important : les avions. Trop d'appareils japonais avaient été descendus dans les escarmouches autour des îles Salomon. Quant aux navires de guerre, ceux qui restaient étaient devenus précieux, et des armes qu'on ménage ne sont plus des armes. La seule arrivée de l'armada américaine avait suffi à décider du sort de la bataille. Il n'y avait à Kwajalein que quelques milliers de soldats pour faire face à la monstrueuse escadre surgissant de la mer; en quelques heures, ils furent réduits à l'impuissance par un déluge de bombes et d'obus. Selon la logique de la guerre, un drapeau blanc aurait dû être arboré dans les deux îles dès le lever du soleil. Mais comme les Japonais, au mépris de toute logique, ne semblaient pas disposés à se rendre, les bombardiers de l'aéronavale entreprirent de les anéantir avec une gaillarde férocité.

·Willie savourait le spectacle sans songer à son caractère fatal. Sous un somptueux coucher de soleil dans les roses et bleus, le bombardement aidait à composer un tableau de mardi gras. Les îles vertes s'embrasaient maintenant de larges taches rouges. Les balles traçantes tissaient au-dessus des eaux pourpres de ravissants pointillés cramoisis; la gueule des grosses pièces crachait des flammes que le crépuscule rendait plus jaunes et plus brillantes, et le vacarme des détonations ébranlait l'atmosphère à intervalles réguliers; partout flottait l'odeur de la poudre se mêlant étrangement aux parfums doux et pénétrants de la végétation tropicale broyée et consumée, que la brise apportait par bouffées. Willie s'appuya à la cloison de la passerelle volante, son gilet de sauvetage à ses pieds, son casque repoussé au-dessus de son front moite; il fumait tout en sifflant des airs de Cole Porter, et étouffait de loin en loin un bâillement, spectateur las, mais ravi.

Cette insensibilité, digne d'un cavalier de Gengis Khan, était fort étrange chez le bon garçon qu'était l'enseigne Keith. Du point de vue militaire, c'était bien entendu un précieux atout. Comme la plupart des exécuteurs de la Marine à Kwajalein, il semblait considérer l'ennemi comme un groupe d'animaux d'une espèce nuisible. A en juger par le silence farouche et désespéré avec lequel les Japonais se laissaient mourir, ils semblaient de leur côté subir l'assaut de redoutables fourmis géantes. Cet oubli par les deux parties du fait que les adversaires étaient quand même des créatures humaines est peut-être la clef de bien des massacres de la guerre du Pacifique. Le débarquement de Kwajalein, qui inaugura la série de ces boucheries, devint un exemple classique de guerre navale, une leçon pour les générations à venir. Jamais on n'avait vu opération plus sagement conçue et exécutée avec cette précision chirurgicale. Mais comme premier échantillon de guerre pour un jeune homme, c'était trop riche, trop beau, trop parfait.

Whittaker passa la tête en haut de l'échelle de passerelle et dit : « Asoup', m'sieur Keith. » Les étoiles clignotaient déjà dans le ciel. Willie descendit et s'attabla avec les autres officiers devant une succulente grillade. Quand on eut débarrassé, Willie, Keefer, Maryk et Harding restèrent autour du tapis vert à boire leur café.

— Eh bien, dit Keefer à Maryk, en allumant une cigarette, qu'est-ce que vous avez pensé du numéro du Vieux Tache Jaune aujourd'hui?

— Bouclez-la, Tom.

— C'est quelque chose, tourner bride avant même d'être arrivé à la ligne de départ, en laissant ces pauvres diables se débrouiller tout seuls dans leurs *L. V. T.!*

— Tom, vous n'étiez même pas sur la passerelle, dit le second d'un ton sec. Vous ne savez pas de quoi vous parlez.

— J'étais sur la passerelle volante, Steve, mon vieux, d'où je voyais et d'où j'entendais tout.

— Nous avons laissé un repère. Ils savaient où ils étaient...

— Nous l'avons lancé quand nous étions encore à vingt degrés de la tangente...

— Dix degrés seulement. Le commandant a lu cinquante-quatre, pas soixante-quatre...

— Oh, et vous avez cru ça?

— ...et en virant, nous avons avancé encore de six ou sept cents mètres. Le repère était probablement juste au bon endroit.

Keefer se tourna soudain vers Willie. « Voyons, qu'est-ce que vous en dites, vous? Est-ce que nous sommes repartis la queue entre les jambes, oui ou non? »

Willie hésita quelques secondes. « Vous savez, je n'étais pas à l'alidade. Urban a très bien pu se tromper dans sa lecture.

— Willie, vous avez été de quart toute la journée. Avez-vous à un moment quelconque vu le commandant Queeg sur le côté du pont tourné vers la plage? »

La question surprit Willie et il s'aperçut brusquement qu'en effet il n'avait jamais vu le commandant du côté de la plage. Les allées et venues du commandant durant toute la journée l'avaient fort étonné, d'autant plus que Queeg avait l'habitude pendant les manœuvres de rester dans la timonerie où il pouvait entendre la phonie et surveiller l'homme de barre. Mais ce que sous-entendaient les propos du romancier était monstrueux. Willie regarda Keefer, bouche bée.

— Eh bien, Willie, qu'est-ce qu'il y a? L'avez-vous vu ou non?

— Tom, dit Maryk, furieux, je n'ai jamais rien entendu de plus ignoble.

— Laissez Willie répondre, Steve.

— Tom, je... j'étais déjà très occupé avec tout ce que j'avais à faire. Je ne m'inquiétais pas du commandant. Je ne sais pas...

— Vous savez très bien, et vous mentez, comme un bon petit garçon qui sort de Princeton, dit le romancier. Bon. Grâces vous soient rendues d'essayer de protéger l'honneur du *Caine* et de la Marine. Il se leva et se dirigea vers le percolateur, emportant sa tasse et sa soucoupe. « Tout cela est bel et bon, mais nous sommes responsables de la sauvegarde de ce navire, sans parler de nos propres existences, et il est imprudent de ne pas se montrer réalistes. » Il versa du café fraîchement passé, brun et fumant, dans sa tasse. « Voici un élément nouveau dont nous devrons tenir compte, mes amis. Queeg est un poltron. »

La porte s'ouvrit et Queeg entra. Il était rasé de frais, il avait encore son casque sur la tête et son gilet de sauvetage sous le bras. « J'en prendrai bien une tasse, Tom, si vous permettez.

— Certainement, commandant. »

Queeg s'assit à sa place, au bout de la table, posa sur le plancher son gilet de sauvetage et se mit à faire rouler ses billes d'acier dans sa main gauche. Il croisa les jambes, balançant celle du dessus, si bien que tout son corps suivait le mouvement. Il fixait devant lui un regard maussade, boudeur. Ses yeux étaient cernés de larges cercles verdâtres et des rides profondes marquaient les coins de sa bouche. Keefer versa trois cuillerées de sucre dans une tasse de café et la posa devant le commandant.

— Merci. Hmm. Du café frais, pour une fois. » Un silence de dix minutes suivit ces mots. Queeg lançait de temps en temps des regards furtifs à ses officiers, puis baissait à nouveau les yeux vers sa tasse de café. A la dernière gorgée, il s'éclaircit la voix et dit : « Eh bien, Willie, puisque vous n'avez pas l'air débordé, si vous me déchiffriez quelques messages, hein? Il y en a encore environ vingt-sept que j'attends.

— Je m'y mets tout de suite, commandant. » L'enseigne ouvrit le coffre-fort et en sortit sans entrain le matériel de déchiffrage.

— Tom, dit le commandant, en fixant le fond de sa tasse, je vois sur mon agenda que Ducely devait remettre aujourd'hui le douzième devoir de son cours de perfectionnement. Où est-il?

— Commandant, nous sommes aux postes de combat depuis trois heures ce matin...

— Le branle-bas de combat est fini maintenant depuis deux heures.

— Ducely a tout de même le droit de manger, de se laver et de prendre un peu de repos, commandant...

— On se repose quand on s'est acquitté de toutes ses tâches. Je veux ce devoir sur mon bureau ce soir avant que Ducely aille se coucher, et vous attendrez pour vous coucher qu'il vous l'ait remis et que vous l'ayez corrigé. C'est compris?

— Bien, commandant.

— Et tâchez d'éviter un peu ce ton supérieur, monsieur Keefer, ajouta le commandant en se levant, les yeux fixés sur le mur. Les rapports d'aptitude font état de qualités qui s'appellent la bonne volonté et la discipline. Il sortit du carré.

— Vous croyez qu'il a entendu? chuchota Willie.

— Non, ne vous inquiétez pas, dit Keefer, sans baisser la voix. C'était la triste figure numéro deux. Un peu de fatigue après la bataille, et un ulcère qui le taquine peut-être légèrement.

— Vous feriez mieux de surveiller un peu votre grande gueule, dit Maryk.

Le romancier se mit à rire. « Il est vraiment au poil. Attaque ou pas attaque, Ducely doit faire ses devoirs. On n'a jamais vu plus intrépide manieur d'agenda que le Vieux Tache Jaune... »

Maryk se leva et se dirigea vers la porte, se coiffant au passage d'une casquette défraîchie. « Très bien, fit-il d'un ton sec. Monsieur Keefer, le nom de l'officier commandant ce navire est commandant Queeg. Je suis son second. Je n'admettrai pas qu'on lui donne un surnom en ma présence, vous m'entendez? Pas plus Vieux Tache Jaune qu'autre chose. Commandant Queeg et c'est tout.

— Dénoncez-moi donc, *monsieur* Maryk, dit Keefer, en ouvrant si grands les yeux qu'on vit briller le blanc. Dites à Queeg ce que je pense de lui. Qu'il me fasse passer en conseil de Guerre pour insubordination. »

Maryk lâcha un bref juron et sortit.

— Ah, je crois que je vais aller chercher ce pauvre Ducely, dit Keefer, pour lui arracher ce devoir.

— La comptabilité de bord n'est pas à jour, dit Harding. Il lança un magazine à travers la table et bâilla. « Je crois que je ferais mieux de m'y mettre avant de me pieuter. Le mois dernier il m'a fait chercher à une heure du matin pour me la demander.

— Notre commandant est un administrateur distingué », dit Keefer en sortant.

Harding et Willie échangèrent un regard mi-amusé, mi-amer. Harding se gratta la tête. « Willie, dit-il doucement, est-ce que le commandant s'est tout le temps cantonné du côté abrité du pont? » Son ton de voix faisait appel à trois mois de casemate commune, au souvenir de deux enseignes verts de peur dans le nid de pie.

— Hardy, je n'en suis pas sûr, répondit Willie, en baissant machinalement la voix. Il me semble que je l'ai vu moins que d'habitude. Mais aussi, vous savez à quel point Keefer déteste le commandant. Il fixa son regard sur sa machine à déchiffrer.

Harding se leva. « C'est formidable... formidable.

— Keefer se trompe peut-être.

— Qu'arrivera-t-il si le *Caine* se fourre dans le pétrin? » Harding serrait les lèvres d'inquiétude et de peur. « Le rôle du commandant, c'est de nous tirer du pétrin, Willie, pas de chicaner sur des histoires de devoirs ou de rapports en retard. Seigneur, que la comptabilité de ce navire peut donc être ridicule! Je suis expert-comptable. J'ai fait des bilans pour la Société du Carbide d'Onondaga. Qu'est-ce que dirait mon patron s'il me voyait dans la cantine en train de compter des tablettes de chocolat et des tubes de pâte dentifrice!... Mais, au fond, qu'est-ce que ça peut faire? J'ai demandé à être versé dans la Marine et je suis sur le *Caine*, et si le *Caine* a besoin d'un expert-comptable de profession pour établir la comptabilité du bord à un cent près, je n'ai qu'à le faire. Mais, en échange, la Marine est censée me fournir un navire qui marche et un commandant qui sait se battre... Ça n'est pas ça qu'on nous raconte dans les écoles navales, non?

— Écoutez, il faut tout de même s'y faire. Nous sommes mal tombés. Ce sont les hasards de la guerre. Nous pourrions être dans un camp de prisonniers japonais. Il faut tenir le coup, c'est un mauvais moment à passer, voilà tout...

— Willie, vous êtes un gentil garçon, dit Harding en se levant, mais vous n'êtes pas un homme marié. Nous sommes des animaux différents, vous et moi. J'ai peur pour cinq personnes, moi, ma femme et mes trois gosses. Un des gosses, surtout. Un petit garçon de six ans, avec un ravissant sourire. Faites-moi penser à vous montrer sa photo un de ces jours. »

Harding s'engouffra dans la coursive et disparut derrière les rideaux verts de sa cabine.

CHAPITRE XXI

MORT ET ICE-CREAM

Le lendemain à l'aübe, le Groupe d'Assaut de l'escadre du Nord donna à l'intention de l'enseigne Keith une nouvelle représentation.

Le vacarme de la cloche sonnant le branle-bas de combat le fit jaillir, à demi vêtu, sur la passerelle, dans le brouillard bleuté de l'aurore que déchiraient des éclairs, des paraboles et des explosions de flammes rouge orangé. Le fracas des grosses pièces faisait sonner ses oreilles. Il mâchonna à la hâte deux feuilles de papier hygiénique qu'il gardait précieusement dans son gilet de sauvetage à cet effet, et se fourra dans les oreilles les boules humides. Les explosions s'atténuèrent aussitôt et ne furent plus qu'un grondement sourd. Il avait découvert ce procédé un jour où on avait manqué de coton durant des exercices de tir.

Les petits canons de trois pouces du *Caine* ne participaient pas au tir de barrage. Queeg maintint l'équipage aux postes de combat jusqu'au lever du soleil, puis renvoya les hommes. Willie resta sur la passerelle pour jouir du spectacle. A huit heures et demie, un vaste cercle de canots d'assaut s'avança, fendant les eaux calmes, vers Roi-Namur, la principale forteresse de la partie nord de l'atoll. Les îles n'étaient plus vertes, mais d'un gris sableux, tacheté çà et là de noir. De petits incendies crépitaient un peu partout, pâles sous la lumière crue du soleil. Tout le feuillage avait brûlé ou était tombé, desséché, dépouillant des enchevêtrements de troncs d'arbres éclatés entre lesquels on apercevait les ruines de bâtiments trapus et des pans de murs isolés. Willie suivit à la jumelle l'arrivée des canots d'assaut sur les plages, l'avance grouillante des tanks et des *Marines*, les bouffées blanches ou oranges qui jaillissaient soudain des clairières grises de l'intérieur. Il vit quelques *marines* s'effondrer. C'était un spectacle à la fois excitant et un peu triste, comme de voir un boxeur être mis k. o.

Il brancha la radio sur la bande d'ondes réservée aux communications de combat, la JBD 640, et écouta avidement les conversations des hommes des tanks en pleine bataille sur la rive. Il fut surpris de constater qu'ils n'utilisaient pas les formules des transmissions navales. Ils se parlaient entre eux et s'adressaient aux navires qui s'efforçaient de les couvrir du feu de leurs canons en phrases courtes et rageuses. Leur vocabulaire était d'une horrible grossièreté. Le contraste était presque comique entre le ton officiel et navré des hommes des navires et l'amère violence de ceux qui avaient débarqué. C'était une révélation si passionnante que Willie resta près de deux heures à l'écoute. Il eut l'émotion d'entendre un homme mourir tout en débitant un incroyable torrent de jurons. Il supposa du moins que l'homme était mort, car il suppliait l'artillerie navale d'anéantir un blockhaus qui l'arrosait du feu de sa mitrailleuse et soudain, ce fut le silence. Willie, un peu honteux, avait l'impression de faire collecte d'anecdotes de salon, tandis que d'autres hommes étaient en train de mourir, et se reprochait sa totale absence de sentiment. Mais il n'éteignit pourtant pas la radio.

Durant le déjeuner, toutefois, il eut un moment désagréable. Il était occupé à verser sur son ice-cream une épaisse sauce au chocolat, quand une terrible explosion, plus violente que tout ce qu'il avait entendu jusqu'alors, fit trembler les verres et l'argenterie; il sentit l'air trembler sur son visage. Il sauta sur ses pieds et, avec Keefer et Jorgensen, se précipita au hublot de bâbord. Jorgensen ouvrit le manche à air et les officiers scrutèrent l'horizon. Un gigantesque nuage noir s'élevait dans le ciel au-dessus de Namur. De longues flammes vermillon d'aspect sinistre jaillissaient à la base bouillonnante du nuage. « Sans doute le grand dépôt de munitions », dit Keefer.

— J'espère que ça a expédié quelques milliers de Japonais *ad patres*, dit l'enseigne Jorgensen, en réglant ses jumelles.

— J'en doute, dit Keefer en regagnant sa place. Ils sont tous gentiment tapis dans leurs trous, ce qu'il en reste. Mais il y a sûrement un certain nombre de types de chez nous qui ont sauté avec. »

Willie contempla l'holocauste pendant une bonne minute, tandis qu'une douce brise parfumée lui caressait le visage et qu'il sentait sur son cou l'haleine de l'enseigne Jorgensen, qui mâchait bruyamment de la viande. Puis il revint s'asseoir et plongea sa cuillère dans le monticule de crème blanche, joliment agrémenté de lacs bruns. Il se dit qu'il y avait quelque chose de bouleversant dans le fait qu'il fût là à manger son ice-cream pendant que des *marines* sautaient avec la forteresse de Namur à quelques kilomètres de lui. Il n'était pas assez bouleversé pour abandonner son ice-cream, mais cette pensée lui tournait dans la tête comme une meule. Il finit par l'exprimer à haute voix.

Les autres officiers lui lancèrent des regards vexés. Aucun d'eux ne cessa de déguster son dessert. Mais Ducely qui avait coutume d'arroser son assiette de crème au chocolat avec une abondance qui écœurait les autres, s'arrêta, le pot de crème à la main, puis versa quand même sur son ice-cream un mince filet de chocolat, et reposa le pot furtivement.

Keefer repoussa son assiette bien saucée et dit : « Willie, ne soyez pas idiot. A la guerre, il y a un tas de gens qui en regardent d'autres se faire tuer en se félicitant seulement de ne pas s'être trouvés à leur place. » Il alluma une cigarette. « Demain, on nous fera peut-être draguer les mines du lagon. On ne se battra probablement plus sur les îles. Et un tas de *marines*, les fesses bien calées sur le sable de la plage, nous verront peut-être sauter tous. Ce n'est pas ça qui leur fera perdre une bouchée de ce qu'ils mangeront.

— En tout cas, ils mangeront des rations K, pas de l'ice-cream au chocolat, dit Willie. Ça a quelque chose de... de trop raffiné.

— Vous savez, personne ne vous fera passer en conseil de guerre si vous ne mangez pas votre ice-cream, dit Keefer.

— Un soir, nous avons transporté un groupe de *marines* à Guadalcanal, dit Maryk en terminant son dessert. Le temps était calme, mais ils ont tous été malades comme des chiens. Leur capitaine était allongé sur ce divan. Il me disait : « Je ne peux pas dire que je raffole de Guadal, mais j'aimerais encore mieux y passer un an qu'une semaine sur ce rafiot. » Il affirmait qu'il sauterait à l'eau s'il apprenait qu'on allait faire du dragage de mines. Il me disait : « De tous les sales boulots qu'on peut faire à la guerre, le dragage de mines, c'est ce qu'il y a de pire. Je ne sais pas comment vous pouvez arriver à fermer l'œil en sachant que vous êtes à bord d'un dragueur de mines. »

— Est-ce que ce navire pourrait réellement draguer des mines? demanda Ducely. Cela paraît si incroyable...

— Vous venez de me remettre un devoir, dit Keefer, expliquant en sept pages en quoi consistait exactement cette opération.

— Tiens, c'est vrai. Vous savez, j'ai copié mot pour mot le *Manuel de dragage de mines*. Je ne sais même pas ce que veulent dire les mots. Qu'est-ce que c'est que ce paravane dont on parle tout le temps?

— Monsieur Keith, grogna Maryk, prenez donc votre assistant par la main après le déjeuner, et montrez-lui ce que c'est qu'un paravane.

— A vos ordres, lieutenant », dit Willie en louchant sur sa cigarette comme un vieux loup de mer.

On n'avait pas fini de débarrasser la table quand un opérateur radio apporta à Willie un message destiné au *Caine*. Il le déchiffra rapidement. Le *Caine* avait ordre de se rendre le lendemain à

l'atoll Funafuti, pour escorter un groupe de *L. S. T.*[1] Funafuti
était très au sud, bien en arrière de la zone de combat. Willie
regrettait de quitter le théâtre des opérations.

Il fit halte le long du bastingage, devant la cabine du commandant, pour regarder le spectacle, mais celui-ci avait bien perdu
de son animation. Il y avait encore bien par-ci par-là quelques
tirs d'artillerie de soutien, mais les barrages massifs étaient terminés. La flotte mouillée dans le lagon perdait son aspect guerrier.
Des matelots nus plongeaient des navires ancrés, s'ébrouant joyeusement dans l'eau qui n'était plus bleue, mais d'un jaune brun
et encombrée de débris. Sur d'autres navires, on aérait la literie,
et les matelas formaient le long des bords des taches blanches.

— Funafuti, dites-vous? Assis à son bureau, le commandant
d'une main mangeait une pleine assiettée d'ice-cream, et de l'autre
jouait avec le jeu de patience en bois. Bon. Dites à Maryk de venir
ici. Et dites à Whittaker de m'apporter une autre portion de glace
et du café... »

On frappa à la porte, du doigt hésitant d'un simple matelot. C'était
Smith, l'opérateur radio, arborant un sourire d'excuse. « Je vous
demande pardon, commandant. On m'a dit que Mr. Keith était ici...
Bonne journée, monsieur Keith. Encore un message pour nous...

— Donnez-moi ça », dit Queeg. L'opérateur radio déposa le
message sur le bureau du commandant et se recula précipitamment.
Queeg jeta un coup d'œil à la référence, se leva presque de son
fauteuil, puis se renversa en arrière et dit d'un ton très calme :
« Tiens, voyez-vous ça? Service du Personnel. Un ordre de mutation pour quelqu'un, probablement... »

Willie tendit la main. « Je vais le déchiffrer tout de suite, commandant.

— C'est ça, Willie, allez-y. C'est peut-être pour moi. Je suis un
peu âgé pour ce bon vieux *Caine*. » Le commandant lui tendit la
feuille d'un air dégagé et ajouta au moment où Willie sortait : « Et
n'oubliez pas : les ordres de mutation sont considérés comme
documents confidentiels.

— Bien, commandant. »

Willie s'était à peine installé devant sa machine qu'il vit arriver
Queeg d'un pas nonchalant. Le commandant se versa une tasse
de café. « Ça marche, Willie?

— Voici, commandant. »

Queeg se pencha par-dessus l'épaule de Willie tandis que celui-ci
déchiffrait. L'ordre de mutation concernait le sous-lieutenant
Rabbitt, affecté au destroyer dragueur de mines *Oaks*, en chantier
à San-Francisco.

— Rabbitt, tiens? Un navire en construction? C'est bien
agréable. Je vais prendre ce message, Willie. Queeg tira le texte
de la machine. Comprenez-moi bien, Willie. Moi, et moi seul

1. *Landing Ship Transport:* navire de débarquement.

déciderai du moment où je devrai faire connaître sa nouvelle affectation à Mr. Rabbitt, c'est clair?

— Mais, commandant, est-ce que cet ordre de mutation ne lui est pas adressé personnellement?

— Bon Dieu, Willie, je vous serais reconnaissant de ne pas jouer à l'avocat de droit maritime! Pour votre gouverne, sachez que le message est adressé au *Caine*, dont je suis le commandant, et que je peux détacher Mr. Rabbitt quand bon me semble, maintenant que je connais les désirs du Personnel. Je n'ai pas la moindre confiance en Harding pour remplacer Rabbitt, pas encore du moins, et jusqu'à ce que Harding soit au point, eh bien, Rabbitt peut fort bien rester sur le *Caine*, comme nous tous. C'est compris? »

Willie avala sa salive et dit : « Parfaitement, commandant. »

C'était un supplice pour Willie que de ne pas révéler à Rabbitt qu'il était muté. Pendant le dîner, il se trouva assis en face du lieutenant, et il lança des coups d'œil furtifs au visage pâle, patient et inquiet, barré d'une mèche de cheveux bruns qui tombait perpétuellement sur l'œil gauche. Il avait l'impression d'être complice d'un crime.

L'enseigne se rendait compte qu'il s'était pris d'amitié pour Rabbitt. C'était dans les bras de celui-ci qu'il avait sauté la première fois qu'il était monté à bord du *Caine*, et il se souvenait encore de sa phrase d'accueil : « Ne soyez pas si pressé! Vous ne savez pas où vous sautez. » Willie l'avait d'abord considéré comme un peu rustaud et assommant. Mais peu à peu, des qualités s'étaient manifestées chez Rabbitt. Il n'était jamais en retard quand il venait relever l'officier de quart. Il était incapable de refuser une faveur et il vous rendait un service comme si c'était un ordre du commandant. Les matelots lui obéissaient au doigt et à l'œil, bien qu'il donnât ses ordres d'un ton badin et sans s'emporter. Il tenait toujours le livre de bord bien à jour et s'offrait souvent à aider Willie quand les messages à déchiffrer s'empilaient. Willie ne l'avait jamais entendu dire un mot désagréable sur qui que ce fût, sinon quand il participait aux plaisanteries que tous échangeaient au carré sur le compte de Queeg.

Mais Willie craignait trop le commandant pour souffler mot à Rabbitt de la grande nouvelle. Le lieutenant prit le quart de minuit à quatre heures cette nuit-là et regagna sa couchette dans le brouillard de l'aube, sans savoir que l'ordre qui mettait fin à ses malheurs était sur le bureau du commandant; ni qu'il pesait aussi sur la conscience de l'officier des transmissions au point que Keith fut incapable de fermer l'œil.

Willie déchiffrait sans enthousiasme les messages de la journée après le petit déjeuner, quand Queeg entra dans le carré, suivi d'un capitaine de frégate — manifestement tout frais nommé, car les feuilles d'or qui brillaient au-dessus de la visière de sa casquette n'avaient encore rien perdu de leur éclat. L'enseigne se leva d'un bond.

— Commandant Frazer, je vous présente mon officier de transmissions, l'enseigne Keith.

Willie serra la main d'un grand gaillard d'une trentaine d'années au teint bronzé, aux yeux bleus clairs et aux cheveux blonds coupés en brosse très rase. Il portait une chemise kaki magnifiquement repassée. Queeg avait l'air fagoté à côté de lui, dans sa tenue grise défraîchie par la blanchisserie vitriolée du *Caine*.

— Continuez votre travail, Willie, dit Queeg.

— Bien, commandant. Il se déplaça avec tout son matériel jusqu'à l'autre bout de la table.

Whittaker entra avec un pot fumant et versa du café à Queeg et à son invité. Il s'avéra que Frazer, commandant d'un destroyer, venait de recevoir l'ordre de rejoindre les États-Unis pour prendre le commandement d'un nouveau destroyer-dragueur de mines : nouveau en ce sens qu'il s'agissait d'un destroyer moderne converti en dragueur de mines, et non pas d'une relique de la grande guerre. Il était venu à bord, expliqua-t-il, pour jeter un petit coup d'œil sur un dragueur car il ne s'y connaissait absolument pas en ce genre d'unités. « On en convertit tout un groupe », dit Frazer. « Mon chef, le commandant Voor, pense qu'on me rappelle là-bas pour me donner le commandement d'un groupe ou d'une partie d'escadre. Je n'en sais rien. Tout ce que je sais, c'est que je ne ferais pas mal de potasser un peu le dragage de mines. » Il entreprit d'allumer une pipe brune au tuyau recourbé.

— Je me ferai un plaisir de vous faire visiter le *Caine*, commandant, dit Queeg, et de vous faire profiter du peu que nous savons ici. Quel navire vous ont-ils donné, commandant?

— L'*Oaks*, dit Frazer.

Willie sentit son cœur bondir. Il vit Queeg lui lancer un coup d'œil; il se pencha sur son travail pour éviter son regard. « L'*Oaks*, dites-vous? Un seize cinquante tonnes. Quand j'étais lieutenant, j'ai passé un an sur un navire de ce type. Très agréable.

— Le Personnel a eu l'amabilité de m'envoyer une liste non définitive des officiers de mon carré, dit Frazer. Il tira de sa poche une feuille de papier pelure. Je crois même que je vous enlève l'un des vôtres. Comment s'appelle-t-il déjà? Oh... voilà, Rabbitt. »

Queeg but une gorgée de café.

— Vous n'avez pas encore reçu son ordre de mutation? demanda Frazer.

Queeg but une nouvelle gorgée de café et dit : « Si, si, nous l'avons reçu.

— Eh bien, parfait, fit Frazer en souriant. Je pensais bien que vous l'aviez. J'ai vu la dépêche du Personnel sur le Fox et je l'ai fait déchiffrer... Bon. C'est votre lieutenant en premier, n'est-ce pas? Il doit être très au courant du dragage de mines.

— C'est un officier compétent.

— Allons, c'est peut-être un coup de chance pour moi alors. Je suis assez bien placé pour avoir des passages en priorité sur des appareils de l'Aéro-Navale. Rabbitt pourrait peut-être prendre l'avion avec moi et me donner quelques tuyaux pendant le trajet.

— C'est que nous apparcillons cet après-midi vers le sud.

— Aucune importance. Il viendra loger à mon bord. Je pense pouvoir nous avoir des places dans un avion d'ici deux jours. Mon remplaçant est déjà à bord et prêt à me relever.

— Mais il reste encore la question du remplacement de Rabbitt, fit Queeg avec un petit rire qui résonna étrangement dans le carré désert.

— Que voulez-vous dire, commandant? Rabbitt n'a pas à bord un assistant qualifié capable de le remplacer?

— Cela dépend de ce que vous entendez par qualifié... Encore un peu de café, commandant?

— Non, merci... Vous êtes si à court d'effectifs, commandant Queeg? Depuis combien de temps l'assistant de Rabbitt est-il à bord?

— Harding? Oh, cinq ou six mois.

— C'est une nouille alors?

— Il ne mérite pas un tel qualificatif.

— Mais enfin, commandant, il n'y a pas un officier à mon bord, à part le second, que je ne pourrais détacher dans les vingt-quatre heures. Il me semble que c'est une des tâches du commandant de maintenir l'entraînement à un niveau élevé.

— Tout cela est une question d'échelle, commandant, dit Queeg. Je dois dire que sur un bon nombre de navires, l'enseigne Harding serait considéré comme qualifié à tous égards. C'est simplement que, ma foi, sur mon navire, l'excellence est de rigueur, et je ne suis pas sûr que Harding y soit tout à fait parvenu.

— Je reprendrai bien un peu de café, s'il vous plaît, dit Frazer.

— Willie, dit Queeg, voudriez-vous être assez aimable... » L'enseigne se leva et vint servir le café à ses supérieurs.

— Ma foi, commandant Queeg, dit Frazer, je comprends votre point de vue et j'apprécie vos exigences. Par ailleurs, l'*Oaks* a besoin d'un lieutenant en premier pour pouvoir prendre la mer sans tarder, et particulièrement de quelqu'un auprès de moi qui connaisse le dragage de mines. Après tout, nous sommes en guerre. Il faut que les gens apprennent vite et fassent de leur mieux...

— A vrai dire, fit Queeg, avec un sourire entendu, il me semble qu'en temps de guerre on devrait exiger plus d'un officier et non pas moins. Il y a des vies humaines en jeu, vous savez.

Frazer versa lentement du lait concentré dans son café et scruta le visage de Queeg. Le commandant du *Caine* était vautré dans son fauteuil, les yeux au plafond, un sourire flottant sur ses traits; une de ses mains était passée par-dessus le dossier de son fauteuil et il faisait s'entrechoquer ses billes d'acier dans sa paume.

— Commandant Queeg, dit Frazer, je comprends très bien votre point de vue. Seulement, je trouverais absurde de retarder la mise en service de l'*Oaks* en attendant que le remplaçant de Rabbitt satisfasse à vos exigences, n'est-ce pas? Il faut que je m'arrête à Washington pour me présenter au Personnel. Si je leur disais franchement que vous avez eu des difficultés à former le remplaçant de Rabbitt de façon qu'il réponde à ce que vous exigez d'un officier, et si je leur demandais de vous envoyer un autre officier...

— Je n'ai pas eu la moindre difficulté, et le niveau d'entraînement des officiers de ce navire supporte la comparaison avec celui de n'importe quel navire de la flotte, commandant, dit Queeg vivement. D'une main tremblante, il reposa sa tasse dans sa soucoupe. « Comme je vous le disais, n'importe quel autre commandant trouverait Harding parfaitement qualifié, et, à vrai dire, même pour ma part, je ne le trouve pas mauvais du tout, et, comme je vous le disais, si Rabbitt s'en allait cet après-midi, le *Caine* serait parfaitement à même d'exécuter toutes les missions qu'on pourrait lui confier, mais là où je voulais en venir...

— Je suis heureux de vous l'entendre dire, commandant, et je suis persuadé que c'est tout à fait exact, fit Frazer en souriant. Et, puisque c'est comme ça, si vous me laissiez avoir Rabbitt cet après-midi?

— Ma foi, commandant... » Queeg hocha lourdement la tête, puis la rentra dans les épaules. Sous ces sourcils froncés, son regard se braqua sur Frazer. « Ma foi, comme je vous le disais, si cela doit gêner beaucoup l'*Oaks*, que Rabbitt reste à bord quelques jours de plus, et je ne comptais pas le garder davantage, pour achever de mettre Harding au courant, eh bien... je comprends bien que le *Caine* est un navire vieillissant et que la mission de combat de l'*Oaks* est bien plus importante, commandant, mais c'est justement pour cela que je considère la formation des officiers comme une des principales tâches de ce navire, et si je parais un peu trop zélé, ma foi, je ne crois pas que vous puissiez m'en blâmer ni le Personnel non plus.

— Bien au contraire, on ne pourrait que vous féliciter de vous montrer si exigeant en ce qui concerne la formation de votre équipage. » Frazer se leva et prit sa casquette. « Si j'envoyais mon canot chercher Rabbitt à, disons seize heures, commandant. Cela épargnerait un voyage au vôtre. Est-ce que cela vous convient?

— Ce sera parfait. Si vous avez des amis au Personnel, vous pourrez leur dire que Queeg, Philip, classe 36, ne devrait plus attendre bien longtemps d'être muté... Je vais vous accompagner jusqu'à la passerelle, commandant, dit Queeg, tandis que Frazer se dirigeait vers la porte.

— Merci. Enchanté de vous connaître, Keith.

— Tout l'honneur et le plaisir étaient pour moi, commandant », dit Willie. Il ne parvenait pas à empêcher son ton d'être joyeux. Queeg en sortant lui lança un regard furibond.

D'ordinaire, quand un officier quittait le *Caine*, personne n'y prenait garde, sauf la bordée de quart, à qui revenait le soin de noter sur le livre de bord l'heure exacte de son départ. Mais Willie, qui se trouvait de quart cet après-midi-là, s'aperçut vers trois heures et demie qu'un spectacle insolite se préparait. Des matelots se rassemblaient près de l'échelle de coupée, en chuchotant. Les officiers à leur tour, commencèrent un par un, à venir se grouper sur la plage arrière. Les uns et les autres observaient les mouvements des troupes et des machines sur les plages ravagées des îles, échangeaient des plaisanteries sur le physique des nageurs en train de s'ébattre autour d'un destroyer mouillé non loin du *Caine* ou regardaient les hommes occupés à peindre en bleu ardoise la cheminée numéro trois. L'odeur douceâtre de la peinture flottait, pénétrante, dans l'air tiède.

— Le voilà, dit quelqu'un. Un canot parfaitement entretenu apparut derrière l'étrave d'un transport de troupes et fendit l'eau boueuse dans la direction du *Caine*. Un murmure traversa les spectateurs, comme dans une salle de théâtre durant la pause qui suit parfois une réplique. Whittaker et un autre cambusier débouchèrent par la coursive de tribord, portant une cantine défraîchie, sur laquelle s'entassaient deux sacs de toile bleue. Rabbitt les suivait. Il tiqua, fort étonné de voir cette foule. Les officiers l'un après l'autre lui serrèrent la main. Les matelots restaient plantés là, les pouces passés dans leurs ceinturons, ou les mains dans les poches. Quelques-uns crièrent : « Au revoir, monsieur Rabbitt. »

Sur un coup de cloche, le canot vint s'arrêter au pied de l'échelle de coupée. Rabbitt s'approcha de Willie et salua. Il serrait les lèvres et ses yeux étaient secoués de tics nerveux. « Je demande la permission de quitter le bord, lieutenant.

— Permission accordée », dit Willie, puis il ajouta d'un trait : « Vous ne savez pas d'où vous sortez ».

Rabbitt sourit, serra la main de Willie et descendit l'échelle de coupée. Le canot s'éloigna. Willie, en haut de l'échelle contemplait tous les dos alignés le long du bastingage. Ils lui rappelaient les spectateurs misérables se pressant pour contempler une sortie de mariage. Il s'approcha à son tour du bastingage et regarda Rabbitt qui s'en allait. Le canot disparut derrière le transport. Il ne restait plus que l'écume du sillage dont la courbe s'effaçait peu à peu sur la mer.

Une heure ne s'était pas écoulée que le commandant Queeg se mit dans une colère noire. Paynter lui apporta un état des réserves d'eau et de carburant qui montrait que la consommation d'eau de l'équipage avait augmenté de dix pour cent durant l'opération de Kwajalein. « Ils oublient que l'eau est rare? Bon, monsieur Paynter, hurla le commandant. Pas d'eau pour les besoins personnels des officiers ni de l'équipage pendant quarante-huit heures! Ça leur montrera peut-être que je ne plaisante pas, moi! »

Une demi-heure plus tard, le *Caine* levait l'ancre et sortait de l'atoll de Kwajalein, le cap sur Funafuti.

CHAPITRE XXII

LA DISETTE D'EAU

Du temps de la marine à voile, un vent arrière était une bénédiction; mais il n'en était pas ainsi du temps de la vapeur.

En faisant route vers Funafuti, à deux cents milles de Kwajalein, le *Caine*, qui filait quelque dix nœuds à l'heure, barbotait dans d'épaisses masses de nuages noirs semblables à des oreilles sales. Le navire baignait dans ses propres miasmes et ne pouvait s'en dégager. La brise soufflait de l'arrière à environ dix nœuds. Par rapport au navire, l'air était donc immobile. Le dragueur de mines semblait voguer dans un calme de cauchemar. La fumée tourbillonnait et roulait sur le pont principal, lourde, huileuse, presque palpable. Elle empestait; elle laissait sur la langue et dans la gorge une pellicule au goût affreux et qui irritait les muqueuses; elle piquait les yeux. L'air était humide et lourd. L'odeur des caisses de choux entassées sur la plage arrière se mariait désagréablement à la puanteur de la fumée. Les matelots et les officiers du *Caine*, en sueur, sales, et qui ne pouvaient même pas compter sur le soulagement d'une douche, se regardaient, la langue pendante et l'œil morne, et travaillaient en se bouchant le nez.

Le *Caine* et un destroyer d'escorte convoyaient six *L. S. T.* traînant leurs lourdes coques de près de cent mètres de long, en forme de sabots et qui avaient pourtant un aspect étrangement fragile; on avait l'impression qu'une attaque résolue à l'ouvre-boîtes sur l'une de ces coques pansues déclencherait le sauve-qui-peut à bord. Les *L. S. T.* dansaient sur les vagues, filant leurs huit nœuds, et les navires d'escorte zigzaguaient à une vitesse légèrement supérieure.

La disette d'eau décrétée par Queeg durait depuis vingt-quatre heures quand Maryk se présenta à la cabine du commandant. Celui-ci était allongé sur sa couchette, entièrement nu. Deux ventilateurs, qui vrombissaient à plein régime, soufflaient sur lui des courants d'air frais; la sueur pourtant perlait sur sa poitrine blanche. «Qu'est-ce qu'il y a, Steve? dit-il, sans faire un mouvement.

— Commandant, en raison des conditions extraordinaires créées par ce vent arrière, est-ce qu'on ne pourrait pas rendre à nouveau la consommation d'eau libre après vingt-quatre heures au lieu de quarante-huit? Paynter me dit que nous avons largement assez pour tenir jusqu'à Funafuti...

— La question n'est pas là, s'écria Queeg. Pourquoi donc tout le monde est-il si bête à bord de ce navire? Est-ce que vous imaginez que je ne sais pas combien nous avons d'eau? Le problème, c'est que l'équipage de ce navire a gaspillé de l'eau, et que dans leur propre intérêt, il faut leur donner une leçon, voilà tout.

— Ils l'ont eue, leur leçon, commandant. Un jour comme aujourd'hui, c'est comme une semaine sans eau. »

Le commandant prit un air pincé. «Non, Steve, j'ai dit quarante-huit heures et cela veut dire quarante-huit heures. Si ces hommes se mettent dans l'idée que je suis une de ces lavettes qui changent d'avis comme de chemise, il n'y aura plus moyen de les contrôler. Bon sang, Steve, moi aussi, j'aimerais bien prendre une douche. Je vous comprends. Mais nous devons supporter ces inconvénients dans l'intérêt même des hommes...

— Ce n'était pas pour moi que je vous demandais cela, commandant. Mais les hommes...

— Ne me jouez pas les défenseurs de l'opprimé! » Queeg se souleva sur un coude et foudroya le second du regard. « Je me préoccupe autant que vous du bien-être des hommes, alors ne jouez pas au héros. Est-ce que oui ou non ils ont gaspillé de l'eau? Oui. Alors, qu'est-ce que vous voulez que je fasse... que je leur décerne des éloges?

— Commandant, la consommation a augmenté de dix pour cent. C'était un jour de débarquement. Ce n'est pas ce que j'appelle vraiment du gaspillage...

— Très bien, très bien, monsieur Maryk, fit Queeg en s'allongeant à nouveau sur sa couchette. Je vois que vous cherchez la discussion pour la discussion. Désolé de ne pouvoir vous satisfaire, mais il fait trop chaud aujourd'hui. Vous pouvez disposer. »

Maryk poussa un profond soupir qui ébranla son torse massif. « Commandant, est-ce qu'on ne pourrait pas avoir quinze minutes de douche après le balayage?

— Non, bon Dieu! Ils auront bien assez d'eau entre leur soupe et le café pour les empêcher de se déshydrater. C'est tout ce qui compte. La prochaine fois, ils feront attention à ne pas gaspiller d'eau à bord d'un navire dont je suis le commandant! Vous pouvez disposer, Steve. »

Le vent arrière n'abandonna pas le *Caine* cette nuit-là, ni durant la journée du lendemain. Sous les ponts, l'air qui arrivait par les manches de ventilation était irrespirable tant il était saturé de fumée. Les matelots s'échappaient des compartiments et dormaient entassés sur le gaillard d'arrière ou sur le pont principal. Quelques-uns d'entre eux apportèrent leur matelas, mais la plupart se recroquevillèrent sur les plaques de tôle rouillées du pont, en se faisant des oreillers avec des gilets de sauvetage. Sur la passerelle, durant toute la nuit, on ne respirait que par courtes bouffées. Dans certaines parties des zigzags, la brise soufflait suivant un angle très étroit et on pouvait alors, en tendant le cou par-dessus la cloison, attraper une ou deux bouffées d'un air tiède et pur, d'une incroyable douceur.

Le lendemain matin, un soleil brûlant émergea des eaux et vint frapper un navire qu'on aurait dit atteint de peste. Des corps sales et demi-nus jonchaient les ponts, apparemment inanimés. Le sifflet du quartier-maître n'opéra qu'une résurrection partielle. Les corps s'étirèrent, se levèrent et commencèrent à vaquer à leurs occupations comme si leurs membres étaient de plomb; on eût dit l'équipage fantôme de la *Ballade du Vieux Marin*. Le *Caine* était maintenant à cinquante milles de l'équateur et piquait presque droit au sud. Avec chaque heure qui passait, le soleil s'élevait plus haut dans le ciel et l'air devenait plus étouffant et plus humide. Et le navire continuait à se traîner sur la mer étincelante, enfermé dans la puanteur de sa fumée et de ses choux.

Vers midi, la nature humaine se révolta. Les chauffeurs commencèrent à stocker de l'eau dans la seconde chambre des machines où se trouvaient les évaporateurs; ainsi Queeg ne pouvait trouver de pression dans aucune canalisation. La nouvelle se répandit à travers le navire comme par télégraphe. Les deux étroites échelles descendant dans le compartiment étouffant et ferraillant où se trouvaient les machines s'encombrèrent de matelots. Paynter ne tarda pas à découvrir ce qui se passait et le signala à Maryk qui était dans la chambre des cartes. Le second haussa les épaules : « Je n'entends pas un mot de ce que vous dites, fit-il. La fumée me donne des bourdonnements d'oreilles. »

L'équipage fut seul à bénéficier de ce providentiel expédient. Les officiers furent bientôt au courant; mais malgré leur manque de respect unanime pour Queeg, le sentiment vague mais impérieux de ce que représentait une casquette d'officier les empêcha de descendre dans la salle des machines.

A trois heures, Ducely s'effondra, la tête sur ses bras, devant sa machine à déchiffrer et dit à Willie d'une voix chevrotante qu'il n'en pouvait plus et qu'il allait boire dans la salle des machines. Willie le foudroya du regard. L'enseigne Keith ne ressemblait plus guère au petit pianiste joufflu et joyeux qui était entré quatorze mois plus tôt dans le pavillon Furnald. Des rides se creusaient autour de sa bouche et de son nez; les pommettes et le menton saillaient sur le visage rond. Les yeux brillaient dans leurs orbites profondément marqués et cernés de sombre. Le visage était noir de suie, et hérissé de barbe brune. La sueur ruisselait jusque dans l'échancrure de la chemise qu'elle tachait de plaques noires. « Allez un peu jusqu'à la chambre des machines, espèce de sale petit morveux, dit-il (Ducely avait près de huit centimètres de plus que lui) et vous n'aurez plus qu'à garder en permanence votre gilet de sauvetage car je jure devant Dieu que je vous flanquerai par-dessus bord. »

Ducely poussa un gémissement, releva la tête et se remit mollement à sa machine.

Sur un point l'isolement du commandant Queeg n'était pas aussi absolu qu'il aurait pu le souhaiter; n'ayant pas de lavabos particuliers, force lui était d'utiliser les toilettes installées dans la coursive qui menait au carré. Ces apparitions périodiques du commandant aux heures les plus variées étaient parfois gênantes. Les officiers avaient pris l'habitude de guetter le claquement de sa porte et de prendre des attitudes exemplaires dès qu'ils l'entendaient. L'un bondissait de sa couchette pour prendre une poignée de courrier officiel, un autre fonçait sur une machine à déchiffrer, un troisième saisissait une plume et un état de cantine, un quatrième ouvrait au hasard un livre de bord.

Comme Willie et Ducely étaient tous deux absorbés dans une occupation fort honorable, le bruit de la porte du commandant ne les émut pas cette fois-là. Queeg apparut quelques secondes plus tard et traversa le carré en traînant ses pantoufles, arborant comme de coutume et sans plus de raison une expression maussade. Les deux officiers ne levèrent pas le nez de leurs messages. Il y eut un silence, le temps environ de compter jusqu'à dix, puis un horrible hurlement dans la coursive. Willie bondit, croyant, espérant même à demi que le commandant avait touché une prise de courant mal isolée et qu'il s'était électrocuté. Il se précipita, suivi de Ducely. Mais le commandant n'avait rien, sinon qu'il poussait des exclamations inintelligibles dans la douche des officiers. L'enseigne Jorgensen, nu comme un ver, son vaste derrière rose faisant saillie au bas de son dos comme une étagère, était sous l'appareil à douche, les épaules incontestablement mouillées, et le plancher métallique à ses pieds couvert de gouttes d'eau. Il avait une main crispée sur le robinet, tandis que de l'autre, il se tripotait l'oreille, essayant machinalement de rajuster des lunettes qui n'étaient pas sur son nez. Un sourire idiot s'épanouissait sur son visage. Du torrent d'imprécations que vomissait le commandant émergeaient les mots : ...*oser* violer mes instructions, mes instructions formelles? Comment *osez*-vous?

— C'est l'eau qui restait dans les tuyaux, commandant... dans les tuyaux, c'est tout, bredouilla Jorgensen. Je n'utilisais que l'eau des tuyaux, je le jure.

— L'eau des tuyaux, dites-vous? Très bien. Eh bien, c'est de cela que les officiers de ce navire pourront se contenter pour quelque temps encore. Le rationnement d'eau de l'équipage se termine à cinq heures. Les restrictions seront maintenues pour les officiers pendant encore *quarante-huit heures.* Vous en informerez Mr. Maryk, monsieur Jorgensen, puis vous me soumettrez un rapport m'expliquant pourquoi je devrais ne pas vous donner un mauvais rapport d'*aptitude!* (il cracha le mot « aptitude » comme si c'était une injure).

— L'eau des tuyaux, commandant », marmonna Jorgensen, mais Queeg s'était engouffré dans les toilettes et avait claqué la porte. Keith et Ducely tournèrent vers Jorgensen des visages sévères et haineux.

— Mes enfants, il fallait que je prenne ma douche, je me sentais ravalé au niveau de la bête, dit Jorgensen, d'un air de dignité offensée. Je vous assure que c'était seulement l'eau des tuyaux.

— Jorgensen, dit Willie, la ration d'eau de neuf hommes mourant de soif vient de passer dans cette énorme fente qui sépare vos deux fesses. C'est sa vraie place puisque c'est là que se trouve concentrée votre personnalité. J'espère que cela vous a fait plaisir.

Les officiers du *Caine* se passèrent d'eau deux jours encore. Ils se relayèrent pour accabler Jorgensen de malédictions, puis lui pardonnèrent. La brise tourna et le cauchemar de la fumée des cheminées et du parfum des choux se dissipa, mais il faisait sans cesse plus chaud et plus étouffant. Les officiers n'avaient d'autre ressource que de souffrir en maudissant le commandant. Ils ne se privèrent ni de l'un ni de l'autre.

L'atoll de Funafuti était un chapelet d'îles basses, très vertes, semées sur la mer déserte. Le *Caine* arriva peu après le lever du soleil, franchissant lentement un étroit passage d'eau bleue entre la ligne blanche des brisants. Une demi-heure plus tard, le dragueur de mines était amarré à tribord du ravitailleur de destroyer *Pluto*, auquel étaient déjà amarrés deux autres navires. On installa rapidement des canalisations pour amener la vapeur, le courant électrique et l'eau; on laissa tomber les feux sur le *Caine* et le navire commença à se nourrir au sein généreux du *Pluto*. Le ravitailleur et sa portée se balançaient au bout d'une lourde chaîne d'ancrage, à quinze cents mètres de la plage de Funafuti.

Willie fut un des premiers à franchir la traversine. Une visite au bureau des Transmissions d'un ravitailleur lui épargnait des journées entières de déchiffrage. Le ravitailleur avait notamment pour mission de déchiffrer et de transcrire sur des feuilles ronéotypées les messages de la flotte. C'étaient tous ces messages AlPac, AlCom, AlFleet, GenPac, PacFleet, AlNav, SoPacGen et CenPacGen [1] qui accablaient les officiers de transmissions des destroyers déjà surchargés de travail.

1. Références de dépêches E *AlPac :* All Pacific. *AlCom :* All Communications. *AlFleet :* All Ships in the Fleet. *GenPac :* General Message for

L'eau du lagon était assez agitée. Willie franchit d'un pas désinvolte les planches instables qui surplombaient les petits espaces
entre les navires, où l'eau chuintait et se gonflait dangereusement.
Une large traversine montée sur roulettes reliait au *Pluto* le destroyer qui en était le plus voisin. Willie la franchit et se trouva
dans un atelier aux machines grondantes. Il chercha son chemin
dans la vaste caverne du ravitailleur, à travers des coursives
zigzagantes, montant et descendant des échelles, traversant suc-
cessivement une forge, un salon de coiffure, une menuiserie, une
blanchisserie, une cuisine toute d'acier inoxydable où cuisaient des
centaines de poulets, une boulangerie, et vingt autres entreprises
de haute civilisation. Des matelots en foules déambulaient paisiblement dans ces espaces d'une propreté immaculée, la plupart
d'entre eux mangeant des glaces dans des cornets. Ils ne ressemblaient aucunement aux hommes du *Caine;* ils étaient dans l'ensemble plus âgés, plus gros, plus calmes; ils représentaient une
espèce de matelots herbivores, par oppositions aux coyotes du
Caine.

Willie tomba enfin sur l'immense carré des officiers. Des divans
de cuir fauve bordaient les cloisons et les officiers en kaki étaient
allongés sur ces divans. Willie aperçut une quinzaine de formes
ainsi prostrées. Il s'approcha et toucha une épaule. Son propriétaire grommela, roula sur le côté, et s'assit, clignant des yeux.
Il contempla Willie un instant et dit : « Ça, par exemple... Le roi
des mauvaises notes, midship Keith. »

Le visage joufflu semblait vaguement familier. Willie examina
l'officier d'un air un peu gêné et tendit la main : « C'est exact »,
dit-il, puis il ajouta, reconnaissant soudain son interlocuteur :
« N'êtes-vous pas l'enseigne Acres?

— Bravo. Seulement, je suis sous-lieutenant. » Acres eut un
petit rire asthmatique. « On ne me reconnaît pas toujours. Café?

— Oui, dit-il, quelques minutes plus tard, en remuant son café,
j'ai pris au moins vingt kilos, je sais bien. C'est forcé, sur ces
sacrés ravitailleurs. Il y a de tout... Mais vous avez l'air en forme.
Plus mince. Un peu vieilli aussi, on dirait. Vous êtes bien tombé?

— Oh oui, dit Willie. Il s'efforçait de ne pas marquer sa stupéfaction à Acres. L'ancien officier de peloton, sévère et de belle
allure, était devenu une épave dodue.

— Il n'y a rien à faire, dit Acres. Tenez, vous voyez tous ces
types? » D'un geste méprisant, il désigna les dormeurs. « Vous
n'avez qu'à leur demander, et la moitié d'entre eux vous clameront
qu'ils sont dégoûtés de cette vie monotone de non-combattant,
vissés sur cette saloperie d'atoll. Ce qu'ils veulent c'est se battre,
se battre, disent-ils. Ils veulent participer à ce grand combat,

Pacific Command. *PacFleet* : General Message for Pacific Fleet. *AlNav* :
All Navy. *SoPacGen* : General Message for South Pacific Command. *Cent-
PacGen* : General Message for Central Pacific Command.

qu'ils disent. Quand donc, oh, mais quand donc recevront-ils leur ordre de mutation, les affectant à une unité combattante?... Des clous. C'est moi qui contrôle la correspondance de ce navire. Je sais qui demande à être muté. J'en connais qui poussent les hauts cris quand il est question de les affecter peut-être à titre provisoire à l'état-major d'un chef de division à bord d'un cuirassé. Ils sont tous ravis d'être ici. Moi aussi, et je l'avoue. Vous voulez un sandwich au fromage? Nous avons un de ces roqueforts.

— Avec plaisir. »

Le roquefort était délicieux, tout comme le pain blanc et frais.

— Ce qu'il y a, Keith, c'est que les molasses que nous sommes font un boulot fichtrement utile. C'est la première fois que vous rencontrez un ravitailleur? Les destroyers ne rêvent que de passer quelques jours amarrés au *Pluto*. Nous sommes le navire à tout faire. Tout est si bien organisé ici et il y a si peu de mouvements inutiles; pas question de foncer à toute vapeur ici ou là ni d'appareiller et de se lancer dans des histoires de branle-bas de combat et tout ce tremblement qui vient mordre sur les heures de travail normales... Il se tailla une autre tranche de pain et la tartina généreusement de roquefort. « Vous êtes marié, Keith?

— Non.

— Moi, je le suis. J'ai dû me marier pendant le stage qui a suivi le vôtre. Vous étiez de décembre 42, n'est-ce pas? Tout ça s'embrouille un peu. Enfin, quoi qu'il en soit, j'ai fait la connaissance de cette fille, une blonde, secrétaire à l'Institut d'anglais de Columbia. On s'est marié au bout de trois semaines. » Acres sourit, poussa un soupir et vida bruyamment le fond de sa tasse qu'il remplit à nouveau de café. « Vous savez, nous autres instructeurs, nous étions bien placés. Ce qu'on demandait, on l'avait. Je m'étais toujours dit que quand j'aurais fini mon année d'enseignement, je demanderais les sous-marins. J'avais lu toute la doctrine des sous-marins... bref. C'était avant mon mariage. Après, j'ai étudié tous les types de navires de la flotte, Keith, et j'ai demandé un ravitaillement de destroyers. Futé. Le courrier arrive bien régulièrement, et je vis dans l'attente des lettres. J'ai un bébé de deux mois que je n'ai jamais vu. Une fille... Ici je suis l'officier de transmissions. A propos, j'aurais dû vous demander ça plus tôt : est-ce que je peux faire quelque chose pour vous? »

Acres emmena Willie dans le bureau des transmissions, une vaste pièce donnant sur le pont principal pleine de fauteuils et de bureaux neufs en métal émaillé vert. Willie remarqua les percolateurs en action dans tous les coins et les secrétaires en treillis bleus impeccables. Sur un mot d'Acres, les secrétaires bondirent et sortirent de classeurs et de dossiers, merveilleusement rangés, toutes les transcriptions de messages et toutes les circulaires dont Willie pouvait avoir besoin. Des semaines de travail fondaient ainsi sous ses yeux. Il vit autour de lui sur les rayons des livres rangés par ordre alphabétique, des paniers de courrier presque

vides et des classeurs à parois de plexiglass pour les doubles du
Fox et les transcriptions de messages en clair. Il s'émerveillait
de ce classement antiseptique. Ses yeux revinrent à Acres, dont le
ventre formait deux bourrelets kaki au-dessus et au-dessous de
son ceinturon. Il feuilletait un dossier de messages AlNav, et
s'arrêta pour jeter un coup d'œil au col de Willie. « C'est doré ou
argenté [1]?

— Doré.

— Ça devrait être argenté. Vous êtes passé sous-lieutenant
dans le nouveau bulletin AlNav. Promotion de février. Félicitations.

— Merci, dit Willie, en lui serrant la main, mais il faut encore
l'approbation de mon pacha.

— Pensez-vous, c'est automatique. Achetez-vous donc des
galons de col pendant que vous êtes ici. Venez, je vais vous montrer où on en trouve. Vous avez pris tout ce qu'il vous fallait? »

Quand Willie prit congé d'Acres sur la passerelle, celui-ci lui
dit : « Venez donc prendre un repas avec moi quand vous voudrez.
Déjeuner. Dîner. On pourra encore discuter le coup. Nous avons
des fraises à la crème en permanence.

— D'accord, dit Willie. Merci mille fois. »

Il traversa les autres navires pour regagner le *Caine*. Il franchit
la planche d'embarquement; en posant le pied sur la tôle rouillée
et mal entretenue de la plage arrière, il se redressa comme un
Prussien et décocha à Harding un salut qui amena un pâle sourire
sur le visage de celui-ci. « De retour à bord, lieutenant!

— Vous avez des tics, Willie? Vous allez vous casser le bras à
saluer comme ça. »

Willie s'avança. Il sourit en voyant les allures d'apaches sales
et déguenillés des hommes d'équipage qui passaient sur le pont,
vaquant à leurs occupations habituelles. Mackenzie, Bidon,
Langhorne aux longues mâchoires osseuses, Horrible avec ses boutons, Urban, Stilwell, le maître Budge, il les croisait l'un après
l'autre, conscient subitement que jamais il n'avait eu de parents
ni d'amis qu'il connût aussi bien ou dont il pût prévoir les réactions aussi facilement que celles de n'importe quel matelot du
Caine. « Bidon, appela-t-il, six gros sacs de courrier pour nous sur
le ravitailleur : quatre d'officiel, deux de personnel...

— Bien, lieutenant. Je vais les chercher tout de suite. »

Dans un coin du pont, un groupe d'hommes était occupé à
diviser et à dévorer un immense fromage jaune et rond, pillé
sur le *Pluto*. Le pont était jonché de miettes de fromage. Willie
accepta une tranche couverte de marques de doigts que lui tendait Kapilian, le Juif aux cheveux roux, et la fourra dans sa
bouche.

1. *Doré* : enseigne. *Argenté* : sous-lieutenant. Il s'agit toujours dans ce
livre de grades de la Marine américaine qui n'ont pas d'équivalence exacte
dans la Marine française. *(N. d. T.)*

Dans sa cabine, Willie passa au col de sa chemise kaki propre les galons de sous-lieutenant qu'il avait achetés à bord du *Pluto*. Il tira les rideaux verts, enfila la chemise et s'examina dans la glace à la lueur pâlotte et jaune de l'ampoule pendue au plafond. Il remarqua son ventre plat, son visage aminci, ses yeux las et cernés. Ses lèvres étaient tirées vers le bas et serrées.

Il secoua la tête. Il venait de renoncer à un plan qu'il mûrissait secrètement depuis une semaine. Il y avait un aumônier à bord du *Pluto;* il était passé devant son bureau; mais Willie savait maintenant qu'il n'allait pas courir après l'aumônier pour lui raconter l'histoire de la disette d'eau. « Tu n'es peut-être pas grand-chose, dit-il tout haut à son reflet dans le miroir, mais tu n'as pas besoin d'aller pleurnicher devant qui que ce soit du *Pluto*. Tu es le lieutenant Keith, du *Caine*. »

CHAPITRE XXIII

STILWELL, EN CONSEIL DE DISCIPLINE

— M'sieu Keith, le second, il veut vous voir, m'sieur.

Bien, Rasselas. Willie reposa à regret sur son bureau les neuf lettres piquées d'humidité de May qu'il venait de trouver dans le sac de courrier du *Pluto* et se rendit dans la cabine du second.

— Ça se gâte, Willie, dit Maryk en lui tendant une longue lettre tapée à la machine sur papier à en-tête de la Croix-Rouge. Willie la lut, coincé dans l'encadrement de la porte. Il se sentait mal au cœur, comme si c'était lui qui s'était fait pincer. « Le pacha l'a vue ? »

Maryk hocha la tête. « Conseil de discipline pour Stilwell après-demain. Vous serez *recorder*.

— Je serai quoi ?

— *Recorder*.

— Qu'est-ce que c'est que ça ? »

Le second secoua la tête en souriant. « Vous ne connaissez donc rien au code naval ? Prenez le *Code disciplinaire* et tuyautez-vous un peu sur la question.

— A votre avis, que va-t-il advenir de Stilwell ?

— Ma foi, ça dépend de Keefer, de Harding, et de Paynter. C'est eux qui forment le conseil de discipline.

— Alors, ça va s'arranger.

— Peut-être », dit Maryk, sans autre commentaire.

Deux heures plus tard, Rasselas parcourait le navire à la recherche de Willie qu'il trouva à plat ventre sur la passerelle volante, dormant au soleil. L'exemplaire tout déchiré du *Code disciplinaire* appartenant à Bidon gisait à côté de lui, ses pages flottant au vent. « M'sieur Keith, m'sieur. Le com'dant vous d'mand m'sieur.

— Oh, mon Dieu. Merci, Rasselas. »

Quand Willie entra dans la cabine de Queeg, celui-ci était penché sur son jeu de patience; le commandant leva vers lui un visage éclairé d'un sourire étonamment aimable. Willie en le voyant se souvint avoir trouvé Queeg si sympathique lors de leur première poignée de main, il y avait bien, bien longtemps.

— Tenez, monsieur Keith, voici quelque chose pour vous. Queeg prit dans un panier de courrier plein à déborder une liasse de papiers et la donna à Willie. C'était sa nomination de sous-lieutenant. Queeg se leva, la main tendue. « Félicitations, lieutenant. »

Depuis des mois, Willie nourrissait un sombre rêve. Il avait décidé, si jamais il venait un moment où Queeg lui tendait la main, de refuser de la serrer. Ce seul geste dirait au commandant une fois pour toutes ce que le monde des gens de bien, en la personne de Keith, pensait d'individus comme Queeg. Maintenant l'occasion se présentait brusquement de réaliser ce rêve... mais Willie prit docilement la main qui lui était tendue et dit : « Merci, commandant.

— Pas de quoi, Willie. Nous avons nos petits différends, naturellement, mais, dans l'ensemble, en tant qu'officier, vous vous défendez très bien... très bien. Bon, autre chose, maintenant. Vous êtes prêt à tenir le rôle de *recorder* au conseil de discipline?

— Eh bien, commandant, j'ai potassé le *Code disciplinaire*... il semble que mon rôle soit une combinaison de procureur et de conseiller juridique...

— Oui, enfin, ne vous laissez pas noyer par tout ce fatras juridique. J'ai été cinq ou six fois *recorder* et s'il y a quelque chose à quoi je ne connaisse rien — et que je n'aie pas envie de connaître — c'est la loi. Ce qu'il faut, c'est avoir un secrétaire bien au courant et qui tape tout à la machine dans les règles. Porteous connaît son affaire, vous n'aurez donc pas de difficulté. Vous n'aurez qu'à vous reposer sur lui et vous assurer qu'il met des points sur les *i* et des barres sur les *t*. Stilwell va être renvoyé pour mauvaise conduite [1] et je veux être sûr que rien ne cloche.

— Comment savez-vous ce qu'il va avoir, commandant? bredouilla Willie, stupéfait.

— Bon sang, il est coupable, non? Une faute comme celle-là appelle la sentence la plus sévère qu'un conseil de discipline puisse infliger, c'est-à-dire un certificat de mauvaise conduite.

— Mais, commandant, c'est que... enfin, il est bien certain que

---

1. Dans l'armée américaine, des fautes graves peuvent entraîner le renvoi du soldat dans ses foyers.

Stilwell *semble* coupable... mais... il sera peut-être un peu plus difficile de le prouver légalement...

— Le prouver, comment ça, le prouver! Queeg prit une feuille tapée à la machine dans le panier de courrier et la lança sur le bureau devant Willie. Il y a toujours moyen de s'arranger. Le conseil de discipline n'est qu'une formalité, voilà tout. Comment diantre quatre types qui ignorent tout du droit comme Keefer, vous et les autres pourraient-ils essayer de le faire plaider non coupable? Vous feriez mille erreurs. Tenez, prenez cette confession.

— Bien, commandant. » Willie replia soigneusement le papier.

— Et s'il y a des points ou certaines questions sur lesquelles vous n'arriviez pas à vous arranger entre Porteous et vous, eh bien, venez me trouver. Je ne tiens pas à ce que les gens de la prévôté à qui on enverra ça après cassent le verdict pour je ne sais quelle idiotie de forme. Je tiens à ce que rien ne cloche, vous comprenez?

Willie emporta la confession dans sa cabine pour la lire. Il fut d'abord persuadé que Stilwell était perdu. Puis il ouvrit le *Code naval* au chapitre des aveux et l'étudia soigneusement, en soulignant certaines phrases. Il fit appeler Stilwell. Quelques minutes plus tard, le matelot apparut sur le seuil. Il portait des treillis qu'il avait dû tenir propres au prix de grands efforts et tortillait entre ses doigts un bonnet blanc tout neuf. « Vous m'avez demandé, monsieur Keith?

— Entrez. Tirez le rideau... Asseyez-vous sur cette couchette. » Le matelot ferma le rideau et resta debout, le dos à la porte. « Sale histoire, Stilwell.

— Je sais, lieutenant. Je verrai bien. De toute façon ça valait la peine. Si c'est tout...

— Pourquoi avez-vous avoué?

— C'est que le commandant m'a coincé, lieutenant, avec sa lettre de la Croix-Rouge.

— Oh, il vous l'a montrée?

— Il m'a dit : « Faites votre choix. Vous faites des aveux complets et vous passez en conseil de discipline à bord, ou alors vous essayez de bluffer et je vous fais passer en conseil de guerre aux États-Unis et vous récoltez probablement six ans. » Qu'est-ce que vous auriez fait, vous, lieutenant?

— Stilwell, qu'a le commandant contre vous?

— Bonté divine! Je vous le demande, lieutenant. »

Keith prit l'exemplaire du *Code disciplinaire* ouvert sur son bureau, et lut tout haut au matelot le passage concernant les aveux. Le visage de Stilwell commença par s'éclairer d'un fol espoir, mais ne tarda guère à se rembrunir. « A quoi bon, lieutenant? Je ne connaissais pas tout ça. »

Allumant une cigarette, Willie se renversa dans son fauteuil les yeux fixés sur l'ampoule qui pendait au-dessus de sa tête, et fuma sans rien dire pendant quelques instants. « Stilwell, si vous dites au commandant que c'est moi qui vous ai signalé ceci, je vous traiterai de menteur. Mais si vous venez me demander de vous assister en m'appuyant sur les textes, je le ferai volontiers. Vous voyez la différence. Eh bien, je voudrais vous dire deux choses sur quoi vous pourrez réfléchir cette nuit.

— Oui, lieutenant?

— D'abord, si vous reniez votre confession, on ne peut l'utiliser contre vous en conseil de discipline. Cela, je vous le jure. *Secondo* — et n'allez pas répéter au commandant que c'est moi qui vous l'ai dit — si vous plaidez non coupable, je crois qu'il est pratiquement impossible pour un conseil de discipline siégeant à bord de vous condamner.

— Mais, lieutenant, cette lettre de la Croix-Rouge...

— Elle ne *prouve* rien. Votre frère a envoyé ce télégramme. C'est à la Cour de prouver que vous l'y avez poussé. Sans votre témoignage — et on ne peut vous demander de témoigner contre vous — comment arrivera-t-on à le prouver? Où est votre frère? Où existe-t-il trace d'une conversation entre vous et lui? »

Stilwell lui jeta un regard méfiant. « Pourquoi voulez-vous que je plaide non coupable?

— Ecoutez, je me fiche pas mal de ce que vous plaiderez! Mon devoir, en tant que *recorder*, est de vous indiquer du mieux que je peux quelle me semble à mon avis la meilleure procédure à suivre pour vous. Ne vous contentez pas de mon avis. Allez demander conseil à l'aumônier ou à l'officier juridique du *Pluto*. Demandez-leur de consulter le *Code disciplinaire*, section 174. »

Le matelot répéta machinalement : « *Code disciplinaire*, 174, 174-174. Très bien, lieutenant. Merci, lieutenant. » Il sortit. Willie essaya de combattre son irritation. « Il était bien naturel, se dit-il, qu'aux yeux de l'équipage, tous les officiers fussent rangés dans le même panier que Queeg. »

Le lendemain matin, Stilwell revint le trouver avec un exemplaire tout neuf du code disciplinaire sous le bras. « Monsieur Keith, vous avez raison. Je vais plaider non coupable.

— Ah? Qui vous a convaincu?

— Eh bien, vous savez, dit le matelot vivement, Engstrand, il a un cousin sur le *Bolger*, le second bateau amarré au *Pluto*. Ce cousin, c'est un grand copain du premier secrétaire. Et ce secrétaire, c'est un gros Irlandais, chauve, un type d'une quarantaine d'années. Dans la vie civile, il est politicien, il paraît. S'il n'est pas officier, c'est simplement qu'il est pas passé par le collège. Eh bien, il m'a vendu ce bouquin. Il dit que ça n'a rien de secret, que tout le monde peut l'acheter au gouvernement pour deux dollars. C'est vrai? »

Willie hésita et regarda la page de titre de son exemplaire. Au bas de la page, en petits caractères, il lut une mention qu'il n'avait pas remarquée auparavant : *En vente au Service de la Documentation, Imprimerie Nationale du Gouvernement des États-Unis, Washington 25, D. C.* « C'est exact, Stilwell. » Son ton décelait sa propre surprise. Il croyait, sans raison précise, que ce livre était un document confidentiel.

— Eh bien, je me demande pourquoi les matelots de ce satané rafiot n'en ont pas tous un! dit le canonnier. J'ai passé toute la nuit à le lire. Je n'aurais jamais cru qu'on ait tous ces droits. Enfin, lieutenant, ce Callaghan, le secrétaire, il a dit que fichtre que oui il fallait que je plaide non coupable. Il dit que je suis fichu d'être acquitté.

— Ce n'est pas un officier, vous pouvez donc le croire.

— C'est ce que je me suis dit, lieutenant, fit le matelot avec le plus grand sérieux.

— Très bien, Stilwell... Eh bien, voilà qui pose un tas de nouveaux problèmes. Il vous faut un avocat, il faut que je prépare des pièces à conviction, que je trouve des témoins, en fait, tout ça va tourner en un véritable procès, comme au cinéma...

— Vous croyez que je fais bien, n'est-ce pas, lieutenant?

— Je préfère naturellement que vous ne soyez pas condamné, s'il y a un moyen de vous tirer de là. Je crois qu'il vaudrait mieux que j'aille parler au commandant tout de suite. Attendez-moi ici.

Stilwell, les mains crispées sur le petit livre brun, se passa la langue sur les lèvres. « Ah... bien, lieutenant. »

Willie hésita deux minutes devant la porte de Queeg, répétant dans sa tête des répliques aux cris et aux grincements de dents qu'il s'attendait à s'attirer de la part du commandant. Il frappa enfin. « Entrez! »

Dans la cabine, il faisait noir. Le rideau de black-out était tiré devant le hublot. Willie distinguait vaguement la silhouette du commandant sur la couchette. « Qui est là et que voulez-vous? dit une voix étouffée par un oreiller.

— Commandant, c'est Keith. C'est au sujet du conseil de discipline. Stilwell veut plaider non coupable. »

Le commandant sortit de sous son oreiller une main crispée et alluma la lampe de chevet. Il s'assit sur son séant, clignotant des yeux et grattant sa poitrine nue. « Comment ça? Non coupable, hein? C'est un chercheur de poux né, ce type-là! Eh bien, nous allons l'arranger! Quelle heure est-il?

— Onze heures, commandant. »

Queeg roula au bas de sa couchette et entreprit de s'asperger le visage d'eau au-dessus de son lavabo. « Et ses aveux? Comment diantre peut-il plaider non coupable, après avoir avoué, hein? Vous le lui avez demandé?

— Il va renier ses aveux, commandant.

— Renier ses aveux, tiens? C'est ce qu'il croit... Passez-moi ce tube de pâte dentifrice, Willie. »

Le jeune lieutenant attendit que la bouche du commandant fût pleine de mousse. Puis il avança prudemment : « Je crois qu'il a demandé conseil à un secrétaire d'un des autres destroyers qui semble connaître la musique. Il s'est procuré un exemplaire du *Code disciplinaire...*

— Je lui en ficherai du *Code disciplinaire,* marmonna le commandant à travers sa brosse.

— Il dit qu'il n'y a pas de preuve qu'il ait envoyé un faux télégramme et, pour la confession, il dit qu'il l'a rédigée sous la contrainte et qu'elle n'a aucune valeur. »

Le commandant cracha violemment une grande gorgée d'eau. « Sous la contrainte! Sous quelle contrainte?

— Il prétend que vous lui avez parlé de conseil de guerre...

— Pour le pompon de l'imbécillité, il n'y a pas mieux qu'un simple matelot qui tombe un jour sur un de ces sacrés bouquins de règlements! Sous la contrainte! Je lui proposais un moyen de couper au conseil de guerre. Je risquerais sans doute une réprimande à faire montre d'une pareille clémence. Et cette petite vipère appelle ça de la contrainte!... Passez-moi une serviette. »

Queeg s'essuya la figure et les mains. « Bon, dit-il, en lançant la serviette sur une chaise et en prenant une chemise accrochée au dossier de son fauteuil, où est-il notre pauvre petit innocent maltraité?

— Dans ma cabine, commandant. Il vient de me dire...

— Envoyez-le-moi. »

Stilwell resta une heure dans la cabine du commandant. Willie rôdait sur le pont, ruisselant de sueur sous l'éclat du soleil de midi, guettant la porte du commandant. Le canonnier sortit enfin. D'une main il tenait son *Code disciplinaire* et de l'autre une feuille de papier blanc. Son visage était couleur de plomb et trempé de sueur. Willie se précipita vers lui. « Alors, Stilwell?

— Écoutez, monsieur Keith, dit le matelot d'une voix rauque, vous êtes peut-être plein de bonnes intentions, mais je ne sais pas, chaque fois que j'ai affaire avec vous, je me retrouve dans un pétrin encore pire qu'avant. Ne vous occupez plus de moi, vous voulez? Le commandant m'a dit de vous remettre ceci. Voilà.»

Willie lut quelques lignes griffonnées à la main : *Je déclare par la présente que la confession rédigée par moi le 13 février 1944 a été faite de mon plein gré, sans que j'aie fait l'objet d'aucune contrainte. J'étais trop heureux qu'on me donne l'occasion de faire des aveux complets, et je n'ai reçu aucune assurance ni promesse de bénéficier d'un meilleur traitement pour avoir avoué. Je répéterai ces faits sous la foi du serment s'il le faut.* Le document portait la signature enfantine de Stilwell; l'encre bleue et le large bec de la plume révélaient que c'était le stylo de Queeg qu'on avait utilisé.

— Stilwell, dit Willie, cela ne change rien. Il a obtenu cela sous la contrainte également. Si vous voulez...

— Je vous en prie, monsieur Keith! » Une lueur de désespoir mauvais s'alluma soudain dans les yeux du matelot. « C'est comme ça, vous comprenez? C'est comme ça que je veux faire les choses, c'est la vérité et je m'y tiendrai. Il n'y a pas eu de contrainte, vous

entendez! De la contrainte! » Stilwell envoya par-dessus bord le
Code disciplinaire. « Je ne sais pas ce que c'est que la contrainte!
Occupez-vous donc de vos oignons! »

Il s'éloigna en courant dans la coursive de tribord. Willie regarda
machinalement par-dessus le bastingage. Le *Code disciplinaire*
flottait entre deux eaux, dans l'espace encombré de déchets divers
qui séparait les deux coques. Les navires eurent un léger mouvement de roulis et le livre ne fut plus qu'une masse informe de
papiers broyés.

La bière était glacée, ambrée, et coulait, délicieuse, des trous
triangulaires percés dans les boîtes embuées. Keefer, Maryk, Harding et Willie, allongés sous l'ombre fraîche des palmiers, vidèrent
rapidement deux boîtes de bière chacun pour étancher leur soif.
Puis, à petites gorgées, ils continuèrent à boire tout en discutant.
Le coin qu'ils avaient choisi était une anse écartée de la plage.
Ils étaient seuls avec le sable et les palmes. Au loin sur l'eau bleu-
vert du lagon, le *Pluto* se balançait doucement à l'extrémité de sa
chaîne d'ancrage, entraînant dans son mouvement les six destroyers
qu'il nourrissait.

Willie avait décidé de ne pas faire allusion au cas Stilwell. Il
lui semblait que le procureur et les membres du tribunal n'avaient
pas à cancaner sur l'affaire la veille de l'audience. Mais quelques
gorgées de bière eurent tôt fait de dissiper ses résolutions. Il leur
parla de la tentative avortée de plaider non coupable, et des documents que Queeg avait arrachés au matelot.

Les autres gardèrent un moment le silence. Harding se leva et
s'occupa à percer des trous dans trois nouvelles boîtes de bière.
Keefer était assis, le dos appuyé au fût d'un palmier, et fumait
sa pipe. Maryk était allongé à plat ventre sur le sable, la tête sur
les bras. Il avait roulé dans cette position depuis le milieu du
récit de Willie et n'en avait pas bougé.

Le romancier accepta une boîte de bière que lui tendait Harding et but une grande lampée. « Steve », dit-il, d'un ton calme
et grave. Maryk tourna la tête vers lui. « Steve, avez-vous jamais
pensé que le commandant Queeg était peut-être fou? »

Le second s'assit en grommelant et s'installa, les jambes en
tailleur, trapu et bronzé, des taches de sable blanc collant par
endroits à sa peau. « Ne gâchez pas une bonne journée, Tom, dit-il.

— Je ne plaisante pas, Steve.

— Ce sont des conversations qui ne riment à rien, dit le second,
en secouant la tête comme un animal en colère.

— Écoutez, Steve, je ne suis pas un psychiatre, mais j'ai pas
mal lu. Je peux vous faire le diagnostic de Queeg. C'est le cas le
plus caractérisé que j'aie jamais vu de personnalité psychopa-
thique. C'est un paranoïaque, avec un syndrome obsessif-coercitif.
Je parie qu'un examen clinique me donnerait cent pour cent raison.
Je vous montrerai la description du type dans les livres...

— Ça ne m'intéresse pas, dit le second. Il n'est pas plus cinglé que vous.

— Vous vous préparez des ennuis, Steve.

— Absolument pas.

— Ça fait longtemps que je vois ça venir. » Le romancier se leva, lança sur le sable sa boîte de bière et en mit une autre en perce. La mousse déborda sur ses mains. « Écoutez, Steve, Queeg n'était pas à bord depuis huit jours, que j'avais compris que c'était un psychopathe. L'obsession des pans de chemise, les billes qu'il roule dans ses mains, sa façon de ne jamais vous regarder en face, de parler par clichés et par phrases toutes faites, sa passion pour la glace, son goût de la solitude... mais ce type ferait les délices d'un psychanalyste! Il est bourré de complexes. Mais ça n'est pas cela qui est important. Quelques-uns de mes meilleurs amis sont des psychopathes. On pourrait soutenir que j'en suis un aussi. Ce qui compte, c'est que Queeg est un cas extrême, à la limite qui sépare l'excentricité de la véritable psychose. Et comme c'est un lâche, je crois que le fait de se trouver dans la zone des opérations commence à l'entraîner vers la névrose. Je ne sais pas si ça craquera d'un coup ou bien...

— Tom, tout le monde sait que vous lisez beaucoup plus que moi et que vous savez mieux parler et tout. Seulement le bon sens vaut plus que tous les discours et que tous les bouquins du monde. » Maryk alluma rapidement une cigarette. « Vous avez de grands mots à la bouche : paranoïaque, psychopathe et tout le tremblement. Le commandant Queeg n'est qu'un type très strict qui aime bien qu'on fasse les choses suivant sa manière, et il y a mille pachas qui sont plus ou moins comme ça. Il fait rouler ses petites billes, c'est d'accord. Vous vous installez bien dans votre cabine avant l'heure du réveil à remplir vos tiroirs d'un tas de gribouillages. Tout le monde est un peu timbré, chacun dans son genre. Mais tout le monde n'est pas fou à lier pour ça. »

Keith et Harding regardaient tour à tour chacun des interlocuteurs, avec l'attention passionnée d'enfants qui sont témoins d'une scène de famille.

— Tout ça est bien joli, fit Keefer, mais vous avez déjà vu un commandant possédant tout son bon sens qui essaierait de mettre sur pied un conseil de discipline dans des conditions pareilles?

— Ça arrive tous les jours. Bon Dieu, qu'est-ce qu'un conseil de discipline sinon une simple farce? Personne sur un navire ne sait jamais un mot de droit. Et de Vriess avec Bellison... et Crowe?

— C'était autre chose. De Vriess les a fait passer en conseil de discipline pour les tirer d'affaire. Il voulait avoir l'air de faire les choses selon les règles parce que la police d'Auckland avait mal digéré l'histoire de la rixe. Mais mettre sur pied un conseil de discipline pour condamner un type, toute question de morale mise à part, c'est en violation absolue de tous les principes de la Marine. C'est ce qui me fait croire qu'il a perdu la boule. Vous

savez aussi bien que moi que le simple matelot est Dieu lui-même
dans la Marine. Pour deux raisons, d'abord, parce que la Marine,
c'est lui, et ensuite, parce que c'est sa famille qui paie. Tanner
les officiers, je sais que c'est la distraction habituelle des commandants, mais le matelot? Chaque page des règlements insiste sur
ses droits. Queeg manipule de la dynamite et rit comme un bienheu-
reux.

— En tout cas, pour ce qui est de Stilwell, il est coupable, dit
Maryk.

— De quoi? Bon Dieu, Steve! D'avoir voulu voir sa femme
quand des lettres anonymes l'accusaient de le tromper?

— Écoutez, vous jugerez ça demain, dit Maryk. Donnez-nous
de la bière, Harding. Changez de sujet, ou j'appelle le canot.

L'après-midi se passa à boire de la bière dans une ambiance de
plus en plus morne.

L'ordre du jour portait : *14 heures. Conseil de discipline pour
Stilwell, John, canonnier de seconde classe, dans le carré.*

Peu après le déjeuner, Queeg fit venir Harding. Puis il fit appeler Paynter. Un quart d'heure plus tard, Paynter revint dire à
Keefer que le pacha le demandait. Le romancier se leva. « Rien
de tel que de pointer les votes du jury avant le début du procès,
dit-il. Comme ça, on évite cette si pénible incertitude! »

Willie était dans le bureau de bord, la tête bourdonnante de
rituels et de formules juridiques. Le secrétaire qui avait l'air d'un
vaste pudding dans sa tenue blanche qui le boudinait, l'aidait à
préparer les papiers pour le procès. Quand le maître Bellison, le
capitaine d'armes, se présenta sur le seuil, impeccable et rasé de
frais, ses souliers d'un noir étincelant, et annonça : « Quatorze
heures, lieutenant Keith. Tout est paré pour le conseil », Willie eut
un moment de panique. Il lui sembla qu'il n'était absolument pas
prêt. Il suivit d'un pas machinal le greffier et le quartier-maître
dans le carré où les trois officiers avaient pris place autour de la
table verte, en tenues d'apparat et cravates noires, l'air grave et
embarrassé. Stilwell entra d'un pas traînant, en tripotant sa casquette, un vague sourire figé sur ses lèvres. L'audience commença.

Willie siégeait, le *Code disciplinaire*, ouvert devant lui, suivant
pas à pas tout le rituel. Bidon lui soufflait, il soufflait aussi à
l'accusé et au tribunal. Tandis que le procès se déroulait lentement,
le souvenir lui revenait de son initiation à la fraternité du collège,
dirigée par des garçons fort embarrassés, partagés entre la gravité
et l'amusement, et qui suivaient un texte imprimé; cela s'était
passé dans une pièce obscure autour d'un crâne d'où montait de
la vapeur.

C'était la situation la plus simple qu'on pouvait imaginer :
l'accusé plaidait coupable et avait fourni des aveux tapés à la
machine, et pourtant on perdit un temps considérable en entrées et
en sorties, en suspensions d'audience, en discussions sur la signifi-

cation des termes du *Code disciplinaire*, en longues recherches
dans le *Décret sur le Service à Bord* et dans le manuel de justice.
Au bout d'une heure et demie de morne ennui, Keefer déclara
l'audience close, sur quoi Stilwell sortit de sa torpeur pour annoncer qu'il voulait faire une déclaration. Cela donna lieu à une nouvelle avalanche de débats. On lui permit enfin de parler.

— Le commandant m'a consigné six mois à bord pour avoir lu
quand j'étais de quart, et c'est pour ça que je me suis fait envoyer
ce faux télégramme. Il fallait que je voie ma femme, sinon mon
mariage aurait claqué, dit Stilwell d'une voix haletante et embar-
rassée. Je ne pensais pas que lire un illustré sur la passerelle
était une raison suffisante pour gâcher ma vie. Mais je suis coupable.
Je crois seulement que la cour ne doit pas oublier pourquoi j'ai
fait ça.

Willie prit rapidement note de l'essentiel des propos de Stilwell
et relut ce qu'il avait transcrit. « C'est bien la substance de votre
déclaration?

— Oui, c'est ça, monsieur Keith. Merci.

— Bon, dit Keefer. Faites évacuer la salle. »

Willie emmena le greffier, l'accusé et le planton. Il attendit
quarante minutes dans le bureau, puis Bellison vint le chercher
ainsi que le greffier pour les faire revenir dans le carré.

— La cour déclare le chef d'accusation dûment prouvé par les
débats, dit Keefer. Son verdict est la suppression de six jours de
permission.

Willie considéra les trois officiers avec ahurissement. Paynter
trônait comme une idole d'acajou; Harding s'efforçait d'avoir l'air
solennel, mais un sourire perçait sous son masque d'impassibilité;
Keefer semblait à la fois irrité et amusé. « Eh bien, voilà, dit l'officier de tir. C'est notre verdict. Enregistrez-le.

— Bien, lieutenant. » Willie était confondu. C'était une insulte
non déguisée à Queeg. Stilwell était déjà consigné pour six mois;
cette nouvelle punition ne voulait rien dire. Cela revenait à un
acquittement. Il jeta un coup d'œil à Bidon, dont le visage était
aussi impassible que celui d'un poisson. « Vous avez pris note,
Porteous?

— Oui, lieutenant. »

Les officiers achevaient leur repas du soir quand Bidon, toujours
en tenue blanche, ruisselant de sueur et maussade, entra dans le
carré pour faire signer et authentifier le procès-verbal dactylographié de l'audience. « Parfait, Bidon, dit Keefer, qui signait en
dernier. Apportez-le-lui.

— Bien, lieutenant, dit le gros secrétaire, d'un ton qui sonnait
comme un glas.

— Nous avons le temps de prendre encore une tasse de café, je
crois, dit Keefer.

— Avant quoi? demanda Maryk, soupçonneux.

— Vous allez voir, dit Willie. Tenez-vous bien. » Le silence retomba sur le carré, rendu plus palpable encore par le cliquetis des cuillères dans les tasses.

La sonnerie du téléphone retentit presque aussitôt. Maryk se renversa sur sa chaise et d'un geste las décrocha l'appareil. « Ici Maryk... Oui, commandant... A vos ordres, commandant. Quelle heure?... Oui, commandant. Et l'officier de quart sur la passerelle?... Bien, commandant. » Il raccrocha et dit avec un soupir : « Réunion de tous les officiers au carré dans cinq minutes. Il y a du grabuge. »

Queeg entra, tête basse, les épaules voûtées, le visage gris de rage. Il annonça qu'il était maintenant convaincu qu'il ne pouvait absolument pas compter sur ses officiers. Ceux-ci ne pourraient donc plus s'attendre à la moindre indulgence de sa part. Il proclama plusieurs édits. Cinq points de moins sur les notes d'aptitude pour une erreur dans le livre de bord; cinq autres points pour chaque heure de retard dans la remise d'un rapport ou d'un état; et un commentaire d'aptitude défavorable automatique pour tout officier surpris à dormir après huit heures du matin ou avant huit heures du soir.

— Mais commandant, dit Keefer sans se démonter, et les officiers qui ont pris le quart de minuit? Ils n'ont pas le temps de dormir avant le matin...

— Monsieur Keefer, le quart de minuit est un service comme un autre et il n'y a nulle raison de féliciter celui qui le prend. Comme je viens de vous le dire, si vous aviez été chics avec moi, j'aurais pu me montrer chic envers vous, mais vous avez voulu faire les malins, et maintenant, je vous appliquerai strictement le règlement. *Quant* à cette stupide vengeance d'enfant qui a été perpétrée cet après-midi et notamment cette soi-disant déclaration de Stilwell tournée exprès et au mépris de toute vérité pour m'embarrasser, je ne sais pas qui en est responsable, mais j'ai mon idée là-dessus..., en conséquence, comme je viens de vous le dire, je vais pratiquer dans ce carré une nouvelle politique et qui rapportera, je me plais à le croire!

La porte claqua derrière lui.

Keefer était assis sur son lit en caleçon, et lisait des poèmes de T. S. Eliot.

— Dites donc, Tom! C'était la voix de Maryk venant de l'autre côté de la coursive. « Vous pouvez venir une seconde si vous n'êtes pas trop occupé?

— Bien sûr. »

Maryk, en caleçon lui aussi, était assis à son bureau, et triait toute une pile de courrier. « Tirez le rideau, Tom... Maintenant, pouvez-vous me dire une chose? Est-ce que vous comprenez ce que le commandant a contre Stilwell?

— Bien sûr, Steve, mais vous allez encore m'envoyer aux pelotes...

— Voyons un peu.

— Bon. Eh bien, il déteste Stilwell parce que ce garçon est beau, jeune, sain, capable et qu'il s'acquiert sans effort des sympathies... tout ce que Queeg n'a pas. Vous n'avez jamais lu *Billy Bud* de Melville? Lisez-le donc. C'est toute l'histoire. Stilwell est le symbole de toutes les déceptions du commandant, de toutes les choses qu'il voudrait détruire parce qu'il ne peut pas les avoir, comme un enfant qui veut briser les jouets d'un autre enfant. L'infantilisme est très développé chez notre commandant. Je ne tiens pas compte d'un élément sur lequel je n'ai pas de données, mais que je crois aussi important, peut-être même capital : l'élément sexuel... » Maryk eut une grimace de dégoût. « Je sais bien, c'est un domaine où on commence à patauger dans la gadoue. Mais le désir réprimé peut tourner en haine, et toutes les anomalies que présente le commandant pourraient fort bien cadrer avec l'hypothèse d'une inversion inconsciente et violemment refoulée qui concorderait à merveille avec...

— Ça va, Tom, j'en ai assez entendu. Merci. » Le second se leva et se hissa sur sa couchette, balançant ses jambes trapues dans le vide. « Maintenant, est-ce que vous voulez vraiment savoir pourquoi le commandant en veut à Stilwell?

— Bien sûr, dit Keefer. Je ne doute pas que vous n'ayez vous-même une théorie beaucoup plus poussée et je...

— Je n'ai pas de théorie. Je ne suis qu'un lecteur de journaux illustrés qui est sorti du collège avec une mention tout juste passable. Mais je connais un ou deux faits que vous ignorez. Le commandant est déchaîné contre Stilwell parce qu'il pense que c'est de sa faute si nous avons coupé cette fameuse remorque à Pearl. Il est persuadé que Stilwell a fait exprès de ne pas le prévenir pour lui créer des ennuis. »

Keefer était ahuri. « Comment le savez-vous? Nous ne sommes même pas sûrs qu'il se soit rendu compte que nous avons effectivement coupé le câble de remorque...

— Il s'en rend parfaitement compte. Il me l'a dit à San-Francisco, comme je viens de vous le dire.

— Ça alors!

— Et le commandant a l'impression que toutes ces histoires avec le ComServPac et aussi avec le *Caine*, officiers et équipage, viennent de cet incident. Il a parfaitement conscience de s'être rendu ridicule. Ne sous-estimez pas le commandant, Tom... »

Le romancier semblait stupéfait. « Eh bien, c'est le premier aperçu que j'ai des coulisses de cet étrange esprit. Quand même, aller tout mettre sur le dos de Stilwell! Alors que lui-même...

— Et que deviennent maintenant toutes vos théories, Tom? Les déceptions, Billy Buck, l'infantilisme, l'inversion et tout le saint-frusquin?...

— Vous croyez que vous m'avez eu, hein? fit Keefer avec un sourire embarrassé. Pas forcément. Ce qu'il vous a dit peut n'être qu'un symptôme superficiel de mon diagnostic...

— Très bien, Tom. Écoutez-moi, alors. Voulez-vous venir avec moi demain matin voir le médecin du *Pluto* et lui dire ce que vous pensez du commandant? »

Keefer marqua un long temps d'arrêt avant de répondre. « Pas moi, dit-il. Vous pouvez y aller. C'est votre place, pas la mienne.

— Je ne suis pas capable d'expliquer toutes ces histoires de psychologie. C'est votre rayon, ça.

— Avez-vous jamais entendu parler de quelque chose qui s'appelle complot en vue de saper l'autorité? dit le romancier.

— Mais s'il est fou...

— Je n'ai jamais dit qu'il était fou. J'ai dit qu'il était au bord de la folie. Mais ces gens-là sont impossibles à dépister. Une fois qu'on les accuse, ils se retranchent dans les attitudes les plus normales et les plus convaincantes qu'on puisse imaginer. Ils mettent une habileté d'acrobates à se maintenir en équilibre sur cette mince ligne qui sépare le simple salaud du cinglé. Il faudrait une clinique parfaitement équipée pour voir clair dans Queeg. Ici, nous nous flanquerions simplement dans le pétrin.

— Très bien, Tom. » Le second sauta à bas de sa couchette et se planta devant Keefer, le regardant droit dans les yeux. « Ce que j'en disais c'était pour vous obliger à faire quelque chose ou alors à la boucler. Vous ne voulez rien faire. Alors *bouclez-là*, assez raconté comme ça que le commandant est cinglé. C'est comme si vous vous baladiez dans une soute à poudres avec un chalumeau à la main. Vous comprenez? Nom de Dieu, si vous dites encore un mot là-dessus, je vous jure bien que je vous signale au commandant. Dans un cas pareil, il n'y a plus d'amitié qui compte pour moi. Vous voilà prévenu. »

Keefer écoutait, le visage grave et tendu; une lueur imperceptible de moquerie brillait seulement dans ses yeux. « A vos ordres, Steve », dit-il tranquillement, et il sortit de la cabine.

Maryk grimpa sur sa couchette. S'appuyant sur un coude, il tira de sous son oreiller un volume relié de toile rouge, qui portait un titre en noir et or *Troubles mentaux*. En haut des pages se trouvait une inscription ovale au tampon : *Propriété du Médecin de bord du* Pluto. Maryk ouvrit le livre à une page marquée d'une allumette brûlée.

CHAPITRE XXIV

LE JOURNAL SECRET DE MARYK

PEU après que le *Caine* eut quitté Funafuti avec un convoi à destination de Nouméa, la nouvelle se répandit parmi les officiers que Steve Maryk s'était mis à écrire tard le soir. Il tirait ses rideaux et, quand le roulis faisait osciller la toile, on l'apercevait à la lueur de sa lampe de chevet, la tête penchée sur un carnet jaune et mâchonnant le bout d'un porte-plume. Quand quelqu'un entrait, il refermait précipitamment le carnet.

Il va de soi que, dans une vie aussi peu variée que celle du carré du *Caine*, une telle information avait de quoi ravir les officiers. On accusa vite Maryk d'écrire un roman, ce qu'il nia en souriant et en rougissant. Mais il ne voulait pas dire quelle était la nature de ses écrits, se contentant de grommeler : « C'est un travail qu'il faut que je fasse. » Ces déclarations étaient naturellement accueillies avec force railleries et éclats de rire. Un soir, au dîner, Willie et Keefer se mirent à échafauder des hypothèses sur le titre et le thème probables du roman de Maryk. Keefer le baptisa finalement *Chez Queeg rien de nouveau*, et commença à improviser toute une série de titres de chapitres ridicules, de personnages, et d'incidents, tout cela composant une grosse farce qui tournait essentiellement autour du personnage du commandant, de la Néozélandaise aux verrues et de Maryk. Les autres officiers entrèrent dans le jeu et apportèrent chacun de nouvelles paillardises. Il y eut un déchaînement de fous rires et Queeg finit par téléphoner pour s'enquérir d'un ton furieux de ce qui provoquait une telle hilarité au carré : son interruption mit fin à la séance pour ce soir-là. Mais de nouvelles improvisations sur le roman de Maryk égayèrent de temps en temps la conversation à table pendant des mois. L'insistance que mettait Maryk tant à écrire qu'à garder le secret favorisa la survivance de la plaisanterie.

Maryk, en fait, avait commencé à prendre note des excentricités du commandant et des mesures tyranniques qu'il prenait; il avait intitulé ce rapport : « Journal médical sur le lieutenant de vaisseau Queeg. » Il l'enfermait à clef dans le coffre de son bureau. Sachant que le commandant connaissait le chiffre de la combinaison, Maryk ouvrit un soir sans bruit le verrou du coffre et changea ce chiffre. Il inscrivit la nouvelle combinaison dans une enveloppe cachetée qu'il remit à Willie Keith avec instructions de ne l'ouvrir qu'au cas où lui-même viendrait à mourir ou à disparaître.

Durant les mois qui suivirent, le journal se gonfla de toute une masse de faits nouveaux. Comme il avait été envoyé à Funafuti, le *Caine* était tombé aux mains du groupe du Pacifique Sud-Ouest, la Septième Flotte, et ce fut pour lui le début d'une exaspérante tournée d'escorte de convois. Ces vieux destroyers dragueurs de mines, ces bâtards de la mer, qui ne dépendaient d'aucun commandement fixe, avaient tendance à devenir les esclaves temporaires du premier potentat naval dans le domaine duquel ils s'aventuraient. Il se trouva que le commandant de la Septième Flotte avait précisément besoin de navires d'escorte pour les forces amphibies qui faisaient la navette autour du désert d'eau bleue du Pacifique Sud. Quand le convoi venant de Funafuti arriva à Nouméa, le *Caine* fut détaché et envoyé à Guadalcanal avec un groupe de *L. C. I.*[1], péniches de débarquement rabougries qui se traînaient à sept nœuds à l'heure. Après avoir passé huit jours au mouillage à Guadalcanal, le *Caine* fut renvoyé à Nouméa, et de là en Nouvelle-Guinée, puis de nouveau à Nouméa, et encore à Guadalcanal, retour à Nouméa, puis il remonta jusqu'à Funafuti où il aperçut tout juste le cher *Pluto*, repartit pour Guadalcanal, d'où on le renvoya à Nouméa.

Les jours se fondaient en semaines, et les semaines en mois. Le temps semblait ne plus s'écouler. La vie était une ronde sans fin de quarts, une longue suite de papiers à remplir, un rêve fiévreux où se mêlaient le soleil étincelant, les étoiles étincelantes, l'eau bleue étincelante, les nuits étouffantes, les jours moites et les rafales de pluie; le livre de bord à tenir; les rapports mensuels à fournir; les bilans mensuels à établir, et tout cela revenait si souvent que les mois semblaient passer aussi vite que les jours et les jours aussi lentement que les mois; le temps coulait sans forme et sans relief, fondant comme le chocolat dans la cantine et comme le beurre dans les raviers.

Durant cette longue captivité, le commandant Queeg devint encore plus irascible, plus renfermé, plus bizarre. Quand il sortait de sa cabine, c'était d'ordinaire pour se livrer à quelque excen-

1. *Landing Craft Infantry* : péniche de débarquement.

tricité qui était fidèlement consignée dans le journal de Maryk. Il mettait des matelots au cachot et des officiers aux arrêts; il rationnait le café, l'eau, et quand l'opérateur de cinéma oublia un jour de l'avertir qu'une séance allait avoir lieu, il supprima le cinéma pour tout l'équipage pour six mois. Il ne cessait de demander des rapports écrits et des enquêtes. Il lui arriva une fois de faire siéger tous les officiers pendant quarante-huit heures, afin de découvrir quel était le cambusier qui avait grillé un des percolateurs (on ne trouva jamais le coupable et Queeg annonça une baisse de vingt points sur les notes d'aptitude de tout le monde). Il prit l'habitude de faire venir les officiers pour des conférences en plein milieu de la nuit. L'état d'hostilité ouverte institué entre lui et ses officiers par la harangue qui avait suivi le verdict dans l'affaire Stilwell finit par devenir le mode normal d'existence des officiers. Ils avaient en moyenne quatre ou cinq heures de sommeil haché par nuit. Un voile gris de fatigue enveloppa leurs cerveaux. Ils étaient nerveux, irritables et au fur et à mesure que les semaines passaient, le perpétuel bourdonnement du téléphone du carré suivi du message : « Le commandant vous demande dans sa cabine » les agaçait davantage, au point de les rendre malades. Et Maryk, pendant ce temps, ajoutait imperturbablement de nouvelles pages à son journal secret.

Au début de juin, ils furent tirés de l'exaspérante routine d'escorter les convois de la Septième Flotte. Le *Caine* fut affecté à l'escorte du gros des transports de troupes participant au débarquement de Saipan. Une joie sincère s'empara des officiers et de l'équipage quand le vieux navire fonça à toute vapeur en pleine zone des opérations afin de rallier les forces groupées à Eniwetok. Entre la canonnade et la prolongation des monotones corvées de convois, sans doute auraient-ils tous voté à vingt contre un pour la bagarre. Mieux valait encore se faire tirer dessus que de pourrir sur place.

Le premier jour du débarquement, Maryk nota dans son journal un des incidents les plus brefs et les plus importants qu'il y eût jusqu'alors consignés : un incident dont Willie Keith était le protagoniste.

Une heure avant l'aube du jour du débarquement, comme la nuit virait au bleu et que Saipan commençait à dessiner au-dessus de l'horizon sa silhouette ramassée, Willie eut la surprise de se trouver fort peu rassuré. Cela l'humiliait d'avoir peur à l'approche de sa seconde expérience de combat, alors qu'il avait fait montre d'une si valeureuse insouciance la première fois. Cette fois, il avait perdu sa naïveté. Pendant qu'il fredonnait *Begin the Beguine*, les flammes, le fracas, les scènes de destruction et le spectacle des silhouettes qui s'effondraient sur la plage de Kwajalein avaient pénétré jusqu'au plus profond de ses viscères.

Quand le soleil se leva, la beauté de Saipan fit un moment

oublier sa peur à Willie. Avec ses jardins et ses terrasses, on aurait dit·un de ces tableaux japonais comme on en voit sur des paravents laqués ou sur des pots de porcelaine : une grande île aux collines rondes et vertes semées de maisons rustiques, qui jaillissait de l'immensité grise de la mer. Une brise au parfum de fleurs soufflait sur l'eau. Jetant un bref coup d'œil au gaillard d'avant mal entretenu où l'équipe de la première batterie était réunie, tache bleue de treillis déchirés, de gilets de sauvetage et de casques, puis scrutant le rivage, Willie se sentit traversé d'une vague de sympathie pour les Japonais. Il comprit ce que ce devait être que d'être un petit jaune fidèle à un empereur d'image d'Épinal et de se faire exterminer par des hordes de grands géants blancs qui déferlaient de partout dans des machines qui crachaient le feu. Bien que le bombardement aérien et naval eût agrémenté l'aspect bucolique de l'île de taches de feu et de champignons de poussière et de fumée, la verdure n'avait pas été anéantie comme à Kwajalein. Les lignes de canots de débarquement semblaient converger vers un terrain de jeux et non pas vers une redoutable forteresse.

Dès le débarquement commencé, le *Caine* fut affecté à une patrouille anti-submersibles et se mit à tracer des huit de plusieurs kilomètres de long. Douze autres navires patrouillaient à l'unisson, allant et venant à une vitesse de dix nœuds, déployés en éventail devant les transports mouillés à proximité de la plage. L'endroit paraissait sûr et comme les heures passaient, Willie sentit son courage lui revenir. Il retrouva davantage encore d'assurance en observant que Queeg faisait effectivement la navette d'un côté à l'autre de la passerelle afin de ne jamais se trouver sur le bord exposé à la plage. Il n'y avait pas à s'y tromper cette fois, car le navire changeait de direction toutes les quelques minutes; et avec la régularité d'une pendule, chaque fois qu'il présentait un nouveau bord à Saipan, Queeg passait d'un pas nonchalant du côté tourné vers le large. L'occasion si chèrement désirée s'offrit enfin à Willie de manifester son mépris au commandant en faisant exactement le contraire. Il avait l'impression que les matelots remarquaient l'attitude de Queeg; ils échangeaient des sourires entendus et murmuraient entre eux. Willie à chaque changement de direction du navire passait ostensiblement sur le bord exposé, mais Queeg ne semblait pas y prendre garde.

Tout était si calme dans le secteur de patrouille qu'à midi, le commandant renvoya l'équipage des postes de combat et redescendit dans sa cabine. Willie fut relevé. Il était terriblement fatigué, n'ayant pas dormi depuis trente heures, mais l'interdiction formulée par le commandant de dormir pendant la journée le faisait hésiter à se retirer dans sa cabine. Il savait que Queeg dormait pesamment en bas; mais il restait toujours le risque qu'un besoin ne l'appelle dans le carré. Willie monta donc sur la passerelle volante, s'installa sur les tôles brûlantes du pont et dormit comme un chat sous le soleil torride quatre heures d'affilée. Puis, en bien meilleure forme, il revint à la timonerie pour le quart de l'après-midi.

Il venait de reprendre les jumelles à Keefer quand un Corsaire de l'Aéronavale, débouchant de derrière les collines du nord de l'île, passa au-dessus du *Caine*. Il éclata tout d'un coup en un bouquet de flammes et plongea dans la mer en soulevant une énorme gerbe d'eau, entre le dragueur de mines et un autre navire de la patrouille, le *Stanfield*, un nouveau destroyer. Willie téléphona au commandant.

— Bon, le cap sur le point de chute à vingt nœuds, répondit une voix ensommeillée. Le *Caine* et le *Stanfield* étaient sur les lieux de la catastrophe à moins de mille mètres l'un de l'autre, quand Queeg arriva sur la passerelle, en short kaki et pantoufles, bâillant bruyamment. Il ne restait plus d'autre trace de l'avion qu'une pellicule moirée d'essence à la surface de l'eau.

— Adieu, Corsaire, dit Queeg.

— Il a coulé comme une pierre, murmura Willie. Il jeta un coup d'œil au petit homme bedonnant et se sentit un peu honteux. « Comment avait-il pu perdre tout sens des proportions, se demanda-t-il, au point qu'un monstre d'opéra-comique comme Queeg ait pu l'agacer ou le démonter? » Un homme venait de mourir sous ses yeux. La phonie apportait l'écho de milliers d'autres qui mouraient sur le rivage. Il n'avait jamais encore vu le sang couler sur le *Caine* sauf quand un maladroit se blessait en maniant un outil. « Je suis en train, se dit Willie, de devenir un pleurnichard apitoyé sur son propre sort, la lie de la vie militaire... »

Des panaches d'eau blanche jaillirent soudain de la mer de chaque côté du *Stanfield*. L'espace d'une demi-seconde, Willie fut interloqué, et crut que c'était quelque étrange phénomène de la météorologie tropicale. Puis il s'écria : « Commandant! Le *Stanfield* est en train de se faire encadrer! »

Queeg regarda les gerbes d'écume s'apaiser et cria dans le poste de pilotage : « Machine avant toute! la barre à droite toute!

— C'est *là*, commandant! » fit Willie en désignant un petit éclair orange suivi d'un nuage de fumée noire qui venaient de jaillir en haut d'une falaise vers le nord. « Voilà la batterie, commandant! » Il se précipita vers le bord et appela : « Officier de tir de quart! »

Jorgensen passa la tête par-dessus la cloison. « Oui, monsieur Keith!

— Batterie côtière dans le 45 environ, distance 4.000, en haut de la falaise! *Là*, vous voyez l'éclair? Braquez dessus!

— Bien, lieutenant... Braquez toutes les pièces sur batterie côtière dans le 45, pointez à 10, distance 4.000! »

Le *Stanfield* tournait dans un cercle étroit au milieu de gerbes d'eau, et tandis qu'il pivotait ses canons de cinq pouces tonnaient en salves assourdissantes. Willie vit les canonniers du *Caine* bondir à leurs postes. Les canons de trois pouces se braquèrent sur l'objectif, tournés sans cesse davantage vers l'arrière au fur et à mesure que le navire changeait de direction.

— Zéro, la barre! Gardez le cap! cria Queeg. Le dragueur de mines se dirigeait maintenant dans la direction opposée à la batterie côtière, filant vingt nœuds. Willie se précipita dans la chambre de veille.

— Commandant, la batterie principale est parée et braquée sur l'objectif! Queeg ne parut pas entendre. Il était planté devant un hublot ouvert, un sourire figé aux lèvres. « Commandant, je demande l'autorisation de venir par le travers et d'ouvrir le feu sur la batterie côtière! Nous sommes braqués sur l'objectif, commandant! » Les canons du *Stanfield*, cependant, expédiaient deux nouvelles salves. Queeg ne bronchait pas. Queeg ne tourna même pas la tête, ni les yeux. « Commandant! dit Willie d'un ton résolu, je demande la permission d'ouvrir le feu avec la quatrième batterie! Le champ est libre sur l'arrière, commandant! »

Queeg ne dit rien. L'officier de quart courut jusqu'au bastingage et aperçut la silhouette du destroyer qui rapetissait dans le lointain, ses canons tonnant toujours. Un épais nuage de fumée enveloppait l'emplacement de la falaise où se trouvait la batterie. Une nouvelle salve et des flammes jaillirent au milieu de la fumée. Une fois de plus le *Stanfield* était encadré. Il tira rapidement quatre salves. La batterie ne répondit pas; du moins ne voyait-on plus de nouvelles gerbes jaillir à proximité du destroyer. Mais le *Caine* était trop loin pour que Willie pût s'en assurer.

Après le dîner, il raconta tout bas l'histoire à Maryk. Le second se contenta de grommeler sans faire d'autre commentaire. Mais plus tard, dans la soirée, il écrivit dans son journal :

19 juin, Saipan. — *Un incident dont je n'ai pas été témoin. Il m'a été rapporté par l'officier de quart. Il déclare que le* Caine *recherchait les traces d'un avion qui venait de tomber en mer, en compagnie d'un autre destroyer. Le destroyer qui était à mille mètres par notre travers fut pris sous le feu d'une batterie côtière. Le commandant fit aussitôt changer de cap et le* Caine *s'éloigna sans tirer un coup de feu, bien que la batterie fût à portée de nos canons et que ceux-ci fussent braqués sur elle et parés.*

La campagne de Saipan n'était pas encore terminée que le *Caine* fut détaché et reçut l'ordre d'escorter un croiseur endommagé jusqu'à Majuro. Ainsi se termina la part que prit le dragueur de mines à la bataille des îles Mariannes. Il ne fut présent ni au bombardement ni au débarquement de Guam; tandis que se déroulaient ces événements glorieux, le *Caine* retombait dans les corvées d'escorteur. De Majuro, il accompagna un porte-avions jusqu'à Kwajalein, un Kwajalein triste et domestiqué, tout hérissé de baraquements militaires. Une végétation d'un jaune rouillé réapparaissait autour des pistes de sable blanc, et sur la plage grouil-

laient les bulldozers et les jeeps. « Il était curieux de voir, se dit
Willie, comme avec l'arrivée des Américains, les îles des tropiques
jadis si charmantes avaient pris l'allure de terrains vagues de
Los Angeles. »

Le vieux dragueur de mines escorta le porte-avions jusqu'à
Eniwetok, d'où on le renvoya à Kwajalein avec quelques *L. S. T.*,
puis il repartit pour Eniwetok avec un pétrolier. Août arriva et
le *Caine* continuait à faire la navette parmi les atolls du Pacifique
central, sous la coupe cette fois de la Cinquième Flotte.

La vie à bord stagnait toujours dans un morne ennui. Pendant
quelque temps, il ne se produisit guère d'incidents notables et
Maryk n'eut pas grand-chose à écrire dans son journal. On n'avait
plus rien à apprendre. Tous les caractères s'étaient révélés et même
Queeg, semblait-il, ne réservait plus de surprises. Il se passait
aujourd'hui ce qui s'était passé hier et ce qui se passerait demain :
la chaleur lourde, les zigzags, les petites prises de bec, la paperasserie, les quarts, les pannes de mécanique et le perpétuel harcèle-
ment de la part du commandant.

Pour Willie, le souvenir de cette triste époque resta indissolu-
blement lié à la partition d'*Oklahoma!* Jorgensen avait trouvé
l'album à Majuro. Il jouait les disques jour et nuit dans le carré;
et quand ce n'était pas lui, les opérateurs de radio les emprun-
taient et les airs résonnaient les uns après les autres dans les
haut-parleurs. Jusqu'à la fin de ses jours, Willie serait incapable
d'entendre :

> *Don't... throw*
> *Bo...kays at me...*

sans être accablé par une ambiance de chaleur, d'ennui et d'épui-
sement à la limite de la résistance nerveuse.

Willie était accablé d'un nouveau fardeau. Jadis le favori du
commandant, il était devenu soudain le bouc émissaire du carré.
Ce revirement s'était produit, semblait-il, après l'épisode du *Stanfield*. Jusqu'alors, c'était Keefer qui avait été la principale cible
de Queeg; mais on s'aperçut que maintenant le commandant
s'attaquait plus volontiers au lieutenant Keith. Un soir au dîner,
Keefer fit cérémonieusement cadeau à Willie d'une tête de bouc
en carton découpée dans un panneau publicitaire d'une marque
de bière. Ce transfert d'apanage se fit au milieu d'éclats de rire
homériques auxquels Willie prit part sans conviction. L'annonce
« Mr. Keith, dans la cabine du commandant » retentissait deux
ou trois fois tous les jours dans les haut-parleurs du bord; et il
arrivait rarement à Willie de dormir plus de quelques heures entre
ses quarts sans être secoué par un cambusier qui lui disait : « Le
com'ndant veut vous pa'ler, lieut'nant. »

Au cours de ces entrevues, Queeg se plaignait de la lenteur du
déchiffrage des messages, ou de l'expédition du courrier, ou de la

mise à jour des documents de bord, ou d'une odeur de café qui montait du poste radio, ou d'une erreur commise par un timonier dans la copie d'un message... tout lui était bon. Willie commença à nourrir une haine profonde et sourde contre Queeg. Ce n'était pas du tout le ressentiment enfantin qu'il éprouvait à l'encontre du commandant de Vriess. C'était comme la haine d'un mari pour sa femme malade, une haine solide, bien assise, qui a son origine dans le lien indissoluble qui vous attache à un être méprisable; elle n'existait pas en tant que justification, mais pour le plaisir pervers dont elle éclairait la suite interminable des jours de tristesse.

Cette haine amena Willie à faire montre dans son travail d'une minutie et d'une conscience presque incroyables. C'était sa seule joie que de décevoir le commandant en prévenant ses récriminations et en lui clouant ainsi le bec. Mais il y avait une brèche toujours ouverte dans ses défenses : Ducely. Quand le commandant, avec un ronronnement de triomphe, mettait Willie en face d'une erreur ou d'une omission commise dans son service, l'auteur en était presque toujours son assistant. Willie avait tout essayé, la rage, le mépris, les invectives, les supplications et même une explication orageuse en présence de Maryk : Ducely, rougissant comme un enfant, avait d'abord promis de s'amender. Mais il était resté aussi négligent et désordonné que par le passé. Il avait fini par se retrancher dans une attitude de violent remords, clamant qu'il n'était bon à rien et qu'il le savait, qu'il ne serait jamais bon à rien d'ailleurs et que Willie n'avait qu'à le signaler à Queeg pour qu'il passe en conseil de guerre ou qu'il soit renvoyé de la Marine. Mais Willie mettait un orgueil agressif à ne jamais faire la moindre allusion devant le commandant à l'incapacité de son assistant ou à ses fautes. Il éprouva un plaisir pervers quand il apprit que Ducely avait eu un excellent rapport d'aptitude.

Août s'étira lentement et quand septembre vint, le *Caine* faisait route de Kwajalein vers Eniwetok, en compagnie de dix *L. C. I.* verts et poussifs.

Durant les deux premières semaines de septembre, une impatience croissante se manifesta parmi les officiers. Cela faisait douze mois maintenant que Queeg avait été affecté au *Caine*, et ils savaient que peu de commandants gardaient leur poste plus longtemps qu'un an. Willie prit l'habitude d'aller fréquemment au poste radio et de parcourir les Fox au fur et à mesure que les feuilles sortaient des machines à écrire des opérateurs, cherchant le message béni du Personnel. Queeg de son côté présentait des symptômes analogues d'impatience, et Willie le surprit plusieurs fois dans le poste radio, feuilletant les dépêches.

On dit que l'eau ne bout jamais dans une bouilloire tant qu'on la regarde. Il est non moins vrai que les messages ne contiennent jamais l'ordre de mutation du commandant quand on les surveille sans cesse. Cela ne faisait qu'accroître la tension nerveuse qui régnait sur le navire et qui s'étendait des officiers aux hommes. Des excentricités, ces champignons de la solitude et de l'ennui, commencèrent à proliférer à bord du *Caine*. Les hommes se laissèrent pousser des barbes qu'ils taillaient suivant des formes étranges, ils se firent couper.les cheveux en forme de cœurs, de croix, d'étoiles. Paynter avait attrapé sur la plage de Kwajalein un crabe appelant, un animal en forme de tarte, avec une grande pince multicolore. Il l'apporta à bord et le garda dans sa cabine, le promenant tous les jours sur le gaillard d'avant, en laisse comme un chien. Il donna à l'horrible créature le nom de Heifetz [1]. Paynter et Keefer eurent une violente querelle le jour où le crabe s'échappa, entra dans la cabine du romancier à un moment où celui-ci, nu comme un ver, était assis à son bureau, et lui prit un doigt de pied dans son énorme pince. Keefer fou furieux arriva à cloche-pied dans le carré et ne parla rien moins que d'exterminer Heifetz avec le coutelas du cuisinier. Paynter se jeta alors entre le crabe et Keefer toujours nu et déchaîné. Après cet incident les deux officiers restèrent en froid.

L'enseigne Ducely devint bizarre à son tour : il tomba éperdument amoureux d'une annonce pour des corsets du *New Yorker*. Willie trouvait que l'inconnue qui avait posé pour l'annonce ressemblait à des milliers de mannequins qu'il avait vus photographiés dans des magazines : les sourcils bien arqués, de grands yeux, les pommettes saillantes, une bouche qui faisait la moue, un corps sans défaut et un air hautain et révolté comme si on venait de lui tendre une méduse. Mais Ducely jurait que c'était la femme de sa vie. Il écrivit des lettres au magazine et à la maison de corsets, pour demander le nom et l'adresse du modèle, il en adressa aussi à des amis qu'il avait dans trois agences de publicité de New-York, les suppliant de retrouver trace de la fille en question. Si jusqu'alors son rendement avait été de l'ordre de vingt-cinq pour cent de la normale, il était maintenant tombé à zéro. Il languissait sur sa couchette, soupirant jour et nuit devant l'annonce de corsets.

Willie remarquait avec gêne toutes ces bizarreries, qui lui rappelaient des histoires lues dans des romans où l'on parlait d'hommes embarqués pour de longs voyages en mer; et cela ne l'amusait pas du tout de voir tous les symptômes classiques se développer chez ses compagnons. Lui-même d'ailleurs était atteint. Un jour qu'il prenait son café sur la passerelle pendant son tour de quart, l'idée lui vint que ce serait un raffinement que d'avoir son monogramme sur sa timbale. L'idée en soi n'avait rien d'extraordinaire, mais ce fut la réaction qu'elle entraîna chez Willie qui fut bizarre. Au bout de quelques minutes, une timbale marquée à son chiffre lui sembla le bien le plus précieux qui fût au monde. Il y pensait si fort qu'il ne faisait même plus attention à son service. Il n'avait que cette timbale devant les yeux. A peine l'avait-on relevé qu'il

1. En anglais le crabe appelant s'appelle : *fiddler crabe* = « crabe violoneux ».

se précipita à l'atelier pour emprunter une petite lime, et il passa ensuite plusieurs heures à graver « WK » dans un gobelet de basse quincaillerie avec une délicatesse de joaillier, laissant passer l'heure du dîner et venir la nuit. Il remplit les lettres ainsi gravées d'une belle peinture bleue et posa tendrement la timbale à sécher dans un tiroir de son bureau, douillettement nichée entre des chaussettes et un gilet de corps. Quand on le réveilla à quatre heures pour le quart, sa première pensée fut pour la timbale. Il la sortit du tiroir et s'assit pour la contempler, comme une collégienne devant sa première lettre d'amour, si bien qu'il arriva dix minutes en retard pour relever un Keefer furieux. L'après-midi, il apporta sa timbale sur la passerelle et la tendit négligemment au timonier Urban en lui demandant d'aller la remplir au percolateur du poste de radar. Les regards d'admiration envieuse des matelots emplirent Willie de plaisir.

Le lendemain matin, quand il arriva sur la passerelle avec sa belle timbale, Willie devint fou de rage car il vit Urban boire dans une timbale portant les initiales « LU » exactement comme la sienne. Il considéra cela comme une insulte personnelle. Bientôt les timbales à monogramme apparurent sur tout le navire. Le second maître Winston en avait une agrémentée d'un insigne, de caractères gothiques et de fioritures héraldiques. Le monogramme de Willie était du travail de jardin d'enfants à côté de cette timbale et de celles d'une douzaine d'autres matelots. Furieux, il la jeta à la mer le soir même.

Tout au long de ce cauchemar, Willie passa des centaines, peut-être des milliers d'heures à rêver à May Wynn, à contempler ses photographies, à lire et à relire ses lettres. C'était son unique lien avec ce qui jadis avait été son existence. Sa vie civile lui semblait maintenant une illusion brillante et parfumée, quelque chose comme un de ces films de Hollywood qui se passent dans la haute société. La réalité, c'était ce dragueur de mines secoué par le roulis, c'était la mer, les tenues kaki déguenillées, les jumelles et la sonnette du commandant. Il écrivait à la jeune fille des lettres brûlantes de folle passion dont il supprimait avec le plus grand mal toute allusion au mariage. Il éprouvait une gêne croissante à envoyer ces lettres, car au fur et à mesure que le temps passait, il devenait de plus en plus certain qu'il finirait par ne pas épouser May. Si jamais il revenait vivant, il voulait le calme et le luxe, et non pas un mariage stupide avec une vulgaire chanteuse. C'était le langage que lui tenait sa raison; mais la raison tenait une faible part dans les heures de rêverie romanesque dont il se grisait pour chasser son ennui et pour oublier les piques incessantes de Queeg. Il savait que ses lettres étaient évasives et contradictoires; mais telles qu'elles étaient, il les envoyait quand même. En retour, les rares fois où le dragueur de mines rencontrait un navire de courrier, il trouvait des monceaux de lettres de May rayonnantes de bonheur et qui tout à la fois le grisaient et l'inquiétaient. Elle se donnait toute à lui dans ces lettres et n'abordait pas plus que lui la question de leur mariage. Dans cette étrange liaison par correspondance, Willie s'aperçut qu'il s'attachait de plus en plus à May et il se rendit compte aussi qu'il était injuste envers elle. Mais ce monde de rêve était un calmant trop précieux pour que Willie consentît à le briser; aussi continua-t-il à submerger May de lettres d'amour passionnées et sans but.

CHAPITRE XXV

UNE MÉDAILLE POUR ROLAND KEEFER

LE 1ᵉʳ octobre, avec toujours le commandant Queeg à bord, le *Caine* pénétra dans l'atoll d'Ulithi, un atoll comme tous les autres, un anneau déchiqueté d'îlots, de brisants et d'eau verte à mi-chemin entre Guam et l'île nouvellement conquise de Palaus. Tandis que le commandant manœuvrait pour venir jeter l'ancre au centre de la rade, Willie, qui bâillait sur le flanc bâbord, sentit qu'on lui tapait sur l'épaule. Il se retourna, Keefer lui désignait un point à droite. « Willie, mon cher, regardez là-bas et dites-moi si c'est une hallucination. »

A mille mètres de là, un *L. S. T.* était au mouillage, avec sa peinture de camouflage tropical brun et vert. A l'arrière étaient attachées des cibles de soixante tonnes. « Oh, Seigneur, fit Willie, désespéré, non.

— Que voyez-vous? dit Keefer.

— Des cibles. C'est pour ça qu'on nous a envoyés dans ce trou, sûrement. » Le message, ordonnant au *Caine* de filer seul et à toute vapeur d'Eniwetok à Ulithi, avait fait l'objet de bien des hypothèses au carré.

— Je descends me jeter sur mon épée, dit Keefer.

Le vieux *Caine* se remit au travail, remorquant des cibles en mer, au large d'Ulithi pour les tirs d'exercice de la flotte. Jour après jour, l'aurore trouvait le navire sortant du chenal, remorquant la cible; le crépuscule empourprait l'atoll au moment où il revenait jeter l'ancre. Ces exercices de tir avaient sur le commandant Queeg un effet marqué. Pendant les deux premiers jours, il devint plus irascible et plus tatillon que jamais. Le kiosque de barre retentissait de ses jurons et de ses hurlements. Puis il tomba dans une sorte de léthargie. Il abandonna entièrement à Maryk la direction du navire, même pour lever l'ancre à l'aube et repasser le chenal le soir. Parfois, par temps de pluie ou de brume, il montait sur la passerelle et commandait la manœuvre. Mais d'ordinaire, il restait allongé sur sa couchette, jour et nuit, à lire, à jouer avec un jeu de patience ou à regarder le plafond.

Personnel pour les lieutenants Keefer et Keith. Salut, dragueurs. Venez me voir ce soir. Je suis de quart. Roland.

En rentrant à Ulithi au coucher du soleil, le *Caine* reçut ce message optique d'un porte-avions mouillé au fond du lagon, au milieu d'un groupe arrivé pendant la journée et rassemblé maintenant au nord de la rade, en une masse de formes oblongues, dont les silhouettes se découpaient sur le ciel rouge. Willie, qui était de quart, envoya le second maître chercher Keefer. Le romancier arriva sur la passerelle au moment où l'ancre du *Caine* plongeait dans l'eau. « Qu'est-ce que cet heureux clown fiche sur le *Montauk?* dit Keefer, en examinant les porte-avions à la jumelle. La dernière fois que j'ai eu de ses nouvelles, il était sur le *Bois-Belleau.*

— Quand était-ce? dit Willie.

— Je ne sais plus... cinq ou six mois. Il n'écrit jamais.

— Il a l'air de passer de porte-avions en porte-avions. »

Keefer eut un sourire amer. La brise du soir agitait ses longues mèches noires. « C'est à croire, dit-il, que le Personnel cherche systématiquement à m'insulter. J'ai fait dix-sept demandes à peu près pour être muté sur un porte-avions... Enfin. Vous croyez que nous pouvons nous permettre de répondre sans déranger Queeg? Réponse négative, naturellement. Il faut que j'inspecte l'antre de Grendel. Seigneur, ça fait bien un an que nous avons vu Rollo la dernière fois, à Pearl, si je ne m'abuse?

— Je crois que oui. Ça me semble plus long.

— Je pense bien. Cette croisière sous l'égide de Queeg me fait l'effet de durer aussi longtemps que la Renaissance. Enfin. Souhaitons qu'il ne soit pas dans un de ses mauvais jours. »

Queeg, allongé sur son lit, bâillait sur un vieux numéro d'*Esquire*. « Voyons, Tom, dit-il, voyons. Il me semble que vous devez me remettre un inventaire des documents de bord aujourd'hui, 1er octobre. Vous l'avez terminé?

— Non, commandant. Comme vous le savez, nous avons été en mer tous les jours et...

— Nous n'étions pas en mer le soir. Je suppose que votre roman, lui, a dû bien avancer ces temps-ci. Je vous y ai vu travailler presque tous les soirs...

— Commandant, je vous promets de faire cet inventaire ce soir en rentrant, même si je dois y passer la nuit... »

Le commandant secoua la tête. « J'ai mes méthodes, Tom, et qui sont le fruit de nombreuses observations de la nature humaine. Et, ce qui est mieux, je suis un cœur tendre, pour étrange que ça puisse vous paraître, et si je fais une seule exception, je vais me mettre à en faire d'autres, et tout mon système va s'écrouler; quoi que vous puissiez penser de ma façon de commander ce navire, du moins tout marche-t-il convenablement et n'ai-je pas encore fait de fautes. Aussi, vous me voyez désolé, et ne vous croyez surtout pas personnellement visé, mais je ne puis vous accorder cette permission avant que vous m'ayez remis cet inventaire. »

Keefer et Willie se mirent à l'inventaire le soir même, au son d'un pittoresque récital de jurons donné par l'officier de tir. Depuis plus d'un an Queeg l'exaspérait en ne lui permettant jamais de remettre à Willie la garde des documents confidentiels. A Pearl Harbor, Queeg l'avait obligé à les reprendre à Willie; ce ne serait, disait-il, que pour une semaine ou deux, le temps que Willie se mette au courant; mais après cela, le commandant avait de mois en mois reculé le moment où Willie devait reprendre cette partie de son service.

— J'ai fini par renoncer à persuader ce maniaque criminel de me débarrasser de cette corvée, dit Keefer tout en pêchant dans le coffre fort de pleines brassées de documents, parce que je me suis rendu compte qu'il ne se lasserait jamais du plaisir de m'entendre lui demander quelque chose. Il trouverait le moyen de me laisser la garde des documents du *Caine* même si je devenais amiral, à condition qu'il soit lui-même amiral d'un rang supérieur au mien. Ce type est un névrosé classique. Il a de quoi faire les délices de toute une école de psychanalyse. Il continua dans cette veine pendant plusieurs heures. Willie de temps en temps lançait une remarque compatissante, afin de dissimuler son amusement.

Le lendemain matin, Keefer apporta l'inventaire dans la cabine du commandant et le tendit à Queeg avec un sourire modeste. « Vous permettez que je prenne le canot pour aller rendre visite au *Montauk*, commandant?

— Permission accordée. Merci Tom, dit le commandant en feuilletant l'inventaire. Amusez-vous bien.

— Willie Keith voudrait bien venir avec moi, commandant. »

Queeg fronça les sourcils. « Pourquoi ne vient-il pas me demander la permission lui-même?... Enfin. J'aime autant ne pas être obligé de voir son visage stupide. Pendant qu'il y sera, il pourra prendre quelques-unes de ces AlPacs et de ces AlComs pour lesquelles il est toujours en retard. »

Quand Keefer sortit sur le pont, Willie l'attendait, l'air abattu, malgré sa tenue kaki propre et ses souliers impeccablement cirés. « Tom, les porte-avions lèvent l'ancre...

— Seigneur, ce n'est pas vrai...

— Il y en a déjà deux dans le chenal. Le *Montauk* est en train de lever l'ancre.

— Voyons. » Keefer grimpa précipitamment l'échelle de passerelle. Il s'appuya à la rambarde, et fixa un regard sombre sur le côté nord. Quatre porte-avions s'avançaient dans la direction du *Caine*.

— Peut-être se déplacent-ils seulement pour aller au mouillage sud, dit Willie. Keefer ne répondit rien.

L'écrasant de sa haute masse, le porte-avions de tête passa à moins de cent mètres du *Caine*, gigantesque montagne de fer peinte en gris. Le dragueur dansa dans le remous. Le *Montauk* était le sixième de la file. Au bout du chenal, le porte-avions de tête vira lourdement à tribord et mit le cap au large. « Le mouillage sud, ça n'est pas par là, dit Keefer amèrement.

— Ils ne sont pas restés longtemps », dit Willie. Il éprouvait le besoin de s'excuser, comme s'il était responsable du désappointement de Keefer. Les deux officiers contemplèrent en silence la vaste procession.

— Ils vont sûrement aux Philippines, dit Keefer en se mordillant la lèvre inférieure. Pour préparer l'attaque. A moins qu'ils ne retrouvent les transports de troupes quelque part. C'est sûrement ça, Willie. La grande offensive.

— Moi, j'aime autant rester ici à remorquer des cibles. Je suis comme Roosevelt. Je déteste la guerre.

Deux autres porte-avions passèrent lentement. Le *Caine* roulait et tanguait, tirant sur sa chaîne d'ancrage. « Depuis que cette guerre a commencé, je n'ai jamais eu qu'un désir, murmura Keefer en levant les yeux vers les avions massés sur la plage arrière de l'*Arnold Bay*, c'était d'être sur un porte-avions. » Le défilé continuait.

— Je crois que je le vois, dit Willie. Regardez là, près de la tourelle des quarante jumelés, là, juste derrière les écubiers. Là, c'est lui. Il brandit un porte-voix.

Keefer acquiesça. Il s'empara d'un grand porte-voix vert accroché à la cloison et l'agita au-dessus de sa tête. Le *Montauk* approcha encore et Willie aperçut nettement Roland Keefer à travers ses jumelles. Son ancien compagnon de turne, coiffé d'une casquette de base-ball écarlate, avait toujours le même sourire bon enfant, mais il avait maigri de visage. Il ressemblait davantage à son frère maintenant. De loin, on aurait même pu croire que c'était Tom qui était sur le porte-avions.

Roland hurla quelque chose dans son mégaphone, mais le fracas du remous étouffa ses paroles. « Répète... Répète », clama Keefer. Il porta le mégaphone à son oreille. Roland était maintenant' juste en face d'eux, à quelque six mètres plus haut, et on pouvait le reconnaître sans jumelles. En passant, il essaya encore de leur parler. Quelques mots leur parvinrent : « ...chance... pour la prochaine fois... foutu métier... Salut, Tom...

— Bonne chance, Roland, hurla le romancier. Tu me raconteras la guerre la prochaine fois. »

Ils virent Roland acquiescer en riant. En un instant il fut loin. Il leur cria encore quelque chose, mais on n'entendit que le mot « ...frère... »

Willie et Keefer suivirent des yeux la casquette rouge tandis que le *Montauk* s'engageait dans le chenal de Mugai, prenait de la vitesse et gagnait la haute mer.

Le public américain en sut très vite plus sur la grande bataille du golfe de Leyte que les marins qui y avaient pris part et bien plus, évidemment, que l'équipage du *Caine* au mouillage à Ulithi. A bord du vieux dragueur, les nouvelles de la bataille arrivaient peu à peu, sous forme de messages chiffrés laconiques, presque tous des états d'avaries, semés de noms peu familiers : Surigo, San-Bernardino, Samar. Willie en déchiffrait un au matin du 26 octobre, quand il tomba sur le nom du *Montauk*. Il continua un moment, le visage grave, puis apporta le début du message à Keefer dans sa cabine. Celui-ci était assis devant son bureau encombré de papiers et zébrait de coups de crayon rouge une feuille de manuscrit jaune. « Salut, Willie. Comment est-ce qu'on s'en tire là-bas ? »

Willie lui tendit le message. « *Montauk*, dit aussitôt Keefer.

— Quatrième paragraphe. »

L'officier de tir secoua la tête en lisant le message et leva les yeux vers Willie, l'air terriblement embarrassé. Il lui rendit le message, haussa les épaules et dit avec un petit rire : « Mon frère étant le joyeux veinard qu'il est, s'en est tiré, Willie, ne vous en faites pas. Il a dû décrocher une décoration au passage. Il est indestructible.

— J'espère qu'il n'a rien eu...

— Il ne vous a jamais raconté l'accident d'auto dans lequel il s'est trouvé, quand il était au collège; quatre des gosses ont été tués et lui s'en est tiré avec une cheville foulée. Les gens ont de la chance ou pas : lui en a.

— En tout cas, nous devrions être fixés d'ici deux jours. Ils seront de retour...

— Un avion-suicide, bon Dieu, qu'est-ce qu'ils ont dû prendre...

— Comment marche votre roman ? » demanda Willie.

L'officier étendit sur son manuscrit une main protectrice. « Comme ci, comme ça. Le Vieux Tache Jaune fait tout ce qu'il peut pour ralentir les progrès de la littérature américaine. J'en ai moins fait en un an qu'en deux mois avec de Vriess.

— Quand est-ce que je pourrai en lire un peu ?

— Oh, bientôt », dit Keefer avec un geste vague, et pour la dixième fois au moins.

Deux jours plus tard, vers le soir, Keefer buvait son café dans le carré, quand le téléphone sonna. « C'est Willie, Tom. Je suis sur la passerelle. Le *Montauk* entre en rade.

— Je monte tout de suite. Quel air a-t-il ?

— Amoché. »

Keefer arriva sur la passerelle avec une formule de message signée par Queeg. « Faites envoyer ça par un de vos types, Willie. C'est d'accord. »

Engstrand envoya un message optique au *Montauk* quand celui-ci arriva au lieu d'ancrage. Le projecteur installé sur le pont tordu et noirci du porte-avions épela : *Canot viendra à bord du* Caine *quand nous aurons jeté l'ancre*. Keefer déchiffra tout haut lettre par lettre. Il se tourna vers Willie et dit d'un ton irrité. « Qu'est-ce que c'est que cette réponse?

— Ils sont en pleine pagaïe, Tom. Ne vous inquiétez pas...

— Je ne suis pas inquiet. Mais c'est une drôle de réponse. »

Quand ils virent une baleinière à moteur quitter le porte-avions et mettre le cap sur eux, les deux officiers descendirent sur le pont principal et attendirent en haut de l'échelle de coupée. « Le voilà, à l'arrière, dit Keefer, qui examinait le canot à la jumelle. Il a perdu sa casquette d'amiral, voilà tout. » Il tendit les jumelles à Willie. « C'est lui, n'est-ce pas?

— On dirait bien que c'est lui, Tom », répondit Willie. L'officier dans le canot ne ressemblait pas du tout à Roland. Il était mince, il avait des épaules voûtées et, sembla-t-il à Willie, une moustache.

Au bout d'une minute, Keefer dit : « Ça n'est pas Roland. » Harding qui était de quart les rejoignit. Les trois officiers regardèrent sans rien dire le canot du *Montauk* accoster. Un jeune enseigne, à la moustache blonde et aux lèvres minces d'enfant, grimpa l'échelle. Il avait la main gauche enveloppée dans un épais pansement taché de jaune. Il se présenta comme l'enseigne Whitely. « Qu'est-ce qui est arrivé à mon frère? demanda Keefer.

— Oh, vous êtes le lieutenant Keefer? dit l'enseigne. Eh bien, lieutenant. » Son regard se posa sur les autres, puis revint à Keefer. « Lieutenant, je suis désolé d'avoir à vous annoncer la nouvelle. Votre frère est mort hier des suites de brûlures. Les funérailles ont eu lieu en mer. »

Keefer hocha la tête, son visage était calme et semblait vaguement sourire. « Venez en bas, monsieur Whitely, nous raconter cela. Keith que voici est un vieil ami de Rollo. »

Dans le carré, il insista pour leur servir le café à tous les trois, bien que Willie voulût lui prendre la cafetière des mains.

— Il faut que vous sachiez, monsieur Keefer, que votre frère a sauvé le *Montauk*, commença Whitely, après avoir nerveusement avalé la moitié de sa tasse de café. Il aura la croix de la Marine. Son nom est sur la prochaine promotion. Je sais bien que ça ne rime pas à grand-chose — enfin, je veux dire pour vous et pour sa famille — mais enfin, il est bien certain qu'il l'a méritée.

— Cela fera beaucoup pour mon père, dit Keefer d'un ton las. Que s'est-il passé? »

L'enseigne Whitely commença à décrire la rencontre inopinée du groupe de porte-avions d'escorte de l'amiral Sprague avec le gros de la flotte japonaise au large de Samar, dans un chaos de

rafales de pluie et d'écrans de fumée. Il donna de la bataille une
description fragmentaire et confuse. Son récit devint plus cohérent
quand il en arriva aux dommages subis par le *Montauk*.

— Les obus ont allumé un incendie à l'arrière. C'était un sale
coup parce que ça a coupé les commandes auxiliaires, et puis le
second y est resté, et d'habitude c'était lui qui combattait les incendies ...pendant les exercices. Un type épatant : le commandant
Greeves. Enfin, Roland était l'officier chargé de l'équipe de secours
en cas d'avaries et il a pris la situation en main. Une énorme
réserve d'essence d'avion qui était sur le pont des hangars a pris feu,
ce qui n'a rien arrangé, mais Roland a fait jeter à la mer les torpilles et les munitions. Il ne perdait pas la tête, vous savez, et il
dirigeait rondement les équipes de pompiers. Tout avait l'air de
s'arranger à ce moment-là. L'incendie était bien localisé au centre
du navire, sur tribord, à peu près uniquement sur le pont des
hangars. Et puis voilà que cette saleté d'avion-suicide arrive à
travers l'écran de fumée et de pluie et s'écrase sur la passerelle.
Il devait transporter une torpille, parce que, à ce moment-là, c'est
devenu vraiment infernal. Une explosion effroyable, le feu partout,
de grandes flammes qui ronflaient sur tout le pont de décollage,
et le navire s'est mis à donner de la bande à bâbord. Personne
ne pouvait plus avoir la passerelle au téléphone et on était bien
sûr que le vieux avait été descendu; c'était la pleine pagaïe, avec
des types qui couraient dans tous les sens comme des fourmis, et
quelques-uns même qui sautaient par-dessus bord. Je commandais une équipe de secours sur tribord, c'est pour ça que je suis
encore en vie. C'est surtout à bâbord qu'ils ont dégusté. Et avec
tout ça, les haut-parleurs ne marchaient plus, et autour de la
passerelle, les câbles de commande étaient arrachés de tous les
côtés. Le navire tournait en rond comme une. toupie, en prenant
de la bande, et les destroyers essayaient de nous éviter... et au
milieu du feu et de la fumée, voilà que la sirène d'alerte aux gaz
se met à hurler, Dieu sait pourquoi, et personne n'arrivait à l'arrêter... Seigneur...

« Bref, Roland a repris la situation en main. Sur le pont des
hangars à tribord, il y avait un générateur à essence de secours
pour transmettre les ordres. Il a commencé par le mettre en
marche ce qui lui a permis de lancer des ordres par les haut-parleurs aux types qui luttaient contre le feu. Il a fait inonder les
magasins et ouvrir toutes les lances, tous les appareils à mousse
carbonique, et tout; à un moment la timonerie a réussi à l'avoir
au téléphone de secours et lui a dit qu'ils ne recevaient plus d'ordre
de direction, alors Roland a commencé à diriger le navire aussi,
toujours par les haut-parleurs, et puis il s'est précipité dans la
coursive pour voir ce qui se passait à l'avant.

« A ce moment-là, une saleté de débris en flammes est dégrin-
golée de la passerelle volante sur la coursive juste comme il passait... je ne sais pas ce que c'était, on n'a pas vu d'où ça tombait.

Il a été pris dessous. On l'a dégagé et on a libéré la coursive, mais il était en triste état. Il a pourtant continué à diriger la lutte contre le feu et à commander la manœuvre. Il y avait deux matelots qui le soutenaient, l'enduisaient de pommade, le pansaient et lui donnaient de la morphine...

« Sur ces entrefaites, l'officier d'aviation, le capitaine Volk, est sorti de sous les décombres de la passerelle; il était un peu sonné, mais quand même en meilleur état qe Roland, et comme c'était le plus âgé des officiers survivants qi se trouvaient là, il a relevé Roland, qui s'est évanoui pendant qu'on l'emmenait à l'infirmerie. A ce moment-là, il avait déjà mis tout le monde à faire ce qu'on avait répété pendant les exercices d'alerte, et le plus dur était fait. Comme je vous le disais, le capitaine Volk l'a proposé pour la croix de la Marine, et il l'aura sûrement...

— Vous l'avez revu après? dit Keefer. Il avait les yeux rouges.

— Bien sûr. J'ai passé des heures à l'infirmerie avec lui. Vous comprenez, c'est moi qui l'ai relevé dans son service et il me disait ce qu'il fallait faire; il me parlait par un trou ménagé dans les pansements qui lui couvraient toute la tête. Il était faible, mais parfaitement conscient. Il m'a fait lire le message à envoyer pour le rapport d'avaries et m'a indiqué quelques corrections. Le docteur disait qu'il avait cinquante chances sur cent de s'en tirer. Il avait des brûlures au troisième degré sur presque tout le corps. Mais là-dessus il a attrapé une pneumonie, et ça l'a emporté... Il m'avait dit de venir vous voir, au cas où... Whitely se tut, ramassa sa casquette qu'il tortilla entre ses doigts. « Il dormait quand il est mort. Au fond, il n'a pas souffert, avec la morphine et tous les calmants...

— Eh bien, je vous remercie d'être venu. » Keefer se leva.

— Je... j'ai ses affaires dans le canot... il n'y a pas grand-chose... Whitely se leva à son tour. « Si vous voulez voir...

— Je crois, dit Keefer, qu'il vaut mieux envoyer le tout tel quel à sa mère. C'est elle qui est mentionnée comme parent à prévenir, n'est-ce pas? »

Whitely acquiesça. Keefer tendit la main et le jeune officier du *Montauk* la serra. Il se passa un doigt sur sa moustache. « Je suis navré, monsieur Keefer, c'était vraiment un chic type...

— Merci, monsieur Whitely. Laissez-moi vous reconduire jusqu'à la coupée. »

Willie resta assis, les coudes sur le drap vert de la table, le regard fixé sur le mur : il revivait l'incendie du *Montauk*. Keefer revint dans le carré quelques minutes plus tard. « Tom, dit Willie en se levant, je sais ce que ça doit être... »

Keefer eut un petit sourire qui crispa un des coins de sa bouche. « Rollo a été rudement bien, hein?

— Rudement bien, oui...

— Donnez-moi une cigarette. On se demande après ça. Une

école militaire, ça a peut-être du bon, Willie. Est-ce que vous auriez pu faire ce qu'il a fait, croyez-vous?

— Non. J'aurais été un des premiers à sauter par-dessus bord, quand l'avion s'est écrasé. Roland était déjà épatant à l'École des Midships... il était doué... »

Keefer tira nerveusement sur sa cigarette. « Je ne sais pas comment je me serais comporté. Ce qui est sûr, c'est que ce sont des décisions qui se prennent au-dessous du niveau de l'intelligence. C'est de l'instinct. Rollo avait de bons instincts. On ne sait jamais tant qu'on n'a pas essayé... Enfin... » Il tourna les talons et se dirigea vers sa cabine. « C'est tout de même idiot que je l'aie manqué la semaine dernière... »

Willie lui posa la main sur le bras. « Je suis navré, Tom. Pour Roland, et pour vous, aussi. »

Keefer s'arrêta. Il mit une main sur ses yeux et se frotta très fort, en disant. « Nous n'avons jamais été très proches l'un de l'autre, vous savez. Nous n'habitions pas la même ville. Mais je l'aimais bien. Nous avions eu l'occasion de nous connaître un peu mieux au collège... mais je crois que je le trouvais trop balourd. Mon père a toujours préféré Rollo. Il doit avoir ses raisons. » Keefer passa dans sa cabine et referma les rideaux derrière lui.

Willie monta sur le gaillard d'avant et marcha de long en large pendant près d'une heure, ses regards revenant sans cesse à la coque tordue et noire de suie du *Montauk*. Le soleil se coucha d'un rouge écarlate, et une brise fraîche rida l'eau du lagon. Willie s'efforçait d'imaginer le gros et indolent Roland Keefer, l'astucieux tire-au-flanc, dans le rôle héroïque qu'il avait joué à Leyte. Il n'y arrivait pas. Il aperçut l'étoile du soir qui brillait dans le ciel au-dessus des palmiers d'Ulithi et, à côté d'elle, un croissant de lune effilé comme une lame. Il pensa tout d'un coup que Roland Keefer ne verrait plus jamais des spectacles comme celui-là, et il s'accroupit entre les boîtes de munitions et pleura un petit peu.

A minuit ce soir-là, Willie termina son quart et tomba lourdement dans sa couchette. Il dormait d'un sommeil illuminé de rêves où figurait May Wynn, quand il sentit des doigts lui piquer les côtes. Il poussa un grognement, s'enfouit le visage dans son oreiller et dit : « C'est Ducely que vous cherchez. L'autre couchette. Je viens de terminer mon quart.

— C'est vous que je cherche », fit la voix de Queeg. Réveillez-vous.

Willie sauta de son lit, nu comme un ver, les nerfs à fleur de peau. « Oui, commandant... »

La silhouette de Queeg, tenant à la main une feuille de Fox, se découpait sur le fond rougeâtre de la coursive. « Voilà un message du Personnel pour nous. Il vient d'arriver il y a deux minutes. » Willie cherchait machinalement son caleçon. « Pas la peine de mettre quelque chose, il ne fait pas froid dans le carré, déchiffrez ça, et que ça saute. »

Le cuir de la chaise du carré collait aux cuisses nues de Willie. Queeg penché par-dessus son épaule frappait lettre après lettre. Le message était court : *Enseigne Alfred Peter Ducely muté. Se présenter de toute urgence au Personnel Washington pour nouvelle affectation. Priorité quatre pour transport aérien.*

— C'est tout ce qu'il y a? demanda Queeg d'une voix étouffée.

— C'est tout, commandant.

— Depuis combien de temps Ducely est-il à bord, d'ailleurs?

— Depuis janvier, commandant... neuf mois.

— Bigre, ça nous ramène à sept officiers... Ils sont fous au Personnel...

— Nous avons toujours le; deux nouveaux qui sont en route, commandant. Farrington et Voles. Si jamais ils nous rattrapent.

— Mr. Ducely peut parfaitement attendre leur arrivée pour sa mutation. J'ai dû lui faire un rapport d'aptitude trop élogieux, ou quelque chose comme ça.

Le commandant s'en allait, d'un pas traînant, les épaules rentrées dans sa vieille robe de chambre; Willie lança d'une voix faussement ensommeillée : « Sa mère possède un chantier de constructions navales, commandant.

— Un chantier naval, dites-vous? » fit Queeg, et il claqua la porte.

Après cela, plus personne ne vit le commandant pendant toute une semaine, sauf le pharmacien; il avait une migraine épouvantable, annonça-t-il à Maryk par téléphone. Le second prit entièrement le commandement du navire.

CHAPITRE XXVI

VINGT QUARTS DE FRAISES

J'ai le blues de Tache Jaune
Le blues du Vieux Tache Jaune.
Pour la bagarre et le coup de feu,
Très peu pour moi, très peu, très peu
J'ai le blues de Tache Jaune...

SUR le petit piano délabré du bar des officiers de Mogmog, Willie Keith retrouvait, un peu rouillés, ses talents d'improvisateur. Il était complètement ivre, ainsi que Keefer, Harding et Paynter, qui faisaient cercle autour de lui, verres en main, chantant entre deux éclats de rire. L'officier de tir s'écria : « C'est moi, qui vais dire le prochain couplet!

J'ai le blues de Tache Jaune,
Le blues du Vieux Tache Jaune.
Faut voir trembler les durs à cuire,
Quand il voit un pan d'chemise sortir...
Oh, le blu-u-es de Tache Jau-au-ne.

Willie riait si fort qu'il en tomba de son tabouret. Paynter, en se penchant pour le ramasser, renversa son verre de whisky qui fit de grandes traînées sombres sur la chemise de Willie, et les hurlements frénétiques des quatre officiers attirèrent l'attention des autres groupes moins joyeux du bar.

Jorgensen s'approcha d'eux d'un pas vacillant, le bras autour du cou d'un grand enseigne bien en chair, aux dents proéminentes, et au visage de collégien criblé de taches de rousseur. « Les enfants, est-ce que vous voulez des fraises avec votre glace? » dit Jorgensen d'un ton de conspirateur. Un chœur de rugissements pâteux lui répondit : « Eh bien, tant mieux, dit-il, car voilà mon vieux copain du pavillon Abbot, Bobby Pinckey, et sur quel navire croyez-vous qu'il est sous-lieutenant? Mais sur le vieux *Bridge* qui trimbale toute la becquetance... »

Les officiers du *Caine* accablèrent l'enseigne Pinckey sous leurs poignées de mains. Il sourit de toutes ses dents et dit : « Figurez-vous qu'on vient de nous apporter au mess une cinquantaine de quarts de fraises congelées, et je sais que sur ces vieux rafiots vous ne rigolez pas tous les jours. C'est moi qui ai la garde du mess... alors si Jorgy ou l'un de vous veut bien passer demain ou après-demain... »

Keefer jeta un coup d'œil à sa montre et dit : « Willie, parez le canot. Nous allons cueillir des fraises.

— A vos ordres, lieutenant. » Willie plaqua avec fracas les dernières mesures de *Levons l'Ancre*, referma bruyamment le piano et sortit.

De retour dans le carré, les officiers expédièrent rapidement le dîner, impatients qu'ils étaient d'arriver au dessert. Les cambusiers servirent enfin la glace avec une pompe inaccoutumée et de grands sourires. Dans chaque assiette s'étageait une pyramide de fraises délicatement rosées. La première tournée fut avalée en un clin d'œil et on réclama à grands cris le rabiot. A ce moment Queeg fit son entrée, en robe de chambre. Les rires cessèrent aussitôt et un à un les officiers se levèrent en silence. « Restez assis, restez assis, dit le commandant d'un ton affable. Qui dois-je remercier pour les fraises? Whittaker vient de m'en apporter un plat.

— Jorgensen s'en est procuré sur le *Bridge*, commandant, dit Maryk.

— Bien joué, Jorgensen, très bien joué. Combien en avons-nous?

— Vingt quarts, commandant.

— Vingt quarts? Parfait. J'en reprendrais bien un peu. Dites à Whittaker de m'apporter une autre part de glace avec beaucoup de fraises. »

Le commandant se fit apporter à plusieurs reprises de nouvelles rations de fraises, la dernière fois à onze heures, tandis que les officiers assis autour de la table dans une atmosphère devenue rare camaraderie, échangeaient des souvenirs sur leurs exploits amoureux tout en buvant du café. Willie alla se coucher, ce soir-là, plus heureux qu'il ne l'avait été depuis longtemps.

« Vlan, vlan, vlan... » Quoi? murmura-t-il en ouvrant les yeux dans le noir. Jorgensen, penché sur lui, le secouait comme un prunier. Je ne suis pas de quart...

— Réunion de tous les officiers dans le carré, immédiatement. » Jorgensen se redressa pour aller infliger le même traitement à l'occupant de la seconde couchette. « Allons, Duce, debout. »

Willie regarda sa montre : « Bon Dieu, il est trois heures du matin. C'est pour quoi cette réunion?

— Pour les fraises, dit Jorgensen. Debout, Duce, allons. Il faut que j'aille réveiller les autres. »

Dans le carré, les officiers plus ou moins dévêtus s'assirent autour de la table, les cheveux ébouriffés, les visages encore fripés de sommeil. Queeg présidait, dans sa robe de chambre rouge; il fixait droit devant lui un regard courroucé et roulait vivement ses billes dans sa main. Il ne fit pas un geste quand Willie entra à pas de loup, en boutonnant sa chemise et se laissa tomber sur une chaise. Dans le long silence qui suivit, Ducely arriva, puis Jorgensen, suivi de Harding, qui portait la cartouchière de l'officier de quart.

— Tout le monde est là, commandant, dit Jorgensen du ton onctueux d'un maître de cérémonies. Queeg ne broncha pas. On n'entendait que le frottement régulier des billes d'acier. Des minutes d'un lourd silence passèrent. La porte s'ouvrit et Whittaker, le chef cambusier, entra, portant une boîte de fer-blanc. Quand il l'eut posée sur la table, Willie s'aperçut qu'elle était pleine à ras bord de sable. Le Noir roulait des yeux apeurés; la sueur coulait le long de ses joues maigres et il se passait nerveusement la langue sur les lèvres.

— Vous êtes sûr que cette boîte fait bien vingt quarts, dit Queeg.

— Oui, com'ndant. C'est une boîte de po'c, com'ndant. On s'en se't souvent à la cuisine...

— Très bien. Un crayon et du papier, je vous prie, dit le commandant sans s'adresser à personne en particulier. Jorgensen sauta sur ses pieds et tendit à Queeg son crayon et un carnet. Monsieur Maryk, combien de portions de glace avez-vous prise ce soir?

— Deux, commandant.

— Monsieur Keefer?

— Trois, commandant.

Queeg interrogea tour à tour tous les officiers, notant chaque fois leur réponse. « Maintenant, Whittaker, vos hommes ont-ils eu des fraises?

— Oui, com'ndant. Une po'tion chacun, com'ndant. Mr. Jo'gensen a dit qu'on pouvait, com'ndant.

— C'est exact, commandant, dit Jorgensen.

— Une seule portion chacun. Vous êtes bien sûr, dit Queeg effleurant le noir du regard. C'est une enquête officielle, Whittaker. Vous risquez gros en me mentant, ça peut aller jusqu'à plusieurs années de pénitencier.

— Su' ma tête, com'ndant, je le ju'e. Je les ai se'vi moi-même, et j'ai mis le 'este sous clef. Une po'tion, com'ndant, je le ju'e.

— Très bien. Cela fait trois de plus. Et j'en ai pris quatre. » Le commandant fit le total à mi-voix. « Whittaker, apportez une soupière et la louche avec laquelle vous avez servi les fraises.

— Bien, com'ndant. » Le noir passa dans l'office et en revint un instant plus tard avec les ustensiles demandés.

— Maintenant... versez dans cette soupière une quantité de sable égale à la quantité de fraises que vous versez sur une portion de glace.

Whittaker contempla la boîte pleine de sable, la louche et la soupière, comme si c'étaient les éléments d'une bombe qui, une fois montée, allait lui sauter à la figure. « Com'ndant, je sais pas exactement...

— Soyez aussi généreux que vous voulez. »

D'un geste mal assuré, le noir transvasa une pleine louche de sable de la boîte dans la soupière. « Faites circuler la soupière. Regardez, messieurs... Voyons, reconnaissez-vous que c'est à peu près la quantité de fraises que vous avez eue avec chaque portion de glace? Très bien. Whittaker, recommencez vingt-quatre fois. » Le sable diminua dans la boîte et vint s'amonceler dans la soupière. Willie se frotta les yeux pour ne pas retomber endormi. « Bon. Maintenant, pour faire bonne mesure, versez encore trois fois... Bon. Monsieur Maryk, prenez cette boîte de vingt quarts et dites-moi combien il reste de sable. »

Maryk regarda la boîte et dit: « Quatre ou cinq quarts, ou un petit peu moins, commandant.

— Bon. » Le commandant alluma posément une cigarette. « Messieurs, dix minutes avant que je convoque cette réunion, j'ai demandé qu'on me fasse monter de la glace et des fraises. Whittaker m'a apporté un peu de glace en me disant : « P'us de f'aises. » L'un de vous, messieurs, a-t-il une explication sur la disparition de ce quart de fraises? » Les officiers échangèrent des regards à la dérobée; personne ne dit mot. « Bon. » Le commandant se leva. « *Moi*, j'ai une opinion assez nette sur ce qui leur est arrivé. Mais c'est vous, messieurs, qui êtes censés maintenir l'ordre sur ce navire et empêcher des crimes comme le pillage des stocks du mess. Je vous constitue tous en commission d'enquête, à partir de maintenant, Mr. Maryk étant président, avec mission de découvrir ce qu'il est advenu des fraises.

— Vous voulez dire, au matin, commandant? dit Maryk.

— J'ai dit maintenant, monsieur Maryk. Maintenant, d'après ma montre, ce n'est pas le matin, mais trois heures quarante-sept. Si vous n'obtenez pas de résultats d'ici huit heures du matin, je résoudrai ce mystère moi-même... non sans avoir dûment noté sur vos rapports d'aptitude votre incapacité à vous acquitter de cette mission. »

Quand le commandant fut parti, Maryk commença par réinterroger d'un ton las Whittaker. Puis il fit venir les assistants cambusiers. Les trois nègres se tenaient côte à côte, répondant respectueusement aux questions que leur lançaient divers officiers. On finit par leur arracher non sans peine que quand ils avaient rangé la boîte de fraises sous clef à onze heures et demie, — ils ne se rappelaient plus qui l'avait mise dans le frigidaire — elle contenait encore des fraises — combien exactement, ils ne pouvaient le dire. Whittaker avait été appelé par l'officier de quart à trois heures du matin, pour apporter une autre portion de glace aux fraises au commandant et n'avait plus trouvé dans la boîte qu'un fond de jus rosâtre. Les officiers harcelèrent les noirs jusqu'à l'aube, sans les faire démordre de cette version. Maryk, épuisé, finit par les congédier.

— C'est une impasse, dit le second. Ils ont peut-être bouffé les fraises eux-mêmes. On ne le saura jamais.

— Ce n'est pas moi qui le leur reprocherais, dit Harding. Il n'en restait pas assez pour un repas.

— Tes cambusiers ne musselleras, quand ton dessert se taperont, fit Willie en bâillant.

— Pour ce qui est du rapport d'aptitude, Steve et moi, nous nous en foutons, dit Keefer en reposant sa tête sur ses bras. C'est simplement pour vous, le menu fretin. Lui ou moi, nous serons peut-être appelés à remplacer Queeg. Nous sommes des officiers remarquables, quoi qu'il arrive. Je pourrais le traiter de Dieu sait quoi face à face... je l'ai pratiquement fait. J'ai encore eu un 40 à mon dernier report.

Ducely, la tête penchée sur la poitrine, ronflait avec un bruit de gargouillis. Maryk lui jeta un coup d'œil dégoûté et dit : « Tom, si vous tapiez un rapport avant de vous pieuter, et que je lève la séance maintenant.

— Il sera sur votre bureau, dit Keefer, dans environ cent vingt secondes. » Il entra d'un pas lourd dans sa cabine et la machine à écrire se mit à cliqueter.

La sonnerie du téléphone du carré retentit dès huit heures; c'était Queeg convoquant le second dans sa cabine. Maryk reposa d'un air malheureux un morceau de galette piqué sur sa fourchette, but rapidement son café et quitta la table. Quelques remarques saluèrent sa sortie :

— Opération Fraises, seconde phase.

— Faites donner l'écran de fumée.

— Préparez vos fesses, Steve.

— Si ça se corse, lancez donc une bouée colorante.

— Qui faut-il prévenir en cas d'accident?

Queeg était à son bureau, vêtu de frais, son visage bouffi déjà rasé. Maryk vit là un signe de mauvais augure. Il tendit au commandant le rapport de la Commission d'Enquête intitulé : *Rapport de la Commission d'Enquête. Objet : disparition de fraises.* Queeg, billes en main, lut soigneusement les feuillets dactylographiés. Il les reposa d'un geste sec. « Insuffisant.

— Je suis désolé, commandant. Les hommes mentent peut-être, mais c'est une impasse. Leur histoire se tient...

— Votre Commission a-t-elle envisagé la possibilité qu'ils puissent dire la vérité? »

Maryk se gratta la tête, et se dandina d'un pied sur l'autre. « Commandant, dit-il, ça voudrait dire que quelqu'un a fracturé le frigidaire du carré. Or, Whittaker n'a jamais dit que le verrou avait été forcé...

— L'idée ne vous est pas venue que quelqu'un à bord pouvait avoir un double de la clef du frigidaire?

— Non, commandant.

— Ah, et pourquoi donc?

— Heu... bredouilla Maryk, mais... commandant, c'est moi qui ai acheté le verrou. Il n'y avait que deux clefs. Whittaker en a une, et j'ai l'autre...

— Et si quelqu'un avait un jour volé la clef de Whittaker pendant qu'il dormait et s'en était fait faire un double... avez-vous pensé à cette possibilité?

— Non, commandant...

— Pourquoi pas? »

Le second regarda par le petit hublot. Il apercevait au mouillage l'étrave du croiseur léger *Kalamazoo* qui avait été touché par un avion-suicide à Leyte. La plage avant était tordue et déchiquetée d'un côté et Maryk ne voyait que des tôles arrachées et noircies, au milieu desquelles se dressait la silhouette insolite d'un manche à air. « Commandant, je crois qu'il y a une infinité d'autres possibilités, mais nous n'avions guère le temps de les examiner toutes cette nuit...

— Pas le temps? Vous n'avez pas siégé sans arrêt jusqu'à maintenant?

— Je crois, commandant, que le rapport précise que la séance a été levée à cinq heures moins dix.

— Eh bien, vous auriez peut-être trouvé un tas de choses pendant les trois heures que vous avez passées dans vos toiles. Je vais donc prendre en mains l'enquête, comme je l'avais dit. Si je résous le mystère, comme j'en suis persuadé, la commission pâtira d'avoir obligé le commandant du bord à faire son travail... Envoyez moi Whittaker. »

Toute la matinée, les cambusiers se succédèrent d'heure en heure dans la cabine du commandant. Willie qui était de quart réglait la circulation. A dix heures, il fut distrait de la crise des fraises par l'arrivée des deux nouveaux enseignes, Farrington et Voles, amenés de la plage par un bateau de débarquement. Il toisa les nouvelles recrues qui attendaient timidement sur la plage arrière que les matelots aient terminé de monter leur paquetage, et décida que Farrington était sympathique et Voles, pas. Ce dernier avait les épaules voûtées, un teint verdâtre et une voix aiguë. Il avait l'air plus âgé que Farrington, qui était le type même de l'enseigne comme on en voit sur les publicités de cigarettes, beau garçon au teint coloré et aux yeux bleus. Le regard à la fois las et ironique qu'il promenait sur le vieux bateau délabré accentuait encore son charme. Willie aima tout de suite sa chemise grise froissée et son sourire plein d'humour. Voles au contraire était sanglé dans une chemise impeccable. « Attendez ici, messieurs », dit-il. Il se dirigea vers l'avant et alla frapper à la cabine du commandant.

— Qu'est-ce que c'est? cria Queeg d'une voix irritée. Il était assis dans son fauteuil tournant, une main passée par-dessus le dossier et roulait activement ses billes contre ses doigts. Le noir Rasselas était debout contre le mur, les mains derrière le dos, souriant de toutes ses dents, et la sueur lui ruisselant sur le nez.

— Je vous demande pardon, commandant, dit Willie. Voles et Farrington sont là.

— Qui ça?

— Les nouveaux officiers, commandant...

— Ah, ça n'est pas trop tôt. Bon. Je n'ai pas le temps de les voir maintenant. Envoyez-les à Maryk. Dites-lui de les loger et de s'occuper d'eux.

— Bien, commandant. Au moment de repartir, Willie rencontra le regard de Rasselas. Le noir avait les yeux mornes et suppliants du veau qu'on mène à l'abattoir. Willie haussa les épaules et sortit.

A midi, le commandant fit venir Maryk. « Bon, Steve, dit-il, allongé sur sa couchette, tout se déroule jusqu'à maintenant comme je l'avais prévu. Les cambusiers disent la vérité. Je sais comment prendre ces gars-là, j'ai été assez longtemps officier de mess dans mon jeune temps. Vous pouvez les éliminer de la liste des suspects.

— Bien, commandant.

— Je crois que je leur ai fichu une frousse du diable, mais ça ne leur fait pas de mal de temps en temps. » Le commandant gloussa. Terroriser les cambusiers l'avait mis de plaisante humeur. « Nous pouvons éliminer également la possibilité que quelqu'un ait pris la clef de Whittaker. Il dormait tout habillé et la clef était à une chaîne fixée à sa ceinture. Et il a le sommeil léger. J'ai pu le constater. » Queeg lança au second un regard de triomphe. « Voilà qui éclaircit passablement la situation, vous ne trouvez pas? »

Maryk dévisageait respectueusement le commandant, figé au garde à vous et bien décidé à ne pas souffler mot à moins d'y être obligé.

— Je vais vous raconter une histoire, Steve. Ça remonte au temps de paix. Ça s'est passé à bord d'un destroyer, le *Barzun*, en 37, quand j'étais enseigne de seconde classe, chargé du mess. Un jour, on s'est aperçu qu'il manquait cinq livres de fromage dans les comptes de la popote. Le fromage n'était plus dans le frigidaire, il n'avait pas servi à la cuisine, ni à faire des sandwiches, ni rien. Je l'avais prouvé. Il s'était simplement volatilisé, comme les fraises. Le second après de vaines palabres m'a dit : « Bah,

Queeg, laissez tomber », mais comme vous savez, je suis du genre têtu. Après des enquêtes tortueuses, des petits cadeaux par-ci par-là, j'ai fini par découvrir qu'un grand pendard du nom de Wagner avait un soir pris l'empreinte de la clef du cuisinier pendant que celui-ci dormait, qu'il s'était confectionné un double et que, chaque fois qu'il en avait l'occasion, il allait casser un peu la graine avant le réveil. Je l'ai fait avouer et il a récolté un certificat de mauvaise conduite au conseil de discipline... et moi, j'ai eu une belle lettre de félicitations dans mon dossier et, dans ce temps-là, ça n'était pas mal pour l'avancement... Voilà. Vous voyez?

Maryk sourit d'un air absent.

— Tout ce qui nous reste à faire maintenant, dit Queeg, c'est de trouver quel est le petit futé à bord du *Caine* qui s'est fait faire un double de la clef du frigidaire. Ça ne devrait pas être bien sorcier.

— Vous supposez, commandant, fit Maryk, après un long silence, que c'est ce qui s'est passé?

— Je ne *suppose* rien, cria le commandant, d'un ton furieux. On ne peut rien supposer dans la Marine! Je sais que quelqu'un a un double de cette clef. Toutes les autres possibilités ont été éliminées, non? Qu'est-ce que vous croyez, vous... que les fraises se sont volatilisées comme ça?

— Ma foi, commandant, je ne sais pas trop que penser...

— Nom de Dieu, Steve, un officier de marine doit pourtant être capable de suivre un raisonnement de logique élémentaire. Je viens de m'escrimer à vous prouver qu'il n'y avait pas d'autre possibilité. Sur quoi le commandant reprit tous les arguments qu'il venait d'exposer à son second. « Vous m'avez suivi cette fois?

— Je vous ai suivi, commandant.

— Ah, Dieu soit loué. Bon... Maintenant, voilà ce que nous allons faire. Rassemblez l'équipage. Dites que chaque homme va rédiger un rapport précisant son emploi du temps de onze heures hier soir à trois heures ce matin, en nommant deux camarades susceptibles de corroborer sa déclaration qui sera faite sous la foi du serment. Je veux tous ces rapports sur mon bureau à dix-sept heures. »

Urban frappa et entra, portant un message recopié au crayon. « Message optique de la plage », commandant, dit-il, vérifiant d'une main nerveuse si sa chemise était bien rentrée dans son pantalon. Le commandant lut le message et le tendit à Maryk. Le *Caine* avait l'ordre de quitter Ulithi dans l'après-midi pour escorter le *Montauk*, le *Kalamazoo* et deux autres destroyers endommagés à Guam.

— Bon, dit Queeg. Que tout le monde s'apprête à appareiller. Nous allons avoir un peu de distraction pendant ce voyage, avec cette petite enquête policière. Ça va nous changer un peu.

— Bien, commandant.

— Voilà le moment, Tom, d'utiliser vos talents oratoires, dit le commandant. Il était assis à son bureau, les déclarations des hommes d'équipage étalées devant lui. Keefer était adossé à la porte. On était le lendemain matin à neuf heures, et le *Caine* voguait paisiblement sur une mer d'huile, faisant écran aux navires avariés. « Asseyez-vous, Tom, asseyez-vous. Installez-vous sur ma couchette. Eh oui, tout se dénoue comme prévu, poursuivit le commandant. Je suis pratiquement certain de tenir mon lascar. Tout colle. Et c'est bien l'homme que je m'attendais à voir faire un tour pareil. Le motif, l'occasion, la méthode employée... tout concorde.

— Qui est-ce, commandant? demanda Keefer, perché de guingois sur le lit de Queeg.

— Ha ha! Pour l'instant, c'est mon secret. Je voudrais que vous lanciez une petite proclamation. Branchez le courant du haut-parleur, voulez-vous, Tom, et dites — tournez ça comme vous voudrez, vous ferez ça bien mieux que moi — dites que le commandant sait qui a un double de la clef du frigidaire. Le coupable s'est dénoncé lui-même par sa déclaration qui est la seule à ne pas tenir debout et... eh bien, dites qu'il a jusqu'à midi pour venir trouver le commandant. S'il le fait, cela vaudra mieux pour lui que s'il attend que je le fasse arrêter... Vous pensez que vous pourrez expliquer tout ça?

— Je pense que oui, commandant, fit Keefer d'un ton hésitant. Voilà à peu près ce que je vais dire. » Il répéta la teneur de la menaçante proclamation du commandant. « C'est bien cela, commandant?

— C'est parfait. Tâchez d'employer exactement ces termes. Dépêchez-vous. » Le commandant rayonnait d'excitation.

Willie Keith, les jumelles de l'officier de quart en bandoulière, arpentait la passerelle, examinant le ciel. La fumée des cheminées empestait l'air. Keefer s'approcha et dit : « Je demande l'autorisation de faire une proclamation sur ordre du commandant...

— Mais comment donc, dit Willie. Regardez donc ça avant. » Il emmena Keefer devant le baromètre fixé au fond du kiosque de barre. Sur le cadran gris l'aiguille penchait à gauche jusqu'à 750. « Qu'est-ce que vous dites de ça, dit Willie, avec un beau ciel bleu comme aujourd'hui? »

Keefer eut une moue pensive. « Pas de typhons annoncés?

— Steve a tous les relevés dans la chambre des cartes. Venez voir. »

Les deux officiers déplièrent et étalèrent sur la table une vaste carte bleue et jaune du Pacifique central. Des tracés de tempêtes étaient marqués en pointillés rouges sur la carte, mais aucun d'eux n'était à moins de centaines de kilomètres de leur position. « Dans ce cas, dit Keefer, je ne sais pas. C'en est peut-être un nouveau qui mijote par ici. C'est la saison. Vous l'avez dit au commandant? » Willie acquiesça. « Qu'est-ce qu'il a dit?

— Rien. Il m'a fait « hmm » comme d'habitude. »

Keefer entra dans la timonerie, abaissa le levier de contact du haut-parleur et se tut un instant. « Écoutez tous, dit-il enfin. L'annonce suivante est faite sur ordre du commandant. » Lentement, et en articulant bien ses mots, il répéta le message du commandant. Les matelots qui se trouvaient dans la timonerie échangèrent des coups d'œil rapides, puis reprirent leur air absent.

Queeg attendit toute la matinée dans sa cabine. Personne ne vint. A midi et quart, le commandant commença à faire venir divers membres de l'équipage, les uns séparément, d'autres par deux ou par trois. Toutes les quinze ou vingt minutes une convocation retentissait dans les haut-parleurs. Les contre-interrogatoires se poursuivirent jusqu'à quatre heures; Queeg fit alors venir Maryk et Keefer. Les deux officiers trouvèrent dans la cabine Bidon que le commandant interrogeait. Le gros visage du secrétaire était parfaitement inexpressif. « Je vous le dirais si je le savais, commandant, disait-il. Vraiment, je ne sais pas, je dormais.

— Mon expérience, dit Queeg, vautré dans son fauteuil, et roulant les billes entre ses doigts, m'a montré que le secrétaire du bord est généralement au courant de tout ce qui se passe. Je ne veux pas dire que vous savez quelque chose. Je ne vous demande pas de dénoncer quelqu'un. Je vous dis simplement que j'aimerais beaucoup mettre un avis favorable sur votre demande de stage à l'école des sous-officiers d'administration de San-Francisco. Une fois ce mystère éclairci, le coupable démasqué, et le procès-verbal de conseil de discipline dactylographié, je crois que nous pourrions nous passer de vous, Porteous. Voilà tout. »

Une lueur d'intérêt s'alluma dans le regard morne du secrétaire. « Bien, commandant, dit-il, et il sortit.

— Bon, mes enfants, dit le commandant d'un ton joyeux à ses officiers. Nous touchons au but.

— Vous allez faire une arrestation, commandant? dit Keefer.

— Je pense bien, dit Queeg, dès que nous nous serons assurés d'une preuve supplémentaire. C'est ici que vous intervenez. Il va falloir nous organiser.

— L'équipage attendait une arrestation à midi, dit le second.

— C'est toujours une bonne chose que de les laisser dans l'expectative. Ce que nous avons à faire maintenant — c'est d'ailleurs la seule chose qui reste à faire — c'est de trouver le double de cette clef. Quelle méthode proposez-vous, messieurs? » Queeg tournait vers ses officiers un visage éclairé d'un large sourire. « Pas commode, hein? Eh bien, voilà ce que nous allons faire. En trois points. Premier point. Nous allons rassembler toutes les clefs qui se trouvent à bord, avec chacune une étiquette portant le nom du propriétaire. Second point. Nous allons fouiller le navire et fouiller chacun des hommes pour être absolument *certains* d'avoir toutes les clefs. Troisième point. Nous allons essayer toutes les clefs sur le verrou de l'office. La clef qui ouvrira nous fournira, par son étiquette, le nom du coupable. »

Keefer et Maryk étaient confondus. Le commandant les regarda. « Eh bien, pas de questions? Vous reconnaissez que c'est la seule méthode à suivre?

— Commandant, avança prudemment Keefer, je croyais que vous m'aviez dit ce matin que vous saviez qui avait volé les fraises.

— Bien sûr que je le sais. Je lui ai parlé cet après-midi même. Il a menti bien entendu, mais je l'ai coincé.

— Alors, pourquoi ne pas l'arrêter?

— Il faut bien avoir une preuve concrète, si on veut le condamner, dit Queeg d'un ton sarcastique.

— Vous avez dit que sa déclaration l'avait trahi...

— Évidemment. Simple déduction logique. Tout ce qu'il nous faut maintenant, c'est la clef elle-même.

— Commandant, dit Maryk, est-ce que vous saviez qu'il y avait peut-être deux mille clefs à bord?

— Et si même il y en avait cinq mille? Vous les classez, il y en a pour une heure, et il ne vous en reste que quelques centaines susceptibles de s'adapter à la serrure du verrou. Vous pouvez en essayer une par seconde, soixante à la minute, soit dix-huit cents clefs à l'heure. Qu'est-ce qui vous tracasse? »

Le second se frotta le crâne, prit une profonde inspiration et dit : « Je vous demande pardon, commandant, mais je ne crois pas que ce plan ait une chance de réussir. Je crois que vous allez affoler l'équipage et vous le rendre hostile pour rien...

— Et pourquoi ne réussirait-il pas? dit Queeg, les yeux baissés vers ses billes.

— Tom, est-ce que vous croyez, vous, que ça puisse marcher? » demanda Maryk en se tournant vers l'officier de tir.

Keefer jeta un coup d'œil en coulisse à Queeg, puis fit un clin d'œil au second. « Je ne vois pas ce qu'on risque à essayer, Steve.

— J'aimerais connaître vos objections, monsieur Maryk, fit Queeg, d'un ton pointu.

— Commandant, je ne sais pas par où commencer. Je ne crois pas que vous y ayez réfléchi à fond. Voyons... tout d'abord, nous ne savons pas si cette clef existe bien...

— Permettez-moi de vous interrompre dès maintenant. Je vous dis, moi, qu'elle existe, donc vous n'avez pas à penser autrement...

— Très bien, commandant. Supposons qu'elle existe. Supposons qu'on commence la perquisition. Il y a un million de trous, de conduites, de fentes, de boîtes et de niches à bord où on pourrait cacher une clef. On pourrait même la jeter à l'eau. Les chances de la trouver seraient pratiquement nulles. Et quant à compter qu'un homme vous la remettra avec son nom attaché après, croyez-vous que quelqu'un puisse être fou à ce point-là?

— Le monde est plein de fous, dit Queeg. A vous dire vrai, puisque vous me parlez comme si j'étais le dernier des imbéciles, je ne *crois pas* qu'il me la remettra. Mais je crois qu'il la cachera et que nous la trouverons, ce qui constituera une preuve suffisante. Quant à la jeter par-dessus bord, ne vous inquiétez pas, il ne va pas faire ça après le mal qu'il a eu à se la procurer...

— Commandant, on pourrait cacher une clef dans la batterie avant, et je pourrais fouiller pendant tout un mois sans la trouver, pour ne prendre que cet endroit-là comme exemple.

— Tout ce que vous dites là revient à avouer que vous n'êtes pas capable d'organiser une perquisition intelligente, et je crois que sur ce point vous avez raison. C'est donc *moi* qui organiserai les recherches...

— Commandant, vous avez dit une fouille individuelle de tout l'équipage aussi. Cela veut dire que les hommes devront se déshabiller...

— Nous sommes dans un climat tropical, personne ne prendra froid, dit Queeg en ricanant.

— Commandant, puis-je me permettre de vous demander respectueusement : est-ce que cela vaut la peine de faire tout ça à l'équipage pour un quart de fraises?

— Monsieur Maryk, nous avons un chapardeur à bord. Proposez-vous que je le laisse continuer à chaparder ou peut-être même que je lui décerne publiquement des éloges?

— Qui est-ce, commandant? » lança brusquement Keefer.

Queeg prit un petit air de conspirateur, hésita un peu, puis dit : « Que ceci reste entre nous trois, bien entendu... Eh bien, c'est Urban. »

Les deux officiers s'exclamèrent malgré eux et du même ton stupéfait : « Urban?

— Eh oui. L'innocent petit Urban. Ça m'a étonné moi aussi, et puis j'ai percé à jour la psychologie d'Urban. C'est le voleur type, pas d'erreur.

— C'est ahurissant, commandant, dit Keefer. C'est bien le dernier auquel j'aurais pensé. » Son ton était à la fois doux et apaisant.

Maryk lança un rapide coup d'œil à Keefer.

— Je sais bien, dit le commandant d'un ton suprêmement satisfait, que cela demandait pas mal d'intuition, Tom, mais c'est lui... Allons, au travail. Steve, mettez-vous tout de suite à rassembler les clefs. Annoncez la fouille pour demain matin dix heures et dites que quiconque sera trouvé porteur ou en possession d'une clef à ce moment-là passera en conseil de discipline. Demain je dirigerai en personne la perquisition et la fouille.

Les deux officiers sortirent et descendirent jusqu'au carré. Keefer suivit Maryk jusque dans sa cabine et tira les rideaux. « Eh bien, Steve... oui ou non, est-ce un fou dangereux? » dit-il à voix basse.

Maryk se laissa tomber dans son fauteuil et se frotta vigoureusement le visage. « Taisez-vous, Tom...

— Je me suis tu, Steve, il me semble. Je n'en ai pas parlé depuis l'histoire de Stilwell. Mais ça, c'est quelque chose de nouveau. Il a franchi la ligne rouge cette fois. »

Maryk alluma un cigare et souffla des nuages bleus. « Bon. Pourquoi?

— C'est une hallucination systématique. Je peux vous dire exactement ce qui s'est passé. C'est l'ordre de mutation de Ducely qui a fait déborder le vase. Ça a été un choc terrible pour le pacha. Vous avez vu dans quel état ça l'a mis. Nous sommes maintenant au stade suivant. Il essaie de remettre d'aplomb les débris de son *ego*. Il rejoue le plus grand triomphe de sa carrière navale : l'enquête du fromage à bord du *Barzun*. Les fraises n'ont aucune importance. Mais les circonstances fournissent un admirable point de départ à un drame policier qui va lui permettre de se prouver à lui-même qu'il est toujours le Queeg plein d'allant de 1937. Il a inventé cette histoire de double de la clef du frigidaire parce qu'il *faut* qu'il y en ait un, dans son intérêt... et non pas parce que c'est logique. C'est même contraire à toute logique. C'est de la folie...

— Mais alors, quelle est votre version à vous de la disparition des fraises?

— Mais les cambusiers les ont bouffées, naturellement! Vous le savez bien. Qui voulez-vous que ce soit?

— Il les a interrogés toute la matinée. Il les a terrorisés. Et il est sûr qu'ils ne sont pas coupables...

— J'aurais bien voulu assister à ces interrogatoires. Il les a *obligés* à s'en tenir à leurs mensonges. Il *voulait* qu'ils soient innocents. Sinon, il n'aurait pas pu monter le grand drame de la clef, vous comprenez?...

— Ça ne tient pas debout, Tom. C'est encore une de vos théories à la gomme.

— Ou bien la paranoïa n'existe pas, ou bien je suis sous les ordres d'un commandant paranoïaque », répliqua Keefer. Maryk prit nerveusement une feuille de rapport sur son bureau et se mit à la lire. « Steve, fit doucement Keefer. Connaissez-vous les articles 184, 185 et 186 du *Décret sur le Service à Bord?* »

Le second sursauta. « Bon Dieu, Tom », murmura-t-il. Il passa la tête dans l'entrebâillement des rideaux et jeta un coup d'œil dans la coursive. Puis il dit : « Pas si fort.

— Vous les connaissez, n'est-ce pas?

— Je sais de quoi vous parlez. » Le second prit une profonde inspiration et souffla lentement. « C'est vous qui êtes fou. Pas le pacha.

— Très bien », dit Keefer. Il regarda le second droit dans les yeux, fit demi-tour et sortit.

Ce soir-là, le second ajouta une longue note à son journal médical. Quand il eut fini, il rangea le dossier dans le coffre qu'il referma à clef et prit le gros volume relié de toile bleue et intitulé : *Décret sur le Service à Bord.* Il ouvrit le livre, regarda par-dessus son épaule les rideaux tirés, puis alla fermer la porte métallique qu'on laissait toujours ouverte sous les tropiques. Il rechercha l'article 184 et lut lentement : « *Des circonstances tout à fait extraordinaires peuvent se produire qui rendent nécessaire le remplacement du commandant du navire par un de ses subordonnés, soit après qu'il ait été procédé à son arrestation, soit après qu'il ait été placé sur les cadres; mais une telle mesure ne devra jamais être prise sans l'assentiment du Secrétariat à la Marine ou de toute autre autorité supérieure qualifiée, sauf dans les cas où il est absolument impossible de se référer à une telle autorité supérieure, en raison des délais qu'impliquerait ce recours, ou pour toute autre raison évidente...*

CHAPITRE XXVII

LA PERQUISITION

DE grands bancs de nuages gris s'amoncelaient dans le ciel. Un fort vent d'ouest balayait loin du pont la fumée des cheminées et faisait donner de la bande au *Caine* à chaque fois qu'il roulait sur bâbord. Des franges d'écume blanche apparurent çà et là sur la surface sombre et tourmentée de la mer. Des matelots passaient en titubant, rassemblant des clefs, distribuant des étiquettes, empruntant des plumes et des crayons, tout cela dans un constant murmure de jurons hostiles.

Vers sept heures, Willie Keith avait interrogé tous les hommes de son service. Sur sa couchette se trouvait un grand carton contenant quelque quatre cents clefs munies chacune d'une étiquette. Il empoigna le carton, traversa d'un pas hésitant le carré, déboucha sur le pont principal et se coula le long de la coursive rendue glissante par la pluie jusqu'à la cabine du commandant. Il frappa du pied dans la porte qui résonna : « Voulez-vous ouvrir, s'il vous plaît, commandant. J'ai les deux mains occupées. »

La porte s'ouvrit, ce qui éteignit automatiquement les lumières dans la cabine. Willie franchit le seuil et plongea dans le noir. La porte se referma derrière lui et les lumières se rallumèrent.

Il y avait là quatre personnes : le commandant, l'enseigne Voles, Bidon et Bellison. La couchette du commandant disparaissait sous une mer de clefs : il semblait y en avoir cent mille : des clefs de cuivre, d'acier, de fer, des clefs de toutes les tailles, qui s'emmêlaient les unes dans les autres et dans les ficelles des étiquettes. Sur le plancher, les cartons s'empilaient. Bidon et Bellison triaient à grand bruit les clefs en deux tas. L'enseigne Voles prenait celles du plus petit tas et les passait une à une au commandant. Queeg, assis à son bureau, pâle et les yeux rouges, mais plein d'enthousiasme, enfonçait l'une après l'autre les clefs dans le cadenas, essayait de les tourner et les rejetait dans un carton posé à ses pieds. Il lança un coup d'œil à Willie et aboya : « Ne restez pas planté là comme une souche, posez votre carton et filez », et reprit le rythme cliquetant : clef dans le trou, clac, clef dans le trou, clac, clef dans le trou, clac. Il régnait dans la cabine une odeur de renfermé et de fumée de tabac. Willie posa ses clefs sur le lit du commandant, sortit en hâte et s'en revint sur le gaillard d'avant.

Des rafales de pluie tombaient obliquement en travers de l'étrave. Le vent fouettait les jambes de pantalon de Willie et l'eau lui cinglait le visage. Il alla se mettre à l'abri contre le kiosque de pilotage. L'étrave plongea au creux d'une lame qu'elle coupa en deux panaches écumants en se relevant. Les embruns vinrent ruisseler sur le pont et sur la passerelle, aspergeant Willie.

Il aimait ces moments de solitude sur le gaillard d'avant et ce par tous les temps. La vaste mer et le vent frais versaient comme un baume sur toutes les irritations causées par la vie à bord du *Caine*. Dans l'ombre tourmentée du crépuscule, il apercevait les silhouettes vagues du *Montauk*, du *Kalamazoo* et du plus proche destroyer de l'écran, petites taches d'un noir plus intense sur la grisaille de l'océan. A l'intérieur de chacune de ces formes il y avait de la lumière, de la chaleur, du bruit, tous les mille rites de la vie à bord et — sans doute — des crises aussi graves et aussi extraordinaires que le drame des fraises à bord du *Caine*. Quel homme de quart sur l'une de ces autres passerelles, en voyant le vieux dragueur de mines plonger au creux des lames, pouvait deviner que l'équipage était au bord de la mutinerie, tandis que le commandant, enfermé dans sa cabine, les yeux brillants d'excitation essayait d'innombrables clefs dans un cadenas?

La mer était le seul élément de l'existence de Willie qui demeurât plus grand que Queeg. Le commandant avait pris dans l'univers une place envahissante, c'était un géant pervers et mauvais; mais quand Willie contemplait la mer et le ciel, il pouvait, du moins pour un moment, réduire Queeg aux proportions d'un homme maladivement plein de bonnes intentions et aux prises avec une tâche au-delà de ses forces. Les petites poussées de fièvre dont le *Caine* était atteint, les horaires rigoureux, les enquêtes, les étranges notes de service, les colères redoutées, tout cela arrivait par rapport à la mer à se rétrécir, pour un temps, à des dimensions comiquement minuscules. Mais Willie ne pouvait garder cette sérénité dans les ponts inférieurs : une réprimande, la sonnerie du téléphone du carré, une note griffonnée au crayon et il retombait dans la vie de fièvre. Mais, si peu qu'elle durât, l'impression de soulagement était délicieuse et réconfortante. Willie passa une demi-heure sur le gaillard d'avant noyé d'ombre et d'embruns, à aspirer à pleins poumons de grandes bouffées de vent humide, puis descendit.

Le lendemain matin, quand le *Caine* entra en rade d'Apra, à Guam, la pluie tombait toujours et les crêtes escarpées des collines étaient estompées dans une brume grisâtre. Le navire s'ancra à une bouée de mouillage, le long d'un nouveau destroyer de deux mille deux cents tonnes, le *Harte*. Dès qu'on eut fixé les amarres, Queeg fit poster des sentinelles en armes à tribord tous les cinq mètres pour empêcher quiconque de passer « la » clef à un ami à bord du destroyer. Il envoya également Jorgensen sur le *Harte*, pour demander à l'officier censeur de prévenir le commandant du *Caine* si jamais il trouvait des clefs dans le courrier du *Harte*. Le censeur, un lieutenant décharné, aux yeux creux cernés de violet, regarda Jorgensen comme s'il doutait de sa raison et lui fit répéter sa requête. Puis il finit par accepter.

Willie, cependant, aidait un Ducely tout jubilant à faire ses bagages. Queeg avait enfin approuvé le détachement de l'enseigne qui devait prendre à dix heures le canot du *Harte* pour se rendre à terre. « Pourquoi ne restez-vous pas un peu pour assister à la grande perquisition? » lui dit Willie.

Ducely, qui bouclait les serrures de sa magnifique valise en peau de porc, éclata de rire. Il portait sa tenue bleue marine qui empestait la naphtaline et arborait sur le sein gauche un ruban jaune neuf et deux *battle stars* [1]. « Willie, il était temps que je foute le camp de cette saloperie de rafiot. J'ai maudit chaque seconde que j'y ai passée et elles n'ont été que trop nombreuses. En ce qui concerne la perquisition, vous ne trouverez pas de clef. Il n'y en a pas.

— Je ne crois pas non plus qu'il y en ait, mais le spectacle sera gratiné...

— Je ne vous dis pas ce que je *crois*, Willie. Je *sais* qu'il n'y a pas de clef. » L'enseigne se pencha pour se voir dans la glace et se mit à peigner ses longs cheveux blonds.

— Qu'est-ce que vous savez exactement?

— Rien que je puisse vous dire. Je ne vais pas retomber dans les pattes de ce petit maniaque ventripotent, au moment où je retrouve ma liberté. Ducely versa sur sa brosse une lotion capillaire rose et la passa avec application sur ses mèches bouclées. Willie le saisit par l'épaule et le fit pivoter.

— Duce, cessez un peu de vous pommader, est-ce que vous savez quelque chose qui permette de tirer au clair cette histoire idiote? Dites-le-moi, sinon je vous jure que je raconte à Queeg que vous dissimulez une preuve...

— Mais non, Willie, fit l'enseigne en riant, vous ne direz rien au Vieux Tache Jaune. Je vous connais. J'ai abusé de votre faiblesse pendant dix mois. Je suis navré, Willie. La première fois

1. Étoiles indiquant qu'on a participé à un combat.

que je vous ai vu, je vous ai dit que j'étais un bon à rien. Je
suis comme ça. A New-York, j'ai un certain charme qui me
permet...

— Que savez-vous au sujet de ces sacrées fraises, Duce?

Ducely hésita, se mordillant les ongles. « Ce serait vraiment
honteux de ne pas vous le dire, mais à une condition. Vous attendrez
que je sois parti depuis vingt minutes pour parler...

— Entendu, entendu. Qu'est-ce que vous savez?

— Ce sont les cambusiers qui ont bouffé les fraises. Je les ai
vus vider la boîte. Il était une heure du matin. J'étais de quart
et j'étais descendu aux lavabos. Ils s'en payaient une telle tranche
qu'ils n'ont même pas dû me voir passer dans l'office...

— Pourquoi diantre n'avez-vous rien dit à la réunion?

— Willie, vous n'avez donc pas de cœur? Vous n'avez pas vu
la tête de Whittaker cette nuit-là? On ne m'aurait pas fait parler
si on m'avait fourré des fers rouges sous les ongles. » Il posa son
sac par terre. « Dieu, dire que je suis libre, libéré de cette maison
de fous...

— Veinard, grommela Willie. Vous n'avez pas oublié votre
annonce de corsets? »

Ducely eut l'air embarrassé, rougit, puis se mit à rire. « Je suppose que vous pourrez me faire chanter avec ça après la guerre.
Vous savez, Willie, pendant dix jours, elle m'a paru absolument
divine. Je ne sais pas ce qui m'a pris. Si j'étais resté encore un peu
sur ce bateau, je crois que j'aurais fini par me prendre pour Nelson. »
Il tendit la main à Willie. « Je suis un propre à rien, Willie, mais
je suis capable de respecter un héros. Serrez-moi la main.

— Allez vous faire fiche », grogna Willie en lui donnant une
poignée de main.

Whittaker apparut sur le seuil. « Réunion de tous les officiers,
missié Keith... »

Le carré était bourré d'officiers, de quartiers-maîtres et de seconds-maîtres, pour la plupart debout autour de la table. Queeg
présidait; il faisait rouler ses billes entre ses doigts, fumait, et examinait en silence plusieurs diagrammes au crayon rouge étalés
devant lui sur la table. Ducely traversa la foule sans se faire
remarquer et sortit. Queeg commença à exposer comment il
comptait s'y prendre. Il avait mis au point un plan pour amener
les hommes sur le pont, les faire se déshabiller et les fouiller par
groupes, puis les ramener dans des endroits déjà fouillés; Willie
constata intérieurement que ce plan était en tout cas ingénieux
et efficace. Il plaignait un peu Queeg. L'enthousiasme transformait
le commandant; pour la première fois depuis bien des mois, il
avait l'air sincèrement heureux; et c'était assez pathétique de
penser que toute cette flambée d'énergie était gaspillée en pure
perte. Quand on leva la séance, Willie tapa sur l'épaule de Maryk.
« Il faut que je vous parle, Steve. » Ils allèrent dans la cabine du
second, et Willie rapporta les paroles de Ducely.

— Bonté divine, dit Maryk, en appuyant sa tête sur son poing d'un air las. C'est donc finalement ça... Les cambusiers...

— Vous allez prévenir le pacha?

— Je pense bien, tout de suite. A quoi bon mettre tout le bateau sens dessus dessous maintenant? Je suis désolé pour les cambusiers, mais il faudra qu'ils trinquent. Ils n'avaient pas le droit de bouffer ces satanées fraises...

Maryk se rendit dans la cabine du commandant. Par terre, des clefs s'entassaient toujours par centaines dans des cartons. Le commandant était assis dans son fauteuil tournant, et jouait machinalement avec son cadenas. Il avait un uniforme propre, il était rasé de frais et ses souliers étincelaient. « Bonjour, Steve. Vous êtes prêt? C'est vous qui allez diriger ça, bien entendu, mais je vais superviser. Quand vous voudrez...

— Commandant, il y a un élément nouveau. » Maryk répéta la déclaration de Ducely. A mesure que Queeg en saisit le sens, sa tête s'enfonça entre ses épaules et ses yeux reprirent leur éclat mauvais.

— Voyons. Ducely l'a dit à Keith et Keith vous l'a répété. C'est Ducely qui est censé avoir assisté à la scène, et il est parti. C'est bien cela?

— Oui, commandant.

— Et comment pouvons-nous savoir si Ducely ou Keith disent bien la vérité...

— Commandant, ce sont tous les deux des officiers de marine...

— Oh, ne me racontez pas de boniments. Queeg prit deux billes d'acier dans une coupe sur son bureau. « Ducely est tout à fait capable d'avoir voulu faire une blague en partant, il est absolument irresponsable, et d'ailleurs nous ne sommes même pas sûrs de ce qu'il a réellement dit. Keith a bien choisi son moment pour nous raconter ça... *après* le départ de Ducely...

— Commandant, Ducely lui avait fait promettre...

— Je sais, vous me l'avez déjà dit. Je pourrais jouer un bon tour à Mr. Ducely, si je n'avais pas d'autres chats à fouetter. Il croit qu'il est parti et que c'est fini, hein? Je pourrais le faire revenir comme témoin oculaire... son avion n'a pas encore décollé... et le garder ici jusqu'à la Saint-Glinglin. Mais, comme je vous le disais, Keith a très bien pu inventer toute cette histoire, aussi...

— Commandant, pourquoi donc Willie ferait-il ça...

— Est-ce que je sais qui il cherche à protéger? dit Queeg. Sa loyauté envers ses chefs est nulle, c'est bien certain. Peut-être la reporte-t-il sur l'un quelconque de ses subalternes. Mais je ne vais pas m'amuser à psychanalyser Mr. Keith, quand nous avons bien autre chose à faire. »

Après un petit silence, Maryk reprit : « Commandant, vous tenez à faire cette perquisition?

— Pourquoi pas? Ni Mr. Ducely ni Mr. Keith n'ont fourni la clef, c'est tout ce qui m'intéresse...

— Commandant... Commandant, *il n'y a pas de clef* si ce sont les cambusiers qui ont mangé les fraises. Allez-vous supposer que deux de vos officiers vous ont menti?

— Je ne suppose rien du tout, s'écria Queeg d'un ton aigu, et c'est justement pourquoi nous allons chercher cette clef. Per sonne ne parviendra à me faire croire qu'elle n'existe pas! Et maintenant, allons-y! »

Dans la rade, la tempête qui soufflait au large donnait une grosse houle. Le *Caine* et le *Harte,* plongeant, frottant et roulant l'un contre l'autre, réduisaient en éclisses de bois leurs badernes. Willie, allongé dans le fauteuil du commandant dans la timonerie, regardait Bellison et trois matelots qui dérapaient et juraient sur le gaillard d'avant : les deux hommes étaient occupés à doubler les amarres et à renforcer les paillets de partage. Maryk entra, son imperméable noir ruisselant de pluie, et ouvrit la commande du haut-parleur. Willie entendit à la fois la voix de Maryk telle qu'elle résonnait dans la pièce et telle qu'elle retentissait déformée, dans le haut-parleur : « Écoutez tous. Commencez la fouille. Commencez la perquisition. Tout l'équipage sur le pont. Évacuez tous les compartiments. La fouille individuelle aura lieu à l'avant, sous la bâche, et à l'arrière dans les douches de l'équipage. »

Willie bondit de son fauteuil. « Steve! Vous ne lui avez donc pas dit ce que m'a raconté Ducely?

— Il veut perquisitionner quand même...

— Mais ça ne rime à rien... voyons, c'est... c'est fou...

— Au travail, Willie. Quel est votre poste?

— Fouilles individuelles à l'arrière. Seigneur, par ce temps... enfin.

— Farrington et Voles n'ont pas de poste fixé. Prenez l'un des deux pour vous aider si vous voulez... »

Willie se dirigea vers l'arrière. Sur le pont principal, qui roulait et tanguait, tout n'était que confusion. Des matelots en suroîts ruisselants ou en treillis trempés grouillaient autour de Harding et de Paynter. Deux hommes étaient debout, nus, étrangement blancs et roses au milieu de cette cohue misérable, leur visage exprimant l'embarras, le défi et un mépris amusé. Les officiers tâtaient leurs vêtements. Les sentinelles postées le long du flanc bâbord, appuyées sur leurs fusils, échangeaient des plaisanteries avec les autres matelots. L'enseigne Farrington était planté devant l'écoutille du carré, une main sur le panneau, observant la fouille de l'air mi-amusé, mi-horrifié d'un collégien qui visite une galerie de monstres.

— Farrington, appela Willie, venez avec moi. Vous allez me donner un coup de main.

— Bien, lieutenant, dit l'enseigne en emboîtant le pas à Willie, Tout en traversant la coursive de tribord, le lieutenant lança par-dessus son épaule : « Vous devez trouver ça plutôt bizarre, non?

— Ma foi, monsieur Keith, je me sentais un peu en dehors du circuit et inutile. Je suis content de pouvoir vous aider. »

Willie ne voyait pas le visage de Farrington, mais il n'y avait pas à se méprendre sur le ton de sobre déférence. C'était le ton sur lequel Willie s'adressait quinze mois auparavant au lieutenant Maryk et au lieutenant Gorton, à une époque où ils lui paraissaient des guerriers infiniment plus expérimentés que lui. Un instant, il se sentit flatté; et il se dit que le *Caine* dans son ensemble semblait peut-être si étrange et si déconcertant à Farrington que la fouille le surprenait à peine. Willie avait du mal maintenant à imaginer l'effet que produisait le *Caine* sur des enseignes tout frais émoulus.

En sortant de la coursive, ils rencontrèrent un autre groupe de matelots trempés et maussades qui erraient sous la pluie. Willie les rassembla à l'abri et les fit se déshabiller par ordre alphabétique. Les hommes entraient deux par deux dans la salle de douches pour enlever leurs vêtements. Farrington se mit au travail systématiquement et avec beaucoup de sérieux, aidant Willie à fourrager parmi les treillis humides. Willie eut la réconfortante impression qu'un nouvel officier venait enfin d'arriver à bord du *Caine*.

Un des premiers hommes à se déshabiller fut Gras-double. Il était planté là, souriant de toutes ses dents, nu, poilu et trapu, tandis que Willie tâtait ses treillis et ses chaussures, fronçant le nez devant la puissante senteur animale qui s'en dégageait. Le lieutenant se hâta de les rendre à leur propriétaire. « Ça va, Gras-double, rhabillez-vous.

— Eh bien, monsieur Keith, dit le matelot d'un ton naïf, vous n'allez pas me fouiller le derrière? »

Il avait dit cela sans méchanceté, et Willie décida de ne pas se formaliser. « Non, merci, dit-il. Je ne cherche pas à me faire décorer pour action d'éclat.

— Le vieux est vraiment chinois, vous ne trouvez pas? dit le patron du canot en enfilant son pantalon.

— Ne vous occupez pas du commandant, fit Willie d'un ton sec. Et soyez un peu plus respectueux.

— Mais, lieutenant, je ne fais que répéter ce que Mr. Keefer nous disait tout à l'heure...

— Ça ne m'intéresse pas. Pas de plaisanteries sur le commandant en ma présence, c'est compris?

— Bien, lieutenant », marmonna le matelot, l'air si désarçonné que Willie se sentit aussitôt coupable et un peu honteux. Cette façon de faire se déshabiller les hommes était énervante; Willie avait presque l'impression de violer leurs droits individuels; et la docilité avec laquelle ils se soumettaient à ce traitement montrait assez à quel point Queeg avait abattu le moral de l'équipage. Ils ne manifestaient leur hostilité que par des plaisanteries obscènes. Willie éprouva un vague remords à avoir si légèrement privé Gras-double de ce petit réconfort.

La tête de Queeg apparut sur le seuil de la salle de douches « Bien, bien, bien. Tout marche sans histoire?

— Oui, commandant, dit Willie.

— Parfait, parfait. Je vois que vous avez mis Farrington au travail aussi? Parfait, parfait. » La tête grimaça un sourire approbatif et disparut.

— Quelqu'un a une cigarette? dit Willie, d'une voix un peu tremblante.

— Voilà, lieutenant. Gras-double tendit un paquet, craqua prestement une allumette qu'il abrita entre ses paumes rebondies. Il dit tandis que Willie tirait une bouffée : « Ça vous tape un peu sur les nerfs, pas vrai, lieutenant? »

Le commandant Queeg se dirigea vers l'avant d'un pas rapide, sans prendre garde aux regards haineux des matelots massés à l'abri des bâches. Des gouttes de pluie rebondissaient sur son poncho jaune. Il rencontra Maryk qui émergeait de l'étroit panneau d'écoutille de la chambre des machines avant. « Eh bien, eh bien, Steve. Comment ça va-t-il en bas?

— Ça va bien, commandant. » Le second était rouge et en nage. « On vient de commencer évidemment... il faudra à peu près quatre heures... mais ils en mettent vraiment un coup...

— Parfait, parfait. Budge est un homme sur lequel on peut compter. Oui. Le fait est, Steve, que tous les maîtres et sous-officiers sont très bien, et les officiers aussi, pour une fois. Même Keith...

— Je vous demande pardon, commandant. » Bidon, le secrétaire, était là. Il salua, tout essoufflé, et lança un coup d'œil à Maryk.

— Oui, Porteous?

— Vous... vous m'aviez demandé un rapport, commandant. J'ai vos renseignements...

— Oh oui, oui. Excusez-moi, Steve. Continuez à avoir l'œil. Qu'ils fouillent bien partout. Venez, Porteous.

Queeg referma derrière eux la porte de sa cabine et dit : « Eh bien?

— Commandant, c'est vrai ce que vous m'avez dit pour mon école de sous-officiers d'administration à Frisco? fit Bidon d'un air à la fois craintif et rusé.

— Bien entendu, Porteous, je ne plaisante pas sur des sujets pareils. Si vous avez des renseignements susceptibles d'être prouvés...

— C'étaient les cambusiers, commandant, chuchota le gros secrétaire.

— Allons donc; bien sûr que non. Nom de Dieu, vous me faites perdre mon temps...

— Commandant, Bellison les a vus. Il était à peu près une heure du matin. Il venait de faire cesser une partie de crap dans la bordée d'avant. Il est passé par l'office. Il a raconté l'histoire à deux autres maîtres et...

— Vous prétendez que mon capitaine d'armes verrait des hommes en train de chaparder sans procéder à une arrestation, sans même me prévenir? » Queeg prit dans sa poche ses billes d'acier et se mit à les rouler. Il n'avait plus l'air heureux, les rides soucieuses étaient réapparues sur son visage.

— Mais, commandant, il n'y a pas vu mal, parce que, vous comprenez, les cambusiers, ils finissent toujours les restes du carré, c'est pas nouveau. Et puis quand il y a eu toute cette histoire, il a eu pitié d'eux, il se disait qu'ils allaient avoir des pépins. Mais ce matin, tout le bateau est au courant, commandant, c'est facile à vérifier...

Queeg se laissa tomber dans son fauteuil et promena un regard morne sur les myriades de clefs entassées sur le plancher. Il avait la bouche un peu entrebâillée, la lèvre inférieure légèrement pendante. « Porteous, il est entendu que cette conversation doit rester confidentielle. »

Le secrétaire dit d'un ton un peu effrayé : « Certainement, commandant, je l'espère bien.

— Remplissez une formule de demande d'admission à ce stage, avec la mention « avis favorable », et je la signerai.

— Merci, commandant.

— Vous pouvez disposer, Porteous. »

Au bout d'une demi-heure, Maryk commença à se demander ce qui était arrivé au commandant. Selon le plan, Queeg devait surveiller les opérations sur le pont et à l'avant, tandis que le second s'occupait du dédale des machines. Mais il n'y avait plus de commandant affairé et rayonnant sur les lieux. Maryk se rendit jusqu'à la cabine de Queeg et frappa. « Entrez », fit une voix revêche. Le commandant était allongé sur sa couchette en caleçon et gilet de corps, le regard au plafond, et roulant ses billes entre ses doigts. « Qu'est-ce qu'il y a, monsieur Maryk?

— Je vous demande pardon, commandant... je croyais que vous deviez surveiller la fouille sur le pont...

— J'ai la migraine. Remplacez-moi. »

Après un petit silence, le second risqua : « A vos ordres, commandant. Mais je ne sais pas si je pourrais faire ça aussi soigneusement que vous le voudriez...

— Prenez quelqu'un pour vous seconder, alors.

— Bien, commandant. Je voulais vous demander... croyez-vous qu'il faut déplacer les gueuses de plomb du lest des cales pour regarder dessous? C'est un travail de Romaïn, commandant...

— Je me fous de ce que vous ferez. Laissez-moi tranquille. J'en ai assez de toute cette stupide histoire. On ne fait rien sur ce bateau quand je ne suis pas derrière tout le monde. Faites ce qui vous plaira. Vous ne trouverez rien, naturellement, et je m'en fous. Je sais désormais que je ne pourrai jamais rien faire faire convenablement sur ce navire, et aussi bien entendu, qu'une fouille bâclée n'est pas une fouille, mais allez-y, faites comme vous voudrez. Je ne m'en mêle pas.

— Commandant, demanda le second, décontenancé, vous voulez que la fouille continue?

— Bien sûr je veux qu'elle continue! Pourquoi l'arrêterais-je? hurla le commandant, dressé sur un coude et foudroyant Maryk du regard. Je tiens à ce qu'on fouille ce bateau de la poupe à la proue, pouce par pouce! Maintenant, allez-vous-en, je vous prie, j'ai la migraine! »

Malgré l'insistance que mit Maryk à faire poursuivre la perquisition, l'équipage se rendit très vite compte qu'il y avait quelque chose de changé. Avec la disparition du commandant, le manque de conviction du second trouva bientôt un écho auprès des équipes chargées de la fouille, officiers et sous-officiers; les hommes, de leur côté, se montraient de plus en plus effrontés dans leurs plaisanteries. Les matelots chargés de la fouille avaient les gestes mous, comme des inspecteurs de douanes payés pour ne rien trouver. A une heure, Maryk fit arrêter les recherches, acceptant les dires de ses subordonnés dont chacun lui déclara le plus sérieusement du monde qu'en ce qui le concernait il avait fouillé tout son secteur. La pluie avait cessé et il faisait un temps lourd et humide. Le second alla trouver le commandant qui, dans sa cabine, tous rideaux tirés, était allongé sur son lit, complètement nu et les yeux ouverts. « Eh bien, vous l'avez trouvée? dit Queeg.

— Non, commandant.

— Exactement ce que j'avais prévu. Enfin, j'ai du moins estimé correctement l'envergure et le degré de loyauté de mes subordonnés. » Le commandant se tourna vers la cloison. « Bon. Emportez ces clefs et rendez-les.

— Oui, commandant.

— Et vous pouvez dire à tout le monde que si on croit m'avoir possédé, on se trompe et que je procéderai à l'arrestation en temps utile.

— Bien commandant. »

Le second fit enlever les cartons de clefs par des matelots, et chargea Willie Keith, Voles et Farrington de les restituer à leurs propriétaires respectifs. L'équipage entassé dans le petit espace entre la passerelle et la cambuse de pont, riait et s'interpellait, tandis que les officiers triaient les clefs et appelaient les noms au fur et à mesure. Un vent de folie souffla sur l'équipage. Les sages matelots du *Harte*, alignés le long du bastingage, contemplaient avec ahurissement le festival de grimaces, de contorsions, d'acrobaties, de jongleries et de chansons obscènes donné par l'équipage du *Caine*. Engstrand alla chercher sa guitare pour accompagner *Roll Me Over in the Clover, Hi-ho Gafoozalum, The Bastards King of England* et *The Man Who Shagged O'Reilly's Daughter*. Grasdouble fit une entrée, vêtu d'une énorme culotte de femme rose d'où pendait une gigantesque clef noire. Les officiers étaient trop empêtrés au milieu de leurs clefs pour intervenir. Tout cela se passait à quelques mètres de la cabine du commandant. Le joyeux tumulte pénétrait sans doute jusque dans la pénombre de la petite pièce, mais Queeg n'éleva pas la moindre protestation.

Maryk, cependant, était redescendu dans sa cabine. Il enleva ses vêtements, alluma un long cigare et prit le « journal médical » dans le coffre de son bureau. S'installant sur sa couchette, la chemise ouverte sur ses genoux, il commença à relire ses notes. Le cigare était à demi consumé quand il termina la dernière page et reposa le journal. Il se remit à fumer, le regard fixé sur la cloison verte, jusqu'à ce que le mégot lui brûlât les lèvres. Il l'écrasa, et pressa une sonnette placée au chevet de son lit. Whittaker apparut aussitôt sur le seuil. « M'sieur? »

Maryk eut un petit sourire en voyant l'air affolé du noir. « Calmez-vous, Whittaker. Je voudrais simplement que vous trouviez Mr. Keefer et que vous lui demandiez de venir dans ma cabine s'il n'est pas occupé.

— Bien, lieu'enant. » Whittaker sourit de toutes ses dents et détala.

— Fermez la porte, Tom, dit Maryk quand Keefer arriva. Pas le rideau. La porte.

— A vos ordres, Steve. Keefer fit glisser le panneau métallique.

— Bon. Tenez, j'ai quelque chose à vous faire lire. Maryk lui tendit le journal. « Installez-vous confortablement, c'est assez long. »

Keefer s'assit dans le fauteuil. Dès le premier paragraphe il lança au second un regard surpris. Il lut deux ou trois pages. « Seigneur, même moi, j'en avais oublié, murmura-t-il.

— Ne dites rien avant d'avoir fini...

— C'est donc ça, le mystérieux roman que vous écriviez tous ces mois-ci, Steve?

— C'est vous le romancier, pas moi. Allez-y, lisez. »

Keefer lut le journal tout au long. Maryk, assis sur sa couchette, se massait lentement la poitrine, tout en scrutant le visage de l'autre. « Eh bien, qu'est-ce que vous en pensez? dit-il, quand Keefer eut reposé la chemise sur le bureau.

— Vous l'avez jusqu'à la gauche, Steve.

— Vous croyez?

— Je vous félicite. C'est une véritable observation clinique de paranoïaque, une observation très complète, pas de doute. Vous l'avez, Steve. C'est un travail étonnant, ce que vous avez fait là...

— Bon, Tom. » Maryk bascula les jambes par-dessus le rebord de sa couchette et se pencha en avant. « Je suis prêt à me rendre à terre, à l'État-Major de la Cinquième Flotte, et à dénoncer le commandant, comme tombant sous le coup de l'article 184. Voulez-vous venir avec moi? »

Keefer pianota sur le bureau. Il tira une cigarette de sa poche. « Vous tenez à ce que je vous accompagne?

— Qui.

— Pourquoi?

— Tom, je vous ai dit pourquoi il y a longtemps, quand nous étions amarrés au *Pluto*. C'est vous qui vous y connaissez en psychiatrie. Si je me mets à en parler, je vais me couvrir de ridicule et tout faire foirer...

— Vous n'avez pas besoin de parler. Votre journal parle de lui-même.

— Je vais me trouver nez à nez avec des amiraux, et ils vont faire venir des docteurs, et je ne serai pas capable de présenter ça tout seul. D'ailleurs, je ne suis pas écrivain. Vous croyez que le journal suffit. Pour quelqu'un qui n'est pas dans le coup, la façon dont les choses sont décrites c'est énorme. Vous savez, vous que tout ça est arrivé, mais quand on le lit de sang-froid... il faut que vous m'accompagniez, Tom. »

Il y eut un long silence. « Ce salaud m'a empêché de voir mon frère », dit Keefer d'une voix mal assurée. Son regard était devenu mauvais.

— C'est autre chose, Tom. Si le pacha est timbré, il n'y a pas de quoi lui en vouloir.

— C'est vrai... je vais... d'accord, Steve, je vous accompagne.

— Bon, Tom. Le second sauta sur ses pieds et tendit la main à Keefer, en le regardant droit dans les yeux. Le petit pêcheur trapu et l'écrivain mince et dégingandé se serrèrent la main. « Il vaut mieux mettre un uniforme propre, si vous en avez un de rechange », dit Maryk.

Keefer contempla sa tenue tachée de graisse et sourit : « Voilà ce que ça donne de se balader dans les magasins en cherchant une clef qui n'existe pas. »

Maryk se savonnait la figure quand un opérateur de radio lui apporta un message. « Message phonie, lieutenant. J'ai frappé à la porte du commandant et j'ai regardé, mais il a l'air de dormir à poings fermés.

— Je vais le prendre. » Le message disait : *Ordre à tous navires en rade d'Apra de se préparer à appareiller pour 17 heures. Faire route au sud et manœuvrer pour éviter Typhon Charlie approchant Guam.* S'essuyant la figure d'un air las, le second décrocha son téléphone et sonna à plusieurs reprises la cabine du commandant. Queeg finit par répondre et lui dit d'une voix ensommeillée de tout préparer pour lever l'ancre.

Keefer, pas encore habillé, brossait ses chaussures, quand le second entra dans sa cabine pour lui montrer le message. Il rit et lança la brosse dans un coin. « Sursis.

— Pas pour longtemps. On ira dès qu'on sera rentré...

— Bien sûr, Steve, bien sûr. Je vous accompagnerai. Mais je ne peux pas dire que je m'en fasse une vraie fête...

— Moi non plus. »

CHAPITRE XXVIII

VISITE A HALSEY

Deux jours durant, le *Caine* naviguа dans la pluie, les bour-rasques et une mer très mauvaise, en compagnie de tout un groupe de bateaux qui avaient quitté précipitamment la rade d'Apra. Le typhon passa à deux cent cinquante kilomètres au nord. Au matin du troisième jour, la mer se calma, et un vent plus doux amena un crachin grisâtre. Les navires se scindèrent en deux groupes, l'un regagnant Guam, l'autre mettant le cap sur Ulithi; le *Caine* faisait partie de l'écran du groupe à destination d'Ulithi.

Bien qu'ils n'eussent essuyé que les remous de la tempête, le vieux dragueur et son équipage avaient bien écopé. Le roulis et le tangage avaient brisé des assiettes, des chaises, des bouteilles et divers instruments et fait dégringoler pêle-mêle sur le plancher toutes les réserves rangées sur les rayons des magasins; le navire avait embarqué de l'eau qui ruisselait dans les coursives et s'était infiltrée par les multiples fissures de la coque rouillée. Les antennes avaient été abattues et un portemanteau de chaloupe avait été tordu, ainsi que les deux râteliers de grenades anti-sous-marines. Cela faisait deux jours qu'on n'avait servi aucun repas chaud. Les matelots, sales, pas rasés, n'avaient pu prendre que quelques minutes de sommeil de loin en loin dans des hamacs qui ne tenaient pas en place. Ulithi, île verte et ensoleillée, son lagon semblable à un miroir d'azur, faisait aux hommes du *Caine* l'effet d'un véritable paradis... du moins ce jour-là. D'ordinaire, ils employaient pour désigner l'île le mot de trou, associé à diverses épithètes plus ou moins malsonnantes.

— Halsey est à bord du *New Jersey*, souffla Maryk à Keefer, tandis que le *Caine* entrait dans le chenal du Mugai. Ils ont hissé le pavillon amiral à quatre étoiles.

Keefer examina à la jumelle le cuirassé fraîchement repeint de gris ancré à l'entrée du chenal. « Est-ce que ce n'est pas de la Cinquième Flotte que nous dépendons? chuchota-t-il. Nous avons laissé passer l'occasion à Guam. Si nous revenons, eh bien... »

Sur l'autre bord, Queeg criait à l'homme de barre : « Gardez le cap! J'ai dit gardez le cap, nom de Dieu! N'allez pas cogner cette balise!

— Halsey me suffit, dit le second. C'est un cas d'urgence. Nous irons dès que nous aurons jeté l'ancre...

— *Monsieur* Maryk, appela Queeg, si vous voulez avoir la bonté de me donner les coordonnées de mouillage... »

Assis à l'arrière du canot, les deux officiers contemplaient les myriades de méduses grises qui grouillaient sous la surface étincelante du lagon. Keefer fumait. Maryk tambourinait des doigts sur la serviette de cuir marron contenant le journal médical. Le canot se dirigeait lentement vers l'imposante silhouette du *New Jersey* à deux milles de là. « Le soleil est bigrement chaud. Installons-nous sous la tente, dit Keefer en lançant sa cigarette à l'eau. C'est bien notre veine, poursuivit-il à voix basse, quand ils furent assis sur le cuir craquelé des banquettes, isolés de l'équipage du canot par le bruit du moteur, qu'il ait justement été tout à fait normal depuis une semaine.

— Bah, ça a toujours été comme ça, dit le second. Il fait quelque chose de fou, puis ça se tasse pendant quelque temps et puis il recommence à battre la campagne.

— Je sais bien. Steve, vous pensez que nous arriverons à voir Halsey en personne?

— Je pense que oui. Je ne crois pas qu'il se présente tous les jours une occasion d'appliquer l'article 184...

— Ça ne me dit rien de me trouver nez à nez avec Halsey et de lui dire que mon commandant est cinglé.

— Ça ne me dit rien non plus.

— Le fait est, Steve, que le Vieux Tache Jaune a manœuvré très convenablement dans la tempête, il faut le reconnaître. Ça n'est pas que je veuille le défendre mais, enfin, les faits sont les faits...

— C'est entendu, pour un malade, il s'en est bien tiré, dit Maryk. Seulement je ne dors jamais tranquille, j'attends toujours le moment où il va se remettre à dérailler.

— C'est extraordinaire, dit Keefer, en allumant une autre cigarette, avec quelle habileté ces paranoïaques évoluent sur l'étroite zone qui sépare la folie caractérisée des actes qu'on peut expliquer logiquement. C'est le symptôme essentiel de leur état. En fait, une fois qu'on admet les prémisses sur lesquelles ils se fondent et qui peuvent très bien n'avoir avec la réalité qu'un décalage, disons de trente degrés — et pas forcément de cent quatre-vingts degrés — tout leur comportement se justifie. Prenez le Vieux Tache Jaune. Sur quelles prémisses se fonde-t-il? Qu'il n'y a à bord du *Caine* que des menteurs, des traîtres, et des froussards, si bien que la seule façon de faire marcher le bateau, c'est de constamment harceler, espionner, et menacer ses gens de piquer des crises de rage et de punir à tour de bras. Et comment prouver qu'au départ il a tort?

— On ne pourrait même pas le lui prouver à lui, dit Maryk. C'est en cela qu'il est malade, non? Mais n'importe quel observateur, voyant les choses de l'extérieur, *sait* qu'il n'existe pas de bateau ayant un équipage foncièrement mauvais.

— Enfin, espérons que l'observateur nommé Halsey verra les choses comme ça. »

Après un moment de silence, Keefer reprit : « Prenez votre journal. Considéré isolément, chacun des faits que vous y avez consignés pourrait être parfaitement expliqué par Queeg. Supprimer le cinéma pour six mois? Pourquoi pas? Manque d'égards envers le commandant est un des pires crimes qu'on puisse commettre dans la Marine. Faire du foin à propos des pans de chemise? Souci fort recommandable d'avoir un équipage bien tenu, préoccupation rare chez un commandant de dragueur de mines. Le rationnement de l'eau? Sage précaution, peut-être un peu exagérée, mais fort orthodoxe. Comment prouver qu'en fait il se vengeait sur l'équipage du départ de Rabbitt? Heureusement, quand on ajoute tout ensemble, le tableau devient clair, mais tout de même... »

Clang, clang! Le canot ralentit et Gras-double cria : « Paré pour aborder le *New Jersey*, monsieur Maryk! »

Les deux officiers grimpèrent sur le plat-bord, et se trouvèrent au pied du gigantesque mur d'acier du cuirassé. Sa masse les dominait comme un gratte-ciel et s'étendait à droite et à gauche, sur la longueur de plusieurs pâtés de maisons, semblait-il, dissimulant l'atoll. Maryk sauta au pied de l'échelle de coupée, suivi de Keefer. « Attendez-nous là », cria le second à Gras-double. Ils escaladèrent l'échelle en faisant cliqueter les câbles de retenue. L'officier de quart était un lieutenant de vaisseau trapu, au visage rond, avec des fils gris aux tempes, et vêtu d'une tenue kaki impeccable. Maryk demanda où se trouvait le bureau de l'amiral. L'officier de quart lui indiqua le chemin en quelques phrases brèves. Les deux officiers du *Caine* quittèrent la plage arrière et poursuivirent leur chemin lentement, admirant le majestueux pont principal du *New Jersey*.

C'était un autre monde; et pourtant le même monde que le *Caine* mais transfiguré. Ils étaient sur un gaillard d'avant, avec des chaînes d'ancre, des manches de ventilation et des garde-corps. Mais le guindeau du *New Jersey* était aussi grand que les canons principaux du *Caine* un seul maillon de la chaîne d'ancre du cuirassé aurait couvert toute la largeur de l'étrave du dragueur; et la batterie principale, avec les longs, longs canons pointant des tourelles, semblait plus grosse que le *Caine* tout entier. On voyait des matelots et des officiers, toujours la même cohue d'uniformes bleus et kaki, mais les hommes étaient tirés à quatre épingles comme des élèves de l'école du dimanche, et on aurait dit que les officiers étaient leurs professeurs. La grande citadelle centrale de la passerelle et des cheminées se dressait dans le ciel, comme une pyramide de métal, hérissée de batteries antiaériennes et de radars; et au-delà, le pont allait se rapetissant vers l'arrière pendant plusieurs dizaines de mètres encore. Le *New Jersey* était impressionnant. « C'est là qu'on doit entrer, dit Maryk. Troisième porte, à bâbord, sous les cinq pouces jumelés...

— Bon », fit Keefer, en lançant un dernier coup d'œil à la passerelle qui étincelait sous le soleil.

Ils enfilèrent de longues coursives sombres et immaculées. « Voilà », dit Maryk. Sur la porte verte, une plaque en bakélite noire portait l'inscription *Aide de camp*. Il posa la main sur le bouton de porte.

— Steve, dit Keefer, ce n'est peut-être pas par là qu'il faut commencer...

— Bah, ils nous diront la marche à suivre en tout cas. Il ouvrit la porte. Il n'y avait personne dans la longue pièce, meublée de bureaux, qu'un matelot en blanc qui lisait un magazine à la lumière d'une lampe à tube fluorescent. « Où est l'aide de camp, matelot? demanda Maryk.

— Il mange, dit le matelot, sans lever les yeux.

— A quelle heure est-ce qu'il sera là?

— Sais pas.

— Quel est le numéro de sa cabine? »

Le secrétaire leva vers eux un regard empli d'une curiosité alanguie. Il était de teint pâle, comme la plupart des secrétaires, et comme la plupart des secrétaires il était capable, quand il bâillait, d'ouvrir un four aussi vaste qu'une gueule de tigre. Il donna une démonstration de ce petit talent de société aux officiers du *Caine*, puis dit d'un ton maussade : « C'est pourquoi?

— Question de service.

— Eh bien, vous pouvez toujours me faire la commission. Je m'en occuperai.

— Non, merci. Quel est le numéro de sa cabine?

— 384 », dit le matelot, dans un nouveau bâillement, puis il se replongea dans son magazine en ajoutant : « Mais il n'aime pas qu'on vienne le déranger dans sa cabine. Ça n'est pas comme ça que vous en obtiendrez quelque chose.

— Merci du tuyau », dit Maryk en refermant la porte. Il regarda de côté et d'autre dans la coursive et se dirigea vers l'arrière. « Par où croyez-vous que soit le 384?

— Steve.

— Oui.

— Je crois qu'avant tout nous devrions discuter un peu. »
Maryk s'arrêta pour regarder Keefer. Celui-ci ne le suivait plus.
Il était adossé à la porte du bureau de l'aide de camp.
— De quoi?
— Remontons sur le pont.
— Nous n'avons pas beaucoup de temps...
— Venez. Je vois le jour à l'autre bout là-bas. Keefer avança
à grands pas, et force fut à Maryk de le suivre. En tournant un
coin, Keefer faillit bousculer un fusilier marin en grande tenue qui
montait la garde devant le rideau vert d'une porte. Le marin se
mit au garde à vous, le regard vide et fixé droit devant lui. Au-
dessus de la porte on lisait sur une plaque ornée de quatre étoiles
d'argent : *Amiral William F. Halsey*.
Maryk saisit Keefer par le coude. « Le bureau de l'amiral! Si
on risquait le coup et si on entrait? La barbe pour la voie hiérarchique. S'il est là, il nous écoutera... »
Keefer se dégagea. « Venez une seconde. » Il entraîna le second
jusqu'au bastingage. Au pied du gros blockhaus, ils dominaient
l'eau bleue du lagon. Une brise chaude et moite soufflait de l'avant.
« Steve, dit Keefer, je commence à ne plus être très chaud. »
Maryk le dévisagea avec stupéfaction.
— Et il en irait de même pour vous si vous aviez un peu d'imagination. Vous ne sentez donc pas la différence entre le *New
Jersey* et le *Caine?* C'est la Marine, ici, la vraie Marine. Notre
bateau est une espèce de taule flottante. Tout le monde est un peu
chose et autre à bord du *Caine,* et vous et moi plus que tout le
monde, puisque nous nous imaginons nous en tirer en invoquant
l'article 184 contre Queeg. Ils ne marcheront pas, Steve. Nous
n'avons pas la plus petite chance. Allons-nous-en.
— Comment ça, Tom? Je ne vous comprends pas. Qu'est-ce
que le *New Jersey* vient fiche là-dedans? Est-ce que le pacha est
timbré, oui ou non?
— Bien sûr qu'il l'est, mais...
— Alors de quoi est-ce que vous avez peur, bon Dieu? Il *faut*
avertir la plus haute autorité qualifiée que nous puissions joindre...
— Ça ne marchera pas, Steve. Nous n'avons pas assez d'éléments contre Queeg. Quand cette saleté de guerre sera finie, je
recommencerai à gribouiller comme avant. Mais vous, vous voulez
rester dans la Marine, n'est-ce pas? Vous allez vous casser le nez
contre un mur de pierre, Steve. Vous serez à jamais un type fini.
Et Queeg continuera à commander le *Caine*...
— Tom, vous avez dit vous-même qu'avec mon journal Queeg
était coincé...
— Naturellement, c'est ce que je pensais... sur le *Caine*. Et
d'ailleurs c'est vrai. Aux yeux de n'importe quel psychanalyste,
c'est concluant. Mais c'est à la Marine que nous allons avoir affaire,
pas à un psychiatre. Je commence à m'en rendre compte. Vous ne
connaissez donc pas encore la mentalité de tous ces crétins? Évi-

demment, ils savent diriger un navire, et se battre, mais ils en sont restés au système féodal! Qu'est-ce que ça peut bien fiche à Halsey, la paranoïa, et qu'est-ce qu'il y connaît? Il nous prendra pour deux cochons de réservistes mutinés. Avez-vous lu attentivement les articles en question? « L'application de cet article implique les possibilités les plus graves... » La *mutinerie*, voilà ce que ça implique...

Maryk se gratta le crâne et dit : « Eh bien, je suis prêt à prendre le risque. Je ne peux pas continuer à naviguer avec un patron que je juge timbré...

— Il est timbré à vos yeux. Aux yeux de la Marine, il n'est peut-être qu'un officier dont il faut louer le sens de la discipline...

— Mais réfléchissez, Tom! Mettre tout sens dessus dessous pour une clef qui n'a jamais existé... couper l'eau pendant quatre jours à l'équateur... fuir devant des batteries côtières...

— On peut considérer tout ça suivant deux points de vue diamétralement opposés. Steve, pour l'amour du ciel, écoutez-moi et attendez. Peut-être que d'ici une semaine ou deux il va devenir complètement gaga. S'il se met à galoper sur le pont à poil, ou à voir des fantômes, ou Dieu sait quoi, là alors on l'aura vraiment... et ça peut se produire d'un moment à l'autre...

— Je crois que nous pouvons le coincer maintenant...

— Pas moi. J'ai changé d'avis, Steve. Si vous trouvez que je cane, je le regrette, Je suis en train de vous rendre le plus grand service qu'on puisse vous rendre.

— Tom, allons essayer de voir Halsey...

— Je n'irai pas avec vous, Steve. Il faudra vous passer de moi. »

Maryk se mordit les lèvres et dévisagea Keeger un long moment. Celui-ci soutenait son regard, les muscles de ses mâchoires tremblant légèrement. « Tom, dit Maryk, vous avez peur, n'est-ce pas?

— Oui, répondit Keefer, j'ai peur. »

Le second haussa les épaules et souffla l'air dont il avait gonflé ses joues. « Vous auriez dû le dire plus tôt. Je sais ce que c'est que d'avoir la frousse... Eh bien, appelons le canot. » Il se dirigea à pas rapides vers l'échelle de coupée.

— Je voudrais vous faire reconnaître, dit Keefer en lui emboîtant le pas, qu'au point où nous en sommes, la réaction logique et intelligente est d'avoir la frousse. Il arrive parfois qu'avoir la frousse et fiche le camp soit la meilleure solution...

— Entendu, Tom. N'en parlons plus.

— Nous allions nous embarquer dans une histoire épouvantable. Nous avons reculé à temps. Il n'y a pas de mal à ça. Nous devrions nous en réjouir...

— Ne dites pas « nous ». Je suis toujours prêt à y aller...

— Eh bien, bon Dieu, fit Keefer, exaspéré, allez-y et foutez-vous dans le pétrin, alors.

— Je ne peux pas faire ça tout seul.

— C'est une dérobade. Moi au moins, j'ai la franchise d'avouer que j'ai peur, c'est la seule différence...

Maryk s'arrêta. « Écoutez, Tom, dit-il d'un ton très calme. C'est vous qui avez eu cette idée depuis le début. Je ne connaissais même pas le mot « paranoïa », avant que vous ne me l'ayez cité. Et je ne sais pas encore exactement ce que ça veut dire. Mais aujourd'hui je crois que vous avez raison de dire que le pacha a le cerveau dérangé et que par conséquent nous avons tort de ne rien en dire à personne. L'ennui, c'est que vous voulez reculer quand les choses ont l'air de se gâter, et que vous voudriez aussi que je vous en félicite. Il faut choisir, Tom. Vous ne pouvez pas avoir les deux. On dirait Queeg. »

Keefer se mordit la lèvre inférieure et dit, avec un sourire crispé : « C'est un peu dur...

— Je vois le canot, dit Maryk, en s'approchant du bastingage et en signalant avec ses bras. Retournons sur le *Caine*. »

CHAPITRE XXIX

LE TYPHON

Les nouveaux cuirassés et porte-avions s'alignaient comme autant de géants dans le lagon d'Ulithi, cohorte de gratte-ciels de fer flottant devant le décor incongru que leur faisait la ceinture des palmiers. La Marine avait rassemblé là le gros de ses forces qui devait donner l'assaut à Luzon; et c'était l'armada la plus formidable que la planète eût jamais portée. Willie passa des heures sur le gaillard rouillé et délabré du *Caine*, à imprimer dans sa mémoire le souvenir de cette gigantesque flotte. Tout blasé qu'il fût maintenant, ce déploiement de force l'émerveillait. Toute la brutale énergie de l'histoire humaine lui semblait concentrée et matérialisée dans cette rade d'Ulithi. Il se souvenait des promenades qu'il faisait avant la guerre le long de Riverside Drive quand la flotte était en rade, et des considérations philosophiques que lui inspirait ce spectacle — il était en première année d'Université — : les navires de guerre, estimait-il alors, n'étaient que de gros jouets et chaque nation, avec sa mentalité enfantine, jugeait ses voisins d'après le nombre et la taille des jouets qu'ils possédaient. Depuis lors, il avait vu les jouets en action, décidant de la vie ou de la mort, de la liberté ou de l'asservissement du monde où il vivait; et il était si loin maintenant de sa philosophie estudiantine qu'il considérait les grosses unités de la Marine avec une profonde révérence.

Et pourtant, son attitude n'était encore que celle d'un étudiant à peine plus mûr, car qu'était-ce qu'Ulithi, après tout? Un minuscule enclos de corail dans l'immensité de l'océan. Un navire passant à dix milles de là ne l'aurait même pas vu; et toute cette imposante

Troisième Flotte coulant à la fois n'aurait pas fait monter d'un millième de cheveu le niveau de la mer. Le champ de l'univers reste aujourd'hui encore trop vaste pour les plus ambitieux desseins humains. Il arrive même qu'un typhon, un simple tourbillon d'air parcourant un petit coin de l'océan, soit encore trop vaste pour eux.

Maryk était dans la chambre des cartes, repérant sur une grande carte du Pacifique les typhons annoncés par les dépêches météo qui donnaient aussi les coordonnées de leurs centres. Willie entra et se pencha par-dessus l'épaule du second. « Steve, vous ne croyez pas que je pourrai faire un assistant navigateur convenable un de ces jours?

— Que si! » Maryk lui tendit aussitôt les compas et les règles à parallèles. « Vous pouvez commencer tout de suite à reporter sur la carte ces positions de typhons.

— Merci. » Willie se mit à piquer de petits carrés rouges aux endroits signalés par les messages météo.

— Quand nous aurons appareillé ce matin, vous me prendrez une hauteur, dit le second. Engstrand prendra le top. Si nous ne sommes pas rentrés avant la nuit, vous pourrez faire votre point d'étoiles et vérifier si vos résultats cadrent avec les miens.

— D'accord. J'ai déjà fait le point quelques fois la semaine dernière, comme ça, pour m'amuser.

— Willie, c'est vous qui l'aurez voulu, fit le second en souriant. Vous n'avez donc pas assez de travail comme ça?

— Oh si, bien sûr. Mais le pacha me laissera moisir sur pied au déchiffrage. Les histoires de blanchissage, de morale et de service intérieur, tout ça, c'est bien gentil, mais... en attendant il y a des typhons dans tous les azimuths.

— Vous savez, c'est la saison...

Maryk alluma un cigare et s'en fut s'accouder au bastingage, tout heureux de cette aide inattendue. Il savait que Willie Keith reporterait consciencieusement les positions de typhons. Il était réconfortant de voir un jeune officier manifester le désir sincère de voir étendre ses responsabilités : Maryk se souvenait des premiers temps où Willie était arrivé à bord du *Caine*, jeune enseigne, au visage enfantin, négligent et inexpérimenté, et qui boudait le commandant de Vriess comme un petit garçon à qui on a donné la fessée. « De Vriess ne s'était pas trompé sur le compte de Willie, se dit Maryk. Il m'avait tout de suite dit qu'il ferait un excellent officier une fois qu'on lui aurait bien botté les fesses. »

Willie revint. « La carte est à jour.

— Très bien », fit Maryk en tirant sur son cigare.

Willie s'accouda à son tour au bastingage pour contempler la rade. « C'est quelque chose, vous ne trouvez pas? dit-il. Je ne m'en lasse pas. Ça, c'est de la *puissance!* »

Le lendemain matin, les gros bateaux prirent la mer. Le *Caine* les suivit, remorquant sa cible; pendant toute une journée et toute une nuit, les divisions de la Troisième Flotte se payèrent l'une après l'autre des tirs d'exercice tout en voguant vers l'ouest. Puis le dragueur de mines s'en retourna, traînant sa cible déman- telée, tandis que la force d'attaque s'en allait bombarder les aéro- dromes des Philippines. Ulithi avait pris un aspect triste et désert quand le *Caine* fut de retour; on aurait dit une estrade après le défilé, une salle de bal après la fête. Il ne restait plus que les navires auxiliaires : pétroliers, dragueurs de mines, quelques péniches de ravitaillement cimentées et les éternels et monstrueux canots de débarquement. Les méduses faisaient ripaille sur les déchets laissés par les gros bateaux.

On jeta l'ancre et des jours monotones s'écoulèrent, tandis que Willie suivait les exploits de la flotte de Halsey dans les messages radio. Sa seule autre distraction consistait à tenir à jour la carte des typhons.

Willie s'était déjà trouvé dans les régions de sale temps qui forment la bordure des typhons, mais il n'avait jamais navigué en plein typhon. L'idée qu'il se faisait de ces tourbillons était donc un mélange de souvenirs de Conrad et de lectures récentes de *Cours de Navigation pratique*. Des livres de Conrad, il gardait l'image immortelle des passagers chinois roulant d'un bord à l'autre de la cale dans un tintement de dollars d'argent. Il avait d'autre part appris que les typhons étaient provoqués par la ren- contre de masses d'air chaud et d'air froid : l'air chaud s'élevait comme une bulle dans un tube, l'air froid se précipitait pour com- bler le vide ainsi créé, le mouvement de rotation courbait la tra- jectoire suivie par l'air froid, et ainsi se formait un tourbillon. Willie ne savait pas très bien pourquoi le mouvement de rotation des typhons se faisait dans les directions opposées de part et d'autre de l'équateur; ni pourquoi ils étaient plus fréquents en automne; ni pourquoi ils se déplaçaient vers le nord-ouest suivant une trajectoire parabolique. Mais il avait remarqué que le chapitre qui leur était consacré dans le *Cours de Navigation pratique* s'ache- vait sur quelques vagues excuses, et qu'il y était dit qu'on n'avait jamais pu expliquer de façon satisfaisante certains aspects des typhons. Cela lui permettait de ne pas trop se casser la tête de son côté. Il apprit par cœur les méthodes permettant de repérer dans quelle direction et à quelle distance se trouvait le centre, et quand un bateau devait faire demi-tour vers la droite ou vers la gauche; ces dernières règles l'intriguèrent fort, jusqu'à ce qu'il en eût saisi la logique profonde. Après quoi, il se considéra comme un navigateur parfaitement documenté sur la question.

En fait, il savait à peu près tout ce qu'on peut savoir sur les typhons sans jamais s'être trouvé pris dedans. Son cas était à peu près assimilable à celui d'un innocent étudiant en théologie qui, désireux d'apprendre ce qu'est le péché afin de le combattre, chercherait à s'instruire sur ce sujet en lisant *Ulysse* et les poèmes de Baudelaire.

Un message optique envoyé de la plage un après-midi vint rompre la monotonie de ces journées : il ne s'agissait pas d'aller remorquer une cible, mais d'une mission d'écran auprès des pétroliers qui devaient retrouver la Troisième Flotte pour ravitailler celle-ci en carburant en pleine mer. La perspective d'une mission quasi de combat redonna quelque animation à l'équipage qui se morfondait. Les officiers eux aussi se sentirent un peu ragaillardis. Ce soir-là, après le dîner, ils donnèrent un abominable récital de chorale, qui prit fin aux accents de l'hymne *Eternal Father, Strong to Save*, dont les derniers vers furent prétexte à d'horribles cacophonies.

La mer était calme, le ciel clair et le soleil brillant, quand le groupe de pétroliers sortit du chenal de Mugai. Le *Caine* était à l'extrême droite de l'écran, à cinq mille mètres du navire de tête. La manœuvre en zig-zag était d'un type familier. Les pétroliers courtauds et rebondis fendaient paisiblement les eaux, et les destroyers roulaient à l'avant-garde, leurs longs pinceaux sonores sondant l'eau. Tout se déroulait suivant une routine des plus classiques. C'était un voyage d'une endormante monotonie.

La carte des typhons tenue par Willie Keith était vierge de tout carré rouge dans l'espace bleu qui s'étendait d'Ulithi aux Philippines. Il en supposa donc qu'il n'y avait pas de typhons dans cette région et vaqua à ses occupations en toute quiétude. Néanmoins, comme l'avait souvent fait remarquer le commandant Queeg, on ne peut rien supposer dans la Marine. Du moins, en ce qui concerne les typhons.

Dans la nuit du 16 décembre, le *Caine* se mit à rouler fortement. Il n'y avait rien là d'extraordinaire. Il était déjà arrivé à Willie de se cramponner à la poignée d'un panneau d'écoutille, tandis que l'inclinomètre accusait quarante-cinq degrés et que des vagues vertes crêtées d'écume bouchaient de tous côtés l'horizon. Il était ce soir-là en train de lire *The old Curiosity Shop* dans sa cabine, il ressentit bientôt cette légère migraine qui précédait la nausée quand il lisait par gros temps. Il rangea le livre sur un rayon et alla se coucher en chien de fusil pour ne pas être incommodé par le mouvement du navire.

Il fut tiré de son sommeil par le second-maître. Comme toujours, il chercha sa montre des yeux : « Mais bon Dieu... il n'est que deux heures et demie...

— Le commandant vous demande sur la passerelle, lieutenant. »

Voilà qui était assez étrange. Pas d'être appelé par le commandant; deux ou trois nuits par semaine, Queeg faisait venir Willie pour discuter avec lui quelque détail de déchiffrage ou de comptabilité; mais d'ordinaire, il le faisait venir dans sa cabine. Cramponné d'une main à la couchette supérieure tandis que de l'autre il s'efforçait d'enfiler son pantalon, Willie essaya de se souvenir des comptes qu'il avait récemment vérifiés. Il se dit que ce devait être le rapport de blanchissage qui allait fournir cette fois leur sujet de conversation. Il déboucha sur le pont d'un pas mal assuré, en se demandant si le roulis était vraiment aussi dur qu'il paraissait. Le vent, doux et humide, soufflait de bâbord, assez fort pour faire gémir en passant les drisses et les haubans. A chaque coup de roulis des vagues noires et déchiquetées se dressaient vers le ciel. Il n'y avait pas d'étoiles.

— Il est dans la chambre des cartes, dit Harding.

— Il répète la grande scène?

— Je ne crois pas. Seulement une engueulade type B.

— Allons, tant mieux... Ça roule gentiment.

— Pas mal, oui.

A la lueur de la lampe rouge qui s'alluma dans la chambre des cartes quand Willie eut refermé la porte, il aperçut Queeg et Maryk penchés sur la table, tous deux en maillot de corps. Le commandant lui lança un regard en coulisse en disant : « Willie, c'est vous qui tenez cette carte des typhons, n'est-ce pas?

— Oui, commandant.

— Eh bien, puisque Mr. Maryk ne peut m'expliquer de façon satisfaisante pourquoi on vous a confié une telle responsabilité sans que j'aie donné mon autorisation ni mon approbation, je présume que vous ne le pouvez pas davantage?

— Commandant, je me suis dit que tout ce que je pourrais faire pour améliorer mes connaissances serait utile.

— Vous avez parfaitement raison, vos connaissances peuvent supporter d'être améliorées... mais... bon sang, pourquoi alors bâclez-vous ainsi votre travail?

— Commandant?

— Commandant, mon œil! Où se trouvent les typhons signalés entre Ulithi et les Philippines? Vous voulez peut-être me dire qu'il n'y en a pas, à cette époque de l'année?

— Non, commandant. C'est curieux, je le sais, mais toute cette région est claire...

— *A moins* que vos opérateurs radio ne se soient fichus dedans en prenant un message, ou qu'ils aient oublié de recopier un bulletin météo, ou qu'il ne se soit perdu dans vos beaux dossiers au lieu d'avoir été déchiffré et reporté sur cette carte...

— Je ne crois pas que ce soit le cas, commandant... »

Queeg frappa bruyamment du doigt sur la carte. « Enfin, le baromètre a dégringolé de sept millimètres cette nuit, le vent fraîchit d'heure en heure à droite et il a déjà une force de sept! Je veux que vous alliez pointer les doubles des messages des dernières quarante-huit heures, et je veux qu'on m'apporte immédiatement toutes les dépêches signalant un typhon, et c'est Mr. Maryk qui désormais continuera à tenir la carte des typhons.

— Bien, commandant. » Un brusque coup de roulis fit perdre l'équilibre à Willie et il tomba sur Queeg. Le contact de la peau

moite du commandant lui fit une impression affreuse. Il tres-
saillit. « Excusez-moi, commandant.

— Ça va. Filez. »

Willie alla au poste radio et pointa les messages reçus sans rien
trouver. Il vida une tasse de café en compagnie des opérateurs
ensommeillés puis s'en alla, heureux de fuir l'horripilant biip-
biip du Morse. A peine venait-il de fermer les yeux sur sa couchette
que le même radio qui lui avait offert du café vint le réveiller.
« On signale une tempête, lieutenant. Ça vient de CincPac, à
tous navires. On vient de le recevoir. »

Willie déchiffra le message et l'apporta dans la chambre
des cartes. Queeg fumait, allongé sur la couchette. Maryk était
perché sur le tabouret et tenait sa tête entre ses bras, les coudes
sur la table.

— Ah, vous avez trouvé quelque chose? C'est bien ce que je
pensais. Le commandant prit le message et le lut.

— Je ne l'ai pas retrouvé dans les doubles, commandant. Il
vient d'arriver il y a dix minutes...

— Je vois. Encore une de ces amusantes coïncidences qui émail-
lent votre carrière, Willie, n'est-ce pas? Enfin, je ne regrette pas
de vous avoir envoyé vérifier, bien que, naturellement, cela vienne
d'arriver, Tenez, Steve, voyez donc.

— Bien, commandant. Le second examina le message et prit
son compas. « Ça pourrait être ça, commandant. C'est à l'est et
au sud de notre position... dans les cinq cents kilomètres... voyons.
Cinq cent quinze précisément... Ils appellent ça une légère dépression circulaire, et pourtant.

— Eh bien, parfait. Plus elle est légère, mieux cela vaudra.

— Commandant, dit Willie, si vous croyez que je mens au sujet
de ce message, vous pouver vérifier au poste radio...

— Mais, Willie, qui est-ce qui parle de mensonge? » Le commandant eut un sourire en coin, le visage strié de rides noires à la
lueur rouge de l'ampoule; il tira sur sa cigarette dont l'extrémité
brillait d'un éclat étrangement blanchâtre.

— Commandant vous avez parlé d'amusante coïncidence...

— Allons, allons, ne vous mettez pas à voir des sous-entendus
partout, lança le commandant. C'est un signe certain de mauvaise
conscience. Vous pouvez disposer maintenant.

Willie éprouva la sensation qui lui était devenue familière
d'avoir l'estomac noué et des battements de cœur. « Bien, commandant. » Il sortit et resta sur la passerelle à se faire fouetter
le visage par le vent. Quand le bateau roulait à tribord, la poitrine
de Willie venait presser contre le bastingage au point qu'il avait
l'impression d'être allongé sur un montant métallique juste au-
dessus de la mer. Tout de suite après, il lui fallait se cramponner
à ce même bastingage pour ne pas dégringoler en arrière. Il resta
sur la passerelle, humant le vent et regardant la mer démontée,
jusqu'à ce que Paynter vînt relever l'officier de quart. Il redes-

cendit alors avec Harding et tous deux burent du café dans le carré sans lumière, un bras passé autour d'une épontille. Le réchaud électrique du percolateur jetait, seul, une lueur rougeâtre.

— Le roulis durcit, dit Harding.

— Ça n'est pas aussi mauvais que l'an dernier quand on allait sur Frisco.

— Non... Pas de typhons dans le secteur?

— Non. Une légère dépression au sud-est. Nous rencontrons sans doute la frange.

— Ma femme se fait un mauvais sang du diable à propos des typhons. Elle m'écrit qu'elle rêve tout le temps que nous sommes pris dans un typhon.

— Et alors? On prend le vent de quart ou de face selon notre position et on s'en tire. J'espère que nous n'aurons jamais d'ennuis plus graves durant cette croisière.

Ils rangèrent leurs tasses et leurs soucoupes dans la rainure ménagée à cet usage et se retirèrent chacun dans sa cabine. Willie décida finalement de ne pas prendre de somnifère. Il alluma sa lampe de chevet, lut Dickens une minute et s'endormit sans avoir éteint.

— Comment diantre vont-ils souter avec une mer pareille?

Willie et Maryk étaient postés à tribord. Il était dix heures du matin. A la lueur gris-jaune du jour la mer se gonflait et bouillonnait comme de la boue noire. De longues traînées d'écume striaient la crête des grandes vagues. Le vent tirait sur les paupières de Willie. Sauf aux moments où le *Caine* escaladait péniblement une vague, on ne voyait tout autour que des montagnes et des vallées liquides; on s'apercevait alors que la mer était couverte de bateaux, grands cuirassés et porte-avions, pétroliers, destroyers, tous plongeant en travers des vagues qui ne cessaient de venir se briser sur leurs plages avant en torrents écumants. Le gaillard du *Caine* était perpétuellement recouvert de plusieurs centimètres d'eau. Les ancres disparaissaient par instants sous des vagues noires et l'écume bouillonnait sur le pont, venait battre le fronton de la passerelle et ruisselait par-dessus bord. Il ne pleuvait pas, mais l'atmosphère était celle d'un établissement de bains. Des masses de nuages gris sombres s'amoncelaient dans le ciel. Le bateau roulait moins que pendant la nuit, mais il tanguait davantage. Sur le pont qui montait et descendait, on se serait cru dans une cabine d'ascenseur.

— Tiens, dit le second, tous les pétroliers envoient Bernard[1]. Ils vont essayer quand même, semble-t-il.

— Monsieur l'officier de quart, appela le commandant depuis la chambre de veille. Que dit le baromètre, je vous prie?

Willie secoua la tête d'un air las, alla jeter un coup d'œil à

---

1. Pour pavillon Bernard (Bernard = B).

l'instrument, puis se présenta à la porte de la timonerie. « *Toujours* à 747, commandant.

— Pourquoi faut-il que je demande tout le temps des lectures? Vous me les donnerez automatiquement de dix minutes en dix minutes désormais.

— Seigneur, murmura Willie au second, le baromètre n'a pas bougé depuis sept heures. »

Maryk braqua ses jumelles à l'horizon. Pendant plusieurs secondes, le *Caine* trembla à la crête d'une longue vague, puis retomba lourdement dans un creux. « Il y a un rafiot qui essaie de ravitailler le *New Jersey* là-bas... en plein devant... je crois que la manche a cassé... »

Willie attendit que le *Caine* se trouvât de nouveau au sommet d'une vague pour regarder dans ses jumelles. Il aperçut un destroyer qui faisait de terribles embardées tout près du cuirassé, en traînant un long tuyau noir qui se tortillait. L'appareil de pompage pendait dans le vide sur le pont principal du cuirassé. « Ils ne vont pas pouvoir prendre beaucoup de carburant dans ces conditions.

— C'est bien possible, oui. »

Willie signala l'accident à Queeg. Le commandant, pelotonné dans son fauteuil, se passa la main sur son menton hérissé de barbe et dit : « Ma foi, c'est leur affaire. Je prendrais bien un peu de café, tenez. »

Le groupe d'attaque poursuivit ses efforts jusqu'au début de l'après-midi, au prix de nombreux tuyaux, d'amarres et de carburant répandu, tandis que sur tous les navires, de jeunes officiers comme Willie se livraient à des commentaires sarcastiques sur les facultés mentales de l'amiral commandant la flotte. Ils ne savaient pas, évidemment, que l'amiral avait mission de fournir le support aérien à un débarquement du général Mac Arthur à Mindoro et qu'il lui fallait bien faire faire à ses navires le plein de carburant, faute de quoi il ne pourrait fournir à l'infanterie la protection aérienne dont elle avait besoin. A une heure et demie, les unités d'assaut cessèrent le ravitaillement en carburant et mirent le cap au sud-ouest pour sortir de la tempête.

Willie était de quart de huit heures à minuit. Pendant cette période, il se rendit compte peu à peu que c'était du très mauvais temps: un temps inquiétant et pendant deux ou trois coups de roulis particulièrement violents, il connut même des instants de panique. Il se rassura en voyant le sang-froid de l'homme de barre et des quartiers-maîtres cramponnés qui à sa barre, qui à son transmetteur d'ordres, et échangeant des injures d'un ton fatigué mais calme, tandis que la timonerie plongée dans l'ombre roulait, tombait, montait et tremblait, et que la pluie battait les hublots, ruisselant sur le pont. On ne voyait plus les autres bateaux. Willie gardait la position au radar et en s'alignant sur le pétrolier le plus proche.

A onze heures et demie un radio trempé de pluie vint trouver Willie d'un pas chancelant, pour apporter un avis de typhon. Willie le lut et alla réveiller Maryk qui sommeillait dans le fauteuil du commandant, cramponné aux bras pour ne pas tomber. Ils allèrent tous deux dans la chambre des cartes. Queeg, qui dormait d'un sommeil lourd dans la couchette au-dessus du bureau, ne broncha pas. « Cent cinquante milles maintenant, presque en plein est, murmura Maryk en promenant son compas sur la carte.

— Eh bien alors, nous sommes dans le demi-cercle navigable, dit Willie. Au matin, nous en serons sortis.

— Possible.

— Je serai content de revoir le soleil.

— Moi aussi. »

Quand Willie regagna sa cabine après la relève, il trouva dans ce cadre familier une étrange impression de réconfort. Rien n'avait bougé. La cabine était bien en ordre, la lampe de chevet brillait paisiblement et ses livres favoris étaient toujours solides au poste sur l'étagère. A chaque coup de roulis le rideau vert et un pantalon kaki sale pendu à un cintre prenaient des angles invraisemblables comme si le vent les poussait. Willie n'avait qu'une envie, c'était de dormir comme une souche et de se réveiller pour trouver une journée radieuse, sans aucune trace de mauvais temps. Il avala un comprimé de somnifère et ne tarda guère à perdre conscience.

Il fut réveillé par un vacarme d'ustensiles dégringolant et s'écrasant les uns sur les autres dans le carré. Il se leva d'un bond et sauta sur le plancher qui, remarqua-t-il, était fortement incliné sur bâbord; si incliné qu'on ne pouvait rester debout dessus. Le cerveau encore embrumé par le sommeil, Willie se rendit compte cependant avec horreur qu'il ne s'agissait pas d'un simple coup de roulis. Le plancher *restait* incliné.

Sans prendre le temps de passer un vêtement, il courut comme un fou jusqu'au carré vaguement éclairé d'une lueur rougeâtre, en s'accrochant des deux mains au panneau de bâbord de la coursive. Lentement, le plancher se redressa. Tous les sièges du carré étaient entassés contre la cloison de bâbord dans un extraordinaire enchevêtrement de pieds, de dossiers et de bras. Au moment où Willie pénétrait dans le carré, toute la pyramide se mit à glisser sur le plancher, dans un nouveau fracas. La porte de l'office était ouverte. Le placard où était rangée la vaisselle s'était cassé et avait répandu tout ce qu'il contenait sur le sol. Cela faisait un tas tintinnabulant de morceaux de faïence, qui glissait avec le roulis.

Le bateau revint à l'horizontale, puis se coucha à tribord. Les sièges s'arrêtèrent de glisser. Willie maîtrisa une folle envie de se précipiter sans vêtement sur le pont. Il revint en courant dans sa cabine et se mit à enfiler son pantalon.

Une fois de plus le bateau se soulagea puis retomba à bâbord, et avant que Willie n'ait eu le temps de comprendre ce qui se passait, il fut projeté sur sa couchette et se retrouva à même la coque glacée, son matelas dressé à côté de lui comme un mur blanc. Un instant, il crut qu'il allait mourir dans un navire que la tempête aurait fait chavirer. Mais lentement, lentement, le vieux dragueur revint sur tribord. Willie n'avait jamais vu roulis de ce genre. Ce n'était pas du roulis. C'était la mort qui prenait son élan. Il saisit ses chaussures et une chemise, grimpa jusqu'à l'entrepont et se mit à escalader l'échelle.

Sa tête heurta le panneau d'écoutille qui était fermé; il sentit une violente douleur qui l'étourdit et vit des éclairs danser devant ses yeux. Il avait cru que le noir qu'il voyait en haut de la descente était le noir de la nuit. En jetant un coup d'œil à sa montre, il constata qu'il était sept heures du matin.

Pendant quelques instants il griffa désespérément le panneau avec ses ongles. Puis la raison lui revint et il se souvint qu'il y avait dans le panneau une petite trappe ronde. D'une main tremblante, il débloqua le loquet; la trappe s'ouvrit, Willie lança ses chaussures et sa chemise de l'autre côté et se coula sur le pont principal. La lumière grisâtre l'éblouit un peu. Des gouttes d'eau vinrent lui cingler la peau. Il aperçut des matelots blottis dans les coursives de la cambuse et qui le contemplaient avec des yeux ronds. Sans plus penser à ses vêtements, il bondit jusqu'à l'échelle de passerelle pieds nus, mais parvenu au beau milieu, il dut s'arrêter et se cramponner désespérément, tandis que le *Caine* roulait à nouveau sur bâbord. Il serait tombé tout droit dans l'eau grisâtre qui bouillonnait en bas s'il ne s'était pas frénétiquement accroché des bras et des jambes aux montants.

D'où il était, il entendit la voix de Queeg retentir, perçante et angoissée dans les hauts-parleurs : « Eh, la chaufferie, je veux de la pression, de la PRESSION à cette foutue machine de bâbord, vous m'entendez, la PRESSION maxima, si vous ne voulez pas qu'on se retrouve tous au fond de l'eau! »

Willie se traîna à quatre pattes sur la passerelle, tandis que le bateau montait et descendait de gigantesques masses d'eau, avec une gîte toujours très prononcée. La passerelle était encombrée d'hommes et d'officiers, tous cramponnés à des rambardes, à des montants ou à des taquets, et tous avec le même regard affolé que Willie avait vu aux hommes du pont. Il agrippa le bras de Keefer; le long visage du romancier était gris.

— Qu'est-ce qui se passe, bon Dieu?

— Où étiez-vous? Vous feriez mieux de passer votre gilet de sauvetage...

Willie entendit l'homme de barre crier de la timonerie : « Il commence à répondre, commandant. Cap au 87!

— Très bien. Gardez la barre à gauche toute, fit Queeg d'une voix presque cassée.

— 86, commandant! 85! Ça vient!

— Seigneur, merci! » dit Keefer, en se mordant les lèvres.

Le bateau se mit à éviter sur tribord et au même moment un

violent vent de tribord vint fouetter Willie en pleine figure. « Qu'est-ce qui se passe, Tom? Qu'est-ce qu'il y a?

— Ce bougre d'amiral est en train d'essayer de faire du carburant au centre d'un typhon, voilà ce qui se passe...

— Faire le plein! Par une mer comme ça? »

On ne voyait rien autour du bateau que des vagues grises zébrées de blanc. Mais Willie n'avait jamais vu de vagues pareilles. Elles étaient hautes comme des immeubles de sept étages et défilaient avec une lente majesté; le *Caine*, au milieu d'elles, avait l'air d'un petit taxi. Il ne tanguait plus ni ne roulait comme un navire qui plonge à travers les lames, il montait et descendait à la surface de la mer démontée comme un vieux bouchon. L'air était saturé d'eau. Il était impossible de voir si c'était de la pluie ou des embruns, mais Willie se rendit compte que c'étaient des embruns en sentant le goût du sel sur ses lèvres.

— Il y a des rafiots qui n'ont plus que dix pour cent de leurs soutes, dit Keefer. Il faut qu'ils se ravitaillent, sinon ils ne s'en sortiront pas...

— Seigneur. Et nous, où en sommes-nous?

— A quarante pour cent, fit Paynter. Le petit officier mécanicien, le dos au roufle de passerelle, était cramponné au support d'un extincteur d'incendie.

— Ça vient vite maintenant, commandant! cria l'homme de barre. Cap au 62... Cap au 61...

— 10 seulement la barre! Bâbord en avant en route! Tribord en avant un tiers!

Le navire roula sur bâbord, puis se redressa; cela fit un coup de roulis terriblement violent, mais dont le rythme leur était familier. Willie sentit son estomac se dénouer. Il remarqua soudain le bruit qui noyait presque les voix dans la timonerie. C'était un gémissement profond et lugubre qui venait de partout et de nulle part, dominant le fracas des lames, le craquement du navire et le rugissement des cheminées qui vomissaient des torrents de fumée noire : « Oooooooooo, IIIIIIIII iiiiiiiiiiiii », un vacarme cosmique comme si la mer et l'air riaient de souffrance : « Ooo IIIIIII, ooooo IIIII... »

Willie se traîna jusqu'au baromètre. Il en eut le souffle coupé. L'aiguille tremblait à 743 millimètres. Il revint auprès de Keefer. « Tom, le baromètre, vous avez vu... depuis quand est-ce comme ça?

— Il a commencé à baisser pendant que j'avais le quart de minuit. Je n'ai pas bougé depuis. Le commandant et Steve sont sur le pont depuis une heure du matin. Ce vent vient de se lever... je ne sais pas, il y a quinze ou vingt minutes... il doit faire plus de cent nœuds ...

— *Cap au 10*, commandant!

— *Redressez! Route au nord! En avant deux tiers partout!*

— Nom de Dieu, fit Willie, pourquoi est-ce que nous avons le cap au *nord*?

— C'est la route de la flotte vent debout pour souter...

— Ils n'arriveront jamais à faire le plein...

— Ils couleront bas en essayant...

— Qu'est-ce qui s'est passé quand on se couchait sur le flanc? Est-ce que les machines ont lâché?

— Nous étions en travers au vent et le gouvernail ne répondait plus. Les machines tiennent le coup... pour l'instant... »

Le gémissement de l'ouragan prit de l'ampleur : « OOOOH-IIII! » Le commandant Queeg sortit d'un pas chancelant de la timonerie. Son visage, aussi gris que son gilet de sauvetage, était hérissé de barbe noire; il avait les yeux injectés de sang et presque fermés tant les poches qu'il avait dessous étaient gonflées. « Monsieur Paynter! Je veux savoir, nom de Dieu, pourquoi les machines n'ont pas répondu quand j'ai demandé de la pression...

— Elles répondaient, commandant...

— Nom de Dieu, est-ce que vous me traitez de menteur? Je vous dis qu'il a fallu que je gueule près d'une minute et demie dans ce téléphone avant que les moteurs de bâbord ne répondent...

— Commandant, le vent...

(« Oooo-iiii-OOIIII! »)

— Je vous prie de ne pas me répondre! Je veux que vous descendiez dans la chambre des machines et que vous y restiez pour vous assurer qu'on obéit à mes ordres et sans traîner...

— Commandant, je dois prendre le quart dans quelques minutes..

— Vous ne prendrez rien du tout, monsieur Paynter! Vous êtes dispensé du quart! Descendez aux machines et restez là jusqu'à ce que je vous dise de remonter, quand bien même je ne vous le dis que dans soixante-douze heures! Et si j'attends encore quand je donne des ordres aux machines, vous pourrez commencer à préparer votre défense devant un conseil de guerre! » Paynter acquiesça calmement et descendit avec précaution l'échelle de passerelle.

Debout au vent, le *Caine* tenait mieux la mer. La peur qui serrait le cœur des officiers et de l'équipage commença à se dissiper. On apporta sur la passerelle des pots de cafés frais et le moral remonta un peu, assez même pour que les matelots recommencent à échanger des plaisanteries obscènes. Le bateau tanguait encore assez dur pour gêner la digestion, mais le *Caine* avait déjà souvent tangué et ce n'était pas aussi terrifiant que les longs coups de roulis qui penchaient la passerelle au-dessus de l'eau. Le rassemblement insolite des matelots sur la passerelle s'était dispersé, et les hommes commençaient à parler de la frousse qu'ils avaient eue d'un ton soulagé.

Ils ne voyaient pas, dans leur optimisme, que le vent continuait son lamento aussi violemment qu'auparavant, que les embruns étaient toujours aussi drus, ni que le baromètre était tombé à 741. Les matelots du *Caine* s'étaient maintenant faits à l'idée qu'ils étaient dans un typhon. Ils voulaient croire qu'ils s'en tireraient sains et saufs; et comme il n'y avait pas pour l'instant de crise immédiate et qu'ils avaient grande envie de croire, ils croyaient. Ils répétaient sans se lasser des remarques comme : « C'est un bateau qui a de la veine » et : « C'est increvable cette vieille saloperie de rafiot. »

Willie partageait les sentiments de l'équipage. L'estomac réchauffé par le café, il commença à éprouver la griserie de se trouver dans une situation difficile et de ne pas avoir peur. Il recouvra même assez de présence d'esprit pour appliquer à la tempête certaines des connaissances qu'il avait glanées dans le *Cours de Navigation pratique* : il calcula que le centre du typhon devait être à environ cent cinquante kilomètres en plein est et qu'il approchait à trente kilomètres à l'heure. Il se demanda même, non sans plaisir, si l'œil bleu de la tempête n'allait pas passer au-dessus du *Caine*, mais pourrait-on distinguer un cercle de ciel bleu à travers ces lourdes nuées?

— Il paraît que c'est vous qui me relevez à la place de Paynter. Harding venait de surgir à ses côtés et, face au vent, se livrait à quelques calculs.

— Oui. Maintenant?

— Vous me relevez comme ça?

Willie se regarda : il n'avait que son pantalon trempé d'eau de mer; il sourit : « Ça n'est pas une tenue très réglementaire, il me semble? »

— Je ne crois pas que la grande tenue avec l'épée soit de rigueur par un temps pareil, dit Harding, mais vous seriez peut-être plus à votre aise si vous étiez habillé.

— Je reviens tout de suite. » Willie descendit et se faufila par la trappe du panneau d'écoutille; il remarqua au passage que les matelots n'étaient plus massés dans les coursives du pont principal. Dans le carré, il trouva Whittaker et ses cambusiers, tous en gilets de sauvetage, en train d'étendre une nappe blanche, de ranger les chaises et de ramasser les magazines étalés sur le plancher. « Lieu'nant, dit Whittaker d'un ton consterné, je me demande co'ment on va se'vi' le dé'euner, si je p'ends pas des plats de fé au 'éfectoi'e des ho'mes. Il 'este p'us de yaisselle que pou' deux o'ficiers, lieu'nant...

— Bah, Whittaker, ne vous en faites pas. Allez voir Mr. Maryk, mais je crois que personne ne compte avoir d'autre petit déjeuner que du café et des sandwiches sur le pont.

— Ah bon, me'ci, lieu'nant! » Les visages des noirs se rasserénèrent. « Pas la peine de met' le cou'ert, Ras'elas, va donc demander à m'sieu Ma'yk...

Tout en s'habillant non sans mal dans sa cabine secouée en tous sens, Willie pensait avec amusement que le drame du matin avait eu vite fait de passer de question de vie ou de mort au niveau d'une histoire de petit déjeuner. Les préoccupations domestiques des stewarts le rassuraient ainsi que le décor immuable de sa cabine.

Ici, il était Willie Keith, le vieil et indestructible Willie, qui écrivait des lettres à May Wynn, déchiffrait des messages et vérifiait des états de blanchisserie. Là-haut le typhon était une sorte d'aventure de cinéma, passionnante et dangereuse pour rire, et riche d'enseignements pourvu qu'on se souvînt de garder son sang-froid. Il se dit qu'un jour il écrirait peut-être une nouvelle où il serait question d'un typhon et qu'il y replacerait l'épisode des cambusiers préoccupés du petit déjeuner. Il remonta sur la passerelle, bien sec et plein d'entrain, pour prendre le quart. Il se planta dans la chambre de veille, à l'abri des embruns, un bras passé autour du dossier du fauteuil du commandant, souriant au typhon qui gémissait plus fort que jamais : « OOOO! IIII! »

Le baromètre s'était arrêté à 737 millimètres.

CHAPITRE XXX

LA MUTINERIE

UN navire à vapeur, qui n'est pas l'esclave du vent comme un navire à voiles, surmonte d'ordinaire les inconvénients des tempêtes. Un bateau de guerre est une espèce particulière de navire à vapeur, conçu non pas pour être spacieux et d'un rendement économique, mais pour être puissant. Même le *Caine* était capable d'opposer à l'ouragan une force de trente mille chevaux; soit une énergie suffisante pour déplacer une masse d'un demi millions de tonnes à raison de trente centimètres à la minute. Or, le navire ne pesait guère plus de mille tonnes. C'était un vieux poids-plume bourré de forces de secours.

Mais il se passe d'étranges phénomènes quand la nature monte un spectacle du genre d'un typhon, avec des bourrasques de deux cent cinquante kilomètres à l'heure ou davantage. Le gouvernail, par exemple, peut très bien ne plus être d'aucune utilité. Il fonctionne en chassant sur l'eau qu'il fend; mais si le bateau a le vent arrière et que celui-ci souffle assez fort, l'eau peut se mettre à chasser à la même vitesse que le gouvernail, si bien que celui-ci n'a plus aucun effet. Le navire alors fera des embardées ou viendra en travers à la lame. Ou bien il se peut que la mer pousse la coque dans une direction, le vent dans une autre, le gouvernail dans une troisième, si bien que la composante des forces ne corresponde plus du tout à l'impulsion donnée par la barre, et qu'en outre elle varie de minute en minute, voire de seconde en seconde.

On peut concevoir aussi que le commandant veuille éviter son bateau dans une direction, mais que le vent pousse si fort dans la direction opposée que toute la puissance des machines ne suffise

pas à faire virer le navire. Dans ce cas, celui-ci va se mettre à
rouler, à recevoir la lame par le travers, et se trouvera dans une
situation réellement très critique. Mais c'est un cas fort improbable.

— Ils arrêtent le ravitaillement en carburant, commandant,
et ils font route au sud. Exécution immédiate.

— Ils foutent le camp, quoi? Pas trop tôt.

Maryk, qui avait l'air d'un gros batracien dans son gilet de sauvetage, dit : « Je ne sais pas comment nous allons tenir la mer,
commandant, l'arrière au vent. Ça ne nous réussit jamais...

— Toute route est bonne pourvu qu'elle nous fasse sortir d'ici »,
dit Queeg. Il regarda les vagues énormes qui rugissaient et déferlaient de toute part à la hauteur du grand mât. Les embruns
formaient comme un nuage. A quelques centaines de mètres du
bateau, les montagnes liquides se fondaient dans une brume blanchâtre. Les embruns fouettaient les hublots, avec un bruit de grêle
plutôt que d'eau. « Bon, Willie, appelez Paynter et dites-lui de se
poster auprès de ses machines et que ça saute. Steve, je vais diriger
la manœuvre depuis le poste radar. Vous, restez ici. »

La phonie se mit à grésiller. Une voix en sortit, gargouillante,
comme si le haut-parleur était plongé dans l'eau : « *Rayon de Soleil
à Petits Garçons. Procédez réorientation. Vitesse maxima.*

— Bon. En avant toute partout. La barre à droite 15. Cap à
180 », dit Queeg, puis il sortit en courant de la chambre de veille.
Le *Caine* plongea au creux d'une lame écumante. Stilwell tourna
la barre en disant : « Bon Dieu, la barre est molle.

— Le gouvernail est probablement hors de l'eau », dit Maryk.
Le nez du bateau fendit la lame et remonta lentement, labourant
des masses d'eau énormes. La timonerie trembla de toutes ses
jointures.

— La barre est 15 à droite, dit Stilwell. Bon Dieu'on est drossés
dur. Cap au 10, commandant, 20...» Comme un cerf-volant prenant
le vent, le dragueur se couchait et gîtait violemment sur tribord.
Un navire de guerre moderne, en bon état de marche et manœuvré
par un commandant expérimenté doit pouvoir traverser sans dommage n'importe quel typhon.

La meilleure arme de la tempête est de recourir aux vieux trucs
de l'épouvante. Elle fait des bruit horribles, d'affreuses grimaces
et elle ébranle le commandant au point de l'empêcher de penser à
prendre au bon moment les mesures qui s'imposent. Si le vent
réussit à secouer le navire par le travers assez longtemps, il a de
fortes chances alors d'endommager les machines, voire de les mettre
hors d'usage... et alors il a gagné. Car, avant tout, il faut garder
le contrôle des machines du bateau. En tant que carcasse flottante,
le navire à vapeur a un inconvénient sur le vieux navire à voiles,
c'est que le fer ne flotte pas. Un destroyer pris dans un typhon et
qui n'a plus le secours de ses machines est à peu près sûr de chavirer, ou sinon d'embarquer de l'eau jusqu'à couler bas.

Quand les choses commencent vraiment à se gâter, disent les

livres, la meilleure solution est de tourner le navire debout au vent
et à la mer et d'attendre ainsi la fin de la tempête. Mais même sur
ce point les avis autorisés diffèrent. Aucun parmi les auteurs des
livres en question, ne s'est trouvé dans un nombre suffisant de
très violents typhons pour pouvoir généraliser à coup sûr. Aucun
desdits auteurs ne s'est d'ailleurs plaint de son manque d'expérience.

Le message phonie était si brouillé par les parasites, le bruit
du vent et des vagues, que Willie dut se coller l'oreille au haut-
parleur : « *Rayon de Soleil à Maillons de Chaîne. Cessez ravitaillement carburant. Exécution immédiate, Nouvelle route flotte 180.
Petits Garçons procédez réorientation écran.*

— Quoi? Qu'est-ce que c'est? dit Queeg, debout à côté de Willie.
Willie sentit des frissons de peur lui courir le long des bras et des
jambes quand il fut projeté contre les hublots ruisselants. Cap
au 35, commandant... 40... »

Prenant une gîte de plus en plus marquée sur bâbord, le *Caine*
montait et descendait sur les vagues, offrant le flanc au vent et
se comportait à nouveau plutôt comme une épave que comme un
navire dûment dirigé. Les embruns, arrivant par nuages, cinglaient
le gaillard. Instinctivement les regards de Willie se tournèrent
vers Maryk, et il éprouva un profond soulagement à voir le second,
les deux bras accrochés à une poutrelle et le dos collé à la cloison,
surveiller calmement la manœuvre.

— Dites donc, Willie! La voix du commandant retentit, har-
gneuse et aiguë dans le tuyau acoustique. « Faites-moi venir votre
radariste. On ne voit rien sur cette saleté de radar. »

Willie hurla : « Bien, commandant », dans l'embouchure du cornet et appela le technicien dans le haut-parleur. Le mouvement de
glissement du *Caine* et l'étrange va-et-vient du pont qui se soulevait et retombait commençaient à lui donner une légère nausée.

— Monsieur Maryk, dit l'homme de barre d'une voix boule-
versée, on ne vient plus...

— Quel est votre cap?

— 93.

— Nous sommes en travers la lame. Sous le vent. Ça va venir
doucement...

— Toujours 93, lieutenant, dit Stilwell, au bout d'une minute
de pénible ballottage, de violents coups de roulis et d'horribles
chutes sur bâbord. On n'aurait pu dire si le *Caine* se déplaçait
sur l'eau ou s'il était seulement ballotté de côté et poussé en avant.
Les seuls mouvements perceptibles étaient ceux qu'imprimaient
au navire la mer et le vent; le loch marquait pourtant vingt
nœuds.

— La barre à droite toute, dit Maryk.

— La barre à droite toute, lieutenant... Seigneur, *on dirait que
les drosses de gouvernail ont cassé!* C'est d'un mou... Willie sentit
ses cheveux se hérisser sur sa tête en voyant les expressions de

terreur des matelots. Il se rendit compte que cette même terreur
se lisait sur son visage à lui.

— Bouclez-la, Stilwell, les drosses de gouvernail sont intactes,
dit Maryk. Ne dites pas d'âneries. On dirait que vous n'avez
jamais tenu la barre par gros temps...

— Nom de Dieu, Steve, aboya Queeg, qu'est-ce que vous foutez
là-dedans? Pourquoi est-ce que nous n'évitons pas?

Maryk hurla dans le tuyau acoustique : « On a le vent et la mer
de flanc, commandant. J'ai fait mettre la barre à droite toute...

— Eh bien, jouez sur les machines. Mais qu'on tourne. Bon
sang, il faut que je fasse tout, ici! Et ce technicien, qu'est-ce qu'il
fout? On ne voit rien sur ce radar... »

Maryk lança des ordres aux machines. En faisant donner l'hélice
tribord et en mettant celle de bâbord en arrière, il parvint à faire
lentement virer le nez du navire cap au sud. « Cap au 180, lieutenant », dit enfin Stilwell, en tournant vers Maryk un visage
illuminé de soulagement.

Le bateau était secoué et se couchait d'un flanc sur l'autre,
mais les coups de roulis, pour accentués qu'ils fussent, n'avaient
plus rien d'alarmant, tant que le navire penchait aussi fort d'un
côté que de l'autre. Willie s'habituait à voir les trois cheminées
rouillées se coucher presque parallèlement à la mer, et à ne plus
rien distinguer entre elles que l'eau écumante. Le mouvement de
balancier des cheminées, semblable au va-et-vient de gigantesques
essuie-glaces, n'était plus terrifiant mais agréable. Ce que Willie
redoutait, c'était le lent, lent mouvement de roulis sur un
flanc.

Queeg entra, s'essuyant les yeux avec son mouchoir. « Saloperie
d'embruns, ça pique. Alors, vous avez fini par éviter? Ça doit
aller maintenant.

— Nous sommes toujours à notre place dans la formation,
commandant?

— Ma foi, à peu près, je crois. Je ne pourrais pas vous l'affirmer.
Le radariste dit que ce sont les embruns qui nous donnent cet écho
qui brouille tout l'écran. Je pense que si nous sommes trop loin,
Rayon de Soleil poussera une gueulante...

— Il me semble, commandant, qu'on devrait lester, dit le second.
Nous sommes très peu chargés, commandant. Les soutes à mazout
ne sont qu'à trente-cinq pour cent. C'est en partie parce que nous
sommes très hauts sur l'eau que nous avons du mal à éviter...

— Bah, ne vous en faites pas, nous ne chavirons pas encore.

— Cela nous donnerait quand même une plus grande maniabilité, commandant...

— C'est ça, et on foutrait plein d'eau salée dans nos soutes
pour que la pompe se désamorce tous les quarts d'heure au moment où il faudra refaire le plein de carburant. Rayon de Soleil
a nos états de carburant. S'il estimait qu'il y avait un danger
quelconque, il nous donnerait l'ordre de lester.

— Je crois aussi qu'il faudrait désamorcer les grenades sous-marines, commandant.

— Qu'est-ce qui se passe, Steve, c'est ce petit moment de gros temps qui vous affole?

— Je ne m'affole pas, commandant...

— Le *Caine* est toujours censé être un chasseur de sous-marins, vous savez. Ça nous fera une belle jambe d'avoir désamorcé les grenades si nous tombons sur un sous-marin dans cinq minutes? »

Maryk jeta un coup d'œil par le hublot sur les gigantesques lames en furie. « Commandant, nous ne risquons pas de rencontrer de sous-marin par un temps pareil...

— Qu'est-ce que nous en savons?

— Commandant, le *Dietch*, un destroyer de notre division, a été pris dans une tempête du côté des Aléoutiennes et ses grenades anti-sous-marines l'ont envoyé par le fond. Tout l'arrière a sauté. Le pacha est passé en conseil...

— Vingt dieux, si vous tenez tant à désamorcer vos grenades, allez-y, je m'en fous. Veillez seulement à ce qu'il y ait quelqu'un à portée prêt à les réamorcer si nous tombons sur un sous-marin...

— Monsieur Maryk, intervint Stilwell, les grenades sont désamorcées.

— Vraiment? s'écria Queeg. Qui vous a dit de le faire?

— Ce sont les consignes de Mr. Keefer, commandant. Quand le navire est en danger, je les désamorce...

— Et qui vous a dit que le navire était en danger, je vous prie? fit Queeg cramponné à une poignée de hublot et foudroyant l'homme de barre du regard.

— C'est quand il y a eu ce terrible coup de roulis, là, vers sept heures, commandant, que je... je les ai désamorcées. Toute la plage arrière était sous l'eau. Il a fallu que je frappe une main-courante...

— Nom de Dieu, Monsieur Maryk, pourquoi est-ce qu'on ne me tient jamais au courant de rien? Je fais route avec un tas de grenades anti-sous-marines désamorcées, et je l'ignore!

— Commandant, dit Stilwell, j'ai prévenu Mr. Keefer...

— Vous parlerez quand on vous le demandera, bougre d'imbécile, et pas autrement! hurla Queeg. Monsieur Keith, veuillez noter cet homme au rapport pour insolence et négligence! Il a prévenu Mr. *Keefer!* Je vais dire deux mots à Mr. Keefer! Maintenant, Steve, je veux que vous me trouviez un autre homme de barre et que je ne voie plus cette triste tête d'idiot...

— Excusez-moi, commandant, dit précipitamment le second, les autres timoniers récupèrent encore après la nuit qu'ils ont passée. Stilwell est notre meilleur timonier et nous avons besoin de lui...

— Allez-vous cesser ces impertinences? vociféra le commandant. Sacré nom de Dieu, il n'y a donc pas un officier sur ce bateau qui obéira à mes ordres? J'ai dit : je veux... »

Engstrand entra en trébuchant dans la timonerie et se raccrocha à Willie pour ne pas tomber. Ses treillis étaient trempés. « Excusez-moi, monsieur Keith. Commandant, le baromètre...

— Eh bien, quoi, le baromètre?

— Il est à 735, commandant... trente-*cinq*...

— Bon Dieu, qui est-ce qui surveillait le baromètre? Pourquoi est-ce que ça fait une demi-heure qu'on ne m'a rien dit? » Queeg se précipita vers la porte, en se cramponnant de poignée de hublot en poignée de hublot, puis au transmetteur d'ordres.

— Monsieur Maryk, fit le timonier d'une voix rauque, je ne peux pas garder le cap à 180. Le bateau vient à bâbord...

— Mettez davantage de barre...

— Je l'ai mise déjà complètement à droite, lieutenant... cap au 172, lieutenant... ça vient vite...

— *Pourquoi* est-ce que la barre est complètement à droite? beugla Queeg, en réapparaissant sur le seuil. Qui est-ce qui donne les ordres de barre ici? Est-ce que tout le monde serait devenu fou sur cette passerelle?

— Commandant, on se couche à tribord, dit Maryk. L'homme de barre ne peut pas maintenir le cap à 180...

— Cap cent *soixante*, lieutenant, dit Stilwell en lançant à Maryk un regard affolé. C'était le redoutable effet de girouette : le *Caine* ne répondait plus à la barre. Le gouvernail n'agissait plus et le bateau dérivait à la merci du vent et des vagues. Il virait du sud à l'est.

Queeg sauta sur le timonier et regarda le compas. Il bondit jusqu'au transmetteur d'ordres et mit une manette sur « Tribord toute », et l'autre sur « Stop ». La chambre des machines répondit immédiatement. Le pont se mit à vibrer sous l'effort unilatéral des machines. « Ça va nous ramener au cap, dit le commandant. Quel est votre cap, maintenant?

— Ça tombe toujours, commandant, 152... 148...

— Il faut quelques secondes pour que ça morde », marmonna Queeg.

Une fois de plus le *Caine* prit une épouvantable bande à tribord et ne se releva pas. Des vagues frappant de bâbord déferlèrent pardessus le bateau comme sur un morceau de bois. Le navire oscilla faiblement sous le choc de ces tonnes d'eau, mais ne se redressa pas. Il remonta un peu vers l'horizontale, pour se coucher aussitôt après davantage à tribord. Willie avait le nez collé au hublot et il aperçut l'eau à quelques centimètres de ses yeux. Il aurait pu compter les bulles d'écume. Stilwell, cramponné à la barre, les pieds glissant sur le plancher balbutia : « Ça tombe toujours, lieutenant, cap à 125...

— Commandant, nous venons en travers, dit Maryk, d'une voix qui pour la première fois avait un peu perdu de sa fermeté. Essayez bâbord en arrière, commandant. » Le commandant avait l'air de ne pas entendre. « Commandant, commandant, *bâbord en arrière*. »

Queeg les genoux et les bras cramponnés au transmetteur d'ordre lui lança un regard terrorisé et fit docilement pivoter la manette. Le navire frémit horriblement sous l'effort; il continuait à dériver en travers du vent, s'élevant à chaque lame d'une hauteur équivalente à celle d'un grand immeuble, puis plongeant aussi profondément. « Le cap? articula le commandant d'une voix étouffée.

— Toujours 117, commandant...

— Vous croyez qu'il va répondre. Steve? murmura Willie.

— Je l'espère.

— Oh, sainte Mère de Dieu, faites que ce bateau revienne au 180 », fit une voix grelottante, qui fit frissonner Willie. Urban, le petit timonier, était tombé à genoux et se cramponnait à l'habitacle, les yeux fermés, la tête renversée en arrière.

— La ferme, Urban, dit Maryk, sèchement. Levez-vous...

— Lieutenant, cap au *120!* s'écria Stilwell. Il y vient!

— Bon, fit Maryk. 10 seulement.

Sans même un regard pour le commandant, Stilwell obéit. Willie, tout terrorisé qu'il fût, remarqua cette omission; et il remarqua également que Queeg, cramponné au transmetteur d'ordres, n'avait pas bronché.

— La barre est 10 à droite, lieutenant... cap au 124, lieutenant...

Le *Caine* se redressa lentement et pencha un peu à tribord avant de replonger un bon coup à bâbord.

— Ça va maintenant, dit Maryk. Urban se releva et regarda autour de lui d'un air confus.

— Cap au 128... 129... 130...

— Willie, dit le second, allez jeter un coup d'œil au poste radar. Tâchez de voir où nous sommes dans la formation.

— Bien, lieutenant. Willie passa d'un pas trébuchant devant le commandant, et déboucha sur la passerelle. Le vent le plaqua aussitôt contre le rouffe et les embruns le cinglèrent comme une giclée de petits cailloux. Il fut abasourdi sous le choc et tout excité à l'idée que le vent avait encore pris de la force dans les quinze dernières minutes et que l'ouragan le ferait passer par-dessus bord s'il s'aventurait dans un endroit découvert. Il rit tout seul, et son rire fit un petit bruit grêle dans le « Whooouuiiii! » guttural de la tempête. Il rampa jusqu'au poste radar, décrocha les loquets et essaya d'ouvrir la porte en la tirant, mais le vent la plaquait irrésistiblement. Il tambourina des poings sur l'acier trempé, donna des coups de pied, hurla : « Ouvrez! Ouvrez! C'est l'officier de quart! » La porte s'entrebâilla, lentement. Il se précipita, envoyant sur le plancher un des opérateurs arc-bouté contre le battant. La porte se referma d'un coup.

— Mais qu'est-ce qui se passe ici? s'exclama Willie.

Il y avait peut-être vingt matelots entassés dans le minuscule réduit, tous en gilets de sauvetage, leurs torches étanches agrafées sur eux, leurs sifflets autour du cou, et tous le visage blême et tordu de peur. « On s'en tire, monsieur Keith? demanda la voix de Gras-double du fond de la cohue.

— Ça va...

— Il va falloir abandonner le bateau, lieutenant? » dit un pompier crasseux.

Willie se rendit brusquement compte de ce qu'il y avait de si étrange dans le réduit, à part la foule qui l'emplissait. Tout était brillamment éclairé. Personne ne faisait attention aux courbes verdâtres du radar. Willie lança un torrent d'injures qui le surprit lui-même. Les matelots s'écartèrent un peu. « Qui a allumé ici? Qui est de quart au radar?

— Lieutenant, on ne voit rien sur les écrans que les échos de la mer », gémit un des opérateurs.

Willie proféra encore quelques jurons et dit : « Mettez-moi les lumières en veilleuse. Collez-vous le nez aux écrans et n'en bougez pas.

— Bon, monsieur Keith », dit l'opérateur, d'un ton aimable et respectueux, « mais ça ne servira à rien. » Dans la pénombre, Willie s'aperçut vite que le matelot avait raison. Il n'y avait pas trace sur l'écran des points des autres bateaux, rien qu'un fatras confus de taches et de stries vertes sur les écrans. « Vous voyez, lieutenant, fit patiemment un des techniciens, la plupart du temps, la pointe du mât est en dessous de la crête des vagues, et d'ailleurs, avec tous ces embruns, ça fait comme une masse, lieutenant. On n'y voit rien...

— Ça ne fait rien, dit Willie, continuez à surveiller ces radars jusqu'à ce que vous voyiez quelque chose! Et, tous ceux qui n'ont rien à faire ici... eh bien... eh bien, restez ici et n'empêchez pas les hommes de quart au radar de faire leur travail...

— Lieutenant, c'est vrai qu'on s'en tire?

— Est-ce qu'il va falloir abandonner le navire?

— Au dernier coup de roulis, j'ai failli sauter par-dessus bord.

— Le bateau va s'en tirer, monsieur Keith?

— Tout va bien, cria Willie. Tout va bien. Ne vous affolez pas. D'ici quelques heures, nous recommencerons à gratter la peinture...

— Je gratterai bien cette bonne vieille saloperie de rafiot jusqu'au Jugement dernier si seulement il se tire de là, dit une voix, ce qui déclencha quelques maigres éclats de rire.

— Je reste ici, en tout cas, même si ça doit me faire passer en conseil de guerre...

— Moi aussi...

— Bon Dieu, il y a une quarantaine de types derrière la passerelle...

— Monsieur Keith — la voix nasillarde de Gras-double retentit à nouveau — est-ce que vraiment le pacha sait ce qu'il fait, crénom? C'est tout ce qu'on demande.

— Le pacha s'en tire comme un chef. Et vous, bouclez-la et restez tranquilles. Aidez-moi plutôt à ouvrir cette porte. »

Le vent et les embruns s'engouffrèrent dans l'entrebâillement de la porte. Willie s'extirpa de la petite pièce et la porte claqua derrière lui. Le vent le poussa jusqu'à la timonerie. En une seconde il fut trempé comme s'il avait reçu de pleins seaux d'eau. « Les radars ne marchent plus, Steve. On n'y verra rien tant qu'il y aura autant d'embruns...

— Très bien. »

Malgré le hululement et le fracas de la tempête, Willie eut une impression de silence en entrant dans la timonerie. Queeg était toujours cramponné au transmetteur d'ordres. Stilwell tanguait devant la barre. Urban, coincé entre l'habitacle et le hublot de devant, étreignait le journal de bord, comme si ç'avait été la Bible. D'ordinaire, il y avait d'autres matelots dans la timonerie : des téléphonistes, des timoniers, mais ils évitaient le kiosque maintenant comme la chambre d'un contagieux. Maryk était debout, les deux mains crispées au dossier du fauteuil du commandant. Willie s'approcha en chancelant du hublot de bâbord et jeta un coup d'œil sur la passerelle. Une foule de matelots et d'officiers se pressait contre le roufle, accrochés les uns aux autres, leurs vêtements claquant au vent. Willie aperçut Keefer, Jorgensen et, à côté de lui, Harding.

— Ça va, Willie? demanda Harding. On s'en sort?

Willie fit signe que oui et revint dans la timonerie. Il était ennuyé de ne pas avoir de torche électrique ni de sifflet comme tout le monde. « C'est bien ma veine d'être justement de quart », pensa-t-il. Il ne croyait pas au fond que le navire allait couler, mais l'idée d'être désavantagé lui était désagréable. Son équipement personnel de sauvetage était en bas dans son bureau. Il songea un instant à envoyer un quartier-maître le chercher; mais il n'osa pas donner l'ordre.

Le *Caine*, tout en étant secoué de violentes embardées, garda deux ou trois minutes le cap au sud. Puis, tout d'un coup, sous les effets conjugués d'un coup de roulis, d'une vague et d'un coup de vent, il se coucha presque complètement sur tribord. Willie trébucha, alla cogner dans Stilwell et se rattrapa aux poignées de la barre.

— Commandant, dit Maryk, je crois que nous devrions tout de même lester... tout au moins les soutes arrière, si nous voulons marcher sous le vent.

Willie lança un coup d'œil à Queeg. Le commandant avait le visage crispé comme s'il avait devant les yeux une lumière trop vive. Il ne manifesta par aucun signe qu'il avait entendu. « Je demande l'autorisation de lester les soutes arrière, commandant », dit le second.

Les lèvres de Queeg remuèrent : « Autorisation refusée », dit-il d'un ton calme mais faible.

Stilwell redressa violemment la barre, et les poignées échappèrent aux mains de Willie qui se cramponna à un barrot au-dessus de lui.

— Ça tombe à *tribord* maintenant. Cap au 189... 190... 191...
— Commandant, dit Maryk..., la barre à gauche toute?
— D'accord, murmura Queeg.
— La barre est toute à gauche, lieutenant, dit Stilwell. Cap au 200...

Le second dévisagea le commandant plusieurs secondes tandis que le bateau donnait violemment de la bande à tribord, et recommençait son écœurant mouvement de glissade au creux des vagues, le vent le halant maintenant dans la direction opposée. « Commandant... il va falloir jouer à nouveau sur les machines, le bateau ne répond plus à la barre... Commandant, si on se mettait debout au vent? Avec ce vent arrière, on va venir en travers... »

Queeg tourna la manette du transmetteur d'ordre. « La route de la flotte est 180, dit-il.

— Commandant, nous devons manœuvrer dans l'intérêt du navire...

— Rayon de soleil voit bien les conditions météorologiques. Nous n'avons pas reçu d'ordre nous permettant de manœuvrer à discrétion... » Queeg regardait droit devant lui, cramponné aux manettes du transmetteur d'ordres.

— Cap au 225... ça tombe de plus en plus, lieutenant...

Une lame grise d'une hauteur incroyable se dressa soudain à tribord, beaucoup plus haut que la passerelle, puis déferla d'un coup. L'eau envahit la timonerie, inondant Willie jusqu'aux genoux. Elle avait une consistance étonnamment poisseuse et tiède, comme du sang. « Commandant, nous embarquons par la *passerelle!* cria Maryk. Il faut se mettre debout au vent!

— Cap au 245, lieutenant. » Stilwell avait des sanglots dans la voix. « Il ne répond plus du tout aux machines, lieutenant! »

Le *Caine* se coucha presque complètement sur tribord. A l'exception de Stilwell, tout le monde dérapa dans la timonerie et vint s'entasser contre les hublots. La mer était là, sous leur nez, qui frappait les vitres. « Monsieur Maryk, la lampe de compas vient de s'éteindre! » hurla Stilwell, désespérément cramponné à la barre. Le vent hululait et sifflait aux oreilles de Willie. Il était allongé de tout son long sur le plancher, barbotant dans l'eau salée et cherchant à se raccrocher à quelque chose de solide.

— Oh mon Dieu, Seigneur Jésus, sauvez-nous! clama la voix d'Urban.

— Renversez la barre, Stilwell! A droite à fond! A droite à fond! cria le second d'une voix rauque.

— A droite à fond, lieutenant!

Maryk se traîna jusqu'au transmetteur d'ordres, arracha les commandes à l'étreinte forcenée de Queeg et inversa la position des manettes. « Excusez-moi, commandant... » Un horrible gargouillement gronda dans les cheminées. « Le cap? aboya Maryk.

— 275, lieutenant!

— Gardez la barre à droite à fond!

— A vos ordres, lieutenant! »

Le vieux bateau se redressa un peu.

Willie Keith n'avait aucune idée de ce que le second était en train de faire, bien que la manœuvre fût assez simple. Le vent hâlait le navire du sud vers l'ouest. Queeg avait essayé de maintenir le cap au sud. Maryk faisait juste le contraire; il profitait de l'élan qui les poussait vers la droite, en l'aidant de toute la force des machines et du gouvernail, pour essayer de faire venir le navire cap au nord, debout au vent et à la mer. Dans des circonstances moins agitées, Willie aurait compris sans mal la logique de cette tentative, mais pour l'instant, il était complètement désemparé. Il était assis sur le plancher, stupidement accroché à un téléphone, l'eau lui ruisselant entre les jambes et ne quittait pas des yeux le second, comme si c'était un sorcier ou un ange du ciel qui allait le sauver avec des formules magiques. Il avait perdu sa foi dans le bateau. Il avait l'accablante impression d'être assis sur un morceau de ferraille au milieu d'une mer dangereuse. Son désir de garder la vie sauve obnubilait en lui toute autre pensée. Le typhon, le *Caine*, Queeg, la mer, la Marine, le service, ses galons de lieutenant, il avait tout oublié. Il était comme un chat grelottant de terreur sur les lieux d'un accident.

— On vient toujours? Quel est votre cap? *Continuez à me donner votre cap!* vociféra Maryk.

— Ça vient, lieutenant, hurla l'homme de barre, comme si on venait de lui donner un coup d'aiguillon. Cap au 310, cap au 315, 320...

— Mollissez la barre un peu!

— *Mollir* la barre, lieutenant?

— Oui, mollissez, mollissez!

— La b-barre est m-mollie, lieutenant...

— Très bien.

Mollir, mollir, mollir... le mot perça la brume qui enveloppait le cerveau de Willie. Il se remit debout et regarda autour de lui. Le *Caine* s'était redressé. Il roulait d'un côté puis de l'autre, et recommençait. Derrière les hublots, on ne voyait qu'une masse presque solide d'embruns. Il n'y avait plus de mer, ni de gaillard. « Ça va, Willie? J'ai cru que vous étiez assommé. » Maryk, cramponné au fauteuil du commandant, lança à celui-ci un rapide coup d'œil.

— Ça va. Qu'est-ce qui se passe, Steve?

— Eh bien, ça y est. Encore une demi-heure de cette route-là, et on est tirés d'affaire... Quel est votre cap? cria-t-il à Stilwell.

— 325, lieutenant... on tourne plus lentement maintenant...

— Bien sûr, on est contre le vent... mais on y viendra... nous garderons le cap au nord...

— Bien, lieutenant...

— Absolument pas, dit Queeg.

Willie avait complètement oublié la présence du commandant.

Maryk, le père, le chef, le sauveur, occupait tout entier son esprit. Il regarda le petit homme pâle debout, les bras et les jambes passés autour du transmetteur d'ordres, et il lui sembla que Queeg était un étranger. Le commandant, clignant des yeux et secouant la tête comme s'il venait de s'éveiller, dit : « Revenez au 180.

— Commandant, nous ne pouvons pas marcher avec vent arrière et sauver le navire, dit le second.

— Timonier, cap au 180.

— Ne bougez pas, Stilwell, dit Maryk.

— Monsieur Maryk, la route de la flotte est 180. » La voix du commandant n'était plus qu'un souffle. Il fixait devant lui un regard vitreux.

— Commandant, nous avons perdu contact avec la formation... les radars ne fonctionnent plus...

— Eh bien, il faut les retrouver... je ne vais pas désobéir aux ordres pour un peu de gros temps...

— Cap au nord, dit le timonier.

— Commandant, dit Maryk, comment saurions-nous ce que sont les ordres maintenant? Les antennes du chef de division sont peut-être abattues... les nôtres peut-être aussi... appelez Rayon de Soleil et dites-lui que nous sommes en difficulté...

Plongeant et piquant de l'avant, le *Caine* reprenait une marche normale. Willie sentit la vibration régulière des machines : le bateau tenait à nouveau correctement la mer. Autour du kiosque de pilotage, il n'y avait plus que les ténèbres blanchâtres de l'écume et le lugubre gémissement du vent, qui montait et descendait des gammes déchirantes.

— Nous ne sommes pas en difficulté, dit Queeg. Revenez au sud.

— Gardez la route! dit en même temps Maryk. Les regards du timonier allèrent d'un officier à l'autre; il avait les yeux écarquillés de terreur. « Faites ce que je vous dis! » cria le second. Il se tourna vers l'officier de quart. « Willie, prenez note de l'heure. » Il s'approcha du commandant et salua. « Je suis désolé, commandant, vous n'êtes pas dans un état normal. Je vous relève provisoirement du commandement de ce navire, en application de l'article 184 du *Décret sur le Service à Bord*.

— Je ne sais pas de quoi vous parlez, dit Queeg. Cap au 180, timonier.

— Monsieur Keith, c'est *vous* l'officier de quart, qu'est-ce que je dois faire? » cria Stilwell.

Willie regardait la pendule. Il était dix heures moins le quart. Il fut stupéfait de voir qu'il n'était de quart que depuis moins de deux heures. Il prit peu à peu conscience de la gravité de ce qui se passait entre Maryk et Queeg. Il ne pouvait y croire. C'était aussi invraisemblable que sa propre mort.

— Ne vous occupez pas de Mr. Keith, dit Queeg à Stilwell, avec une nuance de mauvaise humeur, extraordinairement incongrue, dans la voix. C'était le ton qu'il aurait pu prendre pour remarquer la présence d'un emballage de chewing-gum traînant sur le plancher. « Je vous ai dit de revenir au 180. C'est un ordre. Ramenez le cap au 180, et vite...

— Commandant Queeg, vous ne donnez plus d'ordres sur cette passerelle, dit Maryk. Je vous ai relevé, commandant. Vous êtes sur la liste des malades. J'en prends la responsabilité. Je sais que je passerai en conseil de guerre. C'est moi qui dirige désormais la manœuvre...

— Maryk, vous êtes en état d'arrestation. Descendez dans votre cabine, dit Queeg. Cap au 180, j'ai dit!

— Et alors, monsieur Keith? » s'écria le timonier, se tournant vers Willie. Urban s'était recroquevillé dans le coin le plus reculé de la chambre de veille. Ses regards affolés allaient de Willie au second, il était bouche bée. Willie jeta un coup d'œil à Queeg, cramponné au transmetteur d'ordres, puis à Maryk. Il sentit monter en lui une vague grisante de joie.

— Faites route au nord, Stilwell, dit-il. Mr. Maryk a pris le commandement. Le commandant Queeg est malade.

— Faites venir votre remplaçant, monsieur Keith, dit le commandant au même instant, avec quelque chose qui ressemblait à de la colère. Vous êtes en état d'arrestation, vous aussi.

— Vous n'avez pas capacité de m'arrêter, monsieur Queeg, dit Willie.

Ce stupéfiant changement d'appellation amena un reflet joyeux sur le visage de Stilwell. Il regarda Queeg avec un sourire de mépris. « Route au nord, monsieur Maryk », dit-il, et il tourna le dos aux officiers.

Queeg lâcha brusquement le transmetteur d'ordres et se précipita d'un pas chancelant vers la porte de bâbord. « Monsieur Keefer! Monsieur Harding! Il n'y a donc plus d'officiers ici? cria-t-il sur la passerelle.

— Willie, téléphonez à Paynter et dites-lui de lester tous les ballasts, immédiatement, dit Maryk.

— Bien, lieutenant. » Willie saisit le téléphone et sonna la chaufferie. « Allo, Paynt? Écoutez, nous allons lester. Remplissez immédiatement tous vos ballasts vides... Et comment, il est temps...

— Monsieur Keith, je n'ai *pas* donné l'ordre de lester, dit Queeg. Veuillez rappeler tout de suite la chaufferie... »

Maryk s'approcha du micro. « Tous les officiers sur la passerelle. Tous les officiers sur la passerelle. » Se tournant vers Willie, il ajouta : « Appelez Paynter et dites-lui que cet ordre ne le concerne pas.

— Bien, lieutenant. » Willie décrocha le téléphone.

— J'ai dit, et je répète, s'écria Queeg d'un ton irrité, que vous êtes tous les deux en état d'arrestation! Quittez immédiatement la passerelle. Votre attitude est déshonorante!

Les protestations de Queeg donnèrent à Willie une sensation grandissante de joie et d'autorité. Dans l'ombre humide de cette timonerie, à la lueur trouble du matin, tandis que le vent hurlait à la mort derrière les hublots, il lui semblait vivre le plus beau moment de sa vie. Il n'avait plus peur.

— Willie, dit Maryk, croyez-vous que vous puissiez aller jeter un coup d'œil au baromètre sans vous faire emporter par le vent?

— Bien sûr, Steve. Il sortit en se cramponnant prudemment aux superstructures de la passerelle. En passant devant la chambre des cartes, il vit la porte s'ouvrir et Harding, Keefer et Jorgensen apparurent, se tenant tous les trois par la main. « Qu'est-ce que c'est que cet appel. Willie? Qu'est-ce qui se passe? hurla Keefer.

— Steve a relevé le commandant!

— *Quoi?*

— Steve a relevé le commandant! C'est lui qui a pris le commandement! Il a placé le commandant sur la liste des malades! » Les officiers se regardèrent et foncèrent vers la timonerie. Willie continua jusqu'au baromètre et examina le cadran ruisselant d'eau. Puis il revint à quatre pattes jusqu'à la timonerie. Il ne se redressa que sur le seuil. « Steve, il remonte, cria-t-il. Il remonte! 736 passé, presque 737!

— Bon, le plus dur est peut-être presque passé. » Maryk était debout à côté de la barre, tourné vers l'arrière. Tous les officiers, sauf Paynter, se tenaient, ruisselants, le dos à la cloison. Queeg, à nouveau cramponné au transmetteur d'ordres, foudroyait le second du regard. « Voilà ce qui s'est passé, messieurs, dit Maryk, d'une voix qui dominait le rugissement du vent et le martèlement des embruns contre les hublots. J'en prends l'entière responsabilité. Le commandant Queeg continuera à être traité avec la plus grande courtoisie, mais c'est moi qui donnerai les ordres...

— Ne vous imaginez pas que vous êtes seul responsable, interrompit Queeg d'un ton revêche. Le jeune Mr. Keith ici présent vous a soutenu dans votre acte de mutinerie et paiera comme vous. Quant à vous, officiers, — il pointait vers eux un index tremblant — si vous avez conscience de vos intérêts, vous allez conseiller à Maryk et Keith de se constituer prisonniers et de me rendre le commandement, pendant qu'il en est encore temps. Étant donné les circonstances, peut-être pourrai-je oublier ce qui s'est passé, mais...

— C'est absolument hors de question, commandant, dit Maryk. Vous êtes malade, commandant...

— Je ne suis pas plus malade que vous, s'écria Queeg, du ton irrité qui lui était familier. Vous allez tous passer au falot pour complicité de mutinerie, je ne vous raconte pas d'histoire...

— Personne d'autre que moi ne passera au falot, dit Maryk aux officiers. Il s'agit d'une décision que j'ai prise de mon propre chef, sans y avoir été poussé par quiconque, en application de l'article 184 et si j'ai mal interprété le texte de l'article 184, c'est moi qui passerai au falot. En attendant, vous devez tous obéir à mes ordres.

Vous n'avez pas d'autre solution. J'ai pris le commandement, j'ai pris l'initiative de faire lester, le navire suit la route que j'ai donné l'ordre de suivre...

— Monsieur Maryk! cria Stilwell. Quelque chose devant, un bateau ou Dieu sait quoi, lieutenant! »

Maryk se retourna d'un bond, alla se coller le front aux hublots et empoigna les manettes du transmetteur d'ordres, écartant Queeg sans ménagement. Le commandant trébucha et se rattrapa à la poignée d'un hublot. « La barre à droite toute! » cria le second, tout en donnant l'ordre de faire machine arrière toute.

La visibilité était un peu meilleure, et à travers les embruns on voyait la mer dans un rayon d'une cinquantaine de mètres. Une énorme masse rouge sombre flottait sur les vagues noires, légèrement sur tribord.

Le *Caine* vira rapidement, tout de suite pris sous le vent. La chose approchait. C'était immense, long et étroit, plus long que le *Caine* et tout rouge. Les lames se brisaient par-dessus en torrents d'écume.

— Sainte Mère de Dieu, dit Keefer. C'est la quille d'un bateau.

Tous regardèrent, figés d'horreur. La coque glissait lentement à tribord, infiniment longue et rouge, roulant sous les vagues. « Un destroyer », dit Harding d'une voix étouffée.

Le *Caine* l'avait dépassé. L'épave disparaissait déjà derrière le rideau d'embruns. « Nous allons croiser autour, dit Maryk. En avant toute, Willie.

— Bien, lieutenant. » L'officier de quart transmit l'ordre à la chambre des machines. Il sentait une horrible nausée lui tordre l'estomac.

Maryk s'approcha du micro et pressa un levier. « Ordre à tous les hommes sur le pont de regarder s'ils aperçoivent des survivants. Nous allons faire deux fois le tour de l'épave. Prévenez immédiatement la passerelle si vous voyez quelque chose. Ne vous énervez pas. Que personne ne tombe par-dessus bord, nous avons assez d'ennuis comme ça. »

Queeg, réfugié dans un coin près des hublots, dit : « Si vous êtes si préoccupé de sauver le bateau, comment pouvez-vous prendre le risque de rechercher des survivants?

— Commandant, nous ne pouvons tout de même pas continuer notre route sans rien essayer... dit le second.

— Oh, ne vous méprenez pas. J'estime aussi qu'il faut chercher s'il y a des survivants. Je vous en donne l'ordre même. Je me contente de vous faire remarquer l'inconséquence de vos décisions...

— La barre à gauche, 15, dit Maryk.

— J'aimerais également faire remarquer, dit Queeg, que vingt minutes avant que vous me releviez illégalement, je vous ai ordonné de remplacer ce timonier et que vous m'avez désobéi. C'est le pire agitateur du bord. En obéissant à vos ordres au lieu de suivre les miens, il s'est rendu complice de cette mutinerie, et il aura lui aussi à en répondre devant le conseil de guerre... »

Une lame déferla en grondant sur la passerelle du *Caine* et ébranla le bateau, le couchant sur tribord. Queeg tomba à quatre pattes; les autres officiers glissèrent et trébuchèrent, se raccrochant les uns aux autres. Le bateau se trouva une fois de plus en difficulté, pris sous le vent et drossé violemment. Maryk se dirigea vers le transmetteur d'ordres et joua sur les machines, changeant fréquemment les ordres et criant des changements de direction à Stilwell. Il ramena doucement le navire cap au sud et mit en avant jusqu'à ce qu'ils se retrouvent en vue de l'épave. Il commença alors à manœuvrer en cercle, maintenant le *Caine* à bonne distance de l'épave, qui commençait à disparaître sous l'eau; le fond rouge de la quille n'apparaissait plus en surface que quand une lame la soulevait brusquement par en dessous. Les officiers échangeaient des commentaires à voix basse. Queeg, le bras passé autour du pied de compas, regardait par le hublot.

Il fallut quarante minutes au *Caine* pour faire un tour complet autour du bateau, et pendant tout ce temps, il fut ballotté et secoué aussi violemment qu'il l'avait été toute la matinée, et à plusieurs reprises de terribles coups de roulis le couchèrent sous le vent, épouvantant chaque fois Willie. Mais il comprenait maintenant ce qui distinguait la peur normale de la terreur purement animale. La première était supportable, humaine, elle n'annihilait pas toutes les facultés; la seconde était comme une castration morale. Il n'était plus terrorisé, et avait l'impression qu'il ne le serait plus jamais, même si le navire sombrait, pourvu que Maryk fût dans l'eau à côté de lui.

Le second était sorti sur la passerelle, les mains en visière pour se protéger les yeux des embruns, et scrutait les tourbillons d'eau noire, tandis que le *Caine* mettait à nouveau le cap au nord. Il revint dans la timonerie, l'eau ruisselant de ses vêtements. « Nous allons faire encore une fois le tour et puis repartir », annonça-t-il. « Je crois qu'il a complètement coulé. Je ne le vois plus... La barre à gauche 15. »

Willie alla une fois encore examiner le baromètre et vit qu'il avait remonté à 739. Il revint à quatre pattes auprès de Maryk et lui hurla le chiffre à l'oreille. Maryk acquiesça d'un signe de tête. Willie se passa les mains sur sa figure fouettée par les embruns. « Bon Dieu, pourquoi est-ce que ça ne se lève pas un peu, Steve, puisque le baromètre remonte?

— Mais pour la bonne raison que nous sommes à cinquante kilomètres du centre d'un typhon, Willie. Il peut arriver n'importe quoi. Le second sourit, découvrant ses dents au vent. On a encore le temps d'en baver... Zéro la barre! cria-t-il dans la timonerie.

— La barre est à zéro, lieutenant!

— Fatigué, Stilwell?

— Non, lieutenant. Je lui tiendrai bien la barre toute la journée à ce sacré raflot, si vous voulez, lieutenant!

— Très bien. »

La porte du poste radar s'ouvrit et Grubnecker, le téléphoniste, passa la tête. « Lieutenant, Bellison signale quelque chose qui a l'air d'un radeau, à un quart tribord. »

Maryk, escorté de Willie, contourna la timonerie et passa de l'autre bord, tout en criant à Stilwell au passage : « La barre à droite toute! »

Ils ne virent rien d'abord que des creux et des crêtes liquides embuées d'embruns; et puis, soudain, au moment où le *Caine* arrivait à la crête d'une lame, ils aperçurent tous les deux, juste devant, un point noir qui dévalait le creux d'une lame.

— Je crois qu'il y a trois types dessus! hurla Willie. Il se précipita vers l'arrière jusqu'au mât de pavillon pour mieux voir. Une violente bourrasque l'envoya à plat ventre sur la bâche du casier à pavillons. Le souffle coupé, il se cramponna désespérément aux drisses pour ne pas passer par-dessus bord, avalant de pleines gorgées de l'eau de mer qui s'était amassée dans un creux de la bâche; au même instant, le vent lui arracha son pantalon qui fut emporté dans l'eau. Willie se releva, sans se soucier de sa tenue sommaire.

Queeg était planté sur le seuil de la timonerie, en face du second. « Eh bien, Mr. Maryk, qu'attendez-vous? Si vous débordiez votre filet et si vous postiez vos hommes avec des bouées de sauvetage? »

— Merci, commandant. Si vous voulez bien me laisser passer, j'allais justement donner ces ordres. »

Queeg s'écarta. Le second entra dans la chambre de veille et donna ses ordres par haut-parleur. Il commença à manœuvrer vers le point noir qui s'avéra bientôt être un radeau de balsa gris, avec trois hommes dessus et deux têtes qui flottaient à côté dans l'eau.

— Sans doute, messieurs, dit Queeg tandis que Maryk faisait manœuvrer tour à tour la barre et les machines, cela vous intéressera-t-il de savoir que j'allais donner l'ordre de lester et de se mettre debout au vent quand Mr. Maryk, frappé de panique, a commis son acte criminel. J'avais déjà décidé que si à dix heures le commandant de la flotte n'avait pas donné de nouvelles instructions, j'agirais à ma guise...

— Très bien, Stilwell, dit Maryk, le cap un peu plus à droite. A droite toute...

— Et, poursuivit Queeg, je ne voyais pas de raison de confier mes projets à Mr. Maryk, qui semblait me traiter comme un simple d'esprit, ainsi que je le dirai devant le conseil de guerre, et les témoins ne manqueront pas pour...

— Ne leur passez pas dessus, Stilwell! La barre à zéro! Maryk fit stopper les machines et cria dans le haut-parleur : « Maintenant, lancez vos bouées! »

On hissa les survivants à bord. Bellison amena sur le pont un matelot blême, aux yeux affolés, vêtu seulement d'un caleçon, le

corps zébré de traînées de mazout et une plaie béante à la joue.
« C'était le *George Black*, lieutenant, dit Bellison. Voici Morton,
quartier-maître en troisième. Les autres sont en bas à l'infirmerie. »

En quelques phrases haletantes, Morton raconta une horrible
histoire. Le *George Black* avait été drossé par le travers et toutes
les tentatives pour le ramener droit par le jeu du gouvernail ou
des moteurs avaient échoué. La mer avait démantelé les manches
de ventilation, arraché les portemanteaux des embarcations et
les caisses de munitions; l'eau avait envahi la chambre des machines,
les moteurs s'étaient noyés; le courant électrique avait été coupé.
Le bateau désemparé avait dérivé dix minutes, se couchant de
plus en plus sur bâbord, au milieu des hurlements de terreur et
des prières de l'équipage, et après un terrible coup de roulis sur
bâbord, ne s'était jamais redressé. Le quartier-maître se souvenait
ensuite de s'être retrouvé sous l'eau, dans le noir complet, puis
d'être remonté à la surface et d'avoir été projeté contre la quille
du bateau.

— Nous allons continuer à tourner en rond, dit Maryk. Il scruta
la mer qu'on voyait maintenant sur un rayon de plusieurs centaines de mètres. « Je crois que ça se calme un peu. Faites-le descendre à l'infirmerie, Bellison.

— Je reprends le commandement, monsieur Maryk, dit Queeg,
et nous reparlerons de cet incident quand la tempête sera calmée... »

Maryk tourna vers le commandant un visage las. « Non, commandant. C'est moi qui l'ai pris. Je vous demande respectueusement
de bien vouloir vous retirer dans votre cabine. Des ordres contradictoires mettront le navire en danger...

— Est-ce que vous me chassez de ma passerelle, monsieur?

— Oui, commandant. »

Queeg regarda les autres officiers. Ils avaient l'air sombre et
effrayé. « Vous faites-vous les complices de cette rébellion, messieurs?... Monsieur Keefer? »

Le romancier se mordit les lèvres et jeta un coup d'œil à Maryk.
« Personne n'est complice. Personne n'a à être complice, dit précipitamment le second. Je vous prie, commandant, de bien vouloir
quitter la passerelle ou, tout au moins, de vous dispenser de donner
des ordres...

— Je resterai sur la passerelle, dit Queeg. Je suis toujours
responsable du bateau. La mutinerie ne m'ôte rien de mes devoirs.
Je ne parlerai pas à moins que vos actes ne me semblent mettre
le navire dans une situation dangereuse. Auquel cas, je parlerai,
fût-ce sous la menace d'un revolver...

— Personne ne vous menace d'un revolver, commandant. Votre
proposition me convient. » Le second se tourna vers les officiers.
« Bon. Pas la peine de traîner ici. Nous tiendrons une réunion dès
que le temps le permettra. »

Les officiers sortirent à la queue leu leu de la timonerie. Keefer s'avança vers Willie, salua, et dit avec un pâle sourire : « Je suis prêt à vous relever, lieutenant. »

Willie jeta un regard surpris à la pendule. Le temps pour lui avait cessé de tourner. Il était pourtant midi moins le quart. « D'accord », dit-il. Les formules de la cérémonie de la relève lui vinrent machinalement aux lèvres. « Navigué à diverses routes et diverses vitesses pour rechercher les survivants du *George Black*. Chaudière un, deux, trois en action. Grenades sous-marines désamorcées. Condition A établie à bord. A la dernière lecture, le baromètre accusait 739. La route de la flotte est au 180, mais nous avons perdu contact avec la formation, les radars s'étant brouillés, et je ne sais pas où nous sommes. A peu près à cent cinquante milles à l'est de Ulithi, je pense. Vous pouvez vérifier notre point relevé à huit heures pile. Nous devons être à peu près au même endroit. Le commandant a été relevé de son commandement en application de l'article 184, mais il est toujours sur la passerelle. C'est le second qui a pris le commandement et qui dirige le bateau. Je crois que c'est tout.

— Un quart sans histoire » dit Keefer. Willie eut un sourire sans gaîté.

Keefer salua. « Ça va. » Il prit la main de Willie, la serra fortement et murmura : « Bon travail.

— Dieu nous vienne en aide », murmura Willie.

SIXIÈME PARTIE

LE CONSEIL DE GUERRE

CHAPITRE XXXI

L'AVOCAT DE LA DÉFENSE

U N soleil matinal, noyé de brume, tombait sur le bureau du capitaine de corvette Théodore Breakstone, officier juridique de la Douzième Région maritime, à San-Francisco. Il éclairait une chemise de carton, posée en équilibre sur un amas de papiers de toutes sortes et portant sur la couverture, au crayon rouge, le mot « Caine ». Breakstone, un homme au visage lourd surmonté d'une chevelure raide et hérissée, était assis sur son fauteuil tournant, le dos à sa table et regardait avec un mélange de nostalgie et de colère un transport de troupes tirer sur son ancre, en bas dans le port. Le capitaine Breakstone rêvait d'aller en mer, et surtout à titre de commandant d'un transport de troupes. C'était un amateur enthousiaste de bateaux et il avait, durant une brève période de la Grande Guerre, navigué sur un destroyer, mais on n'avait pas tardé à découvrir qu'il était, dans le civil, un excellent avocat. On ignora désormais, au Personnel, toutes ses demandes d'affectation. Il se soulageait de sa déception en se montrant aussi grossier que possible, tant dans son langage que dans son comportement, et en semant ses phrases de « merde » et de « nom de Dieu ».

Sur ses genoux, il tenait un tas de long feuillets blancs portant à droite et à gauche des marges marquées en bleu : c'était le rapport de la commission d'enquête concernant le relèvement non autorisé du lieutenant de vaisseau P. F. Queeg, officier commandant le *Caine*. Le capitaine Breakstone avait tenu des milliers de feuillets semblables au cours des trois dernières années. Les phrases, les attitudes, les notes d'émotion véritable qui passaient à travers le fatras des mots, tout cela lui était aussi familier que les grincements et les encoches d'un vieil escalier à une vieille femme de ménage. Mais il ne se rappelait pas un cas qui l'eût agité et énervé davantage. L'enquête avait été sabotée. Les conclusions étaient stupides. Les faits relatifs à l'affaire, dans la mesure où ils avaient pu être établis, formaient un méli-mélo sans lien apparent. Arrivé au milieu de sa lecture du rapport, Breakstone avait tourné le dos à sa table, car il s'était senti pris d'une nausée telle qu'il en avait quand il lisait dans les cahots d'un train.

Il entendit frapper sur la paroi de verre qui séparait son box du grand bureau plein de tables, de classeurs et de « Waves »[1] en chemisiers bleu marine. Il se tourna dans sa chaise et lança ses papiers sur son bureau. « Bonjour, Challee. Entrez. »

Un lieutenant de vaisseau entra par la porte ouverte. « J'ai pensé à quelqu'un, commandant...

— Tant mieux. Qui?

— Vous ne le connaissez pas, commandant. Barney Greenwald.

— Active?

— Non, commandant, réserve. Mais chauffé à blanc quand même. Il est pilote de chasse. Lieutenant.

— Qu'est-ce que vous voulez qu'un aviateur connaisse à la loi, nom de Dieu?

— Il est avocat dans le civil, commandant.

— Avocat et *pilote de chasse?*

— C'est un gars, commandant.

— Greenwald, vous dites? Qu'est-ce qu'il est, Hollandais, ou quoi?

— Il est Juif, commandant... » Breakstone fronça son grand nez. Challee rectifia un peu sa position. Il avait une main dans la poche de sa veste et de l'autre tenait une serviette à documents noire et son attitude était un mélange bien calculé de familiarité et de déférence. Il avait des cheveux blonds roux ondulés et un visage rond et très éveillé. « ...Mais, comme je vous disais, c'est un gars.

— Je n'ai rien contre les Juifs, vous le savez bien. Seulement, cette affaire est bougrement emmerdante, voilà.

— Je suis certain que ce garçon fera notre affaire, commandant.

— Pourquoi certain?

— Je le connais bien, commandant. Il a fait son droit à Georgetown en même temps que moi. Il était dans l'année au-dessus, mais nous sommes quand même devenus copains...

— Attendez, asseyez-vous. Qu'est-ce qu'il fiche à la Douzième Région? »

Challee s'assit, très droit, sur la chaise placée auprès du bureau. « Il sort de convalescence, commandant. Il a été hospitalisé pour brûlures au troisième degré. On l'a remis en demi-service pour le

---

1. Pluriel du *W. A. F.* : *Women Auxiliary Force* (Service Auxiliaire Féminin dans la Marine).

moment. Il attend un avis médical favorable pour rejoindre son escadrille.

— Qu'est-ce qui lui est arrivé? Il a été descendu?

— Non, commandant. Il est rentré dans une barrière. Son appareil a pris feu, mais on a réussi à le sortir.

— Ça n'est pas très héroïque.

— Je ne crois pas qu'en fait de pilotage Barney soit un as. Il a eu deux Japonais, si je me souviens bien...

— Et qu'est-ce qui vous fait croire que c'est lui qu'il nous faut pour l'affaire *Caine?*

— Parce que, commandant, de toute évidence Maryk est cuit, et que Barney aime bien ce genre de clients. » Challee fit une pause. « Dans un sens, il est plutôt bizarre. Très bizarre même. Moi, j'y suis habitué. Il est d'Albuquerque. Il s'intéresse énormément aux Indiens, il en est cinglé. Quand il a eu fini ses études, il s'est spécialisé dans la défense des Indiens... et il en a tiré pas mal d'affaire. Il commençait à se faire une jolie clientèle à Washington quand il s'est engagé...

— Qu'est-ce qu'il était, *R. O. T. C.* [1] ?

— Non d'abord V-7, puis muté à l'Air. »

Breakstone resta un moment silencieux, se tripotant le nez entre le pouce et l'index. « Il m'a tout l'air coco, dit-il enfin.

— Je ne crois pas, commandant.

— Vous lui avez parlé?

— Non, commandant. Je voulais vous voir d'abord. »

Breakstone fit craquer ses doigts. Il s'agita sur sa chaise. « Mais, bon Dieu, est-ce qu'on ne pourrait pas avoir un type d'active? S'il y a une chose qu'il faut éviter dans cette affaire, c'est qu'on dise que c'est la réserve contre l'active. C'est déjà assez emmerdant comme ça.

— J'ai touché huit types, commandant, de la liste que vous m'aviez donnée. Ils se défilent comme de la peste. D'ailleurs, il y en a deux qui ont été mutés et qui ont pris la mer.

— Vous avez vu Hogan?

— Oui, commandant. Il m'a presque supplié les larmes aux yeux de ne pas le nommer. Il dit que c'est une affaire perdue d'avance et que l'avocat de la défense ne fera que se mettre mal avec la Marine pour toujours.

— C'est faux.

— Je vous répète ce qu'il m'a dit, commandant.

— Enfin, c'est peut-être vrai, dans une certaine mesure. » Breakstone se tirait le nez. « Mais il faut bien que quelqu'un assure la défense, bordel! Quand pouvez-vous me le faire venir ici, votre Greenwald?

— Cet après-midi, je suppose, commandant.

— Bon, faites-le venir, alors. Ne lui dites pas de quoi il s'agit. Je veux lui parler d'abord. »

1. *R. O. T. C. : Reserve Officer of Training Corps.*

Le lieutenant Greenwald se présenta au capitaine Breakstone
en fin d'après-midi. Après quelques brèves questions, formulées
d'un ton peu amène, l'officier juridique lui remit le dossier. Le
lendemain matin, en arrivant à son bureau, le capitaine trouva le
pilote efflanqué qui l'attendait, affalé sur une chaise devant la
porte.

— Entrez donc, Greenwald. Alors, vous croyez pouvoir vous
charger de l'affaire? Il remarqua, tout en suspendant son imperméable à un portemanteau, que le dossier était revenu sur son
bureau.

— J'aime mieux pas, commandant.

Breakstone se retourna, marquant sa déception. Le pilote était
resté debout sur le seuil, et regardait ses pieds avec embarras.
Il avait une bouche molle d'adolescent, le teint pâle, des cheveux
bruns bouclés et de longues mains. « Il ressemble plus à Harold
Teen qu'à un avocat juif et idéaliste », pensa Breakstone; et c'était
déjà ce qu'il s'était dit la veille. « Pourquoi? dit-il.

— Pour plusieurs raisons, commandant. » Greenwald gardait
les yeux timidement baissés. « Si vous avez besoin de quelqu'un
pour une autre affaire... ne croyez surtout pas que je refuse de
vous aider...

— Qu'est-ce qui se passe, alors? C'est trop difficile pour vous?

— Je ne voudrais pas vous faire perdre votre temps à vous donner mon avis, commandant, étant donné que...

— Je vous *demande* de me faire perdre mon temps. Asseyez-
vous. » Breakstone avait les yeux fixés sur les horribles cicatrices
de brûlures qui recouvraient les mains du pilote; il ne pouvait
détacher ses regards de cette chair greffée, bleuâtre au milieu et
écarlate sur les bords, ni des tissus cicatrisés tout fripés. Il fit
effort cependant et leva les yeux. « Challee m'a dit que vous vous
spécialisiez dans la défense des opprimés.

— Ces hommes ne sont pas des opprimés, commandant. Ils
méritent d'être châtiés.

— Ah, vous croyez? Eh bien, à vrai dire, moi aussi. Mais il
n'empêche qu'ils ont le droit d'être défendus et qu'ils ne peuvent
se trouver d'avocats eux-mêmes, par conséquent...

— Je crois qu'ils seront acquittés. A moins, évidemment, que
la défense ne s'y prenne trop mal... »

Breakstone fronça les sourcils. « Ah, vraiment?

— Keith et Stilwell seront acquittés à coup sûr. Maryk aussi si
l'affaire est intelligemment menée. Je pense que je saurais les tirer
de là. »

L'officier juridique était stupéfait d'entendre ces affirmations
pleines d'arrogance timidement proférées par le lieutenant. « Dites-
moi comment, je vous en prie.

— Eh bien, pour commencer, le chef d'accusation est absurde.
Mutinerie. Il n'y a eu ni emploi de la force, ni acte de violence,
ni manque de respect. Maryk a fait bien attention de rester dans

la légalité. Il a commis la faute de se servir de l'article 184 pour commettre un acte de mutinerie, mais cet article n'en est pas moins un texte légal. On aurait pu à l'extrême rigueur l'accuser de conduite préjudiciable à l'ordre et à la discipline... mais, comme je vous l'ai dit, tout ceci ne me regarde en rien... »

Le lieutenant Greenwald venait de faire une ascension vertigineuse dans l'estime de Breakstone, car celui-ci avait déjà noté la faiblesse du chef d'accusation. « N'oubliez pas, Greenwald, que ce que vous lisez, ce sont les conclusions de la commission d'enquête, et non l'acte d'accusation lui-même. C'est *moi* qui rédige cet acte, et en fait le chef *sera* conduite préjudiciable. Ladite commission se composait d'un seul homme, un capitaine du service de déminage, et je serais étonné qu'il ait jamais vu le *Code disciplinaire* avant qu'on l'envoie sur le *Caine*. Ce qui se passe, c'est que nous sommes à court de personnel ici et que les gens que nous avons ne connaissent pas grand-chose en matière de loi. C'est pourquoi j'estime qu'un type comme vous, et qui ne fait rien d'important pour le moment, a le devoir de se mettre à notre disposition... »
Breakstone pressa une sonnette et alluma un cigare avec des gestes nerveux. Le lieutenant de vaisseau Challee se présenta sur le seuil.

— Vous m'avez demandé, commandant? Salut, Barney.

— Challee, votre ami a l'air de trouver que l'affaire est trop facile, ou je ne sais quoi. D'après ce que j'ai cru comprendre, il pourrait tous nous mettre dans sa poche, mais il ne veut pas.

— Capitaine Breakstone, je suis désolé d'avoir été mêlé à cette affaire, dit Greenwald. Jack m'avait demandé si je serais prêt à collaborer à un procès, sans me donner aucun détail, et j'avais dit que je serais heureux de servir à quelque chose. Rédiger des demandes de priorité sur transports aériens est un travail un peu monotone. Mais je n'ai pas envie de défendre les gens du *Caine*. Il est évident que le commandant Queeg n'est pas fou. Le rapport du psychiatre le prouve. Ces imbéciles dénichent un article dans le *Décret sur le Service à Bord*, et en profitent pour tomber à bras raccourcis sur un commandant méchant et stupide, comme sont beaucoup de commandants, se rendre eux-mêmes ridicules et immobiliser un bateau. Je suis un très bon avocat, et on me paie très cher, et je ne me vois pas mettant mon talent à leur service pour les faire acquitter. Si vous...

— Vous m'avez l'air bougrement persuadé que vous obtiendrez un acquittement, dit Breakstone, mâchonnant son cigare.

— Ils peuvent s'en tirer.

— J'aimerais savoir comment, dit Challee. S'il y a jamais eu un cas plus net...

— Lieutenant Greenwald, personne ne peut vous contraindre à défendre ces gaillards, dit l'officier juridique. Mais, à vous entendre parler, vous m'avez l'air fichtrement chaud sur les principes. Je crois que dans ce cas, vous êtes obligé de défendre Maryk. Huit officiers, dont quatre spécialistes, ont refusé l'affaire. Vous êtes le seul, à ce jour, que j'aie entendu laisser à Maryk une chance de s'en tirer. La première chose qu'on demande à un défenseur, c'est d'avoir confiance. Je suppose que vous croyez au principe que le pire criminel a droit à la meilleure défense?

Greenwald contemplait ses ongles, sa bouche enfantine un peu ouverte, ses yeux pleins de tristesse. « Cette affaire me bloquerait ici à jamais. Supposez que j'aie l'avis favorable du médecin.

— Il restera bien assez de guerre pour faire briller vos médailles, dit l'officier juridique.

— Vous allez les faire passer tous les trois?

— Maryk d'abord. Nous attendrons pour Keith et Stilwell de voir ce qui se passera. C'est en tout cas ce que je vais recommander à l'amiral. En général, il fait ce que je dis.

— Quand commencera le conseil de guerre? »

Breakstone regarda son assistant, qui dit : « Je crois qu'on pourra faire passer l'affaire d'ici une quinzaine, commandant, si le commandant Blakely est disponible pour présider. Il a dit qu'il me le ferait savoir cet après-midi.

— Où est le *Caine* en ce moment? demanda Greenwald.

— En cale sèche, à Hunters Point, dit Challee.

— Est-ce que je peux aller voir Maryk avant de m'engager? »

Breakstone acquiesça. « Challee, occupez-vous d'un moyen de transport pour le lieutenant Greenwald.

— Bien, commandant. »

Greenwald se leva. « Je crois que je vais y aller tout de suite.

— Tu trouveras la jeep devant la grande porte d'ici dix minutes, Barney, dit Challee.

— Bon ». Le pilote remit sa casquette à visière blanche. Le galon en était verdi et élimé. Il avait l'air d'un collégien pauvre, de ceux qui servent à table et dépensent leur argent de poche en disques au lieu de nourriture. Il sortit, balançant ses mains couvertes de cicatrices.

Challee dit : « Il marchera, commandant.

— Drôle d'oiseau, dit l'autre. Il a l'air tout timide et effacé mais il a rudement bonne opinion de lui-même.

— C'est un bon avocat, dit Challee. Mais il ne fera pas acquitter Maryk. »

Le lieutenant Greenwald était habitué aux porte-avions. Le *Caine* posé sur des tins de cale sèche, tout rouillé et délabré, lui fit l'effet d'une petite péniche. Il franchit la longue planche qui descendait du quai jusqu'au dragueur de mines. Parmi le fatras du pont principal, il aperçut un énorme trou, aux contours déchiquetés, de quatre pieds à peu près et délimité par des cordes, près du portemanteau arrière de la baleinière à moteur. Du trou émergeaient, comme des entrailles, des câbles tordus et rouillés et des tuyaux de toute sorte. « Je voudrais voir le lieutenant Maryk, dit-il au petit matelot à face de lune qui était installé à une table devant la passerelle d'embarquement.

— Il est pas là, lieutenant.

— Où est-il?

— Sur le *Chrysanthème*, je crois. C'est un bateau-mouche qu'ils ont installé en quartier des célibataires au quai 6.

— Où est votre commandant?

— Le commandant White ne sera pas là avant six heures, lieutenant.

— Le commandant qui? White?

— Oui, lieutenant.

— Comment vous appelez-vous?

— Urban, lieutenant.

— Ah oui, Urban. » Greenwald regarda attentivement l'homme qui allait être le témoin vedette de Challee. « Où est le commandant Queeg, Urban?

— C'est le commandant White qui commande ici maintenant, lieutenant. » Le morne visage du timonier exprimait la méfiance.

— Vous ne savez pas où se trouve Queeg?

— Je ne sais rien du commandant Queeg, lieutenant.

— Qu'est-ce que c'est que ce trou dans le pont?

— Un avion suicide qui nous est tombé dessus à Lingayen.

— Des blessés?

— Personne. Il a rebondi et il est tombé par-dessus bord.

— Qui commandait à ce moment-là? Le commandant White?

— Non, lieutenant. » Urban s'efforçait de faire comprendre que l'interrogatoire n'était pas de son goût. Il fit mine de se détourner.

— Qui alors? Mr. Maryk assurait-il encore le commandement?

Urban grogna, ouvrit le journal de bord et y nota ostensiblement quelque chose. Greenwald fit demi-tour, retraversa la planche et se dirigea vers le *Chrysanthème*.

Au premier abord, Maryk le remplit d'étonnement. D'après le rapport de la commission d'enquête, il s'était fait une idée très précise du second; il avait imaginé un homme mince, nerveux, sombre et paraissant fort satisfait de sa personne, le genre de petit intellectuel un peu fat. En fait, il avait vu Maryk sous les traits de Bill Pelham, l'un de ses camarades d'université, un marxiste fort en gueule. L'officier râblé, assis au bord d'un lit défait, avec sa tête ronde et son visage rude, et qui le regardait tout en clignotant et en grattant sa poitrine poilue, démolit d'un seul coup toutes les idées de Greenwald sur l'affaire du *Caine*.

— Bah, qu'ils désignent qui ils veulent, moi je veux bien, dit Maryk d'un ton sombre. Je ne connais personne. Et d'ailleurs, je suppose que ça ne fait pas une grande différence. Mais vous, vous allez vous attirer des tas d'embêtements.

— Qu'est-ce que vous allez plaider?

— Je ne sais pas.

— Pourquoi l'avez-vous relevé?

— Je croyais qu'il était timbré.

— Et vous ne le croyez plus?

— Je ne sais plus ce que je crois.

— Qui vous a donné tous ces tuyaux sur la paranoïa que vous avez servi à l'officier enquêteur?

— Je l'ai lu dans un livre, grommela Maryk.

— En ce cas, Maryk, vous m'excuserez, mais vous n'avez quand même pas l'air d'en savoir long sur ce sujet.

— Je n'ai jamais prétendu m'y connaître. Bon Dieu, au lieu de me poser des questions sur le bateau, le typhon ou le commandant, il m'a asticoté pendant plus d'une heure avec ses histoires de paranoïa. Je sais parfaitement que ça n'est pas mon fort, ces choses-là. Je me suis rendu ridicule, comme je le prévoyais. Et ça va recommencer au conseil de guerre. » Il regardait Greenwald, et ses yeux creux avaient une expression blessée et désemparée. « Je vais vous dire une chose, c'est que les mêmes événements ne font pas du tout le même effet quand on les voit arriver en plein typhon ou quand on en reparle dans un bureau, à dix mille kilomètres de là! »

La porte s'ouvrit et Keefer fit son apparition, reluisant dans un uniforme bleu fraîchement repassé, la poitrine bardée de battle stars. Les galons dorés de ses manches étaient passés en bas et brillants neufs en haut. Il portait une petite sacoche de cuir. « Steve, je file. Vous avez le temps de venir déjeuner?

— Je ne pense pas, Tom... Lieutenant Greenwald, voici le lieutenant Keefer, notre officier de tir. Vous avez eu votre priorité pour l'avion, finalement?

— Oui, mais il a fallu que je gaspille beaucoup de mon charme auprès d'une vieille chamelle au Bureau des Transports. J'ai bien cru que j'allais être obligé de lui demander sa main. »

Maryk eut un sourire sans gaîté. « Amusez-vous bien. »

L'officier de tir tapota sa sacoche. « Vous reconnaissez ça?

— Le roman?

— La première moitié. Je vais essayer de le placer à New-York.

— J'espère que vous en tirerez de l'argent, mon vieux. »

Keefer jeta un coup d'œil à Greenwald, puis à Maryk et dit avec un sourire : « Eh bien, je vous laisse. » La porte se referma.

— Écoutez, dit Greenwald les yeux fixés sur la pointe de ses souliers. Il se trouve que je suis un assez bon avocat.

— Il faudrait que vous soyez rudement bon pour me tirer de là.

— Pourquoi dites-vous cela?

— Parce que, pour le Bureau fédéral, je suis coupable. Je suis peut-être même coupable de toutes les façons. Quand on n'a pas deux sous de cervelle, on finit toujours par se fiche dans le pétrin.

— J'ai faim, dit l'avocat. Où peut-on manger un morceau et parler de tout ça?

— Il y a une cafeteria au quai 8.

— Venez.

Maryk regarda l'avocat et haussa les épaules. « Bon, dit-il, tendant la main vers un pantalon gisant, tout fripé, au pied du lit.

— Si vous plaidez coupable (la voix de Greenwald s'efforçait de surmonter le fracas des plateaux et des couverts d'étain et le bavardage d'un millier d'ouvriers de l'Arsenal qui se restauraient dans la cafeteria au milieu des odeurs mêlées de la soupe à la tomate, des choux et des humains), toute l'histoire devient une pure formalité. Même en ce cas, il ne s'agit pas de se lever et de dire « coupable » en pleine cour. Vous marchandez avec Challee. C'est une affaire très particulière; et embrouillée aussi, et il se peut que, par mesure de précaution, Challee ne veuille pas forcer la dose. »

Le second avala machinalement une bouchée d'œufs brouillés et but une gorgée de café. « Je ne suis pas fort pour ce genre de marchandages.

— C'est votre avocat qui s'en chargera, bien entendu.

— Écoutez, Greenwald, d'après les livres je suis peut-être coupable, mais je n'ai pas envie de plaider coupable. Enfin, bon Dieu, je n'ai pas essayé de m'emparer du bateau, mais de le sauver seulement. Si je me suis trompé et que Queeg n'est pas timbré, c'est une chose, mais j'ai essayé de faire pour le mieux. »

Greenwald acquiesça, puis se passa la langue sur la lèvre inférieure. « Délit non intentionnel.

— C'est ça. Délit non intentionnel.

— Eh bien alors, ne plaidez pas coupable. Obligez-les à essayer de prouver leur accusation... Que pensait votre ami Keefer du commandant Queeg? »

Le second eut un regard embarrassé. « Écoutez, tout est de ma faute... il ne faut pas sortir de là...

— Est-ce que Keefer croyait aussi que Queeg était un paranoïaque?

— Je ne sais pas ce qu'il croyait. Laissez-le en dehors de cette histoire. »

Greenwald jouait avec ses ongles. « Il ressemble à un garçon qui était à l'université avec moi. Un type qui s'appelait Pelham. »

Le visage du second était morne et amer, son regard lointain. Il vida sa tasse de café. « Infect, leur jus.

— Écoutez, Maryk, je suis prêt à vous défendre, si vous voulez. »

Maryk acquiesça. Il regarda l'avocat droit dans les yeux et son visage s'éclaira d'un timide sourire de gratitude. « Je veux bien, merci. Il me faut quelqu'un.

— Vous ne me demandez pas mes références?

— Elles doivent être bonnes, sinon le bureau ne vous aurait pas envoyé ici.

— Écoutez quand même. Je suis un avocat très lancé dans le civil. Je me faisais vingt mille dollars par an quatre ans après être sorti de l'université. » Le visage juvénile de Greenwald fut éclairé d'une sorte de sourire intérieur, se manifestant surtout par un éclat nouveau du regard; il regardait timidement de côté et jouait avec une cuiller à faire des cercles à partir d'une tache de café sur la table. « Pas seulement ça, mais trois ans après mes débuts j'ai soutiré cent mille dollars au gouvernement pour des Cherokees à qui on avait pris leurs terres quarante ans plus tôt.

— Jésus. Peut-être que vous allez vraiment pouvoir m'en tirer, dit le second, fixant Greenwald d'un regard sceptique.

— Je dois vous dire encore une chose. Je préférerais vous accuser que vous défendre. Je ne sais pas encore exactement jusqu'à quel point vous êtes coupable. Mais vous êtes ou bien un mutiné ou bien le plus grand dadais qu'on ait jamais vu dans la Marine. Il n'y a pas de troisième possibilité. » Maryk le regardait avec stupéfaction. « Si vous comptez me raconter tout, dites-le, et on vous mettra sur pied une défense. Mais si vous avez l'intention de rester enfermé dans votre coquille, parce que vous avez votre fierté et que vous êtes noble et blessé, dites-le aussi et je repars en ville.

— Que voulez-vous savoir? demanda le second après une pause remplie par le bruit de la cafeteria.

— Tout ce qui vous concerne, vous, Keefer et Keith, et tout ce qui est susceptible d'expliquer votre geste imbécile...

— Vous l'appelez imbécile, bien sûr, s'exclama Maryk. Tout le monde en fait autant maintenant que nous sommes tous en vie pour en parler. Si Queeg et moi et tout le bateau on était au fond de la mer... C'est la seule façon qu'on avait de prouver que j'avais raison, si je n'avais *pas relevé* Queeg et si le bateau avait coulé, comme il a bien failli le faire. Il y a eu trois rafiots de coulés dans ce typhon, vous le savez.

— Oui, je le sais. Et il y en a eu quarante qui sont restés à la surface, bien que le second n'ait pas pris le commandement. »

Maryk parut extrêmement surpris. Il prit un cigare et l'examina pensivement tout en déchirant son enveloppe de cellophane.

Il était surpris, en effet. Greenwald l'avait amené malgré lui à dévoiler la pensée dont il se justifiait en secret, celle qu'en silence il se répétait pour se réconforter. Par sa remarque sarcastique, l'avocat avait énoncé un argument auquel Maryk n'avait jamais pensé, occupé qu'il était à ruminer son héroïsme mal récompensé, la défection de Keefer et le mauvais sort qui s'acharnait sur lui. « D'où êtes-vous? » demanda-t-il.

Greenwald ne parut nullement étonné de ce coq-à-l'âne. » D'Albuquerque.

— Ah, je croyais que vous étiez de New-York. Quoique vous ne parliez pas comme un New-Yorkais.

— Je suis Juif, si c'est ce que vous voulez dire », fit le pilote avec un petit sourire à ses chaussures.

Maryk rit et dit : « Je vous dirai tout ce que vous voulez savoir. Retournons au *Chrysanthème.* »

Ils s'installèrent sur un canapé de cuir, dans le salon du bateau-mouche et, pendant une heure, Maryk raconta à l'avocat comment il en était arrivé à se convaincre que Queeg était fou. Finalement, il ne trouva plus rien à dire et resta silencieux, le regard fixé sur les grues, les cheminées et les mâts qui hérissaient l'Arsenal. L'avocat avait allumé le cigare que lui avait offert Maryk et le fumait gauchement, en clignotant. Au bout d'un moment, il demanda : « Est-ce que vous avez lu le roman de votre ami Keefer? »

Maryk le regarda avec ahurissement, comme si l'autre venait de le réveiller d'un profond sommeil. « Il ne le montre jamais à personne. Ce doit être un morceau. Il le gardait toujours enfermé dans sa sacoche noire.

— Un chef-d'œuvre, probablement.

— Tom est intelligent, on ne peut pas dire le contraire.

— J'aimerais beaucoup le lire. Je suis certain que votre ami y décrit la guerre dans tout ce qu'elle a de tristement vain et inutile, et les militaires comme les sadiques stupides et fascistes qu'ils sont. Sabotant toutes les campagnes et gaspillant les vies des charmants citoyens-soldats, si pleins d'humour et de fatalisme. Un tas de scènes de volupté où la phrase devient mélodieuse et belle pendant que la fille se fait enlever sa culotte. » Greenwald vit le sourire un peu ahuri de Maryk devenir soupçonneux et haussa les épaules. « Je peux vous le dire, parce qu'on commence déjà à voir des romans de guerre en librairie, alors que la guerre n'est même pas finie. Je les ai tous lus. J'aime beaucoup les romans dans lesquels l'auteur montre combien les militaires sont affreux et les citoyens sensibles supérieurs. Je sais qu'il dit vrai parce que je suis moi-même un citoyen sensible. » Il tira une bouffée de son cigare, fit une grimace et jeta le reste dans une coupe de cuivre remplie de sciure. « Comment arrivez-vous à fumer ça?... Bref, je vais vous dire, Maryk. Votre écrivain plein de sensibilité est, sans aucun doute possible, le « méchant » du drame qui nous occupe, mais cela ne nous avance pas à grand-chose...

— Je ne veux pas qu'on le mêle à cette histoire, fit Maryk d'un ton têtu.

— Il le faudra bien. Si je le peux, il ne viendra même pas à la barre. Ce que vous avez fait, c'est vous qui l'avez fait. A vrai dire, il vaut mieux que vous ayez agi poussé par votre propre jugement, aussi noble qu'erroné, plutôt qu'après avoir pris pour argent comptant les élucubrations d'un écrivain sensible. Il cherche à se défiler maintenant... mais il vous a prévenu sur le *New Jersey*, n'est-ce pas? Il a tout l'instinct du romancier sensible. Faire de l'esprit sur le Vieux Tache Jaune — bien trouvé, à propos — derrière son dos, c'était une chose, mais il savait très bien ce qui arriverait dès que quelqu'un passerait à l'action.

— Après tout ce que je vous ai dit, fit Maryk, avec un regard de supplication enfantine, vous ne croyez toujours pas que Queeg était timbré?

— Non.

— Alors, je suis fichu, dit Maryk d'une voix tremblante.

— Pas forcément. Dites-moi une chose encore. Comment se fait-il qu'on vous ait laissé emmener le bateau au golfe de Lingayen? »

Maryk s'humecta les lèvres et détourna son regard. « Est-ce que ça a de l'importance?

— Je le saurai quand vous me l'aurez dit.

— C'est une histoire bizarre ». Le second tira un nouveau cigare de sa poche. « Après le typhon, quand nous sommes revenus à Ulithi, le *Caine* était en assez bonne forme. La cuisine de bord était défoncée, nous avions perdu deux paravanes et il y avait quelques superstructures endommagées, mais dans l'ensemble rien de grave. Le bateau était en état de marche. » Greenwald lui tendit une allumette et Maryk alluma son cigare. « Merci... Dès notre arrivée, je suis allé faire mon rapport au commodore, le ComServRonFive [1], je crois, et je lui ai dit tout ce qui s'était passé. Il en a été tout excité et il a fait venir Queeg à terre le matin même pour le faire examiner par un toubib. Le toubib en question — un vieux type à quatre galons avec un nez pas ordinaire — a déclaré qu'il ne trouvait pas Queeg fou du tout. Il a dit que Queeg lui paraissait un officier d'intelligence normale, un peu fatigué peut-être. Mais il n'a quand même pas voulu le laisser reprendre son service. Il a dit qu'il n'était pas psychiatre, que Queeg avait passé quatre années de suite en mer, et que le mieux était de le renvoyer en Amérique pour le faire examiner par un psychiatre. Le commodore était fou furieux contre moi. Il m'avait fait venir pour entendre le rapport du toubib. Il m'a dit que l'amiral le tannait pour qu'il envoie plus de dragueurs à Lingayen parce que beaucoup avaient sombré dans le typhon et qu'il n'allait sûrement pas retirer le *Caine* de la liste. Toujours est-il qu'après bien des tergiversations, il a fait venir Queeg aussi dans son bureau et lui a fait tout un discours pour lui expliquer à quel point l'amiral avait besoin de dragueurs. Il a fini par demander à Queeg s'il me croyait capable d'emmener le *Caine* à Lingayen. Il lui a dit de penser à la Marine et non à ses sentiments personnels et il lui a promis que j'aurais ce que je méritais après Lingayen. Là, Queeg m'a étonné. Il était très calme. Il a dit que j'étais son second depuis onze mois et qu'il pensait pendant tout ce temps m'avoir enseigné à diriger un bateau bien que j'aie toujours été déloyal et porté à la rébellion. Il a conseillé de me laisser emmener le bateau à Lingayen. Et voilà comment ça s'est passé. »

Greenwald faisait tourner entre ses doigts un trombone qu'il avait tordu en forme de point d'interrogation. Il l'envoya par la fenêtre. « Où est Queeg en ce moment?

— Chez lui à Phoenix. Les médecins ici l'ont laissé aller et ont dit qu'il était bon pour le service. Il est provisoirement rat-

---

1. *Commander of Service Squadron Five.*

taché à la Douzième Région, mais il ne fait rien. Il attend seulement le conseil de guerre.

— Il a commis une faute en conseillant qu'on vous envoie à Lingayen... cela va compromettre votre condamnation.

— C'est ce que je crois aussi. Pourquoi a-t-il fait ça, d'après vous? »

Le pilote se leva et étira ses mains et ses poignets mutilés. Les cicatrices remontaient jusque dans ses manches. « Peut-être a-t-il obéi au commodore et n'a-t-il pensé qu'au bien de la Marine... Je retourne à la Douzième Région et je vais commencer à casser la tête à Jack Challee...

— Qu'est-ce qu'on va plaider? » Le second regardait anxieusement son avocat.

— Non coupable, naturellement. Vous êtes un grand héros naval en réalité. A bientôt.

CHAPITRE XXXII

LA PERMISSION DE WILLIE

WILLIE était dans un avion qui allait à New-York. Le capitaine Breakstone avait conseillé au nouveau commandant du *Caine* de le laisser aller. « De toutes façons, il peut prendre dix jours avant que le procès ne commence, avait-il dit au téléphone au lieutenant de vaisseau White. Envoyez le pauvre diable chez lui pendant que c'est encore possible. Dieu sait quand il sera libre après cela. » Willie n'avait demandé une permission que pour une unique raison. Il voulait aller rompre avec May.

Au cours des mois agités qui venaient de s'écouler, Willie avait beaucoup réfléchi à leurs relations et en était arrivé à la conclusion que son attitude, même dans ses lettres à May, avait été abominable. Il continuait à la désirer. Si le mot amour voulait dire quelque chose, et si la description qu'on en faisait dans les romans et les poèmes était exacte, il devait l'aimer. Mais tout au fond de lui-même, il avait l'inébranlable conviction qu'il ne pourrait jamais suffisamment se détacher de l'éducation qu'il avait reçue pour l'épouser. Il avait déjà souvent trouvé ce thème exposé en littérature; il était d'autant plus attristé de se voir le héros d'une pareille aventure dans la vie réelle. Mais il comprenait maintenant que la vraie victime était May, et il était décidé à la libérer avant que le conseil de guerre ne donne une direction nouvelle et imprévisible à sa vie. Il ne lui semblait plus possible de couper court par une lettre ou par le silence. Il devait la voir et subir toute peine ou châtiment qu'elle pourrait lui infliger. C'était un triste voyage qu'il venait d'entreprendre. Il pouvait à peine supporter d'y penser.

Il essaya de se distraire en bavardant avec le gros agent littéraire chauve qui occupait le siège à côté du sien. Mais son compagnon était de ceux qui emportent un somnifère en avion. Il commença par s'enquérir auprès de Willie s'il avait personnellement
tué des Japonais, ou s'il avait été blessé ou décoré; mais il avait
déjà perdu tout intérêt à la conversation et tirait des papiers de
sa serviette quand l'appareil commença à cahoter dans l'air
au-dessus des Rocheuses. Immédiatement, il sortit une bouteille
de pilules jaunes, avala trois comprimés et s'endormit. Willie
regretta de n'avoir pas emporté son phénobarbital. Finalement,
il tira les rideaux, repoussa son fauteuil, ferma les yeux, et s'abandonna à une suite de désagréables visions ayant le *Caine* pour objet.

Il y avait un certain nombre de rêves de son enfance que Willie
ne parvenait pas à oublier. Il y en avait un, en particulier, au
cours duquel il avait vu Dieu sous la forme d'un énorme diable en
boîte dont la tête sortait du faîte des arbres, sur la pelouse du jardin, et regardait l'enfant qui jouait en bas. Dans son esprit, la
scène qui s'était déroulée dans l'antichambre du bureau juridique
de la Douzième Région, restait aussi vivante et aussi atrocement
irréelle. Là, devant ses yeux fermés, étaient les murs verts; la
bibliothèque remplie de gros volumes de droit reliés en rouge et
brun; l'unique lampe fluorescente au-dessus de leurs têtes, éclairant la scène d'une lumière bleuâtre; le cendrier plein de mégots
auprès de lui sur le bureau et dont émanait une odeur de renfermé;
la « commission d'enquête », un petit capitaine mince et aigre, à
la voix sèche, et dont le visage vous faisait penser à l'employé des
postes hargneux qui vous refuse un paquet mal ficelé.

Combien tout cela avait été différent de tout ce que Willie
s'était imaginé, combien injuste, combien vite fait; et surtout
combien mesquin et sordide! Il s'était imaginé comme l'acteur
d'un grand drame. Dans l'intimité de sa cabine, la nuit, sur sa
couchette, il s'était murmuré à lui-même : « la mutinerie du *Caine*,
la mutinerie du *Caine* » savourant le son de ces mots, imaginant
un long article du *Time* portant ce titre, un article grandement
favorable aux héros Maryk et Keith. Il avait même essayé de se
représenter le visage de Maryk en couverture du magazine. Il
s'était attendu à faire face à toute une formation d'amiraux
déployée autour d'une table verte et à se justifier avec dignité et
en phrases irréfutables. L'un de ces rêves éveillés en particulier
le faisait frissonner lorsqu'il y repensait maintenant. Il s'était vu,
véritable homme-clef de la mutinerie, appelé à Washington par le
président Roosevelt lui-même, bavardant avec le président dans
son bureau, en tête à tête, le rassurant, lui disant que l'affaire
du *Caine* était un cas d'exception et qu'il ne fallait pas en tirer
de conclusions générales sur les conditions morales dans la Marine.
Il avait même prévu, lorsque Roosevelt lui offrirait généreusement de prendre tel poste qui lui convenait, de répondre avec
simplicité : « Je veux retourner sur mon bateau. »

Ces folles visions en technicolor l'avaient possédé durant toute la campagne de Lingayen et le voyage de retour à Pearl Harbor. L'attaque de l'avion suicide avait été si brusque et causé si peu de dommages (il n'avait même pas vu l'appareil japonais avant qu'il ne plonge) que cet épisode n'avait que rehaussé l'image qu'il se faisait de Maryk, de lui-même et de tous les officiers du *Caine*, tous héros à la tête froide.

La magie avait commencé à se dissiper à Pearl Harbor avec l'arrivée du commandant White, bel homme, officier de carrière apparemment compétent, homme, de toute évidence, à ramener l'ordre à bord. Du jour au lendemain, Maryk avait été remis à sa place et était devenu un second qui obéissait sans discuter. L'excitation s'était calmée dans le carré. Tous les officiers avaient recommencé à être humbles et à surveiller leurs propos. White était sec, froid et capable. Il agissait comme s'il n'y avait jamais eu de relèvement de Queeg par Maryk. Dès son arrivée, il dirigea le bateau aussi bien que Maryk et s'acquit immédiatement le respect de l'équipage. L'image que Willie se faisait de la mutinerie en tant que triomphe de l'héroïque Réserve sur une Active stupide et névrosée en souffrit fort. L'Active avait repris les choses en mains et les tenait bien.

Mais Willie n'était pas préparé, malgré cela, à ce qui l'attendait à San-Francisco. Il n'avait pas prévu que la grande mutinerie du *Caine* serait traitée par les autorités comme un problème légal ennuyeux, certes, mais guère pressant; qu'en fait la Douzième Région n'y attacherait guère plus d'importance qu'au pillage d'un camion de saindoux. Les jours passèrent, le bateau resta en cale sèche et il n'y eut aucune réaction au rapport du commandant White. Ét lorsque enfin l'enquête commença, il n'y eut ni amiraux, ni table verte, ni rendez-vous avec le président. Il n'y eut qu'un interrogatoire mené par un petit homme dans un petit bureau.

Était-ce cette réduction d'échelle qui avait transformé ses justifications irréfutables en anecdotes vaseuses et mal racontées qui le discréditaient lui, et non Queeg, un peu plus chaque fois qu'il les racontait? Était-ce l'hostilité de l'officier chargé de l'enquête? Des histoires sur lesquelles ils avaient compté pour condamner Queeg ne devenaient qu'autant d'exemples de sa propre insoumission et de son ineptie. Même la privation d'eau, l'un des grands crimes de Queeg, lui faisait, quand il la racontait, l'effet d'une mesure de prudence et la contrebande de l'eau, à quoi l'équipage se livrait dans la chambre des machines, devenait un acte de rébellion encouragé par des officiers incompétents. Ce qu'il ne parvenait pas à faire comprendre à l'enquêteur c'était le climat de désespoir dans lequel ils avaient tous vécu. Le capitaine lui lança des regards soupçonneux lorsqu'il parla de l'atroce chaleur et de la fumée et finit par dire : « Je suis certain que vous avez énormément souffert, lieutenant Keith. Pourquoi n'avez-vous pas signalé à votre commandant que l'équipage recueillait de l'eau en contrebande? » Willie savait bien qu'il aurait dû répondre : « Parce que je le considérais comme un lâche et un fou », mais, au lieu de cela, il s'entendit dire : « Mais, personne d'autre ne l'a fait, alors pourquoi moi? »

Il se souvenait avoir émergé de l'entrevue avec le pressentiment affreux qu'il venait lui-même de se passer la corde autour du cou; et il ne se trompait guère. Au bout de cinq jours d'inquiétude, il avait été appelé au bureau du capitaine Breakstone. Celui-ci lui avait tendu le rapport de l'enquête et il avait commencé à le lire, le cœur serré. Parvenu aux mots qui le concernaient, il éprouva la sensation de se débattre dans un cauchemar; c'était comme s'il venait de lire le diagnostic d'un médecin disant qu'il était mourant.

Conclusion (3) :

...et que le lieutenant Willis Steward Keith soit traduit devant un conseil de guerre pour avoir perpétré un acte de mutinerie.

Le cerveau de Willie accepta la perspective brutale du conseil de guerre, mais son cœur était celui d'un lapin terrorisé. Il savait qu'il était toujours Willie Keith, l'innocent et charmant Willie que tout le monde aimait bien, Willie qui pouvait amuser les autres en se mettant au piano et en chantant *If you knew what the gnu knew*. Empalé, à la suite d'un terrible accident, sur la pointe de la justice militaire, il sentait son courage le fuir, comme l'air s'échappe d'un pneu crevé; il se sentait s'aplatir et redevenir le Willie de Princeton et du Club Tahiti. Une pensée qui ne l'avait pas traversé depuis des années lui parvint brusquement du fond de son subconscient : « Maman me tirera de là. »

Étendu dans son fauteuil renversé, sa ceinture de sauvetage lui rentrant dans l'estomac à chaque secousse de l'appareil, il se laissa aller à un long et morbide rêve éveillé où sa mère engageait les plus grands avocats du pays pour le défendre et où les sinistres officiers du conseil de guerre étaient honteux et confondus devant le génie de leurs adversaires. Il inventa de longues scènes d'interrogatoire des témoins et imagina Queeg se tordant sous le fouet des questions toujours plus cinglantes d'un avocat de la défense qui ressemblait étrangement à Thomas E. Dewey. Mais le rêve se brouilla et devint moins cohérent : sans qu'il s'expliquât comment, il vit apparaître May Wynn : elle paraissait vieillie et durcie, sa peau hideusement couperosée. Willie s'endormit.

Mais l'avion arriva au-dessus des immeubles hérissés de Manhattan, volant dans le ciel mauve pâle de l'aube. Willie s'éveilla, regarda par la petite vitre ronde et sentit tressauter son cœur. New-York était le plus bel endroit du monde. C'était plus que cela. C'était le jardin de l'Eden. c'était l'île perdue de l'éternel printemps, c'était le lieu où il avait aimé May Wynn. L'avion se pencha et glissa vers la terre. Le soleil apparut à l'est, d'un or pâle derrière les nuages. L'avion prit un virage et Willie revit Manhattan, l'Empire State Building, le Chrysler Building, Radio City, baignant dans une lumière devenue subitement rose alors que, plus bas, la ville était encore voilée par une brume indigo. Et en même temps,

le souvenir lui revint de la plage de Kwajalein, de l'étendue bleue
et vide du Pacifique Sud, des petites flammes orange des batteries côtières sur les collines vertes de Saipan et de la timonerie
détrempée du *Caine* ballottée au milieu du typhon en furie. A cet
instant, Willie comprit la guerre.

— Une demi-heure de retard, grommela l'agent littéraire à ses
côtés, refermant d'un geste nerveux la fermeture éclair de sa serviette.

Lorsque Willie sortit de l'avion et s'engagea sur l'échelle de
débarquement, il fut surpris par le vent glacé qui lui coupait le
visage et les poumons lorsqu'il l'aspira. Il avait oublié ce que
c'était que l'air hivernal; d'en haut, il avait eu la fausse impression
que c'était le printemps à New-York. Il frissonna dans son lourd
manteau de quart et serra son écharpe de soie blanche autour de
sa gorge. A ce moment, il vit sa mère qui lui faisait des gestes
joyeux de derrière la vitre d'une salle d'attente. Il traversa en
courant l'aérodrome balayé par le vent. Un instant plus tard, il
se sentit étreint et violemment embrassé dans une pièce chauffée.
« Willie! Willie! Willie! Oh, mon chéri, comme c'est bon de t'avoir
tout près de moi! »

La première pensée de Willie fut : « Elle a les cheveux tout
gris! » Il ne se rendait pas compte si c'était arrivé pendant son
absence ou si sa mère commençait déjà imperceptiblement à gri-
sonner avant la guerre; en tout cas, il ne s'en était jamais aperçu.
De roux, ses cheveux étaient devenus d'un brun grisâtre. « Tu
as une mine splendide, maman!

— Merci, chéri! Laisse-moi bien te regarder... » Lui tenant toujours les bras, elle se recula et l'examina, le visage éclairé par la
joie. Ce qu'elle vit lui plut et l'inquiéta tout à la fois. Son fils avait
changé en mer. Ce visage hâlé, avec ses joues plates, le nez proé-
minent et la mâchoire lourde, lui était à demi étranger. C'était
Willie, naturellement, son Willie; la bouche enfantine, elle, était
toujours la même; mais... « Tu es devenu un homme, Willie.

— Pas tout à fait, mère, dit son fils, avec son sourire las.

— Tu as tellement d'allure! Combien de temps peux-tu rester?

— Je repars dimanche matin. »

Elle l'embrassa de nouveau. « Cinq jours! Tant pis. J'en aurai
plus de joie que de n'importe quelles cinq années de ma vie. »

Willie lui dit très peu de choses dans la voiture qui les amenait
à la maison. Il s'entendit minimiser les dangers de la guerre et
accentuer ce que celle-ci avait de fastidieux, comme les bons petits
Américains à bouche cousue qu'on voit au cinéma. Plus sa mère
lui demandait de détails, plus ses réponses devenaient vagues.
Il vit qu'elle avait envie de l'entendre raconter comment, à plusieurs
reprises, il avait échappé de près à la mort, et il lui répéta avec un
malin plaisir qu'il n'avait jamais approché d'un combat véritable.
A la vérité, il était un peu déçu, maintenant qu'il était revenu
dans le monde des civils, de l'absence d'évasions ébouriffantes,

de tueries et de blessures dans son passé de guerrier. Aussi l'interrogatoire de sa mère l'agaçait-il. D'instinct, il se sentait poussé à monter en épingle les moments où il avait vraiment risqué sa peau, mais une honte obscure l'empêchait de le faire. Le silence évasif était une forme plus subtile et, malgré tout, respectable de vantardise, et il en fit bon usage.

Il s'était attendu à être submergé de nostalgie à la minute où il apercevrait sa maison natale; mais la voiture tourna dans l'allée, crissa sur le gravier puis s'arrêta devant la grande porte sans qu'il eût cessé de fixer un regard stupide sur la pelouse sans herbe et les arbres dépouillés. A l'intérieur, la maison n'avait pas changé, mais elle paraissait vide et silencieuse, et l'agréable arôme du bacon frit ne parvenait pas à surmonter une odeur envahissante de naphtaline. La maison n'avait plus du tout la même odeur que dans le temps. Willie comprit presque tout de suite pourquoi : personne n'y fumait plus le cigare. Il y avait longtemps que l'odeur de fumée était partie des rideaux, des tapis et des meubles, bien longtemps.

— Je vais prendre une douche avant de manger, mère.

— Très bien, Willie. J'ai beaucoup à faire.

Il prit un journal dans le hall et jeta un coup d'œil sur les manchettes tout en grimpant l'escalier : *Mac Arthur avance sur Manille.* Il entra dans sa chambre et jeta le journal de côté. Quelque chose changea de vitesse en lui et il redevint le Willie d'autrefois. Il ne se sentait ni dépaysé ni transporté dans l'espace ou dans le temps; il n'était pas exagérément heureux de revoir ses bouquins et son phono. Il se déshabilla et suspendit son uniforme au milieu de ses costumes. Seule l'eau jaillissant avec force de la douche le surprit. Il était habitué au maigre filet d'eau de la douche du carré, sur le *Caine*. Le jaillissement ininterrompu, la facilité avec laquelle il pouvait mélanger à son gré l'eau chaude et froide, tout cela lui semblait un luxe plus merveilleux que tout ce qu'il avait retrouvé chez lui. Sur le *Caine* on chauffait l'eau en faisant passer de la vapeur dans un tuyau d'eau froide à demi bouché. Il suffisait d'une petite erreur de réglage pour faire bouillir quelqu'un vivant en quelques secondes, comme un homard. Plus d'une fois, Willie avait fait entendre ses hurlements sous des nuages de vapeur.

Sur un caprice, il sortit son plus beau costume de tweed beige, qui avait coûté deux cents dollars chez Abercrombie et Fitch, et choisit avec un soin minutieux une cravate de laine bleu ciel, des chaussettes assorties et une chemise blanche. Le pantalon était trop large; la veste lui parut trop vague et trop épaulée. La cravate, surtout, lui parut incongrue et efféminée après deux ans de cravates noires. Il se regarda dans la glace fixée dans la porte de sa penderie. L'espace d'un instant son propre visage le surprit. Il perçut quelques-uns des changements que sa mère avait remarqués plus tôt. Mais, très vite, tout redevint normal; il ne fut plus que Willie, l'air fatigué et pas trop ravi de sa tenue un peu voyante. Il descendit d'un pas gêné : il avait péniblement conscience du rembourrage de sa veste.

Il avait faim; tandis que sa mère le complimentait gaîment sur son élégance, il avala une grande assiette d'œufs au bacon et plusieurs petits pains. « Tu n'as jamais bu tant de café, dit sa mère en lui remplissant sa quatrième tasse et en le regardant avec une inquiétude teintée de respect.

— Je suis devenu un monstre.

— Vous autres marins, vous êtes terribles.

— Allons dans la bibliothèque, mère », dit-il, vidant sa tasse.

Le fantôme flottait dans la pièce tapissée de livres, mais Willie lutta contre sa tristesse et sa crainte respectueuse. Il se laissa tomber dans le fauteuil de cuir rouge de son père, choisissant exprès ce siège sacré, refusant de voir le regard de reproche peiné que lui lançait sa mère. Il lui raconta alors l'histoire de la mutinerie. Après quelques exclamations horrifiées, elle le laissa parler longtemps sans l'interrompre. La pièce s'assombrit car de gros nuages gris traversaient maintenant le ciel et dehors les parterres de fleurs vides du jardin ne furent plus éclairés par le soleil. Lorsque Willie eut terminé, il regarda sa mère qui ne disait toujours rien et tirait des bouffées régulières de sa cigarette.

— Eh bien, mère, qu'en penses-tu?

Mrs. Keith hésita, puis dit : « Que dit... est-ce que tu en as parlé à May?

— May ne sait même pas que je suis à New-York, dit-il d'un ton irrité.

— Tu ne comptes pas la voir?

— Si, je pense que je la verrai. »

Sa mère soupira. « Eh bien, ce que je peux te dire, Willie, c'est que ce Vieux Tache Jaune me paraît un monstre abominable. Toi et le second, vous êtes parfaitement innocents. Vous avez fait ce qu'il fallait faire.

— Les docteurs ne sont pas de ton avis.

— Attends et tu verras. On va acquitter ton second. Quant à toi, ils ne te jugeront même pas. »

L'optimisme aveugle de sa mère ne le réconforta pas. Au contraire, il en fut extrêmement agacé. « Je ne peux pas te le reprocher, mère, mais tu ne sembles vraiment pas connaître grand-chose à la Marine.

— Peut-être pas. As-tu pris une décision au sujet de May, Willie? »

Willie n'avait pas envie de répondre; mais il se sentait de mauvaise humeur et nerveux; raconter la mutinerie lui avait fait perdre le contrôle de lui-même. « Eh bien, tu vas probablement être très contente. J'ai décidé que cela ne pourrait pas marcher. J'ai abandonné. »

Sa mère fit un petit signe de tête affirmatif et baissa la tête, cherchant, semblait-il, à réprimer un sourire. « En ce cas, Willie, pourquoi veux-tu aller la voir? Ne serait-ce pas plus gentil de ne pas y aller?

— Je ne peux pas la laisser froidement tomber, mère, comme une putain avec qui j'aurais passé une nuit.

— Tu as enrichi ton vocabulaire dans la Marine, Willie.

— Tu ne sais pas comment on parle dans la Marine.

— C'est simplement parce que tu vas au-devant d'une scène inutile, déchirante...

— May a droit à sa scène.

— Quand vas-tu la voir?

— Ce soir, si je peux. Je comptais l'appeler maintenant. »

Mrs. Keith eut un sourire attristé. « Tu vois, je ne suis pas si bête. J'ai invité la famille pour demain soir. Je me doutais bien que ce soir tu serais pris.

— Ce soir seulement. Tu auras toute liberté pour les quatre soirs suivants.

— Chéri, si tu crois que tout ceci me fait plaisir, tu te trompes. Je partage ta douleur...

— Mais oui, mère...

— Un jour, Willie, je te parlerai d'un homme que je n'ai pas épousé, un garçon très beau, très séduisant et sans valeur aucune, et qui est toujours en vie. » Mrs. Keith rougit un peu et regarda par la fenêtre.

Willie se leva. « Je crois que je vais téléphoner. »

Sa mère s'approcha, lui mit un bras autour des épaules et appuya sa tête contre lui. Willie ne broncha pas. Dehors, quelques épais flocons de neige traversaient les branches nues des arbres. « Chéri, ne te fais aucun souci pour ton conseil de guerre. J'en parlerai à oncle Lloyd. Il saura ce qu'il faut faire. Crois-moi, personne ne te punira pour avoir commis un acte si beau et si audacieux. »

Willie alla dans la chambre de sa mère, prit le téléphone posé sur la table de nuit et alla le brancher chez lui. Il appela la confiserie du Bronx. Tandis qu'il attendait la réponse, il poussa sa porte du pied. « May Wynn n'est pas chez elle, dit une voix de femme vulgaire, avec un accent étranger. Essayez Cercle 6-3475. »

Il essaya. « Hôtel Woodley, » dit la téléphoniste.

Willie connaissait bien le Woodley; c'était un hôtel miteux pour petits théâtreux dans la 47e Rue. « May Wynn, s'il vous plaît.

— Miss Wynn? Un instant. » On sonna plusieurs fois et enfin : « Allo? » dit une voix qui n'était pas celle de May. Une voix masculine.

— J'ai demandé la chambre de Miss May Wynn, dit Willie, saisi d'un horrible pressentiment.

— C'est la chambre de May ici. Qui est à l'appareil?

— Je m'appelle Willie Keith.

— Willie! Ça alors! Ici Marty Rubin. Willie, mon vieux, comment allez-vous? Où êtes-vous?

— En permission.

— En permission? Où? A San-Francisco?

— A Long-Island. Où est May?

— Elle est ici. Ça c'est fantastique. Dites, Willie, est-ce qu'elle savait que vous veniez? Elle n'avait rien dit... Attendez une seconde. Je vais la faire lever. »

Il y eut une longue pause. « *Allo! Willie!*

— Bonjour, May. Excuse-moi de t'avoir réveillée...

— Mon chou, ne sois pas stupide. Je... Je ne peux pas y croire! Quand es-tu arrivé? »

Willie avait toujours détesté ces « mon chou » que se prodiguaient les gens de théâtre; il aimait encore moins l'entendre de la bouche de May, et surtout pas dans les circonstances présentes. Elle avait la voix rauque comme toujours lorsqu'elle venait de s'éveiller. « Il y a une heure environ, par avion.

— Mais, mon chou, pourquoi ne m'as-tu pas prévenue? Tu penses...

— Je voulais te faire une surprise.

— C'est une surprise en effet. Je ne sais plus ce que je dis. » Il y eut un silence qui parut atroce à Willie. « Eh bien, mon chou, quand est-ce que je te vois? dit-elle.

— Quand tu voudras.

— Oh là. Mon chéri, tu n'aurais pas pu plus mal choisir ton jour. J'ai un genre de grippe ou je ne sais quoi, et... on pourrait déjeuner... non, attends, il y a autre chose... Marty, quand est-ce qu'on enregistre pour l'audition? Quand aurais-je fini?...Pas avant? Oh, Willie, c'est un de ces méli-mélos! J'ai une émission à la radio, un enregistrement pour — il faut que je le fasse aujourd'hui — je me suis dopée pour être à peu près en forme... Marty, mon chou, on ne peut pas remettre?... Oh, Willie, tu aurais dû me prévenir...

— Ça ne fait rien. Ne t'énerve surtout pas, dit Willie en se regardant d'un air furieux dans sa glace. Je pourrai peut-être te voir demain.

— Non, non! Mon chou, je vais être libre vers trois heures — quoi, Marty? — trois heures et demie. Willie, est-ce que tu peux me retrouver au Brill Building?

— Qu'est-ce que c'est que le Brill Building, et où est-ce?

— Oh, *Willie!* Le Brill Building. Flûte, j'oublie toujours que tu ne places pas de chansons. C'est en face du Rivoli, tu sais bien, le grand immeuble gris. Ce sont les studios Sono-phono. Tu te souviendras? Sono-phono.

— D'accord. J'y serai à trois heures et demie. Tu ne vas plus au cours alors?

— Oh. » May prit une voix humble. « J'ai fait un peu l'école buissonnière. Je t'expliquerai.

— A tout à l'heure.

— C'est ça, mon chou. »

Willie raccrocha si brusquement que le téléphone tomba par terre avec fracas. Il enleva son costume de tweed, le laissa en tas sur une chaise, et remit son uniforme. Il avait deux casquettes, l'une relativement neuve, et l'autre qu'il portait toujours en mer et dont la tresse dorée avait complètement verdi. Il prit la seconde, et la couvrit d'un fond propre, ce qui accentua encore la ternissure de la tresse.

L'image glorieuse de Manhattan qui était apparue à Willie alors qu'il était dans l'avion, ne se retrouvait nulle part au coin de Broadway et de la 50e Rue lorsqu'il émergea du métro. C'était le même vieux carrefour sale et encombré; ici un bureau de tabac, là un marchand de limonade, plus loin la marquise d'un cinéma tremblant dans le vent, partout des gens laids aux visages fatigués qui se hâtaient, se protégeant de leur mieux d'un vent coupant qui envoyait tourbillonner des journaux et de petites spirales de neige séchée le long des ruisseaux. Tout cela était aussi familier à Willie que l'intérieur de sa main.

La salle de réception des Studios Sono-phono était une pièce carrée de quelque deux mètres de côté; les murs étaient de plâtre, la porte du fond plâtrée. Devant un bureau de métal vert siégeait une réceptionniste très laide, au teint de plâtre et qui mâchait un gros morceau de chewing-gum rose. « Oui? Que voulez-vous?

— J'ai rendez-vous ici avec May Wynn.

— Elle n'a pas fini. Vous ne pouvez pas entrer. Ils sont branchés. »

Willie s'assit sur l'unique chaise jaune, défit son écharpe et ouvrit son manteau de quart. La réceptionniste jeta un coup d'œil sur ses galons, compta les étoiles et lui décocha un sourire qui se voulait séducteur. Derrière la paroi de plâtre, il entendit une voix d'homme. « Recommençons, et que ce soit au point cette fois. » Un petit orchestre commença à jouer, puis Willie entendit sa voix :

> *Don't throw*
> *Bo-kays at me...*

Immédiatement il se retrouva dans la chaleur et la décrépitude du *Caine* subissant sans espoir de libération la haine de Queeg; sans qu'il comprît pourquoi, à ces sordides images se mêlaient de doux souvenirs des débuts de son amour pour May. Tandis que la chanson se poursuivit, il se sentit envahi d'une infinie tristesse. Lorsque ce fut fini, Marty Rubin ouvrit la porte et dit : « Salut, Willie! Ça fait plaisir de vous revoir! Entrez donc! »

Il était plus gras que jamais. Son costume vert n'allait absolument pas avec son teint jaunâtre et ses verres de lunettes teintés étaient si gros que les yeux, derrière, étaient ramenés à des points. Il secoua la main du lieutenant : « Vous avez une mine splendide. mon petit! »

May était debout devant le microphone et parlait avec deux hommes en manches de chemise. Les musiciens rangeaient leurs instruments. Le studio était une pièce nue, encombrée de câbles et d'appareils d'enregistrement. Willie s'arrêta, hésitant, sur le seuil. « Il est là, May! » cria l'agent. Elle se retourna, courut vers Willie, lui passa un bras autour du cou et lui donna un baiser sur la joue.

— Nous allons sortir d'ici dans une minute chéri, » murmura-t-elle. Willie resta le dos collé à la porte pendant dix minutes encore, commençant à avoir chaud dans son manteau, tandis que la jeune femme parlait avec son agent et les hommes en manches de chemise.

— J'ai envie de boire quelque chose, dit May, lorsqu'ils furent seuls à une table, dans la salle déserte du premier étage chez Lindy's. Après ça, je prendrai un petit déjeuner.

— Tu as de drôles d'heures... Qu'est-ce que c'est que ça? dit-il voyant May se lancer une pilule blanche dans la bouche.

— De l'aspirine. Touche mon front. » Elle était brûlante. Willie la regarda avec inquiétude. Elle avait le visage défait, ses cheveux étaient épinglés n'importe comment sur le dessus de sa tête et ses yeux étaient très creux. Elle lui décocha un sourire triste, où il y avait un peu de défi aussi. « Je ne suis pas belle à voir, je sais. Tu as choisi un drôle de moment pour tomber du ciel, mon chou.

— Tu devrais être au lit, May.

— Le lit est pour ceux qui peuvent se le permettre... Mais, toi, parle-moi de la guerre. »

Au lieu d'obéir, Willie la questionna sur elle-même. Elle chantait dans une boîte de la 52e Rue, c'était son premier engagement depuis plusieurs semaines. Son père avait été malade pendant six mois et la fruiterie, sous la direction de sa mère, ne rapportait rien. May subvenait aux besoins de la famille. Elle avait pris une chambre en ville, à l'hôtel, parce qu'elle avait peur que les longs trajets de retour en métro, la nuit, ne lui fassent attraper une pneumonie. « Je suis assez vannée, Willie. Le mélange école-boîte de nuit n'est pas si sain que ça. Ça ne laisse guère de temps pour dormir. Je m'évanouis dans le métro, au cours... c'est affreux.

— Tu abandonnes les cours, alors?

— Non, non. Seulement j'en manque beaucoup. Ça m'est égal. Je n'ai pas envie de diplômes. Ce que je veux, c'est m'instruire un peu. Parlons français, j'ai appris, tu sais? *Avez-vous le crayon de ma tante* [1] ? »

Elle rit. Willie lui trouvait les yeux bien brillants. May but son café. « J'ai appris deux choses en ce qui concerne mon chant, Willie. *Primo*, je n'ai pas beaucoup de talent — j'en suis certaine maintenant — et *secundo* la plupart des autres chanteuses en ont encore moins. J'arriverai toujours à gagner ma vie, jusqu'au jour où je serai une vieille peau, bien sûr. Du train où je vais, ce sera

1. En français dans le texte.

probablement la semaine prochaine. Écoute. Montons dans ma chambre, comme ça je pourrai m'allonger tout en te parlant. Je travaille encore ce soir. Est-ce que je t'ai déjà dit que tu étais trois fois plus beau garçon qu'avant? Tu as bien plus l'air d'un loup que d'un petit lapin maintenant.

— Tu n'avais pas l'air de détester le petit lapin...

— Je devrais dire plutôt un lapin qui aurait quelque chose du loup. Je crois que je déraille un peu, mon chéri. Un martini à jeun n'est pas ce qui se fait de plus malin, je le saurai pour la prochaine fois. Partons. »

Dans le taxi, elle l'embrassa brusquement sur la bouche. Il sentit l'odeur du gin. « Est-ce que je te dégoûte profondément? demanda-t-elle.

— Tu en as des questions...

— Malade, poisseuse — regarde-moi cette robe, il a fallu que je mette ça aujourd'hui — travaillant avec des musiciens miteux dans un studio miteux... nous sommes des amants maudits, Willie. Tu vois, je t'ai dit que j'apprendrais à lire et à écrire. Des amants maudits. Allons, douce nuit, rends-moi mon Willie. Et s'il doit mourir, prends-le et découpe-le en petites étoiles, et il rendra le firmament si beau que le monde entier sera amoureux de la nuit. Tu n'as pas cru que je vivais avec Marty Rubin, par hasard? »

Willie se sentit rougir. « Tout ça en un martini?

— Et une fièvre de 39,9 à peu près. Je prendrai ma température en rentrant, pour voir. Vraiment, je trouve que ce n'est pas de chance. Tu me téléphones après avoir traversé la moitié de la terre, et c'est un homme qui répond. Des fils maudits. Si c'est Shakespeare qui répond, raccroche. »

Le taxi prit un virage aigu et elle tomba contre lui. L'odeur de ses cheveux n'avait pas changé : douce, excitante. Il la serra plus fort contre lui. Il ne se souvenait pas qu'elle était si mince. Elle dit : « Chéri, tu diras à tous les petits lieutenants du *Caine* de ne jamais venir surprendre leurs petites amies. Dis-leur de prévenir bien, bien à l'avance pour que ces petites puissent faire partir les hommes de leurs chambres, se reposer une semaine, aller dans un salon de beauté, et sortir tous les petits tours stupides qu'elles ont dans leur sac. Je suis très impressionnée par tes battle stars, Willie. Tu n'as jamais eu de mal, n'est-ce pas, mon chou?

— Je n'ai même jamais failli...

— Tu veux que je te dise quelque chose? J'ai un esclave. Un vrai. Il s'appelle Marty Rubin. Il ne sait pas que les esclaves ont été tous affranchis. S'il avait été à l'école, comme moi... Promets-moi que tu ne lui diras jamais que Lincoln a libéré tous les esclaves. Oncle Tom Rubin. Je crois que je serais morte sans lui, ou en tout cas que j'aurais des parents à l'asile. Boum! Déjà arrivés? »

Sa chambre était misérable et donnait sur une cour sans lumière. Le dessus de lit, le tapis, les fauteuils étaient usés jusqu'à la corde; la peinture du plafond partait par plaques. Elle referma la porte et embrassa Willie avec passion. « Tu es immense dans ce manteau. Pas mal cette chambre pour trois dollars, tu ne trouves pas? Ils ont fait un prix à Marty, parce que c'était lui. Excuse-moi, mais il n'y a pas de toilette. C'est au fond du couloir. Commençons par prendre cette bonne vieille température. Peut-être que je n'ai pas besoin de me coucher. Tiens, si tu veux te repaître de ma gloire... »

Elle le regarda, le thermomètre dans la bouche, tourner les pages de son album de coupures de presse. Il était composé en majeure partie d'entrefilets. Sur une page séparée, entouré d'une guirlande d'étoiles dorées au crayon de couleur, il y avait un long article avec une photo de May, extrait du *Daily News* de New-York. Cela s'appelait : *May Wynn. Une menace pour Dinah Shore.*

— Je t'épargne le récit de ce que j'ai dû faire pour avoir ça, dit May, mordant son thermomètre. Elle ajouta : « Pas ce que tu sembles penser, si j'en crois ton expression. » Willie se hâta de changer la dite expression : « Ah, voyons. » May approcha le thermomètre de la fenêtre. « Mais, ce n'est pas mal du tout : 39,5. Allons faire du cheval dans Central Park.

— Couche-toi. Je vais appeler un docteur...

— Je t'en prie, chéri, ne commence pas à faire bouillir de l'eau et à y plonger les bras jusqu'aux coudes. J'ai déjà vu un docteur. Il m'a dit de me reposer et de prendre de l'aspirine. Ce que je veux savoir, c'est quel est ton emploi du temps? Quand dois-tu rentrer chez ta mère?

— La nuit est à nous, dit Willie d'un ton vexé.

— Ah oui? Merveilleux. » Elle vint lui mettre les bras autour du cou. « Je peux m'étendre, alors? Nous pourrons bavarder gentiment... et je serai ravissante et en pleine forme pour la soirée.

— Mais bien sûr.

— En ce cas, regarde par la fenêtre une minute. La vue en vaut la peine. » Willie obéit. Sur le rebord de la fenêtre d'en face, à moins de deux mètres de celle de May, il y avait deux bouteilles de lait, une tomate et un paquet de beurre, entourés de petits tas de neige. Le mur de brique était noir de suie. Derrière son dos, Willie entendait des frous frous de vêtements.

— Ça y est, chéri, viens t'asseoir à côté de moi. La robe et les bas de May étaient posés sur une chaise et elle-même était allongée sous ses couvertures, vêtue d'une vieille robe de chambre grise. Elle eut un pâle sourire : « Heddy Lamarr prête pour la grande scène de séduction.

— Chérie, dit Willie, s'asseyant à côté d'elle et saisissant sa main froide, je suis désolé d'être arrivé à un si mauvais moment... j'aurais dû au moins te prévenir...

— Willie, tu ne peux pas être aussi désolé que moi. Mais c'est fait et nous n'y pouvons rien. » Elle serra sa main entre les siennes. « Chéri, je sais que tu as dû m'imaginer chez moi, en déshabillé rose et n'ayant rien d'autre à faire que de t'écrire, relire tes lettres plus de mille fois et entre les deux t'attendre en rêvant à toi. Mais

rien ne se passe comme ça. Les pères attrapent des pleurésies, et
les bas attrapent des trous, et il faut que je gratte sur tout, et des
types me font des avances — ce dont je ne peux même pas trop me
fâcher parce que ça prouve que je ne suis pas encore complètement
fichue — mais je suis quand même restée sage. » Elle lui lança un
coup d'œil timide. « J'ai même eu de bonnes notes au cours. J'ai
été une fois première en lettres.
— Si tu dormais un peu? Tu t'es crevée à cette audition...
— Et ça a été un fiasco... je ne voyais plus clair, j'attendais que
tu arrives...
— Est-ce que tu dois absolument chanter ce soir?
— Oui, chéri. Le contrat dit tous les soirs sauf le lundi, si maman,
papa et May veulent manger. Il y a tout un tas de filles qui ne
demandent qu'à prendre ma place...
— Pourquoi ne m'as-tu pas dit que tu avais des ennuis? J'ai de
l'argent. »
Une lueur de crainte traversa le regard de May. Elle lui pressa
la main. « Willie, je n'en suis pas à demander la charité. J'exagère
peut-être un peu, pour m'excuser d'être dans cet état. Mais en fait,
je vais très bien, physiquement, financièrement et tout. J'ai un
mauvais rhume, c'est tout, tu n'as jamais eu de rhume toi? » Elle
se mit à pleurer, pressant sa main et la portant à ses yeux. Il sentit
des gouttes chaudes lui couler entre les doigts. Il la prit contre lui
et lui embrassa les cheveux. « Je ferais peut-être mieux de dormir.
Je suis vraiment vannée, dit-elle d'une voix basse, les yeux cachés
contre la main de Willie. Qu'est-ce que tu veux lire? *Troïlus et
Cressida*? Le *Crime de Sylvestre Bonnard* en français? L'*Histoire
d'Angleterre* de Trevelyan? Tu trouveras tout ça sur la table...
— Je vais voir. Toi, dors.
— Pourquoi est-ce que tu n'irais pas voir un film? Ce sera
mieux que de rester dans ce trou de rat et m'écouter ronfler.
— Je reste ici. » Il l'embrassa.
Elle dit : « Ce n'est pas bien. Tu vas attraper Dieu sait quoi.
— Dors.
— Charmant retour du soldat. Une fille pleurnichante, ivre,
jacassante qui s'endort et vous laisse choir dans un trou de rat... »
May s'enfonça dans son lit, ferma les yeux, murmurant : « J'ai un
extraordinaire pouvoir de récupération. Réveille-moi à sept heures
et demie. Tu auras peut-être du mal, mais tire-moi du lit. Je t'éton-
nerai. On fera comme si on ne s'était pas vus avant sept heures
et demie... » Une minute plus tard, elle dormait, les cheveux épars,
roux ardents sur l'oreiller blanc. Willie contempla longuement
le visage pâle barbouillé de rouge à lèvres. Puis il prit *Troïlus et
Cressida*, l'ouvrit au hasard et se mit à lire. Mais au premier passage où il était question d'amour, c'est-à-dire au bout d'une demi-
page, son esprit se mit à vagabonder.
Il était nettement décidé, maintenant, à rompre avec May. Le
fait de la revoir n'avait fait que le confirmer dans sa résolution.

Il était persuadé de bien faire. Il se jugeait lui-même, aussi sincè-rement que possible et sans grande fierté devant le résultat, comme un médiocre intellectuel de classe moyenne. Il n'ambi-tionnait rien de plus que la vie d'un professeur honorable dans une université honorable. Il voulait une vie rembourrée par les bonnes choses qui s'achètent avec de l'argent, l'argent de sa mère ou de sa femme, pas celui de l'Université. Il voulait, dans un avenir encore vague, une femme de sa classe, douce, jolie et cultivée, et avec l'éducation qu'on donne aux jeunes filles dans les bonnes familles et là où il y a de l'argent. May Wynn était intelligente, certes, terriblement séduisante peut-être en dehors d'aujourd'hui. Mais elle était aussi vulgaire, tapageuse, trop parfumée comme les femmes de théâtre; elle lui avait permis toutes sortes de libertés depuis le début, et elle avait couché avec lui. Elle lui paraissait un peu souillée, un peu commune; et en tout cas elle ne convenait absolument pas à l'avenir dont il rêvait. De plus, elle était catho-lique. Le fait qu'elle lui eût déclaré ne pas être très attachée à sa religion ne l'avait pas convaincu. Il avait tendance à partager l'opinion répandue que les catholiques n'abandonnent jamais vraiment leur religion et qu'ils sont capables de s'y replonger un jour ou l'autre. Il n'avait aucune envie de laisser une aussi désa-gréable éventualité venir compliquer sa vie et celle de ses enfants.

Tout ce raisonnement aurait-il sombré dans le néant si Willie avait retrouvé une fille triomphante et splendide, vedette d'une opérette à succès, c'est impossible à dire. Il était à son chevet dans une chambre misérable d'un hôtel médiocre, et elle était malade, mal arrangée et fauchée. Ses livres d'études la faisaient paraître plus pitoyable, mais non plus séduisante. Elle avait fait un effort pour se réformer et se rapprocher de ses goûts à lui, mais elle avait échoué. Tout était fini.

Elle dormait la bouche ouverte, et sa respiration était rapide, irrégulière et bruyante. Sa robe de chambre grise s'était ouverte, découvrant sa poitrine. Willie se sentait gêné. Il lui remonta sa couverture jusqu'au menton, s'enfonça dans son fauteuil et s'as-soupit.

— Est-ce que j'ai des visions? demanda Willie lorsque le taxi s'arrêta devant le *Grotto*. Où est le Tahiti? Où est la Porte Jaune? Est-ce que ce n'est pas ici que...

— La Porte Jaune, c'était ici. Le Tahiti a disparu. A la place, il y a ce restaurant chinois, dit May. Rien ne dure longtemps dans cette maudite rue.

— Qu'est-il arrivé à Mr. Dennis?

— Mort, dit May, sortant du taxi dans la nuit froide.

Elle avait été déprimée et apathique pendant le dîner; elle fit un petit salut apathique à Willie et disparut par le rideau des coulisses. Il fut stupéfait lorsqu'elle arriva sur scène une demi-heure plus tard. Elle avait le visage frais et radieux. Les clients, entassés dans la cave enfumée, entre les murs de papier mâché et les aquariums où nageaient tristement des poissons gris, écoutaient en silence et applaudissaient beaucoup après chaque chanson. Elle les remerciait d'un sourire juvénile et, les yeux brillants, continuait son numéro. Elle chanta cinq chansons sans marquer la moindre lassitude, puis ramassa sa large jupe verte et sortit de scène en quelques bonds, comme une danseuse. « Comment y arrive-t-elle? demanda Willie à Rubin qui était arrivé au milieu du numéro et qui était serré contre lui à une table minuscule, près du mur.

— Ce n'est pas à vous que j'apprendrai, Willie, que la séance doit continuer. C'est une professionnelle. Les clients ne payent pas leur consommation moins chère parce que May a pris froid. »

May les rejoignit; elle avait une écharpe de gaze jaune autour du cou et une veste de velours noir sur les épaules. Rubin se leva et lui posa un baiser sur la joue. « Mon chou, tu devrais prendre froid plus souvent. Tu es en pleine forme ce soir.

— Je me sens bien. Tu me trouves améliorée, Willie?

— Tu es merveilleuse, May.

— N'en mets pas trop, je saurai que tu mens. Où allez-vous, Marty?

— J'ai d'autres clients. Faites-la coucher après la séance de deux heures, Willie. »

Willie resta pendant cinq heures assis sur sa petite chaise dure, tantôt parlant à May, tantôt l'écoutant chanter. Des clients partirent, d'autres arrivèrent, mais on eût presque dit que les partants repassaient leurs figures aux arrivants au vestiaire tant ils se ressemblaient tous. L'air devint plus lourd, la foule plus bruyante, et les poissons descendirent au fond des aquariums et y restèrent sans bouger, à faire des bulles dans la vase. Pour Willie, les boîtes de nuit avaient perdu tout attrait. Il ne concevait pas de pire sort que d'avoir à gagner sa vie dans ces décors de carton pâte où il n'y avait même pas d'air; mieux valait encore être à jamais sur le *Caine*.

Il ne dit rien à May de la mutinerie, mais s'amusa cependant de la voir rire et s'exclamer quand il lui parlait de Queeg. Elle avait récupéré de façon stupéfiante. Elle était gaie maintenant et pleine de vie et dans cette cave, avec son maquillage, elle semblait avoir toutes les couleurs de la santé. Mais Willie avait eu trop peur en la voyant l'après-midi pour se sentir détendu avec elle. La soirée se passa en un bavardage joyeux, plein de réserves et d'évasions. May avait entendu le ton qu'il avait donné et le suivait.

Lorsqu'ils rentrèrent dans sa misérable chambre d'hôtel, il était trois heures moins le quart. Willie réprimait ses bâillements, et ses yeux le piquaient. Sans un mot, ils enlevèrent leurs manteaux, s'allongèrent sur le lit et s'embrassèrent avidement pendant quelques minutes. Le front et les mains de May étaient brûlants contre les lèvres de Willie, mais il continuait à l'embrasser quand

même. Enfin, d'un commun instinct, ils ralentirent et s'arrêtèrent. Elle le regarda droit dans les yeux.

— C'est fini nous deux, n'est-ce pas, Willie?

C'était la pire question du monde. Willie n'avait pas besoin
de répondre. Son air lamentable était assez éloquent. May dit :
« Mais alors, pourquoi faisons-nous ça?

— Tu as raison, comme d'habitude. Je suis un porc. Cessons.

— Non. Moi, j'aime toujours t'embrasser, malheureusement. »
Et elle recommença, plusieurs fois. Mais les mots prononcés
avaient drainé leurs baisers de toute saveur. Tous deux se redres-
sèrent et Willie alla s'asseoir sur le fauteuil. « Si seulement je
n'avais pas eu la grippe, dit May tristement.

— May! May! Cet après-midi n'a rien changé... c'est parce que
je suis ce genre de type qui...

— Chéri, tu n'en sais rien. Ça a peut-être tout changé justement. On n'aime jamais les animaux malades. Mais tout ça c'est
du passé. La lutte était mal engagée. Tes lettres n'ont rien
arrangé...

— Qu'est-ce que je peux te dire, May? Tu es la fille la plus
merveilleuse que je connaîtrai jamais...

— Aussi curieux que cela paraisse, c'est vrai. Pour toi, en tout
cas. Seulement, tu es trop jeune, ou tu aimes trop ta mère, je ne
sais pas. » Elle se leva, ouvrit machinalement la fermeture éclair
de sa robe, puis alla à son armoire et passa sa robe de chambre;
elle ne chercha même pas à se cacher. Voir son jeune corps dans la
combinaison collante fut très pénible à Willie. Il avait envie de la
prendre dans ses bras autant qu'il avait envie de respirer, mais il
savait que c'était absolument impossible maintenant. Elle se retourna vers lui, les mains enfoncées dans les poches de sa robe de
chambre. Un tremblement à peine perceptible agitait le contour
de ses yeux et de sa bouche. « C'est définitif, je suppose? dit-elle
d'un ton un peu hésitant.

— Oui, May.

— Tu ne m'aimes pas?

— Je ne sais pas, May. Je ne peux pas te dire. En parler ne servira à rien.

— Peut-être, mais j'aimerais bien faire un petit paquet bien
propre et bien net avant de jeter les débris à la poubelle. Si tu ne
m'aimes pas, tout est entendu, bien sûr. Mais tu m'embrasses
comme si tu m'aimais. Explique. »

Willie ne se sentit pas la force de lui dire qu'il aimait sa bouche,
mais pas suffisamment pour la traîner tout entière derrière lui
pour le reste de sa vie; et, pourtant, cela aurait été expliquer la
situation en termes simples. « Je ne sais pas ce que c'est que
l'amour, May. C'est un mot. Tu seras toujours pour moi l'image du
désir. C'est un fait, mais il n'y a pas que ça dans la vie. Je ne crois
pas que nous pourrions être heureux ensemble. Non pas parce
qu'il te manque quelque chose. Dis-toi que je ne suis qu'un puri-

tain snobinard et voilà. Tout ce qui ne va pas entre nous, ne va pas
à cause de moi.

— C'est parce que je suis pauvre, ou bête, ou catholique, ou
quoi? Tu ne peux pas me le dire, pour que je sache? »

Il n'y a qu'une façon de se tirer de ce genre d'embarras. Willie
regarda ses pieds et ne dit rien; il y eut de longues secondes de
silence. Chacune d'elles portait un nouveau coup à son assurance
et il se sentit rougir de honte et tout respect de lui-même le quitter.
Finalement, May réussit à articuler d'une voix sans amertume,
quoique tremblante : « Ça ne fait rien, Willie. Tu dois te sentir
soulagé et c'est bien. » Elle ouvrit un tiroir de la commode sale et
fendillée et en tira une bouteille et une boîte de pilules. « Je vais
au bout du couloir me soigner. Je n'en ai pas pour longtemps.
Tu veux m'attendre?

— May...

— Chéri, ne fais pas cette tête! Ce n'est pas si tragique. Nous
n'en mourrons ni l'un ni l'autre. »

Willie, à peine conscient de ce qu'il faisait, reprit le *Troïlus et
Cressida* et en lut quelques pages. Il leva un regard un peu honteux
quand il vit May revenir et mit le livre de côté. Elle avait les yeux
rouges et, maintenant qu'elle s'était démaquillée, elle était très
pâle. Elle eut un léger sourire. « Continue ton livre, chéri. Mais
donne-moi une cigarette. Je n'ai pas osé fumer de la journée, de
peur de me brouiller la voix. » Elle posa un cendrier sur le lit
et s'allongea avec un soupir contre les coussins. « Ah, c'est bon! A
propos, ma fièvre est tombée. J'ai à peine 38 maintenant. Rien
de tel que l'air d'une boîte de nuit... Qu'est-ce que tu vas faire
après la guerre, Willie? Reprendre le piano?

— Je ne pense pas.

— Tu ne devrais pas. Je crois que tu devrais enseigner.

— Ceux qui peuvent agissent, et ceux qui ne peuvent pas
enseignent à agir, c'est ça, n'est-ce pas?

— Le monde ne peut pas exister sans professeurs. Ça me paraît
le métier rêvé pour toi. Je te vois dans une ville universitaire,
menant une petite vie tranquille, devenant d'année en année plus
ferré sur Dickens.

— C'est héroïque, n'est-ce pas?

— Mon petit Willie, chacun fait ce qu'il sait faire le mieux.
Tu as réussi à me donner l'envie de lire. C'est un exploit.

— J'y ai déjà pensé, May. Il faudrait que je retourne un an
au collège.

— Mais ta maman t'aidera sûrement? Surtout, *maintenant*. »
May bâilla comme un animal. « Excuse-moi, chéri... »

Willie se leva. « Je ne te reproche pas de t'ennuyer avec moi.
D'ailleurs, tu dois être morte.

— Oh, assieds-toi. Tu ne m'ennuies pas et je ne suis pas fâchée. »
Elle bâilla de nouveau, se couvrant la bouche cette fois, et rit :
« Est-ce que ce n'est pas idiot? Je devrais être en train de hurler

et de m'arracher les cheveux. Je ne dois plus avoir de forces.
Je dois dire, Willie, que j'ai eu le temps de m'habituer à ce qui
vient d'arriver. J'ai eu un peu d'espoir à San-Francisco — je veux
dire Yosemite, — mais pas après que tu aies parlé à ta mère
et que tu m'aies renvoyée chez moi. De toute façon, ça ne m'a pas
fait de mal d'avoir quelqu'un à qui rester fidèle.

— May, je sais ce que Yosemite a été pour toi... pour moi...

— Mais non, chéri, je n'ai pas parlé de ça pour te donner des
remords. Nous avons tous les deux cru bien faire. Moi, je devais
essayer de te prendre au piège, je ne sais pas. Il faudra que je suive
quelques cours de psychologie pour me comprendre.

— Ma mère ne te hait pas, May. Rien de ceci n'est de sa faute.

— Willie chéri, dit May avec une pointe d'agacement. Je sais
parfaitement, mais alors parfaitement, ce que ta mère pense de
moi. Alors parle d'autre chose. »

Ils bavardèrent encore un peu, pas beaucoup. Elle alla avec lui
jusqu'à la porte et l'embrassa affectueusement. « Tu es très, très
joli garçon quand même, murmura-t-elle.

— Je t'appellerai demain, May. Ne fais pas d'imprudences. »
Il appela l'ascenseur. Elle resta devant sa porte, à le regarder.
Lorsque la porte de l'ascenseur fut ouverte par un nègre en manches
de chemise, elle dit subitement : « Est-ce que je te reverrai?

— Bien sûr, je t'appelle demain. Bonne nuit.

— Au revoir, Willie. »

Il ne l'appela pas le lendemain, ni le surlendemain, ni le jour
suivant. Il alla à des matinées avec sa mère, à des dîners avec sa
mère, au théâtre avec sa mère; il fit des visites de famille avec
sa mère. Lorsque Mrs. Keith le pressait de sortir seul, il refusait
d'un ton maussade. Une après-midi, il alla à Columbia et fit une
promenade solitaire au Pavillon Furnald. Les incessants saluts de
midships à face de bébé commencèrent par le flatter, puis le dépri-
mèrent. Rien n'avait changé dans le hall. Il vit le canapé de cuir
sur lequel il avait annoncé à son père qu'il avait quarante-huit
mauvaises notes; la cabine téléphonique où il avait parlé à May
une centaine de fois : il y avait, comme toujours, toute une queue
de midships impatients devant la porte et à l'intérieur le jeune
homme qui roucoulait et riait dans le téléphone. Le temps perdu
et en allé flottait dans l'air. Willie se hâta de sortir du bâtiment;
l'après-midi avait à peine commencé, il faisait gris et froid, et sa
mère ne serait pas au restaurant avant plusieurs heures; il entra
donc dans un petit bar vide et miteux de Broadway et avala coup
sur coup quatre scotch sodas, après quoi il se sentit à peine un peu
étourdi.

Son oncle Lloyd dîna avec eux au *Twenty One*. Banquier dans le
civil, il était maintenant colonel aux Services d'Information
Il aimait à parler de ses exploits d'artilleur pendant la Grande
Guerre. Il se montra très grave lorsqu'il apprit l'histoire de la
mutinerie. Il raconta à Willie force anecdotes tendant à prouver

que dans l'artillerie il avait eu des officiers bien pires que Queeg et que cela ne l'avait pas empêché de se montrer toujours loyal et discipliné, comme il se devait. Il était clair qu'il désapprouvait Willie et considérait sa situation comme sérieuse. Mrs. Keith tenta de lui arracher la promesse qu'il ferait quelque chose, mais il se contenta de déclarer qu'il en parlerait à quelques-uns de ses amis de la Marine et qu'il verrait ce que l'on pouvait faire.

— Peut-être finalement ne passeras-tu pas en conseil de guerre, Willie, dit-il. Si ton ami, ce Maryk, se fait acquitter, il n'y aura pas de suite à l'histoire. Et j'espère que tu auras profité de la leçon à ce moment-là. La guerre n'est pas un lit de roses. Si tu ne sais pas encaisser le pire comme le meilleur, mon garçon, je peux te dire que tu n'es d'aucune utilité à ta patrie. Sur ces fortes paroles, il repartit pour Washington, où il avait un appartement à l'hôtel Shoreham.

Samedi soir, Willie était dans sa chambre et s'habillait pour aller à l'opéra. Ses yeux tombèrent sur son bracelet-montre, et il comprit subitement que dans douze heures il serait sur un avion qui le ramènerait au *Caine* et au conseil de guerre. Son bras se tendit en un geste raide, comme un levier de phono automatique, et il prit le téléphone. Il appela le Woodle.

— May? Comment vas-tu? C'est Willie.

— Bonjour, chéri! Je ne t'attendais plus.

— Ta grippe?

— Finie. Je suis en pleine forme.

— Je repars demain matin. J'aimerais te parler.

— Je travaille ce soir, Willie.

— Est-ce que je peux venir à ta boîte?

— Bien sûr.

— Vers minuit, alors.

— Très bien.

Il n'aurait jamais pensé que *Don Juan* pouvait être assommant. Au contraire, ç'avait toujours été pour lui un merveilleux paysage sonore, où le temps s'arrêtait et où le monde se dissolvait en parfaite beauté. Ce soir-là, il lui parut que Leporello n'était qu'un vulgaire clown, que le baryton avait mal à la gorge et vingt ans de trop, que Zerlina criait au lieu de chanter, et que l'histoire elle-même était d'une navrante stupidité. Il se fatiguait les yeux à essayer de voir l'heure sur sa montre pendant ses arias favorites. Enfin, ce fut fini. « Mère, dit-il, lorsqu'ils se retrouvèrent dans la rue détrempée, est-ce que cela t'est égal que je reste un peu en ville? Je te retrouverai à la maison. »

Son expression montra à quel point elle comprenait, et était inquiète. « Willie... notre dernier soir?

— Je ne rentrerai pas tard, mère. » Il se sentait capable de la jeter dans un taxi si elle discutait. Elle dut s'en rendre compte, car elle héla elle-même une voiture.

— Amuse-toi bien, chéri.

Au Grotto, il trouva May en train de chanter. Il resta au bar, regardant les visages admiratifs des hommes tournés vers la chanteuse, et se sentit plein d'amertume. Il ne trouva pas de place pour s'asseoir quand le numéro fut terminé. Elle le prit par la main et le mena dans sa loge. Le violent éclairage de cette pièce pas plus grande qu'une armoire le fit clignoter des yeux. Il s'appuya contre la coiffeuse. May s'assit et le regarda; elle rayonnait d'une séduction intérieure douce et indescriptible, et qui n'avait aucun rapport avec son maquillage de scène, ses épaules blanches et sa gorge ronde à peine voilée par sa robe collante.

— Il y a une chose dont je ne t'ai pas parlé la dernière fois, dit Willie. Je veux savoir ce que tu en penses. Il lui décrivit en détail la mutinerie et l'enquête. Comme s'il se confessait, il se sentait plus léger à mesure qu'il avançait dans son récit. May l'écoutait calmement. « Que veux-tu que je te dise, Willie? demanda-t-elle, lorsqu'il eut fini.

— Je ne sais pas, May. Qu'est-ce que tu en penses? Qu'est-ce que je dois faire? Que va-t-il se passer? »

Elle eut un long soupir. « C'est pour ça que tu es venu ce soir? Pour me raconter ça?

— Je voulais que tu saches.

— Willie, je ne connais pas grand-chose à la Marine. Mais il ne me semble pas que tu doives faire quoi que ce soit. Ce ne sont pas des imbéciles. Ils ne vont pas te condamner parce que tu auras essayé de sauver ton bateau. Peut-être vont-ils trouver que tu t'es trompé, mais que tu avais de bonnes intentions, c'est tout. Ce n'est pas un crime...

— C'était une mutinerie, May.

— Et alors? Pour qui te prends-tu, pour Jean Bart? Tu n'as pas enchaîné Queeg et tu ne l'as pas mis dans un canot et à la mer? Tu ne l'as pas menacé d'un couteau, ni blessé avec ton revolver? Pour moi, il était fou, quoi que disent les docteurs.., fou à lier. Willie, mon chou, ça n'est pas *toi* qui te serais mutiné, même pas contre ta mère, alors tu penses, un commandant de bateau... »

Ils rirent un peu tous les deux. Bien que le verdict de May fût le même que celui de sa mère, il le remplit d'espoir et de bonne humeur, alors qu'il avait trouvé Mrs. Keith sentimentale et un peu bête. « Bien, May. Je ne sais pas pourquoi il a fallu que je te charge de mes misères... Merci.

— Quand pars-tu?

— Sept heures du matin. »

May se leva et ferma la porte à clef. « Tu ne peux pas savoir ce qu'ils sont concierges, ici. » Elle revint vers Willie et lui mit les bras autour du cou. Yeux clos, ils échangèrent un long, long baiser. « C'est tout, dit May, en s'écartant. Souviens-t'en jusqu'à la fin de ta vie. Et maintenant, il faut que tu partes. Je ne me sens pas très bien quand tu es là. » Elle ouvrit la porte; Willie sortit et se fraya un chemin parmi les danseurs et jusqu'à la sortie.

Il ne comprenait toujours pas le moins du monde pourquoi il était venu; il considérait cela comme un dernier sursaut de désir, mal dissimulé sous un soi-disant besoin de conseils. Comment aurait-il su qu'il n'y avait rien de plus commun que l'instinct qui pousse un mari à parler de ses ennuis avec sa femme?

Le lendemain matin, il y avait un beau soleil, et l'avion de Willie partit bien à l'heure. Sa mère était là qui souriait courageusement et lui fit jusqu'au dernier moment de longs signes d'adieu. Willie regarda les maisons de Manhattan, en bas, essayant de repérer l'Hôtel Woodley; mais il était perdu parmi les toits serrés du centre de la ville.

CHAPITRE XXXIII

LE CONSEIL DE GUERRE : PREMIER JOUR

*L*E *Code disciplinaire de la Marine* commence par quelques
tristes chapitres intitulés « Délits et Chefs d'Accusation ».
Cela n'a que cent vingt-trois pages; pas même autant qu'un roman
policier; et pourtant, la Marine a réussi à enfermer dans ces cent
vingt-trois pages les pires erreurs, vices, folies et crimes dont on
puisse avoir à accuser des marins. Cela commence par Se Mutiner
et finit par Se Servir de façon contraire aux règlements des appareils de distillation. Entre les deux, il y a l'Adultère, le Meurtre,
le Viol et la Mutilation, et aussi des peccadilles comme l'Exhibition
de Photographies pornographiques. Ce sont là des pages tristes,
fatigantes, sinistres, d'autant plus que le ton en est très imper-
sonnel et didactique.

Et pourtant, on ne pouvait trouver, dans tout cet inventaire,
un délit ou chef d'accusation que l'on pût appliquer à l'acte particulier commis par le lieutenant Stephen Maryk. Le capitaine
Breakstone avait très vite vu que, bien que l'affaire ressemblât
plus à une mutinerie qu'à n'importe quoi d'autre, le fait que Maryk
eût invoqué l'article 184 et la position légale qu'il avait prise par
la suite, rendait la condamnation pour mutinerie peu probable.
Le cas était pratiquement inclassable. Au bout du compte, Breakstone fit ce que l'on faisait généralement dans les problèmes rares
et complexes. Il accusa Maryk de « conduite préjudiciable à l'ordre
et à la discipline » et, après de longues réflexions, rédigea comme
suit la description du délit :

*Le jour ou aux environs du 18 décembre 1944, le lieutenant Stephen
Maryk, naviguant sur le* Caine, *a relevé de son commandement,*

de son propre gré, sans en avoir reçu l'autorisation et sans cause justifiable, le lieutenant de vaisseau Philip Francis Queeg, l'officier dûment désigné pour commander cette unité et qui s'acquittait de sa mission dans les conditions réglementaires, les États-Unis étant en état de guerre.

Le lieutenant de vaisseau Challee, procureur, ne comptait rencontrer aucune difficulté à prouver ce délit. C'était un jeune officier brillant et sérieux, provisoirement élevé à un rang aussi élevé par suite de la guerre. Son séjour à San-Francisco était assombri par un léger sentiment de culpabilité, enfoui tout au fond de lui-même. Il avait demandé ce poste après plusieurs années en mer pour pouvoir être auprès de sa ravissante femme, qui était cover-girl; il avait un peu honte de s'être vu accorder sa demande. C'est pourquoi il faisait son travail avec un zèle tout particulier et que, pour le moment, faire condamner Maryk lui paraissait être la mission spéciale qu'on lui avait confiée dans cette guerre.

Challee estimait que l'accusation avait là une affaire gagnée d'avance. La mutinerie, il le savait, aurait été plus difficile à prouver. Mais le texte de Breakstone, à son sens, dans ce qu'il avait de modéré, exprimait en termes dépouillés les faits tels qu'ils s'étaient produits. La défense ne pouvait en aucune façon nier que c'était bien cela qui s'était passé : Maryk avait signé le journal de bord qui le prouvait. Les mots clefs étaient *sans en avoir reçu l'autorisation et sans cause justifiable.* Pour établir leur véracité, Challee n'aurait qu'à prouver que Queeg n'était et n'avait jamais été fou. Il avait la déposition du commandant Weyland, à Ulithi, qui avait vu le commandant Queeg tout de suite après la mutinerie. Trois psychiatres de l'hôpital militaire de San-Francisco, qui avaient examiné Queeg pendant des semaines, étaient prêts à témoigner à la barre que c'était un homme sain d'esprit et d'une intelligence normale. A l'instruction, vingt matelots et quartiers-maîtres avaient affirmé qu'ils n'avaient jamais vu Queeg faire quoi que ce soit d'anormal ou de douteux. Pas un des officiers, ni des hommes, à l'exception des deux autres auteurs de la mutinerie, Keith et Stilwell, n'avait émis d'opinion défavorable au commandant. Challee s'était arrangé pour faire comparaître plusieurs matelots et quartiers-maîtres, parmi les plus présentables, à la barre.

Contre tout cela, il n'y avait que le soi-disant journal médical de Maryk. La commission d'enquête n'en avait guère tenu compte, le qualifiant de «collection de lamentations sur des incidents sans intérêt »; cela ne faisait que prouver, à leur sens, l'insoumission latente de Maryk. Challee était persuadé que la cour aurait sur ce chapitre la même opinion. Tous les officiers, exception faite des lieutenants à peine sortis de l'école, avaient, à un moment ou un autre, eu un supérieur tyrannique et bizarre. Cela faisait partie des hasards de la vie militaire. Challee connaissait, et racontait volontiers, des anecdotes qui faisaient pâlir le journal de Maryk.

Le procureur savait que Greenwald n'était fort que sur un seul point : c'était la question de l'intention. Il s'attendait à encaisser de longues litanies où il serait répété que Maryk avait agi pour le bien du bateau, bien qu'il se fût grossièrement trompé dans son diagnostic sur Queeg. Challee était tout à fait prêt à répondre aux fastidieux sophismes qui suivraient et qui chercheraient à établir que Maryk était innocent de tout délit.

A son sens, Maryk, en ignorant de son plein gré tout le poids de la tradition militaire, et en recourant sans scrupule à la mutinerie pour déposer son commandant sur la base d'une si énorme erreur de jugement, s'était *ipso facto* convaincu lui-même de « conduite préjudiciable à l'ordre et à la discipline ». S'il n'en était pas ainsi, si le précédent créé par Maryk restait impuni, l'entière chaîne de commandement de la Marine était en péril! Tout officier commandant une unité et dont la tête ne reviendrait pas à son second risquerait d'être relevé sans autre forme de procès. Challee était bien certain qu'une cour composée d'officiers, et surtout dirigée par l'austère et rigoriste commandant Blakely, verrait les choses de cette façon. Il escomptait donc une victoire rapide et fort satisfaisante sur Barney Greenwald.

La façon dont il jugeait l'affaire était fort pertinente. Là où il se trompait, par contre, c'était dans ses prévisions quant à la tactique qu'allait employer Greenwald.

Willie Keith revint sur le *Chrysanthème* vers onze heures du matin. Il jeta ses bagages dans sa cabine, puis fit le tour des autres cabines, cherchant des officiers du *Caine*, mais il ne trouva que des couchettes vides et défaites. Puis il entendit un rugissement assourdi sortir de la douche :

> *Parlez-moi d'amour*
> *Rrrrrredites-moi des choses tendres...* [1]

et il sut que Keefer était rentré. Il trouva le romancier en train de se sécher devant une glace, les pieds dans des galoches. *Ja vous ai...meuh.* « Willie, mon vieux disciple de Dickens, comment va? »

Ils se serrèrent la main. Le corps hâlé de Keefer était amaigri, et il avait les traits tirés comme s'il n'avait pas mangé depuis une semaine, mais il était de joyeuse humeur et avait les yeux étrangement brillants.

— Où sont les autres, Tom?

— Par-ci par-là. Le bateau quitte la cale sèche aujourd'hui, alors ils sont presque tous à bord. Steve est quelque part avec son avocat...

— Qui est-ce qu'on lui a donné?

— Un lieutenant qui était sur un porte-avions. Avocat dans le civil.

1. En français dans le texte.

— Bien?

— Peux pas vous dire. Il marmonne tout le temps... il traîne les pieds. Mais, à part ça, les éléments sont déchaînés, Willie. Vous saviez que votre ami Stilwell était devenu fou? Keefer passa la serviette derrière ses épaules et la fit aller et venir vigoureusement comme une scie.

— Quoi!

— Neurasthénie aiguë, voilà le diagnostic. Il est à l'hôpital. Ça n'allait déjà pas très bien à bord, vous savez.

Willie se rappelait très bien le visage renfermé, triste, le teint jauni de Stilwell. Deux fois pendant le voyage de retour, il avait demandé à être remplacé à la barre, se plaignant d'une violente migraine. « Qu'est-ce qui s'est passé, Tom?

— Eh bien, je n'étais pas là. Il paraît qu'il est resté couché pendant trois jours, ne se présentant plus au rassemblement, n'allant même pas prendre ses repas. Il a dit qu'il avait la migraine. Finalement, on a dû le transporter à l'hôpital. Bellison dit qu'il était tout sale... ». Willie eut une expression horrifiée. « C'était écrit, Willie. Il n'y avait qu'à le regarder pour voir que c'était un de ces êtres qui se consument par l'intérieur. Pas d'éducation, une année sous les ordres de Queeg, une vie de famille compliquée, et par-dessus tout ça, la menace de passer en conseil de guerre pour mutinerie. A propos, ça n'est plus mutinerie. J'avais oublié de vous le dire. Vous avez une cigarette?... Merci. »

Keefer se drapa la serviette autour des reins et s'en alla, faisant claquer ses galoches, dans le salon. Willie le suivit, demandant vivement : « Vous dites que ce n'est plus mutinerie?

— Steve va être jugé pour conduite préjudiciable à l'ordre et à la discipline. Je vous ai dit que ce pètesec de capitaine perdait la tête de vouloir le faire passer en jugement pour mutinerie. Je continue à être sûr qu'aucun de vous n'a de soucis à se faire. Les juristes savent bien qu'ils n'auront pas la vie facile avec cette affaire.

— Et Stilwell? Est-ce qu'il va passer, ou quoi?

— Willie, ce garçon est un légume. On va lui faire de l'électrochoc si j'ai bien compris... Et votre permission, cela s'est bien passé? Vous l'avez épousée, cette fille?

— Non.

— Moi, je ne suis pas mécontent, dit le romancier, enfilant un caleçon. Je crois que j'ai vendu mon roman.

— Mais, c'est épatant, Tom! Chez qui?

— Éditions Chapman. Ce n'est pas encore signé, vous savez. Mais cela se présente bien.

— Mais, il n'était même pas fini, votre roman, je crois?

— Ils en ont lu vingt chapitres et un résumé. Ce sont les premiers éditeurs à qui je l'aie montré. » L'officier de tir parlait d'un ton désinvolte, mais son visage rayonnait de fierté. Willie le regardait avec des yeux ronds. La pile toujours croissante de feuillets jaunes,

sur la table de Keefer, n'avait-elle pas été presque un sujet de
plaisanterie? Pour Willie, les romanciers étaient des figures
mythiques, des géants disparus comme Thackeray, ou alors des
hommes brillants, riches et absolument hors d'atteinte, comme
Sinclair Lewis et Thomas Mann.

— Est-ce que... est-ce qu'ils vont vous donner une grosse avance,
Tom?

— Eh bien, je vous l'ai dit, il n'y a encore rien de définitif.
Si tout va bien, ils me donneront cinq cents ou mille dollars.
Willie émit un sifflement. « Ce n'est pas beaucoup, dit Keefer,
mais pour un premier livre, même pas achevé...

— C'est magnifique, Tom, magnifique! J'espère que ce sera
un énorme succès. C'en sera sûrement un. Je vous ai dit il y a
longtemps que je voulais le millionième exemplaire dédicacé.
Ne l'oubliez pas. »

Keefer eut un sourire de joie naïve : « Ne vous emballez pas,
Willie... il n'y a encore rien de signé... »

Steve Maryk fut pris de découragement dès les premiers instants
du conseil de guerre, lorsque les membres de la cour prêtèrent serment. Sept officiers se tenaient en demi-cercle sur une estrade,
derrière un banc d'acajou, le bras droit levé et, les yeux fixés
sur Challee, l'écoutaient religieusement réciter le serment d'après
un exemplaire tout déchiré du *Code disciplinaire*. Sur le mur derrière eux, entre les deux hautes fenêtres, était suspendu un grand
drapeau américain. Dehors, les faîtes gris-vert des eucalyptus
étaient agités par le vent et, plus loin, la baie dansait sous la lumière. Une organisation inconsciemment cruelle avait placé la salle
du conseil de guerre de la Douzième Région sur l'île de Yerba Buena
dans ce paysage enchanteur que l'on voyait de ses fenêtres. La salle
elle-même, grise et carrée, en était d'autant plus déprimante.
L'accusé a le drapeau entre ses yeux et le soleil et l'eau libres,
et les barres rouges et blanches sont alors vraiment des barres.

Maryk ne pouvait détacher les yeux du président du tribunal,
le commandant Blakely, qui se tenait au centre du banc, exactement devant le drapeau. Cet homme avait un visage effrayant :
un nez aigu, une bouche qui n'était qu'une ligne noire, de petits
yeux perçants sous d'épais sourcils et dont l'expression était pleine
de défi et de méfiance. Blakely avait les cheveux presque entièrement gris, une sorte de poche sous le menton, des lèvres presque
décolorées et des rides profondes autour des yeux. Maryk connaissait sa réputation : il était sorti du rang, avait fait son service
dans les sous-marins et avait été muté à terre à cause d'une déficience cardiaque; il était considéré comme l'officier le plus à cheval
sur les questions de discipline de la Douzième Région. Lorsqu'il
se rassit, après le serment, Maryk tremblait et c'était Blakely
qui l'avait fait trembler.

Le reste du tribunal se composait d'un lieutenant de vaisseau d'active et de cinq lieutenants. Ils ressemblaient à n'importe quels six officiers pris au hasard dans un hall de cantonnement. Deux d'entre eux étaient des médecins de réserve, deux des officiers d'active et un de réserve.

La grande horloge murale qui surplombait le bureau de Challee passa de dix heures à onze heures moins le quart tandis que se déroulaient des formalités diverses, incompréhensibles à Maryk. Comme premier témoin à charge, Challee fit appeler le lieutenant de vaisseau Philip Francis Queeg.

Le planton sortit. Tous les yeux se fixèrent sur la porte. L'ex-commandant du *Caine* entra, hâlé, les yeux clairs, vêtu d'un uniforme neuf avec des galons d'or tout neufs sur les manches. Maryk ne l'avait pas vu depuis près de deux mois. Le changement était stupéfiant. La dernière vision qu'il gardait du commandant était celle d'un petit homme voûté et bedonnant, en gilet de sauvetage gris trempé, cramponné au transmetteur d'ordres, le visage vert et tordu par la peur. L'homme qu'il avait devant lui se tenait droit dans une attitude pleine d'assurance; il paraissait bel homme et encore assez jeune malgré les rares cheveux blonds qui restaient sur son crâne rose. Maryk tressaillait nerveusement.

Queeg prit place sur une plate-forme surélevée, au centre de la pièce. Son attitude, durant les premières questions, fut courtoise et ferme. Pas une fois, il ne regarda vers Maryk bien que le second fût assis à sa droite, tout près, derrière le bureau de la défense.

Challee en vint rapidement au matin du typhon et demanda à l'ex-commandant de raconter lui-même ce qui s'était passé. Queeg fit une description rapide, cohérente et en langage officiel de la mutinerie. Maryk reconnut intérieurement que les faits étaient correctement présentés; les faits extérieurs. D'imperceptibles nuances dans ce qui avait été dit et fait et, bien entendu, l'omission complète de toute description concernant l'apparence et le comportement du commandant, suffisaient à transformer complètement le tableau. A la façon dont Queeg racontait la chose, il s'était simplement efforcé de garder sa route et sa vitesse et, devant l'aggravation du temps, avait réussi à le faire jusqu'au moment où son second avait été pris de folie et lui avait enlevé le commandement. Après cela il avait encore réussi, en restant sur la passerelle et en suggérant les manœuvres nécessaires à ce second surexcité, à faire traverser la tempête à son navire et à le ramener sain et sauf.

La cour suivit le récit avec un sympathique intérêt. A un moment le commandant Blakely lança un long regard sombre à l'accusé. Avant même que Queeg n'eût terminé, Maryk était complètement désespéré. Il lançait à son avocat des regards terrorisés. Greenwald, un crayon rouge à la main, couvrait une feuille de calepin d'une multitude de petits cochons roses.

— Commandant, dit Challee, voyez-vous une explication à l'acte commis par votre second?

— Eh bien, dit Queeg d'un ton calme, la situation était assez sérieuse. La force du vent était entre dix et douze et il y avait des vagues énormes; le bateau avait naturellement beaucoup de mal à se maintenir. Mr. Maryk montrait depuis le matin des signes de nervosité croissante. Je crois que lorsque s'est produit le dernier et le plus terrible des coups de roulis, il a été pris de panique et n'a plus su ce qu'il faisait. Il s'est mis dans la tête que lui, et lui seul, pouvait sauver le bateau. C'était là sa faiblesse la pire, c'était qu'il se prenait pour un marin admirable.

— Est-ce que le *Caine* courait un danger grave à ce moment-là?

— Je ne dirais pas cela, non, commandant. Évidemment, un typhon est toujours un phénomène extrêmement désagréable, mais le bateau s'était bien comporté jusque-là et continua à bien se comporter par la suite.

— Avez-vous déjà souffert de déficiences mentales, commandant?

— Non, commandant.

— Étiez-vous malade quand Mr. Maryk vous a relevé?

— Certes pas.

— Avez-vous protesté contre ce relèvement?

— Autant que j'ai pu.

— Avez-vous essayé de reprendre le commandement?

— A plusieurs reprises.

— Avez-vous averti votre second des conséquences de son acte?

— Je lui ai dit qu'il commettait un acte de mutinerie.

— Qu'a-t-il répondu?

— Qu'il s'attendait à passer en conseil de guerre, mais qu'il gardait quand même le commandement.

— Quelle a été l'attitude du sous-lieutenant Keith, l'officier de quart?

— Il était aussi affolé, sinon plus que Maryk. Il a constamment soutenu Maryk.

— Quelle a été l'attitude des autres officiers?

— Ils ont été déconcertés et ils se sont soumis. Étant donné les circonstances, je suppose qu'ils n'avaient pas d'autre solution.

— Quelle a été l'attitude de l'homme de barre?

— J'ai toujours considéré Stilwell comme le plus dangereux élément de l'équipage. Il était déséquilibré et, en outre, pour une raison qui m'est inconnue, très dévoué au sous-lieutenant Keith. Il n'a été que trop heureux d'aider à braver mes ordres.

— Où se trouve Stilwell actuellement?

— Je crois comprendre qu'on l'a placé à l'hôpital, au service de psychiatrie où on le soigne pour neurasthénie aiguë.

Challee jeta un regard aux juges. « Commandant Queeg, désirez-vous faire une déclaration se rapportant aux événements qui se sont déroulés le 18 décembre à bord du *Caine?*

— Eh bien, j'y ai beaucoup réfléchi, naturellement. C'est l'événement le plus grave de ma carrière et le seul, à ma connaissance,

qui présente ce caractère équivoque. C'est un malheureux caprice
du sort. Si l'officier de quart avait été qui que ce soit d'autre que
Keith, et l'homme de barre qui que ce soit d'autre que Stilwell,
rien de tout cela ne serait arrivé. Keefer, ou Harding ou Paynter
auraient probablement refusé d'entendre les ordres de Maryk et
auraient tôt fait de le remettre à sa place. Un matelot normal, qui
se serait trouvé à la barre, n'aurait prêté attention à aucun des
deux officiers et m'aurait obéi à moi. La malchance a voulu que
ces trois hommes justement — Maryk, Keith et Stilwell — se
fussent trouvés réunis contre moi à ce moment crucial. Malchance
pour moi et pire encore pour eux. »

En entendant Queeg, Maryk prit le crayon de la main de Greenwald et gribouilla sur le calepin : *Je peux prouver que je n'étais
pas pris de panique.* L'avocat écrivit au-dessus : *Bravo. Ne sera
peut-être pas nécessaire,* puis entoura les deux phrases d'un énorme
cochon.

— La cour désire interroger le témoin, dit Blakely. Commandant Queeg, depuis combien de temps êtes-vous dans la Marine?

— Je termine ma quatorzième année, commandant.

— Durant ce temps, vous avez subi tous les examens médicaux,
physiques et mentaux, exigés pour l'entrée à l'École, le diplôme,
la nomination au grade d'officier, l'avancement, etc.?

— Oui, commandant.

— Est-ce que votre dossier médical contient une mention
quelconque se référant d'une façon quelconque à une maladie,
physique ou mentale, dont vous auriez souffert?

— Aucune, commandant. On m'a enlevé les amygdales en
1938. C'est la seule observation spéciale que comporte mon dossier.

— Avez-vous jamais eu un rapport d'aptitude insatisfaisant, ou
une lettre de réprimande ou d'avertissement, commandant Queeg?

— Jamais, commandant. Je possède une lettre de félicitations que j'ai sur moi.

— Voyons, commandant, la cour aimerait vous voir expliquer,
si vous le pouvez, l'opinion du lieutenant Maryk selon laquelle
vous étiez un malade mental, et ce d'après votre passé et vos états
de service. Challee jeta un rapide regard à Greenwald, s'attendant à ce que celui-ci fasse objection à cette question. Mais l'avocat de la défense avait la tête baissée et dessinait sur son calepin.
Il était gaucher; son poignet et sa main pleine de cicatrices s'in-
curvaient autour du crayon en marche.

— Je dois vous faire savoir, commandant, que j'ai pris le commandement d'un bateau extrêmement désorganisé et sale. Je me
suis tout de suite rendu compte que j'aurais beaucoup à faire.
J'étais décidé à faire quelque chose de ce bateau, quelque désagréable que ce pût être. J'ai pris plusieurs mesures sévères. Je
dois dire que Maryk s'est, dès le début, opposé à mes volontés
sur ce chapitre. Il n'était pas du tout de mon avis en ce qui concernait les améliorations à apporter, peut-être pensait-il que j'étais

fou d'essayer. Sa soumission discutable et son manque d'énergie m'ont obligé à me montrer d'autant plus dur, bien entendu et... enfin, vous voyez la situation, commandant. Et, comme je dis, je persiste à penser que, malgré tout le mal que Maryk m'a donné, le *Caine* se trouve actuellement plus apte au combat que quand j'en ai pris le commandement.

Challee, Greenwald et le président échangèrent des coups d'œil. L'avocat de la défense se leva pour procéder au contre-interrogatoire. « Commandant Queeg, dit-il respectueusement, en regardant le crayon qu'il tenait à la main, j'aimerais vous demander si vous avez jamais entendu l'expression « Vieux Tache Jaune »?

— A quel propos? Queeg paraissait sincèrement surpris.

— A n'importe quel propos.

— Vieux Tache Jaune?

— Oui, commandant, Vieux Tache Jaune.

— Non, jamais.

— Vous ignorez donc que tous les officiers du *Caine* avaient coutume de vous appeler Vieux Tache Jaune? »

Le procureur bondit. « Je fais objection à cette question! La défense importune inutilement le témoin.

— La défense peut-elle justifier sa méthode d'interrogation? demanda Blakely d'un ton glacial.

— Que la cour m'excuse, mais il est du devoir de la défense de prouver faux les termes de l'acte d'accusation — je cite : *sans en avoir reçu l'autorisation et sans cause justifiable.* La défense va s'efforcer de prouver que l'autorisation était donnée au lieutenant Maryk par les articles 184, 185 et 186 du *Décret sur le Service à Bord,* et que sa cause justifiable résidait dans la conduite, le comportement et les décisions du commandant Queeg durant la période où celui-ci a commandé le *Caine.* Le sobriquet « Vieux Tache Jaune », et surtout l'origine de ce sobriquet, s'avéreront avoir des rapports très étroits avec l'affaire. Je cite l'article 185 : *la décision du relever son supérieur ne devra être prise qu'au cas où un officier raisonnable, prudent et expérimenté la jugerait indispensable à la lumière des faits ainsi établis.* »

Pendant tout ce discours de Greenwald, le président se tripotait les sourcils. « L'audience est suspendue », dit-il.

Dans le couloir, Greenwald s'appuya contre le mur et fit remarquer à Maryk : « Le commandant Blakely n'aime pas les Juifs. Ce nom de Greenwald ne lui dit rien de bon. J'ai des antennes pour ces choses-là.

— Il ne manquait plus que ça, dit Maryk d'un ton plaintif.

— Cela n'a aucune importance. On n'est pas obligé d'aimer les Juifs pour être régulier avec eux. On a toujours été régulier avec moi dans la Marine, et le commandant Blakely le sera aussi, malgré ses sourcils.

— Pour l'instant, je crois que je n'ai pas une chance pour moi, dit le second avec mélancolie.

— Queeg est très digne, » dit Greenwald. Le planton vint leur annoncer que la séance allait reprendre.

— Avant de commencer, la cour désire donner un avertissement à la défense », dit Blakely, regardant Greenwald dans les yeux. « Nous sommes en présence d'une affaire exceptionnelle et très délicate. L'honneur et la carrière d'un officier qui a derrière lui quatorze années de loyaux services, dont plusieurs de combat, sont en jeu. La cour comprend parfaitement que la défense soit obligée de mettre en doute la compétence de cet officier. Néanmoins, elle ne devra pour cela oublier aucune des exigences de l'éthique juridique, ni du respect et de la hiérarchie militaire. L'avocat de la défense aura à supporter l'entière responsabilité de sa conduite dans cette affaire, y compris celle des indiscrétions et des abus qu'il pourra être amené à commettre dans l'exercice de son privilège de contre-interrogatoire. » Le président se tut, durcit encore le regard qu'il lançait à Greenwald, lequel avait les yeux baissés sur sa formation de cochons roses. « Ceci dit, l'objection de l'accusation est rejetée. Que le greffier veuille bien répéter la question. »

Le petit secrétaire vêtu de blanc dit d'un ton neutre : « Vous ignorez donc que tous les officiers du *Caine* avaient coutume de vous appeler Vieux Tache Jaune? »

Queeg avait la tête enfoncée entre les épaules et les yeux fixés dans le vide devant lui. Maryk lui retrouva un aspect plus familier. « Je l'ignorais.

— Commandant, dit Greenwald, combien de rapports d'aptitude avez-vous faits sur le compte du lieutenant Maryk, en dehors de celui qui a suivi votre relèvement?

— Deux, je crois.

— Un en janvier et un en juillet?

— C'est exact.

— Vous rappelez-vous leur contenu?

— Ils n'étaient pas mauvais, pour autant que je m'en souvienne.

— Lui avez-vous donné la classification optima, c'est-à-dire « remarquable », dans les deux?

— C'était tout au début, il est donc possible que je l'aie fait.

— Nous avons des photostats de ces rapports, commandant, pour vous rafraîchir la mémoire.

— Je peux affirmer que oui. A ce moment-là, je le considérais encore comme remarquable.

— Cela n'entre-t-il pas en contradiction avec votre déclaration selon laquelle il s'est dès le début opposé à vos désirs en ce qui concernait le *Caine?*

— Absolument pas, cela dépend seulement de la façon dont on l'interprète. Je ne me sers pas des rapports d'aptitude contre des officiers qui ne sont pas de mon avis, or Maryk connaissait son métier et... peut-être n'aurais-je pas dû dire dès le début. A la vérité, il a commencé fort brillamment mais cela n'a guère duré.

Ces garçons qui commencent par être des lumières ne sont pas rares et je ne suis pas le premier commandant à m'y être laissé prendre au début.

— Avez-vous déclaré dans votre rapport du 1er juillet qu'il était fait pour le commandement?

— Eh bien, comme je l'ai dit, il a commencé très brillamment. Si vous voulez savoir comment il a fini, pourquoi ne nous montrez-vous pas son dernier rapport d'aptitude?

— Ce rapport-là, commandant, vous l'avez fait après qu'il vous ait relevé pour maladie mentale, n'est-ce pas?

— Cela n'y changeait absolument rien, s'exclama Queeg, qui avait un peu retrouvé sa voix des mauvais jours. Le rapport d'aptitude n'est pas un instrument de vengeance... pas dans mes mains, en tout cas!

— Pas d'autres questions pour le moment. Greenwald se tourna vers les juges. Le commandant Queeg sera appelé comme témoin de la défense. Les sourcils du président exprimèrent d'abord l'ahurissement, puis la résignation. On dit à Queeg qu'il pouvait se retirer. Il quitta la salle en hâte.

— Faites entrer le lieutenant Thomas Keefer », dit Challee. L'écrivain arriva, le torse droit, la tête un peu penchée sur le côté, les yeux fixés droit devant lui. Après avoir prêté serment, il prit place sur le fauteuil des témoins et croisa ses longues jambes. Il avait les coudes appuyés des deux côtés sur le fauteuil et les doigts croisés sur l'estomac. Pendant toute la durée de son témoignage, son pied dansa légèrement.

Challee passa rapidement sur les premières questions, puis dit: « Voyons, lieutenant Keefer, venons-en au matin du 18 décembre. Où étiez-vous au moment où le commandant Queeg a été relevé?

— Dans la chambre des cartes, sur la passerelle.

— Que faisiez-vous?

— Le temps était très mauvais. Nous étions plusieurs là-dedans, officiers et matelots. Nous voulions être sur place en cas d'urgence, mais évidemment nous évitions la timonerie, pour ne pas l'encombrer.

— Dites-nous comment vous avez appris que le commandant avait été relevé.

— Mr. Maryk a fait dire à tous les officiers de monter à la chambre de veille. Quand nous y sommes arrivés, il nous a dit que le commandant était malade et qu'il avait pris le commandement.

— Où était le commandant Queeg à ce moment-là?

— Dans la chambre de veille.

— A-t-il approuvé la déclaration de Maryk?

— Non. Il a continuellement protesté et nous a avertis que si nous obéissions aux ordres de Maryk nous serions considérés comme complices de mutinerie.

— Est-ce que le commandant Queeg présentait des signes extérieurs de maladie?

— C'est-à-dire... » Keefer se déplaça dans son fauteuil et, à un moment, rencontra le regard de Maryk, douloureusement fixé sur lui. Maryk se détourna avec colère. « Je dois dire que personne n'a très bonne mine à bord d'un rafiot pendant un typhon. Il était mouillé, fatigué, il avait l'air très tendu...

— Est-ce qu'il divaguait, bavait, ou présentait aucun des symptômes communs d'aliénation mentale?

— Non.

— Est-ce que ses protestations étaient incohérentes, est-ce qu'il émettait des sons inarticulés?

— Non, il s'exprimait clairement.

— Avait-il plus mauvaise mine que, disons, le lieutenant Keith?

— Non, capitaine.

— Ou que Maryk?

— Je ne crois pas. Nous étions tous fatigués, trempés, et assourdis.

— Qu'avez-vous répondu à la déclaration de Maryk?

— Tout s'est passé très vite et de façon très embrouillée. Le commandant Queeg nous parlait quand le *George Black* qui avait chaviré est arrivé en vue. Maryk a commencé à manœuvrer pour recueillir les survivants et, pendant une heure, personne n'a pensé à autre chose.

— Avez-vous fait une tentative quelconque pour persuader Maryk de rendre son commandement à Queeg?

— Aucune.

— C'était vous le plus ancien officier à bord après Maryk?

— Oui.

— N'avez-vous pas compris la gravité de la situation?

— Si, capitaine.

— N'avez-vous pas vu que Queeg avait raison de vous avertir que vous risquiez d'être accusés de complicité?

— Si?

— Pourquoi n'avez-vous rien fait?

— Je n'étais pas présent lorsque le commandant a été relevé. Je n'avais aucune idée de ce qu'il pouvait avoir fait, à un moment critique, qui aurait convaincu le second qu'il était malade. Tout le monde était occupé avant tout à sauver les survivants du *Black* et puis notre bateau à nous. Nous n'avions pas le temps de discuter. Quand enfin la tempête s'est calmée, la situation s'était cristallisée. Maryk avait le commandement bien en main. Le bateau tout entier obéissait à ses ordres. S'opposer à lui à ce moment-là aurait pu être considéré comme un acte de mutinerie de ma part. J'ai donc décidé que, pour la sauvegarde même du navire, ce que j'avais de mieux à faire était d'obéir aux ordres de Maryk jusqu'au moment où une autorité supérieure ratifierait son action ou l'annulerait. C'est ce que j'ai fait.

— Lieutenant Keefer, avez-vous été sur le *Caine* pendant tout le temps où il a été commandé par le commandant Queeg?

— Oui.

— Avez-vous jamais observé chez lui des symptômes d'aliénation mentale? »

Keefer hésita, s'humecta les lèvres et regarda Maryk qui, le poing entre les dents, fixait la fenêtre et les arbres éclairés par le soleil. « Je ne... je ne peux pas répondre intelligemment à cette question, je ne suis pas psychiatre. »

Challee dit d'un ton sévère : « Monsieur Keefer, si vous voyiez un homme se rouler par terre, l'écume aux lèvres, ou courir d'un bout à l'autre des coursives en hurlant qu'il est poursuivi par un tigre, vous aventureriez-vous jusqu'à dire que cet homme est atteint de troubles mentaux?

— Certes.

— Avez-vous vu le commandant Queeg se comporter de cette façon?

— Non. Rien de tel.

— Vous est-il jamais venu à l'idée qu'il pouvait être fou?

— Objection, dit Greenwald, se levant. Le témoin n'est pas un expert. Son opinion ne peut être admise comme preuve.

— Je retire ma question », dit Challee avec un léger sourire, et Blakely la fit rayer du procès-verbal.

Lorsque Greenwald se rassit, Maryk lui glissa sous les yeux le calepin où s'étalait, en énormes lettres rouges et sur toute la page, la question *Pourquoi, pourquoi, POURQUOI?* Greenwald déchira la page et inscrivit, sur la suivante : *Impliquer Keefer vous desservirait. Deux mauvaises têtes au lieu d'un second héroïque. Ne vous en faites pas.*

— Lieutenant Keefer, dit le procureur, saviez-vous, à un moment quelconque avant le 18 décembre, que Maryk soupçonnait Queeg d'aliénation mentale?

— Oui.

— Dites-nous comment vous l'avez appris.

— A Ulithi, deux semaines avant le typhon, Maryk m'a montré un journal médical où il notait le comportement de Queeg. Il m'a demandé de l'accompagner sur le *New Jersey* pour exposer la situation à l'amiral Halsey.

— Quelle a été votre réaction en apprenant l'existence de ce journal médical?

— J'ai été stupéfait d'apprendre que Maryk en tenait un.

— Avez-vous consenti à l'accompagner?

— Oui.

— Pourquoi?

— Eh bien, j'étais ahuri. Et... Maryk était mon supérieur et aussi un ami très proche. L'idée de refuser ne m'est pas venue.

— Pensiez-vous que ce journal justifiait le relèvement de Queeg?

— Non. Quand nous sommes arrivés à bord du *New Jersey*, je lui ai dit qu'à mon sens le journal ne justifierait pas pareille décision, et que nous risquions d'être accusés tous les deux d'avoir fomenté ensemble une mutinerie.

— Qu'a-t-il répondu?

— Il a suivi mon conseil. Nous sommes retournés sur le *Caine*, et il n'a plus jamais été question entre nous ni du journal ni de l'état mental de Queeg.

— Avez-vous informé le commandant de l'existence du journal de Maryk?

— Non.

— Pourquoi pas?

— Il aurait été déloyal et contraire aux intérêts du bateau de monter mon commandant contre mon second. Maryk semblait avoir abandonné toute intention d'agir. J'ai considéré la question comme réglée.

— Avez-vous été étonné de le voir relever le commandant, deux semaines plus tard?

— J'ai été abasourdi.

— Avez-vous été content, lieutenant Keefer?

Keefer se tortilla dans sa chaise, regarda le sévère Blakely et répondit : « J'ai dit que Maryk était mon ami. J'ai été très ennuyé. J'ai pensé que le moins qui puisse lui arriver serait de s'attirer de graves difficultés, et à nous tous aussi peut-être. J'estimais que la situation était terrible. J'étais très loin d'être content.

— Pas d'autres questions. » Challee fit signe à Greenwald.

L'avocat de la défense se leva. « Pas de questions. » Les sept membres du tribunal se tournèrent vers Greenwald. Blakely, les sourcils à leur maximum d'altitude, demanda : « La défense a-t-elle l'intention de rappeler le témoin plus tard?

— Non, commandant.

— Pas de contre-interrogatoire?

— Non, commandant.

— Le greffier notera, dit Blakely, que l'accusé n'a pas exprimé le désir de contre-interroger le lieutenant Keefer. Le tribunal va maintenant procéder à l'interrogatoire du témoin... lieutenant Keefer, le tribunal vous demande de signaler tous les faits que vous auriez pu observer et qui auraient pu amener un officier prudent et expérimenté à décider que le commandant Queeg était peut-être fou.

— Commandant, j'ai déjà dit que je n'étais pas psychiatre. » Keefer était très pâle.

— Revenons à ce soi-disant journal médical. Vous l'avez lu, lieutenant Keefer. Les faits qui y étaient rapportés étaient-ils connus de vous?

— Pour la plupart, oui, commandant.

— Mais ces mêmes faits, qui ont convaincu le lieutenant Maryk qu'il devait signaler le cas à l'amiral Halsey, ne vous ont pas paru, à vous, convaincants?

— Non, commandant.

— Pourquoi pas? »

Keefer fit une pause, regarda l'horloge, puis Blakely. « Commandant, c'est là une question dont un profane peut difficilement discuter...

— Vous avez dit que vous étiez lié d'amitié avec Maryk. Or, le tribunal s'efforce, entre autre, de mettre en lumière s'il y a eu des circonstances atténuantes à la décision prise par lui de relever son commandant. Est-ce que ces faits, enregistrés dans le journal, vous sont simplement apparus, à vous profane, comme des indices que le commandant Queeg était un officier parfaitement normal et compétent? »

Il y avait une note d'ironie dans son ton. Keefer dit vivement : « D'après le peu que je sais, commandant, l'aliénation mentale me paraît être une chose relative. Le commandant Queeg était très attaché à la discipline, méticuleux jusque dans les plus petits détails, et il n'avait guère de cesse que les choses ne fussent faites selon sa volonté. Il n'était certes pas facile de raisonner avec lui. Il ne m'appartenait pas de mettre en doute son jugement, mais il m'est apparu qu'en diverses circonstances il se montrait trop sévère et consacrait trop de temps à des questions de petite importance. C'étaient ces circonstances qui étaient rapportées dans le journal. De là à conclure que le commandant était fou... J'ai été contraint, en toute franchise, de dissuader Maryk de le faire. »

Blakely fit signe au procureur, ils échangèrent quelques mots à mi-voix, puis il dit : « Pas d'autres questions. Le témoin peut se retirer. » Keefer descendit de la plate-forme, se retourna et sortit rapidement. Maryk le suivit du regard, un sourire triste aux lèvres.

Au début de l'après-midi, Challee interrogea Harding et Paynter. Tous deux se montrèrent des témoins peu enthousiastes. Paynter fut même, à un moment, réprimandé parce qu'il se montrait trop évasif. Challee arracha aux deux hommes des dépositions qui corroboraient le témoignage de Keefer : le commandant ne paraissait pas fou après son relèvement par Maryk et ils ne savaient pas ce qui avait poussé le second à prendre pareille décision. Il ressortit clairement de leurs réponses que ni l'un ni l'autre n'aimaient Queeg. Mais, l'un après l'autre, ils furent amenés à admettre qu'ils n'avaient jamais vu le commandant commettre d'acte de folie pendant tout le temps où ils avaient servi sous ses ordres.

Au cours du contre-interrogatoire de Harding, Greenwald établit que Stilwell avait été consigné à bord pendant six mois pour avoir été surpris à lire pendant le quart, et que l'équipage tout entier avait été privé de cinq jours de permission aux États-Unis parce que quelques matelots s'étaient présentés à l'exercice d'alerte sans gilets de sauvetage. Il tira de Paynter une description de la séance du conseil de discipline réuni pour juger Stilwell.

Challee procéda à un contre-interrogatoire violent et serré de l'officier mécanicien: « Monsieur Paynter, est-ce que le commandant Queeg vous a ordonné de trouver Stilwell coupable?

— Il ne me l'a pas ordonné, non. Mais la façon dont il m'a expliqué la loi ne laissait pas de doute sur le verdict qu'il voulait.

— Quel verdict voulait-il, à votre avis?

— Coupable et renvoyé pour mauvaise conduite.

— Quel a été le verdict du Conseil?

— Coupable et privation de six jours de permission.

— Est-ce que le commandant Queeg a essayé de vous faire modifier cette sentence?

— Non.

— Est-ce qu'il a donné un avertissement au Conseil?

— Non.

— Est-ce qu'il vous a puni de façon quelconque?

— Oui, il m'a puni. Il a interdit de dormir après huit heures dans le carré. Et il a commencé à noter dans un cahier les erreurs que nous faisions dans les livres.

— Autrement dit, cette cruelle punition consistait à vous faire remplir correctement vos livres et à vous empêcher de dormir pendant les heures de travail, ou est-ce que je me trompe?

— C'est-à-dire qu'à ce moment-là, notre tour de quart revenait une fois sur trois, et si nous ne pouvions pas dormir...

— Répondez à ma question, je vous prie. Était-ce là toute votre punition?

— Oui.

— Pas d'autres questions. »

Greenwald se leva. « Monsieur Paynter, que faisait le bateau pendant cette période?

— Il convoyait des unités dans la zone des opérations.

— Étiez-vous souvent en mer?

— Pratiquement tout le temps.

— Qui étaient les officiers de quart?

— Keefer, Keith et Harding. J'en étais rarement à cause des pannes de moteur.

— Étaient-ils tous des chefs de service?

— Oui.

— Et ils étaient de quart, quatre heures de quart, douze heures de liberté, tous les jours, pendant des semaines. Combien de sommeil leur restait-il, en moyenne?

— Eh bien, vous voyez, deux nuits sur trois, on perd quatre heures... quand on a le premier ou le dernier quart de la journée. Il y avait aussi l'alerte le matin... Quatre ou cinq heures, à peu près. Quand il n'y avait pas d'exercice d'alerte la nuit.

— Y en avait-il souvent?

— Deux par semaine, environ.

— Est-ce que le commandant de Vriess a jamais interdit le sommeil de jour aux officiers de quart?

— Non.

— Les officiers ont-ils eu des dépressions nerveuses?

— Non.

— Le service à bord a-t-il souffert de cette terrible persécution qui interdisait de dormir pendant les heures de travail?

— Non. »

Le témoin suivant était Urban. Le petit timonier prêta serment d'une main et d'une voix tremblantes. Le procureur l'amena à dire qu'il était la seule personne présente dans la timonerie, en dehors de Queeg, Maryk, Keith et Stilwell, lorsque le commandant avait été relevé.

— En quoi consistaient vos fonctions?

— Je tenais le journal de bord, capitaine.

— Décrivez-nous comment le lieutenant Maryk en est venu à relever le commandant.

— Il l'a relevé à dix heures moins cinq. Je l'ai noté...

— Comment l'a-t-il relevé?

— Il a dit : « Je vous relève, commandant. »

— Il n'a rien fait d'autre?

— Je ne me rappelle pas bien.

— Pourquoi l'a-t-il relevé? Que se passait-il à ce moment-là?

— Le bateau roulait beaucoup.

Challee jeta vers le banc des juges un regard exaspéré. « Urban, décrivez tout ce qui s'est passé pendant les dix minutes qui ont précédé le moment où le commandant a été relevé.

— Comme j'ai dit, on roulait beaucoup. »

Challee attendit, ne quittant pas le marin des yeux. Après un long silence, il éclata : « C'est tout? Est-ce que le second a dit quelque chose? Est-ce que le commandant a dit quelque chose? Est-ce que l'officier de quart a dit quelque chose? Est-ce que le bateau a roulé en silence pendant dix minutes et c'est tout?

— C'était un typhon, capitaine. Je ne me rappelle pas trop bien. »

Blakely se pencha en avant, les doigts entrelacés, et regarda le timonier sans aménité. « Urban, vous avez prêté serment. Répondre évasivement pendant un conseil de guerre c'est faire insulte à la magistrature, et c'est très grave. Et maintenant, réfléchissez et répondez. »

Urban parla d'un ton désespéré : « Je crois bien que le commandant voulait aller à gauche et le second à droite, ou quelque chose comme ça.

— Pourquoi le commandant voulait-il aller à gauche?

— Je ne sais pas, commandant.

— Pourquoi le second voulait-il aller à droite?

— Commandant, je suis des transmissions. Je tenais le journal de bord. Je le tenais bien, même quand on roulait le plus fort. Je ne savais pas ce qui se passait, et je ne le sais toujours pas.

— Est-ce que le commandant avait l'air fou?

— Non, commandant.

— Et le second?

— Non, commandant.

— Est-ce que le second avait l'air d'avoir peur?

— Non, commandant.

— Et le commandant?

— Non, commandant.

— Est-ce que quelqu'un avait peur?

— *Moi*, commandant, drôlement. Excusez-moi, commandant. »

L'un des juges, un lieutenant de réserve au visage irlandais et aux boucles couleur de feu, éclata de rire tout haut. Blakely le regarda. Le lieutenant se mit à écrire activement sur un calepin jaune. « Urban, dit Challee, vous êtes le seul témoin de cette affaire qui n'y soit pas directement mêlé. Votre témoignage est d'une extrême importance...

— J'ai tout inscrit sur le journal de bord, capitaine, exactement comme ça s'est passé.

— Ce genre de livre n'est pas censé contenir les conversations. Ce que j'essaye de savoir, c'est ce qui a été dit.

— C'est comme j'ai dit, capitaine, il y en avait un qui voulait aller à droite et l'autre qui voulait aller à gauche. Et puis, Mr. Maryk a relevé le commandant.

— Mais le commandant ne s'est à aucun moment comporté de façon bizarre ou anormale ce matin-là... n'est-ce pas?

— Le commandant était le même que d'habitude, capitaine. »

Challee hurla : « Fou ou normal, Urban? »

Urban, les yeux fixés sur Challee, se recroquevilla sur son siège : « Il était normal bien sûr, capitaine, enfin, il me semblait.

— Vous ne vous souvenez de rien de ce que personne a dit de tout le matin?

— J'étais occupé à tenir le journal, capitaine. Sauf qu'il s'agissait de tourner à droite ou à gauche, et que la tempête était forte, c'est tout.

— Il n'a pas été question de lester?

— Si, on a parlé de lester.

— Et alors, qu'a-t-il été dit?

— Ils se demandaient s'il fallait lester ou pas.

— Qui voulait lester?

— Le commandant, ou Mr. Maryk, je ne sais pas lequel des deux!

— Il est très important que vous vous souveniez lequel, Urban.

— Je ne connais rien à ces histoires de lest, capitaine. Tout ce que je sais, c'est qu'ils en ont parlé.

— Est-ce que le bateau a été lesté ce matin-là?

— Oui, capitaine, je me rappelle l'avoir noté dans mon journal.

— Qui a donné l'ordre de lester?

— Je ne me rappelle pas, capitaine.

— Vous ne vous rappelez pas grand-chose!

— Je tenais bien mon journal, capitaine! C'est pour ça que j'étais là. »

Challee se tourna vers Blakely et s'exclama : « Je ne pense pas que le témoin ait entendu l'avertissement que lui a donné le tribunal.

— Urban, dit Blakely, quel âge avez-vous?

— Vingt ans, commandant.

— Quelles études avez-vous faites?

— Un an de collège.

— Est-ce que vous venez de nous dire toute la vérité, ou non?

— Commandant, le quartier-maître de quart dans la timonerie n'est pas censé écouter les discussions entre le commandant et le second. Il est là pour tenir le journal. Je ne sais pas pourquoi Mr. Maryk a relevé le commandant.

— Est-ce que vous avez jamais vu le commandant faire quelque chose de fou?

— Non, commandant.

— Est-ce que vous aimiez le commandant? »

Urban parut plus malheureux que jamais. « *Bien sûr* que je l'aimais, commandant.

— Continuez votre interrogatoire, dit Blakely à Challee.

— Pas d'autres questions. »

Greenwald s'avança vers l'estrade des témoins, tapotant son crayon rouge contre sa paume. « Urban, est-ce que vous étiez à bord quand le *Caine* a coupé son propre câble de remorque, au large de Pearl Harbor?

— Oui, lieutenant.

— Que faisiez-vous au moment où cela s'est produit?

— J'étais... c'est-à-dire que je me faisais savonner... réprimander par le commandant, sur la passerelle.

— Pourquoi?

— Ma chemise était sortie de mon pantalon.

— Et pendant que le commandant vous parlait de votre chemise, le bateau est passé par-dessus son câble de remorque? »

Challee regardait l'avocat de la défense, les sourcils froncés. Il .bondit : « Je fais objection à cette méthode d'interrogation et je demande que tout le contre-interrogatoire soit rayé du procès-verbal. La défense a entraîné par ses questions le témoin à affirmer comme un fait que le *Caine* avait coupé un câble de remorque, alors que ce fait n'a pas été établi par l'interrogatoire direct. »

Greenwald dit : « Le témoin a dit qu'il n'avait jamais vu le commandant faire quelque chose de fou. J'essaye de prouver le contraire. L'article 282 du *Code disciplinaire* autorise la méthode employée par la défense pour le contre-interrogatoire. »

L'audience fut suspendue. A la reprise, Blakely déclara. « La défense aura l'occasion d'établir des preuves plus tard, et elle pourra alors rappeler le témoin. Objection admise. Le contre-interrogatoire sera rayé du procès-verbal. »

Durant le reste de l'après-midi, Challee fit comparaître douze quartiers-maîtres et matelots du *Caine* qui tous déclarèrent, brièvement et sans entrain, que Queeg ne leur avait guère paru différer de la moyenne des commandants et qu'à leur connaissance il n'avait jamais rien fait d'anormal ni avant, ni après, ni pendant le typhon. Le premier d'entre eux fut Bellison. Le contre-interrogatoire de Greenwald se limita à trois questions et réponses.

— Bellison, savez-vous ce qu'est un caractère paranoïde?

— Je ne sais pas, lieutenant.

— Quelle est la différence entre une psychonévrose et une psychose?

— Je ne sais pas, lieutenant. Bellison fit une grimace.

— Seriez-vous capable de reconnaître une personne névrosée si vous en rencontriez une?

— Non, lieutenant.

A chacun des douze autres membres de l'équipage, Greenwald posa les trois mêmes questions, pour obtenir les trois mêmes réponses. Cette litanie, douze fois répétée, eut à la longue un effet irritant sur Challee et sur la cour. A chaque fois qu'il recommençait, ils se tortillaient sur leurs sièges et lançaient à Greenwald des regards furibonds.

L'audience fut ajournée après le témoignage du dernier matelot, Gras-double. Maryk et son avocat quittèrent ensemble et en silence le bâtiment où siégeait le conseil de guerre. Les derniers rayons du soleil couchant éclairaient encore la baie et l'air était frais et doux après l'odeur de vernis et de linoléum de la salle du conseil. Ils allèrent vers la jeep grise de Greenwald. Le gravier crissait sous leurs pas. « Alors, ils nous ont eus? demanda Maryk d'une voix calme.

— Qui sait? dit Greenwald. Nous n'avons même pas encore engagé le combat. Vous connaissez le pays. Où peut-on bien manger ici?

— Laissez-moi conduire. »

Greenwald but beaucoup pendant le dîner. Il refusa de parler du procès, et meubla le silence en racontant des histoires assez mornes d'Indiens. Il confia à Maryk que sa réelle ambition avait été de devenir anthropologue, mais qu'il s'était fait avocat par amour des croisades; il avait fini par se convaincre que les Indiens avaient plus besoin d'être défendus qu'étudiés. Il dit qu'il regrettait souvent son choix.

A Maryk, il paraissait de plus en plus bizarre. Le second abandonna tout espoir. Il lui suffisait de réfléchir pour être convaincu que Queeg, Keefer et Urban l'avaient perdu dès ce premier jour. Mais malgré tout, et contre toute raison, il s'accrochait à un faible espoir, il avait foi en son étrange défenseur. La perspective d'être condamné lui était si intolérable qu'il lui fallait se raccrocher à quelque chose. La peine maximum était le renvoi de la Marine et quinze ans d'emprisonnement.

CHAPITRE XXXIV

LE CONSEIL DE GUERRE : SECOND JOUR, MATIN

— A vous, lieutenant Keith, dit un planton, à dix heures deux, ouvrant la porte de l'antichambre.

Willie le suivit en aveugle. Ils franchirent plusieurs portes et, subitement, se trouvèrent dans la salle du tribunal. Willie ressentit dans ses bras et dans ses jambes les mêmes picotements qu'au moment où le *Caine* avait approché d'une plage de débarquement. A travers un brouillard, il vit une foule de visages solennels; le drapeau américain lui parut gigantesque et ses couleurs — rouge, blanc, bleu, — terriblement vives, comme dans un film en technicolor. Il se trouva sur une estrade, en train de prêter serment, mais il aurait été incapable de dire comment il y était arrivé. Challee avait le visage gris et rébarbatif. « Monsieur Keith, vous étiez officier de quart sur le *Caine*, le matin du 18 décembre.

— Oui.

— Le commandant a-t-il été relevé par le second durant votre quart?

— Oui.

— Savez-vous pourquoi le second a agi comme il l'a fait?

— Oui. Le commandant avait perdu le contrôle de lui-même et du navire, et nous courions le danger de couler d'un instant à l'autre.

— Pendant combien d'années avez-vous servi en mer, lieutenant?

— Un an et trois mois.

— Vous êtes-vous déjà trouvé sur un bateau qui coulait?

— Non.

— Savez-vous combien d'années le commandant Queeg a servi en mer?

— Non.

— Eh bien, sachez que le commandant Queeg a passé en mer plus de huit ans. Lequel de vous est-il plus qualifié pour juger si un bateau coule ou non?

— Moi, capitaine, si je suis en possession de toutes mes facultés et le commandant Queeg pas.

— Qu'est-ce qui vous fait penser qu'il n'est pas en possession de ses facultés?

— Il ne l'était pas le matin du 18 décembre.

— Avez-vous étudié la médecine ou la psychiatrie?

— Non.

— Qu'est-ce qui vous permet de juger si votre commandant était ou non en possession de ses facultés le 18 décembre?

— J'ai observé son comportement.

— Très bien, lieutenant. Voulez-vous décrire tout ce qui, dans le comportement de votre commandant, vous a indiqué qu'il avait perdu ses facultés.

— Il se cramponnait au transmetteur d'ordres. Il avait la figure pétrifiée de terreur. Il était vert. Ses ordres étaient mous et vagues, et inadéquats.

— Est-ce que c'est à l'officier de quart, monsieur Keith, à un jeune homme qui a une année d'expérience, de juger si les ordres de son commandant sont oui ou non adéquats?

— Pas en temps ordinaire. Mais quand le bateau menace de couler et que la façon dont le commandant mène ce bateau ne fait qu'aggraver le danger au lieu de l'atténuer, l'officier de quart ne peut faire autrement que s'en apercevoir.

— Est-ce que le commandant Queeg bavait, ou délirait, ou faisait des déclarations dénuées de sens ou des gestes fous?

— Non. Il paraissait paralysé de terreur.

— Paralysé, et pourtant il donnait des ordres?

— Je l'ai dit, ses ordres n'arrangeaient rien et ne faisaient que rendre le danger plus grand.

— Soyez précis, lieutenant. Dans quel sens ses ordres aggravaient-ils le danger?

— Par exemple, il insistait pour qu'on fasse route l'arrière au vent, alors que le bateau donnait de la bande si fort qu'il venait en travers. Et il refusait de lester.

— Il refusait? Qui lui a demandé de lester?

— Mr. Maryk.

— Pourquoi le commandant a-t-il refusé?

— Il a dit qu'il ne voulait pas contaminer les soutes avec de l'eau de mer.

— Et après avoir été relevé, le commandant Queeg a-t-il été pris de folie furieuse?

— Non.

— Dites-nous comment le commandant s'est comporté après avoir été relevé.

— A vrai dire, cela a semblé aller mieux après. A mon avis, il s'est senti mieux dès qu'il n'a plus eu la responsabilité...

— Pas d'opinions, monsieur Keith. Ne dites pas à la cour ce que vous pensez, mais ce que vous avez observé, je vous prie. Qu'a fait le commandant?

— Il est resté dans la timonerie. Il a essayé, plusieurs fois, de reprendre le commandement.

— De façon calme et raisonnable, ou sauvage et délirante?

— Le commandant n'a jamais été sauvage ni délirant, ni avant ni après avoir été relevé. Il existe d'autres formes de déficience mentale.

— Citez-nous quelques-unes de ces autres formes, monsieur Keith, dit Challee d'un ton sarcastique.

— Je ne connais pas grand-chose en psychiatrie, mais il y a des choses que je sais; ...ainsi, par exemple le fait d'être extrêmement déprimé, vague, inaccessible à la réalité, et au raisonnement... des choses de ce genre... » Willie avait la sensation de s'enferrer lamentablement. « Et d'ailleurs, je n'ai jamais dit que le commandant Queeg avait donné des ordres rationnels ce matin-là. Ils n'étaient rationnels que dans la mesure où ils étaient formulés en un anglais correct. Mais, en fait, ils montraient une inconscience absolue de la réalité.

— Selon votre avis autorisé de navigateur et de psychiatre, c'est cela que vous voulez dire? Saviez-vous que le commandant Queeg avait été déclaré parfaitement normal par des psychiatres professionnels?

— Oui.

— Croyez-vous que ces psychiatres souffrent, eux aussi, de déficience mentale, monsieur Keith?

— Ils n'étaient pas sur la passerelle du *Caine* pendant le typhon.

— Étiez-vous un officier loyal?

— Je crois que je l'étais.

— Avant le 18 décembre, étiez-vous sincèrement avec votre commandant, ou contre lui? »

Willie savait que Queeg avait comparu le premier jour, mais il n'avait aucune idée de ce qu'il avait dit. Il mesura soigneusement sa réponse. « J'étais contre le commandant Queeg en certaines circonstances particulières. Par ailleurs, mon attitude était loyale et respectueuse.

— Quelles sont ces circonstances particulières auxquelles vous faites allusion?

— Eh bien, c'était toujours à peu près de la même chose. Lorsque le commandant Queeg opprimait ou maltraitait les hommes, je m'opposais à lui. Sans beaucoup de succès, d'ailleurs.

— Quand le commandant a-t-il maltraité les hommes?

— Je ne sais pas par où commencer. D'abord, il persécutait systématiquement le canonnier de seconde classe Stilwell.

— Comment cela?

— Il a commencé par le consigner à bord pour six mois parce qu'il l'avait vu lire pendant le quart. Il a refusé de lui donner une permission pour aller chez lui, alors que Stilwell avait de graves ennuis de famille. Maryk a donné à Stilwell une permission spéciale de soixante-douze heures et Stilwell est revenu avec quelques heures de retard. Il n'en a pas fallu davantage pour que le commandant le fasse passer en conseil de discipline.

— Stilwell n'a-t-il pas été jugé pour avoir envoyé un faux télégramme?

— Si, et acquitté.

— Le conseil de discipline a donc été convoqué pour fraude et non pour désertion?

— Oui. Je vous prie de m'excuser. J'ai parlé trop vite.

— Prenez votre temps et réfléchissez avant de parler. Vous estimez que lire pendant le quart en temps de guerre est un délit négligeable?

— Je ne pense pas que cela mérite six mois de consigne.

— Êtes-vous qualifié pour émettre des jugements sur des questions de discipline navale?

— Je suis un être humain. Dans les circonstances où elle a été infligée, la punition de Stilwell était inhumaine. »

Challee fit une courte pause. « Vous dites que Maryk a donné une permission à Stilwell? Maryk savait-il que le commandant avait refusé de laisser partir Stilwell?

— Oui.

— Vous affirmez donc, monsieur Keith, dit le procureur, avec le ton alléché de quelqu'un qui, sans s'y attendre, est tombé sur une aubaine, que, dès décembre 43, Maryk violait déjà les ordres de son commandant? »

Willie était consterné. L'idée ne lui était même pas venue qu'il pouvait être le premier à faire allusion à cet incident. « Mais c'était de ma faute, en fait. C'est moi qui l'ai supplié. J'étais l'officier chargé de la morale, et il m'avait semblé que la morale de cet homme... A vrai dire, je crois que la défaillance nerveuse dont il est atteint maintenant est due aux persécutions du commandant... »

Challee se tourna vers Blakely. « Je demande au tribunal d'avertir le témoin qu'il ne doit pas formuler d'opinions n'ayant pas de rapport avec le fond du procès.

— Tenez-vous-en aux faits, monsieur Keith », grommela Blakely. Willie s'agita sur sa chaise et sentit ses vêtements lui coller à la peau. Challee reprit : « Vous venez donc de nous déclarer vous-même, monsieur Keith, que Maryk, Stilwell et vous, vous êtes mis d'accord pour désobéir à un ordre exprès de votre commandant, un an avant le typhon du 18 décembre.

— Et j'agirais de même, si les mêmes circonstances se représentaient.

— A votre avis, la loyauté consiste-t-elle à n'obéir qu'aux ordres que l'on approuve, ou à tous les ordres?

— A tous les ordres, mais pas aux mesures de persécution sans fondement.

— Vous pensez qu'il n'y a aucun recours, dans la Marine, contre ce que *vous*, vous appelez la persécution, en dehors de la désobéissance?

— Je sais qu'on peut écrire une lettre aux autorités supérieures... par l'intermédiaire du commandant.

— Pourquoi ne l'avez-vous pas fait?

— Je devais rester encore un an avec Queeg. L'important, c'était de faire partir Stilwell chez lui.

— C'est une malheureuse coïncidence, n'est-il pas vrai, que le même trio d'insoumis — Maryk, Stilwell et vous-même — se soient justement trouvés réunis pour déposer votre commandant?

— Il s'est trouvé que Stilwell et moi étions de service quand Queeg a perdu la tête complètement. N'importe quel officier de quart ou homme de barre aurait fait de même.

— Peut-être. Maintenant, décrivez je vous prie à la cour d'autres exemples d'oppression et de mauvais traitement qui vous viennent à l'esprit. »

Willie hésita pendant plusieurs secondes, sentant peser sur son front les regards malveillants de tous les membres du tribunal. « Peut-être vous sera-t-il facile de les faire tous paraître ridicules et sans importance ici, capitaine, mais à l'époque c'était grave. Il a supprimé le cinéma pendant six mois simplement parce qu'on avait oublié de l'inviter à une séance... il a coupé l'eau sous l'équateur parce qu'il était vexé de la mutation d'un officier... il réunissait à minuit, pour discuter de détails insignifiants, des chefs de service qui faisaient un quart sur trois. Et il interdisait de dormir le jour de sorte qu'on ne pouvait jamais rattraper son sommeil...

— On nous a déjà beaucoup parlé de cette histoire de sommeil. Les officiers du *Caine* tenaient visiblement à dormir, guerre ou pas guerre...

— Je vous ai dit qu'il était facile de faire de l'esprit maintenant. Mais il n'est pas si facile de diriger un bateau en formation, sous une pluie torrentielle, quand on est debout depuis soixante-douze heures, et qu'on a peut-être eu quatre heures de sommeil consécutives...

— Monsieur Keith, est-ce que le commandant Queeg a jamais appliqué des tortures physiques aux hommes ou aux officiers?

— Non.

— Est-ce qu'il les a affamés, battus, ou a-t-il causé à l'un quelconque d'entre eux des blessures dont il est fait mention dans le journal médical du *Caine?*

— Non.

— A-t-il jamais infligé des punitions interdites par les règlements?

— Il n'a jamais rien fait qui soit interdit par les règlements, ou si cela lui est arrivé, il s'est toujours immédiatement rétracté. Il donnait une parfaite démonstration de tout ce qu'on pouvait faire en fait d'oppression et de mauvais traitement dans le cadre des règlements.

— Vous n'aimiez pas le commandant Queeg, n'est-ce pas, lieutenant?

— Je l'aimais beaucoup, au début. Mais je me suis rendu compte peu à peu que c'était un petit tyran, absolument incompétent.

— Croyiez-vous aussi qu'il était fou?

— Pas avant le jour du typhon.

— Maryk vous avait-il montré le journal médical qu'il tenait sur le comportement de Queeg?

— Non.

— Vous a-t-il jamais parlé de l'état mental du commandant?

— Non, Mr. Maryk ne permettait pas la moindre critique du commandant en sa présence.

— Quoi! En dépit de l'insubordination de décembre 43?

— Il sortait du carré dès qu'il entendait formuler une remarque malveillante sur le commandant.

— On formulait des remarques malveillantes sur le commandant au carré? Qui les formulait?

— Tous les officiers excepté Maryk.

— Affirmeriez-vous que le commandant Queeg avait une équipe d'officiers loyaux?

— Tous ses ordres étaient exécutés.

— Excepté ceux que vous pensiez devoir tourner... Monsieur Keith, vous nous avez dit que vous n'aimiez pas le commandant.

— C'est exact.

— Venons-en au matin du 18 décembre. Votre décision d'obéir à Maryk était-elle basée sur la conviction que le commandant était devenu fou, ou était-elle basée sur le fait que vous n'aimiez pas le commandant Queeg? »

Willie fixa pendant de longues secondes le visage livide de Challee. La question avait des dents d'acier. Willie savait quelle était la vraie réponse, et il savait qu'elle entraînerait selon toute probabilité leur perte, à Maryk et à lui. Mais il se sentait incapable de proférer un mensonge. « Je ne peux pas répondre, dit-il enfin, à voix basse.

— Pour quelle raison, monsieur Keith?

— Dois-je formuler mes raisons?

— Refuser de répondre à une question sans raisons suffisantes est une insulte à la cour, lieutenant Keith. »

Willie articula : « Je ne sais pas. Je ne me souviens pas de mon état d'esprit, c'est déjà loin.

— Pas d'autres questions », dit Challee. Il retourna s'asseoir.

Willie, regardant les visages froids des juges, fut absolument certain, à cet instant, qu'il venait de condamner Maryk et lui-même de sa propre bouche. Il se sentit bouillir d'une rage impuissante contre l'imbécile procédure judiciaire qui l'empêchait de se lever et de hurler sa justification; mais, en même temps, il comprit que jamais il ne pourrait se justifier entièrement aux yeux de la Marine. En toute franchise, il avait obéi à Maryk pour deux raisons : d'abord, parce qu'il croyait le second plus capable de sauver le bateau, et ensuite parce qu'il haïssait Queeg. Il ne lui était jamais venu à l'idée, jusqu'au moment où Maryk avait pris le commandement, que Queeg pouvait vraiment être fou. Et il savait, tout au fond de lui-même, qu'il n'avait jamais cru que le capitaine était un malade mental. Stupide, méchant, vicieux, lâche, incompétent, oui... mais normal. L'insanité d'esprit de Queeg était la seule excuse possible de Maryk (et celle de Willie aussi), et c'était une fausse excuse; et Challee le savait, et le tribunal le savait; et Willie, maintenant, le savait aussi.

Greenwald se leva. « Monsieur Keith, vous avez déclaré que vous n'aimiez pas le commandant Queeg.

— Je ne l'aimais pas.

— Avez-vous cité, pendant l'interrogatoire, toutes les raisons que vous aviez de ne pas l'aimer?

— Pas du tout. On ne m'a pas laissé l'occasion d'en citer la moitié.

— Eh bien, citez les autres maintenant, je vous prie. »

Des mots se formèrent dans l'esprit de Willie qui, il le savait, changeraient le cours de plusieurs vies et l'entraîneraient, lui, dans des ennuis dont il ne pourrait peut-être jamais se sortir. Il parla; ce fut comme s'il lançait son poing dans une porte vitrée. « Ma principale raison de détester Queeg était sa lâcheté au feu. »

Challee commençait à se lever. Greenwald dit vivement : « Comment cela?

— Il fuyait les batteries côtières...

— Objection! cria le procureur. La défense pénètre dans un terrain qui n'a pas été abordé à l'interrogatoire. Elle amène le témoin à calomnier un officier de la Marine. Je demande que la Cour donne un avertissement à la défense et raye du procès-verbal tout le début du contre-interrogatoire.

— Que la cour m'excuse, dit Greenwald, soutenant le regard furieux de Blakely, mais les sentiments qu'éprouvait le témoin à l'égard de Queeg ont non seulement été mentionnés dans l'interrogatoire, mais encore l'accusation les a mis en lumière comme un élément-clef de l'affaire. L'origine de la haine du témoin est donc d'une extrême importance. Le témoin a avoué ignorer la médecine et la psychiatrie. Des actes commis par Queeg, et qui ont amené le témoin, dans son ignorance, à le détester, peuvent donc en fait être les agissements d'un homme malade et irresponsable. La défense étayera sur des preuves matérielles toutes les déclarations du témoin à ce sujet et démontrera qu'en fait, les actes de Queeg avaient leur origine dans la maladie. »

Challee lança à Greenwald un regard de flamme : « Le moment n'est pas encore venu pour la défense de conclure...

— L'accusation a elle-même commencé par faire avouer au lieutenant Keith qu'il n'aimait pas le commandant Queeg, répliqua Greenwald. La défense examine les preuves à mesure qu'elles se présentent... »

Blakely frappa son marteau. « La défense et l'accusation sont averties qu'elles ont à cesser immédiatement toute discussion personnelle. La séance est suspendue. »

A la reprise, Blakely avait un exemplaire du *Décret sur le Service à Bord* ouvert devant lui. Il avait chaussé de grosses lunettes à monture noire qui lui donnaient l'air d'un vieux professeur paisible. « Avant d'annoncer sa décision, la cour va lire, à l'attention des parties en présence, un extrait de l'article 4, sections 13 et 14 des Règlements généraux de la Marine :

— *La peine de mort, ou toute autre peine que le conseil de guerre jugerait bonne pourra être infligée à toute personne au service de la Marine qui, pendant le combat, fait preuve de lâcheté, de négligence ou de dissidence, qui s'éloigne ou reste hors d'atteinte du danger auquel elle a le devoir de s'exposer... ou qui, pendant le combat, déserte son poste, ou incite les autres à le faire.*

Blakely ôta ses lunettes et referma le livre. Il poursuivit d'un ton las et grave. « La cour a déjà dit que cette affaire était délicate. La défense et le témoin sont avertis qu'ils s'engagent sur un terrain des plus dangereux. En accusant un officier de la Marine américaine d'un délit passible de la peine de mort, et en outre le plus odieux que puisse commettre un militaire, un délit comparable au meurtre, ils endossent la plus lourde des responsabilités, et s'exposent à des conséquences dont on ne saurait exagérer la gravité. Ceci dit, la cour demande à la défense si elle désire retirer sa question. »

Greenwald dit : « Je ne le désire pas, commandant.

— La cour prie le témoin de réfléchir à ce qu'impliquent ses réponses et de dire s'il désire les retirer. »

Willie, les dents un peu secouées, dit : « Je ne le désire pas, commandant.

— Ceci ayant été dit, déclara Blakely, avec un soupir bien marqué, et mettant le livre de côté, l'objection est rejetée. La défense peut reprendre le contre-interrogatoire. »

Willie raconta comment Queeg avait fui la batterie côtière de Saïpan lorsque celle-ci s'était mise à tirer sur le *Stanfield*. Il raconta en détail l'épisode de Kwajalein, après lequel on avait appelé Queeg « Vieux Tache Jaune ». Il remarqua alors seulement un changement dans l'expression des juges. La solennité glaciale avec laquelle ils l'avaient fixé disparut lentement de leurs visages et ils ne furent plus que sept hommes qui écoutaient avec intérêt une histoire étonnante. Challee, le front amer, griffonnait des pages de notes.

— Monsieur Keith, qui a inventé ce nom de « Vieux Tache Jaune »? demanda Greenwald.

— Je ne saurais vous le dire, monsieur. Il est né, voilà tout.

— Qu'impliquait-il?

— Que le commandant était lâche, naturellement. Et puis, cela rappelait aussi l'histoire de la bouée colorante. C'est pourquoi le nom a si bien pris.

— Avez-vous relaté toutes les preuves de couardise du commandant dont vous vous souvenez?

— Dans tous les combats, on était certain de trouver le commandant Queeg du côté de la passerelle éloigné du feu. Quand nous patrouillions devant une plage, chaque fois que le bateau changeait de route, le commandant changeait de bord. Tout le monde l'avait remarqué. On en plaisantait. Tous ceux que leur service appelait sur la passerelle diront que je ne mens pas, s'ils n'ont pas peur de parler.

Greenwald dit : « A part sa couardise, quelles autres raisons aviez-vous de détester Queeg?

— Eh bien... je crois avoir dit les principales. Entre autres, il m'a extorqué cent dollars... »

Challee se leva d'un air exaspéré. « Objection. Pendant combien de temps la cour permettra-t-elle que soient proférées toutes ces allégations dénuées de preuves et sans rapport avec l'affaire? La question qui nous occupe n'est pas de savoir si le commandant Queeg était un officier modèle, mais s'il était fou le 18 décembre. La défense n'a même pas abordé cette question. Je fais remarquer que la défense et le témoin se sont de toute évidence faits complices pour salir le commandant Queeg et de cette façon embrouiller le problème. »

Greenwald dit : « Cette objection est identique à la précédente, que la Cour a rejetée. Je nie l'accusation de complicité. Les faits sont les faits et il n'est pas besoin de complicité pour les mettre en lumière. Tous ces faits ont un rapport direct avec l'aptitude mentale du commandant Queeg à commander un bâtiment de la marine; par ailleurs, ils ne font qu'éclairer les sentiments de Keith à l'égard de son commandant, sentiments qui ont été établis à grand-peine par le procureur au cours de l'interrogatoire.

— L'objection est identique, dit Blakely, se frottant les yeux, et elle est rejetée. Continuez le contre-interrogatoire.

— Comment le commandant vous a-t-il, comme vous dites, extorqué cent dollars, monsieur Keith? »

Willie raconta la perte de la caisse d'alcool dans la baie de San-Francisco. Le commandant Blakely fit d'horribles grimaces. Greenwald dit : « Le commandant vous a-t-il ordonné de rembourser cet alcool?

— Oh, non! Il ne me l'a pas ordonné. Il m'a fait admettre que j'étais responsable de l'échec de la corvée parce que je commandais le canot — bien que ce fût lui qui ait donné tous les ordres — et puis il m'a demandé de réfléchir à ce que je devais faire. Ce fut tout. Mais je devais partir en permission le lendemain. Ma fiancée était venue par avion de New-York pour me voir. Je suis donc allé trouver le commandant. Je me suis excusé de ma maladresse et j'ai dit que je serais désireux de lui rembourser ses pertes. Il a été très content de prendre mon argent et m'a signé ma permission.

— Pas d'autres questions », dit Greenwald, et il retourna s'asseoir. Il sentit qu'on lui serrait très fort le genou sous la table. En quelques traits, il esquissa sur son calepin un cochon hideux et qui louchait, bouillant dans une marmite dont s'échappait de la vapeur. Il inscrivit « Queeg » à côté du cochon, le montra à Maryk, puis le déchira et le jeta dans la corbeille à papiers.

Challee réinterrogea Willie pendant vingt minutes, s'efforçant de l'amener à se contredire et à renier certaines de ses déclarations; il réussit à rendre Willie un peu ridicule à diverses reprises, mais ne parvint pas cependant à détruire l'effet produit par son témoignage.

En quittant la barre, Willie regarda l'horloge. Il était onze heures moins dix. Il fut étonné, comme il l'avait été le matin du typhon, de la lenteur avec laquelle le temps passait. Il avait eu l'impression qu'il était resté pendant quatre heures dans le fauteuil des témoins.

Challee fit appeler le commandant Randolph P. Southard, un homme mince et soigné, au visage boucané et aux cheveux presque tondus, dont les médailles et les rubans s'étalaient sur trois rangs sur sa poitrine. Le procureur établit rapidement que Southard commandait la Huitième Division de Destroyers et qu'il avait pendant dix ans commandé des destroyers de tous types, y compris des rafiots de la Grande Guerre. C'était l'expert en navigation de Challee.

Southard déclara que pendant un typhon un bateau pouvait se maintenir aussi bien l'arrière au vent que debout au vent. En fait, dit-il, un destroyer étant assez haut sur l'eau à l'avant, avait généralement tendance à se mettre l'arrière au vent. Il était donc plutôt plus maniable dans cette position. Il affirma que les efforts de Queeg pour garder la route de la flotte vers le sud avaient été parfaitement justifiés par la situation; et que la décision de Maryk de mettre le cap au nord était contestable et dangereuse car le navire était ainsi demeuré dans la trajectoire du typhon.

Greenwald commença son contre-interrogatoire en disant : « Commandant Southard, vous est-il déjà arrivé de diriger un bateau au centre d'un typhon?

— Non. Je me suis trouvé en bordure plus d'une fois, mais j'ai toujours évité le centre.

— Avez-vous déjà commandé un dragueur de mines, commandant?

— Non.

— Le cas qui nous occupe, commandant, concerne un destroyer dragueur de mines qui s'est trouvé au centre d'un typhon.

— Je sais, dit Southard d'un ton glacial. J'ai eu des D. M. S. sous mes ordres en écran, et j'ai étudié les manuels. Ils ne diffèrent pas des destroyers, sinon par des détails de superstructure.

— Si je vous pose ces questions, commandant, c'est que vous êtes l'unique témoin expert dans le maniement d'un navire et que le tribunal doit connaître exactement à quel point s'étend votre expérience.

— Je comprends. J'ai dirigé des destroyers dans presque toutes les situations concevables depuis dix ans. Je n'ai pas commandé de D. M. S. au centre de typhon, mais je ne sais pas qui l'a fait en dehors du commandant du *Caine*. C'est un cas qui se présente une fois sur mille.

— Pouvez-vous affirmer sans réserve que les lois qui régissent le maniement d'un destroyer sont valables pour un D. M. S., pris au centre d'un typhon?

— C'est-à-dire qu'au centre d'un typhon il n'y a plus de règles absolues. Tout dépend alors de l'officier qui commande. Il se passe trop de choses étranges et trop vite. Mais diriger un bateau c'est toujours diriger un bateau.

— Faisons une hypothèse, commandant. Supposons que vous commandiez un destroyer et que vous vous trouviez engagé au milieu d'une tempête et d'une mer plus terribles que tout ce que vous avez jamais vu. Vous êtes drossé par le travers. Vous pensez que votre bateau va couler. Vous êtes à la dernière extrémité. Est-ce que vous essayeriez d'amener votre navire debout au vent ou l'arrière au vent?

— Nous sommes en pleine imagination.

— Oui, commandant. Vous préférez ne pas répondre?

— Si, je répondrai. A la dernière extrémité, je me mettrais debout au vent si je pouvais. *Seulement* à la dernière extrémité.

— Pourquoi, commandant?

— Eh bien, parce que c'est là que vos machines et votre gouvernail ont le plus de prise, voilà tout, et que c'est votre dernière chance de garder le contrôle de votre bateau.

— Mais imaginez qu'aller debout au vent vous fasse rester dans la tempête au lieu de vous en faire sortir?

— Le plus urgent d'abord. Quand on est sur le point de couler, ça ne peut guère devenir pire. Souvenez-vous que vous avez dit *la dernière extrémité.*

— Oui, commandant. Pas d'autres questions. »

Challee se leva immédiatement. « Commandant, à votre avis, qui est meilleur juge pour décider si un bateau est oui ou non à la dernière extrémité?

— Il n'y a qu'un juge. L'officier qui commande.

— Pourquoi?

— Il a été nommé commandant par la Marine, parce que sa connaissance de la mer et des bateaux est plus étendue que celle de n'importe qui d'autre à bord. Il n'est pas du tout rare que les officiers subalternes croient le bateau fichu alors qu'ils ne font que traverser un petit grain.

— Ne pensez-vous pas cependant, commandant, que lorsque tous les subalternes sont d'accord pour dire que le bateau va couler, le commandant devrait les écouter?

— Non! La panique arrive vite, en mer. Le premier devoir de celui qui commande est de la neutraliser et de ne rien écouter que la voix de sa propre raison.

— Merci, commandant. »

CHAPITRE XXXV

LE CONSEIL DE GUERRE :
SECOND JOUR, APRÈS-MIDI

L E docteur Forrest Lundeen était un homme corpulent au teint rose, qui portait des lunettes à monture d'or et dont les cheveux blonds tournaient au gris. Il était commandant et dirigeait le service de psychiatrie de l'hôpital de la Marine; c'était lui qui avait présidé la commission médicale chargée d'examiner Queeg. Il s'installa confortablement dans le fauteuil des témoins et répondit aux questions de Challee avec une aimable promptitude.

— Combien de temps a duré votre examen, docteur?

— Nous avons eu le commandant sous observation pendant trois semaines consécutives.

— Comment se composait la commission?

— Elle comprenait le docteur Bird, le docteur Manella et moi-même.

— Tous trois des psychiatres en exercice?

— Le docteur Bird et le docteur Manella étaient psychiatres dans le civil. Ce sont des officiers de réserve. Moi-même, je me spécialise en psychiatrie dans la Marine depuis quinze ans.

— Quelles ont été les conclusions de la commission?

— Le commandant Queeg a été libéré comme jouissant d'une parfaite santé.

— Vous n'avez découvert chez lui aucune preuve de folie?

— Aucune.

— Cela veut-il dire que le commandant Queeg est absolument normal?

— Vous savez, en psychiatrie, la normalité est une fiction. Tout est relatif. Parmi les adultes, il n'y a guère que les imbéciles heureux qui n'aient pas de problèmes. Le commandant Queeg est un individu bien adapté.

— Estimez-vous possible que, deux semaines avant le début de votre examen, le commandant Queeg ait été fou?

— Absolument impossible. Le commandant est normal maintenant et il a toujours été normal. Tout effondrement psychique laisse des traces que l'on peut toujours détecter.

— Vous n'avez pas trouvé de telles traces chez le commandant Queeg?

— Aucune.

— Le commandant Queeg a été sommairement relevé de son commandement à bord du *Caine*, le 18 décembre 1944, par son second, lequel a déclaré que le commandant était un malade mental. Estimez-vous possible qu'à cette date, le commandant ait pu être la proie d'un effondrement psychique qui justifiait la décision du second?

— Absolument impossible.

— Est-il possible qu'un homme sain d'esprit accomplisse des actes ayant un caractère offensif, déplaisant, insensé?

— Cela arrive tous les jours.

— Admettons un instant — et c'est là une pure hypothèse — que le commandant Queeg se soit avéré, dans l'exercice de son commandement, dur, emporté, méchant, tyrannique et qu'il ait souvent commis des erreurs de jugement. Cela serait-il incompatible avec les conclusions de votre commission?

— Non. Nous n'avons pas conclu qu'il était un officier parfait. Nous avons conclu qu'il ne souffrait d'aucune maladie mentale.

— D'après ce que vous connaissez du commandant, croyez-vous qu'il soit capable de sautes d'humeur et de dureté?

— Oui. Cela ne m'étonnerait pas.

— Et, malgré cela, vous persistez à affirmer que la décision du second de le relever était injustifiée?

— Du point de vue psychiatrique, complètement injustifiée. La commission s'est montrée unanime sur ce point.

— Dites-nous quelle est la formation de vos collègues.

— Bird est spécialisé dans la technique freudienne. Il vient d'être diplômé à titre honoraire de l'École de Médecine d'Harvard. Manella est l'un des spécialistes les plus célèbres de psychosomatique de l'Ouest.

— Dites-nous où ils se trouvent actuellement.

— Bird est toujours dans mon service. Manella a été muté la semaine dernière et il est en route vers les Philippines.

— Nous allons garder votre rapport parmi les pièces à conviction et entendre le docteur Bird. Merci, docteur.

Le procureur fit signe à Greenwald; ses lèvres esquissaient un petit sourire froid. Greenwald approcha d'un pas lent de la plate-forme des témoins; il se frottait le nez avec le dos de la main, regardait ses pieds, et, dans l'ensemble, paraissait troublé et embarrassé. « Docteur Lundeen, je suis un homme de loi et n'ai guère reçu de formation médicale. J'espère que vous me permettrez de vous demander d'éclaircir pour moi certains termes techniques. Je vais probablement vous poser des questions qui vous paraîtront élémentaires.

— Je vous en prie.

— Vous avez déclaré que, semblable à tous les adultes, le commandant Queeg avait des problèmes, et qu'il était adapté. Pouvez-vous nous dire de quels problèmes il s'agit?

— Des renseignements de cette nature entrent pour la plupart dans le cadre du secret professionnel.

— Je comprends. Ne pouvez-vous nous citer ces problèmes en général, en supprimant tout détail confidentiel? »

Challee coupa : « Je fais objection. Ce n'est pas le commandant Queeg qu'on juge. C'est le lieutenant Maryk. La défense demande la révélation de secrets professionnels sans rapport avec l'affaire. »

Blakely regarda Greenwald. Le pilote haussa les épaules. « Je m'en rapporte au jugement du tribunal. Tout témoignage pouvant mettre en lumière des éléments troublants de la personnalité mentale du commandant Queeg est, de toute évidence, d'une extrême importance dans cette affaire. »

Avec un regard ennuyé en direction du procureur, Blakely ordonna la suspension. Celle-ci dura une minute à peine. « La question a un rapport avec l'affaire, dit Blakely. Objection rejetée. Le médecin pourra garder le secret professionnel s'il le désire. » Challee rougit et s'enfonça dans son fauteuil. Le greffier répéta la question.

— Eh bien, je crois pouvoir dire que le problème dominant est ici un sentiment d'infériorité, dit Lundeen, sentiment qui a son origine dans une enfance peu heureuse et qui est aggravé par certaines expériences à l'âge adulte.

— Comment cela, enfance peu heureuse?

— Famille désunie. Parents divorcés, ennuis financiers, difficultés en classe.

— Et à l'âge adulte, qu'y a-t-il?

— Cela, je ne peux guère vous en parler. Dans l'ensemble, le commandant souffre de sa petite taille, de la situation inférieure qu'il occupe à l'intérieur de sa classe, des facteurs de ce genre. Des brimades qu'il a subies à l'École navale paraissent, également, lui avoir laissé de cuisants souvenirs. Lundeen fit une pause. « Je suis obligé de m'en tenir là sur ce sujet.

— Et sa vie de famille actuelle? »

Le médecin dit, à contrecœur : « Là, vous pénétrez sur un terrain purement clinique.

— Mais, sans nous les décrire, pouvez-vous nous dire s'il y a des points de tension?

— Je ne répondrai plus à aucune question dans ce sens. Je vous l'ai dit, le commandant est bien adapté à tout cela.

— Pouvez-vous nous dire la nature de cette adaptation?

— Oui, je le peux. Son identité d'officier de marine en constitue le facteur d'équilibre dominant. C'est la clef de voûte de sa sécurité personnelle et c'est pourquoi il se montre extrêmement jaloux de protéger sa position. Ceci expliquerait la dureté et les sautes d'humeur dont j'ai parlé auparavant.

— Ne serait-il pas peu disposé à admettre ses erreurs?

— Il y a une tendance dans cette direction, en effet. Le commandant est en toute circonstance soucieux de protéger sa position. Ceci n'est bien entendu nullement une preuve de déséquilibre.

— Serait-il perfectionniste?

— Sa personnalité l'y pousserait, oui.

— Enclin à harceler ses subordonnés pour des détails?

— Il s'enorgueillit d'être méticuleux. Toute erreur d'un subordonné lui est intolérable parce qu'elle peut mettre sa position en danger.

— Est-il probable qu'un semblable caractère, si soucieux de perfection, évite toute erreur?

— Mon Dieu, nous savons tous que la réalité est toujours au-delà du contrôle absolu de l'être humain...

— Et pourtant, il n'admet pas ses erreurs quand il en commet. Ment-il?

— Certes pas! Il... dites qu'il reforme la réalité dans son propre esprit de façon à se retrouver toujours à l'abri de tout blâme. Il aurait plutôt tendance à blâmer les autres.

— Docteur, est-ce que déformer la réalité n'est pas un symptôme de maladie mentale?

— Certes non, pas en soi. Tout ceci est une question de degré. Aucun d'entre nous n'accepte la réalité telle qu'elle est.

— Mais le commandant ne déforme-t-il pas la réalité plus que, disons, vous ou toute autre personne n'ayant pas ses angoisses?

— C'est là sa faiblesse à lui. D'autres personnes ont d'autres faiblesses. Cela n'en fait certes pas un inadapté.

— Est-ce qu'un tel caractère peut pousser à croire que les autres sont contre soi, hostiles?

— Tout cela fait partie du même tableau. Un homme tel que lui est, par nature, constamment en alerte, prêt à défendre l'estime qu'il a pour lui-même.

— Pourrait-il se montrer soupçonneux vis-à-vis de ses subordonnés, enclin à douter de leur loyauté et de leur compétence?

— Peut-être dans une certaine mesure. Tout cela fait partie du désir anxieux de perfection.

— S'il était critiqué par des supérieurs, serait-il enclin à se croire injustement persécuté?

— Je vous l'ai dit, tout cela ne fait qu'un, puisqu'il s'agit d'un homme qui pense qu'il doit être parfait.

— Serait-il enclin à se montrer têtu?

— Un tel individu pourrait faire preuve d'une certaine rigidité de caractère. Le sentiment qu'il a de son insécurité lui défend d'admettre que ceux qui ne sont pas de son avis ont peut-être raison. »

Greenwald, d'un peu timide et tâtonnant qu'il était, se fit soudain étonnamment direct et précis. « Docteur, dit-il, vous venez donc de nous dire que le comportement du commandant présentait les symptômes suivants : rigidité de caractère, manie de la persécution, suspicion non fondée, fuite devant la réalité, perfectionnisme anxieux, et un sentiment poussé à l'obsession d'avoir toujours raison. »

Lundeen parut stupéfait. « Tout cela, à un degré modéré, monsieur, et bien compensé.

— Oui, docteur. N'y a-t-il pas un terme en psychiatrie, une dénomination pour ce syndrome?

— Syndrome? Qui a parlé de syndrome? Vous utilisez mal à propos un terme technique. Il n'y a pas syndrome puisqu'il n'y a pas maladie.

— Merci de m'avoir corrigé, docteur. Je vais m'exprimer autrement. Est-ce que tous ces symptômes tombent dans un même ordre de troubles nerveux, dans une classe psychiatrique commune?

— Je sais où vous voulez en venir, bien entendu. Il s'agit d'une personnalité à tendance paranoïaque, évidemment, mais ce n'est pas un cas d'inaptitude.

— Une personnalité comment, docteur?

— A caractère paranoïaque.

— Paranoïaque, docteur?

— Oui, paranoïaque. »

Greenwald regarda Challee, puis ses yeux parcoururent lentement, un à un, les visages de tous les membres de la cour. Il revint vers son bureau. Challee se leva. Le pilote dit : « Je n'ai pas terminé mon contre-interrogatoire. Je désire consulter mes notes. » Challee se laissa retomber sur sa chaise. Il y eut une minute de silence. Greenwald remua des papiers sur son bureau. Le mot « paranoïaque » planait encore dans l'air.

— Docteur, chez une personnalité à caractère paranoïaque, comme le commandant Queeg, comment distinguez-vous la maladie de l'adaptation?

— Comme je l'ai dit à plusieurs reprises... Il y avait, dans la voix de Lundeen, une note de lassitude et d'agacement. « C'est une question de degré. Personne n'est absolument normal. Vous, vous êtes peut-être un maniaque dépressif léger. Moi, j'ai peut-être des tendances schizophrènes modérées. Des millions de gens mènent des vies normales avec ce genre de caractères compensés. Parallèlement, on trouve dans le domaine physique des gens qui ont le dos rond, un souffle cardiaque, quelque chose qui est une faiblesse individuelle mais qui ne les empêche pas de vivre. Il faut qu'il y ait un facteur d'inaptitude.

— Est-ce que ce facteur d'inaptitude est une chose absolue ou relative, docteur?

— Que voulez-vous dire?

— Eh bien, un homme pourrait-il avoir une personnalité à caractère paranoïaque qui, sans le rendre inapte à occuper des postes subalternes, le rendrait inapte au commandement?

— C'est concevable.

— Il ne serait donc pas mentalement malade s'il était officier de transmissions, mais il serait mentalement malade s'il était commandant du bateau, c'est bien cela?

— Vous vous empêtrez dans un fatras de vocabulaire technique que vous employez très à la légère, dit Lundeen avec humeur.

— Excusez-moi, docteur.

— En ce qui concerne le commandant Queeg, la commission ne l'a pas déclaré inapte au commandement.

— J'ai le témoignage présent à l'esprit, docteur. Pouvez-vous nous dire, alors, à quel moment une personnalité à tendance paranoïaque devient inapte?

— Quand un homme perd le contrôle de lui-même et de la réalité qui l'entoure.

— Quels sont alors les symptômes du paranoïaque qui se sent incapable de faire face à la réalité?

— Eh bien, les réactions peuvent être d'ordres divers. Torpeur, ou furie, deux formes d'évasion, défaillance nerveuse... tout dépend des circonstances.

— Est-ce que le facteur d'inaptitude est perceptible au cours d'un interrogatoire personnel?

— Pour un psychiatre expérimenté, oui.

— Vous voulez dire que le patient se réfugierait dans la torpeur ou la furie?

— Non, je veux dire que le psychiatre saurait déceler les mécanismes générateurs, rigidité, manie de la persécution, idées fixes, etc.

— Pourquoi est-il besoin d'un psychiatre, docteur? Est-ce qu'une personne d'intelligence normale, et ayant une certaine culture, comme moi, ou le procureur, ou les juges seraient incapables de distinguer qu'un homme a des tendances paranoïaques? »

Le docteur Lundeen prit un ton sarcastique. « Vous n'êtes pas très familier de ces questions, je vois bien. La marque distinctive de ce genre de névrose est une extrême plausibilité et un comportement des plus normaux en surface. Particulièrement quand le malade cherche à se justifier lui-même. »

Greenwald regarda ses pieds pendant une demi-minute. Comme d'un commun accord, tous les membres du tribunal en profitèrent pour remuer sur leur chaise. « Faisons une supposition, docteur. Imaginons le commandant de bateau ayant une personnalité à tendance paranoïaque. Imaginons qu'il se comporte de la façon suivante : au feu, il s'affole et s'enfuit; il détruit du matériel appartenant à l'État et nie l'avoir fait; il falsifie des rapports officiels; il extorque de l'argent à ses subordonnés; il inflige des châtiments démesurés pour des délits mineurs. Est-il inapte au commandement? »

Après un long silence, durant lequel il eut tous les yeux fixés sur lui, Lundeen dit : « La question est incomplète. Est-ce que par ailleurs il s'acquitte de son service de façon satisfaisante?

— D'un point de vue toujours hypothétique, disons que oui.

— Eh bien, en ce cas... il n'est pas forcément inapte, non. Il n'est visiblement pas très désirable. Cela dépend du niveau moyen des cadres dont on dispose. Si vous avez d'autres hommes aussi qualifiés que lui pour le commandement, il vaudrait mieux employer les autres. Si vous êtes en guerre, et que vous soyez très à court d'officiers supérieurs, vous pouvez être amené à l'utiliser quand même.

— Docteur Lundeen, est-ce que vous, en tant qu'expert, vous seriez d'avis qu'il faut redonner le commandement d'une unité de la marine américaine au commandant Queeg?

— C'est-à-dire, je... La question est sans intérêt. C'est là l'affaire du Bureau du Personnel. Cet homme n'est pas mentalement malade. J'ai dit à plusieurs reprises que les troubles paranoïaques, si légers soient-ils, créaient des conditions extrêmement déplaisantes pour son entourage. Mais à la guerre, on s'arrange avec ce qu'on a. Il n'est pas inapte.

— Vous plairait-il de savoir que votre fils se bat sous les ordres du commandant Queeg? »

Lundeen jeta un regard malheureux en direction du procureur, lequel sauta sur ses pieds. « Objection. La défense demande un avis de caractère personnel, dépassant le domaine de l'expertise.

— Je retire la question, dit Greenwald. Merci, monsieur Lundeen. La défense a terminé. »

Le commandant Blakely dit : « La cour désire éclaircir un point. » Les autres membres de la cour regardèrent le président avec une extrême attention. « Docteur, est-ce qu'une inaptitude temporaire, quelque chose qui n'aille pas jusqu'à l'effondrement mental complet, est possible à la suite d'une extrême tension? Ou, je vais m'exprimer autrement. Disons qu'un homme légèrement affecté est parfaitement apte à supporter toutes les charges habituelles du commandement. Disons maintenant que ces charges se trouvent plusieurs fois multipliées par une situation d'une extrême gravité. Pourrait-il y avoir perte d'aptitude? Tendance à la confusion, à la déroute, tendance à commettre des erreurs de jugement?

— C'est possible. Ces situations extrêmes produisent le même effet à presque tout le monde, commandant.

— Elles ne sont pas censées le produire aux officiers chargés d'un commandement.

— Non, mais dans le domaine pratique, commandant, ce sont des humains comme les autres.

— Très bien, docteur, merci. »

Challee reprit l'interrogatoire direct et amena Lundeen à répéter

sous diverses formes et à diverses reprises, que Queeg n'était pas
et n'avait jamais été inapte. Le psychiatre fit ces déclarations
avec une insistance et une force toujours plus grandes, jetant de
temps en temps un regard du côté de l'avocat de la défense.

— Le docteur Bird sera mon dernier témoin, commandant, dit
Challee, tandis que le planton allait appeler le second psychiatre.

— Parfait, dit Blakely jetant un coup d'œil à l'horloge. Il était
deux heures cinq. Le lieutenant qui fit son entrée était un garçon
extrêmement mince, brun, l'air très jeune, qui avait un teint
jaune et un visage expressif. Ses yeux étaient bruns, très enfoncés
et leur regard pénétrant. Il avait quelque chose du fanatique.
Il était assez beau.

Interrogé par Challee, il confirma tout ce que le docteur Lundeen
avait dit de Queeg. D'un ton clair, précis et pourtant sans froideur
il réaffirma que Queeg était apte au commandement et n'avait
jamais été inapte. Challee dit : « Est-ce que le docteur Manella
partageait votre opinion et celle du docteur Lundeen?

— Oui. »

Challee fit une pause, puis demanda : « Avez-vous trouvé chez
le commandant des symptômes de ce que l'on appelle une personnalité à tendance paranoïaque?

— Eh bien, je dirais plutôt un obsédé teinté de paranoïa.

— Mais cela ne le rendait pas inapte mentalement?

— Non.

— Est-ce que les termes « personnalité à tendance paranoïaque »
ou « obsédé » apparaissent dans le rapport de votre commission?

— Non.

— Pourquoi non, docteur?

— Eh bien, parce que la terminologie psychiatrique est encore
loin d'être exacte. Les mêmes termes peuvent avoir des signifi-
cations différentes fût-ce pour des hommes appartenant à la même
école. Ainsi de l'expression « personnalité à tendance paranoïaque »
qui paraît indiquer un cas d'inaptitude, alors qu'il n'en est rien
du moins ni pour le docteur Lundeen, ni pour le docteur Manella,
ni pour moi.

— En ce cas, le commandant Queeg a été déclaré sain par trois
psychiatres de points de vue différents?

— Oui.

— Vous avez donc été d'accord, tous les trois, pour affirmer
que le commandant Queeg était sain d'esprit aujourd'hui et qu'il
avait dû être sain d'esprit le 18 décembre, lorsqu'il a été sommairement relevé pour cause de maladie mentale?

— Notre conclusion a été unanime.

— Pas d'autres questions. »

Greenwald s'approcha du témoin. « Docteur, y a-t-il, dans l'analyse freudienne, quelque chose qui s'appelle maladie mentale?

— C'est-à-dire qu'il y a les anxieux et les adaptés.

— Mais, en gros, ces termes *d'adaptés* et *d'anxieux* correspon-

dent aux mots *malade* et *bien portant* dont se servent les profanes?
— Très en gros, oui.
— Selon vous, le commandant Queeg souffre-t-il d'un sentiment d'infériorité?
— Oui.
— Basé sur quoi?
— Traumas très graves dans l'enfance. Mais bien compensés.
— Y a-t-il une différence entre *compensé* et *adapté?*
— Très nette.
— Pourriez-vous nous l'expliquer?
— Eh bien... » Bird sourit et se cala sur son fauteuil. « Admettons que quelqu'un ait subi un choc psychologique qui a porté jusqu'au fond de son inconscient, et a créé un état anxieux bien ancré. Cela l'amènera à commettre des actes bizarres et le maintiendra dans un état de perpétuelle tension, mais sans qu'il sache jamais pourquoi. Il pourra *compenser* ce trouble en trouvant des exutoires à ses tendances, sous forme de volonté de puissance, de rêves éveillés ou de l'un quelconque des milliers d'expédients conscients. Mais il ne pourra jamais s'*adapter* s'il ne se soumet pas à la psychanalyse et si la cause de l'état anxieux dont il souffre n'est pas remontée de l'inconscient à la lumière.
— Est-ce que le commandant Queeg a été psychanalysé?
— Non.
— C'est donc un anxieux?
— Oui. Mais pas au point d'être inapte.
— Le docteur Lunden nous a déclaré qu'il était adapté. »
Bird sourit. « Question de terminologie, une fois de plus. Pour les freudiens, le mot d'adaptation a une signification spéciale. Le docteur Lundeen a voulu dire, en gros, que le sujet avait compensé le choc psychique reçu.
— Pouvez-vous nous préciser de quel choc psychique il s'agit, dans le cas du commandant?
— Je ne pourrais le faire avec exactitude sans une analyse complète.
— Vous n'avez aucune idée de la nature de ce choc?
— En surface, c'est assez clair évidemment. Le commandant Queeg sent inconsciemment qu'on ne l'aime pas parce qu'il est méchant, stupide et personnellement insignifiant. Ces sentiments de culpabilité et d'hostilité de l'entourage remontent à sa petite enfance.
— Comment les a-t-il compensés?
— De deux façons, surtout. Par des manifestations paranoïdes, inutiles et peu désirables, et par sa carrière navale, extrêmement utile et désirable.
— Vous dites que sa carrière militaire a pour origine un choc psychique?
— C'est le cas d'un grand nombre de carrières militaires. »
Greenwald lança un coup d'œil subreptice à Blakely. « Pour-

riez-vous nous expliquer ce que vous entendez par là, docteur?

— Simplement que cela représente une évasion, une occasion de retourner dans la matrice et de renaître, avec un nouveau moi immaculé. »

Challee se leva : « Jusqu'où va aller cette discussion technique et sans le moindre rapport avec l'affaire?

— Faites-vous objection à la question? demanda Blakely, mécontent.

— Je demande à la cour de limiter les pertes de temps occasionnées par la défense et ses oiseuses digressions.

— La cour prend note de cette requête. Que la défense continue le contre-interrogatoire. »

Greenwald reprit. « Docteur, avez-vous noté chez le commandant Queeg une manie étrange? Quelque chose qu'il faisait avec les mains?

— Vous voulez parler de sa manie de rouler des billes?

— Oui. Le faisait-il en votre présence?

— Pas pendant la première semaine. Puis il m'en a parlé et je lui ai dit de reprendre ses billes, si le fait de les avoir devait le mettre plus à l'aise. Et il les a reprises.

— Voulez-vous nous décrire en quoi consiste cette manie?

— Le sujet roule et fait s'entrechoquer perpétuellement entre ses doigts — des deux mains — deux billes.

— Vous a-t-il dit pourquoi il faisait cela?

— Parce que ses mains tremblent. Il le fait pour calmer le tremblement et le dissimuler.

— Pourquoi ses mains tremblent-elles?

— La tension intérieure. C'est l'un des symptômes superficiels.

— Est-ce que le fait de rouler des billes a une signification dans l'analyse freudienne? »

Bird regarda le tribunal avec gêne. « Vous pénétrez là dans le jargon technique.

— Ayez l'obligeance d'être aussi peu technique que possible.

— Tant que l'on n'a pas analysé le sujet, on ne peut que faire des hypothèses fondées sur les symboles. Il peut s'agir de masturbation refoulée. Ou encore de modelage de boulettes empoisonnées de matières fécales. Tout dépend du...

— De matières fécales?

— Dans le monde infantile l'excrément est un poison mortel, et par conséquent un instrument de vengeance. En ce cas, il s'agirait d'une expression de rage et d'hostilité contre le monde extérieur. » Les officiers du tribunal échangeaient des regards mi-amusés mi-horrifiés. Challee protesta à nouveau contre la perte de temps, et Blakely rejeta à nouveau son objection. Le président fixait le psychiatre freudien d'un regard hypnotisé comme s'il s'agissait d'une sorte de monstre.

— Docteur, poursuivit Greenwald, vous nous avez dit que le commandant était un sujet anxieux, et non adapté.

— Oui.

— Autrement dit, pour le profane, c'est un *malade*.

Bird sourit. « Je me souviens vous avoir accordé qu'il y avait, en gros, une ressemblance entre les termes *anxieux* et *malade*. Mais, si l'on va par là, énormément de gens sont malades...

— Mais nous ne considérons, dans cette affaire, que la maladie du commandant Queeg. S'il est malade, comment votre commission a-t-elle pu le déclarer sain?

— Je crois que vous jouez sur les mots. Nous ne l'avons pas trouvé inapte.

— Est-ce que sa maladie, grandement intensifiée, pourrait le rendre inapte?

— Très grandement intensifiée, oui. »

Greenwald lança, avec une brusque âpreté : « N'y a-t-il pas une autre possibilité, docteur?

— Que voulez-vous dire?

— Imaginez que les exigences du commandement soient beaucoup plus sévères que vous ne les croyez... est-ce que cette maladie même très légère ne rendrait pas Queeg inapte?

— Ceci est absolument hypothétique, parce que...

— Vous croyez? Avez-vous déjà servi en mer, docteur?

— Non.

— Avez-vous déjà *été* en mer?

— Non. » Bird perdait son assurance.

— Depuis combien de temps êtes-vous dans la Marine?

— Cinq mois... non, six je crois, mais...

— Avez-vous déjà eu affaire à des commandants de bateau avant le procès qui nous occupe?

— Non.

— Sur quoi basez-vous votre estimation des exigences du commandement?

— Eh bien, sur mes connaissances générales.

— Pensez-vous que le commandement requiert des gens exceptionnels, particulièrement doués?

— Non...

— Non?

— Pas particulièrement doués, non. Des réflexes adéquats, une intelligence relativement élevée, une formation et un entraînement suffisants, mais...

— Ces qualités que vous venez de citer, les jugeriez-vous suffisantes pour, disons, faire un bon psychiatre?

— Non, pas exactement... mais c'est un domaine différent...

— Autrement dit, il faut plus de capacités pour être psychiatre que commandant d'une unité de la Marine? » L'avocat regardait Blakely.

— Il faut... Il faut d'autres qualités. C'est vous qui amenez cette comparaison désobligeante, pas moi.

— Docteur, vous avez admis que le commandant Queeg était

malade, ce qui est plus que n'a fait le docteur Lundeen. Il ne reste
qu'à savoir malade *à quel point*. Vous ne pensez pas qu'il soit
suffisamment malade pour être inapte au commandement. Je
vous fais remarquer que, puisque de toute évidence vous ne savez
pas grand-chose des exigences du commandement, il est possible
que vous vous soyez trompé dans votre conclusion.

— Je considère votre remarque comme injustifiée. » Bird avait
l'air d'un garçonnet insulté. Sa voix tremblait. « Vous avez délibérément substitué le mot *malade,* qui est un mot vague, polarisé,
au terme correct...

— Excusez-moi, un mot comment?

— Polarisé... exagéré, péjoratif... je n'ai jamais dit malade.
Ma compréhension des exigences du commandement est adéquate,
sinon j'aurais refusé de faire partie de la commission.

— C'est peut-être ce que vous auriez dû faire. »

Challee cria : « Le témoin est persécuté.

— Je retire cette dernière déclaration. Pas d'autres questions. »
Greenwald retourna à sa place.

Pendant dix minutes, Challee s'efforça d'amener Bird à retirer
le mot de « malade ». Le jeune docteur était troublé. Il devint
querelleur et dogmatique et se réfugia dans un nuage de terminologie. Il refusa d'abandonner le mot. Challee finit par laisser
partir le psychiatre maintenant hostile et contrarié. Il fit mettre
parmi les pièces à conviction le rapport de la commission médicale,
le rapport du médecin d'Ulithi, plusieurs des rapports d'aptitude
de Queeg, et divers registres et livres de bord du *Caine*. L'accusation n'avait plus de témoins à citer.

— Il est trois heures, dit Blakely. La défense est-elle prête à
faire comparaître ses témoins?

— Je n'ai que deux témoins, commandant, dit le pilote. Le
premier est l'accusé.

— L'accusé demande-t-il la permission de témoigner?

Sur un signe de son avocat, Maryk se leva et dit : « Je demande
la permission de témoigner, commandant.

— Le greffier notera que la demande de l'accusé de témoigner
a été faite suivant les règles et que permission lui a été accordée.
La défense peut commencer l'interrogatoire. »

Maryk raconta ce qui s'était passé le matin du 18 décembre.
Sa version était une répétition de celle de Willie Keith. Greenwald
dit : « Au moment où vous avez relevé le commandant, le bateau
était-il à la dernière extrémité?

— Oui.

— Sur quels faits basez-vous ce jugement? »

Maryk se passa la langue sur les lèvres. « Plusieurs choses...
par exemple, nous ne pouvions plus garder la route. Nous venions
en travers tous les quart d'heure. Nous roulions si fort que l'inclinomètre se bloquait. Nous embarquions de l'eau dans la timo-

nerie. Les générateurs étaient en train de lâcher. La lumière et le compas ne marchaient plus que par à-coups. Le bateau ne répondait plus aux angles de barre les plus forts, ni aux combinaisons de machines. Le radar était déréglé par les échos des embruns. Nous avions perdu le contact avec la formation, et le contrôle du navire.

— Est-ce que vous avez fait remarquer tout cela au commandant?

— A plusieurs reprises, pendant une heure. Je l'ai supplié de lester et d'aller debout au vent.

— Qu'a-t-il répondu?

— Ma foi, la plupart du temps, il me regardait sans me voir et ne répondait pas, ou alors il répétait ses volontés.

— Qui étaient?

— De garder la route jusqu'au moment où on coulerait.

— Quand avez-vous commencé à tenir un journal médical sur le commandant?

— Un peu après le débarquement de Kwajalein.

— Pourquoi avez-vous entrepris ce travail?

— Je commençais à penser que le commandant était un malade mental.

— Pourquoi?

— L'histoire de la bouée colorante au large de Kwajalein, la privation d'eau, et puis le conseil de discipline de Stilwell.

— Décrivez ces trois événements en détail. »

Blakely interrompit le récit de l'incident de Kwajalein pour faire préciser au second les questions de point, de distance, et d'espace séparant le *Caine* des canots de débarquement. Il prit note des réponses. « Après ces trois épisodes, demanda Greenwald, pourquoi ne vous êtes-vous pas adressé directement aux autorités supérieures?

— Je n'étais pas sûr d'avoir raison. C'est pourquoi j'ai commencé le journal. Je me disais que si je m'apercevais que je m'étais trompé, je le brûlerais. Et si j'avais raison, cela ferait une documentation utile.

— Quand l'avez-vous montré au lieutenant Keefer?

— Après l'histoire des fraises, des mois plus tard.

— Parlez-nous de l'histoire des fraises. »

Maryk raconta l'histoire sans fioritures.

— Voyons, lieutenant. Après le typhon, le commandant Queeg a-t-il essayé de reprendre son commandement?

— Oui, le matin du 19. Nous venions de retrouver la formation et nous allions la rejoindre pour retourner à Ulithi.

— Dites-nous ce qui s'est passé.

— J'étais dans la chambre des cartes; je rédigeais un message pour signaler le relèvement à l'*O. T. C.* [1]. Le commandant est

1. *Officer of Technical Command.*

entré et a regardé par-dessus mon épaule. Il m'a dit : « Avant d'envoyer ça, cela vous serait-il égal de descendre dans ma cabine me parler? » J'ai accepté. Je suis descendu dans sa cabine et nous avons parlé. D'abord, ça a été la même chose qu'avant, il m'a dit que je passerais en conseil de guerre pour mutinerie. Il m'a dit : « Vous avez fait une demande de transfert dans la Marine d'active. Vous savez que ceci met fin à tous vos espoirs? » Puis il m'a expliqué en long et en large combien il aimait la Marine, il m'a dit qu'il n'avait pas d'autre intérêt dans la vie, et que cette histoire gâcherait sa carrière même s'il en sortait entièrement blanchi. Je lui ai dit que j'étais désolé pour lui, ce qui était vrai. Il m'a fait remarquer alors qu'il allait être relevé de toute façon d'ici quelques semaines, et que par conséquent ce que j'avais fait n'avançait pas à grand-chose. Pour finir, il m'a fait sa proposition. Il m'a dit qu'il oublierait toute l'histoire et qu'il ne me signalerait jamais, qu'il reprendrait le commandement et que toute l'affaire serait oubliée et rayée de tous les livres... que ce serait juste un incident dû à l'énervement général pendant le typhon.

— Et qu'avez-vous répondu à cette proposition?

— J'étais ahuri. Je lui ai dit : « Commandant, tout l'équipage est au courant. C'est inscrit dans le journal de bord et le journal de quart. J'ai déjà signé le journal de quart à titre de commandant. » A ce moment, il a tourné autour du pot, puis a fini par me faire comprendre que tous ces livres étaient remplis au crayon, que de toute façon il ne devait guère y en avoir plus de quelques lignes, et que ce ne serait pas la première fois que des corrections auraient été faites aux journaux de bord après coup.

— Lui avez-vous rappelé le règlement qui interdit d'effacer quoi que ce soit sur le journal de bord?

— Oui. Il a un peu ri et il a dit qu'il y avait loi et loi, et qu'il y avait la loi de l'instinct de conservation. Il m'a dit que c'était ça ou alors le conseil de guerre pour moi, et pour lui une mauvaise note qu'il n'avait pas méritée dans son dossier. Quelques lignes gribouillées au crayon ne valaient pas ça, d'après lui.

— Avez-vous persisté dans votre refus?

— Oui.

— Et alors, que s'est-il passé?

— Il s'est mis à me supplier. Ça a duré un moment et c'était très désagréable.

— Est-ce qu'il a agi de façon déraisonnée?

— Non... A un moment, il s'est mis à pleurer. Mais il était cohérent. Vers la fin, il est entré dans une rage terrible, il m'a crié d'aller me faire pendre si je voulais et de déguerpir de sa cabine. Alors, j'ai envoyé le message.

— Pourquoi n'avez-vous pas accepté l'offre du commandant?

— Je ne voyais pas comment je pourrais l'accepter.

— Mais le danger créé par le typhon était passé. Ne pensiez-vous pas qu'il était capable de ramener le bateau à Ulithi?

— J'avais déjà commis un acte officiel, et je ne pensais pas que gommer les registres y changerait quelque chose. Et puis, je continuais à croire qu'il était mentalement malade.

— Mais vous dites qu'il se comportait de façon cohérente.

— Le commandant Queeg était généralement cohérent, sauf dans les moments de grande tension, où il tendait à devenir mentalement inapte.

— Ainsi, vous aviez eu l'occasion, vingt-quatre heures après l'événement, de rayer toute l'affaire des registres officiels, avec le consentement du commandant?

— Oui.

— Lieutenant Maryk, avez-vous été pris de panique à un moment quelconque, pendant le typhon?

— Non.

— Comment pouvez-vous justifier cette déclaration?

— C'est-à-dire... par ce qui s'est passé. Après avoir relevé le commandant, et au plus fort du typhon, j'ai sauvé cinq survivants du *George Black*. Je ne crois pas qu'un officier pris de panique aurait pu effectuer ces sauvetages dans de semblables conditions.

— Avez-vous relevé le commandant Queeg de votre plein gré?

— Oui, je savais ce que je faisais.

— L'avez-vous relevé sans en avoir reçu l'autorisation?

— Non. J'étais autorisé par les articles 184, 185 et 186.

— L'avez-vous relevé sans cause justifiable?

— Non. J'étais justifié par le fait que le commandant avait été pris d'une défaillance mentale à un moment où le navire se trouvait en danger.

— Pas d'autres questions.

Challee s'avança vers Maryk, et lui dit d'un ton d'hostilité non dissimulée : « Pour commencer, monsieur Maryk, le commandant n'était-il pas sur la passerelle pendant tout le temps où vous avez opéré ce sauvetage?

— Si, il y était.

— Ne vous a-t-il pas ordonné de chercher les survivants?

— Il m'a dit qu'il m'ordonnait de le faire, alors que j'avais déjà commencé.

— Ne vous a-t-il pas donné des directives pendant toute l'opération de sauvetage?

— Il commentait tous mes ordres, si c'est cela que vous voulez dire.

— Est-ce que vous auriez pu opérer ces sauvetages sans les ordres ou, comme vous dites, les commentaires du commandant?

— J'ai essayé d'être poli. Il restait le plus ancien officier à bord présent. Mais j'étais trop occupé pour faire attention à ses commentaires et je ne m'en souviens pas.

-- N'a-t-il pas dû même vous rappeler une chose élémentaire comme de déborder le filet?

— Je tenais à ne déborder le filet qu'à la dernière minute. Je ne voulais pas qu'il soit emporté par les vagues. Il me l'a rappelé, mais il aurait pu ne pas le faire.

— Monsieur Maryk, quelle note vous donneriez-vous à vous-même s'il vous fallait juger votre loyauté à l'égard de votre commandant?

— Il m'est difficile de répondre.

— Je n'en suis pas surpris. Quarante? Vingt-cinq? Zéro?

— Je crois que j'étais un officier loyal.

— Avez-vous délivré une permission de soixante-douze heures à Stilwell, en décembre 1943, à l'encontre des instructions expresses du commandant?

— Oui.

— Vous appelez cela faire preuve de loyauté?

— Non. C'était un acte déloyal. »

Challee fut pris au dépourvu. Il regarda Maryk avec attention. « Vous admettez avoir accompli un acte déloyal dès vos débuts au poste de second?

— Oui.

— Très intéressant. Pourquoi avez-vous accompli cet acte déloyal?

— Je n'ai pas d'excuse. Je n'ai plus jamais recommencé après.

— Mais vous admettez avoir commencé votre carrière de second comme vous l'avez finie, déloyalement?

— Je n'admets pas avoir fini déloyalement.

— Avez-vous entendu les autres officiers émettre des remarques sarcastiques et insultantes au sujet de votre commandant?

— Oui.

— Comment les en avez-vous punis?

— Je ne les ai pas punis. Je les ai avertis à plusieurs reprises d'avoir à s'abstenir de ces remarques, et je ne les autorisais pas en ma présence.

— Mais vous ne leur avez infligé aucune punition pour cette attitude de pure insubordination? Pourquoi?

— Parce qu'il y a des limites à ce qu'on peut faire dans une situation donnée. »

Challee reprit en détail tout le récit qu'avait fait Maryk du typhon, et y trouva des petites contradictions et des lapsus de mémoire. Mais le second ne se départit pas un instant de sa morne impassibilité : il admit avoir commis des erreurs et s'être contredit, mais se cramponna à son histoire. Puis le procureur en vint à la formation de Maryk; il fit révéler à celui-ci que ses notes, au collège et à l'université, avaient été inférieures à la moyenne, et qu'il n'avait jamais suivi le moindre cours de psychiatrie.

— Mais alors où avez-vous pris toutes vos grandes idées concernant la paranoïa?

— Dans des livres.

— Quels livres? Citez les titres.

— Des livres médicaux qui traitaient de déficiences mentales.

— C'était votre dada intellectuel, la psychiatrie?

— Non. J'ai emprunté ces livres à des médecins de bord, par-ci par-là, quand j'ai commencé à penser que le commandant était malade.

— Et vous avez cru, avez *votre* culture, pouvoir comprendre ces ouvrages hautement techniques et complexes?

— J'en ai tiré des renseignements.

— Avez-vous déjà entendu dire que « savoir un peu était dangereux »?

— Oui.

— Vous vous êtes bourré le crâne de termes auxquels vous n'avez rien compris, et cela vous a suffi pour oser déposer un commandant sous prétexte de maladie mentale. C'est bien cela?

— Je ne l'ai pas relevé à cause de ce qu'on disait dans les livres. Le bateau était en danger...

— Peu importe le bateau. Nous parlons de vos connaissances en psychiatrie. » Challee lui assena coup sur coup des douzaines de termes de psychiatrie, lui demandant de les définir et de les expliquer. Il amena le second à ne proférer que de maussades monosyllabes et à répéter à plusieurs reprises : « Je ne sais pas.

— En fait, quand vous discutez de maladie mentale, vous ne savez pas de quoi vous parlez, c'est bien cela?

— Je n'ai pas dit que je m'y connaissais beaucoup.

— Et pourtant, vous avez cru vous y connaître assez pour commettre un acte qui ne serait peut-être qu'une mutinerie pure et simple, en prenant comme justification votre expérience du diagnostic psychiatrique?

— Je voulais sauver le bateau.

— Quel droit aviez-vous d'usurper la responsabilité du commandant sur ce chapitre... mise à part votre perspicacité en matière de psychiatrie?

— Eh bien, je... Maryk le regarda et se tut.

— Répondez à la question, je vous prie! Ou bien votre acte était justifié par votre diagnostic du cas de Queeg... ou bien c'était la plus grave violation de la discipline navale dont vous ayiez pu vous rendre auteur. Est-ce exact?

— S'il n'avait pas été malade, ç'aurait été un acte de mutinerie. Mais il était malade.

— Avez-vous entendu le diagnostic des psychiatres qui sont venus témoigner à cette barre?

— Oui.

— Quel a été ce diagnostic... était-il ou n'était-il pas malade le 18 décembre?

— Ils disent qu'il ne l'était pas.

— Lieutenant Maryk, est-ce que vous vous croyez mieux à même de diriger votre bateau que le commandant?

— Dans des conditions normales, le commandant pouvait le diriger. Autrement, il devenait bizarre.

— Est-ce que le contraire n'est pas possible, que ce soit *vous* qui deveniez bizarre dans des conditions anormales, et que vous soyez alors incapable de comprendre les décisions parfaitement logiques de votre commandant? Qu'en pensez-vous?

— C'est possible, mais...

— Entre un commandant et un second lequel est censé, aux yeux de la Marine, savoir mieux diriger un bateau?

— Le commandant.

— Voyons, lieutenant, votre soi-disant justification consiste, en fait, en deux assertions : *primo* que le commandant était mentalement malade, *secundo* que le bateau était en danger, c'est bien cela?

— Oui.

— Les médecins ont conclu qu'il n'était pas mentalement malade, n'est-ce pas?

— C'est ce qu'ils pensent, oui.

— Donc, le tribunal doit estimer que c'est l'estimation du commandant et non la vôtre qui compte, en ce qui concerne le danger couru par le bateau? »

Maryk dit : « Oui, mais... n'oubliez surtout pas que les médecins peuvent se tromper. Ils n'étaient pas sur place.

— Ainsi votre système de défense, lieutenant Maryk, se réduit à ceci. Un diagnostic psychiatrique qui vous a été inspiré au pied levé — et en dépit de votre ignorance avouée de la psychiatrie — est plus valable que les conclusions de trois psychiatres qui, pendant trois semaines, ont procédé à un examen complet et qualifié. C'est cela votre défense, ou est-ce que je me trompe? »

Maryk fit une longue pause, puis dit d'une voix haletante : « Tout ce que je peux dire, c'est qu'ils ne l'ont pas vu quand le bateau était dans une mauvaise passe. »

Challee se tourna vers les juges et eut un large sourire. Il poursuivit : « Quel était le troisième officier à bord sur le plan hiérarchique?

— Le lieutenant Keefer.

— Était-il un bon officier?

— Oui.

— Quelle est sa situation dans la vie civile?

— Il est écrivain.

— Pensez-vous que son cerveau vaille le vôtre? Ou qu'il est peut-être plus intelligent?

— Plus intelligent peut-être.

— Lui avez-vous montré votre journal médical?

— Oui.

— Celui-ci l'a-t-il convaincu que le commandant était mentalement malade?

— Non.

OURAGAN SUR D. M. S. « CAINE »

— Vous a-t-il déconseillé, deux semaines avant le typhon, d'essayer de faire relever le commandant?

— Oui.

— Et pourtant deux semaines plus tard, en dépit de tout le poids de la discipline navale, en dépit des avis de l'officier qui venait immédiatement après vous, qui de votre propre aveu, vous était intellectuellement supérieur, et qui vous avait précédemment convaincu que votre diagnostic était erroné, vous n'avez pas hésité et vous vous êtes saisi du commandement de votre bateau?

— J'ai relevé le commandant parce qu'il paraissait nettement malade pendant le typhon.

— Ne pensez-vous pas qu'il est illogique, et vraiment prétentieux, de vous tenir à votre diagnostic d'ignorant, allant ainsi à l'encontre des conclusions de trois psychiatres? »

Maryk jeta un regard malheureux vers Greenwald, lequel avait les yeux fixés sur sa table. Le second avait le front plissé de rides. Il secoua la tête de côté et d'autre, comme un taureau agacé. « Ça en a peut-être l'air, je ne sais pas.

— Très bien. Voyons maintenant. Cette stupéfiante entrevue, durant laquelle le commandant vous a proposé de falsifier les livres officiels, a-t-elle eu des témoins?

— Non, nous étions seuls dans la cabine du commandant.

— Y a-t-il eu des notations gommées? Existe-t-il le plus petit semblant de preuve pouvant confirmer votre histoire?

— Le commandant sait que cela s'est passé comme ça.

— Vous comptez sur l'officier même que vous diffamez pour confirmer votre insultante diffamation?

— Je ne sais pas ce qu'il dira.

— Et vous prédisez que le commandant Queeg se parjurera à la barre?

— Je ne prédis rien du tout.

— Est-il possible que vous n'ayez imaginé cette histoire, qui ne peut être confirmée ou réfutée que par l'autre partie intéressée, que pour étayer votre magnifique défense, qui est que vous vous y connaissiez mieux en psychiatrie que les psychiatres?

— Je ne l'ai pas imaginée.

— Mais vous *continuez* à imaginer que votre diagnostic de l'état du commandant a plus de valeur que celui des médecins?

— Seulement... seulement pour l'état où il était le matin du typhon », bredouilla Maryk. Son front bronzé était couvert de sueur.

— Pas d'autres questions, dit Challee d'un ton sarcastique.

Maryk regarda son avocat. Greenwald secoua légèrement la tête et dit : « Pas de nouvel interrogatoire de la défense. » Le second descendit de l'estrade des témoins, l'air stupéfait. Blakely ajourna la séance quand Greenwald lui eut dit que le dernier témoin de la défense, le commandant Queeg, comparaîtrait le lendemain matin.

CHAPITRE XXXVI

QUEEG CONTRE GREENWALD

L A défense fit placer parmi les pièces à conviction des photostats des rapports d'aptitude de Maryk, puis fit appeler Queeg. L'ex-commandant du *Caine* arriva avec.la même attitude débonnaire et assurée que le premier jour. Le second s'étonna de nouveau du changement produit par le soleil, le repos et un uniforme neuf. Queeg ressemblait à une affiche représentant un commandant de Marine.

Greenwald passa sans perdre de temps à l'attaque. « Commandant, est-ce que le matin du 19 décembre vous avez eu, dans votre cabine, une entrevue avec le lieutenant Maryk?

— Voyons. C'était le lendemain du typhon? Oui, en effet.

— Est-ce vous qui avez provoqué cette entrevue?

— Oui.

— Quelle en a été la substance?

— Eh bien, comme j'ai dit, j'étais navré pour lui. Cela m'ennuyait de le voir gâcher sa vie à cause d'une erreur commise sous le coup de la panique. D'autant plus que je savais qu'il espérait faire une carrière dans la Marine. J'essayai autant que je pus de lui montrer quelle avait été son erreur. Je lui conseillai de me rendre le commandement et lui offris de faire un rapport aussi modéré que possible de ce qui s'était passé.

— Quelle a été sa réponse?

— Comme vous savez, il a persisté dans la voie qui l'a mené au conseil de guerre.

— Vous dites que vous étiez navré pour lui. N'étiez-vous pas inquiet des répercussions que pouvait avoir cet incident sur votre propre carrière?

— Au fond, je savais très bien que le verdict des médecins serait ce qu'il a été. Je ne peux donc pas dire que j'étais très inquiet.

— Avez-vous proposé de ne pas signaler l'incident du tout?

— Bien sûr que non. J'ai dit que je pourrais atténuer mon rapport au maximum.

— De quelle manière auriez-vous pu l'atténuer?

— Eh bien, j'ai pensé qu'il y avait des circonstances atténuantes. La situation avait été difficile et un officier sans grande expérience pouvait avoir perdu la tête. Et puis, il y avait eu le sauvetage, qu'il avait mené à bien sous ma direction. Je pensais surtout qu'en me rendant mon commandement, il reconnaîtrait son erreur. C'était la seule chose qui, à ce moment-là, pouvait encore le sauver.

— Vous n'avez à aucun moment proposé de ne pas signaler l'incident?

— Comment l'aurais-je pu? Il était déjà signalé dans les livres.

— Ces livres étaient-ils remplis au crayon, à la machine ou comment?

— Cela n'y changeait rien.

— Étaient-ils au crayon, commandant?

— Voyons donc. Oui, probablement... Le journal de bord et de quart sont toujours au crayon. J'aurais été étonné que le secrétaire ait pris la peine de taper des comptes rendus au milieu de l'affolement général.

— Avez-vous proposé de gommer l'incident des livres et de ne pas le signaler du tout?

— Certes non. Il est interdit de gommer les livres.

— Commandant, le lieutenant Maryk a déclaré sous serment que vous lui aviez fait semblable proposition. Pas seulement cela, mais que vous l'avez supplié, que vous avez pleuré même pour le faire consentir à effacer ces quelques lignes au crayon, en retour de quoi vous lui avez promis d'étouffer l'incident complètement et de ne pas faire de rapport.

— Ce n'est pas vrai. » Le commandant s'exprimait d'une voix calme et sans humeur aucune.

— Il n'y a rien de vrai dans tout cela?

— C'est en fait une déformation de ce que je vous ai dit. Ma version est l'exacte vérité.

— Vous niez avoir proposé de gommer les livres et d'étouffer l'affaire?

— Je le nie formellement. Il l'a inventé. Aussi bien le fait que je l'aie supplié que mes larmes. C'est insensé!

— Vous accusez Mr. Maryk de parjure?

— Je ne l'accuse pas. Il est suffisamment accusé déjà. Seulement Mr. Maryk est fort capable de vous dire un tas de choses extraordinaires sur mon compte, voilà tout.

— Est-ce qu'il n'est pas évident que l'un de vous deux ne dit pas la vérité en ce qui concerne cette entrevue?

— Il semble, oui.

— Pouvez-vous prouver que ce n'est pas vous?

— Je ne peux que mettre sous vos yeux un passé sans tache de huit années en tant qu'officier de marine, opposé à la parole d'un homme accusé d'un acte de mutinerie.

— Donc, sur ce point, c'est sa parole contre la vôtre?

— Il n'y avait malheureusement personne d'autre dans ma cabine à ce moment-là.

— Commandant, avez-vous conseillé au commodore d'Ulithi de laisser Maryk emmener le *Caine* au golfe de Lingayen?

— Je pensais bien que cela reviendrait sur le tapis. Oui, en effet.

— Et cela bien que, à en croire votre récit, vous l'ayez vu être pris de panique à un moment critique et commettre une erreur... une erreur de la plus extrême gravité?

— Ma foi, je ne proposais pas qu'on lui donne un commandement. Le commodore m'avait fait remarquer que la Marine avait un besoin urgent de dragueurs de mines. Il m'avait demandé d'oublier toutes considérations d'ordre personnel. C'est ce que j'ai fait. Maryk s'était vanté de la formation que je lui avais donnée. Et si, à cause de cela, il se fait acquitter et que moi j'aie une mauvaise note sur mon dossier jusqu'à la fin de ma carrière navale, cela ne m'empêchera pas de dire que j'ai agi comme il fallait.

— Comment pouviez-vous être certain qu'il ne serait pas à nouveau pris de panique et qu'il ne commettrait pas une nouvelle erreur qui coûterait la vie à tous?

— Il ne l'a pas fait, n'est-ce pas? J'avais pris un risque et il n'a pas fait d'autre erreur.

— Commandant, le *Caine* a été touché par un Kamikaze à Lingayen, et pourtant, Maryk a ramené le bateau sain et sauf. Cela ne vous étonne-t-il pas de la part d'un homme susceptible d'être égaré par la panique?

— Si j'ai bien compris, l'avion suicide n'a fait que les effleurer, les a pratiquement manqués. Et d'ailleurs, rien ne me dit que Keefer n'a pas pris la situation en main à ce moment-là. Keefer est un officier remarquable, le meilleur à bord. J'avais plus confiance en lui qu'en Maryk.

— Commandant Queeg, avez-vous reçu cent dix dollars de la main du sous-lieutenant Keith?

— C'est possible. Je ne m'en souviens pas à première vue.

— Il a déclaré vous les avoir remis.

— Ah oui? En quelles circonstances?

— A propos de la perte d'une caisse vous appartenant dans la baie de San-Francisco. Il a pris la responsabilité de cette perte et vous en a dédommagé.

— En effet. Je m'en souviens maintenant. C'était il y a plus d'un an. Aux environs de décembre. Il était responsable de la perte, il a insisté pour me rembourser et l'a fait.

— Qu'y avait-il dans cette caisse qui valait cent dix dollars?

— Des effets personnels. Je ne me rappelle plus. Probablement des uniformes, des livres, des instruments de navigation... ce qu'il y a généralement dans les caisses.

— Vous rappelez-vous cette somme de cent dix dollars?

— Ce devait être quelque chose comme ça, je ne sais plus exactement.

— Comment se fait-il que Keith ait été responsable de la perte?

— Il était chargé du débarquement de la caisse. Il a donné des ordres stupides et contradictoires. Les hommes se sont affolés et ils ont laissé tomber la caisse, qui a coulé.

— C'était une caisse de bois, pleine de vêtements, et elle a coulé?

— Il devait y avoir d'autres choses dedans, je suppose. J'avais emporté des coraux en souvenir.

— Commandant, cette caisse ne contenait-elle pas uniquement des bouteilles d'alcool?

Après une pause à peine perceptible — le temps d'un battement de cœur, pas plus — Queeg répondit : « Certainement pas.

— Keith a déclaré que vous lui aviez fait payer trente et une bouteilles d'alcool.

— Keith et Maryk vous raconteront bien des choses étranges sur mon compte. Ce sont les deux coupables de l'affaire et ils sont capables d'inventer n'importe quoi.

— Est-ce que vous aviez fait cette caisse vous-même?

— Non, je l'avais fait faire par mon menuisier.

— Comment s'appelait-il?

— Je ne me rappelle pas. Vous trouverez son nom sur les états du personnel. Il a quitté le bateau depuis longtemps.

— Où est ce menuisier maintenant, commandant?

— Je ne sais pas. Le commodore de la plage de Funafuti m'avait demandé un menuisier et je lui avais envoyé celui-là. C'était en mai.

— Vous ne vous rappelez pas son nom?

— Non.

— N'était-ce pas le menuisier de seconde classe Otis F. Langhorne?

— Lang, Langhorne. Cela à l'air d'être ça.

— Commandant, un menuisier de première classe du nom de Otis F. Langhorne se trouve actuellement à Treasure Island, ici dans la région, où il suit des cours d'entretien du matériel. La défense a la permission de le faire venir à la barre en cas de besoin. »

Queeg se trouva absolument pris de court. Sa tête s'enfonça dans ses épaules. Il lança un regard en direction de Challee. « Vous êtes certain que c'est le même?

— Son dossier indique qu'il a passé vingt et un mois sur le *Caine*. Ce dossier porte votre signature. Croyez-vous qu'il faille cependant le faire venir, commandant? »

Challee dit : « Je fais objection à cet interminable questionnaire oncernant une caisse qui n'a aucun rapport avec l'affaire, et demande qu'il soit rayé du procès-verbal. »

Greenwald dit : « La défense s'efforce d'établir la crédibilité du témoin. Rien ne saurait avoir un rapport plus étroit avec l'affaire. »

L'objection de Challee fut rejetée et la question répétée. Queeg dit : « Eh bien, il faudrait savoir quelle caisse Langhorne a clouée. Je me souviens maintenant que j'en avais deux.

— Ah? » Greenwald fit une longue pause. « Ah, ah! Voilà un point nouveau, et non mentionné par Keith. Est-ce que Langhorne a fait deux caisses, commandant?

— Mon Dieu, je ne me souviens pas si j'ai fait faire deux caisses à la fois ou à des moments différents. Tout cela est sans grand intérêt, cela s'est passé il y a longtemps, j'ai eu un an de combats et un typhon, plus cette histoire d'hôpital entre temps, et tout s'embrouille un peu. Autant que je me souvienne, il y a eu deux caisses en deux occasions différentes.

— Quelle était la seconde occasion?

— Je ne me rappelle plus. Peut-être même était-ce avant la guerre.

— Vous avez perdu les deux caisses dans la baie de San-Francisco?

— Comme j'ai dit, je m'embrouille, je ne me rappelle plus.

— Commandant, il y a dans ce procès diverses questions dont la solution repose sur votre crédibilité face à celle des autres officiers. Si vous le désirez, je vais demander une suspension de cinq minutes afin de vous permettre de vous rappeler aussi nettement que possible ce qu'il en est pour ces deux caisses.

— Ce ne sera pas nécessaire. Laissez-moi seulement réfléchir quelques instants, je vous prie. » Il y eut un silence, et l'on entendit le crayon de Blakely que celui-ci faisait rouler contre le bois de la table. Queeg fixait le plancher. Il dit enfin : « Bon. J'y suis maintenant. Je m'étais trompé. J'ai perdu une caisse dans le port de San-Diego, en 38 ou 39 je crois, et dans des circonstances analogues. C'était celle-là qui contenait des vêtements. Celle qu'a perdu Keith contenait en effet de l'alcool.

— Trente et une bouteilles?

— Quelle que chose comme ça.

— Comment vous êtes-vous procuré trente et une bouteilles de...

Challee dit : « Je ferai remarquer à la cour que le Code demande que les interrogatoires soient brefs et se rapportent à des faits matériels ayant un rapport avec l'affaire. Rien ne sert que je ralentisse sans cesse les débats de mes objections. Je conteste l'ensemble de la tactique de la défense qui s'étend à l'infini sur des faits n'ayant aucun rapport avec l'affaire et ne faisant que l'embrouiller.»

Blakely dit : « La cour n'ignore pas les qualités requises d'un interrogatoire et remercie le procureur de les avoir rappelées ici. La parole est à la défense.

— Comment vous êtes-vous procuré trente et une bouteilles

de whisky, en pleine guerre, commandant? demanda Greenwald.

— J'ai racheté les rations de mes officiers à la cantine, à Pearl.

— Et vous avez ramené cet alcool de Pearl en Amérique sur votre bateau? Savez-vous que le règlement... »

Queeg l'interrompit : « Je connais le règlement. La caisse avait été scellée avant notre départ. Je l'ai fait arrimer comme l'eau-de-vie utilisée à l'infirmerie. Il n'y avait pas d'alcool en Amérique, et il y en avait à Pearl. Je venais de passer trois ans ininterrompus dans la zone de combat. Je me suis accordé cette faveur en tant que commandant du *Caine* et d'ailleurs tout le monde le faisait, c'était, comme on dit, un privilège du rang. Je n'avais pas l'intention de le dissimuler au tribunal et je n'en ai pas honte. J'ai mélangé les deux caisses dans ma tête, voilà tout.

— Keith a déclaré, commandant, que c'est vous-même qui avez dirigé toute la manœuvre qui s'est terminée par la perte de la caisse.

— Il ment.

— Il dit aussi que vous avez refusé de lui signer sa permission avant qu'il vous ait remboursé.

— Autre mensonge.

— Nous retombons dans le même cas, commandant. Cette fois, c'est votre parole contre celle de Keith, c'est bien cela?

— Keith ne vous dira que des mensonges sur mon compte. Il a pour moi une haine démente.

— Savez-vous pourquoi, commandant?

— Je ne sais, à moins qu'il ne m'en veuille des injustices qu'il imagine que j'ai commises contre son cher Stilwell. Ces deux-là avaient beaucoup d'affection l'un pour l'autre.

— D'affection, commandant?

— Enfin, ce que je sais, c'est que chaque fois que Keith croyait que je regardais Stilwell de travers, il grognait et me faisait la tête comme si je m'en étais pris à sa femme, ou Dieu sait qui. Je ne sais pas comment expliquer autrement que ces deux-là se soient si vite mis d'accord pour soutenir Maryk quand il m'a relevé, s'ils n'étaient pas vraiment bien ensemble d'une façon ou d'une autre.

— Commandant, insinueriez-vous qu'il y ait eu des relations anormales entre le sous-lieutenant Keith et Stilwell?

— Je n'insinue rien du tout, dit Queeg avec un petit sourire. Je cite des faits, et tous ceux qui avaient des yeux pour voir les connaissent aussi bien que moi. »

Greenwald se tourna vers Blakely. « La cour désire-t-elle avertir le témoin de la gravité inhérente à son insinuation?

— Je n'insinue rien! clama Queeg d'un ton irrité. J'ignore s'il s'est passé quoi que ce soit d'anormal entre ces deux hommes et je nie avoir fait une insinuation! J'ai dit que Keith prenait toujours le parti de Stilwell, ce qui est la chose au monde la plus facile à prouver, et je n'ai rien dit ni voulu dire d'autre. Je déplore qu'on déforme mes paroles. »

Blakely, le visage tout plissé, dit à Greenwald : « Allez-vous poursuivre sur ce sujet?

— Non, commandant.

— Bon, continuez.

— Commandant Queeg, durant la période où le *Caine* remorquait des cibles à Pearl Harbor, vous est-il arrivé de passer sur votre câble et de le couper?

— Objection! » Challee s'était dressé à nouveau. Blakely lui lança un regard franchement agacé et suspendit la séance, ordonnant aux deux avocats de rester dans la salle.

Le visage de Challee était d'un gris de plomb. « Je demande l'indulgence de la cour, mais je suis contraint de faire objection. Cette histoire de câble est la goutte qui fait déborder le vase. La tactique de la défense est une insulte à la dignité de la procédure. L'avocat de la défense transforme systématiquement ces débats en un procès dont l'accusé serait le commandant Queeg. Il s'écarte complètement de l'affaire jugée. Il s'efforce de salir Queeg et rien d'autre. »

Greenwald dit : « L'accusation a laissé entendre sans ambages qu'elle considérait le cas comme réglé par le témoignage des psychiatres. Elle désirerait peut-être que la défense change de tactique et plaide coupable. Mais je soutiens qu'il appartient encore à la cour, et non à des médecins exerçant à terre, de juger si le commandant du *Caine* était assez sain d'esprit pour garder le contrôle de lui-même et exercer convenablement son commandement pendant un typhon. Toute l'affaire est là. Et je n'ai pas d'autres moyens d'éclaircir la question que de passer en revue le comportement du témoin durant toutes les situations critiques qui ont précédé le typhon.

— L'avocat de la défense est prié de se retirer quelques instants.

— Je fais respectueusement remarquer à la cour, dit Challee, qu'à mon sens, si mon objection est rejetée, cela constituera une erreur fatale dont les conséquences rejailliront sur la procédure tout entière et dont il résultera une erreur judiciaire.

— Très bien, retirez-vous. »

L'attente dura un quart d'heure. « Objection rejetée, décida la cour. Le témoin répondra à la question. » Challee se rassit avec l'air d'avoir reçu un grand coup. Le greffier relut la question concernant le câble de remorque.

Queeg répondit très vite : « Eh bien, voilà qui fera un sort à cette calomnie-là. J'ai vu des obus de D. C. A. éclater à bâbord. J'étais assez inquiet car je pensais que mon bateau pouvait se trouver dans le champ de tir d'une unité quelconque. Nous étions dans la zone de tir et il me fallait faire très attention. Ce même Stilwell, qui est un garçon rêveur et en qui on ne peut avoir aucune confiance, était à la barre. Il ne me prévint pas que nous faisions un tour complet de 360°. Je finis quand même par me rendre compte de ce qui se passait et par faire changer la route immé-

diatement, de sorte qu'à ma connaissance nous ne sommes pas
passés sur le câble. Seulement, celui-ci s'est rompu dans le virage.
Il y a eu beaucoup de racontars, lancés surtout par Keith et Stilwell, et disant que j'avais coupé le câble de remorque. Dans mon
rapport au ComServPac, j'ai donné comme raison de la rupture
l'état défectueux du câble. Or, on était au courant des racontars.
On était au courant aussi de ce qui s'était passé. Et on accepte
mon rapport. Donc, à mon avis, les bavards avaient peut-être
raison, mais je considère qu'il y a bien plus lieu de se fier au jugement du ComServPac qu'au leur. »

Greenwald acquiesça. « Vous avez été distrait, dites-vous, par
des obus de D. C. A. N'avez-vous été distrait par rien d'autre?

— Pas que je me souvienne.

— Étiez-vous, au moment où votre bateau tournait à 360°,
occupé à réprimander un matelot qui avait sa chemise sortie de
son pantalon?

— Qui a dit ça, Keith encore?

— Voudriez-vous répondre à la question, commandant?

— C'est un mensonge, bien entendu.

— Urban était-il sur la passerelle à ce moment-là?

— Oui.

— Sa chemise était-elle sortie?

— Oui, et je l'ai réprimandé. Cela m'a pris environ deux secondes.
Je n'ai pas l'habitude de m'étendre sur de pareils détails. J'ai été
distrait par le tir, et c'est tout.

— Avez-vous attiré l'attention de l'officier de quart ou du
second sur ces éclats de D. C. A.?

— Peut-être. Je ne me rappelle pas. Je ne passais pas mon temps
à aller pleurnicher devant mon officier de quart. Je ne lui en ai
peut-être même pas parlé. Et puisque cette histoire de chemises
vient sur le tapis... j'en profite pour déclarer que l'enseigne Keith,
qui en tant que chargé de morale, était censé faire respecter les
règlements concernant l'uniforme, ne s'est jamais acquitté de
son travail. Quand j'ai pris le bateau en mains, on aurait dit une
jonque chinoise. J'insistais toujours pour que Keith fasse attention
à ces pans de chemise et il n'en faisait qu'à sa tête, et je ne suis
pas encore sûr que ce ne soit pas pour ça qu'il me détestait et
faisait circuler ces histoires de câbles de remorque coupés.

— L'enseigne Keith ne nous a rien dit à ce sujet, commandant.
Pouvez-vous nommer un officier qui pourra venir témoigner qu'il
a vu ces éclats de D. C. A.?

— Ils les ont peut-être tous vus, ou cela leur a à tous échappé.
Cela s'est passé il y a quinze mois, entre temps nous avons fait la
guerre et nous avons eu à nous préoccuper de bien autre chose
que de quelques éclats de D. C. A. au large de Pearl.

— Avez-vous lancé une bouée colorante au large de l'île Jacob
le premier jour du débarquement de Kwajalein?

— Peut-être. Je ne me rappelle pas.

— Est-ce que le lancement de cette bouée était mentionné dans votre ordre de mission?

— Je ne me rappelle pas. J'ai participé à plusieurs autres débarquements depuis.

— Vous rappelez-vous quelle était votre première mission dans ce débarquement?

— Oui. Conduire un groupe de canots de débarquement jusqu'à la ligne de départ vers l'île Jacob.

— Avez-vous rempli cette mission?

— Oui.

— Pourquoi avez-vous lancé la bouée colorante?

— Je ne suis pas sûr d'en avoir lancé une.

— Commandant, l'ordre de mission du *Caine* ce matin-là est classé dans les archives, et il n'y est pas fait mention d'une bouée colorante. La cour a entendu plusieurs témoignages attestant que vous avez lancé une bouée colorante ce jour-là. Niez-vous ces témoignages?

— Il se peut que je l'aie lancée pour marquer clairement la ligne de départ, si vraiment je l'ai fait, mais tout cela n'est pas clair dans mon esprit.

— A combien la ligne de départ était-elle de la plage?

— A mille mètres, autant que je me souvienne.

— Êtes-vous resté près des canots de débarquement?

— Je ne voulais évidemment pas les faire chavirer dans les remous de l'étrave, je restais un peu devant.

— A combien devant?

— Tout cela s'est passé il y a un an...

— Cinquante mètres? Cent mètres?

— Je ne sais pas. Quelques centaines de mètres. peut-être.

— Commandant, êtes-vous arrivé à un mille devant les canots, avez-vous lancé votre bouée, puis vous êtes-vous retiré à toute allure en laissant les canots chercher la ligne de départ du mieux qu'ils pouvaient?. »

Challee se mit debout d'un bond. « La question est abusive et de toute évidence insidieuse.

— Je suis prêt à la retirer, dit Greenwald d'un ton las, puisque le commandant semble avoir une faible mémoire, et en venir à des événements plus récents.

— Le tribunal désire interroger le témoin », dit Blakely. Greenwald regagna sa place, observant le visage du président. « Commandant Queeg, dit Blakely, étant donné ce qu'implique cet interrogatoire, je vous prie de faire effort pour répondre avec précision.

— C'est ce que je fais, commandant, mais, comme je dis, tout ça, ce sont des questions de détail et j'ai fait plusieurs campagnes depuis Kwajalein, j'ai traversé un typhon, il y a maintenant cette histoire...

— Je comprends très bien. En cas de nécessité, la cour pourra être ajournée pendant plusieurs jours, ce qui permettra de réunir les dépositions d'officiers et d'hommes ayant participé au groupe de débarquement en question. Vous faciliterez la tâche de la justice si vous parvenez à rafraîchir vos souvenirs suffisamment pour nous donner quelques réponses précises concernant des faits. Avant tout, pouvez-vous rappeler si vos ordres faisaient mention d'une bouée colorante?

— Pour autant que je me souvienne, non. On peut le vérifier dans les archives. Mais je crois pouvoir affirmer qu'il n'était pas question de bouée, je me le rappelle maintenant.

— Très bien. Voulez-vous, je vous prie, nous répéter pourquoi vous en avez lancé une?

— Pour marquer clairement la ligne de départ, je suppose.

— Les canots étaient-ils sur la ligne de départ quand vous avez tourné le dos à la plage?

— Aussi près que possible, oui. Tout ça était une question de relèvement de pointes et de distances au radar, mais je les ai conduits aussi près de la ligne qu'il était humainement possible.

— En ce cas, commandant, s'ils étaient déjà sur la ligne, quel était l'intérêt de la bouée colorante?

Queeg hésita : « Disons que c'était une mesure de sécurité supplémentaire. J'ai peut-être eu le tort de me montrer trop précautionneux, mais j'ai toujours pensé qu'on ne se trompait jamais en voulant accumuler les sécurités.

— Entre le moment où vous avez rencontré les canots et celui où vous avez jeté la bouée, commandant, quelle a été la plus grande distance entre les canots et vous?

— C'est-à-dire que sur l'eau les distances sont difficiles à juger avec précision, surtout quand il s'agit de ces embarcations basses.

— Étiez-vous resté à portée de voix, demanda Blakely avec une note d'impatience dans la voix.

— De voix? Non. Nous communiquions par signaux à bras. J'aurais pu les noyer si j'étais resté si près. »

Blakely désigna l'officier roux qui se trouvait le dernier à gauche au banc de la cour. « Le lieutenant Murphy a informé la cour qu'il s'est trouvé commander des canots dans des circonstances analogues durant trois débarquements. Il me dit que d'ordinaire l'escorte restait toujours à portée de voix, jamais à plus de cent ou cent cinquante mètres des canots. »

Queeg s'enfonça dans son fauteuil, et regarda le lieutenant par-dessous ses sourcils. « C'est bien possible. Ce jour-là, il y avait du vent, et l'étrave déplaçait beaucoup d'eau. Il était plus simple de communiquer par signaux à bras que de s'escrimer à hurler dans des porte-voix.

— Est-ce vous qui dirigiez la manœuvre? »

Queeg fit une pause. « Je me rappelle maintenant que la manœuvre était dirigée par le lieutenant Maryk et que j'ai dû l'avertir de ne pas laisser trop s'élargir la distance entre les canots et nous.

— Quelle était-elle, cette distance?

— Je ne pourrais pas le dire, mais à un moment donné il y a eu nettement trop d'eau entre eux et nous; j'ai appelé Maryk dans un coin et je lui ai dit de ne pas trop s'éloigner des canots.

— Pourquoi votre second avait-il la direction?

— Parce qu'il était navigateur, et que cela évitait de répéter des ordres toutes les secondes... Je me souviens maintenant. J'ai jeté la bouée parce que Maryk avait mis une telle distance entre les canots et nous que je tenais à ce qu'ils ne manquent pas la ligne de départ.

— Ne lui avez-vous pas ordonné de ralentir quand vous avez vu s'agrandir la distance?

— Tout cela s'est passé très vite, et il se peut que j'aie été occupé à regarder la plage quelques secondes et que, quand je me suis retourné, nous étions en train de filer. C'est pourquoi j'ai lancé la bouée. Pour compenser la fuite de Mr. Maryk.

— Ce sont là les faits qui vous reviennent à l'esprit, commandant? Le visage de Blakely était grave.

— Ce sont les faits, commandant.

Blakely dit à Greenwald : « Vous pouvez reprendre votre interrogatoire. »

Immédiatement l'avocat, penché par-dessus sa table, demanda : « Commandant, aviez-vous coutume, durant les débarquements, de vous poster du côté de la passerelle protégé de la plage? »

Queeg répondit avec colère : « Votre question est insultante, et la réponse est non. Il me fallait être de tous les côtés de la passerelle à la fois, courir sans arrêt d'un bout à l'autre, parce que Maryk était navigateur et Keith mon officier de quart pendant les alertes et que tous les deux détalaient invariablement vers le côté abrité, de sorte que je devenais commandant, navigateur et officier de quart à la fois; c'est pourquoi je devais me déplacer sans cesse d'un bout du bateau à l'autre. Et ceci est la vérité quels que soient les mensonges qu'on ait proférés sur mon compte ici. »

Greenwald, la bouche molle, le visage sans expression, gardait les yeux fixés sur les juges, lesquels se tortillaient sur leurs sièges. « Commandant, dit-il, dès que Queeg se fut calmé, vous souvenez-vous que, pendant le débarquement de Saipan, le U. S. S. *Stanfield* a été pris sous le feu d'une batterie côtière?

— Je m'en souviens parfaitement. » Le commandant regardait Greenwald avec des yeux étincelants; il soufflait bruyamment. « Je ne sais quels mensonges on vous a débités ici, sous serment, en ce qui concerne cet incident-là, mais je suis heureux de pouvoir remettre les choses au point là encore. Ce même Mr. Keith dont nous avons déjà parlé a fait retentir la passerelle de ses cris, courant de côté et d'autre et faisant toute une scène pour que je tire sur la batterie côtière, alors que le *Stanfield* était entre nous et la batterie et qu'il m'était absolument impossible de tirer. Je suis donc retourné à mon poste de patrouille, parce que patrouiller était ce qu'on m'avait dit de faire et non de mettre au silence les batteries côtières; l'avion a coulé sans laisser de traces, quant au *Stanfield* il était parfaitement en mesure de se débrouiller tout seul; c'est ce qu'il a fait.

— Quel est le rayon de giration du *Caine?*

— Mille mètres, mais...

— Est-ce qu'en tournant de mille mètres le *Stanfield* ne sortait pas de votre ligne de tir, ce qui vous permettait de prendre la batterie côtière sous le feu de vos pièces sans risque de toucher le *Stanfield?*

— En ce cas, le *Stanfield* devait suivre une route parallèle à la mienne. Tout ce que je sais, c'est que je n'ai jamais pu viser la batterie côtière.

— La cour désire interroger le témoin », dit Blakely.

Challee se leva : « Commandant, le témoin est visiblement troublé par cet interrogatoire, ce qui est bien compréhensible. Je demande qu'il lui soit accordé quelques instants de repos...

— Je ne suis absolument pas troublé, s'exclama Queeg, et je suis heureux de répondre à toutes les questions qu'on me posera, et en fait je demande qu'on me fournisse l'occasion de réfuter toutes les calomnies qu'on a déversées sur mon compte au cours des témoignages précédents. Je n'ai pas fait une seule erreur pendant les quinze mois où j'ai commandé le *Caine*, et je peux le prouver, et mes états de service ont été sans tache jusqu'à ce jour, et je ne veux pas qu'ils soient salis par un tas de mensonges et d'inventions d'officiers déloyaux.

— Commandant, désirez-vous une suspension d'audience? dit Blakely.

— Certes non, commandant. S'il n'en tient qu'à moi je demande qu'il n'y ait pas de suspension.

— Très bien. Le *Stanfield* a-t-il été touché durant cet incident?

— Non, commandant.

— A-t-il été encadré?

— Oui, commandant, il a été encadré.

— Et il vous était impossible de manœuvrer de façon à lui venir en aide? Avez-vous essayé?

— Comme je dis, commandant, il était dans ma ligne de tir et j'ai estimé que dans ces conditions mon devoir était de reprendre mon poste de patrouille et non d'aller me faire remarquer et de canarder la plage au petit bonheur, et c'est ce que j'ai décidé, et je suis prêt à défendre ma décision comme étant en accord avec toutes les doctrines existantes, commandant. C'est une question de mission. Ma mission était de patrouiller.

— Commandant, ne vous semble-t-il pas que répondre au feu de l'ennemi, que celui-ci soit dirigé contre vous ou contre une unité proche de la vôtre, est une mission qui prime toutes les autres?

— Sans aucun doute, commandant, si la ligne de tir était libre. Mais le *Stanfield* était devant moi. »

Blakely, les sourcils froncés, regarda les autres membres du tribunal, puis fit signe à Greenwald. L'avocat dit : « Commandant le matin du 18 décembre, au moment où vous avez été relevé, le *Caine* était-il à la dernière extrémité?

— Absolument pas.

— Courait-il, à ce moment-là, un danger grave?

— Absolument pas. J avais gardé entièrement le contrôle du bateau.

— Avez-vous dit aux autres officiers que vous aviez l'intention d'aller vers le nord, comme l'a fait Maryk, à dix heures... c'est-à-dire un quart d'heure environ après votre relèvement? »

Queeg enfonça sa main dans la poche de son manteau et en tira deux billes d'acier brillantes. « Oui, je 1 ai dit, et telle avait été mon intention.

— Pourquoi aviez-vous l'intention d'abandonner la route de la flotte, commandant, si le bateau n'était pas en danger? »

Il y eut un long silence. Puis Queeg dit : « Eh bien, mais je ne vois là rien de contradictoire. J'ai répété à diverses reprises ici que pour moi la sécurité était la première des lois. Comme je dis le bateau n'était pas en danger mais un typhon est quand même un typhon et je venais de décider qu'il serait peut-être bon de naviguer debout à la mer pour en sortir. J'aurais peut-être mis ma décision à exécution à dix heures, mais peut-être pas. J'étais en train de soupeser tous les facteurs dans ma tête, mais, comme je dis, j'avais gardé l'entier contrôle du bateau et même après que Maryk m'ait relevé, j'ai veillé à ce qu'il reste sous contrôle. Je n'ai jamais abandonné mon poste.

— En ce cas, la décision prise par Maryk d'aller vers le nord n'était pas une erreur commise sous le coup de la panique?

— Son coup de panique, cela a été de me relever. Je l'ai empêché de commettre des erreurs désastreuses par la suite. Je ne tenais pas à me venger au prix de la vie de tout l'équipage.

— Commandant Queeg, avez-vous lu le journal médical de Maryk?

— Oui, monsieur, j'ai lu cet intéressant document, en effet. C'est le plus extraordinaire ramassis de mensonges, de faits truqués et déformés qu'il m'ait jamais été donné de voir et je suis ravi que vous me donniez ici l'occasion d'en parler, parce que je veux que mes explications de tout ce qu'on y lit soient portées au procès-verbal.

— Donnez-nous, je vous prie, votre version, ou tous commentaires que vous jugerez utiles concernant les épisodes racontés dans le journal, commandant.

— Bon. A commencer par cette histoire de fraises, la vérité c'est que j'ai été trahi et joué et trompé par mon second et par ce délicieux gentleman qu'est Mr. Keith qui à deux ont corrompu mon carré de telle façon que je me suis trouvé être seul contre tout un bateau sans aucun appui de la part de mes officiers... Prenez cette histoire de fraises... eh bien, si cette histoire n'était pas une pure conspiration visant à détourner la justice d'un mal-

faiteur... Maryk s'est bien gardé de vous signaler un petit fait, c'est
que j'avais établi par élimination que quelqu'un avait une clef
de la glacière. Il dit que ce sont les cambusiers qui ont mangé
les fraises mais si je voulais m'en donner la peine je pourrais donner au tribunal la preuve mathématique que ce ne pouvait pas
être eux. C'est exactement comme l'histoire de l'eau, quand l'équipage prenait sept bains par jour, que les évaporateurs étaient
la moitié du temps à sec et que j'ai essayé de leur inculquer des
principes élémentaires d'économie de l'eau, mais non, Mr. Maryk,
le héros de l'équipage, voulait absolument continuer à les dorloter et... prenez l'histoire du café... ou plutôt non, d'abord l'histoire
des fraises... tout aurait été réglé par une bonne fouille qui aurait
permis de trouver la clef, mais il a bien fallu que, comme toujours,
Mr. Maryk et Mr. Keith viennent tout saboter. Ils ont fait un tas
de gestes inutiles qui ne prouvaient rien et... comme de croire que de
brûler les percolateurs de l'État jour et nuit était une bonne plaisanterie, et c'est ce que tout le monde pensait, depuis Mr. Maryk
jusqu'au dernier des matelots, aucun sens de la responsabilité,
bien que je n'aie pas cessé de répéter que la guerre ne durerait
pas toujours et qu'il faudrait bien à un moment ou un autre rendre
des comptes. C'était une bataille de tous les instants, et toujours
pour la même chose, Maryk et Keith sapant mon autorité, toujours
des discussions, alors que personnellement j'avais une certaine
sympathie pour Keith et que je m'acharnais à le former, tout ça
pour être poignardé dans le dos quand... je crois que j'ai mis au
point l'histoire des fraises et... ah oui, le conseil de discipline de
Stilwell. Une histoire déplaisante, bien typique... »

Le commandant Queeg se livra alors à la critique du conseil de
guerre lequel, dit-il, était aussi le fait d'un complot Keith-Maryk
destiné à le discréditer. Il exposa ensuite les défaillances du service de blanchisserie, l'imprécision des inventaires, il passa d'un
sujet à l'autre, faisant le catalogue de ses griefs contre ses officiers,
principalement Maryk et Keith. Il s'arrêtait à peine pour souffler.
Il semblait incapable de s'arrêter. A mesure qu'il parlait, son récit
devenait plus difficile à suivre, ses sautes dans le temps et l'espace
plus soudaines et plus incompréhensibles. Il parlait sans cesse,
roulant ses billes, le visage rayonnant de satisfaction chaque fois
qu'il établissait un point nouveau contre ses ennemis. Greenwald
était revenu à sa table et s'y appuyait, écoutant respectueusement
le commandant. Les membres du tribunal regardaient le témoin
avec une sorte d'hébétude. Challee avait baissé la tête et se mor-
dait les ongles. Les phrases devenaient toujours plus longues et
plus filandreuses. Blakely commença à regarder l'horloge.

Queeg continua ainsi pendant huit ou neuf minutes et conclut :
« Évidemment, je ne peux parler de tout cela qu'en gros et suivant
ce qui me revient à l'esprit, mais si j'ai oublié quelque chose, vous
n'avez qu'à me poser des questions précises et j'y répondrai une
à une, mais je crois que j'ai expliqué le principal.

— Votre réponse était très détaillée et très complète, merci »,
dit Greenwald. Il tira d'une chemise placée sur son bureau deux
photostats sur papier brillant. « Commandant, voici deux copies
certifiées conformes de deux rapports d'aptitude que vous avez
faits sur le lieutenant Maryk. Les reconnaissez-vous? »

Queeg prit les deux feuilles, y jeta un coup d'œil et dit d'un ton
renfrogné : « Oui, je les reconnais.

— Voulez-vous, je vous prie, lire à la cour ce que vous pensiez
de Maryk en janvier 44.

— J'ai déjà dit, fit Queeg, qu'il a commencé par me faire grande
impression au début mais que cela s'est vite calmé.

— Nous avons enregistré votre déclaration, commandant.
Lisez votre rapport, je vous prie. »

D'une voix étranglée, Queeg lut un commentaire hautement
élogieux sur les capacités de Maryk.

— Merci, commandant. C'était en janvier, ceci. En juillet, six
mois plus tard, le *Caine* avait-il déjà derrière lui les débarquements de Kwajalein et de Saipan?

— Oui.

— Les incidents que je vais citer s'étaient-ils déjà produits :
rationnement d'eau, enquête sur le café, le conseil de discipline
de Stilwell et la suspension des projections cinématographiques,
entre autres.

Queeg hésita : « A ce moment-là, je suppose que oui.

— Lisez, je vous prie, votre rapport sur Maryk du 1er juillet. »

Queeg regarda le photostat un long moment, se pencha en avant,
le dos courbé, et commença à lire, entre ses dents : « Depuis mon
dernier rapport d'aptitude, le rendement de cet officier s'est encore
amélioré. Sa loyauté ne se dément jamais, il est inlassable, consciencieux, courageux et compétent. Je le considère actuellement
comme parfaitement qualifié pour assumer le commandement
d'un D. M. S. de douze cents tonnes. Son ardeur et sa conscience
professionnelle en font un exemple pour les autres officiers, tant
d'active que de réserve. Je ne saurais trop le recommander à l'attention de mes supérieurs. Je donne un avis favorable à sa demande
de mutation dans la marine active.

— Merci, commandant, pas d'autres questions. »

Greenwald retourna à sa place et s'assit. Le témoin jeta en direction du procureur un regard suppliant. Challee se leva lentement,
comme un vieillard accablé de rhumatismes. Il approcha du témoin
et parut sur le point de parler. Puis il se tourna vers Blakely et dit :
« Pas de contre-interrogatoire.

— Vous pouvez vous retirer, commandant », dit Blakely. Queeg
quitta la salle exactement comme Maryk l'avait vu traverser
la timonerie des milliers de fois : les épaules voûtées, la tête basse,
traînant des pieds et faisant rouler les billes dans ses doigts.

Greenwald dit : « La défense en a terminé.

— Suspension jusqu'à une heure », dit Blakely.

CHAPITRE XXXVII

LE VERDICT

QUAND Challee se leva pour prononcer son réquisitoire, son visage était celui d'un homme qui allait se battre à poings nus.

— Je me trouve bien en peine, commença-t-il, de discuter l'argumentation présentée par la défense. Je n'ai rien à réfuter. C'est une argumentation qui ne tient pas debout, qui n'a rien à voir ni avec le chef d'accusation, ni avec les faits. Elle n'a rien à voir non plus avec l'accusé, ni avec les raisons qui l'amènent aujourd'hui devant ce conseil de guerre.

La toute première question qu'a posée l'avocat de la défense dès l'ouverture des débats a été : « Commandant, avez-vous jamais entendu l'expression « Vieux Tache Jaune »? » J'ai immédiatement fait objection, et je continue à protester contre toute la tactique, toute la stratégie adoptées par la défense au cours de ce procès. Sa méthode a consisté à jouer de telle façon sur la procédure que l'accusé n'était plus Maryk, mais le commandant Queeg. Elle y a dans une certaine mesure réussi. La défense a arraché aux autres témoins toutes les critiques les plus malveillantes à l'endroit du commandant et elle a obligé Queeg à présenter lui-même sa défense en plein tribunal, sur l'inspiration du moment, sans l'avoir préparée, sans avoir bénéficié de l'assistance d'un avocat, sans aucun des privilèges normalement reconnus à un accusé par les lois navales.

« Passons. A quoi cette débauche de calomnies, d'insultes, de questions-pièges, et de diffamation, a-t-elle mené l'avocat de la défense? Supposons que tout ce qu'il a essayé de prouver à l'encontre du Commandant Queeg soit vrai — ce que je n'admets pas un instant — même alors, qu'est-il possible d'en conclure sinon que Queeg n'était pas un bon officier? Qu'a essayé de démontrer la défense, sinon que sous le commandement de Queeg, le *Caine* n'a connu qu'une suite de pénibles avatars dus à une administration médiocre? Cela donnait-il au lieutenant Maryk le droit de relever de son propre chef le commandant de son poste? Ce tribunal va-t-il entériner un précédent aux termes duquel un commandant qui leur semblera commettre des erreurs pourra être déposé par des sous-ordres? Et le seul recours de l'officier ainsi traité sera-t-il de se voir citer comme témoin en conseil de guerre et poser les questions les plus humiliantes, et d'avoir à justifier ses méthodes de commandement devant un avocat hostile qui prend le parti de ses inférieurs mutinés? Créer un tel précédent serait donner quitus à tous les actes de mutinerie futurs. Ce serait prononcer la destruction de tout l'édifice hiérarchique de la Marine.

« L'objet de ce procès, c'était de décider si le commandant Queeg était ou non sain d'esprit : il s'agissait de sa santé d'esprit et non point des erreurs, des fautes ou des méfaits dont il aurait pu se rendre coupable. Les termes des articles 184, 185 et 186 excluent tout autre possibilité que la folie totale et incontestable du commandant. La défense n'a fait aucun effort en vue d'établir ce point pour la bonne raison que cela lui eût été impossible. Le commandant Queeg était et est encore aussi sain d'esprit que n'importe lequel d'entre nous, quelles que soient les erreurs qu'il ait pu commettre, et la défense le sait pertinemment.

« Existe-t-il dans ce tribunal un officier qui n'ait jamais navigué sous les ordres d'un commandant qui commettait des erreurs de jugement? Existe-t-il un officier qui au bout de plusieurs année de Marine ne s'est jamais trouvé sous les ordres d'un commandant doté d'une personnalité marquée, voire un peu excentrique? Le commandement d'un navire est l'épreuve la plus exténuante qu'on puisse imposer à un officier. Le commandant est un dieu... en théorie. Dans la réalité, les commandants s'écartent plus ou moins de cet idéal. Mais la politique de recrutement de la Marine est très stricte. C'est pourquoi, dans toute discussion, les présomptions favorables vont toujours au commandant : c'est un homme qui a été soumis à l'épreuve du feu. Quelles que soient ses faiblesses — si graves soient-elles — c'est un homme qui est capable de commander un navire au combat.

« A l'appui de mes dires, je n'ai qu'à rappeler que ce procès est le premier depuis trente. ans à incriminer le commandant d'un navire de la Marine des États-Unis au titre des articles cités du *Décret sur le Service à Bord*. Et même dans cette affaire, les conclusions des spécialistes de psychanalyse sont unanimement et indiscutablement favorables au système adopté par la Marine pour le recrutement des commandants d'unités. Les docteurs ont dit que la Marine savait parfaitement ce qu'elle-faisait en confiant le *Caine* au commandant Queeg.

« Profitant de l'indulgence de la cour, l'avocat de la défense a fait ressortir jusqu'à la moindre erreur, la plus infime faute de jugement qu'a pu commettre le commandant du *Caine* ou qu'un sous-ordre a cru qu'il commettait. La cour sait que tout cela n'est que jérémiades inspirées par la sévérité et la conscience professionnelle d'un officier... tout sauf une chose. Je veux parler de l'imputation que cet officier de la Marine des États-Unis s'est montré un lâche devant le feu de l'ennemi. Je laisse à la cour le soin de déterminer si un lâche pourrait s'élever jusqu'au rang de commandant d'un navire de guerre et y demeurer sans que ses supérieurs s'en aperçoivent tout au long de quinze mois de campagne. Je compte sur la cour pour distinguer entre l'erreur de jugement et la poltronnerie. Je laisse à la cour le soin de repousser cette accusation infamante pour la Marine.

« Voyons plutôt les faits. On a donné au commandant Queeg le commandement d'un vieux navire délabré et en complète décrépitude. Il l'a laissé intact après quinze mois de campagne, durant lesquels il s'est acquitté d'une multitude de missions à la satisfaction de ses supérieurs. On ne trouve dans son dossier aucune plainte formulée à son sujet par ses supérieurs : seulement par ses subalternes. Il a réussi à s'acquitter de façon satisfaisante de ce long service en dépit de l'hostilité et du manque de coopération de ses officiers. Il y a réussi en dépit des conflits intérieurs dont il était la proie et que les médecins nous ont décrits... et sur lesquels la défense a cru bon de porter l'accent en essayant vainement de les grossir jusqu'à en faire des symptômes de folie. Ce à quoi a réussi le commandant Queeg, malgré ses difficultés personnelles et malgré la déloyauté de ses officiers, constitue en fait non pas de mauvais états de service, mais de brillants, d'impressionnants états de service. Il apparaît en définitive comme un officier loyal, travailleur et consciencieux à l'extrême, qui a été injustement soumis à de pénibles épreuves.

« A l'issue de ces débats, l'accusé n'a toujours pas justifié sa conduite. L'avocat de la défense n'a pas cité de psychiatres pour réfuter les conclusions des experts médicaux. Il ne l'a pas fait car il n'en a pas trouvé. Une fois dissipé le nuage de calomnies et de basses insinuations, les faits demeurent ce qu'ils étaient à l'ouverture de ces débats. Un officier commandant une unité de la Marine des États-Unis a été relevé de son commandement par son second, agissant de son plein gré et sans en avoir reçu l'autorisation. Les conclusions des experts médicaux ont rendu caduque l'application des articles 184, 185 et 186 invoqués à l'appui de son geste. La défense n'a fourni aucune cause justifiant la mesure prise par l'accusé, le témoignage d'un officier qualifié a établi que la façon dont le commandant Queeg dirigeait son bateau pendant le typhon au moment où il a été relevé de son commandement était non seulement saine et raisonnable, mais encore qu'on ne pouvait faire mieux dans ces circonstances.

« Les faits condamnent l'accusé. Sa défense n'a fait ressortir aucune circonstance atténuante. La cour, j'en suis certain, ne se laissera pas impressionner par les tentatives insultantes faites par la défense pour jouer sur ses émotions. La cour trouvera les chefs d'accusation établis par les faits. »

On n'aurait pu imaginer contraste plus marqué que celui qui éclata entre le ton de Challee et celui qu'employa Greenwald. Le procureur avait lancé son réquisitoire avec passion; le pilote fut doux, timide, hésitant. Il regardait tantôt Blakely tantôt Challee. Il commença par déclarer que c'était à contre-cœur et sur l'insistance du procureur qu'il avait accepté de défendre Maryk. « Je n'y tenais pas, dit-il, car je savais que la seule possibilité de défense de l'accusé consistait à étaler en plein tribunal l'incapacité mentale d'un officier de notre Marine. C'est la tâche la plus déplaisante qu'il m'ait jamais été donnée d'accomplir. Qu'on me permette toutefois de bien préciser un point. La défense n'a jamais prétendu que le commandant Queeg fût un lâche. Tout le système de la défense repose au contraire sur l'affirmation opposée : qu'un homme qui parvient à obtenir le commandement d'une unité de la Marine de guerre américaine ne peut pas être un lâche. Et que s'il commet sous le feu de l'ennemi des actes discutables, c'est ailleurs qu'il faut leur trouver une explication. »

Continuant du même ton calme et hésitant, Greenwald passa en revue tous les témoignages accablants pour Queeg, insistant particulièrement sur les points qui avaient semblé impressionner Blakely. Il souligna que les deux psychiatres avaient reconnu, sous une forme ou sous une autre, que Queeg était malade. Et il répéta inlassablement que c'était à la cour, qui savait ce qu'était le service en mer, de décider si la maladie de Queeg était ou non assez grave pour le rendre incapable d'exercer son commandement. Rapidement et en s'excusant, il fit allusion à l'attitude de Queeg durant le procès : à ses réponses évasives, incohérentes, contradictoires, à son incapacité de s'arrêter de parler... autant de regrettables preuves de sa déficience mentale. Il parla très peu de Maryk. Il ne s'agissait que de Queeg, Queeg, Queeg.

— La cour délibéra une heure dix. Maryk fut acquitté.

Sur le trottoir devant le bâtiment du tribunal militaire, un petit groupe jubilant entourait Maryk et Greenwald. La mère du second serrait son fils dans ses bras, riant et pleurant tout à la fois : c'était une petite bonne femme rebondie au visage rond et ridé comme une photographie de son fils qui se serait couverte de craquelures. Elle était accompagnée du père de Maryk, un homme silencieux et lourd, de peu d'apparence et qui s'était contenté de tapoter l'épaule de son fils. Tous les officiers du *Caine* étaient là. Willie Keith gambadait et criait en donnant à tout le monde de grandes claques dans le dos. L'allégresse était générale, et bruyante. Tout le monde venait serrer la main de Greenwald. « Bon, maintenant, écoutez tous! hurla Keefer. Écoutez-moi. On va fêter ça!

— Et comment! Il faut fêter ça! Fêtons ça! On va tous se saouler! se cuiter! se noircir! répondit un chœur déchaîné.

— Allez-vous m'écouter? Tout est arrangé. On dîne au Fairmont! J'ai retenu une salle. C'est moi qui paie. Je suis riche! cria Keefer. C'est une double fête! J'ai reçu au courrier de ce matin le contrat pour mon roman et un chèque de mille dollars! C'est Chapman House qui régale! »

A l'autre bout de la rue, des matelots se retournèrent pour regarder avec ahurissement le petit groupe d'officiers vociférant et dansant au soleil. « Je vais prendre une cuite monumentale, cria Harding. Je me réveillerai dans une clinique de désintoxication. Et je serai ravi. » Dans sa joie, Jorgensen alla embrasser le tronc d'un eucalyptus. Ses lunettes tombèrent par terre et se brisèrent. Il regarda autour de lui, gloussant d'un air un peu niais. « On ne servira que du champagne, clamait Keefer. On sablera le champagne en l'honneur de la Cinquième Liberté. La liberté de ne plus être avec le Vieux Tache Jaune! »

Maryk demanda soudain avec inquiétude. « Greenwald est invité, j'espère?

— S'il est invité! Bon sang, mais c'est l'invité d'honneur, rugit Keefer. Un Daniel! Un Daniel devant les juges! Et papa et maman Maryk sont invités aussi! Télégraphiez à vos frères! Dites-leur de venir par avion! Amenez tous les amis que vous voudrez!

— Amusez-vous bien ensemble, dit Greenwald. Moi, je n'ai rien à y faire...

— Tu es un bon garçon, Steve, sanglotait sa mère. Tu n'as jamais rien fait de mal...

— Allons donc, fit Maryk à Greenwald en se libérant de l'étreinte de sa mère. Si vous ne venez pas, je ne viens pas non plus. On ne fait rien du tout.

— Vous n'allez pas tout gâcher, mon vieux, dit Keefer en passant un bras autour de l'épaule de Greenwald. A quoi rimera cette soirée si le héros de la fête n'est pas là?

— C'est vous le héros... mille dollars, dit l'avocat en se dégageant.

— J'enverrai une limousine et un chauffeur pour vous chercher, cria Keefer.

— Ça ne sera pas la peine. Au Fairmont? Entendu. J'y serai. » Greenwald tourna les talons et descendit les marches.

— Où allez-vous, Barney? demanda Maryk d'un ton inquiet.

— Balayer les débris avec Challee. A tout à l'heure, Steve.

— Offrez à Challee un grand mouchoir avec les compliments du Caine! lui cria Keefer. Une tempête de joyeux hurlements lui fit chorus.

Un énorme gâteau glacé à la pistache et en forme de livre constituait le principal ornement de la table. Il portait en titre et en grosses lettres de sucre jaune :

MULTITUDES, MULTITUDES
roman
par
Thomas Keefer.

Il était entouré d'un lit de roses et de fougères. La table était couverte de fleurs, de chandeliers, d'argenterie et de bouteilles de champagne. Des fils d'or et d'argent tombés des bouteilles jonchaient la nappe immaculée. Les officiers étaient déjà bruyamment ivres. Mr. et Mrs. Maryk souriaient d'un air gêné des plaisanteries gaillardes qui s'échangeaient autour d'eux et riaient aux éclats quand leur fils riait. Le second était assis à droite de la chaise vide de Greenwald, à côté de ses parents. En face d'eux, Keefer et Keith, installés côte à côte, entretenaient l'hilarité en déversant un feu roulant de plaisanteries sur le Vieux Tache Jaune. Le sujet était inépuisable. Jorgensen, au bout de la table, se disloquait à force de rire; les larmes ruisselaient de ses yeux tout injectés de sang. Plusieurs nouveaux officiers qui avaient rejoint le *Caine* depuis son retour à San-Francisco et qui n'avaient jamais vu Queeg écoutaient en ouvrant des yeux ronds, riaient d'un air mal assuré et buvaient à longs traits le champagne de Keefer.

Willie était aux anges. Tout en soupçonnant Keefer de ne pas s'être montré très courageux au conseil de guerre, il n'avait aucun moyen de connaître la vérité. Les témoins n'avaient pas eu le droit de s'entendre témoigner les uns les autres; et Maryk n'avait jamais dit un mot contre Keefer. L'acquittement du second avait dissipé tous les malaises et aussi l'inquiétude de Willie. Il buvait vaillamment le champagne de Keefer, sans toutefois se montrer à la hauteur de Harding qui voguait dans un nirvana alcoolique. De temps en temps, Willie voyait son ancien compagnon de la casemate se lever pour aller d'un pas trébuchant embrasser quelqu'un, Keefer, Paynter, Maryk, peu importait. Il embrassa Willie en bredouillant : « Il m'a donné sa casquette pour que je dégueule dedans. C'est un noble cœur, ce Willie Keith...

— Il aura probablement l'occasion de recommencer ce soir », dit Keefer. Sur quoi, Willie saisit un ravier de céleris en argent et le tint sous la bouche de Harding, et Harding fit mine de rendre, et cette bonne plaisanterie fit rire tout le monde, sauf les deux vieux tout interloqués. La soirée se poursuivait dans cette ambiance joyeuse quand Keefer sauta sur ses pieds et cria : « Le voilà! Remplissez vos coupes! Un toast à la santé du héros! Greenwald le Magnifique! »

L'uniforme bleu de l'avocat était tout chiffonné, et sa démarche

n'était pas des plus assurées, mais aucun des convives n'était en
mesure de le remarquer. Il s'avança jusqu'à sa place et resta debout,
l'air hébété, une main sur le dossier de sa chaise, la bouche molle.
« La soirée est déjà pas mal avancée à ce que je vois », dit-il tandis que le champagne coulait dans les coupes et que les officiers
l'acclamaient. Keefer frappa sur sa coupe avec un couteau.

— Allons, silence, les mutins... Un toast, j'ai dit! Il brandit
très haut sa coupe. « Au lieutenant Barney Greenwald... un Cicéron
à deux galons... un Démosthène avec des ailes... la terreur des
procureurs... le défenseur du faible et de l'opprimé... Le saint
George au palais dont la langue redoutable a eu raison du plus
horrible des dragons... j'ai nommé le Vieux Tache Jaune!

On applaudit; on but; on entonna au mépris de toute harmonie
For He's a Jolly Good Fellow. L'avocat restait debout, le visage
pâle et tiré, la bouche crispée. « J'suis plus saoul que vous tous
réunis, dit-il. Je viens de boire avec le procureur... pour essayer
de lui faire retirer les vilains noms dont il m'avait gratifié... on
a fini par se serrer la main au neuvième whisky... ou peut-être
au dix ème...

— Tant mieux, dit Maryk. Challee est un type bien...

— A fallu que j'fasse la grande gueule, Steve... c'est pas très
propre la façon dont j'ai plaidé... pauvre Jack, son réquisitoire
était pourtant bien... Tiens, *Multitudes, Multitudes?* » Il contempla
le gâteau. « Ah, je pense qu'il faudrait que je réponde au toast de
l'auteur distingué. » Prenant une bouteille d'une main incertaine,
il remplit une coupe en s'inondant les doigts. « Un titre biblique,
naturellement. C'est ce qu'il faut pour un livre de guerre. Je suppose
que la Marine en prend pour son grade?

— Je ne crois pas qu'on le recommandera pour les bibliothèques
de bord, en tout cas, dit le romancier en souriant.

— Bravo! Il fallait bien que quelqu'un montre ce que c'est
que ces tas de stupides emmerdeurs. » Greenwald chancela et se
rattrapa à sa chaise. « Je vous ai dit, je suis un peu parti... Mais
je vais quand même faire un petit speech, vous inquiétez pas...
je voudrais seulement savoir ce que c'est que le bouquin. Qui est
le héros, vous?

— Oh, vous savez, toute ressemblance est purement accidentelle...

— Bien sûr je suis de parti pris et puis je suis saoul, dit Greenwald, mais il me semble que si j'écrivais un roman de guerre, j'es-
saierais de prendre pour héros le Vieux Tache Jaune. » Jorgensen
gloussa bruyamment, mais il fut le seul à rire et il ne tarda guère
à se calmer. « Non, sérieusement, c'est ce que je ferais. Je vais
vous dire pourquoi. Je vais vous dire pourquoi j'ai un point de vue
un peu particulier sur la question. Je suis Juif, comme vous devez
le savoir presque tous. Jack Challee m'a dit que j'avais bien
plaidé comme un Juif... bien sûr, il a retiré ça, et il s'est excusé
quand je lui ai dit quelques petites choses qu'il ne savait pas...

Enfin, bref... Si je faisais un héros du Vieux Tache Jaune, ce serait à cause de ma mère, une petite dame juive à cheveux gris, rondouillarde, qui ressemble un peu à Mrs. Maryk, si je peux me permettre. »

Il parlait d'une voix ha'etante et pâteuse, serrant très fort sa coupe d'où le champagne débordait. Sur ses mains, les cicatrices faisaient des cercles rouges autour des greffes bleuâtres.

— Je sais bien, vous avez tous des mères mais elles ne seraient pas aussi mal loties que la mienne si on avait perdu cette guerre, c'qui n'est pas le cas, c'est comme si on avait gagné maintenant. Vous savez, les Boches ils ne plaisantent pas pour ce qui est des Juifs. Là-bas, ils nous font cuire pour faire du savon. Ils trouvent qu'on est de la vermine et qu'il faut nous exterminer et que nos cadavres servent à quelque chose. Si on admet ce principe — mais comme je suis de parti pris, moi je ne l'admets pas, — si on admet ce principe, l'idée du savon en vaut bien une autre. Seulement, je ne peux pas me faire à l'idée qu'on transforme ma mère en barre de savon. J'avais un oncle et une tante à Cracovie qui sont devenus savon maintenant, mais eux, c'est pas la même chose. Je ne les avais jamais vus, j'ai juste vu des lettres d'eux en yiddish depuis que je suis gosse, mais j'ai jamais pu les lire. Je suis Juif, mais je ne sais pas lire le yiddish.

Les visages qui s'étaient tournés vers lui devinrent graves et intrigués.

— Je reviens au Vieux Tache Jaune. J'y arrive. Vous savez, pendant que je faisais mon droit et que ce vieux Keefer écrivait sa pièce pour la Guilde théâtrale, et que Willie faisait le mariole à Princeton, pendant tout ce temps-là, ces types qu'on appelle les officiers de carrière... ces brutes stupides qu'il y a dans la Marine et dans l'Armée de terre... eh bien, ils faisaient le coup de feu. Je sais bien, ils ne faisaient pas ça pour empêcher ma mère de tomber aux mains d'Hitler, ils faisaient ça pour du fric, comme tout le monde. Tout le monde fait ce qu'il fait pour du fric. Seulement, en dernière analyse... en dernière analyse, qu'est-ce que vous faites, vous, pour du fric? Le Vieux Tache Jaune, lui, pour gagner son pognon, il montait la garde devant notre pays de Cocagne. Et pendant ce temps-là, moi, je me faisais ma petite vie bien pénarde pour gagner mon pognon. Pas une vie de brute. Bien sûr, on s'imaginait dans ce temps-là qu'il n'y avait que les imbéciles qui s'engageaient dans l'Armée. C'était mal payé, pas d'espoir de finir millionnaire, et même pas la possibilité de se dire qu'on avait encore son corps et son esprit à soi. Ce n'était pas un métier pour des intellectuels sensibles. Alors quand ça a commencé à se gâter et que les Boches se sont trouvés à court de savon et qu'ils se sont dit : tiens, si on faisait fondre la vieille Mrs. Greenwald... qui est-ce qui aurait pu les arrêter? Pas son petit Barney. On ne peut pas arrêter un nazi avec un code. Alors j'ai lâché le droit et j'ai couru apprendre à piloter. Comme un brave. Il m'a fallu un an et demi pour être bon à quelque chose, et pendant ce temps-là, qui est-ce qui empêchait maman de finir dans le porte-savon? Le commandant Queeg.

« Oui, Queeg, ce pauvre type, et d'autres qu'étaient loin d'être des pauvres types, je vous assure, y en avait qu'étaient plus forts que nous, faut pas croire, les types les plus forts que j'aie jamais vus, parce que pour être bon dans l'Armée ou dans la Marine, faut être sacrément bon. Bien que ce ne soit peut-être pas la peine de connaître Proust, *Finnegan's Wake* et tout le reste. »

Greenwald s'arrêta et regarda autour de lui. « Je crois que je perds le fil. Je devais porter un toast à la santé de l'auteur favori du *Caine*. Eh bien, voilà, je vais tâcher de ne pas trop vasouiller. Si je m'embrouille, que quelqu'un agite une serviette. Je ne peux pas rester dîner, alors je suis content qu'on m'ait demandé de porter un toast, comme ça se sera tout de suite fini. Je ne peux pas rester parce que je n'ai pas envie de manger. Pas ce dîner-là. Je suis sûr que je ne le digérerais pas. »

Il se tourna vers Maryk.

— Vous comprenez, Steve, ce qu'il y a, c'est que ce dîner ne rime à rien. Vous êtes coupable. Je vous l'ai dit dès le début. Bien sûr, vous n'êtes qu'à moitié coupable. C'est pour ça que vous n'avez été qu'à moitié acquitté. Vous êtes un type coulé. Vous n'avez pas plus de chance d'être homologué officier d'active que de devenir président des États-Unis. En haut lieu, on appellera ça une erreur judiciaire, ce qui est exactement le cas et il y aura une belle lettre de blâme dans votre dossier — et peut-être dans le mien — et Steve Maryk n'aura plus qu'à revenir à la pêche. Je vous ai tiré d'affaire en recourant à des trucs de procédure... en ridiculisant Queeg et un psychiatre freudien... ce qui était à peu près aussi difficile que de tirer un thon dans un tonneau... et en faisant appel de façon très peu correcte à l'orgueil de la Marine. J'ai tout fait, il ne me restait plus qu'à siffler *Levons l'Ancre*. Le seul moment où ça a failli se gâter, c'est quand l'auteur chéri du *Caine* a fait sa déposition. Il vous a presque coulé, mon vieux. Je ne le comprends pas très bien d'ailleurs, puisque naturellement c'est lui l'auteur entre autres œuvres de la mutinerie du *Caine*. Le moins qu'il aurait pu faire, il me semble, ç'aurait été de vous soutenir, Willie et vous, en disant carrément qu'il avait toujours affirmé que Queeg était un dangereux paranoïaque. Je sais bien, ça n'aurait fait qu'aggraver votre cas d'impliquer Keefer... je vous l'avais dit aussi puisqu'il avait l'air de vouloir se défiler, tout ce que je pouvais faire, c'était de le laisser se défiler...

— Non mais, dites donc... Keefer fit le geste de se lever.

— Excusez-moi, j'ai tout de suite fini, monsieur Keefer. J'en arrive au toast. Voilà pour vous. Vous avez réussi un coup splendide. Vous avez visé Queeg et vous l'avez eu. Et sans vous salir les mains. Steve est fini, lui, mais vous, vous serez le prochain commandant du *Caine*. Vous prendrez votre retraite, vieux et chargé de rapports d'aptitude ébouriffants. Vous publierez **votre** roman prouvant que la Marine, c'est de la merde, ça vous rapportera un million de dollars et vous épouserez Heddy Lamarr. Pas de lettre de blâme pour vous, rien que des droits d'auteur sur votre roman. Alors, qu'est-ce que ça peut vous faire que je vous engueule un peu, pour ce à quoi ça rime? J'ai défendu Steve parce que je me suis aperçu que ça n'était pas lui qui devait passer en conseil de guerre. Le seul moyen de le défendre c'était de couler Queeg pour vous. Je regrette d'avoir été coincé comme ça et j'ai honte de ce que j'ai fait, et c'est pour ça que je suis saoul. Queeg ne méritait pas que je le traite comme ça. Je devais lui être reconnaissant, vous comprenez. Il a empêché Hermann Gœring de laver ses grosses fesses avec ma mère.

Je ne vais donc pas manger votre dîner, monsieur Keefer, ni boire votre vin, je vais juste porter mon toast et m'en aller. A votre santé, monsieur l'auteur chéri du *Caine*, et à votre livre.

Et il lança le champagne au visage de Keefer.

Willie en reçut un peu. Cela se passa si vite que les officiers assis à l'autre bout de la table ne se rendirent pas compte de ce qui venait d'arriver. Maryk voulut se lever. « Écoutez, Barney... »

L'avocat le repoussa sur sa chaise d'une main tremblante. Keefer tira machinalement un mouchoir et s'essuya la figure; il contemplait Greenwald d'un air ahuri. « Si vous voulez donner une suite à cet incident, Keefer, dit Greenwald, je vous attendrai dans le hall. Nous pourrons aller dans un endroit tranquille. Nous sommes saouls tous les deux, ce sera donc un combat équitable. Vous m'aurez probablement, je ne sais pas me battre. »

Les autres officiers commencèrent à murmurer entre eux, tout en jetant de petits regards du côté de Keefer. Greenwald sortit de la salle, en trébuchant un peu sur le seuil. Le romancier se leva. Il y eut un silence épais, pesant, comme si quelqu'un venait de lâcher une bordée d'injures. Keefer jeta un coup d'œil à la ronde et se mit à rire. Tous les regards se détournèrent devant le sien. Il se laissa retomber à sa place. « Oh, la barbe. Ce pauvre type est complètement saoul. Moi, j'ai faim. Il viendra s'excuser demain matin. Willie, dites-leur de servir.

— Entendu, Tom. »

Le repas fut rapidement avalé, dans un silence rompu seulement par le cliquetis des couverts, ou par une remarque proférée de loin en loin à voix basse. Quelques maigres applaudissements crépitèrent quand Keefer découpa le gâteau. Tout le monde s'en alla immédiatement après le café. Cinq bouteilles de champagne intactes demeuraient au milieu des reliefs du dîner.

En sortant du salon particulier, Willie regarda partout dans le hall, mais le pilote avait disparu.

SEPTIÈME PARTIE

LE DERNIER COMMANDANT DU *CAINE*

CHAPITRE XXXVIII

L'AVION-SUICIDE

DE tous les gens que Willie eut l'occasion de rencontrer durant la guerre, ce fut le commandant Queeg qui garda à jamais dans sa mémoire la place la plus grande. Mais il y eut un autre homme qui eut sur sa vie et sur son caractère une influence plus grande encore : un homme dont il ne vit jamais le visage et dont il ne sut jamais le nom. Le lendemain du jour où il fit la rencontre de cet homme — c'était à la fin de juin 1945 — Willie Keith écrivit une lettre de huit pages à May Wynn en la suppliant de l'épouser.

Cet homme était un pilote d'avion de Kamikaze qui se détruisit sur ordre afin de mettre le feu au vieux *Caine* devant Okinawa.

Keefer était commandant et Willie, second. Le commandant White avait passé cinq mois à rétablir l'ordre sur le vieux dragueur délabré, puis avait repris sa carrière interrompue sur les grosses unités. C'était à de jeunes officiers de réserve qu'on confiait maintenant le commandement de tous ces vieux destroyers. Willie avait été promu lieutenant le 1er juin; il y avait même de vieux dragueurs commandés par des sous-lieutenants.

Le Bureau du Personnel avait évidemment décidé que le meilleur moyen de dissiper l'amer souvenir du temps de Queeg était de disséminer l'équipage et les officiers du *Caine*. Les trois quarts au moins des hommes étaient de nouveaux venus. Maryk avait été muté huit jours après son acquittement et nommé commandant d'un *L. C. I.*[1], humiliation qui avait mis fin à ses espoirs

1 *Landing Craft Infantry* : péniche de débarquement.

de faire une carrière dans la Marine. Personne ne savait ce qu'il
était advenu de Queeg.

En fait, c'était Willie qui commandait. Keefer vivait dans l'isolement, comme Queeg... à cela près qu'il travaillait à son roman
au lieu de s'amuser avec un jeu de patience. Par bonheur pour
Willie, le commandant White s'était pris de sympathie pour lui
et l'avait soumis à un entraînement intensif, lui faisant passer
deux mois comme officier mécanicien, puis deux mois comme lieutenant en premier; il était officier de tir quand était arrivé le message qui le nommait second. Durant tout ce temps, Keefer avait
été second, figure morne qu'on ne voyait que rarement. Il n'avait
jamais complètement effacé la tache jaune du champagne que Barney Greenwald lui avait jeté au visage. Le nouvel équipage, officiers et matelots, connaissait l'histoire. La mutinerie et le conseil
de guerre étaient prétexte à d'interminables discussions quand ni
Keefer ni Willie n'étaient là. A bord du *Caine*, on avait généralement l'impression que le romancier était un type extrêmement
bizarre et sur lequel on ne pouvait pas compter. On aimait mieux
Willie, mais, en raison du rôle qu'il avait joué dans la mutinerie,
on le regardait aussi de travers.

Les rares fois où Keefer était aux commandes, il était nerveux,
impatient, désagréable et toujours porté à taper du poing et à
hurler quand on n'exécutait pas immédiatement ses ordres. Il
ne se montrait guère habile dans ses manœuvres; une douzaine
de fois déjà, il avait éraflé les flancs des pétroliers et des ravitailleurs. On répétait volontiers à bord que c'était pourquoi il laissait
la plupart du temps la direction du bateau à Mr. Keith.

C'était pourtant Keefer qui dirigeait la manœuvre quand le
Kamikaze vint frapper le *Caine*.

— Le voilà!

Le cri d'Urban sur tribord était presque gai. Mais on ne pouvait
se méprendre sur le ton affolé de Keefer quand une seconde plus
tard il lança : *Ouvrez le feu! Toutes les pièces ouvrez le feu!* Au même
instant, non pas en réponse à l'ordre lancé par le commandant,
mais spontanément, on entendit crépiter sur tout le navire les
mitrailleuses de vingt millimètres.

Willie était dans la chambre des cartes, occupé à relever la route.
Le *Caine* contournait l'extrémité sud d'Okinawa, se dirigeant sur
Nakagusuku Wan où il devait prendre le courrier de la division
de destroyers. On n'avait pas sonné l'alerte. Il était dix heures,
d'un matin gris et nuageux. La mer était calme et déserte.

Il abandonna son crayon et ses compas et, traversant en trombe
la timonerie, déboucha sur bâbord. Les pointillés roses des balles
traçantes piquaient vers le Kamikaze, qui était à trois cents mètres
environ d'altitude, en avant du bateau et se détachait en brun
sur les nuages. Il fonçait en oblique vers le *Caine*, en tanguant
gauchement. C'était une petite machine d'aspect vétuste et fragile.

Les ailes semblaient prendre de l'envergure à mesure qu'il appro-chait et on apercevait distinctement les deux cercles rouges. Quatre lignes de balles traçantes convergeaient sur l'appareil qui les absorbait et continuait à descendre tranquillement. Il était très grand maintenant; un vieil avion chancelant et vibrant de partout.

« Il va nous toucher! » Keefer et Urban se jetèrent sur le pont. L'avion, qui n'était plus qu'à quelques mètres, fit un bond de côté. Willie aperçut un instant à travers la bulle jaune du cockpit le pilote derrière ses grosses lunettes. « L'abruti », se dit-il, et il se jeta à plat ventre, le nez collé aux tôles du pont. Il avait l'impres-sion que l'avion lui arrivait droit dessus.

Il lui sembla attendre longtemps le choc du Kamikaze, et une rapide succession de pensées très claires passa dans l'esprit de Willie tandis qu'il se collait au sol, la figure contre le métal froid du pont. Le point capital — et qui changea toute sa vie — ce fut qu'il éprouva un regret lancinant de ne pas avoir épousé May. Depuis qu'il avait rompu avec elle, il avait à peu près réussi à la chasser de ses pensées. Quand il était fatigué ou démoralisé, des souvenirs de May revenaient le hanter, mais il les avait toujours combattus comme des indices de faiblesse. Cette écrasante nos-talgie de la joie perdue qui l'envahissait maintenant était toute différente. Elle avait l'accent de la vérité. Il pensait qu'il était fichu et le regret de ne plus jamais revoir May dominait encore toute la terreur qui le paralysait.

L'avion vint s'écraser avec le bruit de deux voitures qui entrent en collision sur une grande route, et une seconde plus tard, il y eut une explosion. Willie sentit ses dents grincer comme si on lui avait donné un coup de poing en pleine mâchoire, et les oreilles lui sonnèrent. Il se redressa, tout étourdi. Il voyait un nuage de fumée gris bleu onduler derrière la cambuse de pont et, à côté, les servants du canon étalés par terre en tas gris.

— Commandant, je vais sonner le branle-bas de combat et aller voir comment ça se présente à l'arrière...

— D'accord, Willie. » Keefer se leva, s'épousseta d'une main tremblante; il n'avait pas son casque et des mèches lui tombaient dans les yeux. Il avait l'air abasourdi, absent. Willie entra en cou-rant dans la timonerie et mit le contact du haut-parleur. L'homme de barre et le quartier-maître de quart le regardaient avec des yeux affolés. « Écoutez tous, dit-il très vite et d'une voix forte. un Kamikaze nous a touchés par le travers. Établissez condition A sur tout le bateau. Alerte aux équipes de secours et piquets d'in-cendie... » Une fumée âcre et bleue pénétrait dans la timonerie et lui piquait les poumons comme s'il avait fumé une cigarette trop sèche. Il toussa et reprit : « Rendez compte des avaries à la passerelle. Mettez en batterie les extincteurs, les lances et les appa-reils à mousse carbonique nécessaires. Parez tout pour noyer les magasins, mais ne noyez pas sans en avoir reçu l'ordre... »

Il abaissa la manette rouge du signal d'alarme et la sonnerie du branle-bas de combat retentit d'un bout à l'autre du bord, tandis que lui-même se précipitait sur le pont. Il fut stupéfait de voir d'épais tourbillons de fumée et de sentir un souffle brûlant lui frapper le visage. De hautes flammes oranges montaient à hauteur de mât derrière la cambuse de pont et venaient lécher la passerelle : le *Caine* était l'arrière au vent. Des nuages de fumée bouillonnaient au milieu des flammes et venaient rouler sur le pont. « Je croyais que vous alliez voir comment ça se présente à l'arrière », cria Keefer d'un ton revêche. Il était en train de passer un gilet de sauvetage et les hommes de la passerelle imitaient son exemple.

— Bien, commandant. J'y vais...

Willie dut jouer des coudes pour se frayer un chemin parmi les matelots qui se pressaient sur le pont et dans la coursive, criant, traînant des tuyaux, attrapant des gilets de sauvetage ou courant au hasard. Il déboucha enfin sur le pont principal. La fumée était moins épaisse que sur la passerelle : le feu flamblait joyeusement. Des flammes rouges, épaisses comme des troncs de chênes, jaillissaient en ronflant d'un immense trou aux bords déchiquetés qui défonçait le pont à la hauteur de la batterie arrière. Des matelots noirs de fumée débouchaient par le panneau d'écoutille. Des morceaux d'ailes d'avion jonchaient le pont. Le canot était en feu. Des tuyaux serpentaient en tous sens sur le pont, et les hommes des équipes d'incendie, le visage blême sous le casque, tous en gilets de sauvetage, s'affairaient autour des robinets des lances, ou traînaient des palans rouges vers le trou. Ils poussaient tous des cris assourdis par le vacarme de la sonnerie d'alarme et par le rugissement de la batterie au fond du trou. Cela sentait le brûlé : le mazout brûlé, le bois brûlé, le caoutchouc brûlé.

— Qu'est-ce qui se passe? cria le second à un matelot qui émergeait du panneau d'écoutille.

— L'avion est entré tout entier là-dedans, lieutenant! Il a foutu le feu partout. Budge nous a dit de filer. Il essaie de fermer la principale canalisation d'arrivée de mazout... je ne sais pas s'il pourra encore sortir... j'ai ouvert les extincteurs à mousse avant de m'en aller...

— Et la chaudière?

— Je ne sais pas, lieutenant, c'est tout plein de feu et de vapeur là-dedans...

— Vous savez comment on ouvre les valves de secours? cria Willie.

— Oui, lieutenant...

— Bon, eh bien, allez-y...

— Bien, lieutenant...

Une explosion fit jaillir de la batterie un jet de flamme blanche. Willie recula. Le feu gagnait la paroi de la cambuse de pont. Willie écarta des matelots pour parvenir jusqu'à Bellison qui desserrait une valve d'incendie avec une clef. « Vous avez de la pression?

— Oui, lieutenant... ça a l'air d'un drôle d'incendie, lieutenant... on va abandonner le bateau?

— Pas question. Éteignez-le, cet incendie, cria Willie.

— Bien, lieutenant. On va essayer... » Willie donna une grande claque sur le dos du maître d'équipage et se fraya de nouveau un chemin le long de la coursive, trébuchant sur les tuyaux. Il arrivait à l'échelle de passerelle quand à sa grande surprise, il aperçut Keefer qui sortait en trombe de sa cabine, tenant sous le bras un sac de grosse toile grise.

— Qu'est-ce que vous en dites, Willie? On a une chance? lança Keefer, tandis que Willie s'écartait pour lui laisser le passage.

— Je crois, commandant. Qu'est-ce que c'est que ce sac?

— Mon roman, à tout hasard... Keefer posa le sac près de lui et se tourna vers l'arrière, toussant et serrant un mouchoir sur sa bouche. Les servants des pièces du pont se démenaient au milieu des flammes et de la fumée, s'efforçant de démêler des tuyaux et hurlant d'abominables jurons. Les matelots de service sur la passerelle — les hommes du radar, les timoniers et l'équipe du détecteur de sous-marins — ainsi que trois des nouveaux officiers, se pressaient autour de Willie, ouvrant des yeux agrandis de terreur.

— Ça n'a pas l'air terrible pour l'instant, commandant... il n'y a qu'une batterie de touchée... Willie entreprit de décrire les avaries. Mais il avait l'impression que Keefer ne l'écoutait pas. Le commandant, les poings sur les hanches, regardait vers l'arrière. Des flots de fumée lui fouettaient le visage. Ses yeux cerclés de rouge avaient une lueur jaunâtre et vitreuse.

Des torrents de vapeur hurlante jaillirent par-dessus le rouffle. « Qu'est-ce qui vient de sauter là-bas? demanda Keefer à Willie.

— C'est moi, qui leur ai dit d'ouvrir les soupapes de sûreté de la chaudière trois, commandant... »

Une violente explosion ébranla soudain le rouffle. Un feu d'artifice de toutes les couleurs — blanc, jaune, avec des traînées rouges — partit dans toutes les directions. Des matelots dégringolèrent des échelles en poussant des hurlements. Des balles passèrent en sifflant et vinrent s'aplatir contre le rouffle de passerelle. « Oh, Seigneur, la batterie de D. C. A. qui saute, s'écria Keefer en cherchant un abri. Le bateau va sauter aussi, Willie. Dans deux minutes le feu sera aux magasins... »

Les trois cheminées se mirent à vomir des torrents de fumée d'un jaune sale. La vibration des machines cessa. Le navire ralentit et se mit à se balancer sous la houle. Les flammes jetaient sur la mer grise des reflets oranges. « Il y a de l'eau dans l'arrivée de mazout, fit Keefer haletant. Les pompes sont désamorcées. Dites à tout l'équipage de...

Des obus de trois pouces commencèrent à exploser dans le

petit magasin du pont avec des CRACKS! épouvantables, lançant des nappes de feu éblouissantes. Keefer poussa un hurlement, chancela et s'effondra sur le pont. De lourdes vagues de fumée de poudre déferlèrent sur la passerelle. Willie se pencha sur le commandant et aperçut plusieurs paires de jambes vêtues de treillis escalader le bastingage et sauter par-dessus bord. Keefer dit : « Mon bras, oh, mon bras », en se tenant l'épaule et en donnant des coups de pied sur le pont. Du sang se mit à couler entre ses doigts.

— Commandant, vous êtes blessé? Les hommes commencent à sauter...

Keefer se redressa, le visage crispé par la douleur. « Donnons l'ordre d'abandonner le bateau... Bon Dieu, j'ai l'impression que mon bras a été arraché... je crois que j'ai reçu un éclat d'obus...

— Commandant, je ne crois pas qu'il faille abandonner le bateau, je vous jure...

Keefer s'appuya sur un genou et se redressa péniblement. Il entra d'un pas chancelant dans la timonerie et d'une main ensanglantée empoigna le levier de commande du haut-parleur. « C'est le commandant qui vous parle. Ordre à tout l'équipage d'abandonner le navire... »

Willie, qui était sur le seuil, n'entendit que ce qui lui parvenait de la voix du commandant d'où il était : aucun son ne sortait des haut-parleurs. « Commandant, cria-t-il, le haut-parleur ne marche plus... »

Les hommes de la passerelle étaient pelotonnés contre la cloison comme des animaux peureusement entassés. « Qu'est-ce que vous dites, monsieur Keith? Est-ce qu'on peut sauter? cria Urban.

— Restez où vous êtes... »

Keefer sortit en trombe de la timonerie. Une nouvelle explosion au milieu de la fumée du roufle envoya un souffle brûlant et une pluie d'éclats métalliques sur la passerelle. « Ce bateau n'en a pas pour cinq minutes! » Keefer se précipita jusqu'au bastingage et regarda vers l'arrière. « Regardez, ils sautent tous là-bas. Tout le pont principal a dû voler en l'air. » Il fendit la foule des matelots et étreignit son sac de toile. « Allons-y! Tout le monde par-dessus bord... »

Matelots et officiers se mirent à se bousculer comme des voyageurs dans le métro, tant ils avaient hâte d'escalader le bastingage. Ils heurtaient Willie qui, penché en avant, essayait de voir la plage arrière à travers la fumée qui lui piquait les yeux. « Commandant, personne ne saute à la mer à l'arrière... il n'y a que des types de la passerelle dans l'eau! » L'un après l'autre officiers et hommes d'équipage sautaient à la mer. Keefer avait déjà passé une jambe par-dessus la rambarde. De son bras valide il étreignait son sac de toile. Il grimpait avec précaution, s'efforçant de ménager son bras blessé. « Commandant, lui cria Willie, ils ne sautent pas à l'arrière... ils ne... »

Keefer ne l'écoutait même pas. Willie l'attrapa par l'épaule au moment où il allait sauter. « Commandant, je demande l'autorisation de rester à bord avec des volontaires pour maîtriser l'incendie! »

Une lueur d'intelligence passa dans les yeux vitreux du romancier. Il eut l'air vexé, comme si Willie venait de dire quelque chose de particulièrement stupide. « Bon sang, Willie, si vous voulez vous suicider, je ne peux pas vous en empêcher! » Sur quoi il sauta, ses jambes dégingandées battant l'air. Il arriva sur l'eau à plat ventre et se mit à nager vers le large. D'autres têtes flottaient à côté de lui. Seul l'enseigne Farrington demeurait sur la passerelle, appuyé au bastingage, s'essuyant les yeux avec sa manche. « Eh bien, qu'est-ce que vous attendez? dit Willie d'une voix sèche.

— Après vous, lieutenant. » Le jeune enseigne avait la figure tachée de fumée et son visage exprimait un mélange de frayeur et d'excitation enfantine.

Il n'y avait plus personne à la barre et le *Caine* avait dérivé en travers du vent, qui avait rapidement chassé la fumée. Les explosions avaient éteint l'incendie du roufle. On ne voyait plus que de petites flammes jaunes qui montaient encore de loin en loin. Les casemates de munitions n'étaient plus que des ruines fumantes. Willie apercevait encore des flammes qui montaient à l'arrière parmi d'immenses tourbillons de vapeur blanche.

Son champ de vision soudain s'étendit. Il vit à nouveau l'océan et Okinawa, les vertes collines paisibles et l'horizon. Le navire était à demi tourné, si bien que Willie eut quelque difficulté à relever sa position; puis il se rendit compte qu'ils avaient à peine bougé depuis le moment où le Kamikaze les avait touchés. Ils étaient toujours dans le 320 du pic de Yuza Dake. Le bateau roulait doucement sur une houle paisible. Un filet de fumée jaune sortait encore de la première cheminée. Des cris çà et là soulignaient encore la profondeur du silence. Dans l'eau, deux matelots qui dérivaient derrière le bateau hélaient les hommes demeurés sur le pont. Il parut à Willie que ceux qui avaient sauté n'étaient pas très nombreux : quinze ou vingt peut-être.

Il sentit une immense paix et un sentiment de puissance descendre sur lui comme un manteau. « Je crois bien que nous allons pouvoir sauver ce raflot, dit-il à Farrington.

— A vos ordres, lieutenant. Je peux vous aider?

— Est-ce que vous savez mettre en marche le Kohler... le petit moteur auxiliaire du pont?

— Les opérateurs radio m'ont montré, lieutenant...

— Alors, faites-le démarrer tout de suite. Et branchez les câbles sur le circuit du haut-parleur. Ils sont marqués. »

Farrington dégringola précipitamment l'échelle. Willie examina à la jumelle les hommes qui barbotaient dans l'eau et aperçut à une quarantaine de mètres en arrière le commandant qui faisait

la planche, tenant toujours le sac de toile grise. Le Kohler se mit
à tousser, à pétarader puis à tourner avec les hoquets d'une vieille
Ford. Willie entra dans la timonerie. La vue de la barre tournant
librement le surprit un peu. Il abaissa la commande du haut-parleur et entendit le ronflement du courant. Sa voix retentit sur les
ponts :

— A tout l'équipage, c'est le second qui parle. Je vous demande
de ne pas abandonner le navire. On ne m'a signalé d'avaries que
dans la batterie arrière. Le bruit que vous avez entendu était provoqué par des caisses de munitions qui sautaient derrière la cambuse de pont. A ce moment-là, les choses ont vraiment eu l'air de
se gâter. Le commandant a donné l'autorisation d'abandonner le
bateau, mais il a permis aussi à des volontaires de rester à bord
pour essayer de le sauver. Il faut éteindre cet incendie et tâcher
d'avoir un peu de pression aux machines. Les canonniers se tien-.
dront prêts à noyer les magasins, mais ne le feront que quand je
leur en donnerai l'ordre. A la batterie avant : si vos pompes ne
sont pas désamorcées, tâchez de vous brancher sur le soutes
avant. Vos conduits vers l'arrière sont probablement rompus.
Fermez les valves d'arrêt pour éviter que l'eau remonte dans les
canalisations avant. Actionnez les pompes pour aspirer l'eau que
nous envoyons dans la batterie arrière. Gardez votre calme. Souvenez-vous des exercices d'alerte et faites ce que vous êtes censés
faire dans ce cas-là. Le bateau est encore très capable de rentrer
au port sur ses machines. Si nous abandonnons le bord, on nous
versera au dépôt d'Okinawa. Si on tient le coup, on nous enverra
sans doute aux États-Unis pour une réfection. Restez donc à bord.

Farrington remonta sur la passerelle. Willie lui dit de prendre
la barre et se précipita vers l'arrière. Les coursives étaient désertes.
Sur le pont principal des petites flammes rouges dansaient au
bord du trou noyées dans des nuages de fumée grise. Une eau
mêlée d'écume ruisselait au milieu de l'enchevêtrement des tuyaux.
Des matelots et des officiers discutaient le long des mains courantes,
à bonne distance du cratère. Quelques-uns avaient déjà allumé
des cigarettes. Un groupe d'une quinzaine d'hommes massé au
bord du trou déversait des torrents d'eau et de mousse dans la
caverne béante de la batterie. Des matelots avaient passé un
tuyau par le panneau d'écoutille et l'on entendait monter un concert d'horribles imprécations. Le canot, calciné, mais ne flambant
plus, ruisselait sous les seaux d'eau graisseuse dont l'arrosait
méthodiquement Gras-double, en nage dans son gilet de sauvetage.
Plus personne ne courait.

Sur le pont, devant la casemate, le toubib et ses deux assistants
appliquaient des pansements à des hommes allongés sur des
matelas ou sur des civières. Willie alla parler aux blessés. Quelques-uns d'entre eux étaient de garde dans la batterie quand le
Kamikaze était tombé. D'épais pansements de pommade jaune
recouvraient leurs brûlures. D'autres avaient été blessés par les

munitions qui avaient sauté, et l'un des matelots avait un pied
écrasé qui avait doublé de volume et pris une vilaine teinte verdâtre. Le maître Budge était parmi les brûlés.

— Comment ça va, Budge?

— Ça va, lieutenant. J'ai bien cru qu'on y passait tous. C'est
une chance que j'aie pu fermer l'arrivée de mazout avant de
remonter...

— Vous avez fait un appel? Tous vos hommes sont sortis?

— Je n'ai pas pu trouver Horrible, lieutenant... c'est le seul
... je ne sais pas, il est peut-être par là... Budge essaya de s'asseoir.
Willie le repoussa.

— Laissez. Je le trouverai bien...

Dans un grondement de tonnerre les cheminées un et deux se
mirent à vomir un flot de fumée noire et le navire commença à
vibrer. Le second et le maître d'équipage échangèrent un sourire
ravi. « Les pompes ne sont pas désamorcées à la chaudière un et
deux, dit Budge. Ça ira...

— Ah, il va falloir aller ramasser tous nos nageurs. Ne vous
fatiguez pas, Budge...

— J'espère que le commandant a été content de sa petite bai-
gnade, dit le maître à voix basse. Pour ce qui est de la course à
pied, il est encore plus fort que Queeg...

— Taisez-vous, Budge! » dit Willie sèchement. Il repartit vers
l'avant. Dix-sept minutes s'étaient écoulées entre le moment où
le Kamikaze les avait touchés et le moment où les machines
avaient repris leur marche.

Durant les manœuvres de sauvetage qui occupèrent toute
l'heure qui suivit, Willie garda l'étonnante clarté d'idées, l'ardeur
et le sang-froid qui s'étaient emparés de lui dès l'instant où Keefer
avait sauté par-dessus bord. Tout semblait facile. Il prit une douzaine de décisions immédiates tandis que les rapports d'avaries
affluaient dans la timonerie et qu'une foule de problèmes mineurs
se posaient, maintenant que le principal était résolu. Il manœuvra
lentement parmi les nageurs, prenant soin de stopper les hélices
chaque fois qu'il approchait d'eux.

Quand on fut sur le point de hisser le commandant à bord,
Willie abandonna la direction de la manœuvre à Farrington et
vint en haut de l'échelle de coupée. Keefer était incapable de grimper; un matelot plongea donc à côté de lui, lui passa un cordage
autour de la taille et le romancier fut repêché, ainsi, plié en deux,
ruisselant et serrant toujours contre lui le sac trempé. Willie le
saisit dans ses bras quand il arriva au niveau du pont et le mit
debout. Keefer avait les lèvres bleues. Ses cheveux pendaient
en mèches devant ses yeux injectés de sang. « Qu'est-ce que vous
avez fichu pour vous en tirer, Willie? fit-il d'une voix haletante.
C'est un vrai miracle. Je vais vous proposer pour la Croix de la
Marine...

— Voulez-vous reprendre la manœuvre, commandant? Comment vous sentez-vous?

— Pensez-vous, vous vous en tirez très bien. Continuez. Ramassez-les tous. Je vais me changer... et me faire arranger cette saloperie de bras par le toubib, ça me fait un mal de chien... Vous avez fait l'appel?

— On est en train de le faire, commandant...

— Parfait... continuez... donnez-moi donc un coup de main, Winston... » Keefer se dirigea d'un pas chancelant vers sa cabine, appuyé sur l'épaule du quartier-maître, laissant derrière lui une longue traînée d'eau. « Je serai sur la passerelle dans une demi-heure, Willie... faites l'appel... »

La liste des disparus diminuait au fur et à mesure que le bateau recueillait les nageurs. Il ne resta finalement qu'un seul nom non coché sur la liste de Willie : Everett Harold Black, chauffeur de troisième classe... Horrible. Une équipe de secours en bottes d'égoutiers descendit barboter dans la batterie inondée. Ils trouvèrent là le matelot disparu.

Quand on vint signaler qu'on avait retrouvé Horrible, Keefer était sur la passerelle, le bras en écharpe. Le *Caine* repassait à l'endroit où le Kamikaze l'avait attaqué. Il était midi et le soleil brillait au zénith d'un éclat aveuglant. Une lourde odeur de brûlé flottait encore sur le navire noir de suie.

— Comme ça le compte y est, Willie... Pauvre Horrible... Quel est le relèvement de l'entrée du chenal?

— Dans le 81, commandant.

— Très bien. Timonier, cap à 81. Quartier-maître, vitesse quinze nœuds...

— Commandant, dit Willie, je demande l'autorisation de descendre surveiller l'enlèvement du corps.

— Bien sûr, Willie, allez-y.

Les matelots sur le pont enroulaient à nouveau les tuyaux, balayaient les débris qui encombraient le pont principal et se complimentaient joyeusement de leurs petits actes d'héroïsme. Ils accueillirent Willie par une avalanche de questions sur les perspectives d'un voyage aux États-Unis. Quelques-uns d'entre eux, assemblés autour de la cambuse, mâchaient d'épais sandwichs ou dérobaient des pains aux cambusiers qui sacraient tout en essayant de préparer le déjeuner. Des badauds faisaient cercle au milieu du pont, autour du trou béant et encerclé d'une corde passée sur des piquets. On entendait les voix des hommes de l'équipe de secours résonner dans la batterie pleine d'eau comme dans une tombe noyée. Deux des nouveaux enseignes qui avaient sauté par-dessus bord étaient appuyés à la corde, en tenue kaki bien propre, et regardaient en bas en riant. Ils se turent en apercevant Willie.

Il les dévisagea un moment d'un air froid. Ils sortaient d'une école de cadets de Californie. Ils passaient d'ordinaire leur temps à geindre et invariablement remettaient en retard leurs devoirs de cours de perfectionnement dont ils ne voyaient pas l'intérêt. Ils se plaignaient de ne pas assez dormir. Leur négligence dans leur service était intolérable. Qui plus est, ils ne cessaient de déplorer entre eux le triste sort qui les avait jetés sur le *Caine*. Il eut envie de leur suggérer sèchement de s'atteler à un des devoirs de leur cours de perfectionnement, s'ils n'avaient rien de mieux à faire que de flâner; mais il se détourna sans un mot et descendit par le panneau d'écoutille. Il les entendit glousser sur son passage.

Il descendit l'échelle et l'odeur de brûlé et de quelque chose de pire que le brûlé lui donna une nausée. Il se mit un mouchoir sous le nez et s'avança dans la batterie. Il glissa et faillit perdre l'équilibre sur les tôles poisseuses des coursives. C'était extraordinaire, cauchemaresque de voir les rayons du soleil tomber à la verticale dans la batterie et l'eau surgir des foyers. L'équipe de secours était au fond, sur tribord. Willie descendit les dernières marches; l'eau monta, froide et huileuse dans ses jambes de pantalon. Il traversa la batterie en barbotant dans l'eau qui lui léchait les chevilles et lui montait jusqu'à la taille chaque fois que le bateau roulait. Les matelots s'écartèrent et l'un d'eux braqua sur l'eau le faisceau d'une puissante lanterne électrique.

— Attendez que le roulis chasse l'eau de l'autre côté, monsieur Keith, et vous le verrez.

Willie n'avait pas l'habitude de voir des cadavres. On lui avait montré des membres de sa famille allongés dans des cercueils capitonnés sous la lumière dorée des chapelles funéraires, avec un orgue qui pleurait doucement dans les haut-parleurs et le lourd parfum des fleurs qui flottait dans l'air. Mais aucun entrepreneur de pompes funèbres n'était venu enjoliver la mort de Horrible. L'eau découvrit quelques secondes le cadavre et, à la lueur de la lanterne, il aperçut distinctement le matelot, coincé et écrasé par le moteur de l'avion japonais, le visage maculé de graisse. Ce spectacle rappela à Willie des écureuils écrasés comme on pouvait en voir souvent sur les routes de Manhasset par les matins d'automne. C'était bouleversant de se dire que les gens étaient aussi faciles à écraser que des écureuils. L'eau noire vint recouvrir le corps. Willie lutta contre une envie de pleurer et de vomir et dit : « C'est un travail de volontaires. Ceux qui ne peuvent pas tenir le coup n'ont qu'à partir... »

Tous les hommes de l'équipe appartenaient au personnel de la chaufferie. Il les dévisagea longuement; ils avaient tous cet air qui rend, ne fût-ce que l'espace d'un instant, tous les hommes égaux devant un cadavre : sur leur visage se mêlaient la frayeur, l'amertume, le chagrin et la gêne. « Eh bien, si vous vous en ressentez tous, ça va bien. Ce qu'il faut faire, c'est amener une poulie en prenant appui sur ce barrotin et enlever les débris qu'il a reçus. Je vais faire venir Winston avec de la toile. Après ça, vous n'aurez plus qu'à le hisser par le trou jusque sur le pont, au lieu de le porter par les échelles.

— Bien, lieutenant », firent-ils.

L'homme qui tenait la lanterne dit : « Vous voulez voir le Jap, lieutenant? Il est écrabouillé là-bas, sur la coursive de tribord...

— Il en reste quelque chose?

— Pas grand-chose, non. Et c'est pas trop ragoûtant...

— Allons voir. »

Les restes du pilote étaient atroces à voir. Willie détourna les yeux après avoir jeté un rapide coup d'œil au mélange d'os et de chairs sanguinolentes grotesquement entassé sur le siège du cockpit écrasé par le choc; on aurait dit que l'horrible chose pilotait encore; parmi les chairs carbonisées, les dents grimaçaient un sourire, et le plus affreux, c'étaient les lunettes intactes enfoncées dans le visage informe et qui lui donnaient l'air de regarder encore. Cela sentait l'étal de boucher.

— Comme disent les *marines*, lieutenant, il n'y a qu'une fois morts qu'ils sont acceptables, dit le matelot.

— Je... je crois que je vais aller chercher Winston... Willie se faufila précipitamment au milieu des débris de l'avion et des tôles déchiquetées du pont et de la chaudière jusqu'au panneau de secours et retrouva avec délices la brise salée.

Sur la passerelle Keefer était enfoncé dans le fauteuil du commandant, pâle et défait; il laissa Willie amener le navire en rade. Il dirigea alors la manœuvre jusqu'au lieu de mouillage, donnant des ordres d'une voix lasse et sans timbre. Sur les autres bateaux, les matelots s'interrompaient dans leur travail pour contempler avec ahurissement le *Caine* avec son roufle ravagé et l'énorme trou noir au milieu du pont.

Willie descendit dans sa cabine, entassa dans un coin ses vêtements sales et trempés et prit une douche brûlante. Il endossa sa tenue kaki la plus fraîche, tira les rideaux et s'allongea sur sa couchette en bâillant. C'est alors qu'il se mit à trembler. D'abord ses mains, et bientôt tout son corps. Ce qui était curieux, c'était que la sensation n'avait rien de désagréable. Il en retirait une impression de chaleur sous la peau. D'un doigt tremblant il sonna le cambusier.

— Rasselas, apportez-moi un sandwich... n'importe quoi pourvu que ce soit de la viande, et du café brûlant, vous m'entendez, *brûlant*.

— Oui, lieu'nant.

— J'y tremperai mon pouce et si je ne me fais pas une cloque, je vous fiche dedans.

— Du café b'ûlant, oui, lieu'nant.

Les tremblements se calmaient quand on lui apporta deux sandwichs au gigot et du café qui disparaissait derrière un nuage de vapeur. Il prit dans un tiroir de son bureau un cigare qu'Horrible

lui avait offert deux jours plus tôt; il avait offert une tournée de
cigares aux officiers quand il avait été nommé chauffeur de troisième classe. Il hésita un moment; cela lui faisait une drôle d'impression de fumer le cigare d'un mort; puis il l'alluma et s'installa
dans son fauteuil, les pieds sur son bureau. Comme c'est d'ordinaire le cas, des images se pressèrent devant ses yeux. Il vit le
Kamikaze frappant la passerelle au lieu du pont principal et
l'écrasant lui. Il se vit coupé en deux par un éclat d'obus; frappé
à la tête par une balle de mitrailleuse de D. C. A; réduit à l'état
de squelette carbonisé comme le pilote japonais par l'explosion
d'un magasin. C'était à la fois terrible et agréable, comme la lecture d'une histoire « à faire dresser les cheveux sur la tête »; cela
renforçait sa merveilleuse sensation d'être vivant et sauf, l'heure
du danger étant passée.

Il se dit soudain que la promotion d'Horrible avait signifié son
arrêt de mort. Deux jours plus tôt, il avait été déplacé de la chambre
des machines arrière à l'équipe de la batterie où sa vie avait pris
fin.

Les yeux fixés sur les guirlandes de fumée du cigare d'Horrible,
Willie se lança dans des méditations sur la vie, la mort, la chance,
Dieu. Les philosophes jonglent sans mal avec ce genre de pensées,
mais pour les profanes, c'est un véritable supplice quand ces con-
cepts — pas les mots, mais les réalités qu'ils représentent —
viennent briser l'écorce des événements quotidiens et vous em-
poigner l'âme. Une demi-heure d'une telle méditation peut changer
le cours de toute une vie. Le Willie Keith qui écrasa le mégot du
cigare dans le cendrier n'était pas le Willie qui avait allumé ce
même cigare. Le petit garçon avait disparu pour de bon.

Il commença à rédiger un brouillon de lettre aux parents d'Horrible. Le téléphone sonna. C'était Keefer qui parlait d'un ton
calme et résolument cordial : « Willie, si vous êtes d'aplomb, ça
vous ennuierait de monter une seconde?

— Bien, commandant. J'arrive. »

Sur le pont il trouva de nombreux matelots qui profitaient
de la brise de l'après-midi en bavardant gaiement. Willie entendit
à plusieurs reprises les mots de « Mr. Keith ». Les conversations
se turent quand il déboucha du panneau d'écoutille. Quelques-
uns des matelots sautèrent du bastingage où ils étaient assis. Ils
le regardaient tous avec une expression qu'il n'avait encore jamais
vue sur leurs visages... du moins pas quand il passait. Voilà bien
longtemps, il les avait vus regarder ainsi le commandant de Vriess
quand celui-ci venait de réussir une manœuvre difficile. C'était
merveilleux. « Bonjour, monsieur Keith », lui dirent quelques matelots, sans aucune raison, puisqu'il arrivait vingt fois par jour à
Willie de passer là sans que personne le salue.

— Salut », dit Willie en souriant et il entra dans la cabine de
Keefer. Celui-ci, vêtu d'une robe de chambre rouge était assis sur
sa couchette, le dos calé par les oreillers. Il avait laissé pendre son

écharpe autour de son cou et son bras bandé était allongé sur la couchette. Il buvait un liquide brun dans un verre d'eau. Il brandit le verre dans la direction de Willie en éclaboussant un peu de son contenu. « Du cognac d'infirmerie. Excellent en cas de perte de sang, c'est le toubib qui m'a ordonné ça... Ça n'est pas mauvais non plus pour les nerfs après une journée d'héroïsme. Servez-vous.

— Je veux bien, merci, commandant. Où est la bouteille?

— Dans le coffre sous la couchette. Prenez le verre qui est sur le lavabo. C'est de la bonne camelote. Servez-vous et asseyez-vous. »

Le cognac coula dans la gorge de Willie comme de l'eau tiède, sans le piquer le moins du monde. Il se balança dans le fauteuil tournant, jouissant de la douce chaleur de l'alcool. « Vous avez lu *Lord Jim?* dit brusquement Keefer.

— Oui, commandant, je l'ai lu.

— Bon bouquin.

— Le meilleur de Conrad, à mon avis.

— Ça rappelle de façon frappante les événements d'aujourd'hui. » Keefer hocha la tête, les yeux fixés sur Willie qui gardait un visage poliment impassible. « Vous ne trouvez pas?

— Comment cela, commandant?

— Voyons, ce type qui saute par-dessus bord au moment où il ne faut pas... il commet cet unique acte de lâcheté... et ça le hante toute sa vie... » Keefer vida le contenu de son verre. « Passez-moi le cognac. Tenez, je viens de recevoir ce message optique. Lisez ça. »

Il prit la bouteille et tendit la dépêche à Willie. *Commandant Caine se présentera commodore Wharton à bord* Pluto *17 heures.*

— Vous pourrez y aller, commandant? Votre bras va bien?

— Il est juste un peu raide, Willie. Une petite déchirure musculaire. Trois fois rien. Pas une excuse en tout cas. Il va bien falloir que j'y aille. Voulez-vous m'accompagner?

— Certainement, commandant, si vous croyez que je puisse vous être utile...

— Vous savez mieux que moi ce qui s'est passé. Pendant que je barbotais tranquillement dans la baille, c'est vous qui sauviez mon bateau...

— Commandant, votre décision d'abandonner le navire n'était pas un acte de lâcheté, il est inutile d'y revenir. Tout le roufle sautait, les hommes bondissaient par-dessus bord, il y avait du feu et de la fumée partout qui empêchaient de se faire une idée nette de la situation : n'importe quel officier un peu avisé aurait fait comme vous...

— Ce n'est pas ce que vous pensez vraiment, dit Keefer en le regardant droit dans les yeux, et Willie but une gorgée de cognac sans répondre.

— Quoi qu'il en soit, dit le commandant, je vous serai éternellement reconnaissant de le dire au commodore Wharton.

— Je le dirai au commodore.

Après un silence, Keefer demanda : « Pourquoi êtes-vous resté à bord, Willie?

— N'oubliez pas, commandant, que j'avais vu les dégâts causés au pont principal et vous pas. Et puis vous étiez blessé et secoué et moi, pas... si ç'avait été le contraire...

— J'aurais sauté quand même. » Keefer se renversa sur ses oreillers et fixa le plafond. « Vous savez, Willie, c'est un sale truc d'avoir de la cervelle. Je suis bien plus mal loti que Queeg. Lui, il pouvait avaler tous les petits mensonges qu'il se fabriquait pour se sauver la face parce qu'il était idiot. Mais moi, je suis capable d'analyser les choses. Je suis à jamais prisonnier du fait que j'ai sauté. Cela m'a conféré une identité. Je ne pourrai l'oublier qu'en tournant à la paranoïa comme Queeg, et j'ai la tête solide. Pas beaucoup de cran, mais de la cervelle. C'est un dosage parfaitement concevable... il y a peut-être même un rapport, je ne sais pas...

— Excusez-moi, commandant, mais vous venez de passer un sale quart d'heure, vous avez perdu pas mal de sang et ce que vous dites sur votre propre compte ne rime pas à grand-chose. Vous avez tout le cran nécessaire pour...

— Willie, c'est vous qui aviez mis les billes d'acier sur mon oreiller, n'est-ce pas? »

Willie baissa les yeux vers son verre. Il avait fait cela un matin où Keefer, après avoir éperonné un ravitailleur qui venait les aborder, avait tempêté contre l'homme de barre et l'avait puni. « Je... oui, c'est moi. Je suis désolé, commandant, c'était idiot...

— Je vais vous dire une chose, Willie. J'éprouve plus de sympathie pour Queeg que vous n'en éprouverez jamais, à moins qu'on ne vous confie un commandement. Il faut commander pour comprendre ce que c'est. C'est le travail le plus accablant qui soit, et celui où vous êtes le plus seul. C'est un cauchemar, ou alors il faut que vous soyez un bœuf. Vous avancez à tâtons sur un étroit sentier de chance et de décisions justifiées qui serpente au milieu des ténèbres infinies d'erreurs possibles. A tout moment, vous pouvez commettre cent meurtres. Un bœuf comme de Vriess ne s'en rend pas compte, il n'a pas assez d'imagination pour que cela le tracasse... et en outre, il a le pied sûr d'un bœuf qui ne se trompe pas de chemin. Queeg n'avait pas de cervelle, mais il avait des nerfs et de l'ambition, et il n'y a rien d'étonnant à ce qu'il soit devenu gâteux. Je crois que je m'en suis assez bien tiré... jusqu'à aujourd'hui... vous ne trouvez pas? »

L'imploration mal dissimulée fit rougir Willie.

« Mais si, commandant...

— Ah, ça n'a pas été commode. Être second, ce n'est rien. C'est de commander, commander... je ne sais pas... j'aurais sans doute pu m'en tirer convenablement sans cette saloperie de nom de Dieu de Kamikaze... »

La voix de Keefer se brisa et les larmes lui montèrent aux yeux. Willie se leva et se détourna. « Je reviendrai un peu plus tard, commandant, vous n'êtes pas bien...

— Oh, restez donc, Willie. Je vais très bien. C'est simplement que ça ne m'amuse pas d'être Lord Tom jusqu'à la fin de mes jours... »

Willie, à contrecœur, s'adossa au bureau, en détournant toujours les yeux. Au bout d'un moment, Keefer dit simplement : « Ça y est, ça va maintenant. Reprenez du cognac. »

Ses yeux étaient secs. Il tendit la bouteille à Willie. « C'est peut-être ce qu'il y a de plus humiliant... je me demande, après toutes ces années d'insoumission, si les voies de la Marine ne sont pas empreintes d'une sagesse occulte. On a mis Roland sur un porte-avions, et on m'a condamné au *Caine*. Et par un hasard diabolique, nous avons tous deux été soumis à la même épreuve, un incendie provoqué par un Kamikaze, et Roland est mort en sauvant son navire, et moi j'ai sauté... par-dessus bord.

— Commandant, vous lisez toutes sortes de signes dans un accident sans importance. Remettez-vous et n'y pensez plus. Si vous devez voir le commodore à dix-sept heures, vous devriez vous préparer... Votre bras vous gêne ? » Keefer grimaçait en s'asseyant.

— Ça me fait un mal de chien... mais c'est une autre histoire, Willie... Le commandant bascula les jambes par-dessus le rebord de sa couchette, maniant son bras avec précaution. « Le coup de l'étrier ? fit-il en tendant la bouteille à Willie.

— Non, commandant, merci... »

Keefer le regarda affectueusement, avec un triste sourire. « Je me demande si vous vous rendez compte à quel point vous avez changé depuis deux ans que vous êtes sur le *Caine* ?

— Nous devons tous être dans le même cas, commandant...

— Pas autant que vous. Vous vous souvenez, quand vous avez laissé ce message pendant trois jours dans un vieux pantalon ? » Willie eut un sourire. « Je ne vous l'ai jamais dit, mais de Vriess et moi, nous avons eu toute une conversation à votre sujet ce soir-là. C'est curieux, mais c'est moi qui disais alors que vous étiez un cas désespéré. De Vriess disait que vous finiriez par être un officier remarquable. Je me demande encore comment il pouvait le prévoir. Vous savez, Willie, vous avez décroché une médaille, si ma proposition vaut quelque chose... Enfin, merci de m'avoir laissé pleurer dans votre cognac. Je me sens beaucoup mieux. » Il prit son pantalon.

— Est-ce que je peux vous aider à vous habiller, commandant ?

— Non, merci, Willie... je suis encore bon à quelque chose... physiquement du moins. Quel surnom est-ce qu'on m'a donné au carré ? Le roi du plongeoir ? Ses yeux brillaient de malice et Willie ne put retenir un petit rire.

— Commandant, tout le monde aura oublié ça d'ici une semaine... à commencer par vous...

— Je m'en souviendrai sur mon lit de mort, si je meurs dans

un lit, et où que ce soit d'ailleurs. La vie des gens pivote autour d'un ou peut-être deux moments déterminants. J'ai eu mon moment ce matin. Enfin... Ma mère ne m'a pas élevé pour être un soldat, voilà. Je suis quand même un bon écrivain, c'est déjà quelque chose. Quoi qu'en pense Barney Greenwald. Il aurait probablement prédit que je plongerais. Il me semble d'ailleurs que j'ai plongé aussi au conseil de guerre, et pourtant, je ne crois pas que j'aurais pu aider Steve en... Enfin. Je vais prendre encore un petit verre si vous n'en voulez pas. Il boucla habilement sa ceinture d'une main, puis se versa un peu de cognac et le but d'un trait. « Cela me fait un très curieux effet que de me trouver dans une situation où les mots ne peuvent rien changer. C'est la première fois que ça m'arrive, ou alors je me trompe fort. Ah, il faudrait vous raser, Willie.

— Bien, commandant.

— Nom de Dieu, je crois que vous avez bien mérité le droit de m'appeler Tom comme avant. Le Long Tom même... je veux dire lord Tom... je bafouille encore un peu. Rien de tel qu'une petite balade en canot pour arranger ça. Mais avons-nous encore un canot, au fait? J'ai oublié.

— Il n'est pas très joli à voir, commandant, mais le moteur tourne encore...

— Parfait. » Willie avait la main sur le bouton de la porte quand Keefer dit : « Ah, pendant que j'y pense... » Il fouilla dans les rayonnages et en tira un gros classeur noir. « Voilà les vingt premiers chapitres de *Multitudes*. Le reste est un peu humide. Ça vous dit d'y jeter un coup d'œil ce soir en vous couchant? »

Willie était stupéfait. « Oh... merci, commandant... avec plaisir. Je commençais à croire que je serais obligé de l'acheter pour pouvoir le lire...

— Ah mais, Willie, attention, je compte toujours que vous l'achèterez : et mes droits d'auteur, qu'est-ce que vous en faites? Mais j'aimerais savoir ce que vous en pensez.

— Je suis sûr que ça me plaira beaucoup, commandant...

— Eh bien, lisez ça comme du temps où vous étiez une des lumières de la littérature comparée. Et n'allez pas me ménager parce que je suis votre commandant.

— Bien, commandant. » Willie sortit, le classeur sous le bras, comme s'il venait de se voir confier un document ultra-confidentiel.

Dans la nuit, il écrivit à May.

CHAPITRE XXXIX

UNE LETTRE D'AMOUR

Il était bien plus de minuit quand Willie referma le manuscrit de Keefer et qu'il se rendit dans le bureau du bord. Allumant la lampe du bureau, il ferma la porte à clef et enleva la housse de la machine à écrire. Il régnait dans la petite pièce sans air un silence total, troublé seulement par le craquement étouffé des badernes disposées entre la coque et le flanc du *Pluto*. (Le *Caine* était amarré au ravitailleur pour des réparations.) Dans le tiroir, il tomba sur les revues pornographiques du secrétaire et s'amusa de constater qu'il n'avait même pas envie de les feuilleter. Il passa le papier dans la machine et se mit à taper d'une traite, sans presque s'arrêter.

May chérie,

S'il y a une chose dont j'ai pris l'habitude sur ce bateau, une sensation dont je garderai toujours le souvenir, c'est celle d'être violemment tiré de mon sommeil. Cela a dû m'arriver au moins mille fois dans les deux dernières années. Eh bien, on vient maintenant de me tirer du sommeil où j'étais plongé en ce qui te concerne, et j'espère seulement, mon Dieu, que ce n'est pas trop tard.

Je sais que cette lettre va te faire l'effet d'une bombe. Lis-la, chérie, et vois si elle vaut que tu y répondes. Je sais bien que je ne compte pas plus pour toi que n'importe lequel des clients qui sont là bouche bée à te regarder au Grotto. Mais il faut que je t'écrive cette lettre.

Il est inutile que je m'excuse aujourd'hui de n'avoir pas écrit pendant cinq mois. Tu sais pourquoi je ne l'ai pas fait. J'en étais arrivé à ce qui me semblait alors une conclusion éminemment noble :

si j'avais l'intention de rompre avec toi, je devais le faire proprement et sans te torturer encore par mes lettres mensongères. Et puisque j'avais décidé de te plaquer une fois pour toutes parce que Dieu me pardonne, tu n'étais pas assez bien pour moi, j'ai cessé d'écrire.

Je veux que tu sois ma femme. C'est pourquoi je t'écris aujourd'hui. Je suis cette fois absolument sûr de ce que je dis. Je t'aime. Je n'ai jamais aimé personne, pas même mes parents, comme je t'aime. Je t'ai aimée dès l'instant où tu as enlevé ton manteau chez Luigi, je ne sais pas si tu t'en souviens, car tu t'es alors révélée comme la femme la plus désirable qui soit — à mes yeux, et c'est tout ce qui compte. J'ai découvert par la suite que tu étais plus intelligente que moi et que tu avais plus de personnalité, mais ce n'étaient là que d'heureux hasards. Je crois que je t'aurais aimée même si tu t'étais avérée idiote. Je crois donc que c'est l'attirance physique qui est à la base de mon amour, et qu'il en sera toujours ainsi. Cela ne te plaît peut-être pas, puisque tu attires si facilement des troupeaux d'idiots, mais c'est pourtant vrai.

Le fait est, ma tendre chérie que cette attirance sexuelle a bien failli gâcher nos existences, parce que, idiot et snob comme j'étais, j'ai cru y voir un piège. Après notre voyage à Yosemite, ma mère a fait tout ce qu'elle a pu pour me dissuader de t'épouser en ne cessant de me répéter et de m'insinuer que j'étais la proie de mes sens. Il m'est arrivé un tas de choses pendant ces cinq derniers mois qui ont fait que j'ai vieilli de cinq ans durant cette période et que je peux maintenant affirmer en toute sécurité que je suis sorti des brumes de mon adolescence, si loin encore que je sois de l'âge d'homme. Je comprends maintenant que notre rencontre est un de ces miracles comme il n'en arrive qu'une fois dans une vie. Je ne peux pas comprendre comment ni pourquoi tu es venue à t'attacher à moi, alors que tu es plus forte, plus intelligente, plus jolie, plus énergique et à tous égards meilleure que moi. Peut-être est-ce mon jargon de Princeton qui m'a servi, auquel cas, béni soit Princeton. Je sais bien que l'idée de snob d'entrer par le mariage dans une, ouvrez les guillemets, bonne famille, fermez violemment les guillemets, ne veut rien dire pour toi. Quoi qu'il en soit, c'est une chance extraordinaire que tu m'aimes.

Chérie, c'est comme une digue qui se rompt, je ne sais pas par où commencer. Le point le plus important est : veux-tu m'épouser la prochaine fois que je viendrai en permission? Que la guerre soit finie ou non? J'ai l'impression que ce n'est plus maintenant que l'affaire de quelques mois. Dans ce cas, voici ce que je compte faire. Je veux retourner à l'université et passer une licence, peut-être un doctorat si j'en ai les moyens et trouver alors un poste de professeur de collège, peu m'importe où, mais de préférence dans une petite ville. Côté financier : ce ne sera pas avec l'argent de ma mère. Papa, que Dieu ait son âme, m'a laissé une assurance vie qui peut me suffire pendant deux ou trois ans d'études, et je peux en outre travailler un peu à côté, donner des leçons ou quelque chose comme ça et peut-

être le gouvernement aidera-t-il les anciens combattants comme il l'a fait après l'autre guerre. En tout cas, tout cela est faisable. Que je te dise, à propos, que mon père m'a plusieurs fois laissé entendre que je devrais t'épouser. Il s'était rendu compte que j'avais découvert une merveille.

Je sais que j'ai la vocation de l'enseignement. Comme pour tout le reste, tu m'as parfaitement compris à cet égard. Cela fait maintenant deux mois que je suis second du Caine (Seigneur, j'ai des tas de nouvelles à te donner... attends un peu), et j'ai organisé pour les matelots un programme éducatif dans le cadre des cours pour l'instruction des Forces armées. Je ne peux pas te dire le plaisir que je prends à aider les hommes à aborder l'étude de questions qui les intéressent, à les conseiller dans leur travail, à surveiller leurs progrès. J'ai vraiment l'impression que c'est le genre de travail pour lequel je suis fait. Quant au piano, où pourrait-il me mener? Je n'ai aucun talent. Je suis tout juste capable de pianoter un peu et d'inventer des couplets approximatifs, autrement dit d'animer les surprises-parties du samedi soir. Toute cette vie de boîtes de nuit, ces clients avec leurs têtes sans vie, l'atmosphère étouffante et tous les soirs la même chose qui recommence, le même jeu de pseudo-désir, pseudo-musique, pseudo-esprit... très peu pour moi. Et très peu pour toi. Tu es là-dedans comme un diamant égaré sur un tas d'ordures.

Question religion. (Procédons avec méthode... il y a tellement de choses à dire!) Je n'ai jamais été très religieux mais j'ai trop vu le jeu des étoiles et du soleil et des vies humaines, ici en mer, pour méconnaître l'existence de Dieu. Je vais au service quand je peux. Je suis un assez pâle Chrétien. Le catholicisme m'a toujours fait peur et je ne le comprends pas bien. Nous pourrons en parler. Si tu tiens à élever les enfants dans la religion catholique, ma foi, je crois qu'un Chrétien en vaut bien un autre. J'aimerais autant ne pas me marier suivant un rite que je ne comprends pas — je suis aussi franc avec toi qu'il le faut, puisque maintenant les dés sont jetés — mais je le ferai quand même si toi tu y tiens. Nous pourrons discuter de tout ça et nous arranger si seulement tu m'aimes encore comme autrefois.

Petit bulletin d'information (bien que je ne puisse te dire où je suis ni rien de ce genre naturellement). Tu vois déjà que je ne suis pas en prison pour mutinerie. Maryk a été acquitté, grâce essentiellement à des artifices de procédure, et je n'ai donc même pas passé en conseil de guerre. Ce pauvre diable de Stilwell est devenu fou... il a été rendu fou par Queeg que j'en viens maintenant à plaindre autant que Stilwell, car ce sont tous les deux des victimes de la guerre, à des degrés divers. Aux dernières nouvelles, Stilwell était à peu près rétabli après quelques électro-chocs et avait une affectation à terre. Queeg a été remplacé par un type d'Annapolis absolument formidable qui, en quatre mois, a remis le bateau d'aplomb et en a alors laissé le commandement à Keefer. Nous avons donc maintenant un romancier comme commandant, quel honneur!

Je me rends clairement compte maintenant que la « mutinerie » a été principalement l'œuvre de Keefer — malgré la part de respon-sabilité que Maryk et moi nous y avons — et je comprends en outre que nous avons eu tort. Nous avons reporté sur Queeg la haine que nous aurions dû éprouver à l'endroit de Hitler et des Japs qui nous ont arrachés à nos foyers pour nous emprisonner pendant des années sur un vieux rafiot branlant. Notre insoumission a rendu les choses deux fois plus dures pour Queeg et pour nous-mêmes; cela l'a conduit aux pires excès et cela l'a complètement détraqué mentalement. Et c'est alors que Keefer a mis dans la tête de Steve l'idée de l'article 184, et tout le reste est parti de là. Queeg a dirigé le Caine pendant quinze mois, ce qu'il fallait bien que quelqu'un fît et ce qu'aucun de nous n'aurait été capable de faire. Quant à l'histoire du typhon, je ne sais pas s'il valait mieux aller vers le nord ou vers le sud, et je ne le saurai jamais. Mais je ne crois pas que Maryk avait besoin de relever Queeg de son commandement. Ou bien Queeg aurait mis le cap au nord de lui-même en voyant que les choses se gâtaient, ou alors Maryk l'aurait fait et Queeg aurait marché après avoir un peu gueulé et il n'y aurait pas eu ce satané conseil de guerre. Et le Caine serait resté dans la zone des opérations au lieu de moisir à San-Francisco pendant que se déroulaient les campagnes les plus importantes de la guerre. En fait, quand on a pour commandant un type incompétent — c'est un des risques de la guerre — la seule chose à faire, c'est de lui obéir comme si c'était le marin le plus capable qui soit, de camoufler ses gaffes, de continuer à faire marcher le bateau et de tenir le coup. Et voilà les platitudes auxquelles je finis par arriver, mais c'est comme ça qu'on mûrit je crois. Je ne crois pas que Keefer pense comme moi, ni qu'il changera jamais d'avis. Il est trop malin pour être sage, si j'ose m'exprimer ainsi. Tout ce que je dis là, d'ailleurs, ça n'est pas de moi; c'est de l'avocat de Maryk, un type étonnant, un Juif du nom de Greenwald, un pilote de chasse et sans doute le type le plus bizarre que j'aie jamais rencontré.

Keefer a fini par céder et par me montrer le début de son roman. Tu ne sais sans doute pas qu'il a vendu le manuscrit encore inachevé à Chapman House et qu'on lui a donné mille dollars d'à valoir. Nous avons fêté ça au cours d'un dîner qui a très mal tourné pour des raisons que je t'expliquerai une autre fois. Quoi qu'il en soit, j'en ai lu quel-ques chapitres ce soir et je regrette de devoir dire que ça m'a l'air drô-lement bien. Ce n'est pas que ce soit très original comme fond ni comme style — c'est un peu un mélange de Dos Passos, de Joyce et d'Heming-way — mais ça se lit bien et certaines scènes sont très bien venues. L'action se place sur un porte-avions, mais il y a un tas de retours en arrière qui se passent à terre et notamment quelques scènes parmi les plus érotiques que j'aie jamais lues. Je suis sûr que ça se vendra comme des petits pains. Le titre est Multitudes, Multitudes.

Je ne sais pas trop ce que tu vas penser de tout ça. Je viens de relire ce que j'ai écrit et je crois bien que c'est la demande en mariage la plus idiote et la plus décousue qu'on ait jamais faite. Je dois écrire un peu plus vite que je ne pense mais qu'est-ce que ça peut faire?

Pour ce qui est d'avoir envie de t'épouser, c'est tout réfléchi. Je n'ai plus qu'à attendre de tes nouvelles, et ça va être long. Chérie, ne crois pas que je sois saoul ni que j'écrive sur un coup de tête. C'est comme ça. Même si je vis jusqu'à cent sept ans, et que tu me reviennes ou non, je ne changerai jamais d'avis à ton sujet. Tu es la femme qu Dieu m'a destinée et j'étais tout bonnement trop bête, trop enfantin pour ne pas l'avoir encore compris depuis trois ans. Mais j'espère avoir cinquante années devant moi pour rattraper ça et je voudrais bien en avoir l'occasion. Que puis-je dire de plus? Peut-être est-on censé dans une lettre d'amour se répandre en propos délirants sur les yeux et sur les lèvres de sa belle et lui jurer éternelle fidélité et Dieu sait quoi encore. Chérie, je t'aime, je t'aime, je t'aime, voilà tout. Tu es tout ce que je désire pour finir mes jours heureux.

Je pense tout d'un coup que la perspective d'être la femme d'un rat de bibliothèque ne te dit peut-être rien. Je n'ai rien à répondre à ça sinon que si tu m'aimes tu viendras quand même pour essayer. Je crois que ça te plaira. Tu ne connais que New-York et Broadway. Il existe un autre monde d'herbe verte, de calme, de soleil, de gens agréables et cultivés, et je crois qu'au bout de quelque temps, tu l'aimeras. Et puis tu apporteras de la vie dans ce milieu... C'est quelquefois un peu morne et endormant, c'est l'inconvénient... et peut-être que tu m'inciteras à accomplir une tâche utile au lieu de me laisser m'appesantir chaque année dans la même routine. Mais tout ça, ce sont des détails. Toute la question est de savoir si tu estimes, comme moi, que nous sommes faits l'un pour l'autre.

Pour l'amour du ciel, écris-moi dès que tu pourras. Pardonne-moi ma stupidité; ne te venge pas en prenant ton temps. Es-tu en bonne santé? Est-ce que tu es toujours la coqueluche des clients et le point de mire des godelureaux attablés au bar? La dernière fois que je suis venu au Grotto, j'aurais bien cassé la figure d'une dizaine de types pour la façon dont ils te regardaient. Je ne saurai jamais pourquoi je n'ai pas alors reconnu mes sentiments pour ce qu'ils étaient réellement. En ce qui concerne ma mère, n'y pense pas, May, ou en tout cas penses-y sans amertume. Je crois qu'elle s'y fera. Sinon, elle se privera simplement du plaisir de nous voir heureux tous les deux. Rien de ce qu'elle peut dire ou faire ne changera rien. Ma mère malgré sa fortune n'a pas eu grand-chose de la vie. Je la plains sur ce point, mais pas assez pour renoncer à cause d'elle à ma femme. Voilà.

Il est maintenant deux heures et quart du matin et je pourrais continuer à écrire jusqu'à l'aube sans me fatiguer. J'aurais voulu, ma chérie, te faire ma demande dans le cadre le plus enchanteur qui soit, plein de musique et de parfums, au lieu d'être là à taper entre les murs sinistres d'un bureau de bord une lettre incohérente que tu recevras toute sale et chiffonnée. Mais si cette lettre peut te rendre à moitié aussi heureuse que me rendrait ta réponse affirmative, alors tout cela me paraîtrait beau à souhait.

Je t'aime, May. Écris vite, vite.   Willie

Il relut la lettre une vingtaine de fois, coupant une phrase par-ci, en ajoutant une par-là. Il finit par ne plus comprendre très bien ce qu'il lisait. Il recopia tout à la machine, emporta les feuillets dans sa cabine et se fit une tasse de café. Il était quatre heures du matin quand il reprit la lettre bien fignolée pour la relire une dernière fois. Il imaginait très bien l'effet qu'elle ferait à May : elle la trouverait surprenante, un peu plate, décousue et touffue... mais avec quand même l'accent de la vérité. Il aurait voulu faire encore une douzaine de corrections, mais il décida de la laisser telle quelle. Il ne pourrait jamais en faire une lettre bien et digne; il était dans une mauvaise position, et indigne. Il revenait se traîner aux pieds d'une femme qu'il avait laissé tomber. Tout ce qu'il pourrait dire n'y changerait rien. Si elle l'aimait encore — et il en était bien sûr, à en juger par leur dernier baiser — alors elle passerait l'éponge sur toutes les bêtises qu'il avait commises, rengainerait son orgueil et accepterait la demande en mariage. C'était tout ce qu'il demandait, et cette lettre suffisait bien pour cela. Il la cacheta, la jeta dans la boîte à lettres du bord et alla se coucher, avec l'impression que désormais à moins qu'un autre Kamikaze ne leur tombe dessus, la vie ne serait qu'une attente vide, le temps que sa lettre traverse la moitié du monde et que la réponse fasse le même interminable trajet.

Willie n'était pas le seul à être au calme; le *Caine* était dans la même situation. Les habiles ouvriers du *Pluto* eurent tôt fait de réparer les dégâts causés au roufle; mais ils peinèrent deux semaines parmi les décombres de la batterie et conclurent que la réfection de la chaudière n'était pas un travail pour eux. Cela demanderait, dirent-ils, trop de temps et de matériel au ravitailleur. Il y avait d'autres victimes des Kamikaze plus intéressantes : des destroyers de construction récente et des destroyers d'escorte. On ne reboucha donc pas le trou du pont principal et le *Caine* quitta le flanc du ravitailleur pour aller s'installer au mouillage à l'autre bout de la rade. Et il resta là, tandis que la campagne d'Okinawa s'achevait et que l'officier d'opérations du ComMinPac se demandait, entre mille autres préoccupations, que faire du bateau.

Le *Caine* avait encore dans la batterie intacte deux chaudières en état de marche qui lui permettaient de filer vingt nœuds environ. Au début de juillet, le commandant Ramsbeck se rendit à bord et fit faire des essais en mer; le bateau leva l'ancre pour la première fois depuis des semaines. Ramsbeck expliqua à Keefer et à Willie que MinPac ne tenait pas à envoyer le vieux *Caine* aux États-Unis pour une réfection complète tant qu'il pouvait encore marcher. Une fois sorti de la zone de combat, il ne pourrait probablement être revenu à temps pour participer aux immenses opérations de déminage en perspective. Le *Caine* se comporta fort correctement pendant les essais, et Keefer dit qu'il ne demandait qu'à participer à la prochaine opération. Willie fit remarquer que certains des vieux destroyers convertis en ravitailleurs d'avions marchaient parfaitement sur deux chaudières. Ramsbeck parut favorablement impressionné tant par l'attitude du commandant et du second que par le bon état de marche du bateau. Le lendemain, il leur envoya le plan d'une campagne de déminage en mer de Chine : le *Caine* figurait sur la liste des navires affectés à l'opération.

Un matin, deux jours avant la date fixée pour le départ, Willie était dans sa cabine occupé à rédiger le livre de bord de juin tout en s'arrêtant fréquemment pour se demander pourquoi il n'avait pas encore reçu de réponse de May, quand le messager de quart frappa et dit : « Excusez-moi, lieutenant, le *Moulton* vient de nous aborder. » Willie se précipita sur le pont. L'étrave du dragueur se balançait à la hauteur du gaillard d'avant du *Caine*, et Willie aperçut sur la passerelle son vieil ami Keggs, hâlé et tanné, qui se penchait par-dessus la rambarde en criant des ordres. Willie sauta sur le pont du *Moulton* dès qu'on eut fixé les amarres et tomba sur Keggs qui descendait l'échelle de passerelle.

— Commandant Keggs, je suppose?

— Exactement! Keggs lui passa un bras autour des épaules. « Est-ce au commandant Keith que j'ai l'honneur de parler?

— Commandant en second seulement. Félicitations, Ed. »

Ils s'installèrent dans la cabine du commandant du *Moulton* avec du café, et Keggs dit : « J'ai six mois de mer de plus que toi, Willie, c'est pour ça. En décembre tu seras commandant du *Caine*.» Le visage chevalin de Keggs avait pris de l'autorité et de l'assurance; c'était presque un visage d'étalon maintenant. « Keggs, se dit Willie, avait l'air plus jeune que trois ans auparavant à l'École des Cadets, alors qu'il piochait désespérément les manuels d'artillerie navale avant le réveil. » Ils évoquèrent tristement le souvenir de Roland Keefer. Puis Keggs dit, jetant à Willie un regard en coulisse : « Je vois que tu ne parles guère de la mutinerie du *Caine*...

— Tu es au courant?

— Voyons, Willie, toute la division de dragueurs ne parlait que de ça. Mais on n'a jamais eu que des ragots... personne n'a jamais su exactement à quoi s'en tenir... est-ce que c'est encore confidentiel?

— Bien sûr que non. » Willie lui raconta toute l'histoire. Le commandant du *Moulton* secouait sans cesse la tête d'un air incrédule, et à une ou deux reprises, il émit un petit sifflement.

— Maryk a une veine de tonnerre de Dieu, Willie. Je me demande comment il s'en est tiré...

— Je te l'ai dit, il avait un avocat sensationnel...

— Je veux bien le croire... Tiens, figure-toi qu'une nuit, à Nouméa, je me suis saoulé avec le second — c'était du temps de Iron Duke — et qu'il m'a récité l'article 184 par cœur. Et il m'a dit qu'il attendait seulement que le pacha fasse quelque chose de vraiment impossible pour le coincer. Mais il ne m'en a jamais reparlé. Tu aurais dû voir la façon dont Sammis le faisait marcher, lui aussi...

— Oui, mais cette chose impossible, ils ne la font jamais, Ed. C'est ça.

Dix-sept jours avant la fin de la guerre, le dragueur de mines *Caine* effectua enfin une opération de draguage.

Ils étaient dans la mer de Chine, une double ligne de dragueurs déployés sur un front de huit kilomètres. Le soleil venait à peine de se lever et il était d'un blanc aveuglant. Le draguage avait commencé à l'aube et la ligne brisée des navires avançait prudemment dans l'eau verte du champ de mines. La mine jaillit soudain dans le sillage du *Caine* et vint flotter en surface; c'était une grosse boule rouillée avec de petites cornes. Keefer, tout excité, fit lancer une bouée colorante. Les timoniers se précipitèrent pour hisser la flamme d'alarme. Un chasseur de sous-marins qui les suivait mit le cap sur la mine et se mit à l'arroser du feu de ses mitrailleuses. La mine sauta avec un grondement épouvantable, soulevant une colonne d'eau d'une trentaine de mètres de haut. Sur tout le front de la formation, les mines commencèrent à remonter en surface. L'eau était parsemée des taches jaune-vert des bouées colorantes. Le *Caine* était au second rang, aussi les matelots se mirent-ils à scruter l'eau avec angoisse.

Une minute ne s'était pas écoulée qu'ils apercevaient une mine flottant devant eux, au milieu d'une zone d'eau jaune. Keefer fit trois tours complets de la passerelle en hurlant des ordres contradictoires, tandis que le *Caine* fonçait sur la mine faisant feu sur elle de toutes ses pièces. Ils n'en étaient pas à trente mètres quand elle disparut avec un vacarme infernal et soulevant vers le ciel une cataracte. Les vigies en signalèrent une autre en avant par tribord et presque au même instant le *Caine* coupa les câbles de deux autres mines. Pendant les cinq minutes qui suivirent, l'affolement le plus total régna sur la passerelle.

Mais toute nouveauté, fût-elle dangereuse comme le draguage de mines, ne tarde guère à s'émousser et à tomber dans la routine. Quand le *Caine* eut coupé sept câbles de mines et qu'il en eut fait sauter une demi-douzaine, tout le monde jusqu'au commandant, tout nerveux qu'il fût, finit par comprendre que le jeu n'était pas très difficile et qu'avec un peu de chance il n'était pas tellement dangereux non plus. Keefer passant alors d'un extrême à l'autre, se mit à manœuvrer avec une redoutable nonchalance et approcha si près de deux mines pour les canonner que Willie en eut froid dans le dos.

Cette matinée avait pour Willie un caractère de totale irréalité. Il était depuis longtemps convaincu qu'il était dans le destin du *Caine* de ne jamais draguer une seule mine. C'était là, lui semblait-il, la suprême ironie qui venait couronner l'étrange carrière du bateau. Il avait quand même étudié la technique du draguage, mais il croyait que le manuel n'était qu'un autre de ces bouquins dénués d'intérêt pratique comme les codes de pavillons français et hollandais. Il en était même venu, contre toute raison, à douter de l'existence des mines. Et voilà qu'aujourd'hui tout l'attirail qui encombrait la plage arrière servait réellement à quelque chose! Les paravanes plongeaient effectivement au-dessous du niveau où étaient mouillées les mines et se maintenaient à une profondeur constante; les câbles coupants coupaient effectivement les lignes d'ancrage des mines; et les mines étaient véritablement des boules de fer capables de faire sauter un bateau. C'était une preuve de plus — Willie commençait à y être habitué, mais éprouvait une certaine honte à l'apparition de chacune d'elles — que la Marine savait quand même à peu près ce qu'elle faisait.

La carrière du *Caine* en tant que dragueur de mines était destinée à être brève : sur ce point son instinct n'avait pas trompé Willie. Il commençait juste à prendre plaisir à ce jeu dangereux quand les pompes de la chaudière un lâchèrent, ce qui fit tomber la vitesse à douze nœuds. Cela ramena la maniabilité du long bateau dans cette zone de mines à la dérive, au-dessous de la marge de sécurité. Ordre fut donné au *Caine* d'abandonner la formation et de rejoindre Okinawa. Il était près de midi. Un dragueur auxiliaire, un des navires de balayage en queue de formation vint prendre la place du *Caine* qui fit demi-tour. Sur la passerelle du *Moulton*, leur voisin de formation, Keggs fit au revoir à Willie et lui envoya un message optique : *Veinard. Moi aussi je vais essayer d'envoyer une clef anglaise dans mes pompes. A bientôt.*

Sur le chemin du retour, ils eurent le plaisir mélancolique de tomber sur une mine flottant à des kilomètres en arrière des dragueurs. Ce fut Willie qui repéra la redoutable boule rouillée. Il l'observa dans ses jumelles, avec une sorte d'instinct affectueux de propriétaire, car la mine résistait à la volée de balles de mitrailleuses qui pleuvait sur elle. Et puis elle disparut d'un coup, et on ne vit plus qu'une colonne d'eau écumante; ainsi s'acheva pour le *Caine* la seconde guerre mondiale.

Mais sur le moment, personne n'en savait rien, évidemment. Le bateau se traîna jusqu'à Buckner Bay (c'était le nouveau nom qu'on avait donné à Nakagusuku Wan), et Keefer envoya un message au *Pluto*, demandant à venir s'amarrer le long de son bord. Le lendemain le ravitailleur lui répondit par une lettre officielle de ton fort acide. Étant donné le nombre de réparations plus urgentes demandées au *Pluto*, le *Caine* devrait attendre son tour jusqu'à la fin d'août. On priait Keefer de tâcher d'effectuer lui-même ses réparations du mieux qu'il pourrait, en utilisant le matériel que le ravitailleur se ferait un plaisir de lui fournir.

Le vieux dragueur se retrouva donc à l'ancre, et recommença à se couvrir de rouille et de coquillages. Willie avait tout le loisir de s'inquiéter au sujet de May et il ne s'en faisait pas faute. Six semaines s'étaient écoulées depuis qu'il avait envoyé sa demande.

Il avait entre temps écrit plusieurs fois à sa mère et elle avait répondu à ses lettres. Il eut recours pour se réconforter aux raisonnements que se font d'ordinaire les hommes qui sont au front. Sa lettre à May avait été égarée dans le fatras du courrier maritime. Un typhon avait endommagé le navire transportant le courrier. May n'était pas à New-York. La poste aux armées fonctionnait n'importe comment... et caetera et caetera. Toutes ces pensées ne le consolaient guère car il savait qu'en fait la poste militaire fonctionnait très bien. Il fallait compter deux semaines ou tout au plus vingt jours pour avoir la réponse à une lettre expédiée d'Okinawa. Les hommes écrivaient des centaines de lettres, n'ayant rien de mieux à faire, et Willie connaissait bien le mécanisme du courrier. Il était chaque jour plus sombre. A trois reprises il écrivit des lettres de supplications passionnées, puis les déchira parce qu'il se trouvait idiot en les relisant.

Une après-midi, en entrant dans sa cabine, il aperçut sur son bureau une grosse enveloppe rédigée d'une écriture de femme : ce n'était pas l'écriture penchée de sa mère; il crut reconnaître les jambages anguleux de May et se précipita sur la lettre qu'il décacheta frénétiquement. Elle était signée sous-lieutenant Ducely. Une grande page de journal pliée tomba de l'enveloppe.

Cher Willie,

J'ai pensé que l'article de journal ci-inclus vous amuserait, vous et ce qui reste de l'équipage infernal. Me revoilà à la Propagande, 90, Church Avenue, Dieu merci, juste en face de mes bars favoris, et hier après-midi je suis tombé sur cet article. Je suis censé le garder pour les archives, mais j'ai écrit au journal pour en avoir un autre exemplaire et je vous envoie celui-ci. Il semble qu'on ait mis le Vieux Tache Jaune au vert pour de bon, ce qui devrait vous faire plaisir. A Stiber Forks, dans l'Iowa! Je ne me lasse pas d'en rire. Enfin, on ne peut tout de même pas installer un dépôt de matériel sur un récif.

Il nous est parvenu ici toutes sortes d'histoires très vagues au sujet de la « mutinerie du Caine ». C'est devenu une véritable légende, mais personne ne sait exactement ce qui s'est passé, sinon que Maryk a été acquitté. Figurez-vous qu'avec mes deux étoiles de combat et l'auréole d'avoir appartenu au fameux Caine, je fais très guerrier chevronné ici, et ça me fait bien rigoler, mais je joue le jeu. Je pourrais avoir tout un harem de WAF's si j'en étais pour les gros derrières et les poils aux jambes, mais je suis assez délicat. Surtout que je suis pratiquement fiancé. Cela va probablement vous en boucher un coin. Vous vous souvenez de toutes ces lettres que j'avais envoyées pour retrouver cette fille de l'annonce de corsets du New Yorker; eh bien, quand je suis rentré, un de mes camarades qui travaille dans une boîte de publicité a fini par retrouver sa trace, et c'est sans doute la plus belle fille de New-York, elle s'appelle Crystal Gayes (son vrai nom est un ramassis imprononçable de consonnes polonaises),

*c'est un mannequin très connu et vraiment une gentille gosse. Je
me suis trouvé très souvent de quart au Stork Club ces derniers six
mois, et, croyez-moi, c'est plus drôle que sur la passerelle du Caine.
A propos, j'ai vu votre chère May Wynn qui passait dans un cabaret
et elle m'a paru diantrement séduisante, mais je n'ai pas eu l'occasion de lui parler.*

*J'espère, Willie, que vous m'avez pardonné pour toutes les fois
où je vous en ai fait voir. Je n'ai pas votre étoffe. Je ne vous ai jamais
dit comme je vous admirais de subir les persécutions du Vieux Tache
Jaune, alors que presque tout était de ma faute. Je ne suis qu'un gre-
luchon de salon, mais vous, mon vieux, vous êtes un croisement de
Nelson et de martyr chrétien.*

*Si jamais vous venez en permission, passez-moi un coup de fil.
Vous trouverez l'adresse dans l'annuaire au nom de ma mère, Agnès B.
Ducely. Meilleurs souvenirs à tous, et n'approchez plus des Kami-
kazes.*

　　　　　Bien à vous.

　　　　　　　　　　　　　　　　　　ALFRED.

　　*P. S. — Notez que le vieux T. J. est toujours lieutenant de vais-
seau. Ceux de sa promotion ont avancé dans le mouvement de mars,
on a donc dû l'oublier. Rideau pour Queeg. Hourra!*

Willie ramassa la coupure de presse. C'était la première page du
Journal de Stuber Forks, Iowa. Un article était entouré d'un
cercle au crayon rouge. Il y avait une photo de Queeg sur deux
colonnes : assis à son bureau, il faisait mine d'écrire tout en regardant l'objectif avec un sourire savamment esquissé. Willie sentit
une vague de dégoût monter en lui à la vue de ce visage.

UN VÉTÉRAN CHEVRONNÉ DU PACIFIQUE EST NOMMÉ COMMANDANT EN SECOND DU DÉPÔT DE GÉNIE MARITIME DE NOTRE VILLE.

L'article rédigé sur un ton de narration de certificat d'études
faisait état des exploits de Queeg à bord du *Caine*. Pas question
de mutinerie ni de conseil de guerre. Willie contempla longuement le visage de Queeg, puis roula la page de journal en boule,
passa dans le carré et la jeta à la mer par un hublot. Il le regretta
aussitôt, en se disant qu'il aurait dû le montrer à Keefer. Mais il
était bouleversé par l'évocation de ces horribles souvenirs, par la
brève allusion à May et surtout par un sentiment d'amère jalousie
envers Ducely. Il savait que c'était idiot, et qu'il n'aurait pas
voulu changer de place avec Ducely; mais l'impression n'en
demeurait pas moins violente et désagréable.

Avec l'annonce du premier bombardement atomique suivi
aussitôt de l'entrée en guerre de la Russie contre le Japon, un pro-

fond changement se manifesta parmi les officiers et les matelots du *Caine*. On ne voyait partout que des visages de vacances. On ne parlait que de projets de temps de paix, de mariage, d'études qu'on allait reprendre, d'affaires qu'on allait monter. Il y avait des enragés parmi l'équipage qui prétendaient que tout ça c'était de la propagande, mais on les faisait taire. Les amiraux envoyaient tous les jours des notes de service insistant sur le fait qu'on était toujours en guerre; mais cela n'impressionnait personne.

Willie, comme les autres, se mit à supputer ses chances d'être démobilisé; mais pour les hommes, il gardait un visage impassible, et s'efforçait de maintenir la routine du bord contre le courant de relâchement qui se manifestait parmi les hommes. Cela l'agaçait et l'amusait à la fois de voir les nouveaux officiers réunis comme un essaim de mouches autour du poste de radio du carré et s'écriant d'impatience car on n'annonçait toujours pas la capitulation du Japon. Plus ils étaient jeunes à bord, semblait-il, plus fort ils se plaignaient. Le médecin du bord notamment (le *Caine* avait enfin un docteur, arrivé en juin) manifestait fréquemment le dégoût qu'il éprouvait à l'endroit du gouvernement et de la Marine et affirmait qu'à son avis le Japon avait capitulé depuis huit jours déjà, mais qu'on gardait cette nouvelle secrète tandis qu'on passait précipitamment quelques lois qui permettraient de maintenir les réservistes sous les drapeaux pendant deux ans encore.

Le soir du 10 août, on projetait sur le gaillard d'avant un film un peu plus idiot que de coutume. A la fin de la première bobine, Willie descendit dans sa cabine. Allongé sur sa couchette, il lisait *Bleak House* quand la musique de jazz s'arrêta brusquement à la radio. « Nous interrompons ce programme pour vous communiquer un important bulletin d'informations... » Il se précipita dans le carré. C'était l'annonce de la capitulation : deux courtes phrases et la musique reprit.

« Oh, merci Seigneur, se dit Willie, bouillant d'énervement. Je m'en suis tiré. J'en suis sorti vivant. »

Aucun bruit ne venait du pont. Il se demanda s'il n'était pas le seul à avoir entendu la nouvelle. Il s'approcha de l'écoutille et contempla le port éclairé de lune et la masse bleue sombre d'Okinawa. Puis il se dit : « C'est Keefer qui va conduire le *Caine* à l'équarrissage. Je ne serai jamais commandant d'un bateau de guerre américain. J'aurai manqué ça. »

La radio se mit bientôt à beugler *When Johnny Comes Marching Home*. L'étoile verte d'un obus éclata soudain au-dessus d'Okinawa et s'épanouit lentement en plongeant vers la lune. Puis, tout d'un coup, une cascade de lumière et un ruissellement de feux d'artifice se mit à jaillir de l'île, un million de lignes rouges de balles traçantes, d'innombrables pinceaux bleus et blancs de projecteurs qui se croisaient frénétiquement dans l'air, des feux rouges, verts, blancs, des obus qui éclataient en étoile; un véritable feu d'artifice de 4 juillet se déploya soudain sur des kilomètres, tandis que des tonnes de munitions allaient se perdre dans le ciel noir étoilé dans une immense prière d'action de grâces pour la paix. Une voix de ténor entonna à la radio :

> *When Johnny comes marching home again*
> *Hurrah, hurrah,*
> *We'll give him a hearty welcome then*
> *Hurrah, hurrah...*

Au-dessus de la tête de Willie, le pont se mit à trembler sous le pas des matelots qui dansaient et sautaient. Et le feu d'artifice montait toujours d'Okinawa, des millions de dollars s'en allaient en fumée, dans un fastueux gaspillage, le fracas des canons se répandait sur les eaux, puis les navires de la rade se mirent à tirer aussi, et Willie entendit les 20 millimètres du *Caine* crépiter comme elles l'avaient fait lors de l'attaque du Kamikaze, ébranlant les cloisons.

> *And we'll all be gay*
> *When Johnny comes marching home.*
> *Oh, when Johnny comes marching home again.*
> *Hurrah, hurrah...*

Un instant Willie se vit remontant la Cinquième Avenue sous le soleil, dans un immense défilé de la Marine, et la foule sur les trottoirs poussait des vivats, et des flots de serpentins lui ruisselaient sur le visage. Il vit les tours de Radio City, et la flèche de Saint Patrick. Il sentit un frisson d'orgueil lui hérisser la peau et il remercia Dieu de l'avoir envoyé combattre sur le *Caine*.

> *And we'll all be gay,*
> *When Johnny comes marching home.*

La vision disparut; il se retrouva le regard vague, planté devant le poste de radio branlant, fixé à la cloison verte. Il dit tout haut : « Qui a dit à ces salopards qu'ils pouvaient tirer avec les pièces de 20? » Et il se précipita sur le pont.

La première circulaire générale de la Marine annonçant qu'on démobiliserait suivant un système de points arriva dans le courant de la semaine suivante. Ce message déclencha autant de cris, de jurons et de hurlements de douleur à travers le dragueur que si le vieux bateau avait été touché par une torpille. Willie griffonna rapidement le total de ses points et s'aperçut que, selon le système en vigueur, il serait démobilisé en février 1949. Étaient avantagés uniquement les hommes mariés ou âgés. On n'octroyait aucun supplément de points pour les campagnes ni pour le service au front.

Willie ne s'en inquiéta pas. Le système était monstrueux bien

sûr, mais il serait certainement rapporté d'ici une quinzaine de
jours, dès que la vague de récriminations aurait remonté tout le
long de la voie hiérarchique pour aller s'étaler dans la presse.
Willie voyait très clairement ce qui s'était passé. Le système de
points avait été élaboré pendant la guerre et mis de côté pour un
lointain avenir; et on venait de le tirer d'un classeur pour le divul-
guer partout avant même d'avoir vérifié ce qu'il impliquait. Le
monde pendant ce temps était passé de la nuit au jour, de la guerre
à la paix. Les conceptions de temps de guerre étaient devenues
instantanément périmées et la Marine était un peu à la traîne.

Et puis il y avait aussi le vieux *Caine* délabré dont il fallait
s'occuper. Le programme de réparations prévu pour Okinawa avait
sombré dans le chaos. Les réfections ruineuses, les jours et les
nuits de travail dépensés sans compter, tout cela maintenant
c'était du passé, un passé aussi vieux que Gettysburg, bien que
d'après le calendrier il ne remontât qu'à une semaine. L'officier
de la section de réparations du *Pluto*, un petit capitaine de frégate
harassé, installé devant un bureau où s'entassaient vingt centimètres
de paperasserie, leva vers Willie un visage fripé, aussi gris que
les circulaires d'où il émergeait à peine. « Bon sang, que voulez-
vous que je vous dise, Keith? grommela-t-il à l'adresse de Willie.
(C'était la quatrième visite que Willie lui faisait en une semaine;
les trois premières fois, le secrétaire l'avait éconduit.) Tout se
passe en allées et venues de paperasseries entre ici et Washington.
Je ne sais même pas moi-même si la Marine autorisera la dépense
de dix sous de plus sur un rafiot dans cet état-là. Peut-être la commission de réforme décidera-t-elle tout bonnement de le laisser
pourrir sur place. » Il désigna une corbeille où s'entassaient des
formulaires sur papier pelure jaune, « Vous voyez ça? Chaque
bateau a ses ennuis. Vous voulez que je vous inscrive sur cette
liste? Vous aurez probablement le n° 107. »

« Je suis confus de vous avoir dérangé, commandant, dit
Willie. Je me rends compte à quel point vous êtes débordé... »

Le petit capitaine répondit aussitôt sur un ton plus amical.
« Et encore vous n'en savez pas la moitié. Je voudrais bien vous
aider, Keith. Nous avons tous envie de rentrer. Tenez, je vais
vous prêter deux contremaîtres pour trois jours. Si entre votre
équipage et eux vous arrivez à rafistoler ces satanées pompes à
mazout, vous aurez un bateau pour rentrer. C'est tout ce que
vous demandez, au fond? »

Willie regagna le *Caine* et convoqua les chauffeurs sur le gaillard. « Tout dépend de vous, dit-il. S'ils décident de faire examiner le bateau par la commission de réforme, nous poireauterons
peut-être un an sur cette plage en attendant une occasion de
rentrer. Réparez les pompes et vous avez votre voiture particulière qui vous ramènera aux États-Unis, d'ici une semaine peut-
être. Si on les regardait encore ces pompes, hein? »

En deux jours les pompes furent réparées.

L'ordre parvint à tous les destroyers dragueurs de mines de la rade de se préparer à appareiller pour Tokyo, afin de draguer le port avant l'arrivée de la flotte victorieuse. Le *Caine* ne figurait pas sur la liste. Keefer se rendit avec Willie au bureau du MinPac à bord du *Terror*. Ils s'efforcèrent de convaincre le commandant Ramsbeck qu'ils étaient en état de tenir la mer, mais l'officier commandant les opérations secoua la tête d'un air dubitatif. « J'apprécie votre cran, dit-il, mais je crains bien que le *Caine* ne soit un navire fini. Supposez que vous ayez une autre panne en route? C'est la saison des typhons. Ça vous amuserait de traverser un typhon avec des machines qui vous traînent à douze nœuds? » Willie et Keefer échangèrent d'amers sourires. De la passerelle volante, cet après-midi-là, ils observèrent tous deux le départ des dragueurs de mines.

— Enfin, j'aurais bien aimé voir Tokyo, dit Keefer. On écrira sur ma tombe *Presque, mais pas tout à fait.* Quel film avons-nous pour ce soir?

— Un Roy Rogers, commandant.

— Pourquoi Dieu se donne-t-il tant de mal pour me faire avoir le cafard? Je crois que je vais jeûner un mois pour tâcher d'avoir la réponse à la faveur d'une vision. »

Le *Caine* continua donc de se balancer au bout de sa chaîne d'ancre rouillée et moussue dans une rade presque déserte, tandis qu'officiers et équipage écoutaient à la radio la retransmission des cérémonies de capitulation.

Le nouveau système de points fut publié, exactement comme Willie l'avait prévu, au début de septembre. C'était un plan de démobilisation juste et réalisable. La moitié de l'équipage du *Caine*, y compris le commandant, se trouvait libérée. Willie serait démobilisé le premier novembre. Keefer devint tout excité. Il convoqua son second dans sa cabine. « Prêt à prendre le commandement, Willie?

— Je... oh, sûrement, commandant, mais qui voudra me le confier? J'ai à peine deux ans de mer... »

— Bon sang, Willie, vous êtes plus qualifié que de Vriess quand il est arrivé à bord du *Caine*. Deux années de campagne, c'est plus que quinze ans de service en temps de paix. Je dis, moi, que vous êtes qualifié. Je l'ai dit dans le tableau d'avancement de juin. L'affaire est dans le sac. Nous allons demander au MinPac d'envoyer un message au Personnel... si vous êtes d'accord. Si j'attends que le Personnel me trouve un remplaçant, je serai encore à Okinawa quand la guerre avec la Russie éclatera.

— Oh, bien sûr, commandant, je ne demande pas mieux... »

L'officier du personnel à bord du *Terror* était assailli d'une foule de commandants qui, flanqués de leurs seconds, venaient faire une démarche analogue à celle de Keefer. Le langage de la nouvelle circulaire de la marine était clair. C'était une réaction explosive de la Marine aux clameurs de l'opinion. On devait démobiliser sans délai sauf dans les cas où cela compromettait la sécurité des États-Unis. Toute exception de cette nature devait être signalée par écrit au ministère de la Marine dans une lettre signée de l'amiral commandant la flotte ou la force en question.

Quand vint le tour de Keefer et de Willie, l'officier du personnel parcourut rapidement les documents et lança à Willie : « Deux ans de mer et vous croyez que vous pourrez commander un destroyer-dragueur?

— Cela a été deux ans de mer avec un entraînement intensif, commandant, intervint Keefer.

— Eh oui, bien sûr, mais ce n'est pas là le point important. Je suis dans une situation infernale. C'est moi qui dois recommander ces nominations et c'est moi qui me fais engueuler si l'un de ces jeunes blancs-becs va coller son bateau sur un écueil. D'un côté l'amiral me dit : ne recommandez la nomination que de gens qualifiés, et de l'autre le ministère me répète : ne gardez personne ayant assez de points pour être démobilisé. » Il s'épongea le front avec son mouchoir et jeta un coup d'œil à la longue file d'officiers qui discutaient en attendant leur tour derrière Keefer. « Je passe ma journée à répéter la même chose. Bien entendu, vous Keefer, vous dites qu'il est qualifié; vous n'avez qu'une hâte, c'est de rentrer chez vous. Mais moi, je reste ici. Je suis responsable de cette division...

— Il est proposé pour une médaille de la Marine, si ça peut servir à quelque chose, dit Keefer. Et il raconta comment Willie avait sauvé le navire lors de l'attaque du Kamikaze.

— Évidemment, il a l'air capable de prendre le commandement. Bon, je vais envoyer le message. Après ça, ça ne dépend plus que du personnel. »

Trois jours plus tard, arriva un message pour le *Caine*. Willie rôdait dans le poste radio. Il emporta la feuille dans le carré et la déchiffra précipitamment.

Il était nommé commandant.

Keefer était déjà prêt à partir; le jour de l'arrivée de la dépêche annonçant la mise en vigueur du nouveau système de points, il avait commencé à faire ses bagages. Dix minutes après l'arrivée du message du personnel, l'équipage était déployé sur le pont pour la cérémonie de passation des pouvoirs. Dix autres minutes plus tard, Willie et Keefer étaient en haut de l'échelle de coupée, où s'entassaient les bagages de l'ex-commandant. Le canot était parti chercher un nouveau film. Keefer regardait la rade en tambourinant des doigts sur la main courante.

— Tom, je suis sûr que vous auriez bien voulu le conduire au chantier d'équarrissage », dit Willie. « La traversée du canal de Panama, et tout ça... vous auriez pu rester... ça n'aurait jamais fait que deux mois de plus, au fond... »

— Vous dites ça parce que vous ne serez libéré que le 1er novembre. Vous ne savez plus ce que c'est que d'avoir dans les narines le parfum de la liberté, Willie. C'est comme l'odeur de toutes les belles femmes et de toutes les bonnes liqueurs du monde distillées en une seule essence. Ça vous rend fou. Ces minutes où j'attends le canot me paraissent plus longues qu'un mois sous la férule de Queeg, qui me faisait déjà l'effet de dix ans de vie normale. Vous verrez ce que je veux dire le soir du 31 octobre.

— Pas d'attachement sentimental pour ce bon vieux *Caine?* » dit Willie.

Le romancier sourit. Il promena ses regards sur le pont rouillé, sur les cheminées qui s'écaillaient. L'odeur de la fumée des cheminées était violente. Deux marins demi-nus pelaient des patates devant la casemate, en s'abreuvant mutuellement d'injures monotones.

— J'ai détesté ce bateau pendant trente-cinq mois et il me semble aujourd'hui que je ne fais vraiment que commencer à le haïr. Si je devais rester encore à bord, ce ne serait que pour voir jusqu'à quel degré de haine on peut aller envers un objet inanimé. Non que je croie que le *Caine* n'a pas d'âme. C'est un mauvais esprit dans une enveloppe de fer, que Dieu a envoyé en ce monde pour gâcher ma vie. Et il ne s'en est pas mal tiré. Vous pouvez conjurer mon esprit, Willie. J'en ai assez... Ah, Dieu soit loué, voilà le canot.

— Allons, Tom, nous y voilà. Ils se serrèrent la main en regardant le canot approcher. L'officier de quart et le nouveau second, un jeune sous-lieutenant qui avait auparavant commandé un dépôt de dragueurs de mines, se tenaient à distance respectueuse des deux commandants.

— Je crois que nous sommes vraiment à la croisée des chemins, dit Willie. Vous allez connaître une brillante carrière, j'en suis convaincu. Vous êtes un excellent romancier, Tom. Et moi, je vais aller m'enterrer dans un petit collège de province, et ça n'ira pas plus loin. Je ne suis guère capable de faire autre chose.

Keefer se baissa pour prendre sa valise, puis regarda Willie droit dans les yeux. Son visage était crispé, comme par un spasme de douleur. « Ne m'enviez pas trop mon bonheur, Willie, dit-il. N'oubliez pas une chose. J'ai plongé. »

La cloche tinta. Keefer salua et descendit l'échelle de coupée.

CHAPITRE XL

LE DERNIER COMMANDANT DU *CAINE*

WILLIE emménagea dans la cabine de Queeg (il ne pouvait y penser en l'associant à un autre nom) et s'allongea sur la couchette. Il éprouvait une sensation très bizarre. Lorsqu'il avait seize ans, sa mère l'avait emmené en Europe; ils avaient visité le château de Versailles sous la conduite d'un guide et Willie, s'attardant derrière la foule des touristes dans la chambre royale, avait franchi le cordon de velours et s'était allongé sur le lit de Louis XIV. Il évoquait ce souvenir ce jour-là en s'allongeant sur la couchette du commandant Queeg. Cette association d'idées le fit sourire, mais il la comprenait fort bien. Queeg était à jamais la grande figure historique de son existence. Ce ne serait pas Hitler, ni Tojo, mais Queeg.

Il était péniblement partagé entre la griserie du commandement et le chagrin de voir se prolonger le silence de May. Il aurait tant voulu lui faire part de la grande nouvelle! Il savait bien que le *Caine* n'était qu'une vieille carcasse, mais cela n'empêchait pas son cœur de battre d'orgueil. De ses débuts tâtonnants de midship Keith, il s'était élevé jusqu'au commandement d'un navire de la Marine de guerre américaine. C'était là un fait indiscutable. La chance s'était jointe au mérite pour y contribuer, mais le fait était là. Il demeurerait dans les archives de la Marine, aussi longtemps qu'il existerait une Marine.

Au bout d'un moment, il alla s'asseoir à son bureau et écrivit un mot à May :

Ma chérie,

Voilà trois mois, je t'ai écrit une très longue lettre et je n'ai pas reçu de réponse. La timidité m'empêche de répéter ce que je te disais dans cette lettre, car je ne peux pas croire que tu ne l'aies pas reçue. Si par un hasard extraordinaire c'était le cas, je t'en prie, fais-le-moi savoir très vite — je pense que tu peux m'envoyer un câble maintenant — et je t'écrirai une nouvelle lettre plus délirante encore. Mais si tu l'as — et je suis bien forcé de croire que ce doit être le cas — alors ton silence dit tout ce qu'il y a à dire. Je chercherai encore à te joindre quand je rentrerai. Je veux te voir et te parler.

Je suis à Okinawa. Aujourd'hui j'ai remplacé Keefer comme commandant du Caine. J'ai terminé cette guerre sans une égratignure et, j'en suis sûr, un peu meilleur d'avoir, pour la première fois de ma vie, fait quelque chose d'un peu utile.

    Je t'aime,

                                                                WILLIE.

Puis il écrivit à sa mère.

Même à l'ancre, sur un vieux bateau oisif et oublié, Willie connut des sensations neuves dans les premiers jours de sa carrière de commandant : il lui parut que sa personnalité intime se rétrécissait, tandis qu'il lui poussait comme des tentacules nerveux qui allaient jusqu'au fond des compartiments et des machines du bateau. Il était moins libre qu'auparavant. Ses oreilles prirent la finesse inquiète qu'elles ont chez les jeunes mères; elles écoutaient pendant son sommeil; d'ailleurs il ne dormait jamais tout à fait, jamais comme il dormait avant. Il avait l'impression de n'être plus un individu, mais plutôt le cerveau d'un animal composite formé de l'équipage et du bateau réunis. Mais tous ces inconvénients se dissipaient quand il arpentait le pont. Il lui semblait que la puissance ruisselait des tôles jusque dans son propre corps. L'attitude respectueuse des officiers et de l'équipage l'enfermait dans une sorte de solitude qu'il n'avait jamais connue, mais qui n'était pas glacée. On sentait derrière la barrière transparente de l'étiquette que ses hommes l'aimaient et avaient confiance en lui.

Il les confirma dans cette opinion dès sa première semaine de commandement. Une nuit trente heures durant, un typhon balaya la rade d'Okinawa et Willie ne quitta pas la passerelle, manœuvrant sans arrêt de la barre et des machines pour empêcher le *Caine* de chasser sur son ancre. Ce fut une nuit de cauchemar. Les nouveaux à bord se montrèrent fort inquiets et se répandirent en prières; les hommes d'équipage qui avaient connu la journée du 18 décembre étaient moins terrifiés. Quand une aube grise se leva sur la rade houleuse et moutonnante, on aperçut une douzaine de navires qui avaient rompu leurs amarres et étaient allés s'échouer sur la plage ou sur des récifs, et d'autres couchés sur des bancs de sable. L'un d'eux était du même type que le *Caine*. Le spectacle de tous ces navires démantelés donna à tout l'équipage une impression particulièrement vive de confort et de contentement de soi; et le commandant Keith fit désormais figure de héros.

Le *Caine* ne cessait de recevoir des avis de typhons. Il s'en formait chaque jour dans le Pacifique Sud et les trajectoires probables de deux d'entre eux passaient par Okinawa. Quand les vagues se furent calmées, Willie se fit conduire à bord du *Moulton*. La division de dragueurs, retour de Tokyo, était au mouillage dans la rade. Il déboucha en trombe dans la cabine de Keggs.

— Ed, tu es prêt à prendre la mer?

— Salut, Willie! Et comment... Il me faut du carburant, du ravitaillement mais...

— J'ai envie de foutre le camp. MinPac ne sait pas que faire de moi. On a peur de m'envoyer en mer de crainte que j'aie une nouvelle avarie de machines. Viens avec moi jusqu'au *Terror*. Nous arriverons peut-être à les décider à nous laisser partir tous les deux. Tu pourras m'escorter.

Keggs avait l'air affolé et perplexe. « Willie, ce n'est pas nous qui commandons cette division.

— Écoute, mon vieux, tout s'en va à vau-l'eau. Les gros bonnets ne savent plus sur quel pied danser. La guerre est finie. Tout est changé...

— Oui, bien sûr, mais tout de même...

— Qu'est-ce qu'on risque, Ed? Ça ne te dirait rien de mettre le cap sur les États-Unis demain matin à neuf heures?

— Si ça me dirait? Seigneur...

— Alors, viens. »

Ils trouvèrent enfin l'officier commandant les opérations qui, attablé tout seul dans le carré du *Terror*, buvait son café. Il accueillit Willie avec un sourire amical. « Comment avez-vous réussi à garder votre vieux raflot sur l'eau au milieu du typhon, Keith? Beau travail. Prenez donc un café. Vous aussi, Keggs. »

Les deux commandants s'assirent de chaque côté de l'officier commandant les opérations. « Commandant, commença sans tarder Willie, je voudrais ramener le *Caine* aux États-Unis. Maintenant. Aujourd'hui. Je ne tiens pas à essuyer de nouveaux typhons avec les machines que j'ai.

— Ne vous emballez pas, lieutenant. Personne ne vous a demandé de prendre d'initiatives...

— J'agis dans l'intérêt de mon bateau...

— Vous n'êtes pas capable de tenir la mer...

— Je le suis pour l'instant. Mon équipage a réparé les pompes. Mais si je reste là à essuyer encore deux ou trois typhons, ce n'est pas cela qui améliorera ma navigabilité...

— Mais la commission peut passer d'un jour à l'autre, vous savez... elle est en route...

— Mais je peux encore ramener le *Caine* aux États-Unis. Le

bateau représente quelque chose même comme métal de casse, et vous n'en récupérerez rien si vous le laissez moisir ici...

— Écoutez, je ne peux pas vous en vouloir d'avoir envie de rentrer. Nous en sommes tous là. Mais je crains bien...

— Commandant, est-ce que l'amiral a été content de retrouver le *Giles* couché sur le flanc à Tsuken Shima? Ce n'est pas de se faire esquinter encore une unité de ligne qui va ajouter à la réputation du MinPac. Le *Caine* n'est pas en état de rester. La méthode la plus sûre, c'est de nous faire quitter cette région infestée de typhons. J'ai la responsabilité d'un équipage aussi.

— Et supposez que vos machines vous lâchent en plein océan?

— Envoyez Keggs avec moi, commandant. Nous sommes tous les deux mûrs pour le désarmement. Les opérations de déminage rapide sont terminées. Et d'ailleurs, mes machines ne lâcheront pas. Mes hommes les feront tenir avec du chewing-gum et du fil de fer, je vous le jure, pourvu que nous ayons le cap sur les États-Unis. »

Ramsbeck tourna sa cuiller dans son café et gratifia Willie d'un sourire compréhensif. « Ma foi, réjouissez-vous, vous m'avez convaincu! Nous en avons par-dessus la tête ici, nous ne pouvons pas penser à tout... Je vais en parler à l'amiral. »

Deux jours plus tard, pour la plus grande joie des deux équipages, le *Caine* et le *Moulton* recevaient l'ordre de rejoindre le Dépôt de Matériel de la Marine à Bayonne, New-Jersey, via Pearl Harbor et le canal de Panama, afin de procéder aux formalités de démobilisation.

Willie Keith éprouva un pincement inattendu à quitter Okinawa. Il resta sur la passerelle, les yeux fixés sur la silhouette massive de l'île jusqu'à ce que le dernier renflement de terrain eût disparu dans la mer. De pareils moments lui faisaient nettement sentir que la guerre était finie. Il était parti de chez lui trois ans auparavant et il avait traversé la moitié du globe; il était allé jusqu'à cette île étrangère et lointaine; et maintenant il s'en retournait.

Il ne pouvait se faire à l'idée de naviguer de nuit sans camoufler les lumières. Chaque fois qu'il jetait un coup d'œil au *Moulton* et qu'il apercevait les hublots jaunes, les feux de bord verts et rouges et la lueur éblouissante du phare de mât, il était stupéfait. Il observait encore instinctivement les consignes du black out : il écrasait sa cigarette avant de sortir de sa cabine, il se coulait entre les rideaux de la chambre des cartes afin de ne pas laisser filtrer de lumière et gardait les doigts sur la lentille de sa torche électrique. Il éprouvait une drôle d'impression quand il se trouvait de nuit sur la passerelle et n'entendait pas le « ping » régulier du détecteur de sous-marins. Il ne se faisait pas non plus au spectacle de toutes ses pièces démontées et recouvertes de toiles. Pour lui, la mer et les Japonais n'avaient jamais fait qu'un seul ennemi. Il lui fallait faire effort pour se souvenir que le vaste océan ne regorgeait pas de sous-marins comme de poissons volants.

Il passa de longues heures de nuit sur la passerelle sans nécessité aucune. Les étoiles, la mer, le bateau se séparaient de son existence. D'ici deux ans il ne serait plus capable de lire l'heure d'après la position de la Grande Ourse. Tous les mécanismes imprimés dans ses muscles, comme la faculté de trouver les boutons de l'indicateur de vitesse dans le noir le plus complet, disparaîtraient. Cette timonerie elle-même, qui lui était aussi familière que son propre corps, allait bientôt cesser d'exister pour lui. C'était vers une mort en miniature qu'il se dirigeait.

Quand ils eurent jeté l'ancre à Pearl Harbor, la première chose que fit Willie ce fut d'aller au central téléphonique de l'Arsenal et de demander la confiserie du Bronx. Il attendit deux heures, vautré sur un divan défoncé et feuilletant des magazines en loques : l'un d'eux expliquait par le menu comment le Japon serait envahi et prédisait la fin de la guerre pour le printemps 1948. Le standardiste lui fit enfin signe de venir et lui dit que May Wynn ne se trouvait plus à ce numéro; et que l'homme qui était au bout du fil ne savait pas où on pouvait la joindre.

— Je vais lui parler.

Le propriétaire de la confiserie en bredouillait. « Vous me parlez vraiment de Pearl Harbor? De Pearl Harbor? Ce n'est pas une blague?

— Écoutez, monsieur Fine, je suis Willie Keith, l'ami de May qui lui téléphonait tout le temps. Où est-elle? Où sont ses parents?

— Ils ont déménagé. Ils ont déménagé. Je ne sais pas où. Il y a cinq, six mois. Ça fait longtemps... Taisez-vous les gosses, je parle avec Pearl Harbor...

— Elle n'a pas laissé son nouveau numéro?

— Pas de numéro. Rien, monsieur Keith. Elle est partie.

— Merci. Au revoir. » Willie raccrocha et paya onze dollars au standardiste.

Quand il regagna le bateau, il trouva son bureau encombré de courrier, presque uniquement officiel, qui s'était accumulé à Pearl Harbor. Il passa avidement les lettres en revue une à une, mais il n'y avait rien de May. Une grande enveloppe rebondie du Personnel attira son regard et il l'ouvrit. Elle contenait une lettre et un petit écrin rouge. Dans l'écrin, il y avait un ruban et une médaille : l'étoile de bronze. La lettre était une citation signée du secrétaire d'État à la Marine, félicitant Willie d'avoir éteint l'incendie après l'attaque de l'avion-suicide et se terminant sur cette formule : *L'héroïsme du lieutenant Keith a largement dépassé le cadre du devoir pour s'inscrire dans la plus haute tradition de la Marine nationale.*

Il s'assit et contempla quelques instants la médaille d'un air absent. Puis il commença à dépouiller le courrier officiel. Il ne trouva tout d'abord que le lot habituel de paperasserie ronéotypée ou imprimée. Puis il tomba sur une lettre dactylographiée.

De : Chef Bureau Personnel
A : Lieutenant Willis Seward Keith, de la Réserve de la Marine.
Objet : Blâme pour insoumission en service commandé.
Référence : (a) Verdict de Conseil de Guerre, 7-1945.
Pièce jointe : Copie de la référence (a).

1. *Selon référence (a) ci-jointe, le Bureau du Personnel estime que votre conduite en face du relèvement irrégulier du lieutenant de vaisseau Philip F. Queeg, alors commandant du U. S. S. Caine, le 18 décembre 1944, constituait un acte d'insoumission en service commandé.*
2. *Le Bureau attire votre attention sur les commentaires de la juridiction supérieure. En raison de ces commentaires, vous recevez un blâme.*
3. *Copie de cette lettre figurera dans votre dossier d'avancement.*

« Eh bien, se dit Willie, une décoration et un blâme. Bonne pêche ce matin! »

Il lut attentivement le texte en petits caractères du verdict du conseil de guerre. Il y avait une page et demie de commentaires de la juridiction supérieure, à savoir le Premier Bureau de la Douzième Région. Cela avait dû être écrit par Breakstone et contresigné par l'amiral. On désapprouvait l'acquittement. Willie savait que cela ne mettait pas Maryk en danger puisqu'il ne pouvait être jugé une seconde fois; mais cela mettait incontestablement fin à sa carrière navale.

...Les experts médicaux ont déclaré le lieutenant de vaisseau Queeg bon pour le service actif. On n'a trouvé aucun indice de trouble mental. Il faut donc conclure que le comportement de l'accusé dénotait une grossière ignorance des faits médicaux et un manque de jugement suffisamment marqué pour l'amener à s'appuyer sur ses connaissances fragmentaires pour commettre un acte lourd des plus graves conséquences... Ces mêmes commentaires s'appliquent, quoique moins fortement, à la conduite du témoin, le lieutenant Keith, alors officier de quart. La déposition du lieutenant Keith établit sans le moindre doute qu'il ne s'est pas soumis contre son gré, mais qu'il a au contraire bien volontiers appuyé la décision prise par l'accusé.

La juridiction supérieure estime donc que les chefs d'accusation sont prouvés au-delà de tout doute raisonnable...

Il y a dans cette affaire un déni de justice puisqu'un officier échappe au châtiment que mérite un délit grave et qu'un dangereux précédent se trouve ainsi établi. Le fait que le navire se trouvait dans une situation difficile, loin de l'atténuer, ne fait que renforcer la responsabilité de l'accusé. C'est dans les moments difficiles plus que jamais qu'une discipline navale rigide devrait être appliquée, surtout par le premier officier à bord après le commandant... Un navire ne peut avoir qu'un seul commandant, désigné par le gouvernement, et relever celui-ci de son commandement dans des conditions irrégulières sans en référer à la plus haute autorité accessible est un acte qui excède les fonctions du commandant en second. Cette thèse se trouve soulignée et non point amendée par la nomenclature dans les articles 184, 185 et 186 des circonstances extrêmement rares dans lesquelles on peut faire exception à cette règle, et les intentions du Secrétariat d'État à la Marine sont énoncées dans ces textes avec la plus grande netteté.

Au bas de ces pages, les autorités les plus hautes de la Marine approuvaient les conclusions du Premier Bureau de la Douzième Région.

« Eh bien, se dit Willie, mais j'approuve également. Comme ça, l'unanimité est réalisée sur le cas du lieutenant Keith... Pauvre Steve. »

Il prit dans un tiroir le dossier cartonné rouge dans lequel il rangeait les documents concernant sa carrière navale. C'était là que se trouvaient son ordre de rejoindre le pavillon Furnald, puis son ordre d'affectation à bord du *Caine*, ses promotions successives et toutes les demandes de mutation qu'il avait remplies pour être versé dans les sous-marins, dans les ravitailleurs en munitions, dans les équipes de démolition sous-marine, dans les mouilleurs de mines, les services spéciaux, pour faire un stage à une école de langue russe, toutes ces demandes qu'il avait rédigées dans des moments de désespoir du temps de Queeg et que celui-ci avait invariablement refusées. Il rangea soigneusement la citation et la lettre de blâme l'une à côté de l'autre, puis referma la tirette, en songeant que ses arrière-petits-enfants auraient ainsi tout le loisir de méditer sur l'inconséquence de la Marine.

Trois semaines plus tard, au matin du 27 octobre, Willie était assis dans sa cabine, pelotonné dans son manteau de quart, et lisait les *Pensées* de Pascal, livre qu'il avait tiré au hasard d'une de ses valises. Son haleine formait un petit filet de vapeur dans l'air froid. Un vent humide et glacé arrivait par le hublot ouvert. Dehors on apercevait les hangars sordides du dépôt de matériel et, derrière, les plaines grises de Bayonne, surmontées de réservoirs de carburant. Le *Caine* était à quai depuis trois jours, on lui avait démonté ses canons, on l'avait vidé de ses réserves de munitions et de mazout. Toute la paperasserie avait été remplie. On était au bout de la route. La cérémonie de démobilisation aurait lieu dans une demi-heure.

Willie fouilla dans ses poches, prit un stylo et souligna la phrase *La vie est un rêve un peu plus cohérent que la plupart*. Depuis son départ de Pearl Harbor, il avait l'impression de plus en plus forte de vivre dans un rêve. Il lui semblait impossible qu'il eût lui-même piloté un navire à travers les écluses géantes et les fossés verdoyants du canal de Panama; il ne pouvait croire qu'il avait longé la côte de Floride et aperçu dans ses jumelles la villa de stuc rose de Palm Beach où il avait passé plusieurs hivers quand il était enfant; ni qu'il avait conduit un Navire de Guerre de son pays jusque dans le port de New-York, évoluant parmi la cohue bruyante des ferryboats et des paquebots, et qu'il avait vu l'horizon hérissé de gratte-ciels et la statue de la Liberté de la passerelle de son propre navire, à lui, le commandant Keith, du *Caine*.

Son accession au commandement lui avait déjà paru étrange à Okinawa, mais là-bas du moins c'était son identité d'officier de marine qui avait encore le dessus. Maintenant qu'il retrouvait la côte Atlantique, qu'il approchait de chez lui, qu'il voyait apparaître inchangés les paysages de sa vie d'autrefois, il sentait sa personnalité militaire se dissoudre, s'en aller au vent de la mer, ne laissant qu'un résidu qui était Willie Keith. C'était cette transition qui donnait aux jours et aux nuits cette atmosphère de rêve. Il n'était plus un officier de marine... mais il n'était pas davantage Willie Keith. La personnalité d'autrefois ne lui allait plus; elle était comme un costume démodé.

On frappa à la porte. « Entrez! »

Le second apparut sur le seuil et salua. « L'équipage est sur le pont, commandant. »

Willie reposa son livre et sortit sur le gaillard d'avant. Il répondit au salut général de l'équipage et se planta devant ses hommes, dans le cercle vide et rouillé qui avait été pendant trente ans l'emplacement du canon numéro un du *Caine*. Une brise âpre soufflait sur le pont, chargée d'un lourd parfum de mazout, et faisait claquer les suroîts des hommes. Le soleil brillait d'un faible éclat jaune derrière la fumée et la brume du port. Willie avait préparé un long speech, vibrant de sentiment. Mais ses regards passèrent sur tous ces visages et son enthousiasme tomba. Il n'avait rien à dire à ces enseignes, à ces sous-lieutenants inconnus. Où étaient Keefer, Maryk, Harding, Jorgensen, Rabbitt? Où était Ducely? Où était Queeg? L'équipage clairsemé ne lui était pas plus familier. Tous les hommes que le système de points rendait démobilisables avaient déjà été libérés. Il aperçut quelques visages familiers : Budge, râblé et bedonnant, qui était là depuis le début; et aussi Urban et Winston. La plupart des autres étaient de tristes recrues, des hommes mariés et pères de famille qu'on avait arrachés à leurs foyers durant les derniers mois de la guerre.

Willie tira de sa poche l'ordre de désarmement et le lut tout haut, d'une voix aiguë et qui s'efforçait de dominer le bruit du vent. Puis il replia le document et parcourut du regard les rangs clairsemés de l'équipage. « Triste conclusion », se dit-il. Un camion en passant fit vibrer le quai, une grue ronflait sur une jetée voisine. Le vent froid lui piquait les yeux. Il se sentit obligé de dire quelque chose.

— La plupart d'entre vous sont assez nouveaux à bord du *Caine*. C'est un vieux bateau démodé. Il a fait les quatre années de guerre. Il n'a pas été l'objet de citation spéciale, il n'a rien accompli d'extraordinaire. Il s'appelait dragueur de mines, mais dans toute la guerre, il a dragué six mines. Il a fait toutes les corvées imaginables, et surtout des centaines de milliers de milles en convoi. Maintenant ce n'est plus qu'une coque rouillée et qu'on va probablement envoyer à la casse. Chacune des heures que nous avons passées sur le *Caine* a été un grand moment dans nos vies à tous : si ce n'est pas votre opinion, vous y viendrez par la suite. Nous faisions chacun notre part de ce qu'il a fallu faire pour maintenir notre pays en vie, ni pire ni meilleur qu'avant, toujours le même vieux pays que nous aimons. Nous sommes tous des marins d'occasion qui avons lutté de toutes nos forces contre la mer et contre l'ennemi en faisant ce qu'on nous disait de faire. Les heures que nous avons passées à bord du *Caine* ont été des heures de gloire. Elles sont finies. Nous allons nous disséminer au hasard des trains, des cars et, presque tous, nous allons rentrer chez nous. Mais nous nous souviendrons du *Caine*, du vieux bateau à bord duquel nous avons aidé à gagner la guerre. La tâche accomplie par le *Caine* est de celles qui comptent. Les unités plus impressionnantes ne font que marquer la date et le lieu des victoires remportées par les *Caines*.

Amenez les couleurs.

Le second lui remit les restes dépenaillés de la flamme de guerre. Willie roula l'étroite bande d'étamine et la fourra dans sa poche. « Je veux le pavillon aussi, dit-il. Faites-le empaqueter et apportez-le dans ma cabine.

— Bien, commandant.

— Faites rompre les rangs. »

Le maître d'équipage chargé des formalités de désarmement l'attendait à la porte de sa cabine. Tandis que Willie lui remettait les clefs et les archives, le secrétaire lui apporta les derniers registres à signer. Les cambusiers vinrent prendre ses bagages. Un matelot entra, portant le pavillon enveloppé dans un paquet. Willie transcrivit sur le paquet l'adresse des parents d'Horrible et dit au matelot de le mettre à la poste. Ainsi, tout était fait. Willie descendit la planche de débarquement déserte sans saluer. Il n'y 'avait ni couleurs à saluer, ni officier de quart. Le *Caine* n'était plus qu'une vieille ferraille.

Une jeep le conduisit jusqu'à la porte de l'Arsenal où sa mère l'attendait dans une Cadillac beige toute neuve. Depuis l'arrivée du *Caine*, Mrs. Keith avait fait tous les jours le voyage de Bayonne. Il était donc naturel et inévitable qu'elle emmène Willie à la maison. Mais Willie en éprouvait de l'agacement. « Elle m'a conduit jusqu'aux portes de la Marine, pensa-t-il. Maintenant elle me ramène à la maison. Le petit garçon a fini de jouer au marin. »

Il n'avait pas réussi à retrouver la trace de May. On aurait dit

qu'elle avait disparu de la surface du monde. Il avait téléphoné
une douzaine de fois au bureau de Marty Rubin, mais l'agent
n'était pas à New-York. Sa mère ne lui avait pas soufflé mot de
May et cela agaçait également Willie. « Ainsi, se disait-il, elle croit
avoir gagné la partie une fois pour toutes. »

Ce en quoi il se trompait fort. C'était par crainte que Mrs. Keith
évitait ce sujet. Son fils la mettait mal à son aise. Depuis sa visite
en février, il semblait avoir changé; cela se voyait dans ses yeux,
dans ses gestes, dans son allure, dans le timbre même de sa voix.
Du garçon insouciant et brouillon qu'il était encore voilà trois ans,
il était devenu un adulte indéfinissable et de tonalité particulièrement grise. Tout ce qu'elle voulait c'était qu'il revînt vivre
avec elle dans la grande maison déserte. « Quand il serait rentré
se disait-elle, il pourrait se dégeler et redevenir lui-même ». Elle
avait très peur de dire quelque chose qui déclencherait chez lui
le besoin de déclarer son indépendance.

— Ce doit être triste pour toi de quitter ton vieux bateau après
toutes ces années, dit-elle en guise de préambule.

— Jamais été aussi content, grommela-t-il, en se rendant brusquement compte qu'il reprenait les propres paroles prononcées
par de Vriess deux ans auparavant. Il s'installa à côté de sa mère,
le visage sombre et ils roulèrent en silence pendant près d'une
heure. Au moment où ils traversaient le pont de Triborough, Willie
dit soudain : « J'ai essayé de retrouver May. On dirait qu'elle a
disparu. Tu n'as pas entendu parler d'elle par hasard?

— Non, Willie, absolument pas.

— Je lui ai écrit en juin pour lui demander de m'épouser. Elle
n'a jamais répondu.

— Ah? Mrs. Keith garda les yeux braqués sur la route.

— Cela t'étonne?

— Pas beaucoup. Tu avais passé avec elle ta dernière soirée
en février, tu te rappelles.

— Eh bien, moi, cela m'a étonné. J'avais rompu avec elle. Je
ne lui avais pas écrit pendant cinq mois. Et puis un jour, j'ai écrit.
Il scruta le visage de sa mère. « Cela te fait beaucoup de peine?

— D'après ce que tu me dis, il n'y a pas de quoi avoir de la
peine.

— Tu auras de la peine si je l'épouse? Si elle veut bien, je l'épouserai. C'est définitif. »

Mrs. Keith lui jeta un bref coup d'œil. L'espace d'un instant,
elle lui apparut comme une vieille femme affolée et Willie la plai-
gnit sincèrement. Puis le regard de Mrs. Keith revint à la route,
et elle ne montra plus à Willie que son profil toujours aussi énergique. Elle attendit un long moment avant de répondre. « Tu
es un grand garçon. Tu sais tout ce que je peux te dire. Si tu cherches
encore à voir May, elle doit avoir des qualités que je n'ai pas eu
l'occasion d'observer. J'espère qu'elle ne me déteste pas.

— Bien sûr que non, mère...

— Je ne voudrais pas être exclue de ta vie, quoi que tu fasses. Je ne suis pas très bien montée en fait de fils. »

Il se pencha et l'embrassa sur la joue. Elle dit d'une voix troublée : « Pourquoi maintenant? Tu ne m'avais pas encore embrassée depuis que tu es rentré.

— J'étais dans une espèce de brouillard, mère. Quand j'aurai retrouvé May, je redeviendrai normal, peut-être...

— Amène-la à la maison, que je la connaisse. Crois-tu que tu t'es très bien conduit à mon égard? Est-ce que tu ne me l'as pas cachée comme s'il s'agissait entre vous d'une petite aventure sans importance? Je l'ai prise à la valeur que tu semblais lui accorder, Willie. Voilà la vérité. »

« Bien envoyé », se dit-il, mais vrai seulement en partie, parce que l'instinct de propriétaire de sa mère avait la vie dure, mais la critique était quand même justifiée. La capitulation de sa mère le soulagea. « Je l'amènerai à la maison, mère, dès que je l'aurai trouvée. »

A peine les bagages descendus de la voiture, il téléphona au bureau de Rubin. Cette fois ce fut l'agent qui lui répondit. « Willie! Eh bien, il est temps. Ça fait deux mois que j'attends que vous donniez signe de vie...

— Où est May, Marty?

— Qu'est-ce que vous faites maintenant? Où êtes-vous?

— Chez moi à Mahasset. Pourquoi?

— Est-ce que vous pouvez venir en ville? Je voudrais vous parler.

— Où est May? Est-ce qu'elle va bien? Pourquoi êtes-vous si mystérieux? Elle est mariée?

— Non, elle n'est pas mariée. Écoutez, pouvez-vous venir? C'est assez important...

— Bien sûr que je peux. Je serai chez vous d'ici une heure. De quoi s'agit-il?

— Venez. Venez à mon bureau. Brill Building. Je vous attends. »

Le « bureau » de Rubin comprenait une unique table dans une pièce où à quatre autres tables travaillaient quatre autres agents. Rubin se leva dès que Willie apparut sur le seuil et prit un grand manteau posé sur le dossier de son fauteuil. « Salut, lieutenant. Allons dans un endroit où nous pourrons bavarder.'»

Ils descendirent la 47e Rue et tournèrent le coin de la Septième Avenue sans que Marty eût soufflé mot de May. Il bombardait Willie de questions sur les Kamikazes et sur le draguage de mines. Willie l'interrompit enfin : « Écoutez, Marty, je voudrais savoir...

— Je sais ce que vous voulez savoir. Nous y voilà. » Ils franchirent une porte tournante et pénétrèrent dans le hall d'un hôtel de touristes. Willie, après trois ans, reconnut immédiatement le parfum caractéristique de désodorisant. On le respirait dans tous les hôtels de New-York. Marty l'amena devant une grande affiche placée sous verre au milieu du hall et lui dit : « Voilà votre May. Elle passe ici. »

En soirée dans le cadre enchanteur de la salle indienne
LA MUSIQUE ENSORCELEUSE DE
WALTER FEATHER
ET SON SAXOPHONE AVEC
L'ORCHESTRE DES
Trompettes divines
AVEC LA CHANTEUSE
MARIE MINOTTI
la Bombe chérie de Broadway.

Une photographie montrait May et un saxophoniste devant un microphone. « Maintenant vous savez, dit Rubin.

— Qu'est-ce que je sais? Pourquoi a-t-elle changé de nom?

— Elle disait que l'autre lui portait la poisse. Elle a commencé à chanter avec Feather quinze jours après votre départ... Elle... elle est avec lui. »

Ces mots et le ton sur lequel ils étaient prononcés bouleversèrent Willie. Il examina la photo du saxophoniste. Il avait des lunettes sans monture, un sourire plat de cabot et un long nez. « Il n'a pourtant pas l'air..

— C'est un authentique bon à rien. Marié et divorcé deux fois... j'ai tout fait pour empêcher May... elle se fâche avec moi et c'est tout...

— Mais enfin, May a quand même assez de cervelle...

— Il l'a prise au bond, Willie. Vous l'avez laissée tomber sans beaucoup de ménagement. C'est un bon musicien, il a du bagout et pour ce qui est des femmes, il est aussi calé dans son genre qu'Einstein. C'est un petit dieu dans son cercle. Et May... eh bien... elle est assez innocente, Willie, avec ses airs d'en savoir toujours long...

— Mais qu'est-ce qui s'est passé? Ils sont fiancés ou quoi?

— Il paraît... enfin, c'est ce qu'il lui raconte... que son second divorce n'est pas encore tout à fait réglé. Peut-être a-t-il vraiment l'intention de l'épouser... je ne sais pas... nous ne nous parlons plus beaucoup...

— Vous êtes en si mauvais termes?

— Oh, elle me verse toujours ses dix pour cent. Elle n'est pas forcée, nous n'avons jamais rien eu par écrit. Je sais par exemple que Feather lui a conseillé de ne plus rien me verser. Mais elle continue. Ce n'est pas que je lui demande quelque chose. Nous nous sommes engueulés sévèrement à propos de votre lettre... je suis navré d'avoir mis le nez dans vos affaires, Willie... mais j'ai eu le malheur de dire que Feather était un planqué et sur ce point-là elle n'aimait pas qu'on se paie la tête de Walter...

— Il faut que je lui parle, Marty...

— Eh bien, allons jeter un coup d'œil. Ils doivent être en train de répéter. »

Ils se dirigèrent vers la salle indienne et entendirent la musique retentir derrière les portes closes décorées de serpents verts et jaunes. L'orchestre jouait *Levons l'Ancre*. « Tiens, fit Rubin, ce doit être pour vous. Entrez donc. » Ils se glissèrent dans la salle. Une multitude de tables vides étaient rangées autour d'une immense piste de danse. Des palmiers de papier vert masquaient le seuil. Entre les feuilles, Willie aperçut May qui chantait sur l'estrade de l'orchestre. Il fut abasourdi. Elle avait les cheveux blonds clairs.

— Attendons ici un moment, dit Rubin. Il s'adossa au mur, les mains dans les poches de son pardessus, regardant l'estrade derrière ses verres épais et légèrement teintés. « Comment la trouvez-vous?

— Terrible.

— Feather aime que ses chanteuses soient blondes. »

La musique s'atténua soudain au beau milieu du morceau. Le chef frappait son pupitre de sa baguette. « Eh bien, mon chou, qu'est-ce qu'il y a donc de si dur dans cette phrase? cria-t-il. Reprenons à do... »

May secoua la tête avec impatience et dit : « Oh, Walter, je déteste cette chanson. Pourquoi celle-là plutôt qu'une autre? Elle ne vaut pas un clou...

— Écoute, mon petit, quand le défilé sera terminé, ce sera plein de marins ici. Il faudra la chanter toute la soirée...

— Eh bien, tu la chanteras toi. Moi, je ne peux pas y arriver...

— Quel défilé? » souffla Willie.

L'agent sourit. « C'est effrayant d'être inconscient à ce point-là. Vous ne savez pas que c'est la Journée de la Marine aujourd'hui? »

L'orchestre reprit. May chanta quelques mesures et s'arrêta, en fixant sur Feather un regard obstiné. Il haussa les épaules et fit signe à l'orchestre de cesser de jouer. « Un café, Marie?

— Rien du tout.

— Pause d'une demi-heure », dit Feather aux musiciens. Dans un grand bruit de chaises, ils descendirent de l'estrade, bavardant, entre eux. May jeta sur ses épaules un manteau en poil de chameau. Feather et elle se dirigèrent vers la porte, marchant instinctivement du même pas, avec un ensemble qui exaspéra Willie. Il émergea de derrière ses palmiers, très gêné de son manteau de quart, de son écharpe blanche et de sa casquette fanée.

— Bonjour, May.

La jeune femme trébucha, se raccrochant d'une main au bras de Feather. Sa bouche s'ouvrit. Elle balbutia : « Mon Dieu, Willie. Tu voulais me faire mourir de saisissement? Depuis... depuis combien de temps es-tu là?

— Je viens d'arriver. Je ne voulais pas vous interrompre...

— Je... Walter, je te présente Willie Keith... Commandant

Keith ou lieutenant Keith... Je ne sais plus? Tu es toujours commandant de ce dragueur de mines?

— Je l'ai remis ce matin à l'Arsenal. »

Feather tendit la main. « Heureux de vous connaître, Willie Marie m'a parlé de vous... » Ils se serrèrent la main. Feather n'était pas si mal; la photo affichée dans le hall ne le flattait pas. Il avait un visage expressif et séduisant, des yeux sombres et des fils d'argent dans les cheveux. Sa poignée de main était énergique et sa voix, bien timbrée, ferme et agréable.

— Bonjour, Marty, dit May, d'un ton froid.

— Si vous veniez prendre quelque chose avec nous tous les deux? dit le chef d'orchestre. Nous allions justement manger un morceau...

— Je voudrais te parler, May, dit Willie.

— Parfait, en ce cas tout le monde au bar, dit Feather.

— Je voudrais te parler, May, répéta Willie, d'un ton sombre.

Elle lança un regard timide à Feather. Elle avait l'air d'un animal traqué.

— Comme tu voudras, Marie, dit Feather. On n'a pas beaucoup de temps...

Elle caressa la main du musicien. « Je ne serai pas longue, Walter. Va devant, je te rejoins. »

Feather acquiesça et souriant dit à Willie : « On est fin prêt pour le défilé, lieutenant?

— Je ne défile pas.

— Oh. Dommage. Eh bien, venez donc ce soir. Amenez quelqu'un. Vous serez mes invités.

— Je vous remercie.

— Venez, Marty, dit Feather. Allons prendre un café. »

May et Willie étaient seuls dans la grande salle de bal aux murs couverts de décorations indiennes. Les chaises et les tables s'alignaient en longues files tristes. « Qu'est-ce qui t'a pris de te teindre les cheveux? » dit Willie. Sa voix résonnait dans la salle déserte.

— Ça ne te plaît pas? Ils s'affrontaient, à cinquante centimètres l'un de l'autre, comme deux boxeurs.

— Non. Je trouve ça dur et vulgaire.

— Merci, mon chou. Tous les critiques de music-hall m'ont félicitée de ce changement.

— Les critiques de music-hall sont idiots.

— Tu es revenu de charmante humeur.

— Tu veux prendre quelque chose?

— Peu importe. Tu as dit que tu voulais me parler. C'est le moment ou jamais si tu veux un tête-à-tête.

Ils allèrent s'asseoir à la table la plus proche. Willie ouvrit son manteau et ôta son écharpe. May serra son manteau autour d'elle. Il crut la voir frissonner. « Tu as changé, dit-elle.

— Pourquoi n'as-tu pas répondu à ma lettre?

— Qu'est-ce que Marty t'a dit?

— Je me fous de Marty.

— Tu as toujours détesté Marty. Tu n'as jamais voulu croire quel ami c'était pour toi. Dieu sait pourquoi il t'aime tant...

— Tu ne trouvais pas que j'avais droit à une réponse? Rien qu'un mot pour dire non merci, je me suis trouvé un chef d'orchestre et je me suis fait teindre en blonde?

— Je n'ai pas à écouter tes grossièretés. Souviens-toi seulement, mon bon ami, que c'est toi qui m'as jetée dans le ruisseau. Si quelqu'un m'a ramassée, qu'est-ce que ça peut te fiche?

— May, tout ce que j'ai dit dans cette lettre tient toujours. » Il avait envie d'ajouter : « Je t'aime », mais il n'y arriva pas. Il y avait trop de masques aztèques grimaçants autour d'eux.

L'expression de May s'adoucit. « C'était une lettre merveilleuse, Willie. J'ai pleuré dessus. Je l'ai toujours. Mais tu l'as écrite quatre mois trop tard.

— Pourquoi? Tu es fiancée, mariée? Qu'est-ce qui s'est passé? » May détourna les yeux.

Une grimace de douleur tordit le visage de Willie. « Tu es sa maîtresse? demanda-t-il carrément.

— C'est un mot démodé. On parlait de maîtresses du temps de Dickens.

— May, réponds-moi. »

Elle le regarda bien en face. Elle était si pâle que son maquillage semblait criard. « Enfin, qu'est-ce que tu crois? Qu'est-ce que font les grandes personnes quand elles passent la journée et la nuit ensemble, comme Walter et moi... elles jouent aux billes? Tout le monde est au courant. Tu as de ces questions idiotes de puritain? » Les larmes lui montaient aux yeux.

Willie pouvait à peine parler. Il avait la gorge serrée. « Je... très bien, très bien, May.

— Comme ça, je pense que ça règle la question?

— Pas forcément... je... » Il s'appuya la tête sur le poing. « Donne-moi dix secondes pour m'y faire...

— Dix secondes, ça te suffit? dit-elle amèrement. Tu as les idées larges. »

Willie la regarda et acquiesça. «Bon, ça y est. Veux-tu m'épouser?

— Tu joues les nobles cœurs maintenant? C'est ta grande ressource. Demain matin tu auras réfléchi et tu te défileras gracieusement...

— May, écoute, je t'aime et je t'aimerai toujours. Tu as pu m'appeler de tous les noms, je les mérite. Tout ce qui est arrivé est de ma faute. Nous aurions pu avoir un amour parfait, le grand jeu printanier dont on parle dans les livres. J'ai gâché ça. Mais toi et moi nous sommes faits l'un pour l'autre. Ça, je le sais. » Il lui prit la main. « Si tu m'aimes, May, épouse-moi. »

May ne retira pas sa main. Il crut même sentir une légère pression. Les cheveux blonds le déconcertaient complètement. Il essayait de ne pas les voir. « Qu'est-ce qui t'a changé, Willie? Tu as beaucoup changé, tu sais.

— J'ai failli mourir et je me suis rendu compte que tout ce que je regrettais, c'était toi. » Il savait que c'était une phrase qui faisait de l'effet, mais il se demandait en lui-même si c'était vrai qu'il la voulait, au fond. Mais il ne pouvait plus maîtriser son émotion. May était quelque part sous l'enveloppe de cette créature et c'était May qu'il allait avoir.

— Willie, fit-elle d'un ton las, qu'est-ce que tu veux que je fasse? Que je t'accompagne au collège sur l'allocation du GI, que je fasse griller des côtelettes sur un réchaud électrique, que je lave des couches en parlant littérature? Je me fais deux cent cinquante dollars par semaine, maintenant.

Il se pencha vers elle et l'embrassa. Les lèvres de May sourirent sous le baiser. Il se leva d'un bond, la prit dans ses bras et l'embrassa passionnément, et cette fois elle répondit comme autrefois. Elle se renversa dans ses bras en disant d'une voix rauque : « Stupéfiant. Ça marche toujours.

— Alors, c'est tout...

— Oh, mais non. Assieds-toi, beau matelot. » Elle le repoussa dans un fauteuil, puis s'assit à son tour et se mit la main sur les yeux. « Pourtant, je dois dire que ça m'embrouille un peu. Ça me surprend...

— Est-ce que tu aimes ce Feather?

— Si tu appelles amour ce que nous avons connu, ces choses-là n'arrivent pas deux fois. Dieu merci.

— Il est vieux.

— Toi, tu es jeune. A bien des égards, c'est encore pire.

— Tu ne peux pas embrasser deux hommes comme tu viens de m'embrasser. Tu n'es pas amoureuse de lui.

— On ne passe que relativement peu de temps au lit, tu sais.

— Mais ça aide à passer le reste du temps.

— Tu as toujours eu de la repartie. Franchement, Willie, à quoi bon revenir comme ça? Tout ça est sali, cassé, fini maintenant. C'était merveilleux, mais tu as tout gâché.

— Ça n'est pas seulement une question d'épiderme. Nous pensons toujours la même chose. Nous parlons comme nous l'avons toujours fait. Même ces choses pénibles que nous nous disons sont vivantes et ont leur prix parce que nous nous les disons l'un à l'autre...

— Figure-toi que maintenant j'ai pris goût à l'argent.

— Alors je t'en donnerai.

— Celui de ta mère.

— Pas du tout, je ferai des affaires, si vraiment tu veux de l'argent. Je peux me mettre à n'importe quoi...

— Je croyais que tu voulais enseigner.

— Parfaitement et je crois que tu es en train de parler pour ne rien dire. Tu temporises. »

May avait l'air désemparée. « Tu ne comprends donc pas quel

terrible chagrin tu m'as fait? Je croyais que notre amour était
fini une fois pour toutes. Et j'en étais contente...
— Il n'est pas fini. Nous avons encore toute la vie... »
Elle le dévisagea froidement. « Bon, eh bien puisque tu te
montres si noble, j'ai envie de te dire quelque chose. Peu m'importe
si tu ne me crois pas et je ne le dis pas pour changer quelque
chose. C'est simplement pour que tu saches que vous êtes deux
nobles cœurs dans cette histoire. Je n'ai pas couché avec Walter.
Il n'est donc pas question de sauver une pauvre épave. » Elle eut
un sourire sarcastique en voyant son air ahuri. « Évidemment,
tu n'arrives pas à l'avaler. Je t'ai dit que ça m'était égal...
— Mais si, May, bien sûr que je te crois...
— Ça n'est pas qu'il se soit privé d'essayer, Dieu sait; et il essaie
encore, gentiment. Seulement, voilà. Il a vraiment envie de
m'épouser. Et ce n'est pas un collégien gourmand. Il n'est pas
encore divorcé. Et j'ai toujours ce terrible préjugé catholique qui
m'empêche de coucher avec un homme marié. Personne d'autre
ne le croirait, il n'y a donc pas de raison que tu le croies...
— May, est-ce que je peux te voir ce soir après le spectacle?
— Non, Walter donne une party...
— Demain matin?
— Tu as bien dit le *matin?*
— Après-midi alors?
— Tu penses encore en marin. Qu'est-ce que des gens civilisés
peuvent faire l'après-midi?
— L'amour. »
Elle éclata d'un rire franc et profond. « Idiot. J'ai dit les gens
civilisés, pas les Français. » Dans son regard s'alluma cet éclair
de gaieté qui avait toujours marqué leurs relations. « Tu sais, tu es
toujours Willie, après tout. Tu avais l'air si rébarbatif tout à
l'heure...
— C'était à cause de tes cheveux, May. Ils m'ont mis hors de
moi. Tu avais les plus beaux cheveux du monde...
— Je sais que tu les aimais. C'est une idée de Walter. Il voit
ça d'un point de vue très commercial. Il fait faire des sondages
d'opinion et tout le public veut des chanteuses blondes, voilà
tout. » Elle porta les mains à ses cheveux. « C'est vraiment si
épouvantable? Est-ce que j'ai l'air d'une femme de mauvaise
vie, ou quoi?
— Ma chérie, mon amour, reste blonde toute ta vie si tu veux.
Je ne sais même pas de quoi tu as l'air. Je t'aime.
— Willie, pourquoi as-tu failli être tué? Qu'est-ce qui s'est passé? »
Il lui raconta l'histoire du Kamikaze tout en surveillant ses
yeux. Il reconnut le regard qu'il vit s'y allumer. Il avait l'impression
que la vraie May venait jeter un coup d'œil par les fenêtres de
la chanteuse. Elle était toujours là.
— Et... et alors tu as écrit cette lettre?
— Le soir même.

— Et tu n'as pas eu envie de tout retirer le matin?

— Mais je suis ici, May. J'ai même essayé de te téléphoner de Pearl Harbor...

— Ça me fait un drôle d'effet de t'entendre m'appeler May. Je suis habitué à Marie maintenant.

— Tiens, et j'ai eu droit à ça, en récompense de ma merveilleuse vaillance. Il tira de sa poche l'écrin, en sortit l'Étoile de bronze et la montra à May. Elle ouvrit de grands yeux admiratifs. « Tiens, prends-la.

— Qui, moi? Mais tu es fou.

— Je veux que ce soit toi qui l'aies. C'est le seul plaisir que j'en retirerai jamais...

— Non, Willie, non...

— Je t'en prie...

— Pas maintenant. Reprends-la. Je ne sais pas, peut-être une autre fois... c'est... Merci, mais remets-la dans ta poche. »

Il obéit et ils se regardèrent. Au bout d'un moment, elle dit : « Tu sais à quoi je pense.

— Non, mais j'ai bon espoir.

— Nous pourrions essayer un autre baiser. Puisque tu es un héros. » Elle se leva, écarta son manteau et s'accrocha à lui, l'embrassant avec violence. La tête blottie contre l'épaule de Willie, elle dit d'une voix faible : « J'avais toujours pensé que j'aimerais avoir des enfants de toi...˙avant. Je... avec Walter, ça n'est pas pareil... Willie, je n'ai pas de poumons d'acier...et, et puis je ne sais pas... tu n'oublierais jamais Walter... et moi non plus... franchement, tu me fais mal. J'étais bien remise d'aplomb il y a encore une heure...

— Tu étais heureuse?

— Heureuse? Être heureuse, pour moi, c'est ne pas avoir de jambe cassée. » Elle se mit à pleurer.

— Je te jure que tu as tort, May... »

Elle se dégagea brusquement et tira une glace de la poche de son manteau. « Seigneur, mieux vaut que Walter ne me voie pas dans cet état! » Elle répara hâtivement son maquillage. « Willie, démon, tu ne m'as jamais attiré que des ennuis, tu es mon mauvais génie. » La poudre jaillissait en petits nuages de la houppette. « Cette idée de vouloir élever les enfants dans la religion catholique! C'est en lisant ça que j'ai commencé à pleurer... c'était si ridicule, parler d'enfants. *Quels* enfants? ...Regarde ces yeux. Creux et brûlés... » Des musiciens commencèrent à arriver par les rideaux de la scène. May leur jeta un coup d'œil par-dessus son épaule. Son sourire se dissipa et son visage reprit une expression professionnelle. Elle rangea poudre et rouge à lèvres. « Je te vois demain? dit Willie rapidement.

— Oh, bien sûr, pourquoi pas? Je déjeunerai avec toi. Mais il faut que j'aille enregistrer à trois heures et demie. »

— Et demain soir?

— Willie, ne me bouscule pas. Et ne commence pas à bâtir des châteaux en Espagne. Nous n'avons rien dit de sensé... je me sens ivre... ça ne prouve rien... Écoute, sois gentil, essuie cette marque de rouge à lèvres... » Elle lança à nouveau un regard gêné vers les musiciens.

Il s'approcha d'elle et lui souffla à voix basse : « Je t'aime. Nous serons heureux. Pas à l'aise. Heureux. Pas à deux cent cinquante dollars par semaine. Heureux. Heureux et amoureux.

— C'est ce que tu dis. A demain.

— J'aime aussi tes yeux, dit Willie, et ton visage et ta voix et ta bouche. Je ne veux même pas te quitter. Prenons rendez-vous pour le petit déjeuner au lieu du déjeuner, petit déjeuner à sept heures. Je vais prendre une chambre dans ton hôtel, pour pouvoir être à quelques étages seulement de toi...

— Non, non, pas pour le petit déjeuner. Ne descends pas à mon hôtel. Ne sois pas idiot. La guerre est finie, nous avons le temps, tout le temps du monde. Willie, n'aie pas cet air égaré et file, pour l'amour du ciel, j'ai à travailler... » Elle se retourna brusquement, tremblante, et se dirigea vers la scène, serrant son manteau autour d'elle.

La porte s'ouvrit et Walter Feather entra. « Salut, lieutenant. Si vous voulez voir le défilé de la Marine, il descend la Cinquième Avenue. On entend les tambours d'ici. »

Ils se dévisagèrent un moment et Willie trouva dans l'expression du chef d'orchestre quelque chose qui lui rappela invinciblement Tom Keefer : c'était peut-être une condescendance un peu moqueuse, ou bien une certaine mollesse sous la vivacité apparente. Cela lui donna du courage. Il avait fini par avoir Keefer.

— Merci, Feather. Je crois que je vais aller jeter un coup d'œil. Il se tourna une dernière fois vers la scène. May les observait, une partition à la main. Il lui fit un geste d'adieu, elle répondit par un petit signe de tête. Il sortit.

Les rues retentissaient des accents des cuivres. Il hâta le pas vers la Cinquième Avenue, se glissa au premier rang et regarda défiler la Marine, en uniformes bleus. En entendant la musique, il se redressa dans son lourd manteau de quart. Mais il n'éprouva aucun regret de n'être là qu'en spectateur. Son esprit était tout occupé de la lutte qui l'attendait. Il allait faire de May sa femme. Il ne savait pas quel genre de vie ils allaient pouvoir mener, il ne savait même pas s'ils seraient heureux, et pour l'instant il n'y pensait même pas. Il allait faire de May sa femme.

Des morceaux de papier tombaient en pluie sur les guerriers victorieux; et parfois l'un d'eux en voletant venait frôler le visage du dernier commandant du *Caine*.

TABLE DES MATIÈRES

CINQUIÈME PARTIE

LA MUTINERIE

SIXIÈME PARTIE

LE CONSEIL DE GUERRE

SEPTIÈME PARTIE

LE DERNIER COMMANDANT DU *CAINE*